# 国内外水利水电工程混凝土裂缝及其防治技术研究

戴会超　王　建　主编

黄河水利出版社

**内 容 提 要**

本书选编了国内外有关水利水电工程混凝土裂缝及其防治技术的论文 76 篇,其中国内论文 46 篇,国外论文 30 篇,从不同角度论述了各种自然条件下大体积水工混凝土建筑物裂缝的实例,分析了产生裂缝的原因,介绍了预防裂缝的措施和裂缝处理的技术经验。可供水利水电工程设计、施工、科研人员参阅,也可作为有关大专院校师生的参考书。

**图书在版编目(CIP)数据**

国内外水利水电工程混凝土裂缝及其防治技术研究/戴会超,王建主编.—郑州:黄河水利出版社,2005.2
ISBN 7-80621-851-3

Ⅰ.国… Ⅱ.①戴… ②王… Ⅲ.水利水电-水利工程-混凝土-裂缝-防治-文集 Ⅳ.TV543-53

中国版本图书馆 CIP 数据核字(2004)第 111557 号

---

出 版 社:黄河水利出版社
地址:河南省郑州市金水路 11 号 邮政编码:450003
发行单位:黄河水利出版社
发行部电话及传真:0371-6022620
E-mail:yrcp@public.zz.ha.cn
承印单位:河南第二新华印刷厂
开本:889mm×1 194mm 1/16
印张:37.75
字数:1090 千字 印数:1-1 000
版次:2005 年 2 月第 1 版 印次:2005 年 2 月第 1 次印刷

---

书号:ISBN 7-80621-851-3/TV·376 定价:126.00 元

# 前　言

大坝等水工混凝土建筑物的裂缝,不仅会影响工程外观和正常运行,还可能影响工程安全,缩短工程寿命。原水电部曾组织国内有关专家对全国大中型水电工程的耐久性进行调查,调查结果表明,影响大坝耐久性的最主要和最普遍因素是混凝土裂缝。因为坝体一旦有了裂缝,混凝土内的氧化钙就会随裂缝中的渗水析出,使混凝土强度明显降低,并加快表层风化;如果是钢筋混凝土,裂缝的存在会使钢筋很快锈蚀,有效断面减小直到断裂,从而使结构发生破坏。因此,防止水工混凝土建筑物产生裂缝,历来是水工建筑物设计和施工的重要研究课题。长期以来,国内外工程专家、学者对此开展了大量的研究,并取得了一系列具有实际意义的重要成果,对大坝结构的防裂、限裂发挥了积极作用。然而,由于问题的复杂性,裂缝问题目前仍未彻底解决,依然困扰着混凝土建筑物的设计和施工。随着现代筑坝技术的进步及水电开发的深入,高坝大库不断涌现,对水工混凝土结构的抗裂性能也提出了更高的要求。这些现实问题要求我们对混凝土抗裂特性、裂缝机理、控制措施和裂缝修补技术等进行更为深入的研究。

本书收集了国内外近50座典型大坝的裂缝情况。坝型包括重力坝、拱坝、面板堆石坝、支墩坝等,裂缝类型涉及温度裂缝、干缩裂缝、荷载裂缝等多种形式,并详细地描述和分析了裂缝的原因及发生发展过程,对广大工程技术和研究人员了解裂缝产生的机理以及裂缝预防控制措施,具有较强的指导作用。同时,本书还收集了裂缝检测与处理的相关内容。希望本书的出版,能够为我国大坝及其他水工混凝土结构的设计、施工和运行以及病险结构的补强加固处理略尽微薄之力。

本书内容大部分摘录自国内外公开发表的文献,其中也有一些是国内科研机构的内部科研成果和资料。这些文献的作者是本书内容的创造者,这里谨向他们表示最衷心的感谢。

限于时间和编者水平,书中很可能存在不足之处乃至错误,这一切都是编者的原因,与原文作者无关,请读者批评指正。

**编　者**

2004年10月

# 前言

# 目　录

## 国内部分

国内典型混凝土坝裂缝情况调查与分析……………………中国水利水电科学研究院结构材料所(3)
国内混凝土坝裂缝成因综述与防止措施 ……………………… 丁宝瑛 王国秉 黄淑萍 岳跃真等(49)
防止三峡大坝上游坝面产生垂直裂缝的研究 ………………………………………… 汪安华 许志安(56)
二滩水电站拱坝混凝土配合比和温控 ……………………………………………… 李嘉进 陈万涛(64)
二滩高拱坝混凝土的特点和裂缝的关系 ………………………………………………………… 李嘉进(68)
混凝土重力拱坝出现裂缝的初步分析 ……………………………………………… 宋恩来 孙向红(73)
李家峡水电站混凝土裂缝分析及处理 …………………………………… 王再芳 刘正兴 金永才(77)
青铜峡大坝电站坝段三大条贯穿性裂缝及3号胸墙裂缝处理 ……………………… 王春华 邹少军(82)
青铜峡大坝变形"疑点"的物理成因分析 ………………………… 顾冲时 马福恒 吴中如 贾思宏(87)
浅谈佛子岭水电站连拱坝裂缝处理 ……………………………………………………………… 朱彤(92)
观音阁水库大坝施工中的温控措施及裂缝处理 …………………………………… 杜志达 关佳茹(96)
丰满大坝溢流面裂缝问题研究 ……………………………………… 李正国 赵淑明 王永志(101)
丰满大坝溢流坝段闸墩加固技术 …………………………………………………… 李才 朴灿日(106)
故县水库大坝溢流面反弧段裂缝分析及处理……………………… 张平安 支维定 崔晓波 胜洪勋(110)
预应力锚固技术在混凝土坝裂缝处理中的应用……………………………………………… 汪强(114)
大峡水电站溢洪道边墩裂缝处理………………………………………………………………… 黄波(117)
陈村大坝补强加固工程取得良好效果………………………………………………………… 邢林生(122)
陈村重力拱坝裂缝加固方案及其效应初探 …………………………… 沈长松 陆绍俊 林益才(127)
虎盘水电站大坝裂缝成因分析与处理………………………… 陈维杰 张建生 刘建国 李孟奇(133)
东江坝体混凝土裂缝及其处理………………………………………………… 中南勘测设计研究院(136)
西北口面板堆石坝面板裂缝成因分析 ……………………………… 罗先启 刘德富 黄峄(143)
三峡二期工程泄洪坝段裂缝处理质量控制 ………………………………………… 杜泽快 郑路(166)
柘溪大坝1号支墩劈头裂缝处理……………………………………………………………… 李友楼(170)
水工大体积高性能混凝土裂缝原因分析 …………………………………………… 曹恒祥 殷保合(174)
小浪底水利枢纽导流洞混凝土衬砌裂缝分析 ……………………………… 徐运汉 薛喜文 肖强(186)
李家峡水电站主坝混凝土裂缝及缺陷处理 ………………………………………… 钱宁 薛振江(190)
从丰乐混凝土双曲拱坝裂缝的分析探讨拱坝设计中的有关问题 ………………… 张丹青 陈怀宝(195)
防止水工混凝土裂缝的措施和修补方法…………………… 王国秉 丁宝瑛 王历 江光亚等(199)
葛洲坝1号船闸混凝土裂缝成因及加固研究 ……………………………………… 杨本新 李江鹰(208)
潘家口水库主坝水平裂缝问题探讨……………………………………………………………… 徐宏宇(214)

松山堆石坝面板混凝土裂缝成因调查与分析 …………………… 梁龙 黄如卉 韩会生 王德库(220)
柘溪支墩坝劈头裂缝研究及其强度监测 …………………………………… Tu Chuanlin(231)
三峡工程大体积混凝土裂缝处理施工技术 ………………………… 傅自义 赵葳 王剑(240)
三峡永久船闸中隔墩裂缝原因分析 ……………………………………… 杨启贵 王冬珍(246)
三峡二期工程大坝混凝土施工温度控制的综合技术…………………………………… 周厚贵(249)
三峡工程混凝土施工及温控科研成果 …………………………………… 戴会超 张超然(256)
加强混凝土坝面保护 尽快结束"无坝不裂"的筑坝历史 ………………… 朱伯芳 许平(262)
重力坝的劈头裂缝………………………………………………………………………… 朱伯芳(267)
从拱坝实际裂缝情况来分析边缘缝和底缝的作用……………………………………… 朱伯芳(274)
通仓浇筑常态混凝土和碾压混凝土重力坝的劈头裂缝和底孔超冷问题 ………… 朱伯芳 许平(280)
三峡大坝16号泄洪坝段跨缝板对上游面应力的影响 ……………… 许平 朱伯芳 杨波(286)
新安江水电站19～20号坝段伸缩缝上游面水下防渗处理 ………… 包银鸿 谭建平 周华文(293)
水工大体积混凝土裂缝的预防与处理…………………………………………………… 许春云(300)
CW系化学灌浆材料的性能及工程应用 ………………………………… 魏涛 薛希亮 苏杰(305)
大坝水平裂缝端部防渗灌浆 ……………………………………… 袁世茂 宋明波 齐勇才(308)
三峡二期工程混凝土裂缝化灌材料及工艺研究 ………………………… 何小鹏 颜家军(312)

## 国外部分

混凝土坝的裂缝——美国垦务局工程实例 …………………………… [美国]H.L.鲍格斯(319)
美国陆军工程师团对所属混凝土大坝产生裂缝原因的再分析
…………………………………………………………… [美国]C.D.诺曼 F.A.安德森(327)
因混凝土膨胀而引起的大坝裂缝 …… [法国]J.C.米勒 D.瑞尼埃尔 B.哥格尔 G.米歇尔(333)
膨胀作用原因以外的混凝土坝裂缝 ……………………………………… [法国]A.卡列尔等(343)
避免大体积混凝土温度变化产生裂缝的预防措施 ………………………… [巴西]V.A.保伦等(354)
弗卢门多萨拱坝的修补工程 …………………………………………… [意大利]R.西尔瓦诺等(362)
韩国忠州大坝对所出现的细小裂缝采取的对策………………………… [韩国]H.S.LEE,PE(368)
巴伊纳巴什塔坝左坝肩裂缝分析与修补 ………………………… [南斯拉夫]V.利迪卡(373)
雷维尔斯托克重力坝大体积混凝土的开裂 ………………………… [加拿大]W.J.布鲁尼尔等(376)
萨彦舒申斯克大坝上游面渗漏裂缝灌浆处理的经验 ……………… [俄]B.H.布雷兹加洛夫等(385)
用合成树脂修复大坝混凝土裂缝 …………………………………… [西班牙]F.马泽斯等(390)
混凝土坝温度应力裂缝的成因与控制…………………………… [日本]Tadahiko Fujisawa等(394)
如何避免大体积混凝土的温度裂缝 …………………………………… [奥地利]R.威德曼(405)
重力拱坝受损的一个原因——环境的温度作用……… [西班牙]佩雷兹 卡斯特兰诺斯,J.L.等(412)
大体积混凝土坝温度裂缝形成的准则和预防措施 ………………… [苏联]N.S.罗沙诺夫等(415)
按浇筑层施工的混凝土坝块温度应力状态的数学模型 ……………… [保加利亚]O.桑特吉安(420)
土耳其奥马皮纳尔拱坝为防止施工混凝土出现裂缝所采取的技术措施 … [德国]H.J.谬尔等(427)

硅粉在挪威弗尔瓦斯大坝中的使用…………………………………… [挪威]I. 博尔塞斯(432)
对20座拱坝损坏现象的探讨…………………………………………… [瑞士]M. 赫尔措格(436)
拱坝的剪切破坏 ………………………………………………………… 隆巴迪·吉凡尼(450)
高拱坝坝体中开裂的模拟(Ⅰ)………………… [奥地利]H. N. 林斯鲍尔 H. P. 罗斯马尼斯等(461)
高拱坝坝体中开裂的模拟(Ⅱ)………………… [奥地利]H. N. 林斯鲍尔 H. P. 罗斯马尼斯等(472)
柯恩布赖茵拱坝:特殊问题特殊处理 ……………………………………………… G. 隆巴迪(480)
法国四座拱坝的严重损坏情况………………………………………………… 刘泊生(摘译)(485)
Kolnbrein拱坝坝踵开裂机理探讨 ………………………………………… 夏颂佑 鲁慎吾(494)
苏联混凝土高坝建设中的温度控制问题 …………………………… 丁宝瑛 王国秉 杨菊华(501)
德沃夏克坝和利贝坝采取的大体积混凝土裂缝控制措施………… D. L. Houghton 著 傅振邦译(558)
彼得拉得阿吉拉坝裂缝预防和处理措施 ……………………………… [阿根廷]A. 帕奇尔等(568)
大体积混凝土温差应力引起的裂缝的监测与分析 ……… Takushi Yonezawa Shigeharu Jikan(574)
一个老问题:混凝土坝裂缝 一种新技术:碾压混凝土 …………………… Robert E. Philleo(586)

# 国内部分

# 国内典型混凝土坝裂缝情况调查与分析

中国水利水电科学研究院结构材料所

## 1 前 言

混凝土高坝体积庞大,受其自身和周围介质温度、湿度变化的影响,以及基础约束的作用,往往在不同部位产生很大的约束应力,极易产生裂缝。几十年来,如何防止混凝土坝裂缝,一直是世界各国坝工建设中的一项重大技术问题。遗憾的是,到目前为止这项技术还不够完善,甚至在一些基本观点上,诸如:温度控制防止裂缝的重点是防止基础贯穿裂缝,还是防止表面裂缝;温控措施是以降温为主,还是以保温为主;在分缝分块方面是柱状块还是通仓浇筑等等,在国内外都还存在着相当大的分歧。总而言之,在混凝土坝温控防裂方面,还没有一个统一的认识。这既与每一个国家技术发展程度有关,也与这项技术的理论与实践认识水平有关。

早在20世纪30年代,美国由于当时几座未能很好地采取温控防裂措施的大坝,发生了严重裂缝,所以在修建胡佛坝(原名为Boulder坝)时,曾进行了较系统的温控防裂研究,到目前为止这些研究总结还有很大的参考价值。胡佛坝是美国垦务局(U.S.Bureau of Reclamation)的代表作,其特点是柱状分块、水管冷却(二期)、接缝灌浆形成整体。这项技术对温控要求较低是其优点,在世界各国多有仿效;但按这种方法施工对大坝的整体性形成较多弱点,以及由于冷却灌浆可能延误工程投入运行的时间,又使相当多的工程技术人员持有异议。其中就有美国另一著名筑坝机构美国陆军工程师团(U.S.A.Corps of Engineers)倡导了一种通仓浇筑的技术,大坝全断面整体薄层浇筑,不分任何纵缝(最长底宽达到150m,如德沃夏克坝)。这项技术的特点是大坝整体性好,基本上浇筑结束后工程即可投入运行,提前发挥效益;但是其温控要求严,技术水平要求高。与陆军工程师团持相似观点的,在美国尚有田纳西河流域管理局(T.V.A.)、哈扎公司(Harza Engineering Company)等一些公、私工程单位。由于他们在世界各地承建工程较多,使这项技术具有世界范围的影响。目前,我国有的工程也在研究采用这项技术(如二滩拱坝、五强溪重力坝等)。

20世纪50年代以来,苏联在西伯利亚和中亚细亚地区修建了一系列高坝,基本上采用了美国垦务局倡导的柱状分块方法。由于气候严寒和温控要求不严,控制不力,出现了大量裂缝,有的还相当严重(如布拉茨克 Брацк 坝)。以全苏水工研究院艾捷里曼(Эидепман)为首的许多科研人员,对布拉茨克大坝的裂缝,进行了系统的调查研究和观测分析,取得了十分宝贵的资料。

至于欧洲和日本,在温控防裂方面没有什么特色,基本上沿袭美国的方法,值得注意的是,他们能很好地安排工期,躲开严冬和酷暑,基础混凝土又能安排在最有利季节浇筑(如日本),从而也能节省投资、减少裂缝,并保证质量。

值得一提的是加拿大的情况。以往加拿大热衷于提倡高块浇筑,当时他们修筑的大坝一般较低。近些年,由于修筑了像瑞沃尔斯脱克(Raverstock Dam)这样150m高的重力坝,底宽126m,竟一反常态也采用了通仓薄层浇筑的方案。

---

参加本文工作的有丁宝瑛、王国秉、黄淑萍、岳跃真、胡平、董福品和孙计平。原水电部中南勘测设计院、华东勘测设计院、西北勘测设计院、东北勘测设计院、天津勘测设计院、海河设计院、水电部第八工程局、第四工程局、水电部引滦管理局、河北省大黑汀工程指挥部、水电部第十二工程局、葛洲坝工程局、长江科学院等兄弟单位,大力协作提供大量资料并给予方便,特此鸣谢。本文由丁宝瑛执笔编写。

尽管目前国内外在大坝温度控制和防裂的观点上甚至在理论上还有不同看法,但有一点是相同的,那就是,裂缝的出现会破坏大坝的整体性、降低混凝土的耐久性并可能导致渗漏。笔者认为:在坝体裂缝中,平行坝轴线的垂直贯穿性裂缝最危险,它可能因破坏坝的整体性而威胁坝的安全,因而在施工中和运行时应绝对防止。上游顺水流方向的深层裂缝,一般会引起渗漏和溶蚀,对特殊坝型(如大头坝)也会造成坝的整体安全问题,要小心从事。对于表面裂缝,由于其深度较浅,危害性一般较小,但其发生在不同部位,引起的危害也不同。例如基础约束部位,由于这里最终产生大面积拉应力,表面裂缝也可能发展成贯穿裂缝。对于脱离基础约束区的坝体,由于其变形比较自由,应力较小,较浅的表面裂缝的危害性也较小。一般在施工时发生的大坝裂缝,大多数是表面裂缝,如上所述,在一定条件下可能发展为贯穿性裂缝。因此,近年来国外对如何防止表面裂缝的问题给予了高度重视,发展了高分子类的化学材料,起到很好的保护效果。国内在这方面也有很大发展。

一般说来,大坝的大部分裂缝是在施工期内产生的,但是运行期间有些工程也产生了不少裂缝,笔者研究了国内外这类裂缝的情况后认为:这种情况的发生与设计原则关系极为密切,基本上可以说是设计考虑不周造成的。施工期产生的裂缝,处理不当或不彻底,在运行期有些裂缝会发展,有时会造成很大的问题,如我国柘溪大头坝的劈头裂缝的发展就属此类。

新中国建立以来,我国已经兴建了不少各类混凝土坝,目前已建或正在建设的百米以上混凝土坝有25座。由于种种原因,我国混凝土坝裂缝问题未能在实践中很好解决,近期正在施工的一些混凝土高拱坝,有的曾经发生过相当严重的裂缝,从而引起各方面的重视。

本文通过对国内典型混凝土坝裂缝情况的调研及裂缝原因的分析,希望总结出一些规律,提出一些问题,供以后在混凝土高坝设计和施工中制定防止裂缝的原则、方法和措施时考虑。

## 2　裂缝调查概况

自1987年1月开始,到1988年5月先后多次对国内一些典型混凝土坝工程,进行了裂缝调查和资料收集的工作。这些工程计有:龙羊峡重力拱坝、紧水滩双曲拱坝、东江双曲拱坝、白山重力拱坝、乌江渡拱形重力坝、刘家峡实体重力坝、潘家口低宽缝重力坝、新安江宽缝重力坝、丹江口宽缝重力坝、柘溪单支墩大头坝、葛洲坝水电站、葠窝重力坝、桓仁单支墩大头坝、枫树坝空腹宽缝重力坝、大黑汀宽缝重力坝等共15座大坝,除了葠窝、葛洲坝和大黑汀坝高50m左右外,其余大坝均属高坝。最高的为龙羊峡重力拱坝,坝高178m。最大混凝土工程量为葛洲坝工程,总方量为990万$m^3$。这些工程分布在全国各地。最北的白山重力拱坝位于吉林省第二松花江上;最南的枫树坝位于广东省东江干流上;最东的为浙江紧水滩拱坝;最西的有龙羊峡大坝。这些工程地处不同地区,其气象、水文、地质、坝型、坝高等都不同,所用混凝土标号、水泥、掺合料各异,分缝、分块也有差别,施工方法也不尽一样。因此,大坝的裂缝多少,裂缝严重程度也不同。表1列出了这些工程的一些重要数据,现摘其要者简述如下。

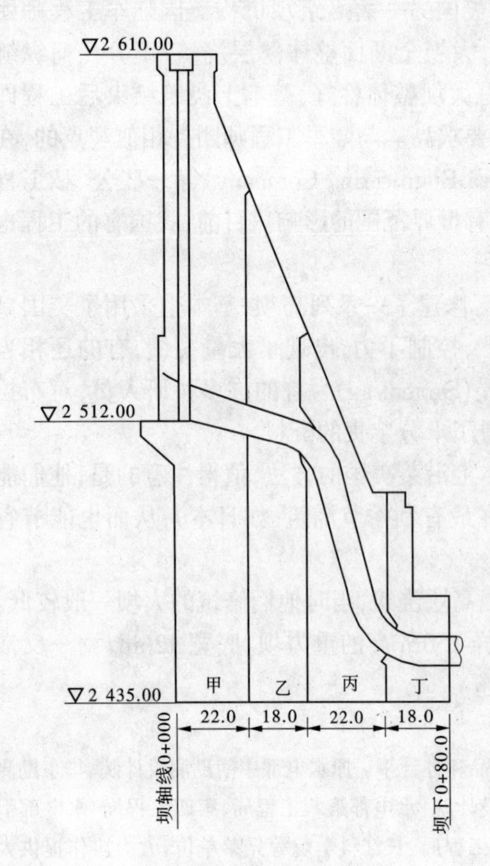

**图1　龙羊峡拱坝剖面图**(单位:m)

### 2.1　龙羊峡重力拱坝

龙羊峡水电站(拱坝剖面见图1)位于我国西北青海

**表 1** 我国 15 座大坝有关裂缝问题统计(一)

| 序号 | 工程名称 | 修建年代(年) | 坝型 | 坝高(m) | 基岩 | | 混凝土量(万 $m^3$) | 混凝土标号 | 水泥 | | 掺合料 | 外加剂 | 分块长度(m) | 分层厚度(m) |
|---|---|---|---|---|---|---|---|---|---|---|---|---|---|---|
| | | | | | 种类 | 弹模(MPa) | | | 品种 | 单位用量($kg/m^3$) | | | | |
| 1 | 2 | 3 | 4 | 5 | 6 | 7 | 8 | 9 | 10 | 11 | 12 | 13 | 14 | 15 |
| 1 | 龙羊峡 | 1982~1989 | 重力拱坝 | 178 | | | 154 | $R_{28}200\ S_8\ D_{50}$<br>$R_{28}200\ S_6\ D_{250}$<br>$R_{28}150\ S_6\ D_{50}$<br>$R_{28}250\ S_6\ D_{250}$ | 永登 525 号大坝硅酸盐 | 基础混凝土 167 | 30%粉煤灰 | $DH_3$<br>松香热聚物 | 纵缝 18~22<br>横缝最大 24 | 一般 3<br>个别 6 |
| 2 | 紧水滩 | 1984~1987 | 双曲拱坝 | 102 | 花岗岩 | 河床：$1.8\times10^4$<br>两岸：$1.5\times10^4$ | 30 | $R_{90}250\ S_{6-8}\ D_{100}$ | 江山 525 号硅酸盐 | 148~170 | 20%粉煤灰 37~43 $kg/m^3$ | 糖蜜 0.2% | 最长 26.5<br>拱冠梁 24.6 | 一般 1.0~1.5 |
| 3 | 东江 | 1983~1989 | 双曲拱坝 | 157 | | | 94.7 | $R_{90}350\ S_{12}\ D_{150}$<br>$R_{90}300\ S_{10}\ D_{100}$<br>$R_{90}250\ S_8\ D_{100}$<br>$R_{90}200\ S_6\ D_{50}$ | 湘东 525 号普通大坝水泥 | $R_{90}$350 号<br>设计 249<br>实际 206<br>或 173 加 15%煤灰 | 15%粉煤灰 | $DH_4$<br>801 | 最长为 35 | 1.0~2.0 |
| 4 | 白山 | 1976~1988 | 重力拱坝 | 147.5 | | | 163 | | 抚顺 525 号大坝<br>425 号矿渣大坝 | 基础混凝土 193~217<br>施工时多用 20~50 | | 金城塑化剂(0.2%) | 25~40 | 近基岩处 3×1.5，以上 3 |
| 5 | 乌江渡 | 1974~1982 | 拱形重力坝 | 165 | 灰岩 | $(1.8\sim2.0)\times10^4$ | 186.46 | 基础混凝土<br>$R_{90}200\ S_{10}\ D_{25}$<br>内部混凝土<br>$R_{90}150\ S_4\ D_{25}$ | 主要为水城水泥<br>500 号矿大<br>500 号矿渣<br>500 号普通 | 154 | | OP 平平加纸浆废液 NNO 木质素磺酸钙 | 分为 5 仓<br>(1)28.5×23<br>(2)24.5×21.5<br>(3)18×20<br>(4)22.5×19<br>(5)26×18 | 一般为 3，接近基岩处为 1.5 |
| 6 | 刘家峡 | 1958~1961<br>停 I<br>1964~1974 | 重力坝 | 148 | 云母石英片岩 | $(2\sim3)\times10^4$ | 91 | 基础混凝土 $R_{28}200$<br>内部混凝土 $R_{28}150$ | 抗酸 500 号<br>粉煤灰<br>大坝 600 号 | 基础混凝土 170~180 | | 天津纸浆废液，松香热聚物 | 最大 26.5<br>一般 22 | 基础 1.5，一般 3.0 |
| 7 | 潘家口 | | 低宽缝重力坝 | 107 | 角闪斜长片麻岩 | $1.2\times10^4$ | 266 | | 初期少量本溪水泥，以后固定抚顺 600 号和 500 号大坝水泥 | 210 | 粉煤灰 | 木质素横酸钙 | 甲戊块 19~25<br>乙丙块 14<br>丁块 17~19 | |

**续表 1(一)**

| 序号 | 工程名称 | 修建年代(年) | 坝型 | 坝高(m) | 基岩 |  | 混凝土量(万 m³) | 混凝土标号 | 水泥 |  | 掺合料 | 外加剂 | 分块长度(m) | 分层厚度(m) |
|---|---|---|---|---|---|---|---|---|---|---|---|---|---|---|
|  |  |  |  |  | 种类 | 弹模(MPa) |  |  | 品种 | 单位用量(kg/m³) |  |  |  |  |
| 1 | 2 | 3 | 4 | 5 | 6 | 7 | 8 | 9 | 10 | 11 | 12 | 13 | 14 | 15 |
| 8 | 新安江 | 1957～1965 | 宽缝重力坝 | 105 |  |  | 138 | $R_{28}$200<br>$R_{28}$150<br>$R_{28}$100 | 矿渣、火山灰、硅酸盐 400 号 | 240<br>188<br>161 | 石煤渣<br>粉煤灰 | 上海、天津纸浆废液 |  |  |
| 9 | 丹江口 | 1958～1968 | 宽缝重力坝 | 97 |  |  | 292 | $R_{28}$200<br>$R_{28}$100 | 华新大坝 600 号<br>华新矿渣 500 号 | 216<br>163 | 用过烧黏土 | 汉阳纸浆废液松脂皂 | 13～30 | ≤3.0 |
| 10 | 柘溪 | 1958～1963 | 大头坝 | 104 |  |  | 65.8 |  | 火山灰<br>矿渣<br>多种 | 210<br>165<br>110 | 烧黏土(20%～30%) | 松叶减水剂、松香热聚物 |  |  |
| 11 | 葛洲坝 | 1970～1981 | 闸坝 | 47 | 粉砂岩<br>砾岩 | $0.33\times10^4$ | 990 | $R_{28}$100～$R_{28}$350 | 华新 525 大坝<br>华新 425 矿大<br>荆门 525 大坝<br>425 矿大 | 159<br>185<br>246 |  | 木质素磺酸钙 |  |  |
| 12 | 葠窝 | 1970～1972 | 重力坝 | 50.3 |  |  |  |  | 本溪普硅 500 号 |  |  |  | 36.4～56.0 |  |
| 13 | 桓仁 | 1958～1967 | 大头坝 | 78.5 |  |  | 129.4 |  |  |  | 早期掺烧黏土和烧白土(20%～30%) |  |  | 1.5～2.0 |
| 14 | 枫树坝 | 1970～1975 | 宽缝重力坝<br>空腹重力坝 | 95.1 |  |  | 80.5 | $R_{120}$170<br>$R_{28}$170 | 五羊牌水泥 | 200<br>350 |  |  |  |  |
| 15 | 大黑汀 | 1973～1979 | 宽缝重力坝 | 52.8 |  |  | 135.7 | $R_{28}$150<br>$R_{28}$100<br>$R_{28}$200 | 抚顺 600 纯大坝<br>抚顺 500 矿大<br>邯郸 400 矿大<br>本溪 600 纯大坝水泥 | 按进场大平均<br>1974 年 240<br>1975 年 212<br>1976 年 208<br>1977 年 171 | 粉煤灰 | 糖密 | 横缝<20<br>纵缝长 20～50 | 初期 1～1.5,以后为 2～3 |

表 1　　　　我国 15 座大坝有关裂缝问题统计(二)

| 序号 | 工程名称 | 基础温度 |  | 最高温度 $T_{max}$ 或内外温差 $\Delta T_{内外}$ |  | 上下层温差 |  | 浇筑温度 |  |
|---|---|---|---|---|---|---|---|---|---|
|  |  | 设计 | 实际 | 设计 | 实际 | 设计 | 实际 | 设计 | 实际 |
|  |  | 16 | 17 | 18 | 19 | 20 | 21 | 22 | 23 |
| 1 | 龙羊峡 | $L$<20m<br>23～26℃,<br>$L$>20m<br>20～23℃ | 9 号坝段较好<br>$\Delta T$=16～20℃;<br>其他<br>$\Delta T$=21～32℃ | 基础混凝土 $T_{max}$=26～27℃<br>上部水下混凝土 $T_{max}$=32～34℃<br>上部外部 $T_{max}$=35～37℃ | 基础:28～32℃<br>上部:32～40℃ |  |  | 基础约束区:<br>10～3 月,5～8℃<br>4 月,5～10℃<br>5～9 月,≤13℃<br>上部混凝土:<br>5～9 月,16～18℃<br>其他同上,有水管冷却 | 一般在夏季为<br>14～17℃ |
| 2 | 紧水滩 | 5～15 号坝段<br>21～24℃,1～4 号、16～20 号坝段<br>23～25℃ | 10 号坝测得为<br>20～21℃ | (1)$\Delta T_1=T_{max}-T_{平均}$=20℃<br>(2)$\Delta T_2=T_{max}-T_{月}$=15～17℃ | 10 号坝段测得基础为:$\Delta T_1$=15.5℃,$\Delta T_2$=11℃,70 以上的 $\Delta T_1$=21.2℃,$\Delta T_2$=10.2℃ | 20℃ |  | 按温差计算 | 8～29℃<br>基本上为每月气温 |
| 3 | 东江 | 19～22℃,<br>斜坡上 17～20℃ |  | $\Delta T_{内外}$<15℃ $T_{max}$:<br>12～2 月为 25～27℃,<br>3、11 月为 28～30℃,<br>4、5、9、10 月为 31～33℃,6～8 月为 35℃ |  | 20℃,<br>当侧边长期暴露时为 17℃ |  | 15℃ | 1984 年 11 月以前较差,<br>以后基本满足设计要求 |
| 4 | 白山 |  | 4、5、10 月浇筑为 22℃;11～3 月为 12～17℃;6～9 月为 32～37℃ |  | $T_{max}$:<br>4、5 月为 30℃<br>6～9 月为 40～45℃<br>个别 50.4℃<br>10 月为 30℃<br>11～3 月为 20～25℃ |  |  |  | 4、5、10 月为 10℃左右;<br>11～3 月为 5～10℃;<br>6～9 月普遍≥20℃ |
| 5 | 乌江渡 | 22～23℃,陡坡加严:基础 19℃;2 号仓 21℃;3 号仓 22℃ | 基础混凝土一般在 11～4 月浇筑,$T_P\approx$10～15℃,一般满足设计要求,13 号坝段为 18.7～25℃<br>($T_f$=10～14℃) | $\Delta T_{内外}$=23℃ | 由 4、6、8、13 坝段统计,不少层都超过,最大为 30.6℃ | 间歇>28d 为老混凝土,$\Delta T_{上下}$<20℃ |  | (1)厚 3m 水管间距 1.5m×3m<br>$T_P$=14.5～19.5℃<br>(2)层厚 1.5m 时,水管间距 1.5m×1.5m<br>$T_P$=19～24℃ | 基础混凝土一般在 11～4 月浇筑,$T_P\approx$10～15℃,上部混凝土在 5、6～8 月浇筑的 $T_P\approx$23～26℃ |
| 6 | 刘家峡 | 主坝 22～23℃;<br>副坝:25～30m 长为 24℃,<25m 为 26℃ | 主河床三个坝段实测统计为 26.5～34.5℃ |  | 基础混凝土 34～44℃ |  | 观测到 24.5℃ | 按采用温度措施拟定 | 基础混凝土 13～24℃ |

**续表 1(二)**

| 序号 | 工程名称 | 基础温度 | | 最高温度 $T_{max}$ 或内外温差 $\Delta T_{内外}$ | | 上下层温差 | | 浇筑温度 | |
|---|---|---|---|---|---|---|---|---|---|
| | | 设计 | 实际 | 设计 | 实际 | 设计 | 实际 | 设计 | 实际 |
| | | 16 | 17 | 18 | 19 | 20 | 21 | 22 | 23 |
| 7 | 潘家口 | $L$=24m 为 20～22℃<br>$L$=17m 为 22～24℃<br>$L$=14m 为 23～25℃ | 平均 23.2～25.2℃ | $T_{max}$:12～2 月 20℃,3 月 25～26℃,9 月 32℃,4 月 28～30℃,10 月 30℃,5 月 31～33℃,6 月 35～37℃,7 月 38～40℃,8 月 36～38℃,11 月 24℃ | 平均 33.2℃<br>最高 49.4℃ | <17℃ | | | 16.5℃ |
| 8 | 新安江 | | | | | | | | <28℃ |
| 9 | 丹江口 | 0～0.2$L$ 范围为 15～19℃,0.2～0.4$L$ 范围为 18～22℃,<br>$L$ 最大为 50m | 1962 年以前 56 块中,基础温差大于 20℃的有 38 块,大于 24℃的有 24 块 | $\Delta T_{内外}$ = 20℃ | | | | | |
| 10 | 柘溪 | | | | | | | | 26～32℃ |
| 11 | 葛洲坝 | $\frac{H}{L} \leqslant 0.5$,粉砂岩为 23℃,砾岩为 20℃;$\frac{H}{L} >$ 0.5,粉砂岩为 26～28℃,砾岩为 22～26℃ | | | | 17～20℃(上下各 0.2$L$) | | 6～8 月为 20℃<br>5、9 月为 18℃<br>4、10 月为 15℃<br>3、11 月为 12℃<br>12～2 月自然入仓 | |
| 12 | 葠窝 | | | | $T_{max}$≈40～50℃ | | | | |
| 13 | 桓仁 | | | | | | | | |
| 14 | 枫树坝 | | ≈20℃ | | | | | | |
| 15 | 大黑汀 | 约束区 / $L$(m): 18, 25, 35<br>强: 19, 17, 15<br>弱: 21～22, 19～20, 17～18 | 强约束区:<br>1974 年 25～27℃<br>1975 年 13～27℃<br>1976 年 13.7～29.5℃<br>1977 年 6.6～22℃ | $\Delta T_{内外}$ = 21～24℃<br>允许 $T_{max}$:<br>4 月为 30℃,5 月为 34℃<br>6 月为 36℃,7 月为 38℃<br>8 月为 34℃,9 月为 32℃<br>10 月为 27℃,11 月为 20℃ | $T_{max}$(强约束区):<br>1974 年 34～36℃<br>1975 年 12～36℃<br>1976 年 22.7～38.5℃<br>1977 年 15.6～31℃ | 正常块:<br>18℃<br>薄层:<br>10～15℃ | | 随采用层厚而不同 | 强约束区:<br>1974 年 19.1℃<br>1975 年 13.2℃<br>1976 年 12.7℃<br>1977 年 10.8℃<br>约为年平均 |

表 1

## 我国 15 座大坝有关裂缝问题统计表(三)

<table>
<tr><th rowspan="2">序号</th><th rowspan="2">工程名称</th><th colspan="2">表 面 保 护</th><th rowspan="2">裂缝数量</th><th rowspan="2">裂缝部位</th><th rowspan="2">裂 缝 概 况</th></tr>
<tr><th>标准</th><th>实际</th></tr>
<tr><td></td><td></td><td>24</td><td>25</td><td>26</td><td>27</td><td>28</td></tr>
<tr><td>1</td><td>龙羊峡</td><td>新浇混凝土 $\beta<1$,10~4 月过冬混凝土不拆模,模板外加 3cm 玻璃棉,第二年减半</td><td>钢模板外肋间填 5cm 厚岩棉板外加保温被,木棉外只挂保温被</td><td>380 多条,主体工程为 2.1 条/万 $m^3$</td><td>截至 1986 年 8 月:甲块裂缝最多,按顺序为甲、乙、丙、丁。一般水平表面裂缝较多</td><td>截至 1986 年 8 月:共 222 条
<table>
<tr><td>部位</td><td>甲</td><td>乙</td><td>丙</td><td>丁</td><td>拦污栅</td></tr>
<tr><td>水平缝</td><td>68</td><td>32</td><td>30</td><td>6</td><td></td></tr>
<tr><td>侧面缝</td><td>32</td><td>23</td><td>20</td><td>9</td><td>2</td></tr>
<tr><td>小计</td><td>100</td><td>55</td><td>50</td><td>15</td><td>2</td></tr>
</table></td></tr>
<tr><td>2</td><td>紧水滩</td><td>上游面 160m 以下喷珍珠岩 4cm,其他外部用 12cm 稻草垫或玻璃棉毯覆盖</td><td>1985 年以后采用聚苯乙烯泡沫塑料板(厚 2cm)</td><td>截至 1986 年,共有 316 条,水平裂缝 64 条</td><td>▽102~112m 几乎每层都有水平裂缝</td><td>以 9 号、10 号坝段裂缝较严重,水平裂缝也主要发生在该坝段</td></tr>
<tr><td>3</td><td>东江</td><td>寒潮时用 5cm 稻草袋覆盖</td><td>采用聚苯乙烯保温被效果显著</td><td>截至 1986 年 4 月,共发现 464 条</td><td>浇筑层面与侧面</td><td>
<table>
<tr><td>项目</td><td colspan="3">1983 年 11 月~1984 年 7 月</td><td colspan="3">1984 年 11 月~1985 年 5 月</td><td colspan="3">1985 年</td><td colspan="3">1986 年 1~4 月</td></tr>
<tr><td>裂缝条数</td><td colspan="3">177</td><td colspan="3">74</td><td colspan="3">179</td><td colspan="3">34</td></tr>
<tr><td>平均(条/万 $m^3$)</td><td colspan="3">26.4</td><td colspan="3">4.17</td><td colspan="3">12.18</td><td colspan="3">30</td></tr>
<tr><td rowspan="2">性质</td><td>严重</td><td>一般</td><td>微细</td><td>严重</td><td>一般</td><td>微细</td><td>严重</td><td>一般</td><td>微细</td><td>严重</td><td>一般</td><td>微细</td></tr>
<tr><td>41</td><td>62</td><td>74</td><td>0</td><td>2</td><td>72</td><td>1</td><td>13</td><td>165</td><td>0</td><td>8</td><td>26</td></tr>
</table></td></tr>
<tr><td>4</td><td>白山</td><td>上下游面用 5cm 厚木丝板,侧面用 10cm 厚草垫子</td><td>基本满足设计要求</td><td>截至 1982 年 6 月,共有 324 条</td><td>施工层水平缝 96 条,上游坝面 15 条,侧面 180m,纵缝上游面 10 条,下游面 32 条,15 号坝段 347.5m 高程有 4 条深层裂缝</td><td></td></tr>
<tr><td>5</td><td>乌江渡</td><td></td><td></td><td>截至 1982 年底:143 条,大坝为 126 条,基础贯穿 1 条(6 号坝段)</td><td>以溢流孔面板最多 37 条,8 号坝段 19 条,14 号坝段 11 条,9 号、13 号坝段各为 8 条</td><td>溢流面高标号 $R_{28}250$,一级配砂率 49%,水泥用量为 375kg/$m^3$,底部留台级。帷幕灌浆上面为新浇混凝土压重小,灌浆压力为 4MPa</td></tr>
<tr><td>6</td><td>刘家峡</td><td>9~5 月层面保温,11~3 月侧边拆模后立即保护 $\beta=2\sim1.6$</td><td>冬天表面草袋保温</td><td>截至 1968 年 11 月,有少量表面裂缝,无贯穿裂缝,有记录的为 200 余条</td><td>廊道的外表面、副坝裂缝多于主坝</td><td>副坝上游面裂缝 50 条,占 25%;副坝下游面裂缝 60 余条,占 30%</td></tr>
</table>

续表 1(三)

| 序号 | 工程名称 | 表面保护 | | 裂缝数量 | 裂缝部位 | 裂缝概况 |
|---|---|---|---|---|---|---|
| | | 标准 | 实际 | | | |
| | | 24 | 25 | 26 | 27 | 28 |
| 7 | 潘家口 | 11月下旬～3月上旬用保温模板施工,顶面保护,冬季有暖棚 | | 995条 | | 贯穿裂缝3条,深层85条,其余为浅层。其中上游面498条,坝内311条,溢流面55条,灌浆廊道内41条,闸墩上44条,厂房33条。▽154m廊道17条 |
| 8 | 新安江 | | | | | |
| 9 | 丹江口 | | | 1964年3月以前为2 273条,1954年以后为1 059条,合计3 332条 | 基础混凝土,浇筑层面,上游基础廊道内 | 在3 332条裂缝中,基础贯穿裂缝18条,深层裂缝19条 |
| 10 | 柘溪 | | | | 迎水面上共有垂直裂缝94条,水平裂缝26条 | |
| 11 | 葛洲坝 | | | 3 300多条 | 2 400多条发生在闸墩等薄壁结构上 | 一期工程3号船闸下闸首左右墙上深5m以下,二期工程1982年浇筑,1983年发现157条,1984年发现240条 |
| 12 | 葠窝 | | | 641条 | 坝体、廊道、底孔、闸墩 | 施工期发生350条,最大缝深17.65m,缝宽1～3mm |
| 13 | 桓仁 | | | 1964年调查为1 986条 | 大头、空腹、廊道 | 大头部位699条 |
| 14 | 枫树坝 | | | 225条 | | 上游面通水库19条,贯穿到基岩5条,一侧贯通基岩26条,贯通全坝段43条,其他112条 |
| 15 | 大黑汀 | 无具体设计只有原则要求 | | 940条 | 迎水面、背水面、廊道 | 迎水面154条,背水面65条,堰面254条,浇筑层面193条,侧墙84条,廊道81条,宽缝16条,闸墩两侧67条,其他36条 |

省黄河上游,是黄河上的大型龙头水库,大坝为高178m的混凝土重力拱坝。混凝土总方量为154万$m^3$,大坝采用柱状法施工,河床最大坝高处用三条纵缝分为甲、乙、丙、丁四个坝块,主坝混凝土分为四种,设计要求混凝土强度保证率为85%。离差系数$C_v \leqslant (0.15 \sim 0.18)$。表2列出设计要求的混凝土标号及使用部位。表3为实际施工时主坝混凝土配合比,表4为历年施工达到的混凝土机口取样统计表。由表中可见,单从机口取样统计,1983~1984年浇筑河床基础混凝土时,混凝土质量控制较好,1985年以后控制质量下降。

表2　主坝混凝土配合比设计要求

| 混凝土标号 | 使用部位 |
|---|---|
| $R_{90}$ 250 $S_8$ $D_{50\sim100}$, $\varepsilon_P \geqslant 1\times10^{-4}$ | 基础混凝土,压力钢管四周 |
| $R_{90}$ 200 $S_4$ $D_{50}$, $\varepsilon_P > 0.85\times10^{-4}$ | 内部混凝土 |
| $R_{90}$ 200 $S_4$ $D_{50}$, $\varepsilon_P \geqslant 0.85\times10^{-4}$ | 2 530m高程以上,基坑部位及死水位以上迎水面、背坡面 |
| $R_{90}$ 250 $S_{48}$ $D_{250}$抗冲耐磨 | 中、深、底孔四周混凝土 |

表3　主坝混凝土配合比(四级配)

| 部位及设计标号 | 设计要求水泥用量(kg/$m^3$) | 实际控制最大水泥用量(kg/$m^3$) | 水灰比$W/C$ | 粉煤灰掺量(%) | $DH_3$ 0.5% $SP_{169}$ 0.02% + | | | 与设计比较减少水泥用量(kg/$m^3$) | |
|---|---|---|---|---|---|---|---|---|---|
| | | | | | $W$ | $C$ | $F$ | 减水剂 | 减水剂粉煤灰 |
| 基础混凝土 $R_{90}$250 $S_8$ $D_{50}$, $\varepsilon_P \geqslant 1\times10^{-4}$ | 210 | <190 | 0.48 | 0 | 80 | 167 | 0 | 23 | — |
| | 210 | <190 | 0.43 | 30 | 85 | 139 | 59 | — | 51 |
| 主坝内部混凝土 $R_{90}$ 200 $S_4$ $D_{50}$, $\varepsilon_P \geqslant 0.85\times10^{-4}$ | 175 | <160 | 0.58 | 0 | 80 | 138 | 0 | 22 | — |
| | 175 | <160 | 0.53 | 30 | 85 | 112 | 48 | — | 48 |
| 死水位以下迎水面 $R_{90}$250 $S_8$ $D_{100}$, $\varepsilon_P \geqslant 1\times10^{-4}$ | 234 | <210 | 0.45 | 0 | 80 | 178 | 0 | 32 | — |
| | 234 | <210 | 0.42 | 15 | 80 | 161 | 29 | — | 49 |
| 死水位以上迎水面及背坡 $R_{90}$ 250 $S_8$ $D_{250}$, $\varepsilon_P \geqslant 1\times10^{-4}$ | 250 | <220 | 0.40 | 0 | 80 | 200 | 0 | 20 | — |

表4　历年混凝土质量统计(机口取样)

| 项目 | | 1983年 | 1984年 | 1985年 | | 1986年 | | |
|---|---|---|---|---|---|---|---|---|
| | | | | 全年 | 分月 | 1~3月份 | 一季度 | 4月 |
| 保证率(%) | | 89~96.1 | 96~99 | 64~97.7 | 63~98 | 59~84 | 77~83 | 71.0 |
| 达不到设计要求保证率的比例(%) | | 0 | 0 | 15.2 | 40.6 | 100 | 100 | 100 |
| $C_v$ | 变化范围 | 0.1~0.18 | 0.08~0.13 | 0.11~0.22 | 0.12~0.33 | 0.22 | 0.22~0.28 | 0.17 |
| | 优秀(%) | 24.9 | 32.1 | 0 | 0 | 0 | 0 | 0 |
| | 良好(%) | 40.2 | 67.9 | 7.0 | 26.2 | 0 | 0 | 0 |
| | 一般(%) | 34.9 | 0 | 65.3 | 44.7 | 0 | 0 | 100 |
| | 较差(%) | 0 | 0 | 27.7 | 29.1 | 100 | 100 | 0 |
| 强度级差(0.1MPa) | | 113~239 | 98~150 | 152~318 | 126~260 | 254~266 | 239~362 | 231 |

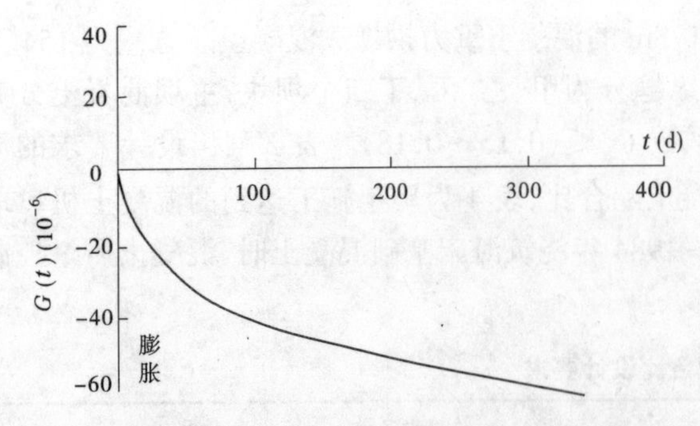


图 2 永登 525 号大坝水泥混凝土自生体积变形

龙羊峡工程使用水泥品种单一，固定厂家供应。水泥为永登 525 号硅酸盐大坝水泥，用该水泥拌制的混凝土具有微膨胀性。由于现场观测资料尚未整理，借用曾使用相同水泥的刘家峡大坝无应力计观测资料，在一年龄期时约为$(+50\sim+60)\times10^{-6}$的微胀膨量，30d 龄期约为$+20\times10^{-6}$。这种膨胀变化显然对补偿浇筑块的温度徐变拉应力有利。图 2 为其自生体积变化图。

龙羊峡大坝河床段横缝最大 24m，纵缝长度18～22m。设计要求：当坝块 $L>20$m 时，基础温差 $\Delta T$ 控制在 20～23℃；当 $L<20$m 时，$\Delta T$ 控制在 23～26℃。施工实测数据为比较好的 9 号坝段（$L=22$m），$\Delta T=16\sim20$℃，其他坝段 $\Delta T=21\sim32$℃，个别坝段约超出 10℃，设计要求控制最高温升、浇筑温度与施工时实际做到的情况见表 5。从表 5 可以看到，一般情况实际施工时各种控制指标均有所超出。

表 5 混凝土最高温度与浇筑温度控制情况

| 项目 | 设计要求 | 施工实际 |
|---|---|---|
| 最高温度控制 | 基础混凝土为 26～27℃，上部水下混凝土为 32～34℃，上部外层混凝土为 35～37℃ | 基础混凝土为 28～32℃，上部混凝土为 32～40℃ |
| 浇筑温度控制 | 基础约束区：10～3 月为 5～8℃，4 月为 5～10℃，5～9 月≤13℃；上部混凝土：5～9 月 16～18℃，其他月份同上 | 一般夏季为 14～17℃，其他月份自然入仓，冬季不小于 5℃ |

在表面保护方面，设计提出的控制指标为：新浇混凝土表面用 $\beta<4.1868$kJ/(m²·h·℃)的材料保温，10 月到 4 月份浇筑的过冬混凝土不拆模。模板外加 3cm 厚泡沫保温板。该混凝土第二个冬季保护减半，实际施工时，当采用钢模板，其外肋间填 5cm 厚岩棉板，外加玻璃棉保温被；若用木模板时，只挂保温被。

据不完全统计，龙羊峡大坝共发现 380 多条裂缝，主体工程平均 2.1 条/万 m³。此值在国内大坝裂缝统计中属于中上水平，从裂缝的分布看，以甲块裂缝最多。依裂缝数量多少按甲、乙、丙、丁顺序排列，一般裂缝发生在水平层面上较多。浇筑上层混凝土前进行处理，浅缝凿除，稍深挖燕尾槽至裂缝消失，上铺 1～2 层直径 22～25mm 骑缝筋，更深的裂缝则要布置间距0.8～1.0m、深 80cm 的灌浆孔，埋管引入廊道或上部层面，适当时候进行灌浆。对于纵横缝面上的裂缝，原则上事先不进行处理，等到坝体接缝灌浆时一并处理。表 6 为 1986 年 8 月有记录的裂缝统计表。

表 6 龙羊峡大坝裂缝统计 （单位：条）

| 部位 | 甲 | 乙 | 丙 | 丁 | 拦污栅 |
|---|---|---|---|---|---|
| 水平裂缝 | 68 | 32 | 30 | 6 | |
| 侧面裂缝 | 32 | 23 | 20 | 9 | 2 |
| 小计 | 100 | 55 | 50 | 15 | 2 |

## 2.2 紧水滩双曲拱坝

该坝位于浙江省瓯江支流龙泉溪上，大坝为三心双曲变厚拱坝，建基面最低高程 92m，坝顶高程 194m，最大坝高 102m，拱座最大底宽 26.5m，大坝混凝土总方量为 30 万 m³，用 19 条径向缝将坝体分为20个坝段。施工时不设纵缝。上游面横缝间弧长:坝顶为12.137～20.011m,坝底最大为22.953m。下游面弧长:坝顶为11.963～19.084m,坝底最大22.023m。坝址区年平均气温17.3℃,年平均水温为19.3℃,寒潮频繁,各月变化列入表7。

**表7　紧水滩坝区气温和寒潮情况统计**

| 月份 | | 1 | 2 | 3 | 4 | 5 | 6 | 7 | 8 | 9 | 10 | 11 | 12 | 年平均 |
|---|---|---|---|---|---|---|---|---|---|---|---|---|---|---|
| 气温(℃) | 月平均 | 5.0 | 6.5 | 11.8 | 17.6 | 22.1 | 24.3 | 29.0 | 28.2 | 24.6 | 18.3 | 13.2 | 7.5 | 17.3 |
| | 月平均最高值 | 7.6 | 9.6 | 14.5 | 21.0 | 24.4 | 27.2 | 30.7 | 30.7 | 26.7 | 20.2 | 15.1 | 11.7 | |
| | 月平均最低值 | 1.3 | 1.8 | 7.8 | 15.9 | 19.3 | 15.1 | 27.5 | 26.8 | 21.9 | 16.9 | 10.6 | 3.0 | |
| 月平均水温(℃) | | 7.5 | 9.1 | 13.8 | 18.8 | 23.0 | 25.4 | 29.9 | 29.6 | 26.5 | 20.7 | 15.9 | 10.3 | 19.3 |
| 寒潮 | 平均次数 | 2.6 | 1.7 | 2.2 | 2.5 | 2.0 | 0.7 | 0.3 | 0.3 | 1.6 | 1.8 | 2.7 | 2.3 | 合计全年20.7次 |
| 寒潮降温(℃) | 连续降温一天 | | | | 10.9 | 10.5 | | | | | | | | |
| | 连续降温两天 | 8.4 | 13.7 | 16.4 | 12.3 | 9.5 | | | | 10.9 | 14.6 | 10.2 | 8.9 | |
| | 连续降温三天 | 14.5 | 15.7 | 12.9 | 11.0 | 12.2 | | | | 8.0 | 11.6 | 14.5 | 12.7 | |

紧水滩大坝采用江山525号硅酸盐水泥,该品种水泥由于$C_3S$和$C_3A$含量较高(分别为51.12%和9.84%),因而发热量较高,其最终发热量约339kJ/kg。施工时掺入20%杭州半山火电厂磨细粉煤灰和0.2%糖蜜。设计按试载法算得最大主压应力为5.552MPa,最大主拉应力为1.129MPa,考虑坝断面较薄,应力分布较均匀,坝内孔洞较多,以及施工方便等因素,混凝土标号不作分区,均采用$R_{90}$250,水灰比为0.5～0.55,抗渗$S_6$～$S_8$,抗冻$D_{100}$,28d极限拉伸值要求大于$0.95\times10^{-4}$,设计还要求强度保证率$P>85\%$,离差系数$C_v\leqslant0.15$。实际施工时混凝土水泥用量为148～170kg/m³,掺粉煤灰37～43kg/m³,掺入0.2%糖蜜,砂石料鉴定基本合格,水泥物理性能基本符合要求,称量误差尚可。施工单位统计了1984年5～10月共6个月的275组试件资料,$R_{28}$最大值为39.5MPa,最小值为27.3MPa,保证率为99.91%,$C_v=0.101$。混凝土抗压、抗拉强度和弹性模量试验值见表8。抗渗达到$S_8$～$S_{12}$,满足设计要求。但从表8看到抗拉强度和弹模增长速度较快。

**表8　大坝混凝土力学指标**

| 项目 | | 龄期(d) 3 | 7 | 14 | 21 | 28 | 备注 |
|---|---|---|---|---|---|---|---|
| 抗压 | 强度最大值(0.1MPa) | | | | | 395 | |
| | 强度最小值(0.1MPa) | | | | | 273 | |
| | 平均强度(0.1MPa) | 102 | 185 | 247 | 285 | 318 | |
| | 保证率(%) | | | | | 99.91 | |
| | 离差系数 $C_v$ | | | | | 0.101 | |
| | 增长率(%) | 32 | 58 | 78 | 90 | 100 | |
| 抗拉 | 强度最大值(0.1MPa) | | 20.10 | 27.31 | | 32.3 | 劈拉 |
| | 强度最小值(0.1MPa) | | 15.71 | 18.87 | | 22.40 | 劈拉 |
| | 平均值(0.1MPa) | 11.8 | 19.0 | 21.6 | 23.6 | 26.3 | 轴拉 |
| | 保证率(%) | 44 | | | | | |
| | 离差系数 $C_v$ | 1.761 | 0.075 | 0.13 | | 0.10 | 劈拉 |
| | 增长率(%) | | 65 | 83 | 93 | 100 | 轴拉 |
| 弹模 | 数值($10^4$MPa) | 1.761 | 2.261 | 2.439 | 2.523 | 2.651 | 抗压 |
| | 增长率(%) | 68 | 80 | 90 | 96 | 100 | 抗压 |

紧水滩大坝温度控制设计各种指标和要求，以及实际施工时达到的程度列于表 9 中。截至 1986 年 5 月，有记录的裂缝共 316 条，其中水平裂缝 64 条，基本发生在 9 号、10 号坝段上。在 102～112m 浇筑层厚为 1.0m，几乎每个水平层面上均有水平层面裂缝。

**表 9　　紧水滩大坝温控设计与实践**

| 项　目 | 设　计 | 实　践 |
|---|---|---|
| 基础温差 | 强约束区：1～4 号、16～20 号坝段 23℃；5～15号坝段 21℃ | 10 号坝段实测为 20～21℃ |
| | 弱约束区：1～4 号、16～20 号坝段 25℃；5～15号坝段 24℃ | |
| 上下层温差 | 20℃ | |
| 内外温差 | 15℃ | 10 号坝段观测：$\Delta T_1 = T_{max} - T_{年平均} = 20℃$<br>$\Delta T_2 = T_{max} - T_{当月气温} = 11℃$<br>▽102m 以上，$\Delta T_1 = 21.1℃$，$\Delta T_2 = = 10.2℃$ |
| 最高温度 | 38℃ | 3 号坝段：35.2～41.9℃；6 号坝段：36.5～38.2℃；7 号坝段：26.0～42.9℃；9 号坝段：35.0～37.35℃；10 号坝段：28.3～38.8℃；14 号坝段：17.9～42.3℃；16 号坝段：41.4℃；17 号坝段：32～38.7℃ |
| 浇筑温度 | 按温差计算 | 3 号坝段：22.1～26.6℃；6 号坝段：25～27.3℃；7 号坝段：9.6～28.9℃；9 号坝段：18.9～23.6℃；10 号坝段：13.7～27.3℃；14 号坝段：9.6～26.3℃；16 号坝段：25.8℃；17 号坝段：25～26.2℃<br>基本上与每月气温相同 |
| 表面保护 | 上游面▽160m 以上喷珍珠岩 4cm，其他外部用 12cm 厚稻草垫或玻璃棉毯覆盖 | 1985 年以后采用聚苯乙烯泡沫塑料板，厚 2cm |

## 2.3　东江双曲拱坝

东江水电站位于湖南省湘水支流耒水上游资兴县境内。大坝为混凝土双曲拱坝，最大坝高 157m，最大底宽 35m，顶宽 7m，厚高比为 0.223，坝体分为 29 个坝段，其中 14～17 号坝段为引水钢管坝段，右岸有一重力墩。横缝按径向设置，不分纵缝，通仓浇筑，最大仓面 600m$^2$。坝体混凝土总量(包括重力墩)为 94.7 万 m$^3$。当地气候温暖，多年平均气温为 17.5℃，多年平均相对湿度为 85%。其气温、水温变化见表 10。雨量、湿度、风速见表 11。气温骤降情况见表 12。

设计提出对大坝混凝土的控制性指标见表 13。

**表 10　　东江地区气温与水温变化**

| 项目 | | 1月 | 2月 | 3月 | 4月 | 5月 | 6月 | 7月 | 8月 | 9月 | 10月 | 11月 | 12月 | 全年 |
|---|---|---|---|---|---|---|---|---|---|---|---|---|---|---|
| 月平均气温(℃) | | 6.1 | 7.5 | 12.5 | 17.7 | 22.2 | 25.6 | 28.6 | 27.4 | 23.9 | 18.0 | 12.9 | 7.7 | 17.5 |
| 旬平均气温(℃) | 上旬 | 5.8 | 6.0 | 10.6 | 16.1 | 21.8 | 25.0 | 28.8 | 28.3 | 27.0 | 20.8 | 15.7 | 9.0 | |
| | 中旬 | 5.9 | 7.6 | 12.8 | 17.8 | 22.3 | 25.9 | 28.8 | 27.6 | 24.7 | 18.8 | 12.7 | 7.9 | |
| | 下旬 | 6.2 | 9.0 | 14.9 | 19.4 | 23.7 | 27.3 | 28.6 | 27.2 | 24.2 | 16.5 | 10.3 | 6.4 | |
| 月极端最高气温(℃) | | 23.8 | 38.5 | 41.8 | 38.0 | 36.8 | 39.5 | 41.5 | 42.0 | 39.0 | 35.8 | 33.3 | 26.9 | |
| 月极端最低气温(℃) | | -10.0 | -4.9 | -0.4 | 5.7 | 11.5 | 13.9 | 20.3 | 18.8 | 14.0 | 6.6 | -2.5 | -5.5 | |
| 月平均河水温度(℃) | | 9.6 | 10.8 | 14.2 | 18.1 | 22.6 | 24.8 | 27.8 | 27.6 | 25.0 | 21.1 | 16.5 | 11.5 | 19.1 |

**表 11　　东江地区雨量、湿度、风速变化**

| 项　目 | 1月 | 2月 | 3月 | 4月 | 5月 | 6月 | 7月 | 8月 | 9月 | 10月 | 11月 | 12月 | 全　年 |
|---|---|---|---|---|---|---|---|---|---|---|---|---|---|
| 月平均雨量(mm) | 71.1 | 104.9 | 159.0 | 205.6 | 224.7 | 226.8 | 106.9 | 171.8 | 104.0 | 101.5 | 94.2 | 75.5 | 1 645 |
| 月平均雨日(d) | 15.1 | 17.9 | 19.2 | 19.2 | 19.1 | 15.5 | 10.5 | 14.1 | 13.3 | 13.2 | 14.1 | 14.6 | 186 |
| 月平均相对湿度(%) | 87 | 89 | 87 | 86 | 86 | 80 | 78 | 81 | 84 | 84 | 87 | 87 | 平均 85%<br>(1952~1956 年) |
| 月最小相对湿度(%) | 44 | 38 | 22 | 44 | 36 | 46 | 34 | 41 | 49 | 29 | 44 | 42 | |
| 月平均蒸发量(mm) | 26.4 | 24.6 | 44.7 | 66.6 | 85.0 | 134.4 | 176.3 | 158.5 | 112.6 | 86.0 | 50.4 | 32.6 | 998.1 |
| 月平均风速(m/s) | 1.4 | 1.5 | 1.5 | 1.5 | 1.5 | 1.8 | 1.9 | 1.9 | 1.7 | 1.5 | 1.5 | 1.8 | 平均 1.6 |
| 月最大风速(m/s) | 9 | 6 | 7 | 10 | 6 | 7 | 8 | 9 | 7 | 7 | 8 | 8 | 最大 10 级 |
| 月盛行风向 | SE SE<br>WS WNW | | WS WSS | | SE | SE | SE | SE | SE | SE | SE SW | | 年 SE |

**表 12　　气温骤降次数和降温值**

| 月　份 | | 1 | 2 | 3 | 4 | 5 | | 9 | 10 | 11 | 12 | 全年 |
|---|---|---|---|---|---|---|---|---|---|---|---|---|
| 2~4 天降温 6℃以上次数 | 统计年数 | 38 | 37 | 37 | 37 | 37 | | 37 | 37 | 37 | 38 | |
| | 总次数 | 54 | 55 | 86 | 81 | 64 | | 33 | 47 | 56 | 49 | 525 |
| | 年均次数 | 1.42 | 1.49 | 2.32 | 2.19 | 1.73 | | 0.89 | 1.27 | 1.51 | 1.29 | 14.1 |
| 降温 6~8℃次数 | | 13 | 5 | 8 | 12 | 16 | | 10 | 13 | 12 | 8 | 97 |
| 降温 8~10℃次数 | | 17 | 8 | 10 | 21 | 18 | | 14 | 10 | 12 | 13 | 125 |
| 降温 10~12℃次数 | | 4 | 9 | 18 | 23 | 14 | | 5 | 11 | 10 | 9 | 101 |
| 降温 12~14℃次数 | | 10 | 13 | 17 | 12 | 11 | | 3 | 6 | 7 | 12 | 91 |
| 降温 >14℃次数 | | 10 | 20 | 33 | 13 | 5 | | 1 | 7 | 15 | 7 | 111 |
| 最大降温值(℃) | | 27.5 | 24.9 | 25.2 | 19.1 | 17.3 | | 14.5 | 16.7 | 22.4 | 22.5 | |
| 不同频率降温值(℃) | 50% | 9.6 | 12.9 | 12.6 | 10.6 | 9.4 | | 9.1 | 10.1 | 10.7 | 10.8 | |
| | 60% | 11.1 | 13.7 | 13.9 | 11.2 | 10.5 | | 9.2 | 11.2 | 11.9 | 11.9 | |
| | 70% | 13.2 | 15.0 | 14.9 | 12.2 | 10.4 | | 9.5 | 11.9 | 13.3 | 12.4 | |
| | 80% | 14.0 | 16.0 | 16.3 | 13.4 | 12.8 | | 10.3 | 13.7 | 14.2 | 13.2 | |

**表 13　　东江大坝各部位设计指标**

| 标号分区 | 极限抗压(28d)(0.1MPa) | 极限水灰比 $W/C$ | 极限抗拉(28d)(0.1MPa) | 极限拉抻 $\varepsilon_P$ (28d) $\times10^{-4}$ | 抗渗 S | 抗冻 D | 备　注 |
|---|---|---|---|---|---|---|---|
| Ⅰ | 350 | <0.5 | 23 | 1.0 | 12 | 150 | ▽160m 以下的基础混凝土 |
| Ⅱ | 300 | <0.55 | 21 | 1.0 | 10 | 100 | ▽160~250m 的上下游外部混凝土 |
| Ⅲ<br>Ⅳ | 250 | <0.6 | 19 | 0.85 | 8 | 100 | ▽160~250m 内部和▽250~294m 全部混凝土 |
| Ⅴ | 200 | <0.65 | 16 | 0.85 | 6 | 550 | 右岸重力墩 |

东江大坝混凝土选用湘乡水泥厂生产的湘东 525 号普通大坝水泥,施工时掺加 10%~15%的鲤鱼江火电厂粉煤灰,并先后掺用过 $DH_4$ 减水剂和 801 引气剂,掺量分别为 0.4%和 0.025%;木钙加 801,掺量分别为 0.3%和 0.03%;木钙加松香热聚物,掺量分别为 0.25%和 0.003%。骨料采用天然河卵石和河砂,其质量基本符合有关规范要求。水泥的水化热值经试验列于表 14。混凝土的热学性能见表 15。历年混凝土抗压强度试验值及其统计指标列于表 16。

**表 14** 水化热试验值 （单位:J/kg）

| 粉煤灰掺量(%) | 龄期(d) | | | 备 注 |
|---|---|---|---|---|
| | 1 | 3 | 7 | |
| 0 | 168 728 | 231 530 | 265 443 | |
| 10 | 120 580 | 193 011 | 242 416 | 掺木钙,0.2%~0.3%;掺801引气剂0.02%~0.03% |
| 15 | 100 065 | 181 707 | 236 554 | 掺$DH_4$,0.4%;掺801引气剂,0.03% |

**表 15** 东江大坝混凝土热学性能指标

| 项目 | 导温系数 $a$ ($m^2/d$) | 导热系数 $\lambda$ [J/(m·h·℃)] | 比热 $C$ [J/(kg·℃)] | 热交换系数 $\beta$ [J/(m²·h·℃)] | 热膨胀系数 $\alpha$ (1/℃) | 备 注 |
|---|---|---|---|---|---|---|
| 数值 | 0.109 5 | 9 780 | 887.6 | 41 868~83 736 | $(1.083\sim1.14)\times10^{-5}$ | 设计时 $\alpha=1.0\times10^{-5}$ |

**表 16** 东江大坝混凝土现场质量统计

| 设计标号 | 年 月 | 28d抗压 | | | | | 90d抗压 | | | |
|---|---|---|---|---|---|---|---|---|---|---|
| | | 组数 | 范围 (0.1MPa) | 平均值 (0.1MPa) | $P$(%) | $C_v$ | 组数 | 范围 (0.1MPa) | 平均值 (0.1MPa) | 合格率 (%) |
| $R_{90}350$ | 1984年1月 | 37 | 336~514 | 416 | 99.99 | 0.084 | | | | |
| | 2月 | 21 | 299~483 | 396 | | 0.096 | 2 | 502~548 | 525 | 100 |
| | 3月 | 33 | 319~461 | 392 | 99.95 | 0.092 | 13 | 434~543 | 492 | 100 |
| | 4月 | 62 | 318~467 | 384 | 99.97 | 0.097 | 5 | 472~504 | 491 | 100 |
| | 5月 | 63 | 260~437 | 352 | 97.5 | 0.117 | 11 | 443~568 | 512 | 100 |
| | 6月 | 71 | 242~393 | 324 | 91.4 | 0.114 | 26 | 403~577 | 475 | 100 |
| | 7月 | 19 | 272~386 | 331 | | 0.091 | 25 | 388~527 | 441 | 100 |
| | 12月 | 25 | 241~465 | 335 | | 0.164 | | | | |
| | 1985年1月 | 40 | 213~449 | 325 | 81.99 | 0.184 | | | | |
| | 2月 | 23 | 217~352 | 281 | | 0.154 | 3 | 426~469 | 447 | 100 |
| | 3月 | 2 | 343~374 | 358 | | | 11 | 361~560 | 450 | 100 |
| $R_{90}300$ | 1985年1月 | 18 | 188~352 | 291 | | | | | | |
| | 2月 | 44 | 140~377 | 235 | 61.0 | 0.196 | | | | |
| | 3月 | 66 | 215~440 | 314 | 97.9 | 0.144 | 5 | 285~459 | 386 | 80 |
| | 4月 | 65 | 253~405 | 345 | 99.99 | 0.098 | 22 | 284~419 | 339 | 86.4 |
| | 5月 | 60 | 229~393 | 302 | 98.7 | 0.125 | | | | |
| | 5月 | 20 | 236~396 | 307 | | 0.141 | 20 | 296~484 | 409 | 95 |
| | 6月 | 85 | 207~408 | 320 | 99.4 | 0.121 | 22 | 402~546 | 454 | 100 |
| | 7月 | 78 | 230~405 | 323 | 95.2 | 0.121 | 27 | 338~496 | 407 | 100 |
| | 8月 | 51 | 225~372 | 321 | 98.89 | 0.135 | 23 | 323~504 | 419 | 100 |
| | 9月 | 64 | 215~435 | 327 | 99.2 | 0.133 | 25 | 273~519 | 413 | 96 |
| | 10月 | 70 | 185~419 | 328 | 98.2 | 0.147 | 13 | 264~516 | 396 | 92.3 |
| | 11月 | 71 | 216~456 | 324 | 93.57 | 0.158 | 22 | 340~519 | 445 | 100 |
| | 12月 | 109 | 217~516 | 367 | 99.99 | 0.128 | 28 | 282~563 | 465 | 96.4 |
| | 1986年1月 | 66 | 179~459 | 339 | 97.44 | 0.177 | 16 | 318~581 | 443 | 100 |
| | 2月 | 96 | 221~581 | 386 | 99.51 | 0.165 | 21 | 396~527 | 465 | 100 |

水电八局科研所根据现场多次试验,求得东江大坝混凝土抗拉与抗压关系以及抗拉与极限拉伸值之间的关系,可用以下两式控制:

$$R_P=0.457\,7R^{0.695\,3}$$

$$\varepsilon_P = (0.508 + 0.018\,2R_P) \times 10^{-4}$$

根据上式推得350号混凝土的抗拉强度为2.69MPa,因而$\varepsilon_P$达不到$1.0\times10^{-4}$。

东江大坝混凝土的弹性模量试验值见表17。由表中看出,东江大坝混凝土的抗拉弹性模量略高于抗压弹性模量。

**表17　　东江大坝混凝土的弹性模数**　　(单位:万 MPa)

| 混凝土标号 | 龄期(d) | 抗拉弹模 $E_P$ | 抗压弹模 $E_c$ |
|---|---|---|---|
| $R_{90}350$ | 7 | 2.428 | 2.262 |
| | 28 | 3.025 | 2.819 |
| $R_{90}300$ | 7 | 2.233 | 2.164 |
| | 28 | 3.003 | 2.752 |

东江大坝混凝土的自生体积变形,先后由不同单位进行过试验(其中有中国水利水电科学研究院、中南勘测设计院科研所),结果各异,本文暂不考虑其影响。

东江大坝混凝土温度控制设计指标见表18。其最高允许温度见表19。因此,在强约束区混凝土分层厚度为1.0m;脱离约束区后按2.0m浇筑,并要求按5~7d间歇期均匀连续上升,基础约束区混凝土不允许长期停歇,其他部位间歇期也不要超过10d。设计规定相邻块高差为:基础混凝土为6~7.5m;上部混凝土为8~10m;全坝最高最低高差不大于10~12m。根据以上要求,规定在高温季节浇筑强约束区内混凝土时,在层厚为1.0m的情况下,浇筑温度应控制在15℃以下。

**表18　　东江大坝温度控制设计指标**

| 部　位 | 基础温差(℃) | | 内外温差(℃) | 上下层温差(℃) | 备　注 |
|---|---|---|---|---|---|
| | 强约束区 | 弱约束区 | | | |
| 平整基础 | 19 | 22 | <15 | — | |
| 斜坡基础 | 17 | 20 | <15 | — | |
| 脱离约束区以上部位 | — | — | 10~20 | 17~20 | 侧边暴露时间长的取小值 |

**表19　　东江大坝混凝土允许最高温度**

| 月　　份 | 12~2 | 3,11 | 4,5,9,10 | 6~8 |
|---|---|---|---|---|
| 允许最高温度(℃) | 25~27 | 28~30 | 31~33 | 35 |

东江大坝混凝土的浇筑,按设计规定混凝土由设置在右岸270m高程处的两座3×2 400拌和楼供料,由米轨机车运至坝头,再由两台20t缆机吊6m³立罐入仓进行浇筑。但大坝混凝土于1983年11月25日开始浇筑时,▽270m混凝土系统尚未投产,改由浇筑厂房的▽170m混凝土系统供料。而▽170m混凝土系统是在不具备浇筑大坝混凝土的条件下勉强进行大坝浇筑,系统经常发生故障,配料不准,台班产量很低,造成一个浇筑层的浇筑时间很长,严重影响混凝土质量和均匀性,其中尤以1984年夏天浇筑的混凝土更为严重。自1983年11月25日到1984年7月初大坝混凝土停浇,历时约7个月,总共只浇筑混凝土6.7万m³,平均月浇筑量不足1.0万m³,台班产量100m³左右,个别台班产量仅十几立方米,且无保护措施和预冷措施,夏天浇筑温度高达25~30℃。大坝混凝土出现了177条有记录的裂缝,平均每1万立方米混凝土有裂缝26条,情况相当严重,迫使大坝混凝土停浇处理。

1984年11月,由于▽270m混凝土拌和系统正式投产,大坝混凝土恢复浇筑,并吸取前段时间的教训,切实加强了温控防裂措施。冬春季加强表面保护,使用泡沫塑料保温被作为保温材料(大约能削减气温变幅的50%以上),从而完全改变了1983年冬至1984年春那种寒潮一来就开裂的被动局面。

1985年夏,▽270m骨料预冷系统投产,混凝土浇筑温度大幅度下降,据统计,1985年7月份出机温度在15℃以下者占73%。表20为恢复浇筑以来到1985年12月,各坝段强约束区实测浇筑温度统计值,表明除一小部分混凝土浇筑温度超出2~3℃外,其余基本上满足了设计要求。此外还采取了加强混凝土养生(仓面安装喷头24小时连续喷水)、仓面隔热(喷雾)等措施。1985年6、7、8三个月共浇筑混凝土10.5万$m^3$,未发生一条裂缝。但是以后对横缝面上的保温注意不够,东江峡谷风又较大,致使横缝面上微细裂缝时有发生。

**表20　各坝段强约束区混凝土的浇筑温度 $T_P$ 值**

| 坝段 | $T_P$(℃) | 坝段 | $T_P$(℃) | 坝段 | $T_P$(℃) | 坝段 | $T_P$(℃) |
|---|---|---|---|---|---|---|---|
| 6 | 8~13 | 11 | 4~14 | 16 | 3~14.5 | 21 | 8~17 |
| 7 | 8~17 | 12 | 5~14 | 17 | 3~17 | 22 | 12~18 |
| 8 | 12~18 | 13 | 2~17 | 18 | 1.5~14 | 23 | 9~15 |
| 9 | 11~18 | 14 | 3~13 | 19 | 2~13 | 24 | 8~12.5 |
| 10 | 6~17 | 15 | 2~10 | 20 | 3~15 | | |

由于▽270m混凝土系统的投产,加快了符合质量要求的供料,从而也加快了浇筑速度,每层混凝土不到两个台班即可浇完,保持了预冷效果,也减小了相邻块高差。除个别坝段外,都能满足设计要求,如基础混凝土都能做到高差不大于6.3m;对于上部混凝土,大部分小于6.3m,少数为8.3m。浇筑间歇期也比以前缩短,其统计值列于表21。

**表21　东江大坝基础混凝土浇筑层间歇期统计**

| 统计时段 | 统计坝段 | 统计层数 | 间歇期层数和百分比 | | | | | | | |
|---|---|---|---|---|---|---|---|---|---|---|
| | | | ≤7d | | 8~10d | | ≥11d | | | |
| | | | 层数 | % | 层数 | % | 层数 | % | 其中≥15d | |
| | | | | | | | | | 层数 | % |
| 1984年11月~1985年12月 | 6~24 | 152 | 64 | 42.1 | 42 | 27.6 | 46 | 30.3 | 11 | 7.2 |
| 1983年11月~1984年7月 | 12~19 | 61 | 13 | 21.3 | 21 | 34.4 | 27 | 44.3 | 14 | 23 |

由表21可知:间歇期的要求没有满足设计要求,但恢复浇筑以后,情况有很大的改善。这种间歇期的缩短,在很大程度上减少了外界温、湿变化对混凝土浇筑层的不利影响。

东江大坝在1983年11月25日开始浇筑以来,到1986年4月,共发现有记录的裂缝464条,按严重裂缝、一般裂缝和微细裂缝分为三大类。定义严重裂缝为:仓面上裂缝横向贯穿或近乎贯穿,深度一般裂穿或几乎裂穿整个浇筑层,甚至几个浇筑层;一般裂缝为:在仓面上一般延伸较短,最长不超过坝段宽度的一半,侧边延伸一个浇筑层,有时也达到几个浇筑层;微细裂缝为:仓面上没有或极短,侧边上延伸不超过一个浇筑层。按照上述定义,裂缝的统计见表22。

**表22　东江大坝裂缝统计**

| 项　目 | 1983年11月~1984年7月 | | | 1984年11月~1985年5月 | | | 1985年 | | | 1986年1~4月 | | |
|---|---|---|---|---|---|---|---|---|---|---|---|---|
| 裂缝条数 | 177 | | | 74 | | | 179 | | | 34 | | |
| 平均条数(条/万$m^3$) | 26.4 | | | 4.17 | | | 12.18 | | | 3.0 | | |
| 裂缝性质 | 严重 | 一般 | 微细 | 严重 | 一般 | 微细 | 严重 | 一般 | 微细 | 严重 | 一般 | 微细 |
| | 41 | 62 | 74 | 0 | 2 | 72 | 1 | 13 | 165 | 0 | 8 | 26 |

## 2.4 白山重力拱坝

白山重力拱坝位于吉林省第二松花江上,坝高147.5m,混凝土总量为163万$m^3$,于1976年开始浇筑,1988年接近完工。大坝混凝土标号分为:基础混凝土(高15m)为$R_{90}250S_8D_{200}DW$,内部混凝土为$R_{90}200S_4D_{50}DW$(DW为有低热要求),▽370m以下上游面5m厚度混凝土与基础混凝土相同,▽370~410m上游面5m混凝土为$R_{90}250S_8D_{200}$,下游面▽293m以下厚度5m为$R_{90}250S_8D_{200}$,下游面▽293m以上厚度5m到坝顶为$R_{90}250S_6D_{150}$,抗冲磨部位为$R_{90}250S_6D_{200}$并提出抗冲磨要求。使用的水泥主要为抚顺525号大坝水泥和425号矿渣大坝水泥。单位水泥用量为193~217kg/$m^3$,施工时一般多用20~50kg/$m^3$。拌和时不加添加料,加入0.2%的金城塑化剂。水泥水化热试验值见表23。

表23 白山大坝水泥水化热 (单位:J/kg)

| 龄期(d) | 1 | 2 | 3 | 4 | 5 | 6 | 7 |
|---|---|---|---|---|---|---|---|
| 抚顺普通525号 | 167 974 | 204 776 | 223 742 | 237 517 | 248 277 | 257 614 | 264 396 |
| 抚顺矿渣425号 | 117 984 | 153 572 | 167 933 | 178 567 | 187 443 | 194 351 | 200 548 |

抚顺水泥的化学成分中,MgO含量为4.28%~4.38%,满足国家标准(少于4.5%)的要求。由于MgO含量偏高,用这种水泥拌制的混凝土有延迟型微膨胀性。室内试验结果见表24。现场的大坝上的原型观测也证实室内试验结果,一般1~2年自生体积膨胀可达$(0.5\sim0.8)\times10^{-4}$,而且变化基本稳定。因此,这种特性对大体积混凝土温度徐变拉应力的补偿十分有利。

表24 白山大坝混凝土自生体积变化 ($\times10^{-6}$)

| 水泥品种 | 龄期(d) | | | | | | |
|---|---|---|---|---|---|---|---|
| | 5 | 8 | 30 | 60 | 156 | 380 | 706 |
| 抚顺纯热料大坝525号 | 4.49 | 6.40 | 10.07 | 11.44 | 31.36 | 73.42 | 117.04 |
| 抚顺矿渣大坝425号 | 4.01 | 2.31 | 7.17 | 8.43 | 24.40 | 48.71 | 68.07 |

白山大坝位于高纬度(北纬42°28′)高寒山区,年平均气温低,变幅大,气候条件在全国各坝中是比较严酷的。表25列出白山地区气温、水温的变化。表26、表27为气温骤降的统计值。

表25 白山地区气温与水温变化

| 项目 | 1月 | 2月 | 3月 | 4月 | 5月 | 6月 | 7月 | 8月 | 9月 | 10月 | 11月 | 12月 | 年平均 |
|---|---|---|---|---|---|---|---|---|---|---|---|---|---|
| 月平均气温(℃) | -15.7 | -12.13 | 3.06 | 6.29 | 13.07 | 17.45 | 21.20 | 20.15 | 13.11 | 5.79 | -3.69 | -12.53 | 4.2 |
| 月平均水温(℃) | 0.3 | 0.2 | 0.2 | 3.8 | 11.6 | 17.3 | 21.1 | 20.1 | 15.6 | 6.98 | 1.3 | 0.2 | 8.2 |

注:最高气温36.5℃;最低气温-36.6℃。

表26 白山地区各月寒潮出现次数统计

| 月份 | 9 | 10 | 11 | 12 | 1 | 2 | 3 | 4 | 总计 |
|---|---|---|---|---|---|---|---|---|---|
| 寒潮出现次数 | 0.64 | 2.23 | 3.15 | 3.58 | 3.32 | 2.31 | 1.69 | 1.16 | 18.48 |

表27 白山地区出现10%频率寒潮降温幅度

| 骤降时间(d) | 1 | 2 | 3 |
|---|---|---|---|
| 寒潮降温幅度(℃) | 11.7 | 12.0 | 12.4 |

由表26~表27可知:白山地区气温骤降频繁,而且多发生在冬季,降温幅度大、持续时间长,因

此设计要求大坝混凝土表面必须保温。施工时特别重视大坝上下游面上的保护，采用了厚5cm的木丝板长期保护，取得了很好的效果。

在确定大坝基础温控指标时，设计者曾根据当时工地的条件，论证现行规范中的指标难于达到，而未作硬性规定。实际施工时浇筑块长25～40m，近基础部位分层厚度为3个1.5m，以上为3.0m。实际基础温差大致为：4月、5月、10月份浇筑的为22℃；11月～3月份浇筑的为12～17℃；6～9月份浇筑的为32～37℃。大坝达到的最高温度，个别的达到50.4℃，一般为：4月、5月、10月为30℃；11月～翌年3月为20～25℃；6～9月为40～45℃。设计规定的上下层温差：一般为20℃；当侧边长期暴露时为17℃。施工时由于未采用栈桥而采用门机"蹲点"的方法，因而实际上是以冬天划界，形成相当大的高差，有时甚至是反高差，其高度为20m或更高。大坝混凝土实际达到的浇筑温度：4月、5月、10月份为10℃左右；11～3月为5～10℃；6～9月普遍大于20℃，因而夏季混凝土的最高温度很高。

白山大坝混凝土至1982年初共发生裂缝324条，上游面裂缝很少：11～13号坝段的底孔顶部312m高程上游面有9条；15号和18号坝段290m高程附近上游面有3条，最大宽度0.5～2.5mm，深度1～3m，已用沥青防渗板处理。其他裂缝为表面裂缝，多发生在每年10月以后。基础贯穿裂缝有两条：一为17号坝段Ⅱ分块，块长40m，厚为1.5m，薄层长间歇半年以上，经过一个冬季，坝体中部裂穿；另一条为13号坝段下游坝趾和纵向围堰交接处，浇筑坝总长超过60m，在坝与纵向围堰交界处结构断面发生变化，大坝混凝土温度最高达49.75℃。

除此之外，白山大坝还有两处较严重的裂缝：一处为13号坝段Ⅰ块▽310m左右顶面有八九条格状裂缝；另一处为15号坝段▽345m平行坝轴线的4条裂缝，间距10～12m均匀分布。

## 2.5 乌江渡拱形重力坝

该坝位于长江支流乌江的贵州省遵义和息峰两县交界处。最大坝高165m，地形为V形河谷两岸对称，岸坡40°～60°。大坝建在岩溶发育的下三叠统玉龙山灰岩上，其变形模量为$(1.8\sim2.0)\times10^4$ MPa。大坝混凝土总方量为186.46万$m^3$。大坝剖面如图3所示；坝址区气温和河水温度见表28。

**表28**　　乌江渡坝区气温与河水温度变化

| 项目 | | 1月 | 2月 | 3月 | 4月 | 5月 | 6月 | 7月 | 8月 | 9月 | 10月 | 11月 | 12月 | 全年 |
|---|---|---|---|---|---|---|---|---|---|---|---|---|---|---|
| 气温(℃) | 月平均 | 5.5 | 7.3 | 12.2 | 17.4 | 20.4 | 23.4 | 26.2 | 24.9 | 21.9 | 16.8 | 12.4 | 7.7 | 16.3 |
| | 月最高 | 9.8 | 11.7 | 18.4 | 24.1 | 26.1 | 29.3 | 32.6 | 31.9 | 28.5 | 21.6 | 17.7 | 12.8 | |
| | 月最低 | 3.3 | 4.6 | 8.4 | 13.1 | 16.9 | 19.4 | 21.8 | 21.1 | 18.2 | 14.2 | 9.8 | 5.0 | |
| | 极端最高 | 23.0 | 30.0 | 35.2 | 40.3 | 37.5 | 38.2 | 40.7 | 39.7 | 37.7 | 34.2 | 31.4 | 26.4 | |
| | 极端最低 | −6.1 | −3.1 | −0.7 | 4.5 | 8.2 | 12.6 | 11.5 | 16.5 | 10.2 | 5.6 | 1.4 | −2.9 | |
| 月平均水温(℃) | | 9.4 | 9.8 | 13.5 | 16.9 | 19.6 | 20.9 | 22.1 | 22.4 | 21.1 | 18.1 | 15.1 | 11.5 | 16.6 |

乌江渡大坝使用贵州水城500号大坝矿渣水泥和500号普通矿渣水泥。水泥水化热见表29。

**表29**　　乌江渡大坝使用水泥的水化热　　(单位：J/kg)

| 水泥品种 | 龄期 | | | | | | | 最终 |
|---|---|---|---|---|---|---|---|---|
| | 1d | 2d | 3d | 4d | 5d | 6d | 7d | |
| 500号水城大坝矿渣 | 164 670 | 159 475 | 176 055 | 187 234 | 195 230 | 201 929 | 207 121 | 238 648 |
| 500号水城普通矿渣 | 140 802 | 188 029 | 210 764 | 225 794 | 237 057 | 245 723 | 253 301 | 293 076 |

在混凝土温控计算中，设计采用的混凝土力学、热学性能见表30和表31。

乌江渡大坝基础混凝土为$R_{90}200S_{10}D_{25}$，内部混凝土为$R_{90}150S_4D_{25}$，要求混凝土强度保证率不低于80%，离差系数$C_v$不大于0.15。

大坝稳定温度场用电拟法作出，基础混凝土按不同仓号，其平均稳定温度场溢流坝为10～14℃，非

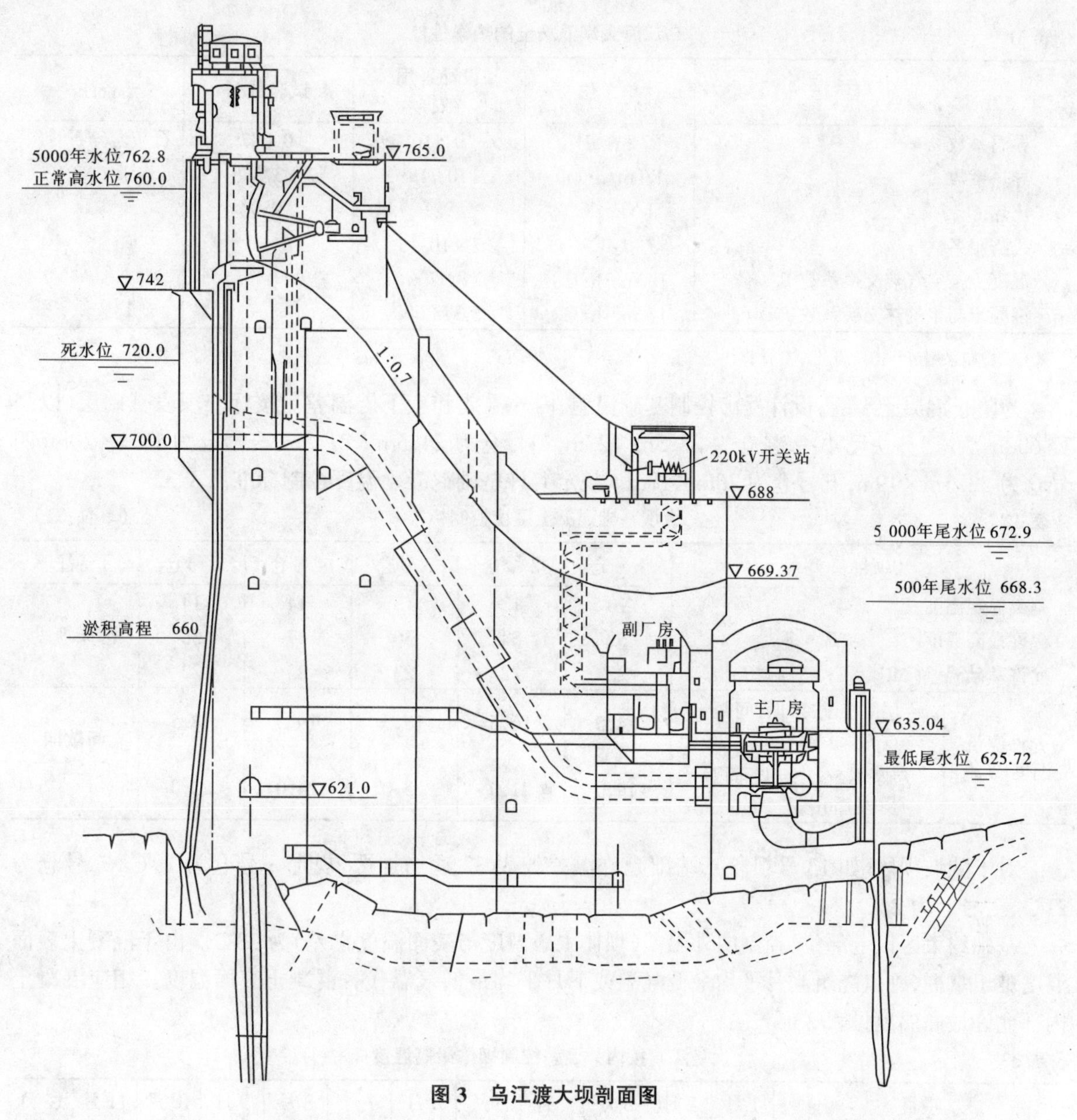


图3 乌江渡大坝剖面图

溢流坝为10～16℃。平均稳定温度场第一仓为10℃,其主要影响因素是坝上游面水温的确定。设计时690m高程以下按9℃考虑,此高程以上按直线变化到760m高程为年平均水温16.6℃。实际完建蓄水以后,实测水库水温与上述假定有较大出入,特别是库底温度有局部升高,这主要是水库异重流的影响。

表30 乌江渡大坝混凝土的力学性能

| 项 目 | 基础混凝土<br>和外部混凝土 | 内部混凝土 |
|---|---|---|
| 抗压强度 $R_{90}$(0.1MPa) | 200 | 150 |
| 极限拉伸 $\varepsilon_P$(28d) | $\geqslant 0.82\times10^{-4}$ | $\geqslant 0.7\times10^{-4}$ |
| 弹性模量 $E_{90}$(0.1MPa) | $29\times10^4$ | $24\times10^4$ |
| 容重 $\gamma$(kg/m$^3$) | 2 400 | 2 400 |
| 泊松比 $\mu$ | 0.16 | 0.16 |
| 抗裂安全系数 $k$ | 1.3 | |

表 31 乌江渡大坝混凝土的热学性能

| 项　　目 | 单　位 | 设计采用数据 | 试验数据 | 备注 |
|---|---|---|---|---|
| 导温系数 $a$ | $m^2/d$ | 0.116 | 0.087 | 石灰岩碎石骨料 |
| 导热系数 $\lambda$ | J/(m·h·℃) | 10 718 | 8 373.6 | |
| 比热 $C$ | J/(kg·℃) | 921 | 959 | |
| 线膨胀系数 $\alpha$ | 1/℃ | $7\times10^{-4}$ * | | |
| 混凝土与空气热交换系数 $\beta_1$ | $J/(m^2·h·℃)$ | 83 736 | | |
| 混凝土与水的热交换系数 $\beta_2$ | $J/(m^2·h·℃)$ | 8 373 600 | | |

* 工程初期采用 $\alpha=10\times10^{-6}$ 1/℃计算。

为防止混凝土裂缝，设计提出控制基础温差、内外温差和上下层温差。按标准坝段基础层（以高程 600m 为准）分块尺寸：一号仓为 28.5m×23m，二号仓为 24.5m×21.5m，三号仓为 18m×20m，四号仓为 22.5m×19m，五号仓为 26m×18m。规定允许基础混凝土温度控制标准见表 32。

表 32 大坝基础混凝土温度控制标准 （单位：℃）

| 项目 | | 1 号仓 | 2 号仓 | 3 号仓 | 4 号仓 | 5 号仓 | 备注 |
|---|---|---|---|---|---|---|---|
| 基础稳定温度 $T_f$ | | 10 | 12 | 13 | 14 | 14 | 河床坝段 |
| 允许最高温度$[T_{max}]=T_r+T_P$ | | 32 | 34 | 36 | 37 | 36 | |
| 允许基础温差$[\Delta T]=T_r+T_P-T_f$ | | 22 | 22 | 23 | 23 | 22 | |
| 允许浇筑温度$[T_P]$ | 层厚 3m、冷却管间距 3m×1.5m | 14.5 | 16.5 | 18.5 | 19.5 | 18.5 | 间歇期 5d |
| | 层厚 1.5m，冷却管间距 1.5m×1.5m | 19.0 | 21.0 | 23.0 | 24.0 | 23.0 | |

对于陡坡坝段（如 13 号坝段），基础允许温差较表 32 适当加严，规定一号仓为 19℃，二号仓为 21℃，三号仓为 22℃。

基础约束区以上部位，控制内外温差（坝体中心温度与表面温度之差）为 23℃。由于混凝土表面温度难于掌握，则以浇筑当月平均最低气温或下月平均最低气温代替混凝土表面温度。相应混凝土内部允许最高温度见表 33。

表 33 乌江渡按内外温差控制坝体最高温度

| 项目 | | 1月 | 2月 | 3月 | 4月 | 5月 | 6月 | 7月 | 8月 | 9月 | 10月 | 11月 | 12月 |
|---|---|---|---|---|---|---|---|---|---|---|---|---|---|
| 月平均最低气温(℃) | | 3.0 | 4.6 | 8.4 | 13.1 | 16.9 | 19.4 | 21.8 | 21.1 | 18.2 | 14.2 | 9.8 | 5.0 |
| 坝体允许最高温度(℃) | | 26.0 | 27.6 | 31.4 | 36.1 | 39.9 | 42.4 | 44.1 | 44.1 | 37.2 | 32.8 | 28.0 | 26.0 |
| 设计采用值(℃) | | 26.0 | 27.6 | 31.4 | 36.0 | 40.0 | 40.0 | 40.0 | 40.0 | 37.0 | 33.0 | 28.0 | 26.0 |
| 允许浇筑温度(℃) | 一、五号仓 | 8.5 | 10.1 | 13.9 | 18.5 | 22.5 | 22.5 | 22.5 | 22.5 | 19.5 | 15.5 | 10.5 | 8.5 |
| | 二、三、四号仓 | 10.2 | 11.8 | 15.6 | 20.2 | 24.2 | 24.2 | 24.2 | 24.2 | 21.2 | 17.2 | 12.2 | 10.2 |

对于停歇时间超过 28d 时，视为老混凝土，按上下层温差控制，最大不超过 20℃。

为了满足以上温度控制指标，实际施工时采用多种措施，计有：

(1)选用水城水泥厂较低水化热的水泥；选用优质外加剂降低水泥用量（初期掺用 NNO 和 OP，后期改用木质磺酸钙与加气剂 TX-10，可减少水泥用量 19%～20%）；精心设计混凝土配合比；利用混凝土后期强度等。采用这些措施后，使 $R_{90}$200 号四级配混凝土的单位水泥用量为 160～189 $kg/m^3$，龄期 $R_{90}$150 号四级配混凝土的单位水泥用量为 151$kg/m^3$。

(2)采用骨料防晒、隔热；加冰拌和混凝土（加冰量 30～50$kg/m^3$）；防止运输、浇筑过程中温度回升(加快施工速度及仓面喷雾)等措施,以降低混凝土出机温度和浇筑温度。

(3)采用一期水管冷却,加速混凝土内部热量的散发,并降低混凝土的最高温升。

在采取以上各种措施后,实测坝内各种控制实际情况如下。

2.5.1 实测混凝土浇筑温度

表34说明:夏季由于加冰,浇筑温度接近气温。其他月份浇筑温度一般高出月平均气温2~4℃。因此,与表32和表33比较,可以认为:5~10月份浇筑基础混凝土,则满足不了设计要求。这些月份浇筑上部混凝土,也稍显不足。乌江渡大坝基础混凝土一般都在11月至次年4月浇筑,用河水进行一期水管冷却,混凝土浇筑温度为10~15℃,水化热温升一般在15℃左右,因此20~22℃的允许基础温差一般能够满足。实测8号坝段和13号坝段的资料(见表35)也可证实这一点。

表34 乌江渡大坝历年实测混凝土月平均浇筑温度 (单位:℃)

| 年度 | 1月 | 2月 | 3月 | 4月 | 5月 | 6月 | 7月 | 8月 | 9月 | 10月 | 11月 | 12月 |
|---|---|---|---|---|---|---|---|---|---|---|---|---|
| 1976 | | | | 15.6 | 20.4 | 21.5 | 25.0 | 25.4 | 22.3 | 18.9 | 10.7 | 10.0 |
| 1977 | | 7.2 | 14.3 | 17.0 | 20.2 | 23.6 | 26.3 | 22.6 | 22.1 | 20.7 | 14.9 | 14.0 |
| 1978 | 9.1 | 9.6 | 14.6 | 16.9 | 19.9 | 23.5 | 26.9 | 26.9 | 24.5 | 20.7 | 14.9 | 12.4 |
| 1979 | 11.9 | 13.3 | 12.1 | 16.8 | 21.0 | 25.0 | 26.8 | 27.1 | 24.5 | 21.1 | 17.5 | 12.4 |
| 1980 | 11.6 | 10.4 | 13.3 | 17.7 | 20.9 | 23.5 | 25.5 | 24.8 | | | | |
| 多年平均 | 10.5 | 10.5 | 13.7 | 16.9 | 20.5 | 23.4 | 26.4 | 26.3 | 23.8 | 20.6 | 15.2 | 13.2 |

表35 大坝基础块混凝土温控指标实测

| 坝段 | 仓号 | 浇筑块长边尺寸(m) | 浇筑时间 | 实测最高温度(℃) | 分区平均稳定温度(℃) | 基础温度(℃) | 允许基础温差(℃) | 冷却水管布置水平×垂直(m×m) |
|---|---|---|---|---|---|---|---|---|
| 8号 | 1 | 27.6 | 1974-03-28 | 29.4 | 10 | 19.4 | 22 | 1.5×1.5 |
| | 2 | 24.5 | 1975-03-15 | 28.5 | 12 | 16.5 | 22 | 1.5×3.0 |
| | 3 | 18.0 | 1975-03-17 | 27.5 | 13 | 14.5 | 23 | 1.5×3.0 |
| | 4 | 22.5 | 1975-03-30 | 28.4 | 14 | 14.4 | 23 | 1.5×3.0 |
| | 5 | 23.0 | 1975-03-09 | 26.4 | 14 | 12.4 | 22 | 1.5×3.0 |
| 13号 | 1 | 25.0 | 1975-05-11 | 36.1 | 11 | 25.1 | 19 | 1.5×1.5 |
| | 2 | 24.5 | 1975-05-13 | 37.6 | 14 | 23.6 | 22 | 1.5×3.0 |
| | 3 | 24.5 | 1975-05-09 | 34.7 | 16 | 18.7 | 23 | 1.5×3.0 |

2.5.2 实测上部混凝土最高温度

现将其较大的实测值列入表36。

截至1982年底,乌江渡大坝混凝土裂缝共有143条,其分布情况列见表37。贯穿性裂缝有1条(在6号坝段)。其他属表面性裂缝,基本上未做处理。裂缝以溢流孔面板最多,有37条。该处混凝土为$R_{28}$250号,一级配砂率49%,水泥用量375kg/m$^3$,底部混凝土留有台阶。

## 2.6 刘家峡重力坝

刘家峡混凝土重力坝始建于1958年,1961年因质量问题停工。1964年恢复浇筑,完建于1974年。大坝为实体混凝土重力坝。基础为云母石英片岩,比较完整,静变形模量为(2~3)×10$^4$MPa。该坝位于黄河干流甘肃境内,距洮河口很近。主坝最大坝高148m,最大底宽约120m,坝顶全长204m,混凝土量约76万m$^3$。大坝主坝分为5块,一般分块尺寸为21m×22m(最大21m×26.5m),一般分层高度3~5m。右岸混凝土副坝亦为重力式。最大坝高43m,最大底宽31.5m,不分纵缝,混凝土量约15万m$^3$。

表 36　　乌江渡大坝上部混凝土温控统计

| 坝段 | 仓号 | 测点高程(m) | 实测最高温度(℃) | 浇筑时间 | 最高温度出现时间 | 最低月平均气温(℃) | 实际混凝土内外温差(℃) |
|---|---|---|---|---|---|---|---|
| 8号 | 1 | 628.7 | 30.6 | 1976－02－17 | 1976－03－26 | 8.4(3月) | 22.2 |
| | | 663.2 | 48.0 | 1978－08－06 | 1978－08－25 | 21.1(8月) | 26.9 |
| | | 681.3 | 46.6 | 1979－09－24 | 1979－10－30 | 14.2(10月) | 32.4 |
| | 2 | 660.0 | 41.8 | 1978－08－10 | 1978－09－01 | 18.2(9月) | 23.6 |
| | | 721.5 | 41.3 | 1980－05－11 | 1980－05－15 | 16.9(5月) | 24.4 |
| | 3 | 632.8 | 37.3 | 1977－10－24 | 1977－11－06 | 9.8(11月) | 27.5 |
| | 4 | 669.0 | 36.9 | 1979－10－18 | 1979－10－28 | 14.2(10月) | 22.7 |
| | 5 | 661.4 | 38.0 | 1979－04－23 | 1979－05－02 | 16.9(5月) | 21.1 |
| 13号 | 1 | 703.2 | 31.4 | 1980－02－23 | 1980－03－08 | 8.4(3月) | 23.0 |
| | | 733.5 | 45.1 | 1980－05－24 | 1980－05－30 | 19.4(6月) | 25.7 |
| | 2 | 690.0 | 44.3 | 1975－06－02 | 1975－06－07 | 19.4(6月) | 24.9 |
| 4号 | 1 | 699.2 | 31.4 | 1979－03－22 | 1979－03－30 | 8.4(3月) | 23.0 |
| | 2 | 705.2 | 34.1 | 1979－09－13 | 1979－11－12 | 9.8(11月) | 24.3 |
| 6号 | 1 | 637.7 | 39.8 | 1977－11－05 | 1977－11－10 | 9.8(11月) | 30.0 |
| | | 651.2 | 36.1 | 1977－12－24 | 1978－01－05 | 3.0(1月) | 27.1 |
| | | 657.2 | 33.2 | 1978－11－15 | 1978－11－28 | 9.8(11月) | 23.4 |
| | 2 | 636.0 | 26.4 | 1978－02－06 | 1978－02－17 | 4.6(2月) | 21.8 |
| | | 663.0 | 34.3 | 1978－11－01 | 1978－12－14 | 5.0(12月) | 29.3 |
| | 3 | 627.5 | 33.6 | 1978－01－06 | 1978－01－16 | 3.0(1月) | 30.6 |

**注**:上表中最低月平均气温为多年月平均值。

表 37　　乌江渡大坝混凝土裂缝统计

| 裂缝发生部位 | | 基础贯穿裂缝 | 浇筑层平面裂缝 | | 侧面裂缝 | | 导水墙裂缝 | 廊道裂缝 | 合　计 |
|---|---|---|---|---|---|---|---|---|---|
| | | | 连通坝块 | 不连通坝块 | 横缝面 | 纵缝面 | | | |
| 大坝 | 4号地段 | | 1 | | | | | | 1 |
| | 5号地段 | | | | 1 | 1 | | 1 | 3 |
| | 6号地段 | 1 | | | | | | 2 | 3 |
| | 7号地段 | | | 5 | | | | | 5 |
| | 8号地段 | | 1 | 15 | | | | 3 | 19 |
| | 9号地段 | | 1 | 6 | | | 1 | | 8 |
| | 10号地段 | | 1 | | 2 | | | 1 | 4 |
| | 11号地段 | | 2 | 3 | | | 1 | | 6 |
| | 12号地段 | | | 1 | | 1 | 1 | 1 | 4 |
| | 13号地段 | | 3 | 3 | | | 1 | 1 | 8 |
| | 14号地段 | | 2 | 9 | | | | | 11 |
| | 15号地段 | | 3 | 4 | | | | | 7 |
| | 16号地段 | | 4 | 5 | | | | | 9 |
| | 17号地段 | | | 1 | | | | | 1 |
| | 溢流孔面板 | | 1 | 36 | | | | | 37 |
| 左右泄洪洞 | | | | 7 | | | | | 7 |
| 主厂房 | | | 4 | 6 | | | | | 10 |
| 合　计 | | 1 | 23 | 101 | 3 | 2 | 4 | 9 | 143 |

大坝基础混凝土性能见表 38。

表 38　基础混凝土性能

| 水泥品种 | 水灰比 | 外加剂 | 抗压强度 $R_c$ (0.1MPa) | | | | 抗拉强度 $R_p$ (0.1MPa) | | 弹性模量 $E$ (万 MPa) | | | 极限拉伸 ($\times 10^{-4}$) | |
|---|---|---|---|---|---|---|---|---|---|---|---|---|---|
| | | | 7d | 28d | 90d | 180d | 7d | 28d | 7d | 28d | 90d | 7d | 28d |
| 抗酸 500 号 | 0.5 | | 161 | 284 | | | 20 | 30.5 | 2.49 | 2.81 | | 0.88 | 1.26 |
| 大坝 600 号 | 0.5 | 塑 0.2% | 233 | 376 | 433 | 421 | 15.8 | 24.1 | | 3.43 | 3.92 | | |
| 大坝 600 号 | 0.5 | 加气 1.75/万 | 183 | 282 | 331 | 336 | 14.8 | 21.7 | | 3.03 | 3.32 | | |
| 大坝 600 号 | 0.5 | 加气 1.75/万 | 177 | 302 | 358 | 340 | 13.4 | 22 | | 2.99 | 3.56 | | |
| 大坝 600 号 | 0.5 | 塑 0.2%加气 1/万 | 199 | 313 | 364 | 390 | 14.1 | 19.1 | | 3.62 | 3.92 | | |
| 抗酸 500 号 | 0.5 | | 161 | 298 | 324 | | 20.1 | 28.1 | | 2.64 | 3.13 | 0.84 | 1.12 |

设计时假定 $\varepsilon_{P(90)} = 1.15\varepsilon_{P(28d)} = 1.15 \times 0.84 \times 10^{-4} = 0.97 \times 10^{-4}$,安全系数为 1.2,则对刘家峡 22～26m 长的浇筑块,要求基础允许温差 $\Delta T \leqslant 22 \sim 24$℃。实际施工时未能得到遵守。实际右副坝 11 号坝段底部最高温度达 48.7℃,该坝段 1966 年夏浇筑,层厚 3～3.5m。经过两年天然冷却,底部混凝土温度已降到 8～10℃(相应于稳定温度),故其温差约 40.7℃。根据内部观测仪器观测资料整理,水平应力约 1.9MPa。实际混凝土的抗拉强度一般为 2.1～2.5MPa,故未发生裂缝。另据观测资料分析,主坝 6 号坝段丙块,1966 年夏浇筑,混凝土最高温度为 40～42℃,经过两期水管冷却至 1967 年 8 月,其温度已降到 7～10℃,最大温差为 30～35℃。表 39 列出主坝Ⅴ、Ⅵ、Ⅶ三个坝段 15 个基础块混凝土的一些统计指标,可知在刘家峡主坝基础块温差基本上超过了 30℃,最高为 40.3℃。混凝土浇筑温度变化在 13～24℃之间。由表 40 可知,在浇筑这些混凝土时,基本上没有采取有效降温措施。因此,基础温差高达 30～35℃(个别的为 40.3℃),这对块长为 22～26m 长的浇筑块来说,超过设计允许值较多(设计允许值为 22～24℃)。

表 39　刘家峡主坝基础块混凝土的温度和实际强度

| 部位 | 高程 (m) | 水泥品种 | 水泥用量 (kg/m³) | 入仓温度 (℃) | 最高温度 (℃) | 稳定温度 (℃) | 基础温差 (℃) | 现场取样 28d 抗压强度(MPa) |
|---|---|---|---|---|---|---|---|---|
| Ⅴ甲 | 1 604～1 611.5 | 抗酸 500 号 | 160 | 13～15 | 34 | 7.5 | 26.5 | 1.89 |
| Ⅴ乙 | 1 604～1 613 | 大坝 600 号 | 170～180 | 18～20 | 41 | 9.8 | 31.2 | |
| Ⅴ丙 | 1 598～1 608 | 抗酸 500 号 | 170～180 | 16～18 | 40.3 | 8.5 | 31.8 | 1.54 |
| Ⅴ丁 | 1 598～1 607 | 大坝 600 号 | 170 | 20～22 | 42 | 9.5 | 31.5 | |
| Ⅴ戊 | 1 597～1 606 | 大坝 600 号 | 170～180 | 18～21 | 42 | 10～11 | 31.0 | 1.87 |
| Ⅵ甲 | 1 606～1 614 | 抗酸 500 号 | 160 | 14～15 | 38 | 6.4 | 31.6 | |
| Ⅵ乙 | 1 606～1 613 | 抗酸 500 号 | 160 | 14～16 | 39.6 | 9.1 | 30.5 | 1.92 |
| Ⅵ丙 | 1 608～1 618 | 大坝 600 号 | 170～180 | 17～20 | 43 | 8.7 | 34.3 | 1.84 |
| Ⅵ丁 | 1 604～1 615 | 大坝 600 号 | 200 | 22～24 | 49.8 | 9.5 | 40.3 | 1.68 |
| Ⅵ戊 | 1 604～1 614 | 大坝 600 号 | 170～180 | 22～24 | 44 | 12 | 32.0 | 1.67 |
| Ⅶ甲 | 1 610～1 616 | 抗酸 500 号 | 170～180 | 20～22 | 42 | 7.5 | 34.5 | 1.61 |
| Ⅶ乙 | 1 610～1 618 | 抗酸 500 号 | 170～180 | 16～18 | 40 | 9.7 | 30.3 | 1.92 |
| Ⅶ丙 | 1 611～1 618 | 大坝 600 号 | 170 | 19～21 | 42 | 8.7 | 32.3 | 1.93 |
| Ⅶ丁 | 1 604～1 615 | 大坝 600 号 | 170～180 | 19～21 | 42 | 8.0 | 34.0 | 2.02 |
| Ⅶ戊 | 1 604～1 614 | 大坝 600 号 | 170～180 | 18～20 | 41 | 10 | 31.0 | |

为防止表面裂缝,设计要求每年 9～5 月份浇筑层面要保温,每年 11～3 月侧面拆模后要立即保护。层面及侧面保护标准为 $\beta = 6.7 \sim 8.4$kJ/(m²·h·℃)。实际施工时表面用一般草袋保温,侧面一般固定不牢,保温效果不佳。

刘家峡大坝混凝土采用了两种水泥,一种抗酸 500 号,另一种为粉煤灰大坝水泥 600 号。两种水泥都符合国家标准。这两种水泥对温度控制特殊的影响为由这两种水泥拌制的混凝土,其自生体积变形各异。抗酸水泥混凝土自生体积变形为收缩(两年内一般为 $80\times10^{-6}\sim90\times10^{-6}$);而粉煤灰大坝水泥(永登水泥厂生产)自生体积变形为膨胀(两年内一般为 $60\times10^{-6}\sim70\times10^{-6}$)。其随时间的变化见图 2。很明显这种性能对大坝的温度应力会有相当的影响。

**表 40　　刘家峡地区多年气象资料**

| 项目 | | 1月 | 2月 | 3月 | 4月 | 5月 | 6月 | 7月 | 8月 | 9月 | 10月 | 11月 | 12月 | 全年 |
|---|---|---|---|---|---|---|---|---|---|---|---|---|---|---|
| 月平均气温度(℃) | | -5.8 | -1.4 | 6.3 | 12.4 | 16.4 | 20.4 | 22.3 | 21.2 | 16.5 | 10.2 | 2.8 | -3.5 | 9.8 |
| 月平均河水温(℃) | | >0 | >0 | 5.4 | 10.7 | 14.6 | 17.6 | 19.4 | 19.1 | 15.9 | 10.8 | 4.6 | >0 | |
| 月平均相对湿度(%) | | 51.9 | 47.0 | 42.6 | 44.3 | 48.2 | 55.7 | 59.0 | 62.8 | 65.2 | 63.2 | 56.2 | 58.1 | 54.5 |
| 风速(m/s) | 月平均 | 0.8 | 0.8 | 1.2 | 1.3 | 1.2 | 1.1 | 1.0 | 1.1 | 0.8 | 0.8 | 0.9 | 0.5 | 0.9 |
| | 绝对最大 | 5 | 6 | 7 | 7 | 10 | 7 | 6 | 8 | 6 | 5 | 6 | 6 | |

刘家峡大坝自 1966 年 5 月开始浇筑,到 1968 年 10 月为止,发生有记录的裂缝 200 多条,均属表面裂缝,无贯穿性裂缝。图 4 为相对裂缝率(单位体积混凝土的裂缝条数)与气温变化情况的参考图。可以看出:裂缝率在月平均气温显著降低的 9、10 月份以后明显增加。

表 41 给出刘家峡大坝实际施工时现场取样混凝土均匀性统计值。按现行标准评定,属于优、良的级别。

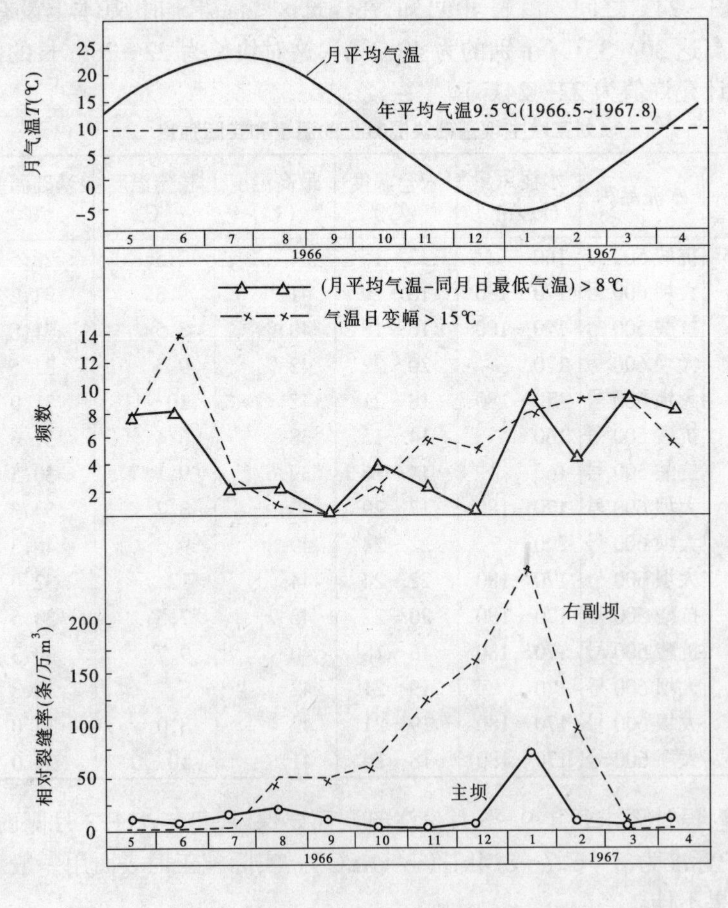


**图 4　刘家峡大坝相对裂缝率与气温关系**

表 41 刘家峡大坝 1 680m 高程以下 $R$、$R_p$ 及 $C_v$ 值

| 部　位 | 设计标号 | 抗压强度 $R_{28}$ | | | | 抗压强度 $R_{90}$ | | | | 抗拉强度 $R_{P28}$ | | |
|---|---|---|---|---|---|---|---|---|---|---|---|---|
| | | 试件个数 | 均值(0.1 MPa) | $C_v$ | $P$(%) | 试件个数 | 均值(0.1 MPa) | $C_v$ | $P$(%) | 试件个数 | 均值(0.1 MPa) | $C_v$ |
| 基　础 | $R_{28}$200,$R_{90}$250 | 1 503 | 277 | 0.157 | 96 | 456 | 320 | 0.163 | 92 | 474 | 18.9 | 0.163 |
| 上游面 | $R_{28}$250,$R_{90}$300 | 404 | 307 | 0.166 | 98 | 128 | 343 | 0.179 | 94 | 137 | 21.2 | 0.148 |
| 内　部 | $R_{28}$150,$R_{90}$200 | 364 | 244 | 0.212 | 96 | 156 | 294 | 0.171 | 96 | 130 | 17.7 | 0.104 |
| 下游面 | $R_{28}$200,$R_{90}$250 | 357 | 296 | 0.153 | 98 | 196 | 334 | 0.167 | 94 | 198 | 19.0 | 0.168 |
| 合　计 | | 2 628 | 280 | 0.164 | | 936 | 322 | 0.165 | | 939 | 19.1 | 0.162 |

以上情况说明:刘家峡大坝混凝土温差较大,裂缝较少,质量均匀。其经验值得总结,以便于今后借鉴。

## 2.7 潘家口低宽缝重力坝

潘家口大坝位于河北省迁西县滦河干流上。1975 年开工,1984 年建成。大坝为混凝土低宽缝重力坝,顶长 1 039.11m,最大坝高 107.5m,最大底宽 90 余米,总混凝土量为 266 万 $m^3$。大坝采用分纵缝柱状法施工,横缝间距一般为 18m。隔墩坝段为 21m,电站坝段为 23m。大坝最大断面用 4 条纵缝分成 5 个柱体。设计研究了六种分层方案,并规定了使用时段,见表 42。

表 42 潘家口浇筑分层方案

| 浇筑分层方案编号 | 分层厚度 $h$(m) | 水化热温升(℃) | 采用时段 |
|---|---|---|---|
| 1 | 1.5…… | 15.2 | 夏季 |
| 2 | 3.0…… | 19.2 | 春季、秋季 |
| 3 | 4.5…… | 20.4 | 春季、秋季 |
| 4 | 6.0…… | 21.3 | |
| 5 | 4×1.5+3.0…… | 18.7 | 冬季 |
| 6 | 4×1.5+4.5…… | 20.2 | 冬季 |

坝体稳定温度按不同坝段和部位规定。溢流坝基础层由甲至戊块,分别为 7 ~11 ℃(见图 5);挡水坝段基础层则由甲至丁块,分别为 7 ~10 ℃(见图 6)。

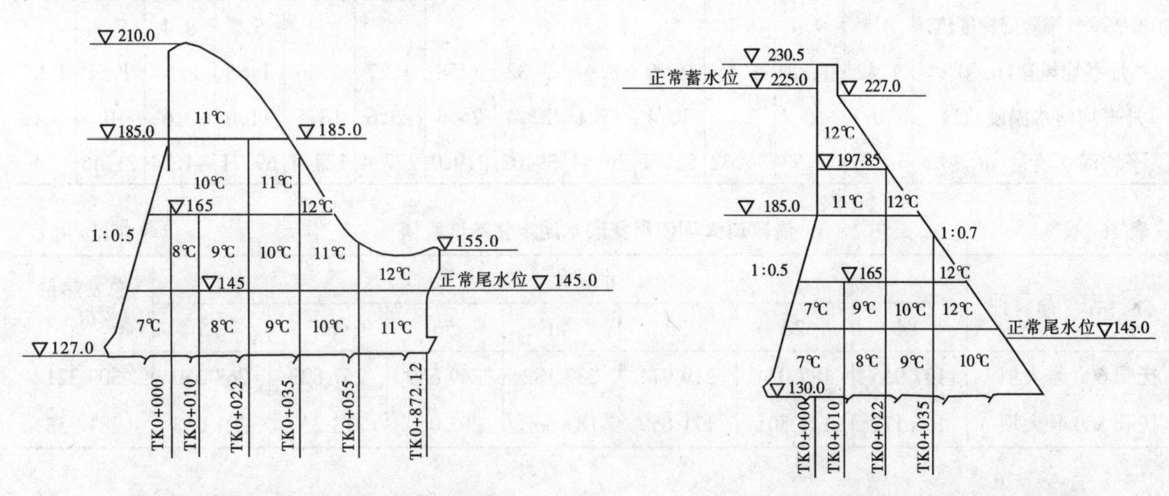


图 5 溢流坝段分块分灌区稳定温度图　　图 6 挡水坝段分块分灌区稳定温度图

设计规定的基础温差，见表 43。

**表 43**　　**潘家口重力坝允许基础温差**　　（单位：℃）

| 约束区 | 块长 $L=24$m（甲、戊块） | 块长 $L=17$m（丁块） | 块长 $L=14$m（乙、丙块） |
|---|---|---|---|
| 强约束区(0～0.2)$L$ | 20 | 22 | 23 |
| 弱约束区(0.2～0.4)$L$ | 22 | 24 | 25 |

设计允许上下层温差为 17 ℃；设计允许最高温度见表 44，用以代替内外温差的控制。

**表 44**　　**潘家口大坝允许坝体最高温度**　　（单位：℃）

| 月份 | 1 | 2 | 3 | 4 | 5 | 6 | 7 | 8 | 9 | 10 | 11 | 12 |
|---|---|---|---|---|---|---|---|---|---|---|---|---|
| 甲、戊块 | 20 | 20 | 25 | 28 | 31 | 35 | 38 | 36 | 32 | 30 | 24 | 20 |
| 乙、丙、丁块 | 20 | 20 | 26 | 30 | 33 | 37 | 40 | 38 | 34 | 31 | 27 | 20 |

坝址区气候条件见表 45，一般讲气候比较严酷，属寒冷地区。基岩为微风化角闪斜长片麻岩，平均弹模为 $1.2\times10^4$MPa。该工程使用水泥为抚顺 500 号和 600 号大坝水泥，初期使用过少量本溪水泥。抚顺水泥即白山拱坝采用过的水泥，用其拌制的混凝土有微膨胀性（1～1.5 年龄期一般为 $60\times10^{-6}\sim80\times10^{-6}$）。该工程试验的水泥水化热见表 46。施工时混凝土中掺入0.25%的木质素磺酸钙，并外掺 10kg/m³ 粉煤灰，平均单位水泥用量为 210kg/m³。

**表 45**　　**潘家口坝址区气象特征统计**

| 项目 | 1月 | 2月 | 3月 | 4月 | 5月 | 6月 | 7月 | 8月 | 9月 | 10月 | 11月 | 12月 | 全年 |
|---|---|---|---|---|---|---|---|---|---|---|---|---|---|
| 月平均气温(℃) | −8.1 | −5.4 | 2.6 | 12.5 | 19.5 | 23.14 | 25.0 | 23.7 | 18.3 | 11.4 | 2.1 | −6.3 | 10.0 |
| 月平均最高气温(℃) | 1.1 | 5.1 | 12.1 | 20.6 | 28.9 | 32.5 | 33.2 | 30.5 | 26.5 | 21.0 | 12.3 | 3.2 | |
| 月平均最低气温(℃) | −15.5 | −14.1 | −6.3 | 3.1 | 10.8 | 16.1 | 19.8 | 17.1 | 9.9 | 3.6 | −7.4 | −13.1 | |
| 绝对最高气温(℃) | 9.8 | 16.0 | 21.5 | 32.4 | 36.8 | 39.9 | 39.3 | 36.1 | 32.2 | 29.7 | 22.9 | 12.7 | |
| 绝对最低气温(℃) | −24.0 | −25.0 | −20.4 | −9.0 | 2.3 | 11.1 | 15.9 | 7.1 | 2.6 | −4.0 | −15.9 | −23.7 | |
| 月平均日温差(℃) | 14.5 | 13.5 | 13.5 | 13.9 | 14.3 | 12.6 | 9.7 | 10.4 | 13.8 | 14.6 | 12.8 | 13.4 | 13.0 |
| 80%概率气温日变幅(℃) | 6.4 | 6.2 | 6.0 | 6.2 | 6.6 | 5.9 | 4.4 | 4.6 | 6.3 | 6.5 | 5.4 | 6.0 | |
| 20%概率气温骤降幅度(℃) | 8.5 | 9.0 | 6.8 | | | | | | | 5.5 | 8.4 | 7.9 | |
| 月平均风速(m/s) | 1.42 | 1.88 | 2.45 | 2.90 | 2.80 | 2.32 | 1.58 | 1.27 | 1.46 | 1.68 | 1.74 | 1.55 | 1.92 |
| 月平均河水温度(℃) | 0 | 0 | 2.6 | 10.4 | 17.1 | 21.4 | 24.6 | 23.6 | 18.5 | 11.6 | 3.6 | 0 | |
| 平均河水流量(m³/s) | 14.71 | 17.93 | 34.62 | 52.71 | 26.44 | 39.02 | 219.0 | 277.4 | 123.4 | 69.71 | 44.24 | 21.46 | |

**表 46**　　**潘家口大坝使用抚顺水泥水化热试验值**　　（单位：J /kg）

| 水 泥 品 种 | 水 化 热 | | | | | | | 总发热量 $Q_0$ |
|---|---|---|---|---|---|---|---|---|
| | 1d | 2d | 3d | 4d | 5d | 6d | 7d | |
| 抚顺 600 号大坝 | 137 955 | 187 024 | 219 974 | 237 182 | 249 659 | 257 823 | 263 350 | 309 321 |
| 抚顺 500 号大坝 | 105 172 | 147 501 | 171 659 | 189 662 | 203 060 | 213 359 | 221 063 | 281 353 |

潘家口大坝实际施工时坝体实测温度统计见表 47。混凝土设计要求与试验成果对比见表 48。

潘家口大坝混凝土在施工中共出现裂缝 995 条，其分布情况列于表 49。

**表 47　　潘家口大坝实测温度统计**

| 年份 | 3～5月 | | | | | 6～8月 | | | | | 9～11月 | | | | | 12～2月 | | | | |
|---|---|---|---|---|---|---|---|---|---|---|---|---|---|---|---|---|---|---|---|---|
| | 观测点数 | 平均入仓温度(℃) | 平均最高温度(℃) | 平均水化热温升(℃) | 平均温差(℃) | 观测点数 | 平均入仓温度(℃) | 平均最高温度(℃) | 平均水化热温升(℃) | 平均温差(℃) | 观测点数 | 平均入仓温度(℃) | 平均最高温度(℃) | 平均水化热温升(℃) | 平均温差(℃) | 观测点数 | 平均入仓温度(℃) | 平均最高温度(℃) | 平均水化热温升(℃) | 平均温差(℃) |
| 1977 | 10 | 15.3 | 34.4 | 19.1 | 24.4 | 2 | 23.8 | 33.2 | 9.4 | 23.2 | 15 | 16.9 | 33.3 | 16.5 | 23.3 | 2 | 6.9 | 23.6 | 16.8 | 13.2 |
| 1978 | 8 | 14.6 | 30.5 | 15.8 | 20.5 | 12 | 25.4 | 39.3 | 13.9 | 29.3 | 15 | 12.6 | 31.3 | 18.6 | 21.3 | 2 | 8.7 | 25.9 | 17.2 | 15.9 |
| 1979 | 15 | 14.8 | 27.9 | 13.4 | 17.7 | 10 | 24.2 | 37.7 | 13.7 | 27.7 | 15 | 15.4 | 34.8 | 20.1 | 24.8 | 1 | 5.4 | 17.9 | 12.5 | 7.9 |
| 1980 | 4 | 8.7 | 28.4 | 19.7 | 18.4 | 5 | 22.9 | 43.5 | 16.6 | 33.5 | 5 | 10.4 | 27.1 | 17.3 | 17.8 | 2 | 10.9 | 32.6 | 21.7 | 22.6 |
| 1981 | 1 | 12.8 | 33.7 | 20.9 | 23.7 | 1 | 27.2 | 47.7 | 19.9 | 37.7 | 1 | 15.3 | 45.1 | 29.8 | 34.1 | | | | | |
| 平均 | | 13.2 | 31.0 | 17.9 | 20.9 | | 24.7 | 40.3 | 14.7 | 30.3 | | 14.1 | 34.5 | 20.5 | 24.5 | | 8.0 | 25.0 | 17.1 | 15.0 |

**注**:计算中稳定温度取10℃。

**表 48　　潘家口大坝混凝土设计要求与试验值**

| 部位 | 水泥标号 | 混凝土标号 | | 水灰比 | | 抗拉强度(MPa) | | 抗冻 | | 抗渗 | | 弹模(万MPa) | | 极限拉伸($\times10^{-4}$) | |
|---|---|---|---|---|---|---|---|---|---|---|---|---|---|---|---|
| | | 设计 | 配制标号 | 规范 | 实际 | 设计 | 试验 | 设计 | 试验 | 设计 | 试验 | 设计 | 试验 | 设计 | 试验 |
| 拦污栅 | 525 | 300 | 462 | 0.55 | 0.40 | 2.4 | 3.1 | 100 | ≥250 | $B_8$ | $B_{12}$ | | 2.9 | 0.9 | 1.24 |
| 溢流面及闸墩 | 525 | 250 | 381 | 0.55 | 0.45 | 2.0 | 2 | 100 | ≥250 | $B_6$ | $B_{12}$ | 3.0 | 2.86 | 0.9 | 1.10 |
| 导流底孔 | 525 | 200 | 348 | 0.55 | 0.50 | 1.6 | 2.6 | 100 | 250 | $B_8$ | $B_{12}$ | 2.8 | 2.82 | 0.9 | 0.96 |
| 水位变化区 | 525 | 150 | 348 | 0.55 | 0.50 | 1.2 | 2.6 | 100 | 250 | $B_6$ | $B_{12}$ | 2.4 | 2.82 | 0.85 | 0.96 |
| 266m以上 | 525 | 150 | 348 | 0.60 | 0.50 | 1.2 | 2.6 | 100 | 250 | $B_4$ | $B_{12}$ | 2.4 | 2.82 | 0.8 | 0.96 |
| 基础 | 525 | 150 | 250 | 0.60 | 0.60 | 1.2 | 2.2 | 50 | 150 | $B_8$ | $B_{10}$ | 2.4 | 2.55 | 0.7 | 0.9 |
| 死水位以下 | 525 | 150 | 250 | 0.60 | 0.60 | 1.2 | 2.2 | 50 | 150 | $B_8$ | $B_{10}$ | 1.4 | 2.55 | 0.7 | 0.9 |
| 内部 | 525 | 100 | 175 | 0.75 | 0.70 | 0.8 | 1.7 | 50 | | $B_4$ | | 1.9 | 2.29 | 0.6 | 0.71 |
| 溢流面及闸墩 | 425 | 250 | 390 | 0.55 | 0.40 | 2.0 | 2.7 | 100 | ≥250 | $B_6$ | $B_{12}$ | 3.0 | 2.83 | 0.9 | 1.17 |
| 导流底孔 | 425 | 200 | 376 | 0.55 | 0.45 | 1.6 | 2.6 | 100 | 250 | $B_8$ | $B_{12}$ | 2.8 | 2.81 | 0.9 | 1.05 |
| 水位变化区 | 425 | 150 | 316 | 0.55 | 0.45 | 1.2 | 2.6 | 100 | 250 | $B_6$ | $B_{12}$ | 2.4 | 2.81 | 0.85 | 1.05 |
| 266m以上 | 425 | 150 | 316 | 0.60 | 0.45 | 1.2 | 2.6 | 100 | 250 | $B_4$ | $B_{12}$ | 2.4 | 2.81 | 0.8 | 1.05 |
| 基础 | 425 | 150 | 216 | 0.60 | 0.55 | 1.2 | 2.3 | 50 | 150 | $B_8$ | $B_{12}$ | 2.4 | 2.65 | 0.7 | 0.82 |
| 死水位以下 | 425 | 150 | 216 | 0.60 | 0.55 | 1.2 | 2.3 | 50 | 150 | $B_8$ | $B_{12}$ | 2.4 | 2.65 | 0.7 | 0.82 |
| 内部 | 425 | 100 | 146 | 0.75 | 0.70 | 0.8 | 1.4 | 50 | | $B_4$ | $B_3$ | 1.9 | 2.35 | 0.6 | 0.57 |

表 49 潘家口大坝裂缝分布

| 部位 | 裂缝条数 | 裂缝性状 | | | | | | | 处理情况 |
|---|---|---|---|---|---|---|---|---|---|
| | | 贯穿 | 深层 | 浅层 | 水平缝 | | 竖向缝 | | |
| | | | | | 条数 | 长度(m) | 条数 | 长度(m) | |
| 上游面 | 498 | 3 | 20 | 475 | 153 | 1 906 | 345 | 1 662.2 | 贯穿、深层缝凿槽嵌填表面封闭加化灌;浅层缝表面粘贴橡皮封闭 |
| 坝内 | 317 | | 51 | 266 | | | | | 铺限裂钢筋 |
| 灌浆廊道 | 41 | | 9 | 32 | | | | | 化灌加表面环氧粘贴封闭 |
| ▽154 廊道 | 17 | | 5 | 12 | | | | | |
| 闸墩 | 34 | | | 34 | | | | | 顶面铺限裂钢筋 |
| 厂房部位 | 33 | | | 33 | | | | | |
| 溢流面 | 55 | | | 55 | | | | | 骑缝凿小槽、表面环氧封闭 |
| 合计 | 995 | 3 | 85 | 907 | | | | | |

## 2.8 新安江宽缝重力坝

新安江宽缝重力坝位于浙江省钱塘江支流新安江上,坝高 105m,坝顶长 466.5m,混凝土总方量为 175.5 万 $m^3$。该坝控制的库容很大,为 216.26 亿 $m^3$,为发电、防洪、灌溉综合利用的工程。大坝建于 1957 年到 1965 年。大坝基础混凝土为 28d 150 号,内部混凝土为 28d 100 号。使用的水泥品种较多,有火山灰水泥、矿渣水泥和硅酸盐水泥,标号为 400 号。大坝外部尚用过 28d 200 号混凝土。混凝土单位水泥用量为:200 号混凝土为 240kg/$m^3$,150 号混凝土为 188kg/$m^3$,100 号混凝土为 161 kg/$m^3$。混凝土掺合料为石煤渣和粉煤灰,并掺入上海和天津的纸浆废液。

新安江大坝设计时各种温控指标要求并不明确,实际施工时浇筑温度一般低于 28℃。

大坝裂缝没有进行严格统计,目前大坝由于混凝土质量差和裂缝,坝体产生了渗漏和溶蚀。如廊道内基础漏水中有大量 $Ca(OH)_2$ 及铁锈物质渗出。坝体漏水较多,85m 高程以上多处渗漏,总量为 400$m^3$/d,超过坝的排水量。在 90m 高程处坝体有透水层。

## 2.9 丹江口宽缝重力坝

坝高 97m,混凝土 292 万 $m^3$,位于湖北省汉江和其支流丹江的汇合处。建于 1958~1968 年。基础混凝土为 $R_{28}$200 号,内部为 $R_{28}$100 号。采用水泥为华新大坝水泥 600 号和华新矿渣水泥 500 号。基础混凝土单位水泥用量为 216kg/$m^3$,内部混凝土为 163kg/$m^3$。初期施工时曾掺入烧黏土,对混凝土质量有不良影响,后期放弃使用。为改善混凝土性能和节约水泥,施工时掺入汉阳纸浆废液和松脂皂。大坝按柱状法施工,纵缝长度为 13~30m,最大为 50m。分层厚度1.5~3.0m。设计基础温差标准为:平整基础,28d 混凝土抗拉强度为 1.5MPa,在 0~0.2$L$ 范围内($L$ 为块长)为 15~19℃;在 0.2$L$~0.4$L$ 范围内为 18~22℃ 。实际施工时在 1962 年以后基本满足要求,1962 年以前浇筑的 56 块混凝土中,基础温差大于 20℃的有 38 块,大于 24℃的有 24 块。因此,1962 年前裂缝比较严重,1962 年以后裂缝较少。设计控制内外温差为 20℃,施工时采用草袋保护,由于施工不便,实际上侧边保护效果较差。

根据现场调查资料,截至 1964 年 3 月底,共发现裂缝 2 273 条,另外在坝块顶面发现成网状裂缝和接近网状裂缝的坝块 19 块。在 2 273 条裂缝中,贯穿裂缝 17 条,其余为表面裂缝。全部裂缝分布见表 50。

另据施工后期调查,共发现裂缝 3 332 条。

## 2.10 柘溪大头坝

该坝位于湖南省资水中游,最大坝高 104m,混凝土量为 65.8 万 $m^3$,水库库容为 35 亿 $m^3$。建于 1958~1963 年。该坝设计混凝土标号有 200 号、150 号、100 号,设计龄期为 28d 和 60d。采用水泥品种很杂,有火山灰水泥和矿渣水泥,对应上述标号的水泥用量分别为210、165、110kg/m³。掺用了20%~30%烧黏土。四级配骨料最大粒径150mm,砂率为22%~24%。掺入(0.3~0.7)/10 000松脂皂及0.1%~0.15%松叶减水剂。施工时部分坝块埋块石7%~10%。该坝于1959年12月开始浇筑混凝土,1960年3~8月,96~126m高程各支墩在浇筑后15~20d发现了许多裂缝,上下游面上及支墩的侧面都有发现。迎水面上共有垂直裂缝94条,水平裂缝26条。大头面靠近中央的垂直裂缝最长25~30m,当时缝宽较小,只有0.1~0.2mm。凿槽直观检查:3号、7号墩的裂缝深为10cm,其他墩的该种裂缝深只有2cm。压水检查发现,3号、7号墩的上游面中央垂直裂缝的个别部位缝深超过1.0m。蓄水前喷浆处理,个别缝槽放钢丝网喷浆处理。

表50 丹江口大坝裂缝统计

| 坝 段 | 基础贯穿裂缝(条) | 深层贯穿裂缝(条) | 基础对应裂缝(对) | 贯穿全坝表面裂缝(条) | 上游坝面及坝块廊道裂缝(条) | 一般表面裂缝(条) | 裂缝总数(条) | | | 网状裂缝块数 | |
|---|---|---|---|---|---|---|---|---|---|---|---|
| | | | | | | | 长度大于2m | 长度小于2m | 总计 | 网状裂缝块数 | 接近网状裂缝块数 |
| 9~17 | 10 | 5 | 2 | 26 | 61 | 833 | 477 | 460 | 937 | 15 | 3 |
| 18 | 4 | 9 | — | 7 | 9 | 179 | 145 | 63 | 208 | — | |
| 19~33 | 3 | 5 | 7 | 23 | 119 | 971 | 388 | 740 | 1 128 | 1 | — |
| 合计 | 17 | 19 | 9 | 56 | 189 | 1 983 | 1 010 | 1 263 | 2 273 | 16 | 3 |

1969年6月末,首先在1号墩检查,廊道两侧发现大裂缝,缝宽达2.6mm,严重喷射水流,断定系原来上游面中央裂缝发展所致,裂缝已到达基础,裂缝面范围自90~130m高程,估计裂缝面积2 000m²,占大坝的45%,情况十分危险。

1977年5月中,又发现2号支墩排水孔大量漏水,裂缝的发展类似1号支墩,当时估计裂缝面积600m²。上游面缝宽2.0mm。1号、2号支墩裂缝示意见图7。

柘溪大头坝墩头劈裂以后,曾采取了迎水面封堵、打排水孔降压、在墩头根部和墩身处预应力锚固等措施,维持电站继续运行。1982年初开始回填坝体前部空腔以加固支墩。1983年2月当回填至90m高程附近,发现除8号支墩外,其他坝段上游面100m高程附近,产生了不同程度的水平裂缝,而大多数贯穿全坝段,部分穿入空腔,2号墩漏水量加大,曾一度引起恐慌。

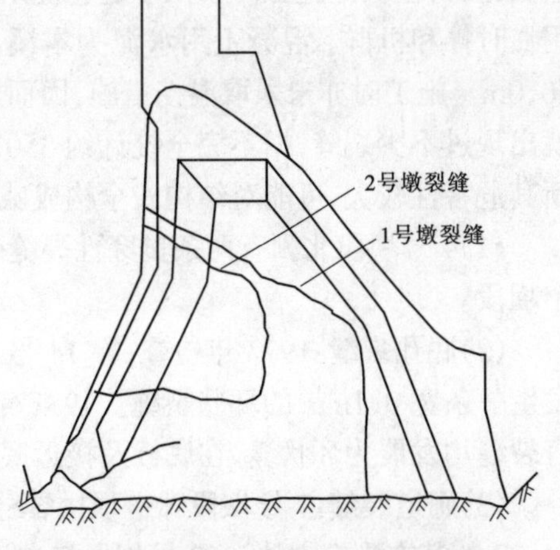

图7 柘溪1号、2号支墩裂缝示意图

## 2.11 葛洲坝工程

葛洲坝位于长江中游宜昌市,建于1970年到1981年。该工程为一综合利用的水利枢纽,由电站、重力挡水坝、泄洪闸、冲砂闸、船闸等组成。最大坝高47m。基础为粉砂岩、砾岩、页岩等,其变形模量较低,为(0.15~1.2)×10⁴MPa,水平方向为0.33×10⁴MPa。主体工程混凝土总量为990万m³。设计标号$R_{28}$100号~$R_{28}$350号。混凝土用水泥为华新525号大坝水泥、华新425号矿渣大坝水泥和荆门525号大坝水泥及425号矿渣大坝水泥,单位水泥用量为159、185、246kg/m³。施工时掺入木质素磺酸钙。

温控设计采用约束系数法,在块体尺寸高宽比小于或等于0.5时,粉砂岩区约束系数为0.37,砾岩区为0.47;当块体尺寸高宽比大于0.5时,粉砂岩区约束系数取0.35,砾岩区则取0.43。由此求得控制基础温差标准见表51。当块体尺寸为31~41m时,标准加严2℃。

块体最高温度按表52控制浇筑温度。

表 51 葛洲坝工程基础温差标准

| 约束范围 | 高宽比 $H/L$ | |
|---|---|---|
| | ≤0.5 | >0.5 |
| $(0\sim0.2)L$ | 23(20) ℃ | 26(22) ℃ |
| $(0.2\sim0.4)L$ | — | 28(26) ℃ |

注:(1)$L$ 为浇块长度;
(2)$H$ 为浇筑块高度;
(3)()内数字为砾岩区指标。

表 52 葛洲坝工程各月允许浇筑温度

| 项 目 | 月份 | | | | |
|---|---|---|---|---|---|
| | 6~8 | 5、9 | 4、10 | 3、11 | 12~2 |
| 层厚(m) | 1.5~2.0 | 1.5~2.0 | 1.5~2.0 | 1.5~2.0 | 1.5~2.0 |
| 浇筑温度(℃) | 20 | 18 | 15 | 12 | 自然入仓 |

对于上下层温差,规定在新老混凝土 $0.2L$ 范围内,不超过 17~20℃。

工程实践表明,由于基岩弹性模量低,基本上未发生基础贯穿裂缝。一期工程表面裂缝比较严重的是 3 号船闸的下闸首左右墙下,缝深达 5m 以上,但未贯穿。其次为电站厂房迎水面、三江冲砂闸右导墙,一般缝深 1~2m,最深达 4.3m。此外,在高标号抗冲耐磨护坦板面上的混凝土,普遍发生网状浅裂缝,深 1~5cm,宽度小于 0.1mm。

二期工程自 1982 年开始浇筑后,1983 年发现 154 条裂缝,1984 年发现 240 条裂缝,这些裂缝可分为三类:一类为块体侧面裂缝,另一类为间歇期层面裂缝,第三类为抗冲耐磨混凝土层面网状裂缝。重要的裂缝为 1 号船闸下闸首左 2 块,上下游面均发现裂缝,上游裂缝深 4.8m,下游裂缝深 6.2m。

葛洲坝工程总计发现有记录的裂缝 3 300 多条。其中 2 400 多条发生在闸墩等薄壁结构上。这种情况值得注意。

## 2.12 葠窝重力坝

该坝位于辽宁省辽阳县太子河上,为混凝土重力坝,全部工程由重力式挡水坝、溢流坝、电站厂房组成。最大坝高 50.3m,顶长 532m,混凝土方量为 51 万 $m^3$。建于 1970~1972 年。该坝设计时为柱状法施工,但实际施工时采用了通仓浇筑方案,用普通皮带机运料及浇筑,速度较快。混凝土拌和采用临时拌和机群。混凝土用水泥为本溪小屯普通硅酸盐 500 号水泥。由于通仓浇筑,块长 36.4~56.0m。施工时亦未采取温控措施,因而混凝土温度很高,最高温度一般为 40~50℃。该坝施工期间就出现过不少裂缝,据不完全统计约 350 条。到 1981 年进行比较详细的调查,查出裂缝 641 条,经判断其危害性较大,可能对结构安全构成威胁的裂缝有 104 条。其分布如下:

(1)4 号坝段北侧有两条贯穿性裂缝,从基础一直到延伸到溢流面,长达 27m,水平方向也贯穿整个坝段。

(2)底孔裂缝:1973 年检查,除 14 号、16 号两底孔外,其余四个底孔都在距坝轴线 25m 左右处,发生一条宽 0.1mm 的环状裂缝。1981 年检查:2 号底孔顶部增加一条贯穿缝,1 号、2 号、3 号底孔原有裂缝均发展为环状缝,在底板及接近底板的侧墙处裂缝宽达2~3mm。

(3)廊道裂缝:7 号坝段廊道顶拱裂缝宽度逐年增加,由 0.5mm 增加到 3mm,到 1981 年缝深已达 14.27m,基本裂穿坝块。23 号坝段横向廊道有两条纵向裂缝很严重,深度已达 17.65m,已裂到距下游面仅2.35m,严重影响坝的整体性和抗滑稳定性。

此外,大坝上下游面共有 8 条垂直裂缝,11 个闸墩均在扇形钢筋末端有裂缝。

葠窝大坝裂缝的分布见表 53。

## 2.13 桓仁大头坝

该坝位于辽宁省桓仁县鸭绿江支流浑江上,由大头坝、厂房、泄洪道组成,为一个以发电为主的工程。最大坝高 78.5m,顶长 593.3m,混凝土总量为 129.4 万 $m^3$。建于 1958~1972 年。大坝分为两期施工,1958~1961 年为前期,1965~1972 年为后期。坝区气候寒冷,一年内日最低气温低于 0℃ 的天数为 140d 左右,最冷日平均气温为 -15.3℃。桓仁坝施工前期,使用的水泥、厂家、品种和标号都比较杂,而且供应不足,当时曾掺用了烧黏土、烧白土等大量活性不高的混合材,掺量一般为20%~30%,造成混凝土强度低、均匀性差,产生了不少问题。1959年与1961年约浇筑了40万$m^3$混凝土,其28d抗压强度合格率仅为78%;1960年约浇筑32万$m^3$混凝土,其强度合格率仅为38%,有的混凝土抗压强度只有3.0~5.0MPa。大坝施工时分层厚度为1.5~2.0m。

表53 葠窝大坝混凝土裂缝分布

| 坝段 | 排水廊道 | 灌浆廊道 | 观测廊道 | 迎水面 | 背水面 | 溢流面 | 间墩(北) | 闸墩(南) | 底孔 | 施工期 | 裂缝总数(条) | 坝段 | 排水廊道 | 灌浆廊道 | 观测廊道 | 迎水面 | 背水面 | 溢流面 | 间墩(北) | 闸墩(南) | 底孔 | 施工期 | 裂缝总数(条) |
|---|---|---|---|---|---|---|---|---|---|---|---|---|---|---|---|---|---|---|---|---|---|---|---|
| 1 | | | | | 1 | | | | | | 1 | 15 | 2 | | 3 | | | 1 | 1 | 2 | | | 9 |
| 2 | | | 2 | | 5 | | | | | | 7 | 16 | 2 | | 5 | | | 2 | 2 | 4 | 8 | | 23 |
| 3 | | 33 | 10 | | 7 | | | | | | 50 | 17 | 3 | 1 | 6 | | | 3 | | 1 | | 6 | 20 |
| 4 | 7 | 7 | 8 | 2 | 5 | 2 | 1 | 1 | | 5 | 38 | 18 | 4 | 1 | 7 | | | | 2 | | | 6 | 20 |
| 5 | 3 | 7 | 12 | 1 | | 4 | 1 | 2 | | | 30 | 19 | 1 | | 4 | | 5 | | | | | | 10 |
| 6 | 4 | | 3 | | | 13 | 3 | 4 | 11 | | 38 | 20 | 1 | | 4 | | 7 | | | | | | 12 |
| 7 | 3 | 2 | 10 | 1 | | 5 | 1 | 1 | | | 23 | 21 | | | 12 | | 5 | | | | | | 17 |
| 8 | 4 | 1 | 5 | | | 10 | 6 | 4 | 11 | | 41 | 22 | 1 | | 4 | | 2 | | | | | 3 | 10 |
| 9 | 4 | 2 | 10 | | | 6 | 1 | 1 | | | 24 | 23 | 2 | 26 | 11 | 2 | 10 | | | | | | 51 |
| 10 | 7 | | 2 | 1 | | 7 | 7 | 8 | 8 | | 40 | 24 | 8 | 1 | 9 | | 6 | | | | | | 24 |
| 11 | 2 | | 6 | 2 | | 5 | 3 | 4 | | | 22 | 25 | 1 | 2 | 5 | | 6 | | | | | | 14 |
| 12 | 5 | 1 | 5 | | | 6 | 4 | 5 | 5 | | 31 | 26 | | | 2 | | 5 | | | | | | 7 |
| 13 | | | 8 | | | 3 | 2 | 3 | | 19 | 35 | 27 | | | 9 | | 9 | | | | | | 18 |
| 14 | | | 8 | | | 7 | 2 | 3 | 5 | | 25 | 合计 | 64 | 84 | 170 | 10 | 73 | 74 | 36 | 43 | 48 | 39 | 641 |

桓仁大坝施工时就出现过许多裂缝,1961~1967年曾先后作过5次检查,发现大小裂缝2 000多条,其中大头部位就有699条。垂直裂缝53条,其中穿过两个浇筑块、长度在10m以上的有14条,长20~40m、缝宽大于0.5mm有24条。这些大头表面的裂缝,尤其是垂直的劈头缝,对大坝的整体性、抗渗性、耐久性均有较大的危害,在施工时就作了加固处理,从基础开始至285.5m高程范围内,在上游面做了沥青无胎油毡防渗层,外浇60cm混凝土防渗板。1965年以后浇筑的混凝土出现的裂缝,均用环氧贴橡皮方法处理,并在大头背后采取辅助措施。采用了这些措施后,取得了较好的效果,但仍有漏水。近年来据观察情况有恶化,很值得注意。

## 2.14 枫树坝工程

枫树坝工程位于广东龙川县东江干流上,由坝内厂房、宽缝重力挡水坝和溢流坝组成。最大坝高95.1m,顶长399m,混凝土总方量为80.5万$m^3$。建于1970~1975年。坝区处于亚热带地区,年均气温20.6℃。大坝采用分缝浇筑方案,但温差控制按通仓偏松的标准,基础温差接近20℃。大坝混凝土浇筑开始不久,即发现裂缝。自1971年2月到1976年1月,共发现225条裂缝,其分布见表54。

表54 枫树坝大坝裂缝统计

| 上游面通水库裂缝(条) | 通基岩与贯通全坝段裂缝(条) | 一侧通基岩裂缝(条) | 贯通全坝段裂缝(条) | 基他部位裂缝(条) | 合计 |
|---|---|---|---|---|---|
| 19 | 5 | 36 | 43 | 122 | 225 |

枫树坝发现的225条裂缝中,少数是由模板走样引起的,绝大多数属于温度裂缝。实际统计表明,浇筑温度和最高温升都较高。如11号坝段丁块,1972年1月31日~2月1日浇筑,混凝土标号

为 $R_{120}$170 号，水泥用量为 200kg/m$^3$，浇筑温度 19.7 ℃，水化热温升 20℃，混凝土最高温度达 40℃；又如 10 号坝段丁块，混凝土设计标号为 $R_{28}$170 号，水泥用量为 350kg/m$^3$，混凝土浇筑温度 16℃，最高温度达 50℃；15 号坝段乙块，浇筑温度 26℃，最高温度 46℃。这些坝块都产生了程度不同的裂缝。此外，原来设置的纵缝，希望按通仓浇筑控制基础温差避免开裂，实际上也未做到。

## 2.15 大黑汀混凝土重力坝

大黑汀重力坝位于河北省迁西县滦河上，为一供水水库的大坝。该坝最大坝高 52.8m，顶长 1 345.5m，混凝土方量为 135.7 万 m$^3$，建于 1973～1980 年。大坝由重力坝、溢流坝、底孔、引滦渠首闸、渠首电站和河床电站组成。坝区气候寒冷、干燥，多年平均气温为 10℃，多年平均最高月气温为 25℃，最低为 −8.1℃，极端最高为39.9℃，极端最低为 −25℃。气温变幅大，寒潮频繁，每年冬季施工期长达 130d。表 55 列出气温、水温和风速资料。

该坝设计混凝土力学指标见表 56。温控设计用松弛系数法将弹性应力折减。当混凝土与岩石接触部位，取松弛系数 $k_P=0.7$，混凝土与混凝土接触 $k_P=0.5$，考虑早期压应力影响 $k_P=0.6$。

**表 55　大黑汀地区气温、水温和风速**

| 月份 | 1 | 2 | 3 | 4 | 5 | 6 | 7 | 8 | 9 | 10 | 11 | 12 | 年平均 |
|---|---|---|---|---|---|---|---|---|---|---|---|---|---|
| 月平均气温(℃) | −8.1 | −5.4 | 2.6 | 12.5 | 19.5 | 23.1 | 25.0 | 23.7 | 18.3 | 11.4 | 2.1 | −6.3 | 9.9 |
| 月平均水温(℃) | | | | 10.4 | 17.1 | 21.4 | 24.6 | 23.6 | 18.5 | 11.6 | 3.4 | | 11.0 |
| 月平均风速(m/s) | 1.42 | 1.88 | 2.45 | 2.90 | 2.80 | 2.32 | 1.58 | 1.27 | 1.46 | 1.68 | 1.74 | 1.55 | 1.92 |

注：最大风速为 19m/s。

**表 56　大黑汀大坝混凝土力学性能**

| 项目 | 基础和上游防渗层 | 内部 | 溢流面层 |
|---|---|---|---|
| 抗压标号 | $R_{28}\geqslant150$ | $R_{28}\geqslant100$ | $R_{28}\geqslant200$ |
| 极限拉伸 | $\varepsilon_{P28}\geqslant0.7\times10^{-4}$ | $\varepsilon_{P28}\geqslant0.6\times10^{-4}$ | $\varepsilon_{P28}\geqslant0.85\times10^{-4}$ |
| 弹性模量(MPa) | $2.4\times10^4$ | $1.9\times10^4$ | $2.8\times10^4$ |
| 泊松比 | 1/6 | 1/6 | 1/6 |
| 容重(kg/m$^3$) | 2 450 | 2 450 | 2 450 |
| 抗裂安全系数 | 1.3 | 1.2 | 1.3 |

大坝混凝土采用水泥基本上为抚顺 600 号硅酸盐大坝水泥、抚顺 500 号矿渣大坝水泥、邯郸 400 号矿渣大坝水泥和本溪 600 号硅酸盐大坝水泥。这些水泥品种除邯郸水泥尚无试验资料外，其他水泥拌制的混凝土都具有微膨胀性。其水泥水化热如表 57 所示。

**表 57　大黑汀大坝使用水泥的水化热**

| 水 泥 品 种 | 水泥水化热(J/kg) | |
|---|---|---|
| | 3d | 7d |
| 抚顺 600 号硅酸盐大坝水泥 | 209 340 | 255 395～263 768 |
| 抚顺 500 号矿渣大坝水泥 | 159 098 | 188 406～217 714 |
| 邯郸 400 号矿渣大坝水泥 | 172 077～196 780 | 198 873～229 855 |
| 本溪 600 号硅酸盐大坝水泥 | 184 219～209 340 | 234 461～263 768 |

大坝施工时在混凝土中掺入粉煤灰和糖蜜塑化剂，单位水泥用量逐年减少，按进场水泥大平均计算，1974 年为 240kg/m$^3$，1975 年为 212kg/m$^3$，1976 年为 208kg/m$^3$，1977 年为 171kg/m$^3$。

大坝混凝土的热学性能见表 58。

**表 58　　大黑汀混凝土的热学性能**

| 项　目 | 数　值 |
|---|---|
| 比热[J/(kg·℃)] | 1 004.8 |
| 导热系数[J/(h·m·℃)] | 9 630 |
| 导温系数($m^2$/d) | 0.096 |
| 表面热交换系数[J/(h·$m^2$·℃)] | 83 736 |
| 线膨胀系数(1/℃) | $1\times10^{-5}$ |

大坝设计横缝宽度一般小于 20m,其中溢流坝为 18m,底孔坝段为 10.5 ～12.5m,河床电站坝段为 15.2m,引水洞坝段为 14m,重力坝段为 17～18m。各坝段底宽大致为 30～50m,纵缝采用了直缝、斜缝和宽缝等型式,如图 8 所示。浇筑分层厚度开始时为 1～1.5m,以后加大到 2～3m。允许间歇期开始为不少于 7d,以后改为不少于 5d。

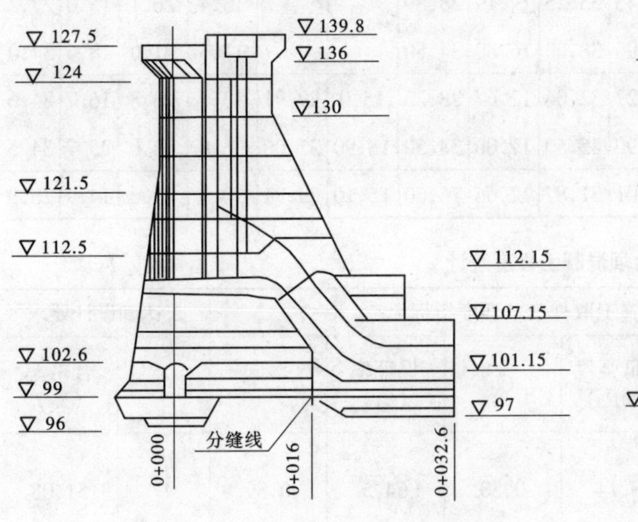


图 8(a)　电站坝段分缝、分层示意图

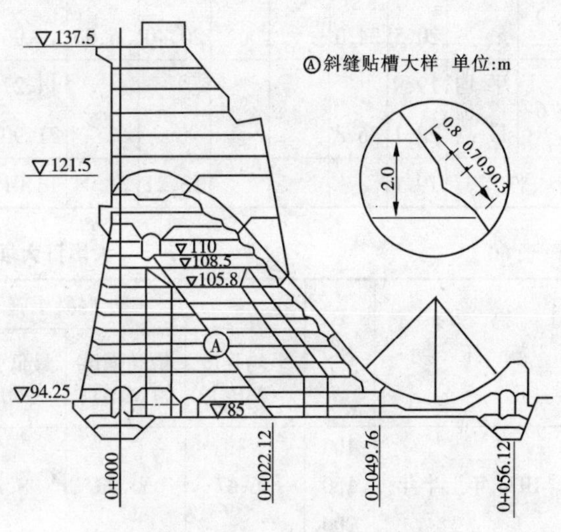


图 8(b)　溢流坝分缝、分层示意图

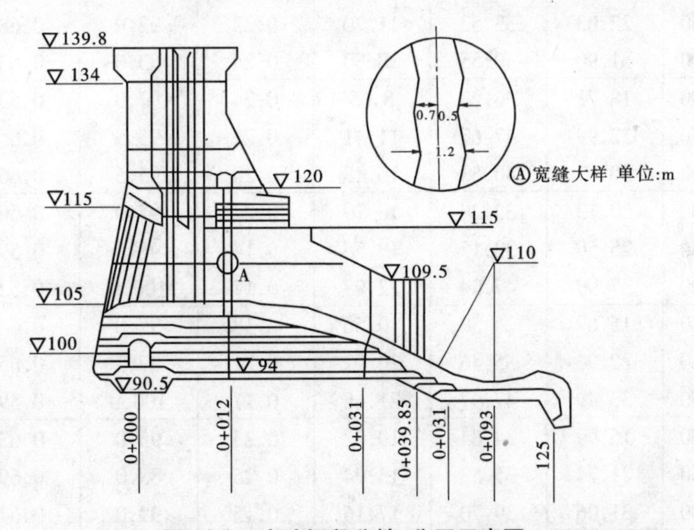


图 8(c)　底孔坝段分缝、分层示意图

根据大黑汀大坝历年浇筑资料统计,各种温度指标可列于表 59,混凝土强度指标见表 60。裂缝统计见表 61。

**表 59**　　　　**大黑汀溢流坝及重力坝各温度指标统计**

| 月份 | 项目 | 1974 年 | | | | 1975 年 | | | | 1976 年 | | | | 1977 年 | | | |
|---|---|---|---|---|---|---|---|---|---|---|---|---|---|---|---|---|---|
| | | 强约束区 | | 弱约束区 | | 强约束区 | | 弱约束区 | | 强约束区 | | 弱约束区 | | 强约束区 | | 弱约束区 | |
| | | 平均浇筑温度(℃) | 最高温升(℃) | 平均浇筑温度(℃) | 最高温升(℃) | 平均浇筑温度(℃) | 最高温升(℃) | 平均浇筑温度(℃) | 最高温升(℃) | 平均浇筑温度(℃) | 最高温升(℃) | 平均浇筑温度(℃) | 最高温升(℃) | 平均浇筑温度(℃) | 最高温升(℃) | 平均浇筑温度(℃) | 最高温升(℃) |
| 3 | 平均 | | | | | 3.48 | 22.18 | | | | | | | 7.3 | 15.6 | | |
| | 最高 | | | | | 14.30 | 24.00 | | | | | | | 12.6 | 21.5 | | |
| 4 | 平均 | | | | | 15.34 | 28.32 | 16.31 | 30.28 | 11.12 | 22.68 | | | 11.5 | 22.7 | 12.0 | |
| | 最高 | | | | | 18.50 | 33.0 | 19.90 | 33.50 | 16.60 | 30.0 | | | 14.9 | 30.5 | 14.9 | |
| 5 | 平均 | 17.8 | | | | 15.81 | 30.63 | 17.45 | 33.25 | 14.19 | 28.89 | | | 13.4 | 26.1 | 15.0 | 27.2 |
| | 最高 | 20.5 | 34.0 | | | 20.40 | 36.00 | 19.90 | 38.00 | 16.80 | 34.50 | | | 17.3 | 31.0 | 18.6 | 34.0 |
| 6 | 平均 | 19.9 | | | | | | 14.27 | 32.06 | 12.67 | 28.23 | 15.0 | 29.91 | 13.7 | 26.8 | 16.7 | 24.6 |
| | 最高 | 22.1 | 36.3 | | | | | 21.90 | 45.50 | 17.00 | 38.50 | 18.90 | 32.00 | 26.8 | 31.0 | 25.7 | 34.5 |
| 平均 | | 19.1 | | | | 13.21 | 27.04 | 16.01 | 31.87 | 12.66 | 26.60 | 15.10 | 29.91 | 10.8 | 21.4 | 14.9 | 28.0 |

**表 60**　　　　**大黑汀大坝混凝土强度统计**

| 施工期 | $R_{28}$ | 混凝土施工取样 28d 强度指标 | | | | | | 未达到设计要求 | |
|---|---|---|---|---|---|---|---|---|---|
| | | 平均强度(MPa) | 最高强度(MPa) | 最低强度(MPa) | $C_v$ | 保证率(%) | $R_{28}/R_m$ | 层数 | 合格率(%) |
| 1974 年上半年 | 100<br>150<br>200 | 16.67 | 30.93 | 8.14 | 0.30 | 64.5 | 0.89 | 47 | 51.08 |
| 1974 年下半年 | 100 | 15.33 | 24.04 | 9.59 | 0.21 | 95.5 | 0.65 | 3 | 95.3 |
| | 150 | 22.03 | 33.52 | 11.70 | 0.22 | 92.0 | 0.68 | 4 | 93.9 |
| | 200 | 31.90 | 40.55 | 18.80 | 0.24 | 93.0 | 0.63 | 2 | 95.3 |
| 1975 年上半年 | 100 | 18.71 | 36.23 | 8.65 | 0.24 | 97.0 | 0.53 | 1 | 99.2 |
| | 150 | 22.99 | 47.67 | 11.41 | 0.21 | 95.5 | 0.65 | 4 | 98.0 |
| | 200 | 30.82 | 40.53 | 16.43 | 0.20 | 95.5 | 0.66 | 4 | 93.8 |
| 1975 年下半年 | 100 | 20.13 | 33.29 | 13.79 | 0.24 | 97.0 | 0.50 | 0 | 100.0 |
| | 150 | 25.59 | 33.15 | 19.55 | 0.14 | 98.5 | 0.59 | 0 | 100.0 |
| | 200 | 37.90 | 47.04 | 22.93 | 0.17 | 100.0 | 0.53 | 0 | 100.0 |
| 1976 年上半年 | 100 | 15.69 | 24.30 | 10.56 | 0.18 | 97.0 | 0.64 | 0 | 100.0 |
| | 150 | 22.96 | 35.46 | 10.92 | 0.21 | 97.2 | 0.65 | 8 | 96.7 |
| | 200 | 33.49 | 47.97 | 21.68 | 0.17 | 100.0 | 0.59 | 0 | 100.0 |
| 1976 年下半年 | 100 | 15.99 | 24.84 | 10.42 | 0.23 | 95.0 | 0.63 | 0 | 100.0 |
| | 150 | 21.74 | 35.53 | 13.04 | 0.25 | 88.0 | 0.69 | 8 | 92.7 |
| | 200 | 31.06 | 39.70 | 17.16 | 0.15 | 99.0 | 0.64 | 1 | 97.7 |

表 61　　大黑汀大坝混凝土裂缝统计

| 裂缝部位 | | 裂缝情况 | | | | | |
|---|---|---|---|---|---|---|---|
| | | 龟裂(条) | 一般裂缝(条) | 一般裂缝以长度统计(条) | | | |
| | | | | 2.1～5.0m | 5.1～10.0m | 10.1～15.0m | 15.1～19.0m |
| 迎水面 | | 58 | 96 | 37 | 43 | 1 | 15 |
| 背水面 | | 20 | 45 | 23 | 11 | 3 | 8 |
| 堰面 | | 79 | 175 | 109 | 55 | 3 | 8 |
| 浇筑层面 | | 95 | 98 | 59 | 28 | 1 | 10 |
| 侧墙 | | 35 | 49 | 42 | 6 | 1 | |
| 廊道 | 灌浆 | 10 | 13 | 2 | 2 | 2 | 7 |
| | 排水 | 3 | 26 | 10 | 4 | 12 | |
| | 护坦 | 4 | 12 | 8 | 4 | | |
| | 观测 | 4 | 1 | 1 | | | |
| | 交通及施工 | 2 | 6 | 5 | | 1 | |
| 宽缝尖角 | | | 16 | 15 | 1 | | |
| 闸墩两侧 | | 16 | 51 | 34 | 17 | | |
| 永久坝面 | | 19 | 7 | 5 | 2 | | |
| 合计 | | 345 | 595 | 350 | 173 | 24 | 48 |

注:①背水面裂缝包括溢流坝下游斜坡;②堰面裂缝包括护坦;③裂缝总数为 940 条。

# 3　裂缝主要原因分析

根据上述 15 个工程大坝混凝土裂缝的调查资料,可知每一个工程的裂缝数量各不相同,裂缝的原因也不尽一致。为了广泛地研究不同因素与大坝裂缝的关系,并为今后大坝温度控制设计、施工中防止裂缝提供实践经验,现从以下几方面进行分析。

## 3.1　混凝土的热学、力学性能与裂缝

所谓混凝土的热学性能,是指其导热系数、导温系数、比热、热膨胀系数、水化热或绝热温升等。一般情况下,混凝土的导热系数 $\lambda$、导温系数 $a$、比热 $C$ 等性能,对于不同工程虽然其原材料、配合比等有很大差距,但 $\lambda$、$a$、$C$ 的变化幅度不大,对混凝土的温度和应力影响较小,因而对混凝土裂缝也影响不大。而混凝土的热膨胀系数 $\alpha$ 和绝热温升 $\theta$,不同工程往往有很大的差异。混凝土的绝热温升主要取决于配合比和选用的水泥品种。单纯混凝土热膨胀系数 $\alpha$ 的大小直接影响温度收缩应力,骨料的岩性对 $\alpha$ 起决定作用。一般以天然河卵石和河砂为骨料拌制的混凝土,$\alpha$ 接近 $1.0\times10^{-4}$;以石灰岩为骨料的混凝土,$\alpha$ 只有 $5\times10^{-5}$ 左右。显然在相同的温差作用下,以石灰岩为骨料的混凝土,其温度应力要比以天然骨料混凝土的温度应力减小很多。

关于混凝土的力学性能,包括混凝土的抗压强度 $R_c$、抗拉强度 $R_p$、弹性模量 $E$、极限拉伸值 $\varepsilon_P$,徐变 $C(t,\tau)$ 和自生体积变形 $G(t)$ 等。从防止裂缝的观点分析,抗拉强度代表抗裂能力,但温度裂缝是变形控制,所以其直接抗裂指标应该是其极限拉伸值。弹性模量 $E$ 代表应力应变关系,就防止裂缝观点要求 $E$ 小。徐变值大应力松弛大,目前掺粉煤灰的混凝土,抗拉徐变要小于抗压徐变,对拉应力的松弛不利(见图 9、图 10、图 11)。自生体积变形 $G(t)$ 取决于水泥中的矿物成分,不同工程由于选用水泥不同,$G(t)$ 有正有负。$G(t)$ 为正表示体积膨胀,在烧筑块中产生压应力有利于防止裂缝;$G(t)$ 为负表示体积收缩产生拉应力,对防止裂缝不利。

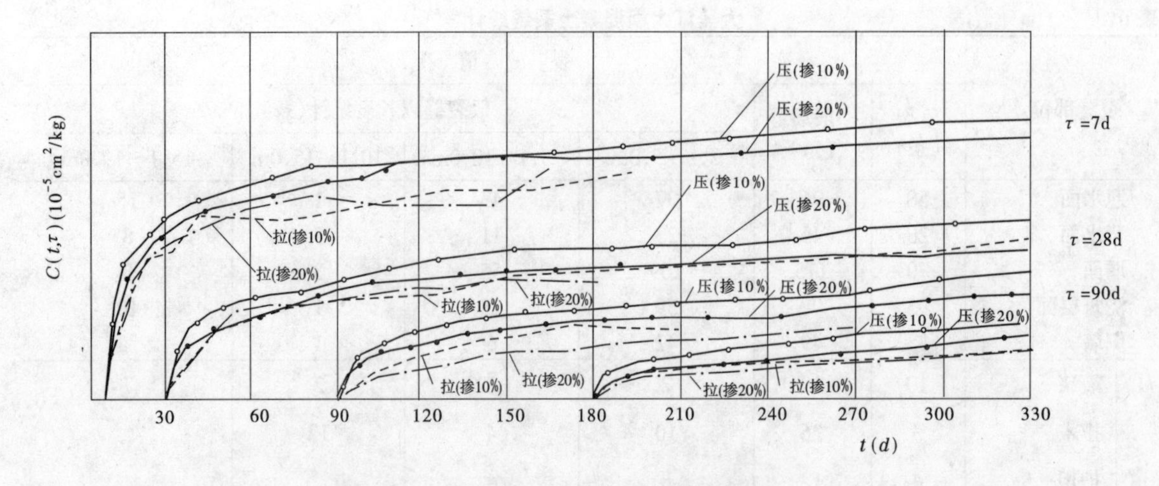


**图 9　东江工程混凝土徐变曲线**

(掺 10%粉煤灰胶凝材料总量 285kg,水泥 256kg,粉煤灰 29kg;

掺 20%粉煤灰胶凝材料总量 311kg,水泥 249kg,粉煤灰 62kg)

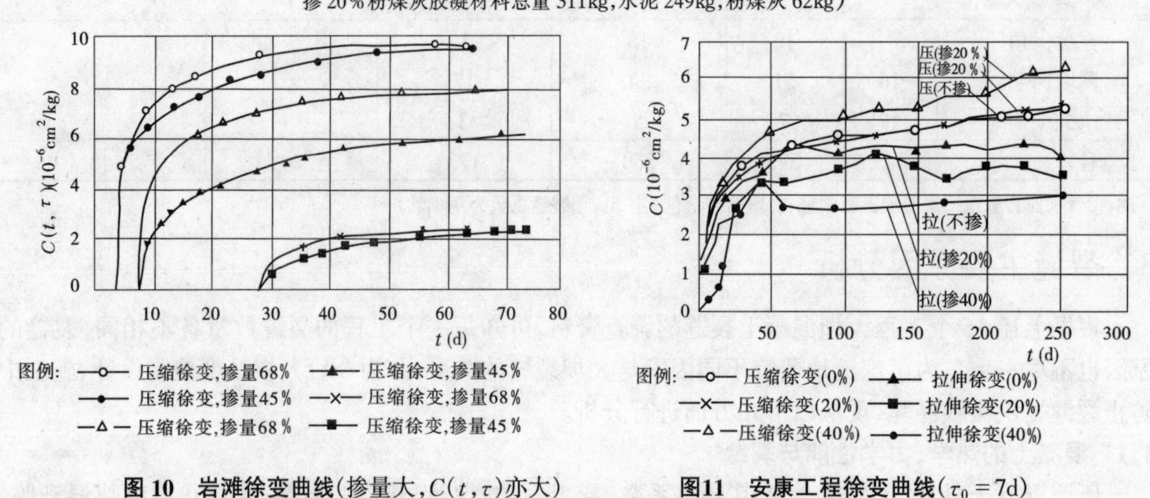


**图 10　岩滩徐变曲线(掺量大,$C(t,\tau)$亦大)**　　**图11　安康工程徐变曲线($\tau_0=7$d)**

从混凝土绝热温升对裂缝的影响来说,龙羊峡大坝和刘家峡大坝配合比设计比较先进,龙羊峡基础混凝土 $R_{28}$200 号,水泥用量 167kg/m$^3$;刘家峡基础混凝土 $R_{28}$200 号,水泥用量为 170～180kg/m$^3$(粉煤灰水泥)。混凝土的极限拉伸值 28d 龄期超过 $1.0\times10^{-4}$。这两个工程裂缝较少的另一有利因素是混凝土自生体积变形 $G(t)$为膨胀。图 2 中表明在一年龄期时此膨胀值可达 $6.0\times10^{-5}$。按照实际情况计算龙羊峡大坝 9 号—甲坝块(计算采用的计算原理和计算程序参阅有关文献,此膨胀值可在该浇筑块中产生最大达 0.7MPa 的压应力(图 12)。按照实际情况进行仿真计算,可得该坝块的温度分布及温度徐变应力见图 13、图 14。由该图可知,9 号—甲的最高温度可达 34℃,最下两层的最高温度为 24.4℃和 27.2℃(此层为▽2 438.0～2 441.5m)。实际观测资料在▽2 348～2 441.5m浇筑层,最高温度为 27.3℃。两者十分接近。计算此浇筑块的温度徐变应力为 1.5MPa,相应于该层混凝土龄期为 21～23d。实际施工时混凝土配合比及强度见表 62。可见 1.5MPa 的拉应力该层混凝土是完全能承受的,不会产生裂缝。

混凝土的微膨胀性在白山拱坝上也产生了很好的效果。图 15 为自生体积膨胀在白山拱坝 15 号—Ⅱ坝块中产生的压应力,到 1977 年 12 月 29 日最大值为 0.62MPa。图 16、图 17 为仿真计算 1977 年白山拱坝 15 号—Ⅱ坝块的温度分布图和温度徐变应力分布图(包括自生体积膨胀的影响),其最高温度为 37.8℃,最大温度徐变应力为 1.82MPa。根据 1977 年东北勘测设计院试验,基础混凝土抗拉强度见表63。可知该坝段不会产生基础贯穿裂缝。

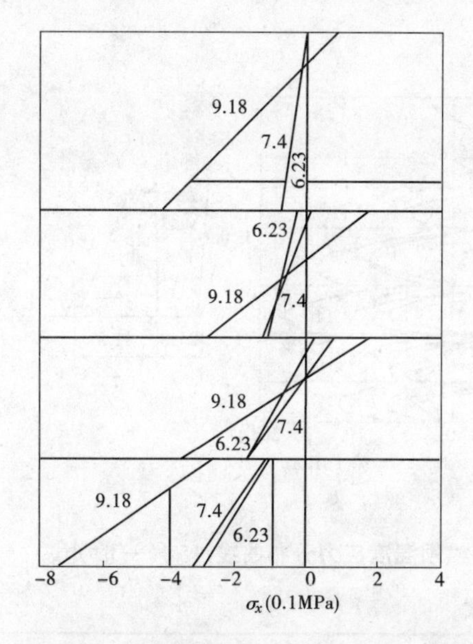


**图12　龙羊峡混凝土自生体积变形应力**

(图中曲线上数字代表某月某日,下同)

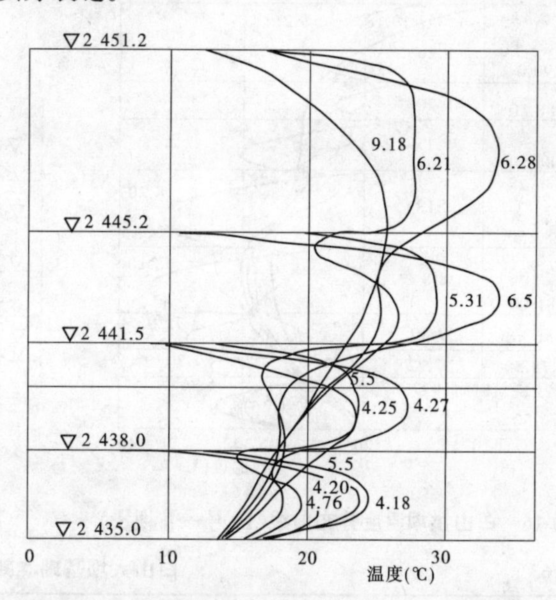


**图13　龙羊峡坝温度分布曲线(9号—甲坝段)**

**表62　龙羊峡大坝基础混凝土试验资料**

| 设计标号 | $W/C$ | 级配 | $W$ (kg/m³) | $C$ (kg/m³) | $F$ (kg/m³) | 坍落度 (cm) | $R_c$(0.1 MPa) | | | | $R_P$(劈裂)(0.1MPa) | | | |
|---|---|---|---|---|---|---|---|---|---|---|---|---|---|---|
| | | | | | | | 7d | 28d | 90d | 180d | 7d | 28d | 90d | 180d |
| $R_{90}$ 250号 | 0.48 | 三 | 95 | 198 | 0 | 3.9 | 231 | 306 | 360 | 388 | 19.5 | 25.5 | 28.9 | 31.2 |
| | | 四 | 80 | 167 | 0 | 3.2 | 232 | 336 | 376 | 391 | 23.2 | 28.9 | 30.2 | 31.8 |
| | 0.43 | 三 | 99 | 161 | 69 | 5.8 | 177 | 283 | 389 | 426 | 15.9 | 23.9 | 27.5 | 30.7 |
| | | 四 | 85 | 139 | 59 | 4.8 | 176 | 285 | 405 | 435 | 15.6 | 27.5 | 28.4 | 33.8 |

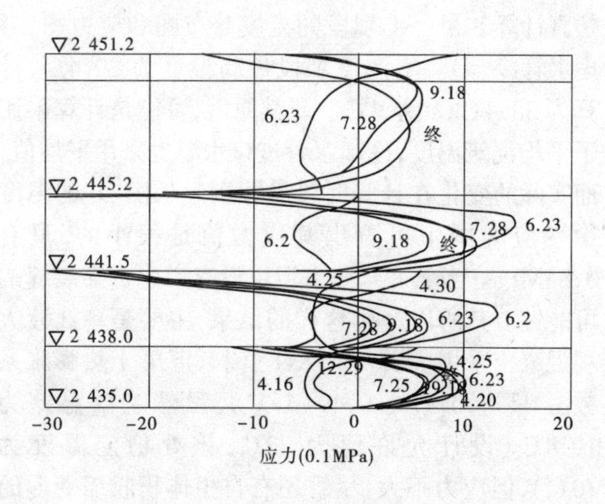


**图14　龙羊峡坝温度应力分布曲线(9号—甲坝段)**

($E_c$=28 000MPa)

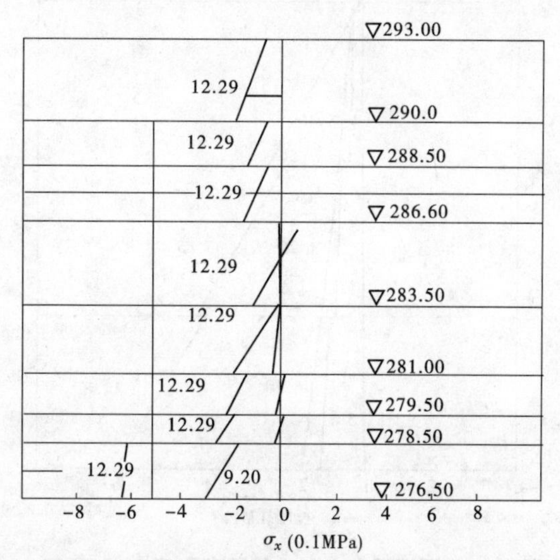


**图15　白山拱坝自生体积变形应力(15号—Ⅱ坝段)**

(图中曲线上的数代表×月×日)

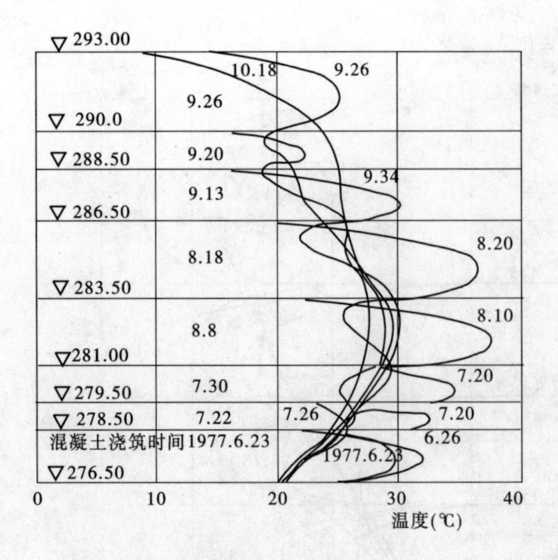


图 16　白山拱坝温度分布曲线(15号—Ⅱ坝段)

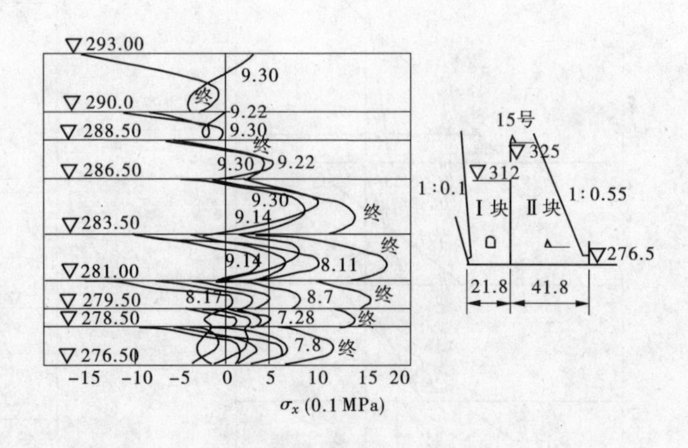


图 17　白山拱坝温度应力分布曲线(15号—Ⅱ坝段)

表 63　白山大坝基础混凝土抗拉强度

| 龄期(d) | 7 | 14 | 28 | 90 |
|---|---|---|---|---|
| 抗拉强度(MPa) | 1.25 | 1.90 | 2.35 | 2.71 |

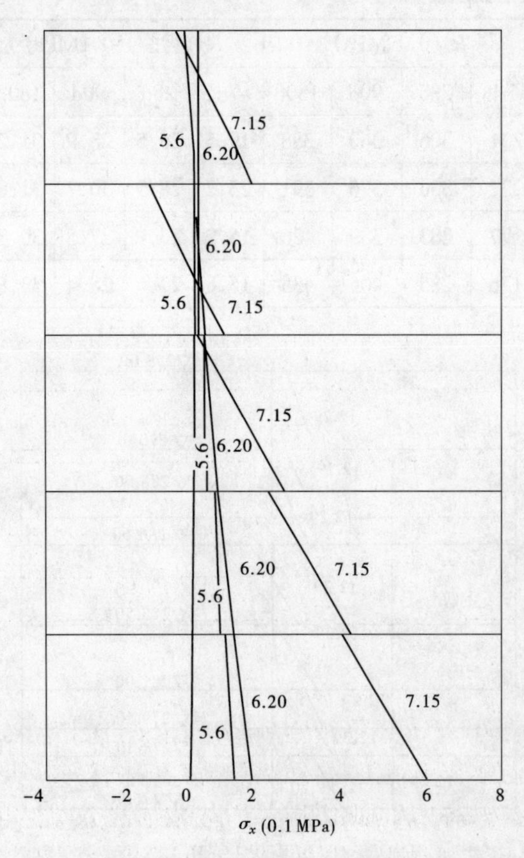


图 18　乌江渡混凝土自生体积变形应力(0.1MPa)
(图内数字代表×月×日)

混凝土自生体积变形收缩,会给大坝防裂带来不利影响。如乌江渡水电站的大坝混凝土,室内试验其 $G(t)$的变化见表 64。试验值早期有微小的膨胀,后期均为收缩。以表中第一行数值进行计算,得到图 18 所示的拉应力,其最大值为 0.67MPa。此值可相当于 6～8℃的温降产生的拉应力,因此在温控设计时,千万不可忽视。图 19、图 20 为乌江渡大坝仿真计算 8 号—Ⅰ坝段的温度分布图和应力图(考虑水管冷却)。实测该坝段最高温度为 29.4℃,计算为 30.4℃,相差 1℃。研其原因,可能是计算采用了平均浇筑温度,冷却水管进口水温也采用平均值,而实际的变化在计算时没有找到。从图 20 的温度徐变应力图中可看出其应力值是很小的,只有 0.84MPa。当然 8 号—Ⅰ坝块没有产生贯穿裂缝的可能性。其所以产生这样的结果,主要是乌江渡大坝混凝土采用了石灰岩人工骨料,混凝土热膨胀系数 $\alpha$ 只有 0.47～0.49(1/℃),虽然基础温差为 19.4℃(设计允许值为 22℃,该处稳定温度为 10℃),但应力不大,尽管还有自生体积收缩变形的影响。所以采用热膨胀系数小的骨料,对防止混凝土裂缝是十分有效的,设计时必须充分考虑这个有利条件。

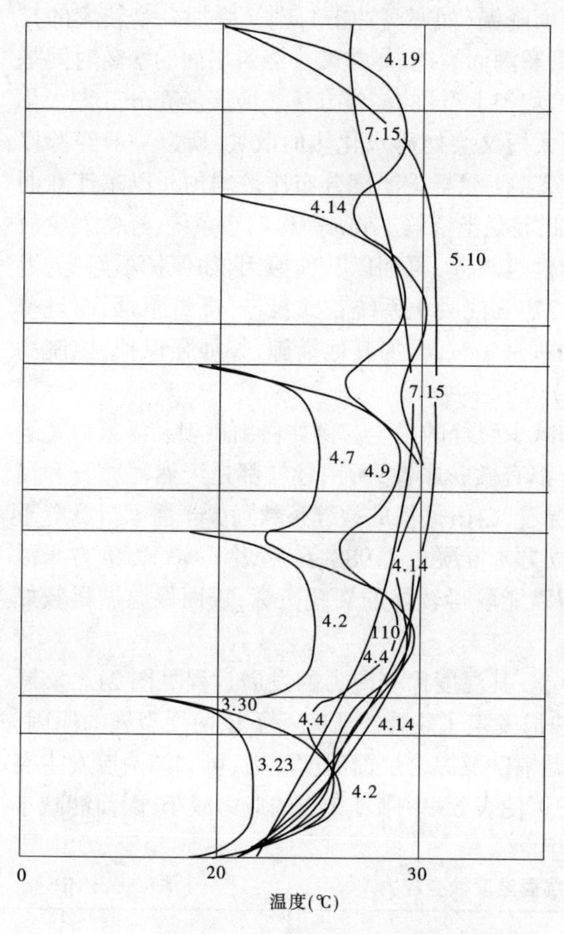


图 19　乌江渡重力坝温度分布曲线

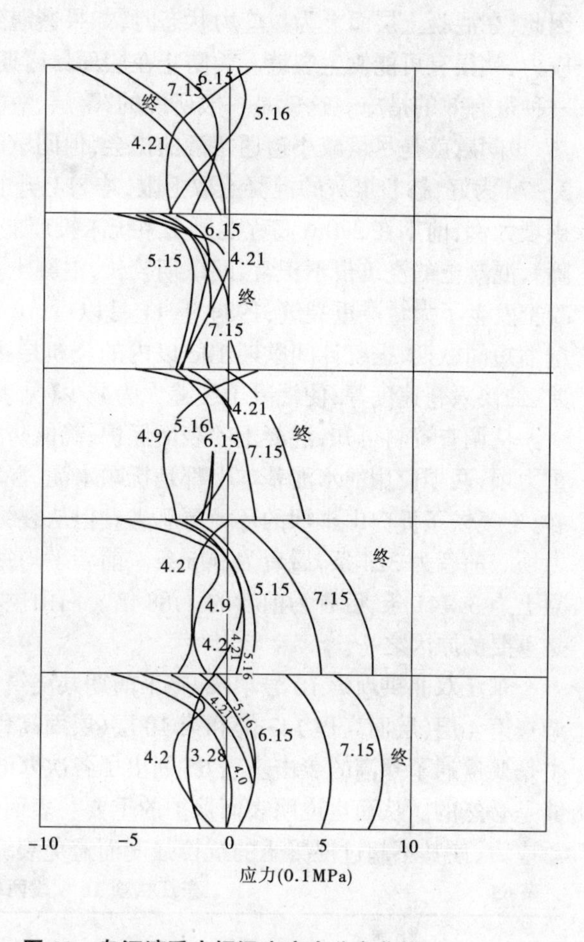


图 20　乌江渡重力坝温度应力分布曲线

表 64　乌江渡大坝混凝土自生体积变形(水城矿渣水泥 600 号)

| $W/C$ | $W$ (kg/m$^3$) | 外加剂 | | $G(t)(\times 10^{-6})$ | | | | | | | | | | |
|---|---|---|---|---|---|---|---|---|---|---|---|---|---|---|
| | | 名称 | 掺量(%) | 3d | 7d | 14d | 28d | 60d | 90d | 180d | 365d | 560d | 735d | 1 000d |
| 0.70 | 99 | 木钙<br>松聚 | 0.3<br>0.005 | +1 | +2 | −0.5 | −6.5 | −12.5 | −15.5 | −18.5 | −27 | −36 | −43 | −54 |
| 0.60 | 105 | OP<br>木钙 | 0.025<br>0.3 | +1 | +4 | +2 | −7.0 | −20 | −29 | −37 | −57 | −85 | −105 | −125 |
| 0.55 | 163 | NNO | 0.2 | +4 | +5 | +2 | +1 | −5 | −7.5 | −14 | −20.5 | −23.5 | | |
| 0.55 | 135 | $DH_3$ | 0.30 | +6 | +7.5 | +7.0 | +4.5 | −0.5 | −1.5 | −5.5 | −11 | −18.5 | | |

## 3.2　混凝土的环境状态与裂缝

尽管混凝土本身的品质较好,施工控制均匀性也很好,但是如果置这种混凝土于不利的环境中,也会造成混凝土裂缝。最明显的例子是混凝土浇筑后,早龄期时遭遇到寒潮袭击又无保护,则产生裂缝的可能性相当大。丹江口宽缝重力坝、葛洲坝工程和近几年的东江双曲拱坝前期施工,都有深刻的教训。往往在一次寒潮过后就检查出一批裂缝。丹江口的经验是混凝土在 7d 龄期以前,虽遇寒潮也很少裂缝。绝大多数裂缝发生在龄期 7~40d 之间。从已有的混凝土浇筑块温度应力分析成果中,不难解释上述经验。一般地在外界气温不变的情况下,浇筑块层面上的温度徐变应力在龄期 3~5d 以前,基本上维持压应力或很小的拉应力,此后将逐渐转变为拉应力,一般持续 30~50d 后变为压应力。

因此,在混凝土层面上为拉应力状态时,如果遭遇到表面降温(如寒潮冲击),则又叠加一个较大的拉应力,就很有可能发生裂缝。为防止在层面暴露期遇到寒潮而裂缝,尽量减小浇筑层面的暴露时间是一种很有效的措施。这就是一般所说的“薄层、短间歇、均匀上升”的浇筑方法。薄层能充分散失水化热;短间歇就是尽量减小遭遇寒潮的机会,但间歇时间太短又会妨碍水化热的散失,所以一般经验以3~7d为好,掺粉煤灰的混凝土取上限,均匀上升的浇筑 ,使混凝土温度分布比较均匀。以东江双曲拱坝为例,前期在270m高程混凝土系统未投产前,拌制混凝土依赖170m高程的小系统(经常发生故障),混凝土的浇筑很不正常,间歇期较长,混凝土均匀性也较差,再加以其他原因,如保护不好等,混凝土发生了大量严重裂缝;1984年11月以后,由于▽270m混凝土系统正式投产,浇筑正常,而且普遍缩短间歇期,据统计间歇期10d以内的浇筑层占60%~70%,再加其他措施,如加强保护、控制高差、加快入仓速度等,使混凝土裂缝大为减少(见表22)。

从调查资料可知,混凝土的表面保护,确能防止和减少裂缝的发生。例如白山拱坝和潘家口宽缝重力坝,两坝使用的水泥基本上都是抚顺水泥,混凝土都有微膨胀性;所用骨料都是天然河卵石和河砂;论气候条件白山拱坝的环境更恶劣。但从裂缝情况看,白山拱坝的裂缝条数远少于潘家口宽缝重力坝。前者为324条,后者为995条。前者平均每万立方米混凝土1.988条,后者平均每万立方米混凝土为3.741条,后者为前者的1.88倍。白山拱坝所以能取得较好的裂缝指标,表面保温做得较好是重要的原因之一。

东江双曲拱坝第16号坝段,施工前期共浇筑12层。其温度徐变应力的发展过程见图21。实际调查第4层(层面高程143m)和第10层(层面高程153m)发生了裂缝。研究一下该两层裂缝的原因,主是要遭遇了寒潮的袭击。表65列出了各次寒潮降温幅度及综合层面温度应力,可知该两层发生裂缝是必然的。从而也说明表面保护的重要。表面保护可使表65中序号2、3的应力减小,因而能减小总应力,使其不超过混凝土的抗拉强度而避免裂缝发生。

**表65** 东江拱坝16坝段两裂缝层面温度徐变应力 (单位:0.1MPa)

| 序 号 | 项 目 | 第4层(浇后4d) | 第十层(浇后14d) |
|---|---|---|---|
| 1 | 水化热层面应力 | 1.40 | 3.30 |
| 2 | 日平均气温变化层面应力 | 13.80 | 9.90 |
| 3 | 日温差层面应力 | 0.75 | 7.12 |
| 4 | 总应力 | 15.95 | 20.32 |
| 5 | 混凝土抗拉强度 | 9.5 | 15.7 |
| 6 | 裂缝情况 | 严重裂缝1条 | 严重裂缝1条 |

紧水滩双曲拱坝在夏季浇筑的坝体混凝土上,产生了64条层面水平裂缝,对这种裂缝成因曾经有不少不同的解释,但多数是概念方面的,没有进行详细的计算分析,或者分析的方法比较粗略,因而不能圆满地解释其裂缝的成因。本文应用初应变法的有限单元法,在考虑弹性徐变条件下并有一期水管冷却(进口水温6℃),进行了比较仔细的分析,按照施工记录进行仿真计算(9号坝段)。图22表示出第7层至第12层(8~12层发现水平缝)的应力分布情况(1984年8月31日发现水平裂缝的前夕)(原印刷稿图不清,图略——编者注)。可以看出在每一个有冷却水管处,应力有一突变,在垂直外表面上存在着大面积的垂直拉应力,但数值并不太大,最大值在交界面上0.6MPa左右。从一般情况看来,这样量级的应力不足以使层面开裂,除非层面粘着强度极低。但计算中只考虑水化热和日平均气温变化,未考虑日温差变化、干缩和自生体积收缩等。当计及以上因素后表面拉力应该增加,因为以上因素尚不清楚,难以作定量的分析。但这些因素将在坝面上产生拉应力是确定无疑的。所以笔者认为,造成紧水滩大坝水平层面裂缝的原因,是水化热、水管冷却、日平均气温变化产生了坝块表面

大面积拉应力,再加上日温差变化、干缩和自生体积收缩等因素产生的表面拉应力,超过了层面黏结强度而形成的。层面强度较低这是众所周知的,但对紧水滩大坝究竟低到何种程度,目前尚无资料。

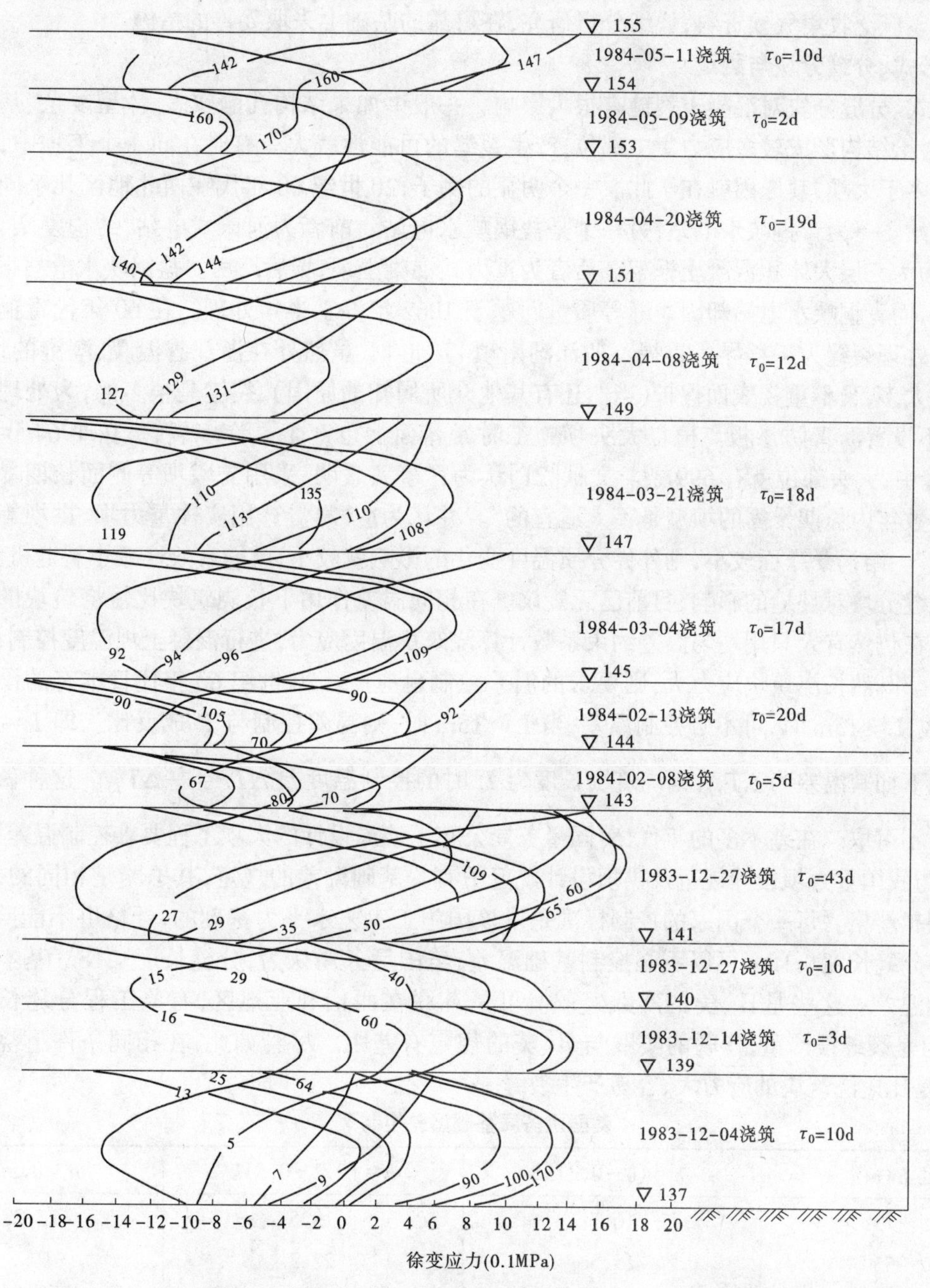


**图 21 东江拱坝 16 号坝段温度徐变应力**($\tau_0$ 为间歇期)

除此之外,早龄期混凝土遭遇洪水浸泡,降温速度过快,也往往是成批裂缝出现的原因。这方面实例很多。如紧水滩双曲拱坝,刚开始浇筑混凝土不久,就发生水淹基坑,刚浇筑不久的混凝土上出现了一批裂缝。丹江口宽缝重力坝,右岸第一期基坑浇筑的混凝土,在左岸基坑浇筑混凝土时,右岸经常过洪,由此原因也产生了不少裂缝,甚至孤立的栈桥墩上都有不少裂缝。河南故县混凝土重力坝,浇筑混凝土的最初几年,经常基坑过洪,汛后都会检查出一批裂缝,当然大都发生在新浇混凝土上。所以在设计导流方案和度汛方案时,应该妥善考虑这种后果。

关于环境对裂缝的影响,要有一个正确的认识。过去曾有人错误地认为只有在寒冷地区筑坝才须考虑这个问题。这对防止裂缝的努力十分有害,近些年来在事实面前,上述错误的论调已经不攻自破。事实上处在广东的枫树坝,也仍然时有寒潮出现。东江双曲拱坝初期施工时,也对设计提出的表面保护措施执行不力。诚然,在寒冷地区应该十分重视,但在一些温暖地区,甚至亚热带,仍然不能掉以轻心。应该广泛收集气候资料,详细分析研究,在可靠的基础上采取妥善的措施。

### 3.3 结构形式、分缝分块与裂缝

结构形式、分缝分块对混凝土裂缝有很大影响。一般讲如果结构孔洞较多、体型复杂、基础不平整等情况,会给结构形成较多应力集中部位,产生裂缝的可能性就大。有时在同一个工程中,电厂混凝土裂缝就多于大坝,其原因就在于此。一个明显的例子,20 世纪 60 年代在西北地区几乎同时开工了两个水电站。一为青铜峡水电站,另一个是盐锅峡水电站。前者为河床式电站,结构复杂,孔洞很多,有的剖面为三层大体积混凝土框架。后者为重力式混凝土坝,坝后厂房。盐锅峡水电站很快按计划建成发电,而青铜峡水电站却因裂缝等质量问题于 1962 年停工半年处理。在 60 年代青铜峡工程由于裂缝及处理裂缝为工程界所重视。浙江湖南镇“T”形坝,虽然处在浙江省温暖、潮湿的地区,但由于暴露面太多,又不重视表面保护(当然还有其他众所周知的原因),裂缝是很多的,为处理上游面裂缝,不得不设置沥青防渗板。桓仁大头坝施工时暴露面上也产生了许多裂缝,在 1964 年调查的 1 986条裂缝中,大头部位就有 699 条。文献[21]认为:“事实表明,采用支墩坝等侧面长期暴露或至少在施工期数年内长期暴露的坝型是不太适宜的”。并认为应“尽量选用实体重力坝、拱坝等暴露面较少的坝型”。结构暴露面较小,则外界介质温度变化的影响就较小,就能有效地减小裂缝机会。

关于分缝分块对裂缝的影响,目前已无疑议。在相同温差作用下长浇筑块比短浇筑块的温度应力大。但现在仍然有人只用均匀温差约束系数计算浇筑块温度应力,进行混凝土坝温度控制设计,这是不合理的。既然长浇筑块应力大,则要求的温差控制也应严。20 世纪 60 年代日本有的设计者认为,分缝长度 $L \leqslant 15$m 时,可不必控制温差,当 $L > 15$m 时,则温差控制与 $L$ 成反比。即 $L = 15$m 时无控制情况下如其温差为 $\Delta T_{15}$,则浇筑块长度为 $L$ 时的控制温度差 $\Delta T_L = \frac{15}{L}\Delta T_{15}$。这种做法当然过于粗糙而不可取。在差不多的年代,美国垦务局公布了该局设计的大坝工程要求控制温差标准(表 66)。此表与我国重力坝设计规范及拱坝设计规范中有关基础温差的规定,其思路是相同的,即浇筑块越长控制越严格。每一个国家的控制标准是以该国施工工艺水平为基础的,严格讲不能照搬。譬如日本认为分缝长度≤15m 可以不必控制基础温差;美国垦务局认为,分缝长度<18m 基本上可以不控制基础温差。这些是日、美的实践经验。可是苏联在西伯利亚地区,有些工程分缝长度只有 13.7m[8],但是裂缝很严重,苏联的实践与日、美的规定有差距。尽管如此,在相同条件下浇筑块长了,应力总是比短浇筑块的应力大,容易产生裂缝。

**表 66　美国垦务局基础温差控制**　(单位:℃)

| 长度 $L$(m) | $h=(0\sim0.2)L$ | $h=(0.2\sim0.5)L$ | $h>0.5L$ |
|---|---|---|---|
| 55~73 | 16.7 | 19.5 | 22.2 |
| 37~55 | 19.5 | 22.2 | 25 |
| 27~37 | 22.2 | 25 | 不限制 |
| 18~27 | 25.0 | 不限制 | 不限制 |
| <18 | 27.8 | 不限制 | 不限制 |

丹江口 9 号~11 号坝段的基础处理楔形梁,见图 23。底部长度 35m,顶部长度 53m,宽 12m,厚 10m。该楔形梁在混凝土入仓温度 20 ~24℃,坝内最高温度 35~38℃的情况下,经过两次寒潮冲击,又加上大幅度混凝土降温,产生了如图中所示的裂缝。其中中间一条裂缝贯穿到基础。对于这条裂缝以往有很多争议,无疑楔形梁较长、厚度较薄、温控不力是最主要的原因。

柘溪大头坝左 2 号重力坝段,见图 24。该坝段上下游高差 17m,左右高差 12m。据观测在无温度骤降的情况下,内部降温 6.5 ℃就产生了裂缝,裂缝长度11.5m,宽 0.25~0.85mm。此坝段如此小

的温降即发生了裂缝,其主要原因为基岩不平整,又未在基岩突变处分缝,温差虽小但应力集中较大,混凝土温度形变极不均匀。因此,结构外部约束形式对裂缝有很大的作用,设计时应严加注意。

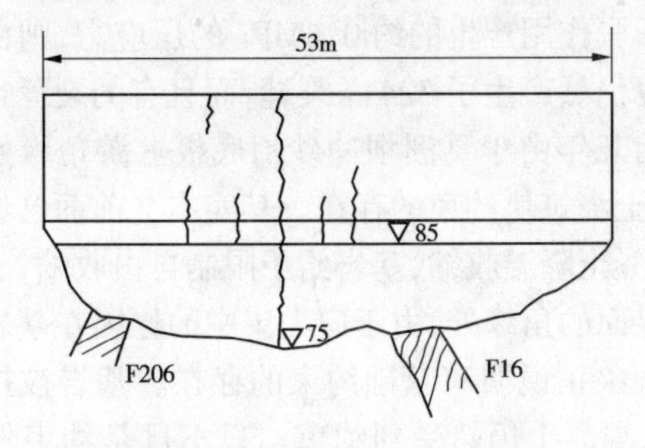


图 23 丹江口 9 号～11 号坝段楔形梁裂缝

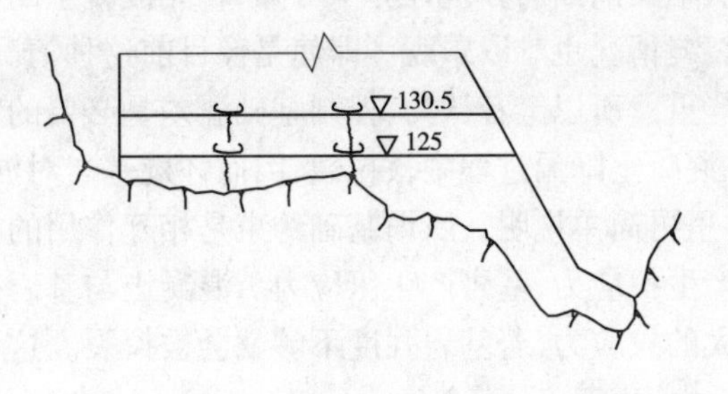


图 24 柘溪左 2 号重力坝裂缝

## 3.4 施工工艺与裂缝

混凝土裂缝的原因是多方面的,这是众所周知的。其中施工工艺水平的低下,在一些大坝裂缝的原因中是一个重要因素。往往有些工程其原材料本身品质不错,但在拌和、运输、平仓、振捣、养护和表面保护等环节上,未能重视和严格控制,造成混凝土质量差、强度不均匀、暴露时间长等,而使浇筑块在不很大的温度应力时产生裂缝。目前国内较大的工程混凝土的拌和和运输基本能满足要求(有的工程采用一般皮带机运输混凝土,则有砂浆损失和大骨料分离等缺点),现在的关键问题是平仓、振捣工艺不能严格控制。譬如用振捣器平拖平仓、漏振等,在许多工程中时有发生。这些问题很难用一种指标来表示。目前稍微能用来表示的指标是混凝土的平均强度 $\bar{R}$ 和离差系数 $C_v$。当然为检查上述问题应该钻孔取样进行统计。但实际上钻孔取样只能是少量的,不可能进行全面检查,能够做到全面检查的是机口取样资料。根据对丹江口工程实际资料统计,文献[9]曾描绘出 $C_v$ 与裂缝率的关系,见图 25。此图说明 $C_v$ 值大裂缝率高。即混凝土强度均匀性差在相同温差作用下裂缝率会增加。因此,对混凝土坝工程来说,除了其平均强度要满足设计要求外,还要力求 $C_v$ 值小。这样可以增加混凝土的均匀性,对防止混凝土裂缝极为有利。

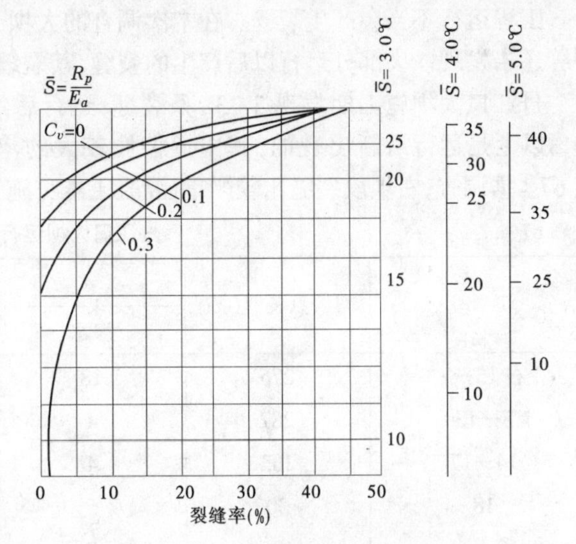


图 25 裂缝率与 $C_v$ 的关系

## 3.5 基岩约束与裂缝

根据弹性理论,如果混凝土浇筑块置于零变形模量的基础上(软土地基类似这种情况),在线性分布温差作用下,浇筑块不会产生应力。若基础弹性模量逐渐变大,则浇筑块应力逐渐升高。如果基础弹性模量为无限大,则相当于刚体,接触面不能变形,属于完全约束,浇筑块应力最大。对于实际的基岩,一般弹性模量为(1.0～3.0)×$10^4$MPa,虽不是刚体完全约束,也对浇筑块有相当的约束。过去有的学者认为,混凝土的基础贯穿裂缝都是由表面裂缝发展而成的。近年来已经在苏联布拉茨克(Братская)坝[8]和我国丹江口 18 号坝段上,找到由内部产生的基础贯穿裂缝的实例,所以目前比较科学的说法应是:混凝土坝大多数基础贯穿裂缝是由表面裂缝发展的。实际上基础浇筑块若无基础约束而产生大面积拉应力区的存在,表面裂缝也难以发展成贯穿裂缝,这是问题的两个方面。正是因为基础约束作用的存在,才应重视在基础混凝土部位尽量避免表面裂缝的产生。当脱离基础约束以后,若无新老混凝土约束的影响,一般坝型上产生的表面裂缝也难于发展成贯穿裂缝

(当然大头坝和宽缝重力坝等除外)。所以若不对基础混凝土的温度进行一定的控制,而侈谈避免基础贯穿裂缝是危险的。有的作者以白山拱坝为例证,说明只要加强表面保护,基础温差大一些也无碍。从本文前面的分析计算中可知,若无混凝土的微膨胀作用产生的约 0.6MPa 的压应力,则白山拱坝的裂缝情况也难以乐观。即使是像目前这种情况,也仍然产生了 324 条裂缝,而且有的裂缝也不可谓不严重。所以笔者认为,控制基础温差是必要的。前几年由于葛洲坝冲砂闸底板上游角缘处的基岩,在混凝土降温过程中被拉裂,因而怀疑基岩对混凝土浇筑块约束的存在。其实本文前面已经论证过,这里再简单说明。所谓基础约束是相互作用的,混凝土降温收缩,基岩给予限制自由收缩,于是混凝土产生拉应力,基岩产生压应力。混凝土与基岩交界面的角缘处,由于应力集中的原因在基岩中产生较大的拉应力,若基岩强度不够就会被拉裂。这种现象正说明有基础约束的存在。基岩被拉裂以后,混凝土仍然受到约束。只不过是约束作用减小而已。一般拱坝基础弹性模量较高,对混凝土约束较大。我们曾对龙羊峡拱坝浇筑块(9 号—甲)将基岩弹性模量按 $3.7\times10^4$MPa,其他条件与图 14 之计算条件相同的情况进行计算,结果见图 26。对比图 14 与图 26 不难看出,当将基岩弹性模量由 $2.8\times10^4$MPa 提高到 $3.7\times10^4$MPa 时,浇筑块最大拉应力由 1.5MPa 增高到 1.92MPa 时。即基岩弹模增高 32%,混凝土拉应力增高 28%。因此,基础刚度较大时,温度控制要严是完全合理的。

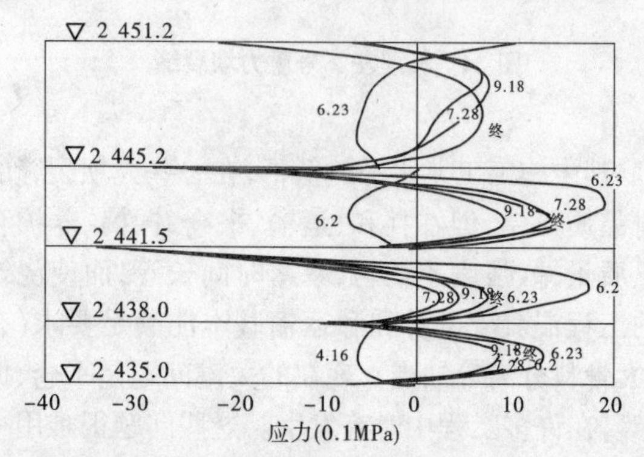


**图 26　龙羊峡坝温度应力分布曲线**(9 号—甲坝段)

($E_0=37\ 000$MPa)

## 3.6　工程运行与裂缝

工程运行不当会产生裂缝。在本次调查的大坝工程中,真正属于运行不当为主要原因而产生的裂缝还未发现。大部分运行以后产生的裂缝,其裂缝原因多与设计和施工有密切联系。

丹江口大坝施工期发现 3 332 条裂缝,运行后经 1978 年两次抽查,共发现 1 152 条裂缝,其中 90%以上是运行后新出现的,其中危害性较大的渗水漏浆、贯穿坝块的裂缝有 171 条,其分布见表 67。据调查,右坝段裂缝比较严重,混凝土本身施工质量比较差是主要原因之一。

**表 67　丹江口大坝运行后裂缝统计**

| 坝　段 | 裂缝总条数(条) | 其中严重裂缝(条) | | | |
|---|---|---|---|---|---|
| | | 渗水 | 渗水浆 | 贯穿坝段 | 合计 |
| 右 13—7 | 276 | 18 | 34 | 20 | 72 |
| 8—13 | 287 | 4 | 7 | 5 | 16 |
| 14—17 | 103 | 4 | 7 | 6 | 17 |
| 18 | 30 | 5 | 6 | 2 | 13 |
| 19—24 | 106 | 7 | 2 | 3 | 12 |
| 25—32 | 157 | 4 | 4 | 9 | 17 |
| 33—34 | 179 | 3 | 2 | 9 | 14 |
| 竖井 | 14 | 5 | 5 |  | 10 |
| 合计 | 1 152 | 50 | 67 | 54 | 171 |
| 百分比(%) | 100 | 4.3 | 5.8 | 4.7 | 14.8 |

葠窝水库大坝原设计为柱状法施工,并有温度控制要求,实际施工时采用皮带机通仓浇筑并取消了温控要求,浇筑温度一般略高于气温,最高温度40～50℃。施工时裂缝不算严重,运行后由于降温产生了几条严重危害结构的裂缝。裂缝主要原因为不按照设计施工,取消了温度控制而采取通仓浇筑,违反了科学。

柘溪大头坝的劈头裂缝,施工时是较浅的小裂缝,并且进行了处理(如挖鱼尾槽回填普通砂浆和环氧砂浆),但以后在周期性温度变化的条件下,再加上渗透场形成拉应力,使修补后的裂缝张开,在水压力的劈裂作用下,裂缝迅速扩大,以致造成危害极大的劈头大裂缝。这种裂缝与施工质量及以后的运行条件都有关系,与设计的折坡位置也有联系。实际上,裂缝与设计、施工与运行都有关系。另一典型例子为桓仁大头坝,这种坝型在东北地区气候严酷的条件下,防止裂缝的任务实在太重了,但施工时混凝土质量(初期)又差,所以设计选择坝型考虑不周、施工质量差、温度控制不力乃是该坝裂缝发生的主因。

# 4 结 论

通过对国内15个大坝工程的裂缝调查分析,可得以下结论:

(1)不同岩石骨料制备的混凝土,其弹性模量和热膨胀系数有很大的变化,对混凝土坝的温度徐变应力有极大影响。石灰岩骨料拌制的混凝土弹性模量低、热膨胀系数小(约为天然河卵石骨料混凝土的一半,但也有个别大的),同样温差产生的温度徐变应力小。因而在混凝土坝设计时,应尽可能选择石灰岩作骨料,在技经比较时要考虑这一因素。

(2)尽可能地选用符合规范要求的低热水泥,或其他品种发热量少、价格低廉的水泥。并且要特别注意选用具有微膨胀性的水泥,尽可能不用自生体积收缩型的水泥,如果在各种条件限制下必须使用自生体积收缩型水泥时,则应进行充分论证。

(3)以常规混凝土筑坝,按薄层、短间歇、均匀上升为原则,对防止混凝土坝裂缝是有效的。表面保护对早龄期混凝土遭受寒潮袭击,以及越冬的新浇混凝土防止表面裂缝十分有利,因此设计时应对其进行充分研究和采用。

(4)要防止新浇混凝土遭遇洪水浸泡降温而产生裂缝,在施工导流设计中应充分考虑这一因素。

(5)坝型的选择要考虑当地气候条件,分缝要考虑地质和地形条件。气候严寒地区,要尽量选择暴露面小的坝型,以利防止裂缝。

(6)由于长浇筑块在单位温差作用下温度应力较大,因而在分块较大时,在保证混凝土质量的前提下,要严格控制温度。由于浇筑块的高宽比影响其温度应力,故对扁而长的浇筑块,更应注意进行温度控制。

(7)混凝土施工均匀性对混凝土裂缝率有不可忽视的影响。提高混凝土强度均匀性,降低离差系数 $C_v$ 值,可以有效地减小裂缝率。

(8)目前我国大坝运行后产生的裂缝,绝大多数为设计考虑不周和施工质量不好等原因产生的后果。故欲防止大坝施工期和运行期产生裂缝,主要应在设计上周密考虑,在施工上多加注意。

## 参 考 文 献

[1] 林鸿镁.东江水电站双曲拱坝基础混凝土裂缝问题初步分析.水力发电,1985(8)

[2] 包日新.大坝混凝土温度控制设计.水利水电工程,1986(2)

[3] 于乃.大黑汀混凝土坝的温控综合措施及效果.水利水电技术,1979(5)

[4] 水电部第八工程局.乌江渡工程施工技术.北京:水利电力出版社,1987

[5] 丁宝瑛,王秉国,黄淑萍.水库水温的调查研究.见:水利水电科学研究院科学研究论文集第19集(结构、材料).北京:水利电力出版社,1984

[6]　丁宝瑛,胡平,黄淑萍.水库水温的近似分析.水力发电学报,1987(12)
[7]　丁宝瑛,岳跃真,黄淑萍.混凝土的拉压徐变不相等时的结构应力分析.水利学报,1987(10)
[8]　丁宝瑛,王国秉,杨菊华.苏联高混凝土坝建设中的温度控制问题.水力发电,1983(7)
[9]　朱伯芳.数理统计理论在混凝土坝温差研究中的应用.水利水电技术,1963(1)

# 国内混凝土坝裂缝成因综述与防止措施

丁宝瑛　王国秉　黄淑萍　岳跃真　胡　平

(中国水利水电科学研究院,北京 100038)

**摘　要**:通过对国内15座混凝土大坝裂缝的调查分析及仿真反馈计算,归纳总结出了混凝土裂缝的原因,探索了混凝土防裂的途径和措施。提出混凝土热膨胀系数直接影响温度收缩应力,决定热膨胀系数大小的是骨料的岩性,选用热膨胀系数小的骨料有利于降低混凝土内部产生的温度应力。由外部环境造成裂缝危害的主要原因是寒潮袭击,其防范措施为采用“薄层、短间隙、均匀上升”的浇筑方式和妥善的表面防护。其他骤然降温因素也不容忽视,如遭遇洪水浸泡、冷却管内冷却水与混凝土内部温差过大等。此外,结构设计、分缝分块和施工工艺也要给予充分重视。

为避免或减轻混凝土裂缝对坝体建筑物的危害,我们先后对国内龙羊峡重力拱坝、紧水滩双曲拱坝、东江双曲拱坝、白山重力拱坝、乌江渡拱形重力坝、刘家峡实体重力坝、潘家口低宽缝重力坝、新安江宽缝重力坝、丹江口宽缝重力坝、柘溪单支墩大头坝、葛洲坝水电站、葠窝重力坝、桓仁单支墩大头坝、枫树空腹宽缝重力坝、大黑汀宽缝重力坝等15座混凝土大坝裂缝情况的调查分析及仿真反馈计算,初步归纳总结了混凝土坝裂缝的成因,探讨了裂缝与混凝土的热学及力学性能、环境状态、结构形式、分缝分块、施工工艺、基岩约束、工程运行的关系和规律,并提出了防止混凝土裂缝的途径和措施,以便工程技术人员在坝工设计施工中借鉴。

所调查的15个工程遍及全国各地,其气象、水文、地质、坝型、坝高不同,所用混凝土标号、水流、掺合料各异,分缝、分块也有差别,施工方法也不尽一样,因此大坝裂缝的成因错综复杂。为了便于分析研究,我们将裂缝原因进行了归纳分类叙述如下。

## 1　混凝土的热学、力学性能与裂缝

### 1.1　热学性能

混凝土的热学性能,是指其导热系数 $\lambda$、导温系数 $a$、比热 $C$、热膨胀系数 $\alpha$、水化热或绝热温升 $\theta$ 等。尽管不同工程混凝土原材料配合比等有很大差别,但其 $\lambda$、$a$、$C$ 值变化幅度不大,对混凝土的温度和应力影响较小,对混凝土裂缝也影响不大。混凝土的 $\alpha$ 和 $\theta$ 值各工程往往有很大的差异。$\alpha$ 值的大小直接影响温度收缩应力,而骨料的岩性对 $\alpha$ 值起决定作用。石灰岩的 $\alpha$ 值最小,石英岩的 $\alpha$ 值最大(见表1),在相同的温差作用下,温度应力可相差一倍,因此在现场允许条件下,应尽量选用 $\alpha$ 值小的岩石作骨料。石灰岩骨料不但 $\alpha$ 值小,拌制的混凝土弹性模量低,极限拉伸值也大,施工时应优先采用。

**表1**　　**不同岩石品种骨料的热膨胀系数**

| 岩石品种 | 石英岩 | 砂岩 | 花岗岩 | 白云岩 | 玄武岩 | 石灰岩 |
|---|---|---|---|---|---|---|
| 热膨胀系数($10^{-5}$,1/℃) | 1.20 | 1.17 | 0.8~0.95 | 0.95 | 0.85 | 0.6~0.7 |

本文原载《水利水电技术》1994年第4期。

### 1.2　力学性能

关于混凝土的力学性能，主要包括混凝土的抗压强度 $R_c$、抗拉强度 $R_p$、弹性模量 $E$、极限拉伸值 $\varepsilon_p$、徐变度 $C(t,\tau)$和自生体积变形 $G(t)$等，从防止裂缝的观点分析，抗拉强度代表抗裂能力，但温度裂缝是变形控制，所以其直接抗裂指标该是极限拉伸值。弹性模量代表应力与应变关系，就防止裂缝观点要求 $E$ 值小。自生体积变形 $G(t)$主要取决于水泥中的矿物成分，不同工程由于选用水泥不同，$G(t)$值有正有负，$G(t)$为正时表示体积膨胀，在浇筑块中产生压力有利于防止裂缝；$G(t)$为负值时表示体积收缩产生拉应力，对防止裂缝不利。

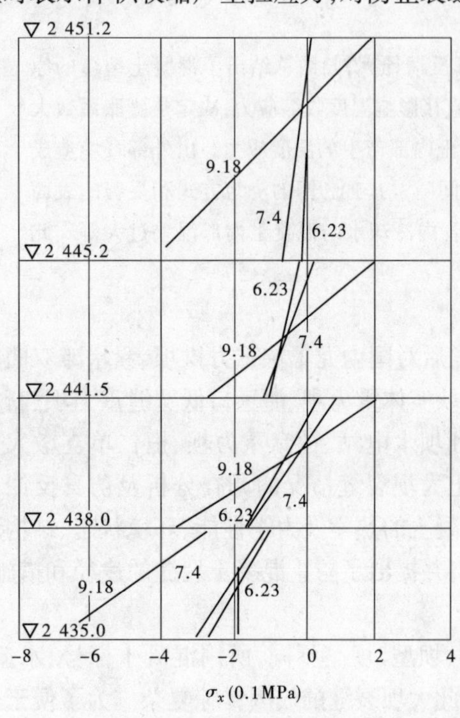


**图1　龙羊峡大坝混凝土自生体积变形应力**

(图中曲线数字代表某月某日，下同)

### 1.3　工程实例

龙羊峡大坝和刘家峡大坝裂缝较少，其主要的原因是两个工程采用的混凝土配合比设计比较先进，混凝土绝热温升也较小。龙羊峡基础混凝土为 $R_{28}=200$，水泥用量为167kg/m$^3$；刘家峡基础混凝土为$R_{28}=200$，水泥用量为180kg/m$^3$(粉煤灰水泥)。两工程28d龄期的混凝土极限拉伸值均超过 $1.0\times10^{-4}$。裂缝较少的另一有利因素是，自生体积变形 $G(t)$具有膨胀性，一年龄期膨胀值可达 $6.0\times10^{-5}$。实际对龙羊峡大坝9号—甲坝块进行仿真计算，此膨胀值可在该浇筑块产生最大达0.7MPa的压应力(见图1)。该坝块的温度及温度徐变应力分布见图2、图3。由图可知，9号—甲坝块的最高温度可达34℃，最下层的最高温度为24.4℃和27.2℃(高程2 438.0～2 441.5m浇筑层，该层实际观测值最高温度为27.3℃，与计算十分接近)，算得浇筑块的温度徐变应力为1.5 MPa(相应于该层混凝土龄期为21～23d)。实际施工的混凝土配合比及强度见表2，可见该层混凝土完全能承受1.5MPa的拉应力，因而不会产生裂缝。

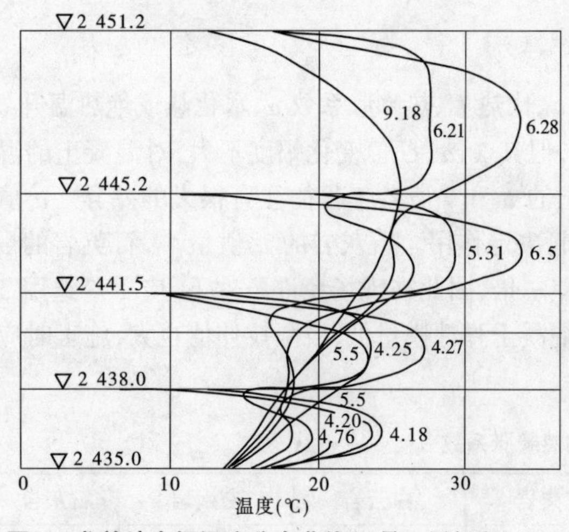


**图2　龙羊峡大坝温度分布曲线**(9号—甲坝段)

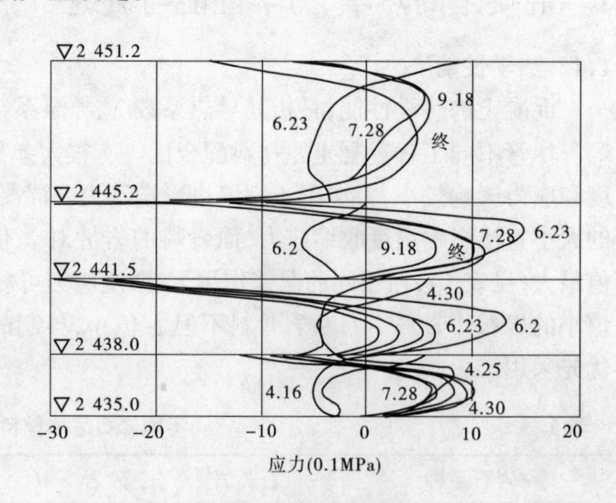


**图3　龙羊峡大坝温度应力分布曲线**(9号—甲坝段)

($E_c$=28 000MPa)

混凝土的微膨胀性在白山拱坝上也产生了很好的效果。图4为自生体积膨胀在白山拱坝15号—Ⅱ坝块中产生的压应力，到1997年12月29日最大值为0.62MPa。图5、图6为白山拱坝15

号—Ⅱ坝块温度与温度徐变应力仿真计算成果(包括自生体积膨胀的影响),其最高温度为37.8℃,最大温度徐变应力为1.82MPa,根据1977年东北水利水电勘测设计院提供的试验成果,可知该坝段不会产生基础贯穿裂缝,白山大坝基础混凝土抗拉强度测试成果见表3。

**表2　　龙羊峡大坝基础混凝土试验资料**

| 设计标号 | $\frac{W}{C}$ | W (kg/m³) | C (kg/m³) | F (kg/m³) | 坍落度 (cm) | 级配 | $R_c$(0.1MPa) | | | | $R_p$(劈裂)(0.1MPa) | | | |
|---|---|---|---|---|---|---|---|---|---|---|---|---|---|---|
| | | | | | | | 7d | 28d | 90d | 180d | 7d | 28d | 90d | 180d |
| $R_{90}$ 250号 | 0.40 | 95 | 198 | 0 | 3.9 | 三 | 231 | 306 | 360 | 388 | 19.5 | 25.5 | 28.9 | 31.2 |
| | | 80 | 167 | 0 | 3.2 | 四 | 232 | 336 | 376 | 391 | 23.2 | 28.9 | 30.2 | 31.8 |
| | 0.40 | 95 | 198 | 0 | 3.9 | 三 | 177 | 283 | 389 | 426 | 15.9 | 23.9 | 27.5 | 30.7 |
| | | 80 | 167 | 0 | 3.2 | 四 | 176 | 289 | 405 | 435 | 15.6 | 27.5 | 28.4 | 33.8 |

**表3　　白山大坝混凝土抗拉强度**

| 龄期(d) | 3 | 7 | 28 | 90 |
|---|---|---|---|---|
| 抗拉强度(MPa) | 1.25 | 1.90 | 2.35 | 2.71 |

混凝土自生体积变形收缩,会给大坝防裂带来不利影响。如乌江渡水电站的大坝混凝土室内试验$G(t)$早期有微小的膨胀,但后期均为收缩。仿真计算表明:乌江渡混凝土自生体积变形产生的最大拉应力为0.67MPa,此值相当于温降6~8℃产生的拉应力,因此在温控设计时,不可忽视。乌江渡8号—Ⅰ坝块仿真计算表明,该坝块没有产生贯穿裂缝的可能性。之所以产生这样的结果,主要是乌江渡大坝混凝土采用了石灰岩人工骨料,混凝土膨胀系数$\alpha$只有$(0.47\sim0.49)\times10^{-5}$1/℃,虽然基础温差为19.4℃(设计允许值为22℃),还有自生体积收缩变形的影响,但应力并不大。所以采用热膨胀系数小的骨料,对防止混凝土裂缝是十分有效的,设计时必须充分考虑这个有利条件。

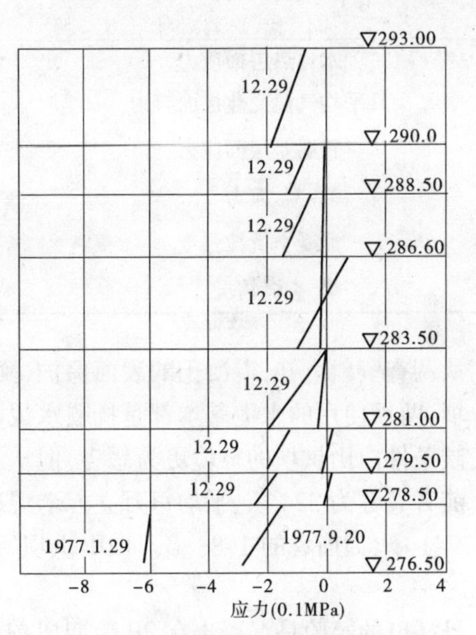

**图4　白山拱坝自生体积变形应力**

(15号—Ⅱ坝段)

## 2　混凝土的环境与裂缝

尽管混凝土本身质量较好,施工控制均匀性也好,如果置这种混凝土于不利的环境中,也会造成混凝土裂缝。最明显的例子是,混凝土浇筑后在初期遇到寒潮袭击又无保护,则裂缝的可能性相当大,丹江口宽缝重力坝、葛洲坝工程和东江双曲拱坝前期施工,都有深刻的教训。

### 2.1　寒潮与裂缝

东江双曲拱坝第16号坝段,施工前期共浇筑12层,调查发现第4层(层面高程143m)和第10层(层面高程153m)发生了裂缝。研究分析该两层裂缝的原因,主要是遭遇了寒潮的袭击。表4列出了两裂缝层面的温度应力仿真计算成果,可知该两层发生裂缝是必然的,从而也说明表面保护的重要性。表面保护可减少日平均气温变化和日温差产生的温度应力,因而能减小总应力,使其不超过混凝土的抗拉强度而避免裂缝发生。

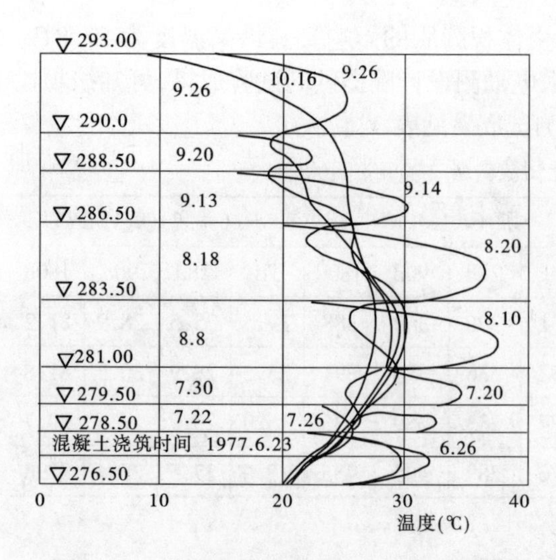


图5　白山拱坝温度分布曲线(15号—Ⅱ坝段)

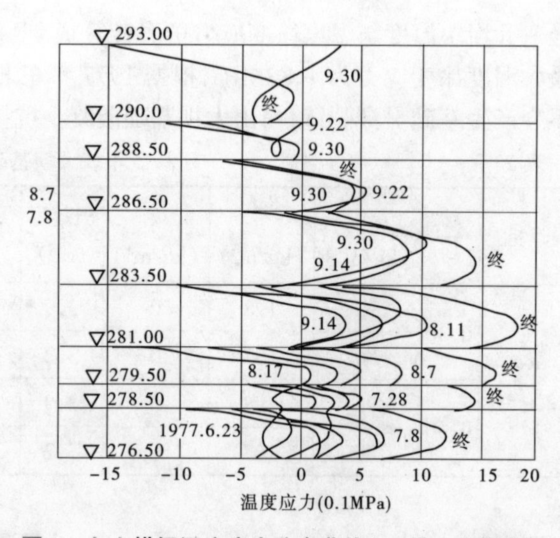


图6　白山拱坝温度应力分布曲线(15号—Ⅱ坝段)

表4　东江拱坝16号坝段两裂缝层面温度徐变应力　(单位:0.1MPa)

| 项　目 | 第4层(浇筑后4d) | 第10层(浇筑后14d) |
|---|---|---|
| 水化热层面应力 | 1.40 | 3.30 |
| 日平均气温变化层面应力 | 13.80 | 9.90 |
| 日温差层面应力 | 0.75 | 7.12 |
| 总应力 | 15.95 | 20.32 |
| 混凝土抗拉强度 | 9.50 | 15.70 |
| 裂缝情况 | 严重裂缝1条 | 严重裂缝1条 |

从调查资料可知,混凝土的表面保护,确能防止和减少裂缝的发生。例如白山拱坝和潘家口宽缝重力坝,两坝使用的水泥基本都是抚顺水泥,混凝土都具有微胀性,所用骨料都是天然河卵石和河砂,论气候条件白山拱坝的环境更为恶劣,但从裂缝情况看,白山拱坝的裂缝条数远少于潘家口宽缝重力坝。前者裂缝为324条、平均每万立方米混凝土1.988条,后者裂缝为995条,平均每万立方米混凝土3.741条,为前者的1.88倍。白山拱坝所以能取得较好的裂缝指标,表面保温做得较好,是其重要原因之一。

丹江口的经验是混凝土在7d龄期以前,虽遇寒潮也很少裂缝,绝大多数裂缝发生在7～40d之间。仿真分析表明,一般在外界气温不变的情况下,浇筑块层面上的温度徐变应力在龄期3～5d以前基本上维持压应力或很小的拉应力,此后将逐渐转变为拉应力,一般持续30～50d后变为压应力,因此在混凝土层面上为拉应力状态时,如果遇到表面降温(如寒潮冲击),则又叠加一个较大的拉应力,就很有可能发生裂缝。为防止在层面暴露期遇到寒潮而产生裂缝,尽量减少浇筑层面的暴露时间是一种很有效的措施,这就是一般所说的“薄层、短间歇、均匀上升”的浇筑方法。

## 2.2　冷却管降温与裂缝

紧水滩双曲拱坝在夏季浇筑的坝体混凝土上产生了64条层面水平裂缝,从初应变法的有限单元法考虑混凝土弹性徐变和一期水管冷却(进口水温6℃)作用,按照施工记录对9号坝段进行了仿真计算。计算表明,在发现水平缝8～12层中的冷却水管附近,应力有一突变,在垂直外表面上存在着大面积的垂直拉应力,最大值发生在交界面上约0.6MPa,加上日温差变化、干缩和自生体积收缩等因素产生的表面拉应力,超过了层面黏结强度而发生水平层面裂缝。

### 2.3 洪水浸泡与裂缝

早龄混凝土遭遇洪水浸泡,降温速度过快,往往出现成批裂缝。如紧水滩双曲拱坝,刚开始浇筑混凝土不久,就发生水淹基坑,在新浇筑不久的混凝土上出现了一批裂缝。丹江口宽缝重力坝,右岸第一期基坑浇筑的混凝土,由于经常过洪,也产生了不少裂缝。河南故县混凝土重力坝,浇筑混凝土的最初几年,经常基坑过洪,汛后都会检查出一批裂缝,大都发生在新浇混凝土上。所以在设计导流方案和度讯方案时,应该考虑这种后果。

关于环境对裂缝的影响,诚然在寒冷地区应该十分重视,但在一些温暖地区甚至亚热带地区,仍然不能掉以轻心,应该广泛收集气象资料,详细分析研究,在可靠的基础上,采取妥善措施。

## 3 结构形式、分缝分块与裂缝

结构形式、分缝分块对混凝土裂缝有很大影响。一般地讲,如果结构孔洞较多、体型复杂、基础不平整等情况,会给结构形成较多应力集中部位,产生裂缝的可能性就大。

### 3.1 结构形式对混凝土裂缝的影响

青铜峡水电站为河床式电站,结构复杂,孔洞很多,有的剖面为三层大体积混凝土框架,曾产生大量裂缝。浙江湖南镇梯形支墩坝,虽地处温暖、潮湿地区,但由于暴露面太多,又不重视表面保护,裂缝是很多的,为处理上游面裂缝,不得不设置沥青防渗板。桓仁大头坝施工时,暴露面上也产生了许多裂缝,在1964年调查的1 986条裂缝中,大头部位就占699条。我国坝工实践表明,选用实体重力坝、拱坝等暴露面较少的坝型,能有效地减少裂缝概率。

### 3.2 分缝分块对裂缝的影响

关于分缝分块对裂缝的影响,一般地讲,在相同的温差作用下长浇筑块比短浇筑块的温度应力大。我国重力坝设计规范及拱坝设计规范中有关基础温差的规定,浇筑块越长温度控制越严。每一个国家的控制标准都是以该国施工工艺水平为基础的,不能照搬。譬如日本认为,分缝长度≤15m可以不必控制基础温差;美国垦务局认为,分缝长度＜18m,基本上可以不控制基础温差,这些是日、美的实践经验。可是苏联在西伯利亚地区,有些工程分缝长度只有13.7m,裂缝却很严重。

我国丹江口9～11号坝段的基础处理楔形梁(见图7)底部长35m,顶部长53m,宽12m,厚10m。该楔形梁在混凝土入仓温度20～24℃,最高温度35～38℃的情况下,经过两次寒潮冲击,又加上大幅度混凝土降温,产生了如图中的裂缝,其中中间一条裂缝贯穿到基础。对于这条裂缝,无疑是楔形梁较长、厚度较薄、温控不力所造成的。

柘溪大头坝左2号重力坝段(见图8),上下游高差17m,左右高差12m。据观测在无温度骤降的情况下,内部降温6.5 ℃就产生了裂缝,裂缝长度11.5m,宽0.25～0.85mm。此坝段在如此小的温降即发生了裂缝,其主要原因为基岩不平整,又未在基岩突变处分缝,温差虽小但应力集中较大,混凝土温度变形极不均匀所造成。因此,结构外部约束形式对裂缝有很大的作用,设计时应严加注意。

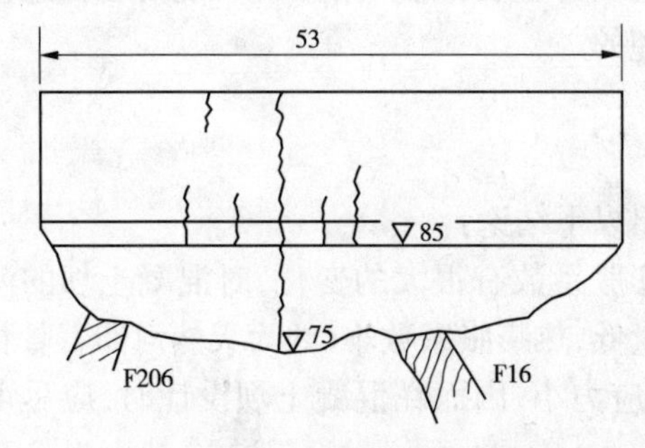


图7 丹江口坝9～11号坝段楔形梁裂缝(单位:m)

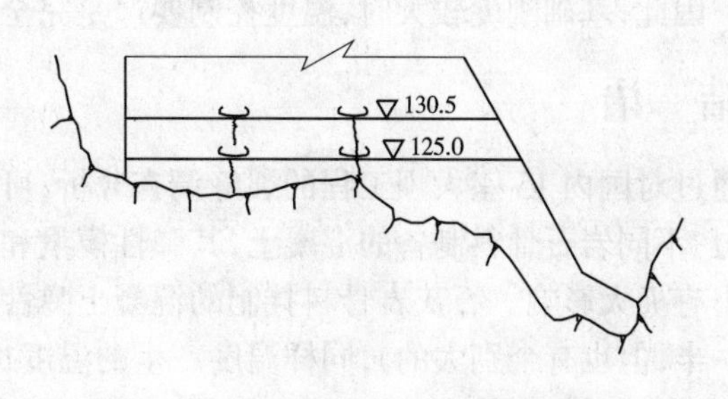


图8 柘溪坝左2号重力坝裂缝(单位:m)

## 4　施工质量与裂缝

众所周知,混凝土裂缝的原因是多方面的,但施工工艺的低下是大坝裂缝的一个重要因素。往往有些工程混凝土原材料本身品质不错,但在拌和、运输、平仓、振捣、养护和表面保护等环节上,未能重视和严格控制,造成混凝土质量差、强度不均匀,暴露时间长等,而使浇筑块在不很大的温度应力时产生裂缝。目前国内较大的工程混凝土的拌和运输基本上能满足设计要求,但关键问题是平仓、振捣工艺不能严格控制。譬如用振捣器平仓、漏振等,在许多工程中时有发生,这些问题很难用一种指标来表示。目前通常用钻孔取得统计混凝土的平均强度 $\overline{R}$ 和离差系数 $C_v$ 来评价混凝土施工工艺质量,但实际上钻孔取样只能是少量的,不可能进行全面检查,一般能够做到全面检查的是机口取样资料。丹江口工程实际资料统计表明,$C_v$ 与裂缝率的关系如图 9 所示。此图说明 $C_v$ 值大、裂缝率高,即混凝土强度均匀性差,在相同温差作用下裂缝率增大。因此,对于混凝土坝工程来说,除了混凝土平均强度要满足设计要求外,还要力求 $C_v$ 值小。这样可以提高混凝土的均匀性,对防止混凝土裂缝极为有利。

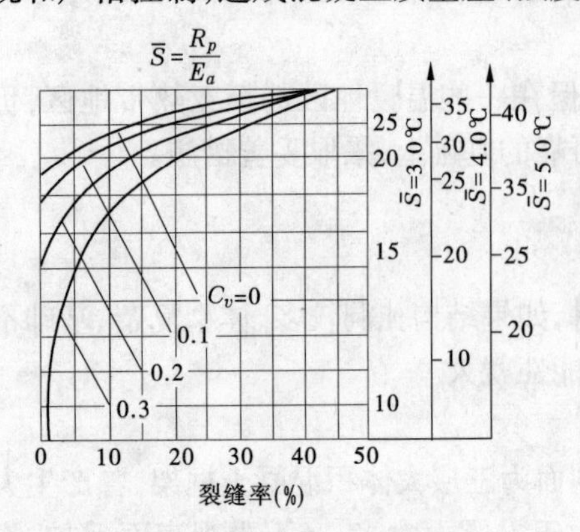


图 9　裂缝率与 $C_v$ 的关系

违背设计要求进行违章施工,也是产生混凝土裂缝的重要原因。例如葠窝水库原设计为柱状法施工,并有温度控制要求。实际施工时采用皮带机通仓浇筑并取消了温控要求。结果产生了几条严重危害结构的裂缝。

## 5　基岩约束与裂缝

根据弹性理论,如果混凝土浇筑块置于零变形模量基础上,在线性分布温差作用下,浇筑块不会产生应力。若基础弹性模量逐渐变大则浇筑块应力也随之增大,如果基础弹性模量为无限大,相当于刚体,接触面不能变形,属于完全约束,则浇筑块应力最大。对于实际的基岩,一般弹性模量为(1.0~3.0)×$10^4$ MPa,虽不是刚体完全约束,但对浇筑块也有相当的约束。近年来已经在苏联布拉茨克坝和我国丹江口 18 号坝段上发现由内部产生的基础贯穿裂缝是由表面裂缝发展而成的。实际上,基础浇筑块若无基础约束而不产生大面积拉应力区的存在,表面裂缝也难以发展成贯穿裂缝,这是问题的两个方面。正因为基础约束作用的存在,更应重视在基础混凝土部位尽量避免表面裂缝的产生。

一般拱坝基础弹性模量较高,对混凝土的约束较大。我们曾对龙羊峡拱坝浇筑块(9 号—甲),将基岩弹性模量由 2.8×$10^4$ MPa 提高到 3.7×$10^4$ MPa,而其他计算条件相同的情况下进行了计算。计算表明,浇筑块最大拉应力由 1.5MPa 提高到 1.92MPa,即基岩弹模增高 32%,混凝土拉应力提高 28%。因此,基础刚度较大时,温度控制要严是完全合理的。

## 6　结　语

通过对国内 15 座大坝工程的裂缝调查分析,可得出以下结论:

(1)不同岩石骨料制备的混凝土,其弹性模量和热膨胀系数有很大的变化,对混凝土坝的温度徐变应力有极大影响。石灰岩骨料拌制的混凝土弹性模量低,热膨胀系数小(约为天然河卵石骨料混凝土的一半,但也有个别大的),同样温度产生的温度徐变应力小,因而在混凝土坝设计时,应尽可能选择石灰岩作骨料,在技术经济比较时要考虑这一因素。

(2)尽可能选用符合规范要求的低热水泥,或其他发热量少、价格低廉的水泥,要特别注意选用具有微膨胀性的水泥,如果因条件限制必须使用自生体积收缩型水泥时,则应进行充分论证。

(3)对于常规混凝土筑坝,按“薄层,短间歇,均匀上升”的原则进行设计与施工,对防止混凝土坝裂缝是很有效的。表面保护对早龄期混凝土遭受寒潮袭击,以及对越冬的新浇混凝土防止表面裂缝十分有利,因此设计时应充分研究和采用。

(4)要防止新浇混凝土遭遇洪水浸泡降温而产生裂缝,在施工导流设计中应充分考虑这一因素。

(5)坝型的选择要考虑当地气候条件,分缝要考虑地质和地形条件。气候严寒地区,要尽量选择暴露面小的坝型,以利防止裂缝。

(6)由于长浇筑块在单位温度作用下温度应力较大,因而在分块大时,在保证混凝土质量的前提下,要严格控制温度。由于浇筑块的宽度比影响其温度应力,故对扁而长的浇筑块,更应注意进行温度控制。

(7)混凝土施工质量均匀性对混凝土裂缝率有不可忽视的影响。提高温凝土强度均匀性降低离差系数 $C_v$ 值,可以有效地减少裂缝率。

(8)目前我国大坝运行后产生的裂缝,绝大多数为设计考虑不周和施工质量不好等原因造成,故欲防止大坝施工期和运行期产生裂缝,主要应从设计上周密考虑,施工上严加注意。

# 防止三峡大坝上游坝面产生垂直裂缝的研究

汪安华　许志安

(长江水利委员会设计局,武汉　430010)

**摘　要:** 近年来,国外兴建的一些大坝的上游面产生横向垂直裂缝,有的在蓄水后裂缝进一步扩深,这种情况日益引起人们的关注。针对国内外典型工程上游坝面产生垂直裂缝的主要原因(较大的内外温差和温度梯度),结合三峡工程具体条件重点研究混凝土受年变化气温和气温骤降产生的温度分布和温度应力,定量分析了通仓浇筑的溢流坝段产生该类裂缝的可能性。分析表明,裸露混凝土表面在年变化气温作用下拉应力达 1.24~1.86MPa,在寒潮袭击下为 0.6~1.47MPa,足以导致该类裂缝产生。必须十分重视表面保温,气温骤降期采用放热系数 $\beta \leqslant 2.33W/(m^2 \cdot ℃)$ 的材料保温,建议整个上游面在施工期设置放热系数 $\beta = 0.93W/(m^2 \cdot ℃)$ 的永久性保温层。最后论述预防三峡大坝上游面产生垂直裂缝的主要措施。

## 1　前　言

国家重点科技项目"三峡工程坝体混凝土快速施工技术研究专题"中,将河床溢流坝段采用通仓长块浇筑作为主要攻关子课题之一。我们对通仓长块浇筑和柱状块浇筑方案进行了较详细的分析比较,证明三峡工程采用通仓浇筑技术上可行,经济上合理,并有利于确保工期、加快进度,建议在控制工程进度的河床溢流坝段采用通仓长块浇筑。虽然通仓长块浇筑在国外已成功地建成了一大批混凝土高坝,但 20 世纪 70 年代以来美国兴建的德沃夏克坝、利贝坝和加拿大兴建的雷维尔斯托克坝均相继发生了上游横向(顺水流向)垂直裂缝,我国 20 世纪 50~60 年代采用柱状块方法施工的桓仁、柘溪大坝也曾发生过类似裂缝,其中多数工程在蓄水后裂缝进一步扩深,这日益引起人们的严重关注。

我们广泛收集了国内外典型混凝土坝上游横向垂直裂缝资料,对上游横向垂直裂缝进行成因分析,着重结合三峡工程特点,对采用通仓浇筑的溢流坝段进行了较详细的计算分析,并探讨其产生上游横向垂直裂缝的可能性,最后提出了预防三峡大坝上游横向垂直裂缝的主要措施。

## 2　上游横向垂直裂缝的成因

国内外几座典型大坝发生了上游横向垂直裂缝,经归纳分析可以得出以下几点主要看法:

(1)大坝上游面横向垂直裂缝的发生有一定的广泛性。它表现在不同的坝型(重力坝、宽缝重力坝、大头坝、重力拱坝、拱坝),不同的气候条件(严寒、寒冷、温和),不同的筑坝技术(通仓、柱状块)和同一大坝不同部位(基础约束区、脱离约束区)等情况下都可能发生。

(2)施工期较大的内外温差和温度梯度是产生上游横向垂直裂缝的主要原因。施工期较大的内外温差和温度梯度往往同建坝时较长期的暴露面保温不善又遭遇过大的气温变化或过水等有关;国外有的严寒地区建坝时虽有较好的保温条件,但往往冬季停浇、长期停歇,遇剧冷的冬季,仍难以避免裂缝的产生,早春复工时拆除保温也会造成冷击裂缝。

(3)较严重的上游横向垂直裂缝绝大多数由施工期所产生的较小裂缝在各种因素作用下逐渐扩展而成。其裂缝扩展主要因素为施工期严寒的气候条件、运行期低温库水进入缝内的劈裂作用和大

本文原载《人民长江》1994 年第 9 期。

体积混凝土温度梯度的共同作用。

(4)据已收集到的国内外资料,尚无一例以确凿证据表明上游横向垂直裂缝是在运行期才发生的,而与施工期早期裂缝无关;也无一例表明该类裂缝主要是由于基础温差过大引起的,并自基岩开始向上开裂。

(5)美国德沃夏克坝是迄今最高、体积最大的采用通仓浇筑的混凝土重力坝,就其温控和通仓施工水平而言是成功的。但是设计和施工中对于如何防止上游面横向垂直裂缝的发生及其扩展并未提出有效措施,这一经验教训值得我们认真研究和借鉴。

## 3 三峡工程通仓长块产生上游横向垂直裂缝的可能性分析

### 3.1 定性探讨

将三峡工程通仓浇筑的溢流坝段情况与国内外产生上游横向垂直裂缝的几座典型大坝作一宏观对比,便可发现预防这类裂缝既存在有利的一面,也存在不利的一面。

有利的一面主要为坝址气候温和、重力坝坝型、全年施工和水库库底水温较高等;其不利一面主要为坝址气温骤降较频繁、通仓浇筑不具备柱状块人工冷却全面调节坝体温度的手段,我国施工水平和保温设施还有一定差距。

鉴于前述,国内外大坝上游面横向垂直裂缝的发生存在一定的广泛性,三峡工程溢流坝段在预防这类裂缝的产生虽存在有利方面,但也存在诸多不利因素,从定性上说,如果设计和施工不采取有效措施,三峡工程溢流坝段施工期产生上游横向垂直裂缝是有相当的可能性。反之,如果设计和施工采取有效预防措施,则避免这类裂缝是完全可能的。

施工期一旦产生上游横向垂直裂缝,在以下条件下,裂缝可能扩展为较严重裂缝:由于三峡工程工期较长,如产生裂缝后仍不注意表面保护和采取有效措施,再遭遇恶劣的气温变化,将在施工期使裂缝扩展;位于基岩约束区的裂缝也会由于上游附近混凝土内部降温产生的温度应力使裂缝进一步发展,蓄水前如裂缝不予有效处理,在蓄水后由于大坝内部降温十分缓慢,温度仍较高,长期受水库低温水形成的不利温度分布和缝内较高水压的共同作用,而横缝间又允许裂缝有张开余地时,裂缝将进一步扩展。

如果施工期没有产生上游横向垂直裂缝,由于蓄水初期的冬季水温比施工期冬季气温高 3 ~ 5℃,运行期三峡水库库底水温为 14℃,远高于冬季气温,且内部混凝土呈逐年降温趋势(尽管十分缓慢),因此上游面附近混凝土形成的内外温差和温度梯度都将比施工期为小,其产生的拉应力也将较施工期为小,不太可能发生上游面横向垂直裂缝。

### 3.2 定量分析

#### 3.2.1 基本资料

(1)气象水文。采用宜昌水文站实测多年各月各旬平均水温。采用三斗坪实测多年各月各旬平均及最低旬平均气温。气温骤降(日平均气温降低值)统计见表 1。

**表 1 1959~1968 年气温骤降统计**

| 月　份 | 1 | 2 | 3 | 4 | 5 | 6 | 7 | 8 | 9 | 10 | 11 | 12 |
|---|---|---|---|---|---|---|---|---|---|---|---|---|
| 2~3d 降温 6℃以上次数 | 6 | 7 | 14 | 16 | 10 | 8 | 3 | 7 | 9 | 6 | 7 | 8 |
| 其中 6~8℃次数 | 5 | 3 | 5 | 10 | 8 | 8 | 2 | 7 | 8 | 4 | 3 | 4 |
| 其中 8.1~10℃次数 | 0 | 3 | 6 | 2 | 1 | 0 | 1 | 0 | 1 | 2 | 4 | 4 |
| 2~3d 降温最大值(℃) | 10.2 | 12 | 14 | 12.7 | 14.1 | 7.7 | 8.1 | 7.4 | 8.5 | 9.8 | 9.9 | 9.5 |

(2)混凝土主要设计指标及标号分区。混凝土主要设计指标及各部位标号见表 2。

表 2 混凝土主要设计指标

| 部　位 | 混凝土标号 90d | 抗冻 | 抗渗 | 极限拉伸值 | |
|---|---|---|---|---|---|
| | | | | 28d | 90d |
| 水上外部混凝土 | 200 | $D_{50}$ | $S_2$ | $(0.7\sim0.75)\times10^{-4}$ | $0.8\times10^{-4}$ |
| 水下外部混凝土 | 200 | $D_{50}$ | $S_2$ | $(0.7\sim0.75)\times10^{-4}$ | $0.8\times10^{-4}$ |
| 水位变化区外部混凝土 | 250 | $D_{150}$ | $S_2$ | | |
| 基础部混凝土 | 200 | $D_{50}$ | $S_2$ | $(0.7\sim0.75)\times10^{-4}$ | $0.8\times10^{-4}$ |
| 坝内部混凝土 | 150 | $D_{50}$ | $S_2$ | $(0.6\sim0.65)\times10^{-4}$ | $0.7\times10^{-4}$ |

(3)混凝土力学热学性能如下。

弹性模量：$E_{28}=22\text{GPa}$　　$E_{90}=27\text{GPa}$

极限拉伸值：$\varepsilon_d=0.8\times10^{-4}$(90d 龄期)

线膨胀系数：$\alpha=0.85\times10^{-5}$ 1/℃

泊松比：$\mu=1/6$

比热：$C=921\text{J}/(\text{kg}\cdot℃)$

导温系数：$a=0.003\ 5\text{m}^2/\text{h}$

导热系数：$\lambda=2.443\text{W}/(\text{m}\cdot℃)$

容重：$p=2\ 450\text{kg}/\text{m}^3$

上述力学、热学指标除泊松比外，均根据长江科学院三峡大坝混凝土试验成果选定。

(4)溢流坝段稳定温度场及各月最高温度控制标准：

溢流坝段稳定温度场分别见图 1 和图 2。

溢流坝段通仓浇筑坝体最高温度见表 3。

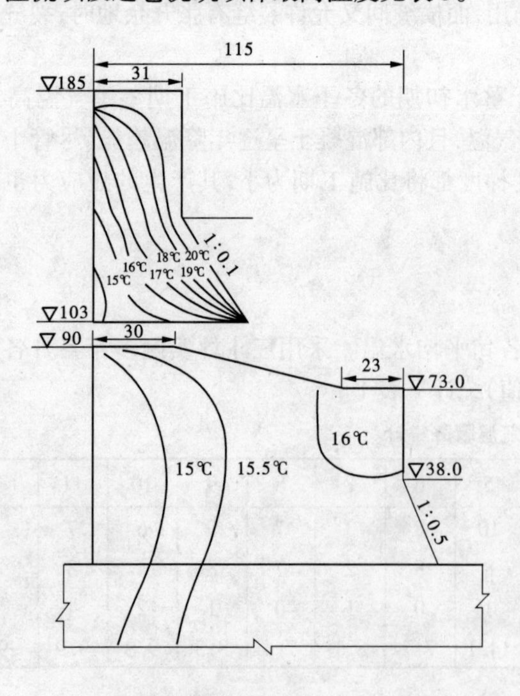


图 1　三峡深孔剖面稳定温度场(单位：m)

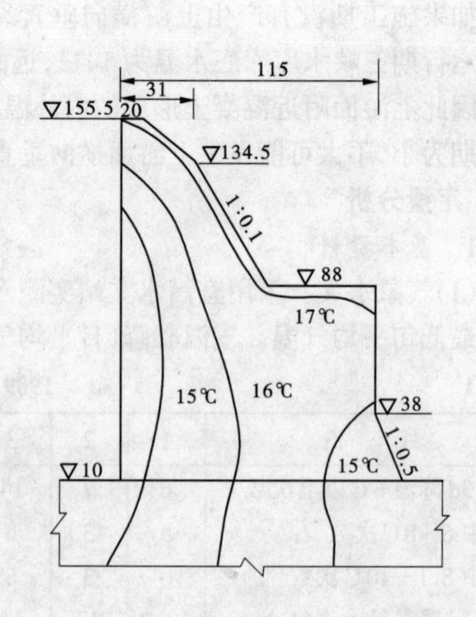


图 2　三峡溢流剖面稳定温度场(单位：m)

**表 3** **通仓浇筑坝体最高设计温度** (单位:℃)

| 月份 | 12~2 | 3、11 | 4、10 | 5~9 |
|---|---|---|---|---|
| 强约束区 | 22 | 26 | 30 | 31 |
| 弱约束区 | 22 | 26 | 30 | 33.5 |
| 非约束区 | 22 | 26 | 30 | 35~36 |

3.2.2 年变化气温影响下上游面层混凝土的温度与应力

3.2.2.1 计算方法

溢流坝段高 150~175m,下部沿上下游底宽115~129m,坝块横缝间距 21m、共 23 个坝段,混凝土计划开工后第 6 年底、第 7 年初开始浇筑,于第 10 年下半年陆续达到坝顶 185m 高程,施工期混凝土暴露于气温介质中将近 4 年,在此期间混凝土主要向上、下游方向散热,形成混凝土内外温度的不均匀分布,对年变化气温影响下沿上下游方向的温度分布可用单向差分法计算,计算公式如下:

$$T_{0,\tau+\Delta\tau} = T_{0,\tau} + \frac{a\Delta\tau}{\delta^2}(T_{2,\tau} - T_{1,\tau} - 2T_{0,\tau}) + \Delta Q\tau$$

式中:$T_{n,\tau}$——差分计算点的温度;

$\delta$——差分计算网格间距,取 0.42m;

$\Delta\tau$——差分计算时段步长,取 1d;

$\Delta Q$——差分计算时段内混凝土水化热增量;

$a$——混凝土的导温系数。

溢流坝段,坝内沿垂直方向年变化温度分布可视为均匀,当做平面应变问题来看待,沿坝轴线方向在坝块中央断面的正应力计算公式如下:

$$\sigma_x = K_p\left[-\frac{E\alpha T(y)}{1-\mu} - \sum_{i=1}^{2} A_y^2(\xi)Pi(\xi)\right]$$

式中:$E$——混凝土弹性模量(应力计算中考虑龄期的影响);

$\alpha$——混凝土线胀系数;

$\mu$——泊松比;

$A_y(\xi)$——随参数 $\xi$ 变化的中间断面上 $y$ 点应力影响系数;

$T(y)$——距表面 $y$ 处的温度;

$L$——坝块横缝间距,取 21m;

$K_p$——年变化应力松弛系数,取 0.6~0.65。

3.2.2.2 计算方案及计算成果

为了较全面地了解施工期长达 4 年中的温度及应力状态,分别计算了第 1 年至第 4 年典型季节冬、春秋季(4 月份)和夏季浇筑的基础约束区和非约束区混凝土,在整个施工期内的测试与应力状态。计算结果表明:

(1)每年 10~2 月为表面拉应力较大时期,其中 12 月份为最大,3 月份的表面拉应力较 10 月为小;在整个施工期内,年变化气温影响下的表面拉应力是逐年减少的,以第一年冬季的拉应力最大。

(2)冬季浇筑的混凝土($T_{max}=22$℃),表面最大拉应力 1.24~1.28MPa;春、秋季浇筑的混凝土($T_{max}=26$℃),表面最大拉应力 1.27~1.44MPa;4、10 月份浇筑的混凝土($T_{max}=36$℃),表面最大拉应力 1.25~1.59MPa,夏季浇筑基础约束区混凝土($T_{max}=31$℃),表面最大拉应力 1.26~1.65MPa,夏季浇筑非约束区混凝土($T_{max}=31$℃),表面最大拉应力 1.26~1.85MPa。

(3)低温季节对混凝土进行表面保护,可减少在年变化气温影响下的表面拉应力,但减少的幅度不太大。如夏季浇筑非约束区混凝土时，不保温表面最大拉应力为 1.85MPa，保温层放热系数 $\beta=4.1\mathrm{W/(m^2\cdot℃)}$ 时为 1.69MPa，保温层放热系数 $\beta=2.33\mathrm{W/(m^2\cdot℃)}$ 时为 1.53MPa，表面层放热系数 $\beta=1.28\mathrm{W/(m^2\cdot℃)}$ 时为 1.3MPa。

### 3.2.3 寒潮期混凝土表面温度及应力计算

坝址区气温骤降频繁，按日平均气温 2～3 天降温 6℃以上统计，以每年 3 月份和 4 月份最频繁，约每月发生 2 次，其余月份约每月发生 1 次，7 月份最少。统计资料表明，一次气温骤降量 6～8℃占 66%，8～10℃占 24%，大于 10℃者占 10%。实测日平均气温 2～3d 降温量最大为 14.1℃。

#### 3.2.3.1 计算方法

气温骤降规律

$$T_w = A\times\sin\omega(\tau-\tau_1)\qquad(\tau\geqslant\tau_1)\tag{1}$$

$$\omega=\pi/(2/Q)$$

式中：$T_w$——气温，℃；

$A$——寒潮中气温降低的最大幅度；

$Q$——寒潮中降温历时天数；

$\tau_1$——气温骤降发生时间；

$\tau$——时间。

气温骤降期间混凝土表面温度变化规律

$$T=-fA\sin\omega(\tau-\tau_1-m)\tag{2}$$

式中：$T$——混凝土表面温度；

$$f=1/\sqrt{1+2\mu+2\mu^2}$$

$$m=gQ$$

$$g=\frac{2}{\pi}\tan^{-1}\left[\frac{1}{1+(1/\mu)}\right]$$

$$\mu=\frac{\lambda}{\beta}\sqrt{\frac{\omega}{2a}}=\frac{\lambda}{\beta}\cdot\frac{1}{2}\cdot\sqrt{\frac{\pi}{Qa}}$$

式中：$\lambda$——混凝土导热系数；

$a$——混凝土导温系数；

$\beta$——混凝土表面放热系数；

$A,\omega,\tau,\tau_1$，同式(1)。

若混凝土表面设有保温层，则

$$\beta=1/(h/\lambda_a+1/\beta_0)$$

式中：$h$——保温层厚度，m；

$\lambda_a$——保温材料的导热系数；

$\beta_0$——保温层外表面的散热系数。

寒潮期表面温度应力采用朱伯芳同志推导的"弹性徐变应力"计算公式(考虑龄期影响)。

#### 3.2.3.2 计算方案及计算成果

分别计算日平均气温 2～3d 降温 8℃、10℃、12℃和 14℃时，混凝土表面裸露，表面保护层放热系数 $\beta=4.1$、$2.33\mathrm{W/(m^2\cdot℃)}$ 和 $1.28\mathrm{W/(m^2\cdot℃)}$ 时，不同龄期遇寒潮的表面温度分布及其应力。计算结果表明：

(1)在整个施工期内浇筑的混凝土几乎每月均有可能遇到寒潮的袭击，混凝土早龄期(3d 以内)，遇寒潮时产生的表面拉应力相对较小，但随着混凝土龄期的增加而增加，龄期在半年以内变化较大，半年以后变化较小。

(2)寒潮期的表面拉应力随保温层放热系数($\beta$)的减小而大大减小,如遇日平均气温3d下降8℃寒潮时,不保温的放热系数$\beta=15W/(m^2\cdot℃)$,寒潮表面拉应力$\sigma=0.98\sim1.76MPa$;保温层放热系数$\beta=4.1W/(m^2\cdot℃)$时,$\sigma=0.6\sim1MPa$;保温层放热系数$\beta=2.33W/(m^2\cdot℃)$时,$\sigma=0.4\sim0.7MPa$;保温层放热系数$\beta=1.28W/(m^2\cdot℃)$时,$\sigma=0.25\sim0.5MPa$。

(3)混凝土在浇筑过程中,必须对浇筑层的顶、侧面进行保温,以防止混凝土在施工期产生表面裂缝,保温标准:在10~3月期间出现寒潮时,对于通仓长块和大柱状块浇筑混凝土龄期大于3d者,对顶、侧面进行保温;4~9月期间,遇寒潮时龄期3~5d以上,对顶、侧面进行保温。保温层的放热系数$\beta$应小于$2.33W/(m^2\cdot℃)$。

#### 3.2.4 上游面产生劈头缝可能性分析

上述计算成果表明,夏季浇筑的混凝土表面拉应力最大,4月份浇筑的次之。对此期间浇筑的混凝土在不同的保温层放热系数下,将年变化气温和寒潮期表面拉应力叠加,其总拉应力值见表4和表5。

**表4 夏季浇筑的混凝土($T_{max}=38℃$)表面最大拉应力** (单位:MPa)

| 表面保温层放热系数$\beta$[$W/(m^2\cdot℃)$] | | 15.12<br>不保温 | 4.1 | 2.33 | 1.28 |
|---|---|---|---|---|---|
| 寒潮 | 3d降8℃ | 1.78 | 1.00 | 0.7 | 0.41 |
| | 3d降10℃ | 2.23 | 1.26 | 0.87 | 0.51 |
| 年变化气温 | | 1.85 | 1.69 | 1.53 | 1.3 |
| 年变化气温+3d降8℃ | | 3.64 | 2.69 | 2.23 | 1.71 |
| 年变化气温+3d降10℃ | | 4.08 | 2.94 | 2.41 | 1.81 |

**表5 4月份浇筑的混凝土($T_{max}=30℃$)表面最大的拉应力** (单位:MPa)

| 表面保温层放热系数$\beta$[$W/(m^2\cdot℃)$] | | 15.12<br>不保温 | 4.1 | 2.33 | 1.28 |
|---|---|---|---|---|---|
| 寒潮 | 3d降8℃ | 1.78 | 1.00 | 0.7 | 0.41 |
| | 3d降10℃ | 2.23 | 1.26 | 0.87 | 0.51 |
| 年变化气温 | | 1.59 | 1.41 | 1.27 | 1.07 |
| 年变化气温+3d降8℃ | | 3.37 | 2.41 | 1.96 | 1.48 |
| 年变化气温+3d降10℃ | | 3.82 | 2.67 | 2.14 | 1.58 |

由表4、表5和气温骤降、年变化气温产生的混凝土应力成果可见:

(1)若表面不进行任何保护,混凝土裸露于外界气温中,在年变化气温和寒潮的袭击作用下,其表面的拉应力是很大的。在年变化气温影响下,对于冬季浇筑的混凝土表面最大拉应力1.24~1.28MPa,一般不会产生上游面横向垂直裂缝;对于春、秋季浇筑的混凝土,表面最大拉应力1.27~1.52MPa,上游面产生横向垂直裂缝可能性不太大;夏季浇筑的混凝土表面最大拉应力1.27~1.86MPa,有可能在上游面产生横向垂直裂缝。对于初期混凝土(7~28d),遇寒潮袭击时,表面拉应力为0.6~1.47MPa,也有可能产生上游面横向垂直裂缝。冬季在年变化气温和寒潮袭击共同作用下,其表面拉应力很大,夏季浇筑的混凝土达3.63~4.12MPa,4月份浇筑的混凝土达3.33~3.82MPa,大大超过混凝土的抗拉强度,足以在上游面产生横向垂直裂缝。

(2)表面保温层放热系数$\beta=2.33W/(m^2\cdot℃)$,受年变化气温和寒潮的共同作用,夏季浇筑的混凝土表面拉应力2.3~2.5MPa,4月份浇筑的混凝土表面拉应力$\sigma=2.0\sim2.2MPa$,仍然较大,也有可能产生劈头缝。

若表面保温层放热系数 $\beta=1.28\text{W}/(\text{m}^2\cdot℃)$,受年变化气温和寒潮的共同作用,夏季浇筑混凝土表面拉应力1.8MPa,4月份浇筑的混凝土表面拉应力1.5~1.6MPa,小于或接近混凝土的抗拉强度,可能不产生上游面横向垂直裂缝。

(3)为防止三峡大坝上游面受年变化气温和寒潮的影响产生垂直劈头缝,应在上游面进行表面保温。对于分纵、横缝浇筑的坝块,在坝体全面通水冷却降温以前,每年的9月中旬~翌年5月中旬期间对表面进行保温,保温层放热系数 $\beta=0.93\sim1.4\text{W}/(\text{m}^2\cdot℃)$,冬季浇筑的混凝土取大值,夏季浇筑的混凝土取小值;对于通仓长块浇筑的坝块其内部温度在施工期几乎没有降温,且坝块几乎每个月都有气温骤降发生。为此,建议在整个施工期内对通仓浇筑的坝块,在上游面设置 $\beta\leqslant0.93\text{W}/(\text{m}^2\cdot℃)$ 的永久保温层。

## 4 预防措施

针对三峡大坝尤其是通仓浇筑的溢流坝段产生上游横向垂直裂缝的可能性,通过上述定性探讨和定量分析,可以采取预防施工期产生这类裂缝以及日后进一步扩展的主要对策如下。

### 4.1 预防施工期产生上游横向垂直裂缝的主要措施

(1)必须十分重视表面保护。为防止混凝土浇筑层气温骤降所引起的裂缝,10月~翌年3月对龄期3d以上混凝土的顶、侧面采用放热系数 $\beta\leqslant2.33\text{W}/(\text{m}^2\cdot℃)$ 材料保温层;4~9月则遇气温骤降采用上述保温材料保温。选择合适的拆模时间,避免在气温骤降期或风速过大时拆模。拆模后应立即保温。整个上游面在施工期采用放热系数 $\beta=0.93\text{W}/(\text{m}^2\cdot℃)$ 保温层,以防止气温变化和寒潮导致的裂缝。

(2)采取合理的水管布置并进行必要的中期通水,以减小内外温差和改善坝体温度分布。

(3)提高上游面外部混凝土抗裂能力。在满足必要的极限拉伸和工程运用条件下,采取尽量减少水化热温升(如水泥用量等)的措施。选用线膨胀系数小的骨料和研究微膨胀水泥应用的可能性。

如果设计和施工方面能完善并落实上述措施,预防该类裂缝是完全可能的。应立足于预防为主、治理为辅,一旦出现裂缝则应采取积极的处理措施,防止进一步恶化。

### 4.2 防止裂缝扩展的主要措施

(1)施工期及时检查并处理上游面横向垂直裂缝。

(2)大坝蓄水前必须认真地进行全面检查,并对缝面作密封处理。

(3)在廊道等部位向裂缝打穿过缝面的排水减压孔等。

(4)必要时将上游止水位置适当向下游方向移动。

## 5 结 论

(1)20世纪70年代美国建成的德沃夏克坝,坝高219m,最大底宽157m,为通仓浇筑。采用了严格的温度控制措施,有效地防止了基础贯穿裂缝,但在蓄水前后,仍有9个坝段发生上游横向垂直裂缝。此外,国内外一些已建或在建的大坝也发生过类似裂缝,这一情况日益引起人们的关注。

(2)已有的工程实践表明,不同的坝型、气候、筑坝技术和同一大坝不同部位均有可能发生上游横向垂直裂缝,因而它具有一定的广泛性。施工期较大的内外温差和温度梯度是产生上游横向垂直裂缝的主要原因,较严重的上游横向垂直裂缝绝大多数以施工期产生的较小裂缝为先导,以后在各种因素作用下扩展而成。

(3)由于上游横向垂直裂缝存在一定的广泛性,且三峡工程溢流坝段既有防裂有利的一面,又存在防裂不利的因素,因而从定性上分析,如设计和施工方面不采取有效措施,施工期产生上游横向垂直裂缝有相当的可能性。

(4)结合三峡工程具体条件,定量分析通仓浇筑溢流坝段在年气温变化和气温骤降作用下,裸露上游面拉应力成果表明:在多年平均变化气温影响下,冬季浇筑的混凝土表面最大拉应力为1.24~1.28MPa,可能不致产生上游面的横向垂直裂缝;而其他季节浇筑的混凝土,其表面最大拉应力为1.27~1.86MPa,有可能在上游面产生此类裂缝。早期混凝土(5~28d)遇气温骤降,其表面最大拉应力为0.6~1.47MPa,也可能产生此类裂缝。冬季在年变化气温和气温骤降共同作用下,4月份浇筑的混凝土表面最大拉应力达3.33~7.82MPa,夏季浇筑的混凝土表面最大拉应力高达3.63~4.12MPa,大大超过了混凝土的抗拉强度,足以导致上游面横向垂直裂缝。

因此,必须采取表面保护措施以预防上游横向垂直裂缝。

(5)预防三峡工程溢流坝段施工期上游横向垂直裂缝的主要措施为:必须十分重视表面保护,气温骤降期采用放热系数 $\beta \leqslant 2.33 W/(m^2 \cdot ℃)$ 材料对浇筑层顶、侧面保温,避免气温骤降期拆模,建议整个上游面在施工期设置放热系数 $\beta \leqslant 0.93 W/(m^2 \cdot ℃)$ 的永久性保温层,进行必要的中期通水和提高上游面外部混凝土的抗裂能力。如能在设计和施工上完善并落实上述措施,则预防溢流坝段上游横向垂直裂缝是完全可能的。

(6)防止上游横向垂直裂缝进一步扩展的主要措施为:施工期和蓄水前都应及时检查裂缝并予以有效处理;打穿过缝面的排水减压孔和将上游止水适当移向下游等。

# 二滩水电站拱坝混凝土配合比和温控

李嘉进[1] 陈万涛[2]

(1.二滩水电工程公司; 2.四川攀枝花 617000)

**摘 要**: 二滩拱坝混凝土的配合比胶材用量少,但达到了较高的强度,为其温控提供了比较有利的条件。坝体混凝土最高温度控制在设计允许的范围内,加上有力的冷却、防护施工措施,大坝混凝土裂缝少,保证了大坝混凝土的质量。

## 1 概 况

二滩水电站拱坝高240m,坝顶长774.73m,拱冠梁底厚55.74m,顶宽11m,坝体混凝土总量415万$m^3$。实行国际招标,由意大利的英波吉洛(Impregilo)公司为责任公司的二滩联营体(EJV)施工。大坝混凝土于1995年2月23日开始浇筑,至1998年3月31日完成397万$m^3$,占总量的97%;混凝土的抗压强度保证率大于99%,合格率100%,离差系数小于0.14;坝体钻取的混凝土芯样抗渗指标大于$S_{15}$,渗透系数$K=0.957\times10^{-10}$cm/s,压水试验绝大部分的吕容值为0,个别孔点达1.0,在坝体共钻孔454个,累计混凝土孔长3 780m,声波测点共14 290个,钻孔的声波速度总平均4 506m/s(4 123~4 827m/s),$C_v$值0.082;裂缝很少,已查明的混凝土裂缝有19条,其中12条为发丝裂缝。1996年电力部调查组的调查报告中称"混凝土内部及外部质量都非常令人满意,是国内土建工程中未能达到的"。1997年8月二滩特咨团第十一次报告称"工程质量一直处于完好的管理状态……迄今所浇的混凝土质量优良……"。

## 2 二滩拱坝混凝土配合比及其性能

### 2.1 高拱坝混凝土配合比设计原则

二滩拱坝混凝土最大主压应力为8.66MPa,最大主拉应力为1.0MPa,这就要求混凝土的标号比较高,因此混凝土配合比的设计首先要满足拱坝应力要求,在此前提下要满足耐久性、可浇筑的工作度要求。要满足应力要求,按现行规范规定,混凝土单轴抗压强度至少应为最大压应力的4倍,即安全系数$K=4$,也就是说,在拱坝的高应力区,混凝土强度至少应达35MPa,保证率应大于85%。由于二滩拱坝高而薄,在混凝土配合比强度设计中,应有一定的富裕量。对于耐久性要求,一般以混凝土的抗渗能力和抗冻能力来表示,对于二滩拱坝这样的高坝,按现行规范应提高一个等级,即其抗渗能力应大于$S_{12}$,抗冻能力应不小于$D_{200}$,美国垦务局规定混凝土抗渗系数$K=1.5\times10^{-9}$cm/s(相当于$S_{11}$)认为可满足耐久性要求。

对于混凝土浇筑的工作度,除要求有合适的配合比外,最重要的是取决于施工机械、施工方法等。二滩大坝混凝土施工机械化程度高,振捣台车的功率大,一部振捣台车一次可完成3$m^3$混凝土的捣固(一般一次捣固约需30s),有利于浇筑低坍落度(1~3cm)的混凝土。显然,这对于减少用水量、提高混凝土质量和简化温控措施都是有利的。

---

本文原载《人民长江》1994年第9期。

## 2.2 混凝土原材料的选择及其性能

(1)水泥。根据二滩拱坝混凝土的性能要求,结合当地条件,选择渡口水泥厂生产的525号硅酸盐大坝水泥(中热水泥)。其抽样的试验结果主要技术指标列于表1。

表1 525号硅酸盐大坝水泥主要性能

| 检测单位 | 次数 | 28d强度(MPa) | | 水化热(kJ/kg) | | 细度(%) |
|---|---|---|---|---|---|---|
| | | 抗折 | 抗压 | 3d | 7d | |
| 水泥厂出厂证书 | 871 | 8.18 | 59.39 | 216.05 | 259.19 | 4.5 |
| EJV实验室 | 305 | 7.90 | 57.28 | 145* | 218* | 5.4 |
| EEC实验室 | 127 | 8.94 | 59.05 | 225.82** | 263.52** | 4.7 |
| 规定值 | | >7.1 | >52.5 | ≤251 | ≤293 | <12 |

注:*承包商在意大利的试验资料;**成勘院科研所的试验资料。

(2)粉煤灰。根据二滩工程标书技术条件规定的主要技术指标,选用渡口河门口电厂的粉煤灰,实验室抽样结果见表2。

表2 粉煤灰主要技术指标试验结果

| 检测单位 | 次数 | 细度(0.080mm)(%) | 需水量比(%) | 抗压强度比(%) | 烧失量(%) | $SO_3$(%) | 含水量(%) |
|---|---|---|---|---|---|---|---|
| 厂家证书 | 1 282 | 8.45 | 92.96 | 78.41 | 3.57 | ≤0.40 | 0.05 |
| EJV实验室 | 100 | 10.65 | 93.62 | 76.30 | | | 0.06 |
| EEC实验室 | 173 | 9.20 | 92.50 | 97.33 | 3.67 | 0.31 | 0.07 |
| 二滩技术标准 | | ≤8 | ≤105 | ≥75 | ≤8 | ≤3 | ≤1 |

(3)减水剂。二滩拱坝选用浙江龙游县混凝土外加剂厂的产品ZB-1萘系高效减水剂,其品质符合国标(GB 8076—87)和水电部《水工混凝土外加剂技术标准》(SD 108—83)的要求。检测结果表明,掺入量为胶材用量0.7%时的减水率可达21.3%,再掺入30%粉煤灰和0.007%引气剂时,减水率可达24.3%。

(4)引气剂。采用上海麦斯特建材有限公司的AEA202产品,其质量满足(ASTM C 260—77)和(SD 108—83)的规定。

(5)砂石骨料。二滩拱坝混凝土使用人工开采的正长岩,经机械破碎筛分为四级粗骨料和二级细骨料,其质量满足《水工混凝土施工规定》(SDJ 207—82)和ASTMc33的要求。砂的细度模数($FM$)=2.69~2.85,粒径小于0.15mm含量约14%,小于0.08mm的石粉含量4.5%左右。砂子的含水率平均值约7.0%。

## 2.3 拱坝混凝土配合比

为了既满足混凝土设计强度,又满足耐久性的要求,对二滩拱坝混凝土的水灰比最大值、粉煤灰最大掺量和骨料最大粒径在合同文件中作了严格规定。表3列出二滩拱坝混凝土配合比的主要控制参数。二滩工程规定,大坝混凝土抗压强度的保证率≥85%;离差系数≤0.15。大坝混凝土自浇筑以来,对实验室的配合比进行了一些调整。表4列出了经过调整后实际使用的配合比。

## 2.4 二滩拱坝混凝土的性能

监理工程师和承包商对混凝土拌和物的出机口性能进行了严格控制,每小时检测一次含气量、坍落度、混凝土温度及抽查水胶比。对于混凝土强度,则每个班或每个浇筑块均取样成型,作7d、28d、90d、180d的抗压强度试验。此外,还进行了抗渗、弹模、极限拉伸、抗拉强度等校核试验。其结果列于表5。检测结果表明,其性能控制在规定范围内。

**表3　合同规定的二滩拱坝混凝土的主要参数**

| 部　位 | 180d抗压强度(MPa) | | 骨料最大粒径(mm) | 最大粉煤灰含量(%) | 最大水胶比 |
|---|---|---|---|---|---|
| | 全级配 | 湿筛后 | | | |
| A区 | ≥28 | 35 | 152 | 30 | 0.45 |
| B区 | ≥24 | 30 | 152 | 30 | 0.49 |
| C区 | ≥20 | 25 | 152 | 30 | 0.53 |
| 有锚索的墩梁 | ≥29 | 35 | 76 | 20 | 0.45 |

注:大坝全级配混凝土试件为45cm立方体,湿筛后试件为20cm立方体;闸墩和大梁的混凝土龄期为90d,全级配的试件为30cm立方体。

**表4　二滩拱坝混凝土配合比**

| 部　位 | 级　配 | 水胶比 | 水泥(kg/m³) | 粉煤灰(kg/m³) | 水(kg/m³) | 砂子(kg/m³) | 石子(kg/m³) | 减水剂(%) | 引气剂(%) |
|---|---|---|---|---|---|---|---|---|---|
| A区 | 四级配 | 0.447 | 131 | 59 | 85 | 571 | 1 711 | 0.70 | 0.012 0 |
| B区 | 四级配 | 0.467 | 127 | 55 | 85 | 593 | 1 688 | 0.70 | 0.012 0 |
| C区 | 四级配 | 0.486 | 123 | 52 | 85 | 618 | 1 670 | 0.70 | 0.012 0 |
| 有锚索的墩梁 | 三级配 | 0.430 | 195 | 49 | 105 | 672 | 1 496 | 0.70 | 0.008 0 |
| | 二级配 | 0.430 | 262 | 66 | 142 | 863 | 1 099 | 0.70 | 0.008 5 |

**表5　混凝土抽样试验结果**

| 部　位 | 180d强度(MPa) | | 抗压离差系数 $C_v'$ | 180d抗渗性能 | | 180d极限拉伸($\times10^{-6}$) | 180d抗压弹模(GPa) |
|---|---|---|---|---|---|---|---|
| | 抗压 | 抗拉 | | 抗渗指标 | 渗透系数 $K$(cm/s) | | |
| A区 | 55.94 | 4.23 | 0.129 | $>S_{12}$ | $0.482\times10^{-9}$ | 123 | 30.8 |
| B区 | 50.88 | 4.12 | 0.134 | $>S_{12}$ | $0.593\times10^{-9}$ | 121 | 29.0 |
| C区 | 49.03 | 4.01 | 0.100 | $>S_{12}$ | $0.691\times10^{-9}$ | 116 | |
| 锚索墩梁 | 54.98 | 4.37 | 0.152 | | | 130 | 29.10 |

注:锚索墩混凝土龄期为90d。

## 3　二滩拱坝混凝土温控

除在混凝土配合比中充分注意控制水泥用量和选用发热量较低水泥外,还采用了下述行之有效的温控措施。

### 3.1　混凝土分缝分块

二滩拱坝混凝土为通仓浇筑,共分39个坝段,每个坝段宽度上宽下窄在20m左右,横缝为球面键槽,总计约1 980个浇筑块(按3m层厚计),原设计在强约束区的层厚为1.5m,脱离强约束区的层厚为3m,总计2 239块。施工过程中,为了争取时间,在取得实际试验资料和温控计算结果的基础上,采用PE冷却水管,将1.5m层厚改为3m,其冷却水管布置为2层,仍按1.5m层垂直间距布置。

### 3.2　允许混凝土的最高温升

由于采用通仓浇筑混凝土,基础块的长度达60m(包括贴角),长宽比大于3,为了防止强约束区混凝土开裂,首先对混凝土最高温升给予了较为严格的限制。根据标书规定,强约束区混凝土最高温度28℃(Ⅱ区),对于非强约束区(Ⅰ区)混凝土最高温升为34℃,而对于C区混凝土的最高温升允许达36℃。所谓强约束区混凝土是指,在距基岩 $t/4$ 或老混凝土 $t/8$ 距离以内的混凝土。这里 $t$ 是指大坝在基础岩石处或老混凝土的径向厚度。

### 3.3 混凝土预冷和后冷却

#### 3.3.1 混凝土预冷

为了使大坝混凝土的最高温升能控制在规定的范围内,降低混凝土的浇筑温度和进行混凝土预冷是至关重要的。混凝土的浇筑温度规定不超过10℃(对于非强约束区且不是关键部位的混凝土浇筑温度可低于14℃)。为此,混凝土出机口的温度应小于10℃。根据二滩大坝混凝土浇筑位置距拌和楼很近,且采用缆机浇筑(9m$^3$罐),混凝土的温度回升较慢,经过多次测试比较,混凝土出机口温度夏季控制在8.5℃,其他季节控制在9℃,即可以满足入仓时10℃的要求。要生产出低于10℃的混凝土,对骨料必须进行预冷,并在混凝土拌和时,用3℃水和加入用水量45%~50%的冰屑(约40kg/m$^3$)。

#### 3.3.2 混凝土的后冷

混凝土的后冷是通过预埋入坝体的水管,通冷水将混凝土热量带走,以削减其最高温升和将坝体混凝土温度降至接缝灌浆温度。冷却水管采用PE塑料管(外径32mm,内径28mm)。冷却水管布置:强约束区(Ⅱ区)水平间距为1.0m,竖向间距1.5m;非强约束区(Ⅰ区)水平间距为1.5m,竖向间距为3.0m。通水总压力0.7MPa,流量100L/min,以保证满足各分管压力为0.35MPa,流量20L/min。

一期冷却主要起削峰作用,冷却水的温度13~15℃(冬季可用河水),混凝土日平均降温小于1℃,将坝块温度降至22℃。混凝土一期冷却对限制坝块最高温升非常重要,实测资料表明,在用冷水进行冷却时,混凝土的最高温升发生在浇筑后的5~7d之间,随后混凝土温度逐渐下降。浇筑后7d前削温5~6℃,到14d时削温达10℃以上。

二期冷却是将坝块温度从22℃降至灌浆温度(14℃或16℃),冷却水的温度6~8℃。冷却历时约需55d。

#### 3.3.3 浇筑层的间隔时间

标书规定浇筑层间的最小间隔时间不得小于3d,计算表明,对于3m层厚的坝块最小间隔时间5d,实际间隔时间一般在7d左右,此时混凝土温升处于回降时段。

#### 3.3.4 养护和保护

大坝混凝土采用水养护,在混凝土表面喷水,一直保持到下一块浇筑时为止,坝块的侧面挂塑料管,管壁打小孔,通水喷淋,养护28d,实际上水从上往下流,整个坝面一直处于潮湿状态,这对防止干裂、减少内外温差以及混凝土强度正常发展都是十分有利的。在夏天炎热浇筑混凝土的过程中,用塑料布边浇边覆盖新浇的混凝土,防止日晒蒸发和减少温度倒灌。在一般雨天浇筑混凝土时,也同样采用塑料布边浇边盖的方法,使雨水集中一边流淌,大雨时停止浇筑,并用塑料布覆盖好新浇的混凝土。

#### 3.3.5 制冷容量

根据混凝土月产高峰强度19万m$^3$、混凝土配合比中骨料含量、要求的混凝土入仓温度以及后冷水温和灌浆温度的要求,选择了制冷容量总计700GJ/h,其中预冷系统的容量约399GJ/h,后冷系统容量301GJ/h,实际生产低于10℃混凝土月高峰强度达24.5万m$^3$。

## 4 结 语

二滩拱坝混凝土配合比先进,用水量85kg/m$^3$,胶材用量不超过190kg/m$^3$,180d的抗压强度大于50MPa。水泥、粉煤灰、骨料、外加剂等原材料的质量好,混凝土绝热温升较低、极限拉伸较大,并具有微膨胀性、混凝土弹模较低、热膨胀系数适中,这些是大坝混凝土裂缝少的主要原因。加之施工工艺合理、工厂化生产、混凝土运距短、大型的机械化施工,采取骨料预冷,加冰屑拌和使得混凝土入仓温度控制在规定的范围内(10~14℃),并采用不间断的淋水养护,使所生产的大坝混凝土质量得到各方面专家的好评。

# 二滩高拱坝混凝土的特点和裂缝的关系

李嘉进

(国家电力公司成都勘测设计研究院,成都 610072)

**摘 要:** 介绍了二滩高拱坝混凝土原材料、配合比的特性,施工质量控制和检测的结果,以及控制大体积混凝土裂缝的综合措施。

## 1 前 言

二滩水电站拦河坝为混凝土双曲拱坝,坝高240m,坝顶弧长774.65m,坝顶宽11m,拱冠坝底厚55.74m,坝体混凝土总量为415万$m^3$,大坝混凝土于1995年2月23日开浇,至1998年8月浇筑到顶。平均月浇筑强度10万$m^3$,最高月强度达16.5万$m^3$。混凝土质量优良,2000年6月竣工。

## 2 二滩拱坝混凝土的裂缝

二滩拱坝发现的裂缝只有22条,其中发丝裂缝13条,占裂缝总数的59%。采用铺设跨缝钢筋、埋管引出进行水泥灌浆处理,吸浆量都非常小,灌浆后压水检查,Lu值为0.1,声波波速4 000m/s以上。浇筑开始至今已有6年多,裂缝未见发展和增多。

二滩大坝混凝土裂缝是我国已建高度在100m以上部分拱坝(包括重力拱坝)中最少的,每万立方米混凝土仅有0.053条,且50%以上是发丝裂缝,而其他工程则从每万立方米0.68条至20条不等,详见表1。

**表1** 我国已建部分拱坝(包括重力拱坝)某些主要参数和裂缝

| 项 目 | 龙羊峡 | 紧水滩 | 东 江 | 白 山 | 乌江渡 | 二 滩 |
|---|---|---|---|---|---|---|
| 坝型 | 重力拱坝 | 双曲拱坝 | 双曲拱坝 | 重力拱坝 | 拱型重力坝 | 双曲拱坝 |
| 坝高(m) | 178 | 102 | 157 | 149.5 | 165 | 240 |
| 坝体混凝土量(万$m^3$) | 154 | 30 | 94.7 | 163 | 186.46 | 415 |
| 裂缝条数 | 380 | 316 | 464 | 321 | 126 | 22 |
| 条/万$m^3$ | 2.1 | 10.5 | 20 | 1.97 | 0.676 | 0.053 |
| 比例(%) | 39.6 | 191.8 | 377.3 | 37.2 | 12.7 | 1.0 |

注:以上资料除二滩外,摘自水利水电工程勘测设计专业综述Ⅲ。

## 3 拱坝混凝土裂缝少的主要原因

防止大体积混凝土裂缝,应采取全方位控制的综合措施,从混凝土性能来说,宜高强、少灰、中弹模、低热等;从混凝土生产工艺来说,宜工厂化、机械化生产,质量才能稳定,温控措施要得当;从质量控制来说,每道工序都应严格,当上道工序未达到合格时,不允许下一道工序进行,对于隐蔽工程更是如此。以下分别介绍二滩混凝土的一些特点。

本文原载《水电站设计》2002年第1期。

### 3.1 混凝土原材料

组成大坝混凝土的材料是水泥、骨料、水、外加剂、粉煤灰。其中水泥、粉煤灰、外加剂的质量和水胶比是决定混凝土各种功能的主要因素,当然骨料的品质对混凝土性能亦起着重要作用。

#### 3.1.1 水泥

二滩大坝采用渡口水泥厂生产的525号大坝硅酸盐水泥(中热水泥)。国标对525号中热水泥的水化热、碱含量、矿物成分($C_3A$)有严格的限制,即7d水化热≤293kJ/kg(实际只有258.96kJ/kg)、碱含量$R_2O$≤0.60%(实际0.50%)、$C_3A$含量≤6%(实际4.02%)、28d胶砂抗压强度≥52.5MPa(实际59.61MPa)。

#### 3.1.2 粉煤灰

根据当时当地的条件,二滩标书规定粉煤灰的品质为2级灰,实际上所使用的河门口热电厂的粉煤灰,除细度介于1~2级灰的标准外,其余指标均达到1级灰的要求,即筛余量平均9.23%(规定≤8%)、需水量比92.57%(≤105%的规定)、抗压强度比78.5%(规定为≥75%)、烧失量3.79%(规定≤8%)、$SO_3$为0.28%(≤3%的规定)、含水量0.07%(≤1%的规定)。优质粉煤灰掺入混凝土内,可以大幅度地减少绝热温升,有利于改善混凝土的性能,如提高抗渗能力、减少混凝土用水量、改善拌和物的和易性、增加黏聚性和浇筑的密实性等,且对混凝土后期强度的发展也非常有利。一般掺入30%的粉煤灰,其90d龄期的混凝土强度就已和不掺的相当,甚至高于不掺的;两年龄期的抗压强度,掺入30%粉煤灰的比不掺的提高26.6%。因此,大体积混凝土掺入一定比例的粉煤灰,不仅是温控的重要措施,有利于提高耐久性,而且也是降低成本的重要措施。二滩大坝混凝土用灰量约26.96万t,节省了大量资金。

#### 3.1.3 外加剂

外加剂是混凝土的重要组成部分,用量很少,但作用很大。

(1)减水剂。二滩大坝混凝土采用浙江龙游外加剂厂生产的ZB-1高效减水剂,品质符合国标(GB 8076—87)和水电部《水工混凝土外加剂技术标准》(SD 108—83),其减水率>21%,稳定在22%左右。这种减水剂不仅减水率大,而且有早强、缓凝作用,其抗压强度比:3d为134%、7d为130%、28d为122%、90d为119%;初凝和终凝的时间比不掺减水剂的时间延长2小时44分;而90d的收缩率比只有85.5%;泌水率比<70%。对于大体积混凝土来说,优质减水剂不仅可以减少水泥用量、降低混凝土绝热温升、方便施工浇筑、减少泌水和干缩裂缝、提高耐久性,而且可以节省大量费用。

(2)引气剂。采用上海麦斯特建材有限公司生产的AEA202引气剂,其品质满足(ASTM C 260—77)和水电部《水工混凝土外加剂技术标准》(SD108—83)的规定。这种引气剂只要掺入胶材用量的0.012%,即有3%~5%的含气量。大体积混凝土掺入引气剂后,可以有效地提高其耐久性,改善拌和物的和易性,有利于施工浇筑。

#### 3.1.4 骨料

二滩大坝四级配混凝土,每立方米混凝土中骨料占总量的89%以上,其品质直接影响混凝土的性能。经过多方比较论证,主要采用开采的正长岩人工骨料,其抗压强度187MPa,抗拉强度11.2MPa,容重2.706g/cm$^3$,吸水率0.42%,砂的平均细度模数2.686,小于0.15mm粒径的平均占14.87%,其中小于0.08mm粒径的细粉平均占4.91%,平均含水量7.12%。骨料为机械化生产,因此质量稳定,且新鲜、坚固、粒形规整。这些指标很适合配制大体积贫混凝土,尤其是正长岩骨料混凝土的弹性模量,比用玄武岩骨料混凝土的弹性模量低约30%,比白云岩混凝土的弹性模量低40%左右。也就是说,正长岩骨料混料土的抗裂能力比玄武岩骨料混凝土的抗裂能力高出30%,比白云岩骨料混凝土的抗裂能力高出40%左右。之所以有这种差别,主要是由于不同岩石本身弹性模量的不同所致。这也是二滩在选用骨料时放弃白云岩并且限制玄武岩使用部位和比例的主要原因之一。

### 3.2　混凝土配合比

二滩高拱坝最大主压应力 8.7MPa,最大主拉应力 0.82MPa。按我国现行混凝土拱坝设计规范,则混凝土 90d 龄期的抗压强度与最大主压应力之比应等于 4,而坝高大于 200m 时,要进行专门论证。

二滩大坝混凝土抗压强度的设计龄期为 180d,突破了现行 90d 的规定。根据二滩大坝混凝土的大量检测试验资料统计说明,180d 与 90d 龄期的混凝土抗压强度的比值为 1.185。

为了使二滩拱坝混凝土满足耐久性的要求,在标书的技术规范中,对水胶比作了严格限制,即 A 区为 0.45,B 区为 0.49,C 区为 0.53。其 180d 的抗压强度:A 区为 35MPa,B 区为 30MPa,C 区 25MPa。混凝土施工配合比采用上述混凝土材料进行了多次调整试验,结果表明,在满足浇筑的条件下,四级配人工骨料 A、B、C 区每立方米混凝土用水量 85kg,胶材用量(包括 30%粉煤灰)分别为 190、182、175kg/m$^3$,其配合比见表 2。

**表 2　　二滩大坝混凝土施工配合比**

| 分　区 | 水胶比 | 水　泥 (kg/m$^3$) | 粉煤灰 (kg/m$^3$) | 水 (kg/m$^3$) | 砂　子 (kg/m$^3$) | 石　子 (kg/m$^3$) | 减水剂 (%) | 引气剂 (%) | 180d 抗压强度 (MPa) |
|---|---|---|---|---|---|---|---|---|---|
| A 区 | 0.447 | 131 | 59 | 85 | 571 | 1 711 | 0.70 | 0.012 | 56.00 |
| B 区 | 0.467 | 127 | 55 | 85 | 593 | 1 688 | 0.70 | 0.012 | 51.77 |
| C 区 | 0.486 | 123 | 52 | 85 | 618 | 1 670 | 0.70 | 0.012 | 49.94 |

从 A、B、C 三个区的混凝土强度可知,差别不悬殊,在一个等级差范围之内,坝体混凝土是均匀的。这对于以弹性理论进行设计的高坝是有利的。

### 3.3　混凝土生产浇筑的质量控制

(1)大坝混凝土的抗压、抗拉、抗渗、极限拉伸、抗压弹性模量和抗冻性的抽样检测结果见表 3。表 3 表明,大坝混凝土具有高强、低弹、耐久性好的特点。

**表 3　　混凝土抽样试验结果**

| 分区 | 180d 强度(MPa) | | 抗压 离差系数 $C_v$ | 180d 全级配抗渗 | | 180d 抗压弹模(GPa) | 90d 抗冻指标 |
|---|---|---|---|---|---|---|---|
| | 抗压/组数 | 抗拉 | | 抗渗指标 | 渗透系数(cm/s) | | |
| A 区 | 56.00/410 | 4.23 | 0.129 | >12 | $0.482\times10^{-9}$ | 30.8 | >200 |
| B 区 | 51.77/1 222 | 4.12 | 0.140 | >12 | $0.593\times10^{-9}$ | 29.0 | >200 |
| C 区 | 49.54/580 | 4.01 | 0.121 | >12 | $0.691\times10^{-9}$ | | >200 |

(2)大坝混凝土的热学性能和变形见表 4。

**表 4　　大坝混凝土的热学性能和变形**

| 分区 | 线膨胀系数 ($10^{-6}$/℃) | 导热系数 [W/(m·K)] | 比热 (kJ/kg) | 绝热温升 (℃) | 自生体积变形 ($10^{-6}$) | 徐变值 ($10^{-6}$) | 极限拉伸 ($10^{-6}$) |
|---|---|---|---|---|---|---|---|
| A 区 | 8.05 | 1.448 | 0.988 | 26.98 | 24.0 | 21.0 | 123 |
| B 区 | 8.04 | 1.517 | 0.964 | 26.14 | 20.6 | 22.9 | 121 |
| C 区 | 7.85 | 1.551 | 0.964 | 24.76 | 21.7 | 24.3 | 116 |

注:(1)自生体积变形为 720d 龄期;

(2)极限拉伸为 180d 龄期;

(3)徐变值为 180d 龄期,持荷时间 720d。

表4表明,大坝混凝土具有(20~24)×$10^{-6}$微膨胀和较大的极限拉伸值,且绝热温升不高,具有抗裂能力较好的特点。

(3)大坝混凝土钻孔检测是检查建筑物质量的重要手段,其结果综合反映了从原材料到混凝土生产全过程的质量,可检验大坝整体是否符合设计要求。检测结果列于表5。

**表5　　大坝混凝土钻孔检测结果**

| 分区 | 钻孔高程(m) | 钻芯尺寸(mm) | 孔深(m) | 芯样数量 | 龄期(d) | 平均抗压强度(MPa) | 平均抗拉强度(MPa) | 容重(kg/m³) | 抗渗性能 | 声波波速(m/s) |
|---|---|---|---|---|---|---|---|---|---|---|
| A区 | 980~963.08 | 76 | 7.2~16.52 | 244 | 284~452 | 60.06 | 6.2 | 2 597 | 吸水率为0 | >4 300 |
| B区 | 1 040~1 027.25 | 172 | 12.10~12.75 | 217 | 124~267 | 55.80 | 4.13 | 2 589 | $K=0.957\times10^{-10}$cm/s, >$S_{15}$ | >4 300 |
| C区 | 1 169.25~1 153.75 | 172 | 12.6~13.0 | 38 | 337~376 | 57.60 | 4.17 | 2 502 | ≤0.3Lu | >4 300 |

坝体钻孔检测结果表明,混凝土具有强度高、密实、容重大、抗渗性能好的特点。

(4)大坝混凝土拌和物的控制项目包括水胶比、坍落度、温度、含气量和成型后的力学性能,检测频率除每个班及每个浇筑块(或部位)必须成型检测不同龄期(7d、28d、90d、180d)的强度外,其他项目则每小时至少要检测一次,遇到异常情况时,要加密检测频率,甚至每车都要检测,直到正常为止。之所以要如此高的检测频率,就是为控制混凝土入仓前的质量。检测结果见表6。

**表6　　混凝土拌和物性能检测结果**

| 分区 | 水胶比 | | 含气量 | | 温度(℃) | | 坍落度(cm) | |
|---|---|---|---|---|---|---|---|---|
| | 平均值/次数 | 规定值 | 平均值/次数 | 规定值 | 平均值/次数 | 规定值 | 平均值/次数 | 规定值 |
| A区 | 0.499/950 | 0.45 | 3.4/421 | 3%~5% | 9.4/429 | 10 | 2.2/430 | 3~5 |
| B区 | 4.474/2 125 | 0.49 | 3.51/1 100 | 3%~5% | 10.92/1 123 | 10~12 | 2.1/1 125 | 3~5 |
| C区 | 0.496/720 | 0.53 | 3.57/575 | 3%~5% | 12.55/583 | 12~14 | 1.76/584 | 3~5 |

表6中的实测资料表明,二滩大坝混凝土入仓前的质量,均控制在规定的范围内,只有坍落度的实测平均值小于规定值,这是允许的。坍落度低,反映了每立方米混凝土的用水量减少,胶材用量也相应减少,混凝土的绝热温升低,这对温控是有利的。此外,用水量少的混凝土泌水少,质量就好。水泥水化所需要的水,仅为其重量的25%左右。为了满足施工的要求,不得不在拌和物中增加水泥水化所需以外的水量,这种水在混凝土中成为自由水,在浇筑振捣过程中,一部分分泌到表面,可以排除,另一部分分布在硬化混凝土中,如果这些自由水相连,将成为渗水的通道。在表层外露的混凝土容易干裂,可因干湿循环、冻融循环而引起破损。但是,浇筑低坍落度混凝土要有强大的平仓振捣设备,二滩具备了这个条件。

### 3.4 混凝土的浇筑

大坝混凝土浇筑使用3台30t(9m³)缆机,跨度1 275m,大车爬坡15°行走;振捣台车带8个$\phi$152mm×160mm的插入式振捣棒,频率为7 600r/min,一般30s左右即可捣固3m³混凝土;每台缆机平均生产能力为108m³/h。大坝混凝土创造了最高月浇筑强度16.5万m³的记录,而且5个月连续均超过15万m³,连续9个月在13.3万m³以上。大坝坝体混凝土415万m³,从1995年2月23日开浇到1998年8月基本浇完,历时39个月,创造了我国筑坝历史上的新记录。高强度浇筑关键的质量控制是平仓振捣、浇筑层(50cm)覆盖时间以及拆模后的养护,振捣不能漏振,对止水、止浆片以及预埋仪器周围的混凝土要格外细心,务必密实,否则会带来很大隐患和损失。每一浇筑层必须在其初凝前覆盖上层混凝土,否则会造成冷缝,形成薄弱层面。水平施工缝的处理不先铺砂浆,而是使用一、

二、三级配和加大砂率的四级配混凝土作过渡层，实践证明，其层间结合完全符合设计要求。

养护花费不多，却是保证混凝土质量的最后一道很重要的工序。在干燥状态下养护的混凝土，其抗压强度比在潮湿状态下养护的强度约低一半。尤其对于大体积混凝土，用水养护不仅有利于其强度的正常发展，提高抗裂能力，而且可以防止干缩裂缝并有利于混凝土表面散热。大坝混凝土养护采用在同一个方向钻孔的塑料管，通水喷洒在混凝土表面上，一直到最上层混凝土养护结束，其下层混凝土不再淌水为止。混凝土裂缝少，做好养护是重要因素之一。

### 3.5 温控措施

二滩大坝混凝土裂缝少与温控措施得当密切相关。如前所述，首先是混凝土热源小，绝热温升不高(<27℃)。第二是混凝土的强度高，尤其是早期强度高，如A区28d的抗压强度达30MPa，轴拉强度为2.14MPa；弹性模量不高，28d龄期时为23.31GPa，180d龄期时为30.8GPa；180d极限拉伸值达$126\times10^{-6}$，混凝土还具有$(20\sim24)\times10^{-6}$的微膨胀。

由于混凝土进行了预冷，A区混凝土的入仓温度可稳定控制在10℃以下。大坝混凝土后冷的冷却水管，采用PE塑料管替代铁管，运输、施工方便，修复也快，减少了施工劳动力，且可节省资金。

大坝混凝土入仓温度要求低于10～14℃(包括水垫塘、二道坝、导流洞堵头混凝土)的总量为479万$m^3$，配备的制冷容量总计$7\ 004.5\times10^4$kJ/h，其中预冷系统容量$3\ 990\times10^4$kJ/h，后冷系统容量$3\ 014.5\times10^4$kJ/h。预冷每立方米混凝土平均冷容量8.33kJ/h，后冷每立方米混凝土平均冷容量7.2kJ/h。配制制冷容量为理论计算容量的115%。

## 4 结 语

二滩大坝混凝土由于原材料质量好，配合比先进，每立方米混凝土胶材用量少，绝热温升不高，混凝土强度高，弹性模量较低，极限拉伸值大，且有微膨胀性能，大型机械化施工，振捣密实，养护工作不间断，温控有力，整个施工过程得到很好的控制，因此保证了混凝土质量。

# 混凝土重力拱坝出现裂缝的初步分析

宋恩来[1]　孙向红[2]

(1.东北电业管理局　110006;2.东北电力科学研究院　110006)

**摘　要**:在白山重力拱坝首次定期安全检查时,专家发现13～14号坝段混凝土出现裂缝,此裂缝对大坝安全的危害引起了争论。俄罗斯萨扬舒申斯克重力拱坝混凝土也出现过裂缝。本文对这两座拱坝的裂缝情况作简单介绍,并对裂缝的危害作了初步分析。

## 1　概　述

白山水电站位于吉林省东部山区第二松花江上,是东北地区最大的水电站,装机5台,单机容量300MW,总装机容量为1 500MW。以发电为主,兼有防洪、养殖等综合效益。

大坝为Ⅰ级建筑物,按500年一遇洪水设计,相应水位418.30m,按5 000年一遇洪水校核,相应水位420.0m,正常的高水位为413.0m,死水位为380.0m,保坝洪水位为423.45m。坝址以上控制流域面积19 000$km^2$,年平均径流量为74.03亿$m^3$,水库总库容为68.12亿$m^3$,有效库容为35.4亿$m^3$。

大坝于1982年11月蓄水,1986年汛期水位即达到416.51m,在1995年汛期水位又高达418.35m,超过500年一遇设计洪水位418.30m。

在1996年大坝首次定期安全检查时,发现13～14号坝段混凝土出现裂缝。有的专家根据此裂缝、基础廊道底板漏水及一条倒垂资料分析认为,大坝基础可能出现滑动,影响大坝的稳定。经考察发现,倒垂孔内掉进异物,倒垂观测资料有误;基础廊道底板漏水是辅助帷幕灌浆孔未灌所致;但出现的裂缝对大坝安全危害仍有争论。笔者1991年9月曾到原苏联西伯利亚叶尼塞河上的几座大型水电站进行考察,其中萨扬舒申斯克水电站的大坝为混凝土重力拱坝,大坝在施工及运行中均发现裂缝。现将这两座拱坝的裂缝情况作简单介绍,并对裂缝的危害作初步分析。

## 2　白山重力拱坝

### 2.1　工程概况

白山大坝为三心圆混凝土重力拱坝,由三段圆弧组成,中部小半径为320m,两侧大半径为770m,坝顶弧长676.5m,最大中心角为80°12′,最大坝高149.5m,坝顶宽9.0m,最大坝底宽63.7m,大坝弧高比约为4.525,厚高比0.426。大坝于326m高程以下设一条纵缝,相邻坝段纵缝距5.0m。坝体内除沿坝基设置3m×4m的基础廊道,281m高程设2m×2.5m的排水廊道,326m高程设纵缝并缝廊道外,还分别在312m、340m、375m及418m高程设置4层2m×2.5m的坝内检查廊道。经用三向一次全调整试载法计算,在设计荷载组合下,计及坝体开孔的影响,坝体的最大压力为6.70MPa,最大主拉应力为1.01MPa;在保坝洪水荷载组合情况下,坝体最大主压应力为7.34MPa,最大主拉应力为1.48MPa。

大坝地处高寒山区,冬季积雪,夏季多雨,年平均温度为4.3℃,历史实测最高气温为34.8℃,实测最低气温在-44.5℃,多年月平均温度在零摄氏度以下的月份为1、2、3、11、12月,气温变化剧烈,

本文原载《东北电力技术》1998年第10期。

对大坝将产生较大的温度变形和温度应力。

### 2.2　裂缝情况

在大坝首次定期安全检查时，于坝内6层7条廊道共发现明显裂缝141条（不包括长度在几十厘米以内的裂缝）。

基础廊道内的裂缝最多，共54条，其中有41条在渗水，尤其以11号和12号大底孔坝段较为严重，整个混凝土封堵面上全部积满白色钙质，其厚度可达10cm。

326m高程廊道为并缝廊道，在这条廊道内发现的裂缝仅次于基础廊道，大部分裂缝分布在廊道的顶拱上，以13、17、19、23、24号坝段的裂缝为最多，裂缝为最长，其中有26条裂缝渗水。

312m高程廊道有裂缝15条，其中有5条漏水。340m高程廊道有裂缝13条，其中有6条漏水。375m高程廊道有裂缝10条，其中有8条漏水。418m高程廊道有裂缝11条，其中有8条漏水。排水廊道有裂缝7条，其中有1条漏水。

特别值得提出的是，在大坝首次定期安全检查时，专家于340m高程廊道13号与14号坝段间发现环向裂缝，宽度为3～4mm。有的专家认为，这一裂缝是大坝运行出现的反常情况，可能是大坝河床地基已经发生反常变位。

### 2.3　对裂缝的现场检查

为查清13～14号坝段的裂缝情况，在340m高程廊道内，于高程341m处，在廊道上游侧距缝1.5m打一45°孔，这一孔穿过横缝，孔交缝处距廊道的距离为1.5m。在廊道下游侧距缝1.5m和3.0m各打一45°孔，这两个孔穿过横缝，孔交缝处距廊道的距离分别为1.5m和3.0m。打孔后发现，缝内水泥浆结石很好，每一个孔均为干孔，至今没有水渗出。经分析认为，这一裂缝是在大坝横缝灌浆之前出现的，在横缝灌浆时已将裂缝灌好，水泥结石很好。

这次检查证明，13～14号坝段的环向裂缝是横缝，在横缝灌浆时又灌得很好，并不是河床地基发生变位引起的裂缝，否定了是因高水位出现的异常情况。

### 2.4　危害分析

对白山大坝的抗滑稳定安全问题，有关部门非常重视，在大坝定期检查前，曾于1982年11月、1983年8月、1987年8月和1996年11月进行4次审查，大坝定期检查后又多次开会研究，但至今未取得一致的看法。

但对13～14号坝段的环向裂缝，在施工期已对横缝进行了灌浆，且结石很好，其中一部分，特别是缝的上部，会随气温的变化而开合。这一垂直裂缝在上游水压力的作用下，会压紧闭合。

## 3　萨扬舒申斯克重力拱坝

### 3.1　工程概况

萨扬舒申斯克水电站位于俄罗斯西伯利亚叶尼塞河上游，装机为10台，单机容量为640MW，总装机容量为6 400MW，是俄罗斯最大的水电站。坝址以上控制流域面积为180 000km$^2$，年平均径流量467亿m$^3$，水库总库容为313亿m$^3$，有效库容为153亿m$^3$。

大坝为混凝土重力拱坝，坝体上部与上游面垂直，外半径600m，坝顶弧长1 070m，中心角为120°。最大坝高245m，下部363.5m高程以下向上游倒悬，坝顶宽25m，最大坝底宽105.7m，用3条纵缝分成4个坝块，每块宽约27m。坝体混凝土量达850万m$^3$，是目前世界上最高及体积最大的重力式拱坝。

大坝地处典型大陆性气候区，年平均温度仅为0.8℃，7月最高气温40℃，1月最低气温为－44.0℃。大坝于1963年开工，1975年截流，1987年竣工，1990年水位达到正常蓄水位。

大坝基础为坚硬的变质结晶片岩，平均抗压强度150MPa，容重为2.9t/m$^3$。在设计中，基础平均变形模量取1.6万MPa，抗剪强度参数$f=1.0$，$c=0.5$MPa时，相应抗滑稳定安全系数$k$为1.62。

混凝土弹性模量取 4.4 万 MPa,最大压应力为 10MPa,最大拉应力为 1.8MPa(考虑分期施工时模型试验的结果),允许拉应力为 1.5MPa。

在施工中进行了温度控制,主要措施有控制浇筑层厚,控制温差,控制机口温度,水管冷却及控制横缝灌浆温度等。

### 3.2 裂缝情况

#### 3.2.1 施工期裂缝

在 1985 年对已浇筑的 600 万 $m^3$ 混凝土调查,共发现裂缝 5 590 条,平均每 1 万 $m^3$ 出现裂缝 9.2 条,开裂坝块占总坝块数的 24%,平均每块有裂缝 3.7 条。裂缝大部分为垂直或近似垂直分布在浇筑块的侧面上,长度不等,最长达 30m。裂缝宽度一般为 0.05~4.0mm,平均宽度为 0.2mm,有 83% 的宽度超过 0.3mm,有 6% 的宽度超过 0.5mm。

#### 3.2.2 运行期裂缝

1990 年,当水库水位达到正常高水位时,在河床 21~46 号坝段各条横缝的竖井内(竖井距上游面为 14m),发现 359m 高程以下区段渗漏水严重。

在 1991 年钻孔检查发现,漏水裂缝位于 346~357m 高程范围内,其中在浇筑层面之间的裂缝占半数,另一半则沿水平施工缝面发展。大坝上游面的水平裂缝已经贯穿第一坝块,但因有竖井使大部分漏水从竖井流入廊道。裂缝的漏水量随库水位的升降而增减,在同祥的库水位时,水位消落时的漏水量明显大于水位升高时的漏水量,这说明裂缝在继续张开。每个坝段的漏水量为 0.05~44L/s。

### 3.3 危害分析

大坝出现裂缝后,其整体连续性遭到破坏。由于裂缝的存在,使大坝重新调整了拱梁内力的分配。裂缝出现后,作用在裂缝的静水压力,会使坝顶向下游的位移量增大,使梁的作用减小。裂缝漏水使混凝土内的钙离子析出和流失,观测表明,从上游挡水面流到竖井约 14m 的沿程水中,钙离子的浓度增量为 1~7mg/L,说明混凝土析出氧化钙是相当强烈的。

## 4 拱坝的裂缝与安全

### 4.1 早期的认识

拱坝是一种既经济又安全的坝型,早在 100 多年前就已出现,当时有的工程师对拱坝裂缝的看法是:拱坝裂缝,即使从顶到底,甚至贯穿渗水,只要查清原因,处理得当,不会影响坝的运行功能。

在 20 世纪 30 年代,美国工程师对拱坝的裂缝进行了专门的研究,为了解拱坝的运行性态,还专门建造一座试验拱坝,坝高 18.3m,坝长 42.7m,坝顶厚度仅为 0.61m,地基宽为 2.29m,不配钢筋。坝与地基接触处开裂,上游裂缝从 3.6m 高程沿接触面向上延伸到坝顶;下游裂缝从坝顶向下发展,到离基础 9m 处。对于这些裂缝,研究者在总结中指出:裂缝的产生,不论在坝上或坝与地基面之间,都对坝的工作性能和安全运行无重大影响。然而,这种裂缝在什么条件下能允许出现,以及发展到什么程度才能不影响安全,都还不清楚。这些研究告诉我们,裂缝对拱坝的工作性能和安全运行并无重大的影响,但在什么条件下允许出现和发展到什么程度才不影响安全的定量问题尚未解决。

### 4.2 20 世纪 70 年代的看法

在 20 世纪 70 年代,一些工程师对裂缝进行了更深入的研究。根据模型试验、运行实践和理论分析认为,拱坝上裂缝的影响是局部的,即使发展到构成周边缝形式,也不至于立即危害坝的安全。这是仅从拱坝的结构安全角度考虑得出的,从大坝运行考虑,裂缝长期漏水,钙质被析出,对结构是有影响的,因此在施工中要进行温度控制和质量管理,在设计中应减少拉应力,并应有预防措施。

工程实践表明,如果拱坝设置周边缝具有很多优点。

### 4.3 20 世纪 80 年代的理论研究与实践

到 20 世纪 80 年代,随着拱坝的大量建设和一些拱坝出现裂缝,对拱坝裂缝的研究和认识也越来越深化。1998年一些坝工专家,在总结当代一批拱坝运行性态后指出:运行期出现裂缝乃是拱坝在应付各种不利工况时进行结构性调整的一种早期征兆,在绝大多数情况下并无严重危害性。但是,也应认识到,裂缝的出现总是某种潜在的不利因素在起作用的结果,因此必须引起重视,注意其发展,寻找其原因。

## 5 结　论

从上述两座重力拱坝裂缝的具体情况,以及近一个世纪对拱坝裂缝的研究的认识,对白山拱坝裂缝可归纳如下初步结论。

(1)对于现行拱坝设计规范,虽然对坝内拉应力等进行限制,但实践证明,按着这些规范设计的拱坝,由施工及运行期出现裂缝的仍然不少,白山和萨扬舒申斯克拱坝的裂缝都说明了这一点。

(2)因拱坝是超静定结构,工程实践表明,由温度变化、地基变形、水荷超载、地震及混凝土碱性骨料反应所引起的裂缝,一般是局部有限的或有一个发展过程。出现裂缝后,只要重视监控检查,及时采取措施,可以继续使用。这种开裂,至今还未见导致拱坝失事的例子。对于白山拱坝在13～14号坝段出现裂缝,因为已经查清,是大坝横缝并已灌浆,灌浆效果又很好,可见不会影响大坝的安全运行。

(3)有的工程实践表明,如果拱坝上出现1～2mm的细小裂缝,即使渗水也并不影响大坝的安全运行,白山大坝13～14号坝段发现的裂缝是干缝,至今未见到有水渗出,可以不用采取任何措施,就可继续使用。

(4)近半个世纪内,数十座拱坝的工程实践表明,现阶段在拱坝上预先设置的接缝(有止水措施),或垂直(如灌浆的横缝),或水平(一般不需要灌浆),或呈周边形式,由于有较多的自由度进行结构调整,可应付各种不利情况,消除不规则的裂缝和漏水,是避免恶化的有效措施。

(5)有的专家认为,拱坝最危险的事故乃是坝体自身或连同一部分基岩发生上滑失稳。由于这种滑动失稳是瞬间的、破坏性的,并且破坏也是无法阻止的,对这种破坏模式及力学机制,目前看法尚有争论,需要进一步研究。

# 李家峡水电站混凝土裂缝分析及处理

王再芳　刘正兴　金永才

(国家电力公司西北勘测设计研究院,西安　710001)

**摘　要:** 李家峡水电站混凝土在施工期间发生裂缝157条,其中绝大多数属表面或浅层裂缝,深层裂缝较少,经论证分析,产生裂缝的根本原因是混凝土温度(水化热温升)和环境温差、养护条件、原材料质量、混凝土性能等。对此,采用环氧树脂等材料对裂缝实施化学灌浆及其他方法处理,以阻止裂缝发展,提高混凝土的整体性和耐久性。通过蓄水至今的考验,表明裂缝定性准确,设计方法优良,施工处理可靠,大坝运行正常、安全,基本达到设计预期要求。

## 1　概　述

李家峡水电站坝型为双曲薄拱坝,坝高155m,总装机容量2 000MW。坝址地处高原寒冷地区,多年平均气温7.8℃,最高月平均气温19.2℃,最低月平均气温-6.2℃,每年冬季工期长达5个月,地质条件复杂,施工条件较差。

主体工程混凝土总量260万$m^3$,其中拱坝124.0万$m^3$,厂房、泄水、引水等136.0万$m^3$,主坝混凝土设计龄期多为90d标号为200~400号,且要求混凝土具有较高的抗冻、抗渗、抗酸等性能。抗冻标号为$D_{100}$~$D_{200}$;基础和内部混凝土掺加20%~30%粉煤灰,夏季外掺1%~2.5%氧化镁;施工工艺采用通仓浇筑,最大浇筑仓面达900$m^2$。为了防止大坝混凝土产生基础贯穿性裂缝,结合李家峡工程特点,设计要求主坝须采用永登525号硅酸盐水泥,严格控制单位水泥用量,合理选择外加剂;控制基础混凝土温差18~21℃,内外温差≤20℃,相邻块高差6~10m;夏季施工加冰及加2℃冷水拌和混凝土,控制出机口温度≤15℃,浇筑温度≤18℃;冬季采取蓄热法施工,为避免骨料出现冻块,料仓内进行蒸汽排管加热;不超过60℃的热水拌和混凝土,确保出机口温度8~15℃,浇筑温度5~8℃。

预防和减少混凝土裂缝是坝工设计和施工质量控制的重要课题,大体积混凝土自浇筑开始,由于水泥水化热作用,混凝土内部5~8d升至最高温度,低温季节产生较大的内外温差,表面出现拉应力,当这种应力超过此时混凝土的抗拉强度即发生裂缝,发展严重时就会影响结构物整体性和耐久性。结合李家峡工程大坝混凝土施工实际情况,认真分析裂缝原因,总结经验与教训,采取有效的措施,改善混凝土抗裂能力,最大限度地减少裂缝,对于不断促进和提高施工质量及技术水平,具有重要的意义。

## 2　裂缝状况及分析

### 2.1　裂缝状况

电站自1993年4月开盘浇筑至1996年12月下闸蓄水,共浇筑混凝土191万$m^3$,占混凝土总量的73.5%。其中主坝浇筑混凝土105万$m^3$,平均浇筑高程为2 162m。施工期间,主体工程发生各类裂缝157条。其中仓面缝128条,立面缝29条,平均每万立方米混凝土裂缝1.5条;立面缝深度小于3.0cm,缝宽小于0.5mm;仓面缝未连通坝块两侧的表层裂缝占76.4%;立面缝连通两侧坝块的浅层

本文原载《西北水电》2004年第4期。

裂缝占 20.3%;裂缝深度大于 1.5mm,最深达 8.5m,缝宽大于 1mm 的深层裂缝较少,仅占 3.3%;迄今为止,坝体各部位尚未发现基础贯穿性裂缝。

1994 年 10 月,11～13 号坝段 2 053.0～2 060.7m 高程的裂缝是比较严重的一条深层裂缝,11 号坝段纵向裂缝从左侧临空面向右延伸,13 号坝段纵向裂缝从右侧临空面向左延伸,长度约占坝块宽度 60.0%以上,大体连通 12 号坝段,具体裂缝深度见表 1,裂缝位置见图 1。

**表 1　　裂缝深度检测成果**

| 坝段名 | | 11 号坝段 | | | 12 号坝段 | | | 13 号坝段 | | |
|---|---|---|---|---|---|---|---|---|---|---|
| 坝面高程(m) | | 2 066.0 | | | 2 062.0 | | | 2 066.7 | | |
| 组次 | | 1 | 2 | 3 | 1 | 2 | 3 | 1 | 2 | 3 |
| 距 13 号缝(m) | | 50.8 | 45.0 | 37.9 | 34.1 | 29.9 | 23.0 | 15.7 | 8.0 | 3.1 |
| 裂　缝 | 深度(m) | 6.0 | 5.5 | 8.0 | 6.0 | 5.5 | 4.5 | 8.5 | 6.0 | 6.0 |
| | 高程(m) | 2 060.0 | 2 060.5 | 2 058.0 | 2 056.0 | 2 056.5 | 2 057.5 | 2 058.2 | 2 060.7 | 2 060.7 |
| 微裂缝 | 深度(m) | 9.0 | 9.0 | 11.0 | 9.0 | 8.0 | 6.5 | 11.5 | 8.5 | 9.0 |
| | 高程(m) | 2 057.0 | 2 057.0 | 2 055.0 | 2 053.0 | 2 054.0 | 2 056.5 | 2 055.2 | 2 058.2 | 2 057.7 |

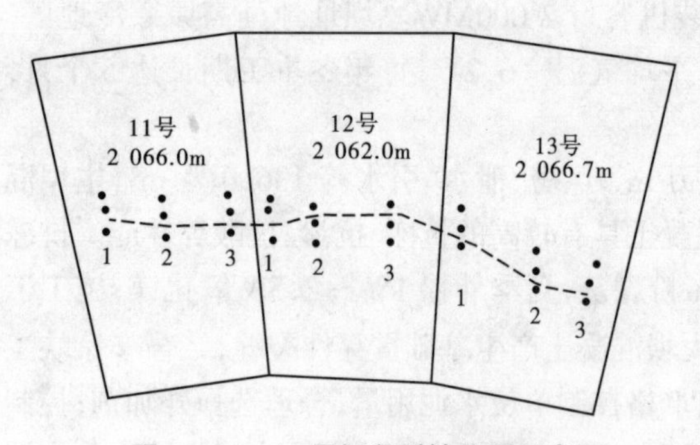


**图 1　11～13 号坝段裂缝位置示意图**

对此裂缝,业主、监理、设计、施工各方相当重视,监理部组织有关单位对主体工程裂缝进行了全面细致的检查、统计、分类、拍照、录像、监测,现场进行了压风、压水、物探检测等大量试验、计算工作,针对 11～13 号坝段裂缝,可能发展成危害性贯穿裂缝,以及当时令人存在基础不均匀沉陷的重大疑虑,建设局多次举行专题会议,极其慎重研究分析后认为:"11～13 号坝段深层裂缝不属坝基沉陷范畴,裂缝主要原因是在当时外界气温日平均温度只有 9℃与混凝土内部温度高达 32℃条件影响下,由于寒流突然侵袭,坝体表面降温较快,混凝土内外温度梯度较大所引起的温度裂缝。"此后,观测资料显示,随着时间推移,外界气温升高,缝宽减小,且趋于稳定状态。

## 2.2　裂缝成因分析

坝体产生裂缝的原因是十分复杂的,它与结构形式、地质构造、气候条件、施工质量、材料性能密切相关。下面重点从施工质量控制方面论述混凝土产生裂缝的主要原因。

(1)环境温差剧变。李家峡坝址位于青海高原,气温年变幅及日变差较大,极端最低气温 -19.8℃,全年日温差大于 15℃的天数为 146d,每年平均出现寒潮 13 次以上,并且各月份均有可能发生,最大寒潮降温幅度达 16.8℃,此期间往往伴随着大风,这就要求混凝土表面保温具备较高标准;同时,西北地区气候干燥,太阳辐射热强烈,年降水量仅 331mm,年蒸发量高达 1 881mm,相对湿度仅为 50%,全年日照为 2 685h,在寒潮袭击气温骤变和干燥气候强烈作用下,混凝土极易发生表面裂缝。

(2)水泥用量超标。李家峡主体工程全部采用永登 525 号硅酸盐水泥,此水泥主要特点是品质稳定,水泥水化热低,7d 龄期水化热为 251kJ/kg,远远低于国家标准,且具有一定的微膨胀性能和抗硫酸盐侵蚀性能。根据西北勘测设计研究院科研所试验资料,设计提出基础混凝土胶凝材料用量≤180kg/m$^3$,但是在施工期间,受外加剂减水效果和骨料软弱颗粒等因素影响,实际基础混凝土配合比水泥用量超过设计指标 20kg/m$^3$,在组成材料一定的条件下,混凝土内部产生的热量与单位水泥用量成正比,$20kg/m^3$ 水泥超量除了影响经济指标外,还会使混凝土内部水化热温升至少提高 2.2℃以上,造成内外温差更大,同时还给一期冷却削峰和二期冷却接缝灌浆的降温增加了难度。

(3)混凝土抗拉强度偏低。温控计算中基础混凝土采用 90d 龄期抗拉强度 3.0 MPa,抗裂安全系数 1.80。根据 1993 年 4 月~1996 年 12 月施工期间混凝土试验资料统计,基础混凝土 28d 龄期抗拉强度为 2.01MPa,90d 龄期抗拉强度为 2.35MPa。内部混凝土 28d 龄期抗拉强度为 2.01MPa,90d 龄期抗拉强度为 2.29MPa。显而易见,实际抗拉强度低于设计计算值,其差异原因主要是试验方法和试验条件所致。施工中采用劈裂抗拉比轴心抗拉试验值低 15%,再加上采用混合骨料因素,其中的一部分人工骨料颗粒粗糙,比表面积大,黏结强度就高一些,使混凝土抗拉强度与抗压强度相比偏低,一般仅为抗压强度的 1/8~1/12。也可以说,当抗压指标确定后,实质上抗拉强度也随之确定。如果单纯只为提高混凝土抗拉指标,再去调整配合比就十分困难,目前惟一的办法就是增加水泥用量,这样,就必然增大混凝土温度应力和弹性模量,使混凝土综合抗裂性能降低,最终导致经济上增加造价,技术效果得不偿失。

(4)骨料质量较差。主体工程采用坝址下游直岗拉卡料场洪积层骨料,砾石成分以青灰色变质砂岩为主,花岗岩次之。虽然施工过程中骨料质量多数指标满足规范要求,但一段时间内骨料含水量在 8%~14%波动,软弱颗粒含量超标,由于含水量不稳定和坚固性差,不仅给准确调整配合比和质量控制增加难度,而且骨料在承受应力过程中,大约有 1/4 数量的软弱颗粒非常容易断裂,这使混凝土力学性能和变形性能大幅度降低,对裂缝生成有较大的促进作用。

(5)混凝土养护不够。正常情况下,混凝土浇筑完初凝后,需立即进行洒水养护。但实际施工时,有时由于各种工序干扰,养护工作时有间断,表层暴露长时间发生乳皮是监理人员屡见不鲜的现象。夏季,许多部位混凝土表层因水分蒸发较快,产生表面干缩裂缝也占有相当比例。冬季采用蓄热法正温条件下浇筑的混凝土,需在上下游坝面粘贴泡沫塑料、仓面覆盖保温被保温,遇寒潮突然袭击时,短时间内往往措手不及,在外界气温骤然下降,内部温度上升的悬殊温差作用下,发生裂缝是必然的。这种初期发生的裂缝大多数处在不稳定状态,随着外界条件的气温变化,进而发展成危害性裂缝也是可能的。加强混凝土表面保护,对于预防裂缝的积极作用,目前已经充分得到学术界和工程界的共识。但在生产期间,尤其是工期紧、任务重时养护工序的重要性常常被忽视。为此,需要进一步建立健全完整的质量保证体系,从制度上落实各项措施。

(6)氧化镁均匀性差。在坝基约束条件下,根据不同浇筑部位,在基础混凝土中掺 1%~2.5%辽宁海城轻烧氧化镁,以利用膨胀变形产生的预压应力有效地抵消混凝土温度应力及防止裂缝。但从现场 457 组试样中,氧化镁内含加外掺化学分析结果平均含量为 4.9%,最大值 7.4%,均方差为 1.16,离差系数为 0.24。由此可见,个别浇筑部位氧化镁分散不够,均匀性较差,也会造成局部应力集中而引发裂缝。而对于氧化镁实际补偿效果,有待坝体观测资料最终鉴定论证。

# 3 裂缝处理

## 3.1 裂缝处理依据

为了避免裂缝发展,影响建筑物运行,对于施工期 157 条裂缝(所有仓面缝和立面缝),不论深浅长短,首先进行认真检查,探测裂缝长度、宽度、深度、编号、描述、分类,然后由设计、监理、施工人员商定具体方案,针对具体情况采取不同措施,裂缝处理全部依照西北勘测设计研究院《李家峡水电站大坝裂缝处理施工技术要求》组织施工、处理和验收。

## 3.2 裂缝处理材料及指标

(1)铺设钢筋网加固。根据裂缝情况铺筑 1~2 层骑缝钢筋网,继续浇筑混凝土,此法主要处理较浅层表面裂缝。

(2)化学灌浆补强。此法采用环氧树脂为基材的复合有机材料处理较深层裂缝,其特点是在主剂稀释后,可以方便地调节浆液黏度和凝结时间,浆材固化后的黏结、抗压、抗拉、抗剪强度远远高于混凝土指标,化学稳定性和耐久性较好,近年来在水电工程中普遍应用,具体性能指标见表2。

表2 环氧基液配合比及性能指标

| 材料 | 重量比 | 抗压强度(MPa) | 抗拉强度(MPa) | 黏结强度(MPa) | |
|---|---|---|---|---|---|
| | | | | 干缝 | 湿缝 |
| 环氧树脂6101号 | 100 | ≥50.0 | ≥15.0 | ≥2.5 | ≥1.5 |
| 糠醛 | 50 | | | | |
| 丙酮 | 50 | | | | |
| 聚酰胺树脂650号 | 20 | | | | |
| 苯酚 | 15 | | | | |
| 二乙酰三胺 | 20 | | | | |

### 3.3 裂缝处理方法

(1)对于120条表面裂缝处理主要采用沿缝挖槽,表面布置1~2层钢筋网,然后继续按常规施工方法浇筑混凝土。

(2)对于32条浅层裂缝主要采用玻璃丝布封闭坝体纵向裂缝,劈头缝采用距上游坝面2.0m处骑缝打槽,掏槽到不见缝为止,埋设铜止水,仓面缝上视具体情况铺设1~2层钢筋网,同时在裂缝处预埋灌浆管路及出浆口等,盖重到达8~10m,进行化学灌浆。

(3)对于11~13号及其类似深层裂缝,在裂缝处凿梯形槽,铺设了3层骑缝钢筋,仓号其余部位2层钢筋,立面缝粘贴玻璃丝布,增设化学灌浆孔,同样预埋灌浆管路等,达到盖重8m时进行化学灌浆,慎重地进行了全面综合性处理。

## 4 结语

### 4.1 裂缝处理效果

李家峡水电站主坝从1996年12月蓄水至今,在2 145m高程水位下已经运行一年多时间,根据现场各部位观察和原型监测,所有经过处理的裂缝未发现渗漏和裂隙发展现象。这充分说明施工期裂缝处理设计方案较好,施工技术可靠,结构整体性及安全度有所提高。

### 4.2 防裂综合措施

混凝土裂缝是大坝最常见的通病,但也是作用机理和影响因素十分复杂的重大研究课题之一,在目前技术水平条件下,完全防止裂缝还有一定困难,但绝不是不能做到的。既然大体积混凝土产生裂缝是多方面原因造成的,所以防止和减少裂缝也要采取综合措施,如优化设计,精心施工,加强科研,及时反馈气象信息,严格控制关键工序。只要这样,是完全能够做到减少一般裂缝,避免基础贯穿性裂缝的。

### 4.3 重视施工前期工作

通常,发生裂缝后处理的施工方法和施工工艺比较复杂,即使投入大量人力、物力、财力和时间,还是难以全面恢复结构物原状。所以裂缝研究要贯彻"以防为主,防治结合"的方针,深入优化原材料和配合比,提高混凝土综合抗裂性能。几年来,设计、施工、监理工程师们在李家峡工程建设中应用和推广了许多项新技术、新工艺、新材料,得到了业主鼎力支持,取得了显著的技术经济效益。今后,要继续做好施工前期工作和加大科研资金投入以及相关课题的攻关论证,以较低的代价换取质量和效益,在黄河上游滚动开发中实现"优质、高速、低耗"目标的重要工作,应引起各级主管部门和领导的足够重视。

## 参 考 文 献

[1] 水工混凝土施工规范(SDJ 207—82).北京:水利电力出版社,1982
[2] A.M内维尔.混凝土的性能.北京:中国建筑工业出版社,1983
[3] 重庆建筑工程学院,南京工学院.混凝土学.北京:中国建筑工业出版社,1981

# 青铜峡大坝电站坝段三大条贯穿性裂缝及3号胸墙裂缝处理

王春华　邹少军

(青铜峡水力发电厂,宁夏青铜峡　751601)

**摘　要:** 青铜峡大坝电站坝段的三大条贯穿性裂缝及3号胸墙裂缝,削弱了坝体的整体结构,威胁着大坝的安全运行,是该坝定为"病坝"的主要原因之一。根据定检专家组提出的要求,电厂在处理三大条裂缝及3号胸墙裂缝过程中,不断更新材料、改进方案,探讨裂缝处理的有效措施,以确保大坝安全运行。

## 1　引　言

青铜峡水电站采用河床闸墩式钢筋混凝土薄壁结构,坝址位于西北严寒地区,气温年变幅大,电站混凝土浇筑时由于分块错缝不合理,缺乏温控、保温等措施,水下结构孔洞多,结构厚度薄,跨度大,施工后裂缝情况较为严重。其中以电站坝段三大条贯穿性裂缝及3号胸墙裂缝对大坝的整体性影响最为严重。1991年首轮大坝安全定检时,裂缝问题成为该大坝定为"病坝"的主要原因之一,专家组提出对电站坝段裂缝尽早处理。

多年来,青铜峡水电厂对裂缝观测、分析、处理研究,做了大量工作,取得了显著成效。

## 2　裂缝概况

### 2.1　关于三大条贯穿性裂缝

位于电站坝段的三大条裂缝是三条贯穿性裂缝,平行于坝轴线方向,分别位于机组中心线附近,机上5～8m、机下7～10m处,从基础到顶部几乎贯穿,在立面上呈断续分布,似将大坝分成4块(见图1)。机中缝及机下缝东墙最大缝宽1.48mm,西墙最大缝宽1.78mm;机上裂缝的宽度,东墙介于0.18～0.38mm之间,西墙介于0.2～0.44mm之间。

三大条贯穿性裂缝大致有着下列3种规律:在边墙断面上,大体从1 122.0m高程到坝体上部边界,沿混凝土表面是连续或接近连续的,同时边墙面上的纵向裂缝与蜗壳顶板的纵向裂缝已相互连续;涉水部位的裂缝均有渗水或渗水痕迹;坝段上部边墙东西墙面上的裂缝互相对应。裂缝宽度受温度影响呈周期性变化,最大值出现在12～1月(厂房外部斜墙),1～3月(机房边墙),最小值出现在5～7月(厂房外部斜墙)、8月(机房边墙)。

### 2.2　关于3号胸墙裂缝

电站3号胸墙位于机上9.6～12.4m,墙体厚2.8m,1～7号机胸墙跨度17m,8号机跨度13.2m,是电站进水口上方惟一的挡水结构。在中墩两侧4.5m,距胸墙上游面1.0m设有蜗壳通气孔,直径为600mm(其中1号、8号机为400mm),形成胸墙跨中应力集中区,胸墙1 146.0m以上,内侧临水,外侧接触大气。

电站3号胸墙裂缝也呈规律性分布,缝位基本固定,左右大致对称,三条主要裂缝分布在每台机组中墩附近及东西两侧4～5m处,呈直立形态,沿水平浇筑缝稍有转折,见图2。

---

本文原载《大坝与安全》1998年第4期。

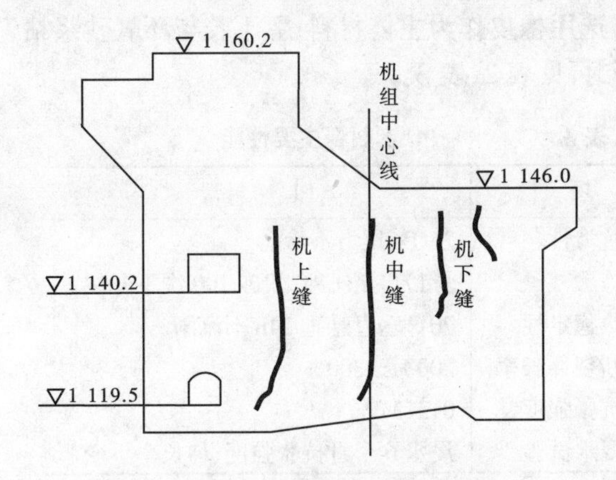


图1 三大条裂缝分布示意图

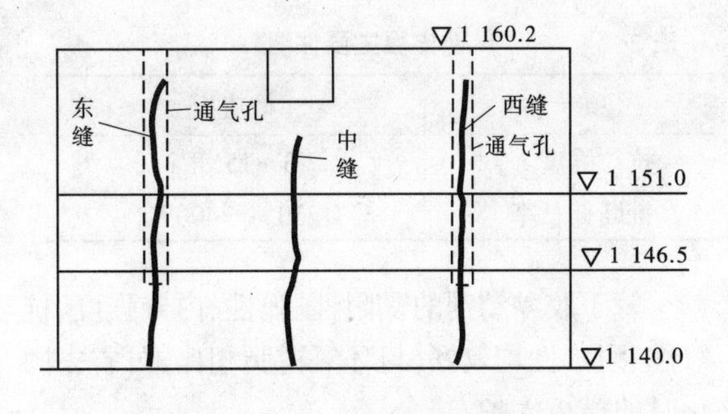


图2 3号胸墙裂缝分布示意图

裂缝宽度:中墩缝0.1~0.38mm,西跨中缝0.2~0.36mm,东跨中缝0.12~0.66mm。同一裂缝由下往上逐渐变宽,某一缝段的变化是中间粗两端细。

从渗水、析钙和超声波探测资料分析,电站3号胸墙东、西跨中缝,1号、8号电站中缝已大部分横向贯穿。同时裂缝在墙面上已扩展到坝顶或接近坝顶,说明墙面上裂缝已上下游贯穿。实际施工中,通气孔内检查结果表明,裂缝已贯穿至通气孔内壁。胸墙裂缝也受温度影响呈周期性变化,缝宽最大值出现在12~1月,最小值出现在7~8月。

## 3 裂缝处理的必要性

第一次大坝定检时,经西北勘测设计研究院计算分析,裂缝状态下大坝的整体稳定和分块稳定均能满足规范要求。但由于裂缝的存在,降低了坝体的稳定性,削弱了坝体结构的刚度,蜗壳顶板漏水影响了电站的正常运行,3号胸墙漏水造成其表面混凝土的风化剥蚀,对电站的正常运行和建筑物的耐久性均属不利。因此,专家组提出对裂缝分别根据不同情况进行处理,以确保大坝的安全运行。

## 4 裂缝处理

自1992年至今,8台机的3号胸墙裂缝已全部处理,并从1997年开始处理机组三大条贯穿性裂缝,目前已对2号、5号及3号机的三大条裂缝做了化灌处理。

### 4.1 三大条裂缝处理

#### 4.1.1 处理原则

三大条裂缝处理以防渗堵漏为主,适当考虑补强作用。灌浆压力控制在0.4MPa以内,使浆液在缝内充填密实的同时,减少灌浆压力对结构物所产生的危害;原来用环氧橡皮处理的裂缝,如完好则不作处理,局部有渗漏的作局部处理。

#### 4.1.2 材料选择

裂缝处理浆材性能有以下要求:具有良好的可灌性,浆液能进入细微裂缝(黏度近似于水);具有较高的强度和较好的变形性能,既黏结强度与混凝土抗拉强度相近,又能适应裂缝的周期性变化,耐久性好。

表1 PMMA/PU材料性能

| 项　目 | PMMA/PU |
|---|---|
| 黏度 | $3.5\times10^{-3}$Pa·s,近似于水 |
| 抗压强度 | 45~60MPa |
| 黏结强度 | 2~2.5MPa |
| 抗渗性 | 在2.0MPa压力下不渗水 |
| 弹模 | $(0.8\sim2)\times10^{4}$MPa |

根据以上要求,采用PMMA/PU互穿聚合物网络复合物灌浆材料(见表1),调节其配合比,可使浆体弹模和变形性能在较大范围内变化。

为更好地适应三大条裂缝开度的周期性变化,在裂缝迎水面和背水面加设防水层，以防止介质的侵蚀。选用橡皮作为主体材料，氯丁胶与环氧砂浆粘贴，橡皮接头部位及形状不规则部位采用PU密封膏密封，见表2、表3。

**表2 橡皮板主要性能**

| 项　目 | 橡皮板 |
| --- | --- |
| 抗拉强度 | 3～15MPa |
| 扯断伸长率 | 250%～400% |

**表3 PU密封膏主要性能**

| 项　目 | PU密封膏 |
| --- | --- |
| 抗渗性 | 2MPa压力不渗漏 |
| 冻融 | －17℃至＋8℃快冻100次不开裂 |
| 热稳定性 | 70℃垂直悬垂24h不流淌 |
| 断裂伸长率 | 200%～300% |
| 抗张强度 | 0.31MPa |
| 浸水试验 | 浸水6个月抗张强度、伸长率不变 |

氯丁胶黏结剂的黏附性、弹性、内聚强度、抗氧性、耐水性均较好，与环氧树脂相比，可省去固化时的模板支护。

4.1.3 裂缝的施工处理

4.1.3.1 泄水管内裂缝的处理

经调查试验，泄水管内裂缝已湿胀闭合，只采用表面封闭处理，施工工艺如下：

(1)沿湿缝表面凿8～10cm宽、3～5cm深的“V”形槽。

(2)槽内混凝土面烤干，除去表面粉尘，趁热涂环氧基液，抹环氧砂浆，局部用模板支护。

(3)环氧砂浆固化后，表面刷两道环氧基液保护层。

原环氧贴橡皮局部砂浆保护层脱落处，做表面修复处理。

4.1.3.2 蜗壳内裂缝的处理

5号机西侧机中缝从蜗壳顶板到发电机层地面裂穿，缝长约1.8m，缝宽约0.2mm，长期漏水。其处理过程为：

(1)裂缝处用M16膨胀螺丝固定一块200cm×30cm×0.2cm钢板，与裂缝对应部位焊接3个灌浆盒。钢板与混凝土结合面涂环氧基液，铺环氧砂浆使粘贴牢固；钢板以外的微细裂缝经表面处理后也用环氧砂浆封闭。

(2)压水以排除缝内污泥，后用快凝水泥砂浆封缝、找补。

(3)灌浆510min后，在0.3MPa的稳定压力下结束灌浆。

(4)蜗壳顶板机中缝，原来贴了两层橡皮，将外层橡皮揭除检查后用环氧砂浆找平，表面刷两道环氧基液。

其余2号机蜗壳内及5号机蜗壳边墙，由于裂缝已湿胀闭合，只进行了表面修复处理。

4.1.3.3 1 140m高程以上裂缝的处理

该部位为三大条裂缝的张开区段，除对裂缝进行补强防渗灌浆外，又要对裂缝表面加设环氧贴橡皮防渗层，主要施工步骤为：

(1)缝面处理。沿缝将砂浆层凿除查清裂缝走向和开度，后用吸尘器吸出裂缝表面及缝内的粉尘，使裂缝走向完全暴露出来。

(2)灌浆盒(孔)埋设。缝宽大于0.5mm，较为畅通的缝段盒距1～2m；缝宽小于0.5mm的缝段，盒距0.5～1m；缝长较短的断续裂缝，布盒不少于2个；为防止灌浆盒在环氧树脂固化前下坠，可用热溶胶快速固定。贴盒要求：一要通畅，二要与混凝土面黏结牢固，周边压实不漏气。

(3)封缝、试气、找补。先采用环氧砂浆封缝，然后用0.3MPa压缩空气试气，发现有漏气现象，再次封堵，直至不漏为止。

(4)灌浆。开始时灌浆压力基本控制在0.1～0.2MPa，逐渐加大灌浆压力和浆液浓度，最后在0.4MPa的稳定压力下结束灌浆。

(5)表面防渗层。沿缝凿8～10cm宽、3～5cm深的梯形槽，清除粉尘；涂环氧基液，抹环氧砂浆找平后,涂强力胶贴橡皮,接头处抹PU密封膏;最后抹环氧砂浆与槽口齐平,面层刷环氧树脂涂料。

### 4.2 3号胸墙裂缝处理

#### 4.2.1 处理原则

西北勘测设计研究院通过复核计算,认为3号胸墙钢筋设置充裕,强度足够,产生裂缝后不考虑混凝土作用,强度不存在问题。治理措施重点是堵塞渗漏通道,制止混凝土析钙和钢筋的进一步锈蚀。设计在胸墙迎水面、通气孔内壁、背水面共做五道防渗水层,缝内采用化学灌浆,见图3。

#### 4.2.2 材料选择

通气孔内壁喷涂选用二异氰酸酯与聚醚二醇、蓖麻油分别预聚,配制成的聚醚型弹性聚氨酯材料见表4。

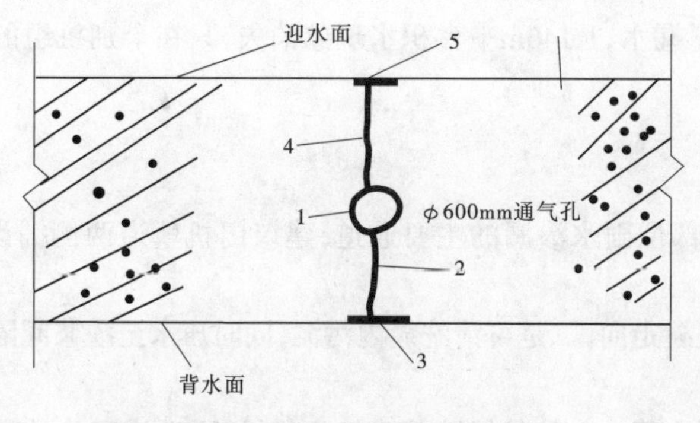


图3 胸墙裂缝处理5道防水层示意图

表4 聚醚型聚氨酯材料性能

| 项目 | 聚氨酯 |
|---|---|
| 漆膜表干时间 | 0.8～12h |
| 吸水率 | 0.8%～1.0% |
| 扯断伸长率(24℃) | 250%～350% |
| 扯断伸长率(-18℃) | 150%～250% |
| 低温脆性 | <-30 |
| 抗渗标号 | >$S_{10}$ |
| 水泥砂浆黏结强度(干) | 2～3MPa |
| 水泥砂浆黏结强度(湿) | >1.2MPa |

胸墙开度较大的跨中东、西缝采用LW水溶性聚氨酯灌浆,开度较小的中墩缝及水平施工缝采用黏度较小的甲氰凝或NKY-3灌浆材料见表5、表6。

表5 甲氰凝浆材性能

| 项目 | 甲氰凝 |
|---|---|
| 浆液黏度(CP) | 1.5 |
| 固化时体积变化(%) | +35～50 |
| 抗压强度(MPa) | 20～27 |
| 抗拉强度(MPa) | 8～10 |
| 与混凝土黏结抗拉强度(MPa) | 湿缝1.2 |

表6 NKY-3浆材性能

| 项目 | NKY-3 |
|---|---|
| 浆液黏度(CP) | 3.5 |
| 弹模(MPa) | 2 600 |
| 黏结抗拉强度(MPa) | 2.2～2.5 |
| 抗拉强度(MPa) | 45～60 |

#### 4.2.3 3号胸墙裂缝处理施工

##### 4.2.3.1 通气孔防渗层施工

(1)孔壁表面处理:$\phi$600mm的通气孔采用人工用汽油清洗,用丙酮擦净油渍后,以环氧砂浆对局部混凝土缺陷进行修补。$\phi$400mm的通气孔无法采取表面处理措施。

(2)孔壁防渗层施工:$\phi$600mm通气孔内喷涂弹性聚氨酯25道,形成大致约2mm厚的弹性防水层;$\phi$400mm孔内安装一对橡胶筒,内筒分段充水。同时在外筒与孔壁之间分段灌入环氧浆液,最后橡胶内筒内充满水,外筒与孔壁间灌入的环氧浆液在有压条件下固化后,拆除内筒。

##### 4.2.3.2 裂缝内化学灌浆

3号胸墙开度较大的跨中东、西两条裂缝采用LW水溶性聚氨酯灌浆,开度较小的中墩裂缝及水平施工缝采用黏度较小的NKY-3或甲氰凝灌浆材料。灌浆顺序自下而上,自缝的一端向另一端进行。灌浆压力控制在0.3MPa,微细裂缝局部灌浆压力可以使用0.4MPa,吸浆率达到0.01L/min后保持30分,灌浆结束。24小时后,进行灌浆效果检查,有脱空未灌满的部位进行补灌。

4.2.3.3 表面防渗层施工

胸墙东、西跨中裂缝，沿缝凿 30cm 宽、3～4cm 深梯形槽，凿槽后先将槽内杂物冲洗干净，抹环氧砂浆，待环氧砂浆硬化后，涂 PU 密封膏层厚 2mm，再用环氧砂浆将槽口抹平，最后刷环氧面漆两道。

# 5 裂缝处理效果

## 5.1 三大条贯穿性裂缝处理效果检查

2 号、5 号机三大条裂缝经凿槽检查，缝内浆体充填饱满，说明灌浆符合要求。目前 5 号机蜗壳顶板漏水已被彻底止住，2 号、5 号机两侧边墙雨、雪天已基本不漏水。

## 5.2 3 号胸墙裂缝处理效果检查

3 号胸墙裂缝处理效果明显，止住了大量漏水，1 146m平台积水现象消失，只在个别机组的水平浇筑缝与跨中裂缝相交部位有微小渗水点。

# 6 问题与建议

(1)机下缝是门机轨道大梁与斜墙结合部位雨水渗漏的主要通道，建议门机轨道两侧铺设 4～5cm 厚的改性沥青砂浆或丙乳砂浆防渗层。

(2)改灌浆前压气为压水，一是可查清裂缝走向，二是可清洗缝内污泥，同时压水至灌浆间隔不少于 10d 以便缝内恢复干燥。

(3)操作人员在通气孔内工作困难，混凝土管接头处的缝隙很难填塞好，因而造成喷涂的聚氨酯在该处难以形成一个连续完整的防渗层，达不到预期效果。通气孔用橡胶筒防渗，在孔壁灌浆的同时，部分浆液进入混凝土孔壁内缝隙，进浆量明显增大，要比喷涂弹性聚氨酯效果好。

(4)施工中发现，有些漏点不是通过裂缝渗水，而是混凝土内部缺陷引起渗漏，考虑还需密实性灌浆，也可用超声波检测找出缺陷位置，有针对性地制定补强措施。

(5)裂缝渗水后冬季缝内结冰，LW 吸水后虽能膨胀，但难以经受冻融循环作用，裂缝表面混凝土受冻融作用而严重破坏，建议改用能抗冻融破坏的高弹性灌浆材料。

# 青铜峡大坝变形“疑点”的物理成因分析

顾冲时[1]　马福恒[1]　吴中如[1]　贾思宏[2]

(1. 河海大学水利水电工程学院，南京　210098；2. 青铜峡水力发电厂，宁夏青铜峡　751601)

**摘　要**：青铜峡大坝建成以来出现了较多裂缝，其中以位于电站坝段的机上、机中、机下“三大条”裂缝最为严重，故产生了电站坝段向上游变形的“疑点”。对这一问题采用结构计算及多种模型评估了其主要影响因素，并重点对裂缝、渐变温度、泥沙以及扬压力所产生的时效对坝体变形的影响作了深入的分析研究，由此基本弄清了大坝变形的物理成因。

青铜峡水利枢纽工程位于黄河中游宁夏回族自治区青铜峡市境内青铜峡峡谷出口处，是以灌溉、发电为主，兼顾防洪、防凌、供水及水产养殖等综合利用的大型水利枢纽工程。正常蓄水位1 156.0m，相应设计库容6.06亿$m^3$，8台机组的总装机容量为27.2万kW。由于黄河为多泥沙河流，坝址处多年平均输沙量2.36亿t。在运行30多年中，泥沙淤积严重，现有库容已不足0.3亿$m^3$。

大坝坝顶高程1 160.2m，最大坝高42.7m，最大底宽46.7m。主体工程是河床闸墩式电站(带泄水管)，由8个电站坝段和7个溢流坝段相间布置组成。由于该坝位于严寒地区，气温变化剧烈，加之电站坝段结构单薄、形状复杂等原因，坝体出现了较多裂缝，其中以平行坝轴线贯穿整个电站坝段，位于机上5～8m、机中和机下7～10m的“三大条”裂缝最为严重(见图1)，机中、机下裂缝已贯穿于电站边墙顶部，机上裂缝在7号、3号、2号、1号机边墙发展到顶部。由于裂缝等影响，电站坝段产生了向上游变形的“疑点”，引起了专家和主管部门的重视。本文围绕上述问题，采用多种模型和方法对大坝变形性态作了进一步的评价和分析，基本弄清了电站坝段向上游变形的物理成因。

## 1　分析方法

对青铜峡大坝电站坝段，首先进行时空分析，然后用结构计算分析其向上游变形的内在因素。建立起统计模型、确定性模型和混合模型，分离其主要影响量。在此基础上重点对渐变温度、泥沙以及扬压力所产生的时效对坝体变形的影响作了综合分析。

### 1.1　电站坝段向上游位移的时空分析

由坝顶视准线观测资料的过程线(见图2)看出，坝顶水平位移呈不规则年周期变化，一般在每年的低温季节出现向下游变形的较大值，高温季节出现向下游变形的较小值，这符合混凝土大坝变形的一般规律。由于在低温时，下游坝面温度低于上游坝面，因而温度荷载使坝体向下游变形，反之则向上游变形。同时随着库水位升高或降低，坝顶向上游变形减小或增大。另外，电站坝段还有向上游变形的趋势。

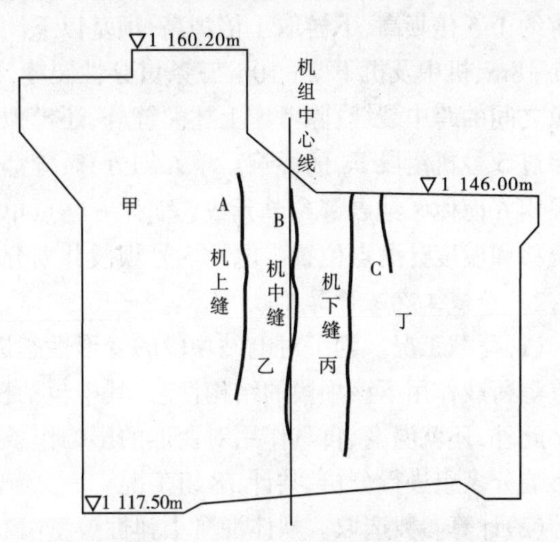


图1　电站坝段边墙裂缝示意图

---

本文原载《水力发电》1999年第6期。

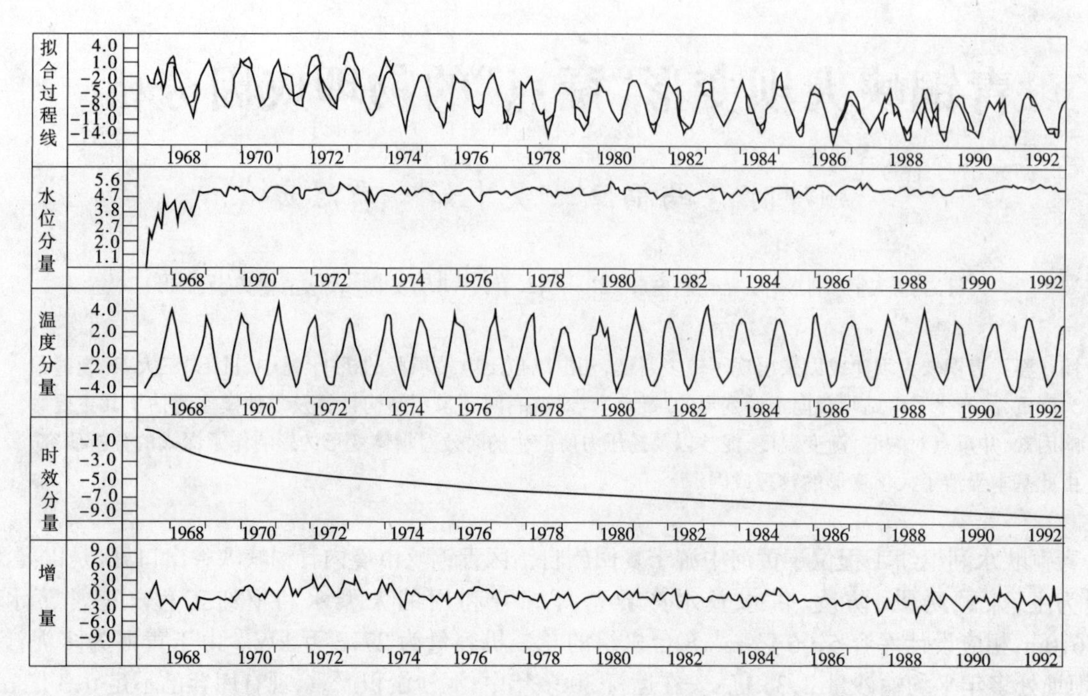


**图 2　电站 5 号坝段坝顶视准线实测值、拟合值及各分量过程线**

## 1.2　结构分析

为了进一步分析电站坝段普遍向上游位移的物理成因，以及建立确定性模型和混合模型，采用三维薄层单元有限元法计算了各个主要影响量。下面以 5 号坝段为例，介绍结构分析过程及成果。其他坝段结论类似，不再赘述。

### 1.2.1　电站 5 号坝段的有限元模型

根据青铜峡电站坝段结构及基础的地质条件和位移、温度计布置情况，有限元计算模型的范围，上游约 1.5 倍坝高，下游取 1 倍坝高，坝基以下约 2 倍坝高，裂缝模拟了坝身“三大条”裂缝，即处于机上 5～8m、机中及机下 7～10m 三条贯穿性裂缝，以及 3 号胸墙上的“三大条”裂缝，即胸墙中墩处及边墩之间的跨中裂缝；除考虑上述裂缝外，还模拟了 1 147m 高程处边墙上的水平施工缝；断层主要考虑穿过 5 号机组段 $F_9$ 的影响。单元划分：裂缝部位采用薄层单元模拟（单元厚度小于 0.5m），其余部分采用 6 面体 8 结点等参单元或 5 面体 6 结点单元；在划分单元时，单元的层高和结点位置尽可能考虑位移和温度计测点位置。电站 5 号坝段共划分了 1 303 个单元，2 478 个结点。

### 1.2.2　荷载工况及计算参数

(1)荷载工况。为了对电站坝段的变形性态进行定量分析，研究在水压、泥沙、扬压力、温度以及自重等荷载作用下该坝段的结构性态，其中包括校核、设计、正常工况下水位、泥沙及扬压力等荷载组合。此外，还就温度、自重作用对变形的影响作了分析。由于黄河为多泥沙河流，因而就泥沙对变形的影响分多组进行分析，共计 78 组工况。

(2)计算参数选取。坝体混凝土弹性模量($E_c$)和线膨胀系数($\alpha$)采用反演值，电站 5 号坝段分别为$E_c = 2.299\times10^4$MPa，$\alpha = 1.0\times10^{-5}$。基岩的变形模量 $E_r$ 以及断层的变形模量 $E_f$ 采用原设计值，分别为$E_r = 8.0\times10^3$MPa，$E_f = 3.0\times10^3$MPa。

### 1.2.3　计算分析程序

针对青铜峡大坝的实际情况，利用自编的薄层单元三维有限元分析程序（该程序已应用于多项工程，并经“八五”国家科技攻关项目的国家鉴定）进行分析，该程序能较好地模拟裂缝的张开和剪切滑动等特性。

### 1.3 统计模型、确定性模型和混合模型分析

为了定量分析各影响因素对坝体变形的效应,首先对坝顶视准线观测资料进行误差分析和粗差处理,并在结构分析的基础上建立该坝段的统计模型、确定性模型和混合模型。

#### 1.3.1 模型中因子的选择

由上述分析及文献[1]可知,坝体的水平位移主要受水压、温度以及时效等因素的影响。因此,坝体位移由水压分量、温度分量和时效分量组成,即:

$$\delta = \delta_H + \delta_\gamma + \delta_\theta \tag{1}$$

式中:$\delta_H$、$\delta_\gamma$、$\delta_\theta$——水压、温度、时效分量;

$\delta$——坝体位移。

统计模型、确定性模型、混合模型的建模原理和因子的选择详见分析报告❶。

#### 1.3.2 分析模型

根据青铜峡大坝的运行特性,并考虑初始值的影响,得到青铜峡电站坝段水平位移的统计模型($\delta_{\mathrm{I}}$)、确定性模型($\delta_{\mathrm{II}}$)、混合模型($\delta_{\mathrm{III}}$)分别为:

$$\delta_{\mathrm{I}} = a_0 + \sum_{i=1}^{3}\alpha_{1i}(H_1^i - H_{10}^i) + \sum_{i=1}^{3}\alpha_{2i}(H_2^i - H_{2n}^i) + \sum_{i=1}^{2}\left[b_{1i}\left(\sin\frac{2\pi it}{365} - \sin\frac{2\pi it_0}{365}\right)+ b_{2i}\left(\cos\frac{2\pi it}{365} - \cos\frac{2\pi it_n}{365}\right)\right] + \sum_{i=1}^{n} b_i(T_i - T_{10}) + c_1(\theta - \theta_0) + c_2(\ln\theta - \ln\theta_0) \tag{2}$$

$$\delta_{\mathrm{II}} = \alpha_n + X(\delta_H - \delta_{Hn}) + J(\delta_T - \delta_{T0}) + c_1(\theta - \theta_n) + c_2(\ln\theta - \ln\theta_0) \tag{3}$$

$$\delta_{\mathrm{III}} = X\left[\sum_{i=1}^{3}\alpha_{1i}(H_1^i - H_{10}^i) + \sum_{i=1}^{3}\alpha_2(H_2^i - H_{20}^i)\right] + \sum_{i=1}^{2}\left[b_{1i}\left(\sin\frac{2\pi it}{365} - \sin\frac{2\pi it_0}{365}\right)+ b_{2i}\left(\cos\frac{2\pi it}{365} - \cos\frac{2\pi it_n}{365}\right)\right] + \sum_{i=1}^{n} b_i(T_i - T_{10}) + c_1(\theta - \theta_0) + c_2(\ln\theta - \ln\theta_0) \tag{4}$$

式中:$\alpha_n$——常数项;

$\alpha_{1i}$、$\alpha_{2i}$、$b_{1i}$、$b_{2i}$、$b_i$、$c_1$、$c_2$——模型的分量回归系数;

$H_1$、$H_2$——观测日上、下游水深;

$H_1$、$H_{20}$——起测值上、下游水深;

$t$——从起测日时累计天数,d,$t_0 = 1$;

$T_1 \sim T_9$——观测日前1、3、7、15、30、45、60、90、120d内的平均气温;

$\theta$——从始测日的累计天数除以100,$\theta_0 = \frac{t_n}{100}$;

$X$、$J$——调整系数;

$\delta_{H0}$、$\delta_{T0}$——资料系列第1天的水压和温度分量的有限元计算值。

## 2 成果分析

### 2.1 模型分离的各分量对坝顶水平位移效应分析

为了定量分析和评价坝顶水平位移各分量对水平位移的影响,选择具有代表性的典型时段1992年的水平位移(视准线)年变幅为例,用上述各模型分离 $\delta_H$、$\delta_T$、$\delta_\theta$。此外,对电站5号坝段1975年底、1985年底、1989年底及1992年底实测值相对于1967年4月18日时效值进行了分离,其分离结果见图2。以此来分析和评价水压、温度、时效分量对坝顶水平位移的影响。

❶ 顾冲时,马福恒等.青铜峡水电站大坝观测资料分析和结构正反分析报告.河海大学.青铜峡水力发电厂,1997

#### 2.1.1 水压分量 $\delta_H$

从分离结果看出:水压分量对坝顶水平位移的年变幅影响较小,库水位升高,水压位移分量增大,也即向下游位移增大。反之,库水位降低,水压分量减小。例如,1992 年水压位移分量年变幅占总位移的年度变幅 12%左右。其原因是,青铜峡水电站为日调节径流式电站,其库水位变幅较小,又由于水压分量随库水位的变化而变化。因此,水压位移分量的变幅较小。

#### 2.1.2 温度分量 $\delta_T$

坝顶水平位移主要受温度的影响,温度分量呈年周期变化,与混凝土温度呈负相关。低温时,坝顶水平位移向下游位移增大;反之,高温时,向上游位移增大。温度分量年变幅,在位移变幅中,所占比例较大,以 1992 年为例,温度分量年变幅约占总水平位移年变幅的 78%。

#### 2.1.3 时效分量 $\delta_\theta$

坝体上的"三大条"裂缝影响,使自重产生的应力重新分布,从而使坝体向上游位移。此外,库区淤积,引起坝体变温场的改变,在 1 140.2m 高程以下坝体上游面的年平均温度比下游面低约 2.25℃,从而渐变温度荷载引起坝顶逐渐向上游位移。与此同时,坝基面扬压力的逐渐减小也引起坝顶向上游位移等。上述这些荷载均为长期荷载,因而引起坝体向上游的时效变形。1989 年以后,时效位移的变化逐渐减小。如 1985～1989 年向上游的时效年增加率为 0.228mm/a。1989～1992 年该坝段的年增值为 0.043mm/a。其他电站坝段也有类似的规律。因此,时效位移慢慢趋于稳定。

### 2.2 电站坝段坝体向上游位移的物理成因分析

通过上述电站坝段观测资料的时空分析,结构计算以及统计模型、确定性模型和混合模型的分析,电站坝段坝顶向上游位移的物理成因主要有下述几个方面(以 1992 年 12 月 22 日、库水位 1 155.6m为例进行解析,其他时段结论类似)。

#### 2.2.1 自重及裂缝的影响

在自重作用下,大坝向上游变形,但是在视准线观测水平位移前已完成。即视准线的测值中不包括自重所产生的向上游变形。然而,由于"三大条"裂缝的产生和扩展,使原来整个坝块基本上分割为甲、乙、丙、丁四块(见图 1),其自重引起各块及坝基面上的应力与原整块不同,其中甲块在有缝时的自重重心明显比无缝时向上游移动,这种由于自重应力改变所产生的变形,包括在视准线的以后测值中。为了分析由于自重应力的改变对变形的影响,分析了有缝时在自重作用下,在坝顶视准线测点处的水平位移为 -1.701mm。因此,由于坝身裂缝的影响,在自重的作用下,坝体水平位移进一步向上游位移。

#### 2.2.2 坝体变温场变化的影响

在运行初期,如 1972 年以前,电站坝段向下游位移影响不明显,这主要是坝前泥沙淤积较少,泥沙的淤积对水温及其坝体温度未产生显著影响。随着泥沙淤积高程增加,库容越来越小(从原来设计的 6.05 亿 $m^3$ 减小至不足 0.3 亿 $m^3$),因而库水温度发生变化。由电站 5 号坝段实测温度表明,在 1 140.2m高程以下坝体上游面附近的多年平均温度比下游面要低约 2.25℃。因此,在有限元计算时,视同高程的上游坝面的多年平均温度为基准,然后求同一高程的其余部位的变温场,由此求得坝体变温场的影响。具体求变温场的方法同建立确定性模型求温度荷载一样,将坝体分 7 个区域,求出变温场的单位荷载常数,然后叠加实测的变温的等效温度和梯度。经有限元分析,由此得到在多年平均变温场作用下视准线测点处位移,电站 5 号坝段的水平位移为 -2.032mm。这是电站坝段向上游变形的另一个原因。

#### 2.2.3 坝基扬压力的影响

实测扬压力表明,坝基扬压力随着泥沙的逐渐淤积而变小,这相对于作用坝基面上的上浮力逐渐减小。这一渐变的过程,将使电站坝段产生向上游的渐变位移,即时效位移。在有限元分析时,对坝基扬压力渐变的影响按 1992 年 12 月 22 日的实测值与运行初期最大扬压力之差进行分析。由于电站 5 号坝段无全断面实测扬压力资料,因此选用其邻近的 4 号溢流坝段坝基面扬压力资料进行分析计算。由有限元分析得到的水平位移为 - 1.489mm。

#### 2.2.4　库水压力及准稳定温度场变化的影响

为了论证库水压力及准稳定温度场的影响,选用 1992 年 12 月 22 日的库水位及温度场与视准线起测日(1967 年 4 月 18 日)的变化值,进行有限元分析,得到视准线测点在库水压力作用下的水平位移为 4.429mm,准稳定温度场变化引起的水平位移为 4.231mm。

#### 2.2.5　其他长期荷载引起的时效影响

1989 年以后,电站坝段向上游变形的趋势基本收敛,这是由于电站坝段的泥沙淤积高程基本稳定(1 130m高程左右),其对库水温度的影响也趋于稳定;坝内温度变化主要受边界温度的影响,因而温度渐变引起的向上游变形不再增加。此外,裂缝观测资料表明,电站坝段的“三大条”裂缝发展渐趋收敛,坝本身结构处于相对稳定。与此同时,由于电站坝段坝基扬压力也逐渐稳定,其沉陷在 1989 年以后也稳定收敛,因而造成电站坝段向上游变形的效应减小,使其趋于收敛稳定。

由上述 5 个方面进行分析,电站 5 号坝段在自重、渐变温度场、渐变扬压力、时效以及库水压力和准稳定温度场变化作用下,坝顶视准线测点处,位移计算值分别为 - 5.504mm,与实测值 - 6.17mm 非常接近。说明电站坝段向上游变形主要是由坝体自重、渐变温度场、扬压力及其他渐变效应等作用引起。

## 3　结　论

通过上面的研究和分析,得出以下主要结论:

(1)电站坝段向上游位移的主要原因是裂缝的逐渐形成和扩展改变了自重的重心位置,泥沙淤积使坝基扬压力逐渐减小以及坝体温度渐变等渐变因素,使电站坝段逐渐向上游位移。1989 年后,时效位移逐渐趋于收敛和稳定。

(2)利用多种模型及方法分析复杂因素作用下的坝体性态,尤其是分析渐变温度、泥沙以及扬压力所产生的时效对坝体变形的影响较为有效,分析结果表明其效果较好。

### 参 考 文 献

[1]　吴中如等.水工建筑物监控理论及其应用.南京:河海大学出版社,1990
[2]　吴中如,顾冲时.大坝安全综合评价专家系统.北京:科学技术出版社,1997

# 浅谈佛子岭水电站连拱坝裂缝处理

朱 彤

(安徽省水利水电勘测设计院,合肥 230022)

**摘 要**:佛子岭水电站连拱坝的拱、垛裂缝多年来一直困扰着大坝的安全运行。文章对裂缝的分类、成因进行了阐述、分析,并论述了利用钢纤维喷射混凝土和HW、LW型水溶性聚氨酯材料进行化学灌浆等裂缝处理措施。

佛子岭水电站位于安徽省霍山县境内,在淮河支流淠河东源东淠河上,于1954年建成,是一座以防洪、灌溉为主,结合发电等综合利用的大型水利枢纽,主要由拦河坝、溢洪道、引水钢管和电站厂房等部分组成。

拦河坝为钢筋混凝土连拱坝,由22个拱、21个垛及两端重力坝组成。现最大坝高75.9m,坝顶高程129.96m,坝顶长度510m。垛是由两片直立的三角形垛墙及面板和隔墙连接组成;拱是内半径为6.75m的半圆拱,支承在垛的上游面。

佛坝的拱、垛裂缝多年来一直困扰着大坝的安全运行。1994年底,结合佛坝首次安全定检,对大坝裂缝进行了一次较为全面的检查,并拟对其进行补强加固处理,以确保大坝安全运行。

为了制订出合理的裂缝处理方案,首先需将裂缝进行分类,并对裂缝发生的原因进行分析。

## 1 裂缝分类及成因

佛子岭连拱坝拱、垛上出现的裂缝种类繁多,从裂缝分布及形式来划分,可分为:垛头斜缝、拱筒叉缝及竖向裂缝、建筑缝裂缝、拱座竖向裂缝、坝垛收缩缝裂缝、垛尾缝等。

从裂缝对结构强度的影响来划分,可分为两大类:一是对结构强度和稳定产生不利影响的裂缝,如垛头斜缝、拱筒叉缝(特别是与拱筒环向建筑缝构成结构失稳的三角体,如2号拱的5号缝、22号拱的1号、2号缝,见图1)与垛头斜缝相连的垛面板裂缝等;二是对结构强度影响不大的渗水裂缝,如拱上的环向建筑缝、拱端建筑缝、垛面板铅直缝等。

裂缝发生的原因是多方面的。观测资料表明,大多数裂缝是在施工期和运行初期产生的,分析认为与施工中混凝土的配比、振捣质量、浇筑速度的控制及运行早期水泥水化热的释放等因素有关。经历次加固处理,多数裂缝已趋于稳定。但20世纪90年代几次低温高水位不利工况的运行使得拱、垛裂缝又有新的发展。观察结果显示,拱筒上裂缝附近多为湿润甚至透湿,表明裂缝属于深层甚至贯穿性的,裂缝走向多与主应力方向垂直,为应力缝,结合裂缝出现的时机并经有限元计算分析,认为主要由温度变化引起。而垛墙收缩缝裂缝虽经1965、1982年两次灌浆处理,但到冬季仍有0.3~0.4mm的残留缝宽,较宽处可达0.7~0.8mm,缝宽受温度变化影响,热胀冷缩现象较明显,当属温度缝,但由于连拱坝可看做是一个巨大的刚体,拱、垛之间紧密相连,故而拱、垛裂缝亦是相互影响的。

从裂缝分布来看,2号、22号拱上裂缝较多,且呈现不对称分布,其靠近重力坝段侧裂缝较之另一侧明显增多。这是由于拱筒两端约束刚度相差较大,重力坝刚度远大于垛的刚度,其约束作用较强,产生的弯矩较大,因而该侧的裂缝亦较多。尤其是2号拱,因其高度较大,且两端底部有4m的高差,这种现象更为明显。此外,连拱坝受温度变化作用产生的侧向位移是由中间向两岸累加的,因而越是靠近两岸坝头的拱筒,其侧向位移越大,裂缝也越多。由此可见,要从根本上解决问题,2号、22号拱

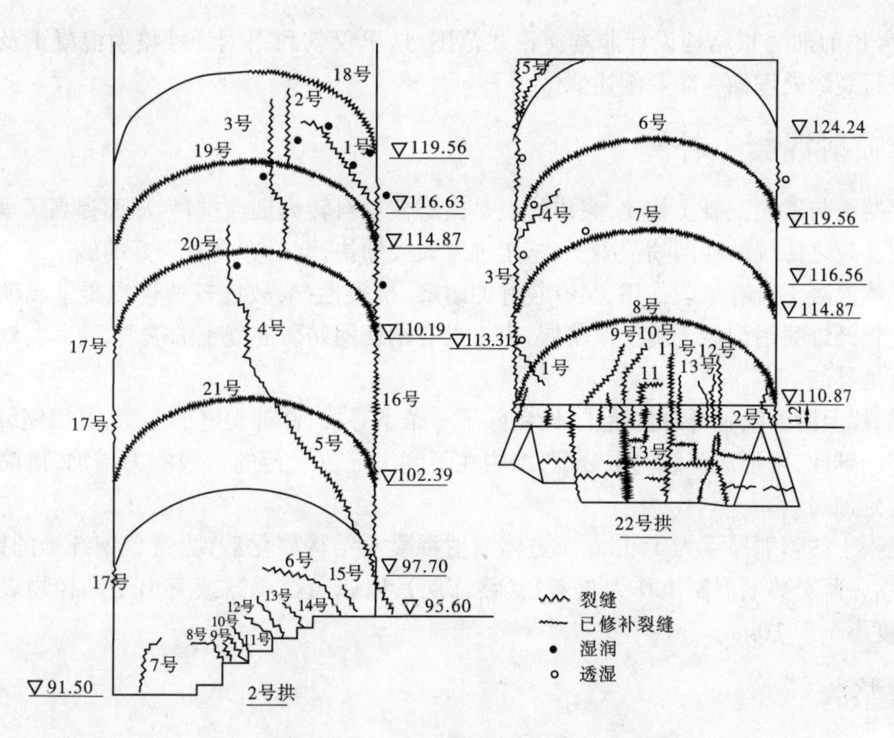


图1 2号、22号拱裂缝分布图(后视图)

裂缝的处理尚需与结构处理相结合。

## 2 裂缝处理措施

裂缝处理主要根据其对结构强度的影响而制定不同的处理措施。

### 2.1 对结构强度和稳定产生不利影响的裂缝的处理

(1)2号、22号拱裂缝的处理,须与结构处理相结合。

2号、22号拱裂缝的分布范围较广,且有不少已经裂穿,在上游面把这些裂缝一条条准确地找出来进行修补是比较困难的,故决定采用以下措施:

2号拱在下部下游侧做加强拱,做到超过21号环向建筑缝(高程102.39~107.5m)1.5~2.0m;上部拟在上游面喷钢纤维混凝土,同时在下游面对1号、2号、3号、4号裂缝进行化学灌浆。

22号拱因下部1号、2号裂缝均构成危险的三角体且可能为上、下游贯穿裂缝,而该拱底部高程较高,故可以在整个拱的上游面喷钢纤维混凝土。在下游面对1号、2号、3号、4号、5号裂缝进行化学灌浆,并在下部下游侧做加强拱,做到超过8号环向建筑缝(高程110.19~114.60m)2.0m。

(2)集中在垛墙上游侧的裂缝,如垛头斜缝、收缩缝顶部开裂向上延伸的裂缝,拱座建筑缝脱开等,可以综合一并处理。先在裂缝处清除杂物,打毛清洗,布设骑缝钢筋,同时预埋灌浆管,将管口用木塞塞住,并用预缩砂浆将其固定,然后在垛内外喷钢纤维混凝土,最后拔去木塞,利用预埋的灌浆管进行化学灌浆。

(3)除上述以外的裂缝,如垛墙上未经处理的铅直缝、伸缩缝裂缝脱开等,采用化学灌浆处理。

对于影响结构强度和稳定的裂缝的灌浆均采用HW型水溶性聚氨酯化灌材料进行化学灌浆。

### 2.2 对结构强度影响不大的渗水裂缝的处理

拱上的环向建筑缝、拱端建筑缝、垛面板铅直缝等,包括有些已经补过的,如仍有渗水,均拟采用LW型水溶性聚氨酯化灌材料进行防渗处理。

另外,2号、22号拱的老拱台及其附近拱筒上的细小裂缝较多,先将其表面打毛,削去棱角,距表面100mm铺设一层钢筋网,再在其上浇筑渐变的新混凝土拱台,将其覆盖。

2 号、22 号拱的加强拱结构设计非本文论述范围，这里仅就利用钢纤维喷射混凝土及 HW、LW 型化灌材料进行裂缝处理做一简要阐述。

## 3 钢纤维喷射混凝土补缝

钢纤维混凝土与素喷混凝土相比，突出优点是由脆性材料转为延性材料，从而提高了承载力和抑制裂缝的能力。较之传统的挂网喷混凝土，施工进度大大加快，同时亦具有较好的施工安全性。

由于钢纤维混凝土既有承载作用，又有较好的耐磨、抗裂性能，故比较适合混凝土或砌体建筑的修复与加强。钢纤维喷射混凝土施工成薄层，由于没有钢筋网妨碍混凝土的喷射，使其与现有建筑物之间能够很好地黏结。

在佛坝拱、垛上游面喷钢纤维混凝土，既免除了一条条寻找、修补裂缝的困难，又因钢纤维喷射混凝土具有良好的延性，可形成荷载的重分配，结构在不利工况下运行的承载能力增加，拱筒及垛墙的整体刚度可得到加强。

钢纤维混凝土的喷射厚度为 150mm。主体喷射混凝土结构硬化后，为避免钢纤维的锈蚀，利于坝面美观，再喷一薄层普通混凝土作为覆盖层(终饰层)，以遮盖住暴露或突出于结构物表面的钢纤维，终饰层厚度不小于 10mm。

## 4 化学灌浆

化学灌浆是将一定的化学材料配制成浆液，用灌浆设备将其灌入缝隙中，使其扩散至整个缝隙后凝固，从而达到防渗、堵漏、补强、加固的目的。

### 4.1 化灌材料

化灌材料要求具有良好的可灌性。佛坝裂缝处理采用华东勘测设计院研制的 HW、LW 型化灌材料，HW、LW 于 1985 年曾共同获国家科技进步三等奖。

(1)HW 浆液是一种既能防渗堵漏又能固结补强的灌浆材料。浆液具有良好的亲水性，有高强度、低黏度的特点，而且有很好的韧性。适用于对结构强度和稳定产生不利影响的裂缝的处理。为提高灌浆效果，对于细小的裂缝，在浆液中掺入适量的丙酮、二甲苯，以降低其黏度，提高浆液的可灌性。

(2)LW 是一种快速高效的防堵漏材料。对用一般方法难以奏效的大流量涌水、漏水、微渗水，LW 都有良好的止水效果。由于具有遇水膨胀性，故 LW 具有弹性止水和以水止水的双重功能，且施工工艺简单，浆液不需繁杂配制。用于对结构强度影响不大的渗水裂缝的防渗处理。

### 4.2 化灌工序

化学灌浆工序如下：

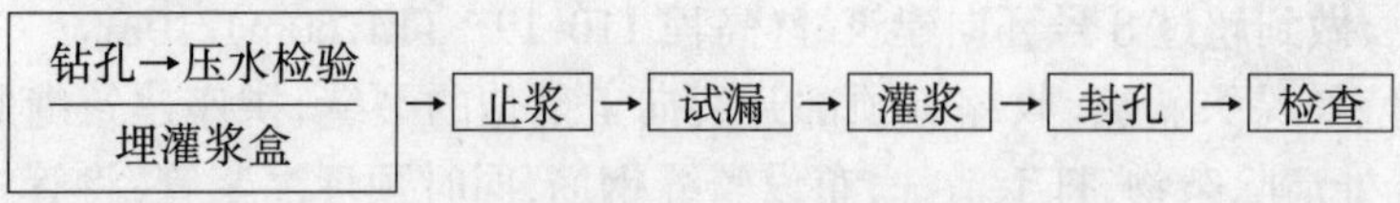

钻孔→压水检验<br>埋灌浆盒 → 止浆 → 试漏 → 灌浆 → 封孔 → 检查

在垛面，采用钻孔预埋灌浆管；而在坝面，为防碰到拱内钢筋，采用在连拱坝面贴灌浆盒。详见图 2。

### 4.3 技术要求

因拱、垛的厚度均不大，故钻孔以骑缝孔为主，必要时亦可采用斜孔辅助，孔距 1.5～2.0m，孔径 30mm。钻孔垂直深度 0.15～0.20m(9 号、21 号垛头缝处理需预埋灌浆管时，钻孔深度适当增至 0.3～0.4m)。灌浆前应冲洗钻孔。

灌浆盒为直径 50mm 的半球体，顶部开孔，与 25.4mm 钢管焊接，周边用 4 个膨胀螺栓固定，并用环氧砂浆止漏。

为了检查钻孔与缝面的畅通情况，并用耗水量预估吸浆量，需进行压水检查。水压为 0.2～

0.3MPa，压水时间15～30min。灌浆前再用压风吹干孔内积水，以减少水对黏结强度的影响，风压0.1～0.2MPa，压风时间3min左右。缝面止浆采用沿缝面凿槽，洗刷干净后，嵌填环氧砂浆，并将表面压实抹光。

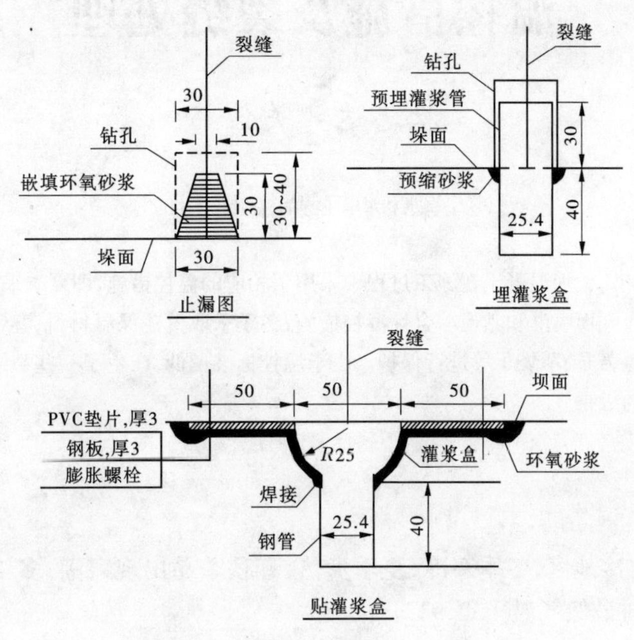


**图2　化学灌浆布置图**(单位：mm)

试漏的水压应大于灌浆压力，采用0.5MPa。

灌浆压力采用0.3～0.4MPa，具体压力值可在灌浆试验中根据裂缝开度、吸浆量进行调整。灌浆结束压力为0.5MPa。当压力骤升而停止吸浆时，即可停止灌浆。结束后1～3d，缝内浆液失去流动性后，即可拔塞封孔。

灌浆宜安排在气温较低的枯水季节进行。

灌浆过程中需控制裂缝张开度不大于0.1mm或原缝宽的20%，否则应调整灌浆压力。灌浆结束后通过钻孔取样，检查浆液结石充填情况及黏结强度。每条缝至少有一个检查孔。

## 5　结　语

佛坝上的裂缝多而复杂，处理措施主要针对裂缝对结构强度和稳定的影响来制定。2号、22号拱的裂缝处理需与结构加固(加强拱)相结合，同时在上游面喷射钢纤维混凝土，下游面进行化学灌浆。集中在垛墙上游侧的裂缝，可以采取钢纤维喷射混凝土及化灌等措施综合一并处理。对结构强度和稳定产生不利影响的裂缝，化灌采用HW型材料；对结构强度和稳定影响不大的渗水裂缝，则采用LW型化灌材料。

# 观音阁水库大坝施工中的温控措施及裂缝处理

杜志达　关佳茹

(辽宁省水利水电工程局,沈阳　110000)

**摘　要:** 针对不同季节,大坝混凝土在施工过程中采用了相应的温控措施,即夏季采用 4℃冷水进行拌和,采用地下水喷淋骨料,仓面喷淋和其他综合性温控措施;冬季采取覆盖保温材料;春秋寒潮多发期,昼夜温差大,多采取临时覆盖苫布、草袋子等进行保护。由于温控标准偏低,产生了一些裂缝,通过一些相应的补救措施,取得了较好的效果。

## 1　概　述

观音阁坝址地处寒冷地区,冬季寒冷,夏季炎热,春秋季易出现寒潮,多年月平均气温见表 1,全年平均气温 6.2℃,绝对最低气温 −32.9℃。

**表 1**　　**月平均气温统计**

| 月　份 | 1 | 2 | 3 | 4 | 5 | 6 | 7 | 8 | 9 | 10 | 11 | 12 |
|---|---|---|---|---|---|---|---|---|---|---|---|---|
| 平均温度(℃) | −14.3 | −10.4 | −1.0 | 8.0 | 15.3 | 19.5 | 23.1 | 21.9 | 15.4 | 8.1 | −1.1 | −10.5 |

坝址区混凝土浇筑只能在 4～10 月气温较高的季节进行,11～3 月气温很低,为停工期,温控的主要内容是夏季降温、冬季保温和春秋季防护,温控措施考虑了采用碾压混凝土筑坝技术和金包银断面的结构型式,由于温控方案还有不完善之处,坝体混凝土也产生了一些裂缝。

## 2　夏季温控措施

夏季温控标准是,混凝土出机口的温度小于 20℃,浇筑温度小于 22℃。

为了满足这一要求并最大限度地削减水化热温升,夏季主要采取了以下温控措施。

### 2.1　4℃冷水拌和混凝土

拌和楼配备一套适合于观音阁生产条件的盐水制冷系统。制冷能力为 1 960MJ/h,可以满足 400m³/h 混凝土拌和用水要求。这套冷水系统以地下水(井深 35m)为水源,设计进水温度为 14℃,出水温度为 4℃,作为拌和用水。

### 2.2　骨料喷淋

在调节料仓顶部设置供水管路和喷头,采用地下水,喷淋 150～120mm、120～80mm、80～40mm 三级骨料。喷淋水在流经骨料空隙后,由调节料仓底部排水孔排出。喷淋后的骨料经振动脱水筛脱水后,由皮带机送入拌和楼顶部料仓。

地下水水温在 12℃以内,喷淋时间规定大于 8h,以保证这三级骨料脱水后温度不高于17℃。

在实际操作过程中,地下水供应不足,喷淋时间有时小于 8h ,所以往往达不到预期的效果。为

本文原载《水利水电技术》1995 年第 9 期。

此,1991 年安装了一套制冷能力为 8 374MJ/h 的冷水厂,制备 4℃冷水,用于喷淋骨料。这套新增系统 1992 年正式启用后,收到了良好的效果。

### 2.3 仓面喷淋

每层混凝土浇筑完毕,在仓面设置可移动的旋转喷头,抽取河道水进行自动旋转喷淋。旋转喷头是农业喷灌用的喷头,这种方法先把水喷到空中再回落到混凝土面上,可以调节仓面局部气候,增加空气湿度,降低局部气温,在仓面形成薄层流动的水膜,有利于层间散热,养护效果好。

### 2.4 其他综合性温控措施

除前述三项主要温控措施外,还要合理组织施工,加快仓面浇筑速度,缩短混凝土拌和至碾压的时间,以及减少温度倒灌等。同时还规定,气温高于 25℃,白天停工,只安排夜间浇筑。

其他措施还有:成品料堆采用地笼深层取料方式;砂堆、调节料仓及输送皮带上部均设置遮阳棚,以减少日照影响;在调节料仓到拌和楼的上扬皮带钢圆筒外壳顶部设置喷淋水管,与调节料仓同时进行喷淋;拌和楼外壳安装 5cm 厚聚乙烯泡沫隔热层,料仓室、称量室各设置两套空气冷却机,总制冷能力 115MJ/h,可使这两个密封仓室保持 16℃恒温,以减少骨料喷淋后的温度回升。

### 2.5 实施情况及效果

施工过程中,较好地实施了各项夏季温控措施,实测出机口温度和浇筑温度见表 2。

表 2 混凝土出机口温度和浇筑温度统计

| 年度 | | 1990 | 1991 | 1992 | 1993 | 1994 |
|---|---|---|---|---|---|---|
| 出机口温度 | 最大值(℃) | 22.4 | 26.1 | 23.0 | 25.0 | 29.9 |
| | 最小值(℃) | 2.8 | 0.4 | 0.0 | 1.0 | 1.0 |
| | 合格率(%) | 83.50 | 91.50 | 85.10 | 70.20 | 76.10 |
| 浇筑温度 | 最大值(℃) | 24.0 | 29.5 | 23.5 | 24.0 | 24.0 |
| | 最小值(℃) | 7.3 | 0.0 | 2.0 | 3.0 | 5.0 |
| | 合格率(%) | 96.30 | 98.00 | 99.30 | 92.20 | 95.40 |

实测碾压混凝土内部最高温度 35.4℃。坝体内部实测温度变化过程见图 1。

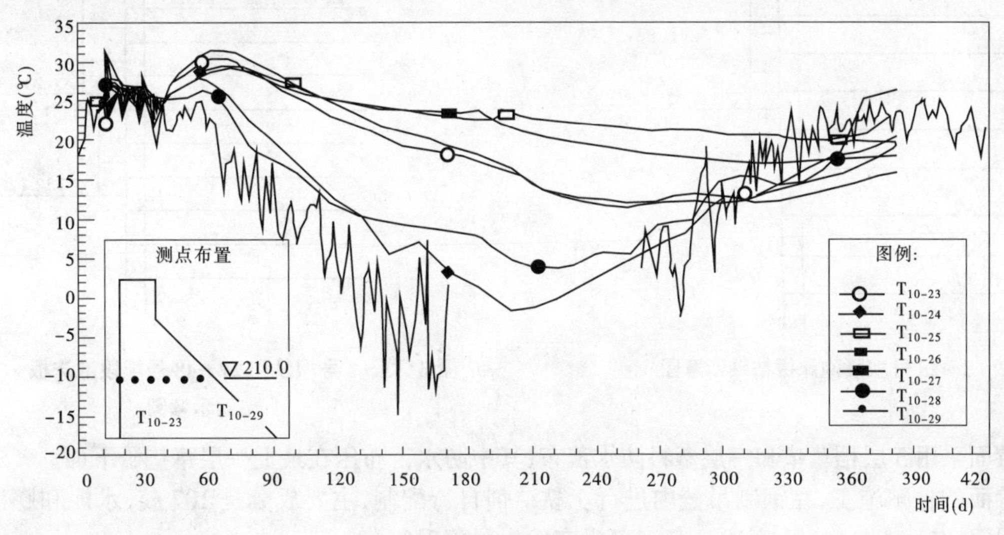


图 1 坝体内部温度实测变化曲线

## 3 冬季保温措施

冬季保温标准是表面温度不低于 0℃。

1990 年冬，坝体混凝土尚在基坑内，顶面高程低于河道水位，采用了蓄水保温。以后各年冬季，均通过覆盖保温材料进行保温。1994 年冬季为了防止年度结合面水平施工缝开裂，又对原来 0℃标准下的保温措施进一步加强。

**3.1　0℃标准下的保温措施**

上游面使用的保温材料是聚苯乙烯泡沫塑料板，使用范围是 195.00m 高程以上全部上游面。泡沫板平面尺寸 1.5m×0.75m。1991 年厚度 3cm，放热系数为 $1.1W/(m^2·K)$；从 1992 年起改为 5cm，放热系数为 $0.68W/(m^2·K)$。泡沫板在浇筑时衬于上游模板内侧，拆模后可与混凝土牢固地黏结在一起。

顶面用三层错缝排列的稻草垫外覆一层塑料防水苫布保温，下游面保温范围为当年浇筑的混凝土。保温层为以 10 号铅丝串联错缝排列的两层稻草垫，延至前一年混凝土 3m。长期暴露的横缝侧面，1991 年用木模板外贴两层稻草垫保温，1992、1993 年改用 5cm 厚泡沫板。

**3.2　加强保温措施**

为了进一步削减内外温差，防止上游面年度结合部水平施工缝开裂，1994 年冬季，在 0℃标准保温措施基础上，加强了对上游面 1993、1994 年度结合面部位和整个下游面的保温。具体措施是：8～28 号坝段上游面 1993～1994 年度结合面上下 5.25m 范围内，在已有的 5cm 泡沫板上再粘一层 7cm 厚泡沫板（见图 2）。3～7 号坝段和 29～48 号坝段上游面则在年度结合面上下 8.25m 范围内再粘 7cm 和 12cm 两层厚度的泡沫板（见图 3）。

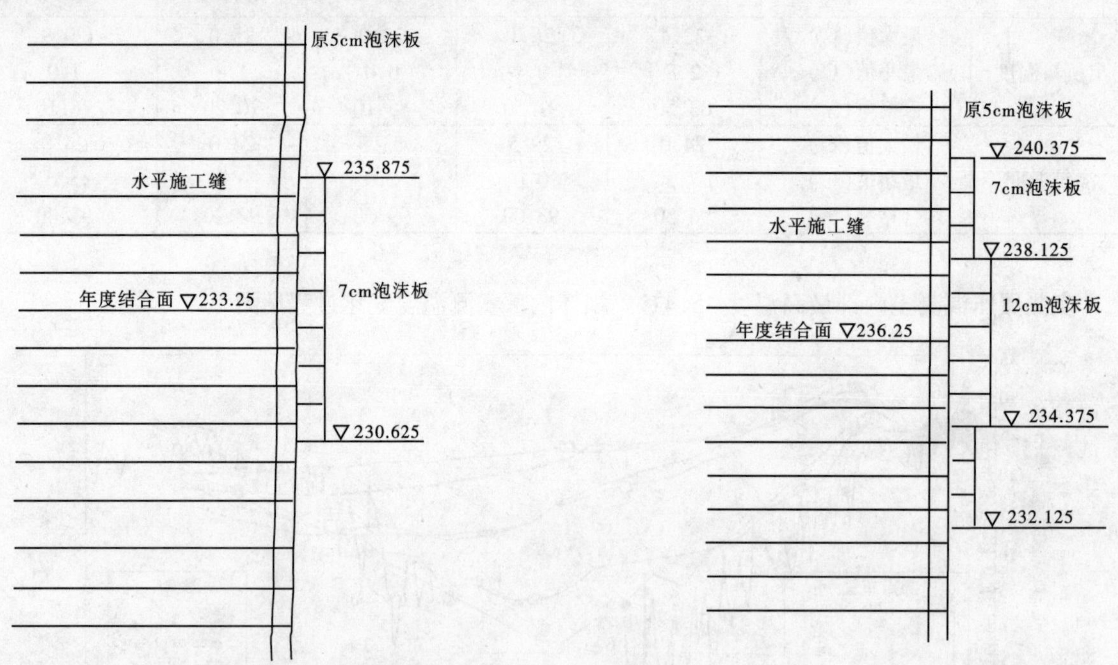


**图 2　8～28 号坝段泡沫板粘贴示意图**　　**图 3　3～7 号坝段和 29～48 号坝段泡沫板粘贴示意图**

下游面采用 3 层稻草垫和一层塑料防水苫布，其中防水苫布压在最上一层草垫子下面。

上游面的粘贴施工，在钢制吊篮内进行。黏结剂自行配制，主要成分是 107 胶、水泥和膨润土。实践表明，黏结性能良好，经过 1994 年一冬没有发生脱落现象。

**3.3　冬季保温措施的实施情况及效果分析**

观音阁坝体冬季保温是比较出色的，尤以上游面和顶面质量最好。下游面由于部位和使用材料的限制，不如上游面和顶面。

上游面保温层可以在整个施工期内长期连续保温。实测使用了 3cm 泡沫板的部位，混凝土表面冬季最低温度-2.5℃;使用5cm泡沫板的部位,温度计均埋在泡沫板接缝处,实测接缝处最低温度-2℃。根据实测外温及混凝土温度推算,接缝处放热系数为1.5W/($m^2$·K),比5cm泡沫板本身的放热系数高出一倍多。这种保温方式冬季保温效果很好,只是不利于混凝土浇筑后散热。

顶面稻草垫由于铺设时施工用水及雨水侵袭,入冬前基本上已被水浸湿,使保温效果大大降低,但实测顶面冬季均处于正温状态。根据实测数据计算,顶面放热系数平均达0.74W/($m^2$·K)。实际上三层干燥的稻草垫其放热系数也只有0.7W/($m^2$·K),这主要是因草垫子外有一层防水苫布,形成了密闭保温层的缘故。

下游面两层稻草垫子理论上放热系数为0.93W/($m^2$·K),但根据实测数据推算却为1.35W/($m^2$·K),主要原因是斜面稻草垫子铺设困难,不易排列紧密,而且没有苫布,不能形成密闭的保温结构。

1994年冬加强的保温措施并未取得预期的效果,仍产生了许多水平裂缝,但裂缝宽度明显减小。加强保温的部位泡沫板厚度至少为12cm,最厚达17cm。保温效果不容怀疑。可见,对水平裂缝来讲,用单纯保温的办法是不能从根本上解决问题的。

## 4 春秋季保温措施

春秋季是寒潮多发期,昼夜温差大。一般是临时覆盖苫布、草袋子进行保护。此外,还限定9、10月份层间暴露日数上限为7d,若超过7d必须覆盖草垫子等材料。由于坝体施工过程比较复杂,战线较长,春秋季保护做得差些。

## 5 坝体裂缝及处理措施

### 5.1 裂缝统计

截至1995年5月1日,大坝混凝土共发生裂缝402条,其中上游面106条,下游面153条,孔洞内表面15条,坝体内部128条。对坝体稳定和渗漏有影响的重要裂缝,主要是209.25m高程上、下游面水平裂缝、劈头缝和永久底孔环形缝(见表3)。

表3 重要裂缝统计

| 类 别 | 数 量 |
|---|---|
| 209.25m高程上下游面水平施工缝开裂 | 24 |
| 劈头缝 | 3 |
| 永久底孔环缝 | 5 |
| 总 计 | 32 |

上述裂缝的位置98%是在常态混凝土内,或与常态混凝土有关,而且绝大部分发生在越冬面及层间间隔长等升程不连续的部位。

### 5.2 裂缝处理

对不同类型的裂缝,采用不同处理方案。裂缝分类及处理方案见表4,处理情况见表5。

表4 裂缝分类及处理方案

| 部位及形态 | 宽度(mm) | 长度(cm) | 处 理 方 案 |
|---|---|---|---|
| 侧 面 | >0.25 | | 方案1:缝上贴3mm厚的橡皮板,引管至指定高程后灌浆 |
| 平 面 | ≤0.25 | >250 | 方案3:重要部位扣管,铺单层筋,浇常态混凝土<br>方案6:一般部位扣管,不铺筋,浇常态混凝土 |
| | >0.25 | ≤250 | 方案4:骑缝凿槽,浇常态混凝土 |
| | >0.25 | >250 | 方案2:重要部位扣200mm的半圆管,铺双层筋,浇常态混凝土,灌浆<br>方案5:孔洞底板或顶部平面凿槽,扣200mm的半圆管,铺三层筋,灌浆<br>方案7:一般部位扣管,铺双层筋,浇常态混凝土<br>方案10:高部位凿槽,钻缝头孔,浇常态混凝土 |

续表 4

| 部位及形态 | 宽度(mm) | 长度(cm) | 处理方案 |
| --- | --- | --- | --- |
| 平面深层裂缝<br>上游面劈头缝<br>平面部分 | | | 方案 8:凿槽,加填砂浆,钻缝头孔,灌浆,扣管,铺双筋,浇常态混凝土,灌浆 |
| 导流底孔环缝<br>永久底孔环缝 | | | 方案 9:凿槽,埋管,回填塑性嵌缝材料,PCC 砂浆止缝,磨细水泥灌浆或聚氨酯化灌 |
| 上游面水平缝<br>上游面劈头缝<br>立面部分 | | | 方案 11:沥青混凝土面板<br>方案 12:塑性嵌缝材料(拟采用) |
| 下游面裂缝 | | | 待定 |

表 5 大坝裂缝处理情况统计

| 处理方案 | 方案 1 | 方案 2 | 方案 3 | 方案 4 | 方案 5 | 方案 6 | 方案 7 | 方案 8 | 方案 9 | 方案 10 | 方案 11 |
| --- | --- | --- | --- | --- | --- | --- | --- | --- | --- | --- | --- |
| 数目 | 23 | 29 | 22 | 6 | 5 | 7 | 34 | 5 | 15 | 2 | 48 |

## 6 结语

(1)坝体裂缝是温控措施总体效果的综合反映。观音阁大坝在施工过程中各项预定温控方案的实施都是较好的,但是仍产生一些有危害的裂缝,说明温控标准偏低,主要是浇筑温度偏高。

(2)绝大多数裂缝与施工不连续有关。施工不连续主要是冬季停工及层间间隔的时间过长,温控措施必须全面考虑到由于施工不连续对上下温差、内外温差及层间结合面抗裂能力的影响。除此之外,观音阁大坝的温控实践还表明,加强施工不连续期间的表面保护,是防止裂缝产生的一个重要措施。

# 丰满大坝溢流面裂缝问题研究

李正国　赵淑明　王永志

(丰满发电厂,吉林市　132108)

**摘　要:** 对丰满大坝溢流面新浇混凝土裂缝进行了表面调查、无损性态检测,采用有限元法模拟浇筑过程的应力分布。在现场调查、检测和理论研究相结合的基础上,对裂缝成因进行了较全面的分析,这将对寻求裂缝补强方法和东北寒冷地区大坝补强加固可行方案的提出具有参考价值。

## 1　溢流面裂缝表面调查及性态检测

为了查清裂缝状况及发展趋势,于1994年9月和1996年10月先后两次对溢流面裂缝进行了全面普查,并对4个代表坝段的8条典型裂缝应用表面波无损检测仪器RL－2000系列进行了检测。

### 1.1　溢流面裂缝表面调查

利用卷扬牵引台车和现场测绘工具,对9～19号坝段的11个新浇溢流面表面裂缝状况进行了量测,并现场点绘在1:100的计算纸上。从调查结果看,溢流面已被相当多的裂缝所覆盖,裂缝成网状分布于各个坝段中,且大部分已贯穿,甚至相通;从坝段裂缝分布情况看,10～17号坝段裂缝密度大,并较发育,裂缝在194.50～220.00m高程(即溢流面反弧段)比较集中且破碎,而裂缝漏水、析钙主要集中在11号、14号、15号坝段,分布在194.50～225.0m高程之间。有的裂缝由于缝宽较大,缝两侧高度不平,在放流过程中,导致空蚀,使局部表层混凝土剥落,形成砂石外露的粗糙面。

9～19号坝段的裂缝总条数为457条,其中,横缝297条,纵缝160条。缝宽超过0.5mm的129条,占裂缝总数的28.2%,裂缝长度贯穿坝段的86条,占横缝总数的29%;有漏水、析钙的裂缝132条,占裂缝总数的28.9%;有钢筋锈蚀色析出的2条。从现场调查结果初步分析判断,有漏水、析出物的裂缝基本都已贯穿,并在新老混凝土结合面上存在水平接合缝。

### 1.2　溢流面无损性态检测

#### 1.2.1　检测设备

本次裂缝检测采用表面波无损检测仪器RL－2000系列中的讯号发生器(RG－2001型)、功率放大器(RW－2100型)、表面波激振器(RL－2020型)、拾振器(RP－2010型)、信号处理器(RA－2202型)及微机等仪器。

检测时讯号发生器、功率放大器及表面波激振器组成发射系统向混凝土发射表面波。拾振器、信号处理器及微机组成接收系统,进行放大分析计算。

#### 1.2.2　检测结果

14号、15号坝段的6条横向裂缝均已裂至3.7m深的结合面处;17号坝段横向裂缝沿走向最深发展到3.6m,最浅处亦发展到2.2m;18号坝段横向裂缝深度发展到4.1～4.5m之间,即17号、18号坝段的裂缝深度均超过新老混凝土结合面,延伸到老混凝土中。同时,14号、15号、17号坝段6条裂缝的局部部位存在接合缝。从检测结果看,横向裂缝均贯穿到新老混凝土结合面,并在不同部位存在平面接合缝。检测结果与现场调查初步分析的结果相吻合。

---

本文原载《水利水电技术》2000年第10期。

# 2 溢流面裂缝问题的理论计算

溢流面裂缝理论分析是采用有限元法模拟施工过程，进行了新浇混凝土温度徐变应力全过程的仿真计算，还分别计算了气温、水泥水化热、混凝土自生体积变形的影响。

## 2.1 混凝土出现裂缝的判断准则

依据《混凝土重力坝设计规范》(SDJ21—78)(试行)，如果下式成立，认为混凝土将产生裂纹：

$$\sigma \geqslant \varepsilon_p E_c / k_f \tag{1}$$

式中：$\sigma$——由于各种温差所产生温度应力；

$\varepsilon_p$——混凝土的极限拉伸值；

$E_c$——混凝土弹性模量；

$k_f$——安全系数。

因缺乏实际试验资料，本文用 $\varepsilon_p = 1.0 \times 10^{-4}$，$E_c = 3.3 \times 10^4$MPa，故混凝土的计算抗裂强度 $\varepsilon_p E_c = 3.3$MPa，$k_f = 1$。

## 2.2 增量法求解混凝土中应力公式

混凝土应变增量记为：

$$\Delta\varepsilon_n = \Delta\varepsilon_n^e + \Delta\varepsilon_n^c + \Delta\varepsilon_n^T + \Delta\varepsilon_n^0 \tag{2}$$

式中：$\Delta\varepsilon_n$——总应变增量；

$\Delta\varepsilon_n^e$——弹性应变增量；

$\Delta\varepsilon_n^c$——徐变应变增量；

$\Delta\varepsilon_n^T$——温度应变增量，$\Delta\varepsilon_n^T = \{aT_n, aT_n, aT_n, 0, 0, 0\}^T$；

$\Delta\varepsilon_n^0$——自生体积变形增量。

### 2.2.1 复杂应力状态下应力—应变增量关系式

假定每时段内应力为线性变化，由：

$$\Delta\varepsilon_n^e = \int_{n-1}^{n} \frac{Q}{E(t)} \frac{\partial \sigma(\tau)}{\partial \tau} d\tau = Q\Delta\sigma_n / E_n^* \tag{3}$$

$$E_n^* = E(t_{n-1} + \Delta\tau_n / 2)$$

$$Q = \begin{bmatrix} 1 & -v & -v & 0 & 0 & 0 \\ & 1 & -v & 0 & 0 & 0 \\ & & 1 & 0 & 0 & 0 \\ \text{对} & & & 2(1+v) & 0 & 0 \\ & \text{称} & & & 2(1+v) & 0 \\ & & & & & 2(1+v) \end{bmatrix}$$

可得到

$$\begin{aligned} \Delta\sigma_n &= E_n^* Q^{-1} \Delta\varepsilon_n^e \\ &= E_n^* Q^{-1} (\Delta\varepsilon_n - \Delta\varepsilon_n^c - \Delta\varepsilon_n^T - \Delta\varepsilon_n^0) \end{aligned} \tag{4}$$

则总应力

$$\sigma_n = \sum_1^n (\Delta\sigma_i) \tag{5}$$

### 2.2.2 $\Delta\varepsilon^T$ 的离散求解

根据热传导方程和瞬态温度场有限元格式[1]，本文采用等参元和中心差分格式推导出瞬态温度场计算的离散模型：

$$\left[H + \frac{2}{\Delta\tau}P\right]T_\tau + \left[H - \frac{2}{\Delta\tau}P\right]T_{\tau-\Delta\tau} + Q_{r-\Delta r} + Q_r = 0 \tag{6}$$

由式(6)的计算结果可得:

$$\Delta\varepsilon_n^T = \{aT_n, aT_n, aT_n, 0, 0, 0\}^T$$

2.2.3 混凝土温度徐变应变增量 $\Delta\varepsilon^c$

文献[2]提供了可以不存储历史应力的徐变变形增量的递推算式。设从 $\tau_0$ 开始受 $\sigma(t)$ 作用,到时间 $t$ 时混凝土徐变变形为:

$$\varepsilon^c(t) = \sigma(\tau_0)c(t,\tau_0) + \int_{\tau_0}^{t} c(t,\tau)\frac{\partial \sigma(\tau)}{\partial \tau}d\tau \tag{7}$$

混凝土的徐变度可表示为:

$$c(t,\tau) = \sum_{r=1}^{R}\varphi_r(\tau)[1 - e^{-S_r(t-\tau)}] \tag{8}$$

通过推导可得到徐变应变增量表达式:

$$\Delta\varepsilon_n^c = \eta_n + q_n Q\Delta\sigma_n \tag{9}$$

式中:$\Delta\varepsilon_n^c$——徐变应变增量;

$\Delta\sigma_n$——应力增量;

$q_n$、$\eta_n$ 请参见文献[2]。

2.2.4 混凝土复杂应力状态下应力增量求解的有限元公式推导

将式(9)代入式(4)中经整理得到:

$$\Delta\sigma_n = \bar{D}_n(\Delta\varepsilon_n - \eta_n - \Delta\varepsilon_n^T - \Delta\varepsilon_n^0) \tag{10}$$

$$\bar{D}_n = D_n/(1 + q_n E_n^*)$$

为了建立求解格式,还需推导出式(10)的应变与有限单元的结点位移之间的离散关系,即构造有限单元的几何矩阵,根据平衡方程的积分弱形式:

$$\int_v B^T\Delta\sigma_n dv = \Delta P_n \tag{11}$$

将式(10)代入式(11)中,考虑到 $\Delta\sigma_n = \bar{D}_n\Delta\varepsilon_n = \bar{D}_n B\Delta\delta_n$,有:

$$\int B^T\bar{D}_n B dv\Delta\delta_n = \Delta P_n + \Delta P_n^c + \Delta P_n^o + \Delta P_n^T \tag{12}$$

$$\Delta P_n^c = \int_v B^T\bar{D}_n\eta_n dv$$

$$\Delta P_n^T = \int_v B^T\bar{D}_n\Delta\varepsilon_n^* dv$$

$$\Delta P_n^o = \int_v B^T\bar{D}_n\Delta\varepsilon_n^0 dv$$

式(12)也可记为有限元法的常规格式:

$$K\Delta\delta_n = \Delta P_n + \Delta P_n^c + \Delta P_n^T + \Delta P_n^o \tag{13}$$

解出 $\Delta\delta_n$ 后,由 $\Delta\sigma_n = \bar{D}B\Delta\delta_n$ 得到应力增量 $\Delta\sigma_n$。

**2.3 理论计算结果**

采用黏弹性平面和空间有限元法,对溢流面新浇混凝土进行了全过程仿真计算,图1是有限元网格剖分,根据实际的裂缝开展情况布置了6个垂直于溢流面的截面(自底向上截面1~截面6),计算中考虑的因素有:新浇混凝土的浇筑顺序、水化热、自生体积变形、徐变度、气温变化、水库水温等,没有考虑自重和水压力。

大坝已建成60年,坝体温度场可看做准稳定温度场,坝体温度随水库水温和气温变化,先假定一个初始温度场,计算步长取10d,算出1988年6月24日的准稳定温度场,从1988年6月25日开始浇筑坝面新混凝土,7月11日浇完,假定新浇混凝土均匀上升,自开始浇筑之日起,前60d计算步长取

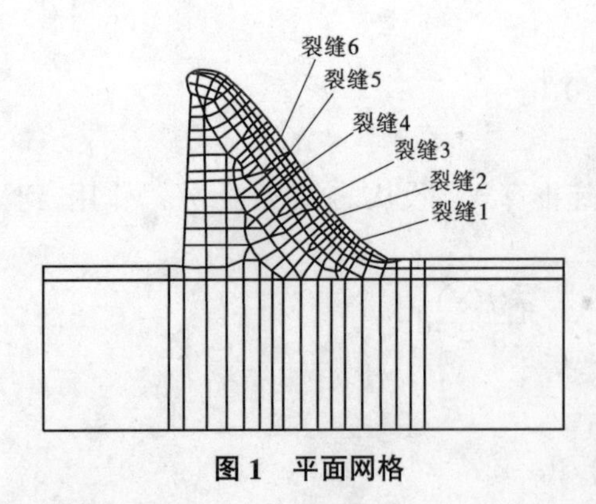


**图1　平面网格**

1d,以后仍取10d。

通过计算可绘制出各截面距溢流面不同深度的温度变化过程线、温度徐变应力变化过程线及自生体积变形应力变化过程线。表1是6个截面在第一个冬季(2月中旬,浇筑后的第230d)的最大应力(顺溢流面方向的截面法向)及其发展的深度。

从温度和温度应力变化过程线可以看出,新浇混凝土自浇筑五六天后到第一个冬季的温度一直是下降的,在原坝体老混凝土约束下,产生了愈来愈大的拉应力,因水化热产生的拉应力达到2.94～3.26MPa,气温变化产生的拉应力达到4.12～7.42MPa,总拉应力达到6.18～8.31MPa,远远超过新浇混凝土的抗裂强度(3.3MPa),由计算可以看出,自生体积变形产生的压应力约可减少拉应力10%,坝面裂缝主要是温度应力引起的。

**表1　　各截面在各种情况下产生的最大应力及其发展深度**

| 截　面 | | 1 | 2 | 3 | 4 | 5 | 6 |
|---|---|---|---|---|---|---|---|
| 总应力 | 最大值(MPa) | 8.31 | 7.54 | 7.33 | 6.92 | 6.54 | 6.18 |
| | 深度(m) | 0.94 | 1.41 | 1.41 | 1.41 | 1.41 | 1.41 |
| 水化热 | 最大值(MPa) | 3.26 | 3.26 | 3.17 | 3.12 | 3.00 | 2.94 |
| | 深度(m) | 1.88 | 2.33 | 2.33 | 2.33 | 2.33 | 2.33 |
| 气　温 | 最大值(MPa) | 7.42 | 6.21 | 6.10 | 5.62 | 5.54 | 4.12 |
| | 深度(m) | 0.00 | 0.00 | 0.00 | 0.00 | 0.00 | 0.48 |
| 自生体积变形 | 最大值(MPa) | −0.76 | −0.65 | −0.65 | −0.60 | −0.58 | −0.50 |
| | 深度(m) | 3.34 | 0.00 | 0.00 | 0.00 | 0.00 | 0.00 |

在6条裂缝处布置了6个截面,用逐层扩展法计算了裂缝开展深度,在距溢流面3.7m深度处(新老混凝土交界面),6条裂缝末端的拉应力依次为:10.4MPa、8.84MPa、10.4MPa、10.1MPa、8.26MPa、9.56MPa,说明裂缝将贯穿新浇混凝土,6条裂缝在溢流面的开展宽度依次为3.14mm、2.81mm、2.57mm、2.42mm、1.51mm、2.21mm,溢流面布设的钢筋对裂缝开展起的作用不大。

理论计算的裂缝开展深度、宽度基本符合表面波无损检测和表面调查结果。

## 3　裂缝成因分析

从裂缝调查、检测和理论计算中可看出,裂缝种类各异,产生裂缝的原因很多,经分析主要有以下几方面原因:

(1)丰满坝溢流面新浇混凝土的裂缝产生原因主要是由于水泥水化热和气温变化引起的温度应力的作用,新浇混凝土是浇筑在厚大的老混凝土上,浇筑时正值夏季高温季节,入仓温度较高,新混凝土经过养护放热,随时间的推移逐渐冷却开始收缩,但收缩的新混凝土层受厚大的老混凝土约束,在新混凝土层中产生拉应力,此外,丰满地区自然温差较大,温差变化引起温度应力作用,对新浇混凝土产生很大拉应力,造成新浇混凝土的贯穿性裂缝。

(2)原坝体水平施工缝及温度裂缝较发育,特别原坝体的中孔导流洞封堵施工质量不良,在库水位作用下,裂缝渗透严重,个别裂缝像喷泉涌水,新混凝土浇筑时没有很好地采取导、排、堵等措施,混凝土浇筑过裂缝漏水高程时,新、老混凝土之间将产生一层水膜,对新浇混凝土产生相应的水压力,水化热、温度产生的应力和水压力联合作用是产生贯穿性裂缝和平面接合缝的另一主要原因。

(3)新浇混凝土采用滑模、拉模和倒模的施工方法,浇筑仓面为78%的斜面和弧面,流态混凝土有一定下滑重力,施工中,由于丰满江桥未扩宽,经常塞车,使得混凝土浇筑强度不连续,滑模、拉模时间难以控制,造成一定的施工缝。

从调查、检测和计算结果看,裂缝在深度方向大部分已贯穿,并在不同部位存在平面接合缝。说明纵、横交错裂缝是相通和连续的。随着时间的增加,在渗水压力及冻融作用下,裂缝将会进一步扩展,导致坝面老化破坏。建议选择重点坝段的典型裂缝,建立观测点,定期检测坝面及裂缝在水压力和自然气候等条件作用下的变化情况。

从理论计算结果看,裂缝产生原因主要是由于水泥水化热和气温变化引起的温度应力作用。建议对重点坝段的典型裂缝实行帷幕灌浆处理。必要时,可在深秋季节,采取冰被保温等措施,防止混凝土老化破坏。

## 参 考 文 献

[1] 朱伯芳.有限单元法原理与应用.北京:水利电力出版社,1979
[2] 朱伯芳.混凝土结构徐变应力分析的隐式解法.水利学报,1983(5)

# 丰满大坝溢流坝段闸墩加固技术

李　才[1]　朴灿日[2]

(1.丰满发电厂,吉林市　132108; 2.水利部东北勘测设计研究院,长春　130021)

**摘　要**:丰满大坝溢流坝段闸墩混凝土大部分是在1944~1949年间浇筑的,其施工质量很差。经现场调查发现,平板工作闸门门槽内出现了垂直裂缝,裂缝上宽下窄,闸墩顶部最大缝宽约10mm,逐渐向下尖灭,又经过钻探取芯和混凝土无损检查,进一步证实了闸墩混凝土质量低劣。对裂缝成因分析可知,混凝土质量差、温度应力大、混凝土干缩应力大、冰的劈裂作用等是产生裂缝的主要原因。目前对大坝采取的主要加固措施有:①用水平对穿锚索缝内灌浆解决裂缝;②溢流孔口侧面混凝土补强。

## 1　概　述

丰满大坝溢流坝闸墩混凝土大部分是1944~1949年间浇筑的,是施工质量最差的年代。分析大坝施工记录,闸墩从1944年开始浇筑,1945年8月浇筑到约261.00m高程,混凝土91d平均抗压强度6.95MPa,远低于钢筋混凝土结构对混凝土强度的最低要求。

1946~1949年浇筑面接近闸墩顶部,施工基本处于无人管理状态,混凝土质量差,与1944~1945年相比,有过之而无不及。这可从浇筑层面间错位较大、模板走形严重、坝顶电缆廊道侧面水平施工缝浮浆层冻胀开裂宽达7~8cm间接地得到反映。

1951~1953年按前苏联366号设计,对溢流坝闸门系统进行改造,并完成了坝顶路面混凝土施工,可以认为这部分混凝土质量较好。

1988~1997年大坝加固时,对溢流坝闸墩上、下游表面外包钢筋混凝土分别加厚了1.0m和1.5m,闸墩顶部也随大坝加高了1.2m,并在闸墩中部沿上下游方向布置2根预应力锚索,上锚头布置在闸墩顶部,下锚头锚固在混凝土质量较好的坝体之中。

## 2　闸墩存在的问题及加固的必要性

### 2.1　闸墩裂缝分析

经现场调查发现,每个闸墩均出现裂缝,裂缝基本位于平板工作闸门门槽内,在闸门锁定梁的下游侧,从整体上看,大致属垂直缝,但对每条缝来说并不垂直,沿高度方向分布极不规则,弯弯曲曲,顺上下游方向摆动较大。裂缝上宽下窄,闸墩顶部最大约10mm,逐渐向下尖灭。裂缝长度不等,有的在中部就已尖灭,大部分裂至252.50m高程左右。裂缝情况见图1。

#### 2.1.1　成因分析

对闸墩裂缝成因具体分析如下。

混凝土质量低下。丰满溢流坝闸墩混凝土261.00m高程以下90d龄期机口取样轴心抗压强度只有6.95MPa,261.00m高程至坝顶混凝土级配存在严重缺陷,施工时管理混乱,可以认为闸墩混凝土强度低,质量不均匀,很容易产生裂缝。

温度应力较大。1945年前后几年浇筑的混凝土就连最低要求的质量都未能保证,不可能采取降

本文原载《水利水电技术》2000年第10期。

温措施控制入仓温度。通过对气温资料的分析计算,混凝土内外温差可达30℃,日温差幅约12℃,闸墩混凝土温度变化较大。寒潮及日温差变化很快,也很频繁,类似于疲劳荷载。经过分析计算后得出,寒潮及日温差产生的应力分别为2.2MPa和1.33MPa,两者的内外温差应力合成高达3.5MPa。一般情况下,实测应力约为计算应力的2/3,按此计算的温度应力可达2.37MPa,足以使混凝土开裂。

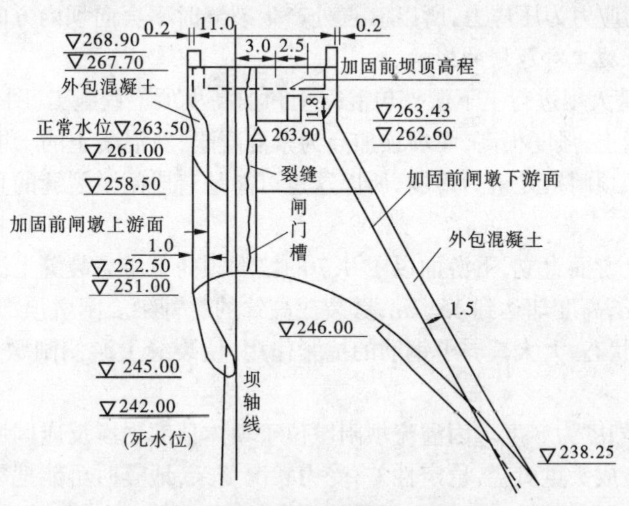


图1 闸墩裂缝示意图(单位:m)

混凝土干缩应力大。丰满大坝坝址处风速较大,施工时没有保湿养护,产生表面干缩裂缝。干缩应力虽然仅作用在深5cm左右的表面上,但高达7.0MPa左右,远大于混凝土的抗裂强度,并与内外温差联合作用,很容易扩展深层裂缝。闸墩顶部受阳光照射和风干程度也比侧面严重。因此,干缩应力要比侧面大。

冰的劈裂作用。在内外温差和干缩应力的联合作用下,首先从闸墩顶部产生裂缝。开始产生的裂缝无保护,缝内渗进雨水和雪水,冬季受冻结冰,体积增大9%,就像打入冰楔体,产生膨胀压力,年复一年,犹如一把利斧逐年向下劈裂,使缝越来越宽,越裂越深,乃至威胁溢流坝的安全运行。此外,经过钻探取芯和混凝土无损检测调查,进一步证实了闸墩混凝土质量低劣。

2.1.2 空间有限元法分析

1999年2月大连理工大学与丰满发电厂联合,采用空间有限元法对闸墩裂缝进行了分析研究,内容包括:①闸墩裂缝成因分析;②裂缝对坝体安全性的影响;③加固方案和参数选取分析;④加固后效果分析。

对无裂缝坝体进行了网格剖分,见图2。分别计算了两种工况:一种是在温差载荷作用下;一种

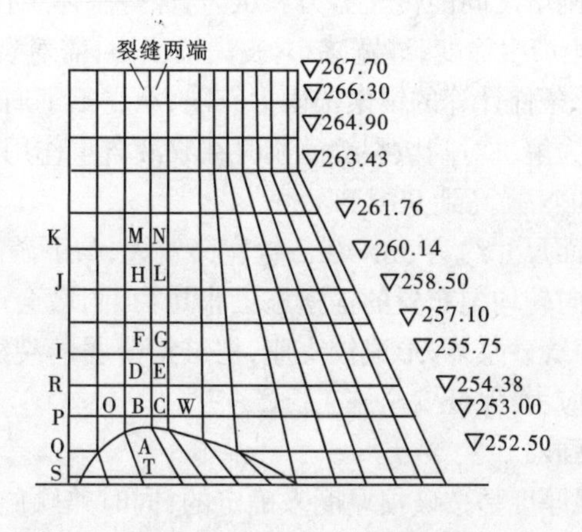


图2 坝体网格剖分示意图(单位:m)

是在库前水压和自重作用下。对裂缝成因得到如下分析结论：

(1)门槽处底部A、B、C、D各点1月时有大的温度应力$\sigma_x$,其中$B$点处的$\sigma_x$值为1.926MPa,而水压和自重产生的应力很小,所以裂缝是由冬季的温度应力产生的。

(2)B、D、F等点处的$\sigma_z$值大于$\sigma_y$值,所以裂缝是竖直方向的。

(3)1月份T点处的应力为压应力,所以B点处产生裂缝时不会向坝内方向扩展。

#### 2.1.3 大坝外包混凝土施工对原坝的影响

1988～1997年,丰满大坝进行上下游外包混凝土和加高坝顶工程施工(图1)。其中,上下游外包混凝土为C 30钢筋混凝土,强度很高,而坝顶加高为素混凝土,新混凝土的干缩应力和温度应力都比坝体老混凝土为大,而坝顶门槽处最为薄弱,所以这也可能是造成闸墩裂缝的直接原因之一。

### 2.2 加固的必要性

闸墩顶宽11.4m,上游面直立,下游面以1:0.7的坡度倾向下游。裂缝上游侧闸墩顺水流方向宽度约为3.0m,厚度3.0m,高度却达到15.2m,劈裂成高耸的悬臂梁。闸墩顶部裂缝宽度达10mm,门槽受力筋早已进入屈服状态,大大减弱了钢筋的抗紧作用,使裂缝上游侧闸墩几乎成为独立结构,恶化了受力状况。

丰满大坝地震设防烈度为8度。因溢流坝闸墩位于坝体顶部强震反应区域,动力系数大,闸墩顶部又支撑着宽厚胸墙,造成头重脚轻,稳定性差,受力状况复杂,地震时可能把裂缝的上游闸墩甩进库内。即使是非地震情况,平常泄洪时闸门往往局部开启,泄漏水会引起闸门振动,又涌入缝内,产生脉动压力,也可能把闸墩向上游推倒。

坝顶加高后,校核洪水位抬高了1.2m,堰顶以上部分总水压力增加了18%,闸墩顶部以上部分总水压力增加了32%,现有的仅$R$ 100左右低强度混凝土闸墩能否承担极限荷裁,确实令人担忧。

## 3 目前采取的主要加固措施

### 3.1 用水平对穿锚索缝内灌浆解决裂缝

裂缝把闸墩劈成上、下游2块,上游闸墩顶宽3.0m,下游闸墩顶宽约8.4m,并以1:0.7的坡度向下游扩大断面,故采用预应力锚索把裂缝上游结构单薄的闸墩紧固在墩实的下游闸墩上。锚固力按烈度为8度地震条件下裂缝顶部上、下游闸墩相对水平位移为零条件来控制。

计算需要的总锚固力为2 727kN。考虑到闸墩顶部混凝土质量本来就很差,又在严寒地区运行了50多年,受冻融冻胀破坏极为严重,不宜承受大吨位预应力锚索。因此,在电缆廊道顶部266.30m高程处设一根较小吨位的294kN级辅助锚索,同时在电缆廊道以下至溢流堰顶的263.00～254.00m高程之间均匀布设4根608kN级较大吨位的主锚索。

经分析,为使裂缝上下游闸墩之间能传递剪力和压力,保持整体工作状态,避免因裂缝较宽(顶部宽达10mm)造成预锚后混凝土产生徐变,缝宽减小,丧失锚固力,需对裂缝进行密实性水泥灌浆。因为上游闸墩结构单薄和按变形条件计算的锚索锚固力有限,承受不了通常的灌浆压力,也不可能为灌浆而大幅度地提高锚固力,仅为解决对闸墩裂缝灌浆时在浆液自重作用下上游闸墩不产生拉应力,每根主锚索锚固力由计算值608kN提高到981kN。

上游闸墩高度约15m,断面尺寸约为3m×3m,缝宽又较大,与下游闸墩已经脱开,若不采取辅助性措施,承受不了沿其高度方向较均匀布置的锚索施工张拉力,闸墩会产生较大的拉应力导致断裂,故在适当高程需要布置水平骑缝砂浆棒,形成铰支座,把结构薄弱的裂缝上游闸墩变成多跨连续梁,支撑在下游闸墩上,以消除拉应力,保证安全施工。

### 3.2 溢流孔口侧面混凝土补强

溢流孔口侧面混凝土补强厚度是按破损厚度来确定的,同时兼顾施工方便及以后加固闸墩时补强的混凝土仍能继续使用等条件。

混凝土内部水结冰温度约为-2.0℃,丰满初冬初春冻融季节日温差变幅约15℃,平常日温差变幅约12℃。按此计算,表面约0.4m厚的混凝土会频繁遭受冻融和热胀冷缩影响,加速老化破坏。考虑施工条件,在直立的老混凝土开挖面外贴0.4m厚钢筋混凝土,从立模、混凝土入仓到捣实等各方面操作性较强,丰满电厂在几十年运行中做了大量的混凝土补强施工,积累了丰富经验,可以做到这一点。

现闸墩门槽可能在施工期就存在少量裂缝,在未采取任何措施的条件下也安全运行了50多年,经大坝加固和本次闸墩裂缝加固,用高强度等级的钢筋混凝土包住整个闸墩外表面,又用水平和竖向预应力锚索纵横紧固整个闸墩,今后若需要继续加固闸墩,只采取轻型辅助措施就可以了。

综上考虑,孔口侧面混凝土补强,首先开挖0.4m厚老混凝土,插锚筋伸入老混凝土内部1.0m,梅花形布置,间距1.0m,锚筋用螺纹钢,直径20mm,并布设立面锚筋网,纵横间距25mm,保护层10cm,采用$\phi$16mm螺纹钢筋,并与上、下游面外包混凝土时的钢筋网充分搭接,在原来的侧面位置架立模板,内部浇筑C30F300混凝土,使闸墩形成一个完整的较高强度的壳体,达到增加闸墩强度的目的。

# 故县水库大坝溢流面反弧段裂缝分析及处理

张平安　支维定　崔晓波　胜洪勋

（黄委会故县水利枢纽管理局，河南洛宁县　471715）

**摘　要：** 故县大坝在11～16号坝段溢流面反弧段底部附近产生了总长70多米的纵向非连续贯穿性裂缝，对溢流坝挑流鼻坎的稳定运行构成威胁。通过超声波探测法探测了裂缝的深度及走向，初步探讨了裂缝成因，用有限元法对鼻坎各种工况下的应力进行了分析，表明在泄洪状态下，鼻坎裂缝将继续发展，因此必须加固处理。采用广州化学研究所研制的液态EAA环氧材料对裂缝进行了灌浆处理，并辅以穿缝钢筋锚固，从而初步保证了溢流面的泄洪安全。

## 1　概　述

故县水库大坝位于黄河中下游最大支流——洛河的中上游，是黄河、洛河的重要防洪工程。坝型为混凝土实体重力坝，最大坝高125m，其中溢流坝段位于11～16号坝段，为宽顶堰挑流鼻坎式。大坝主体工程于1994年1月全面竣工。1996年3月在大坝安全检查中，发现11～16号坝段溢流面反弧段底部附近有总长70多米的纵向（平行于坝轴线）非连续裂缝，平均缝宽不小于0.4mm。鉴于该部位比较重要，必须查明裂缝的性质及成因，进行稳定计算，提出必要的加固处理措施，以保证溢流坝段挑流鼻坎泄洪时的安全。

## 2　裂缝成因

故县大坝溢流面坝段反弧段表面1m混凝土为C35，第二层厚度为2m，标号为C20，均为二期混凝土。下部的大体积混凝土标号为C15，据施工记载，表层混凝土比下部大体积混凝土晚浇1年多，而且浇筑时正是冬季寒冷季节，保温措施不好，这就很容易发生早期表面裂缝。浇筑后又经历了两个冬季和两次较大降温天气的袭击，在下部大体积混凝土的强烈约束下，反弧段底部表面处于应力集中尖端区的裂缝进一步发展，再加之裂缝内积水结冰的反复冻胀作用，这些裂缝就扩展为较宽的贯穿性裂缝。

## 3　裂缝深度测试

采用超声波无损检测跨孔测试法进行裂缝深度测试，在溢流坝段反弧段布置了3对测试孔及1个检测孔。3对测试孔分别布置在11号坝段、12号坝段和14号坝段。具体布置见图1。

检测结果表明：11号、12号、14号溢流坝段上所取的3对孔处的裂缝深度分别为2.4m、3.0m和2.6m。

## 4　强度复核计算

强度复核的内容主要包括：对现有结构出现裂缝后承受最不利荷载条件下的应力分析，对裂缝结构进行修补后承受最不利荷载条件下的应力分析，并确定修补后的效果。

---

本文原载《大坝与安全》2000年第1期。

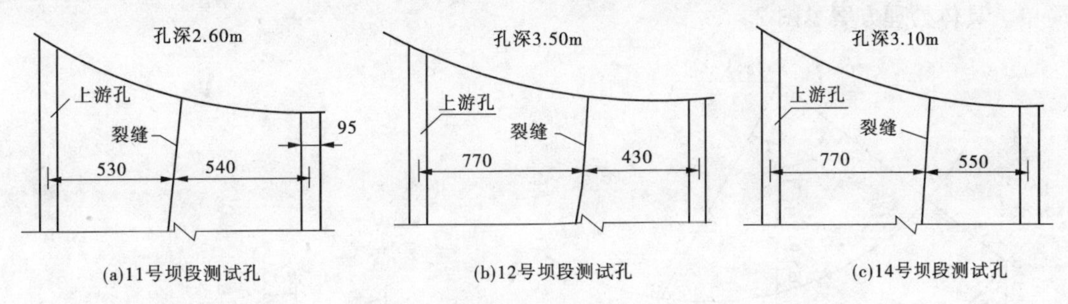


**图1 测试孔布置示意图**(单位:mm)

本次计算共分析了6种工况,具体结果如下。

### 4.1 工况一

为10 000年一遇校核工况,计算结果,裂缝尖端最大拉应力达2.10MPa。用基于最小二乘法的线性回归求得的裂缝强度因子为5.028MN/m$^{3/2}$,这个值大于裂缝失稳扩展的韧度2.530MN/m$^{3/2}$,因此认为在这种工况下,裂缝将继续发展。鼻坎的稳定不能保证。

### 4.2 工况二

为1 000年一遇工况,计算结果,裂缝尖端最大拉应力为1.73MPa;裂缝强度因子为4.14 MN/m$^{3/2}$,大于失稳扩展的韧度2.53MN/m$^{3/2}$。因此,认为这种工况下裂缝将继续发展,鼻坎的稳定不能保证。

### 4.3 工况三

为10 000年一遇校核工况,裂缝已处理(缝内无水压),但裂缝填充物与裂缝面混凝土未能很好结合。计算结果,裂缝尖端最大拉应力为0.91MPa,裂缝强度因子为1.899MN/m$^{3/2}$,这个值小于裂缝尖端失稳扩展的韧度,但大于裂缝开始扩展的韧度0.461MN/m$^{3/2}$,因缝内无水压,可认为此种工况下,裂缝发展将趋于稳定,鼻坎可保持稳定。

### 4.4 工况四

为1 000年一遇工况,裂缝已处理(缝内无水压),但裂缝充填物与裂缝面混凝土未能很好结合。计算结果,裂缝尖端最大拉应力达0.75MPa,裂缝强度因子为1.583MN/m$^{3/2}$,小于裂缝失稳扩展的韧度2.530MN/m$^{3/2}$,大于裂缝开始扩展的韧度0.461MN/m$^{3/2}$,但因裂缝内无水压,认为此种工况鼻坎可保持稳定。

### 4.5 工况五

为10 000年一遇校核工况,裂缝已处理且浆液充填较好的情况。计算结果,原裂缝尖端无拉应力产生,因此鼻坎的稳定是有保证的。

### 4.6 工况六

为1 000年一遇工况,裂缝已处理,且浆液充填饱满的情况,计算结果,原裂缝尖端无拉应力产生,因此鼻坎的稳定是有保证的。

经过对11~16号坝段反弧段进行强度复核可得:裂缝未处理时,在10 000年一遇校核洪水和1 000年一遇洪水工况下,裂缝将发展,鼻坎的稳定没有保证;裂缝处理后,若浆液与原裂缝混凝土面不能很好结合,鼻坎基本稳定;若处理后,浆液与原裂缝混凝土面有较好的结合,则鼻坎能够保持稳定。

## 5 裂缝加固处理

分析计算表明,裂缝必须加固处理。经方案比较,选用经济适用、施工较简单的化学灌浆与钢筋锚固相结合的方案。经比较化学浆材选用广化所研制的液态EAA环氧树脂浆材,其性能如下:抗压强度60.5MPa,黏结强度6.2MPa,均大于溢流坝段混凝土的各种强度等级,该浆材可常温施工,施工工艺简单。具体处理方案见图 2。

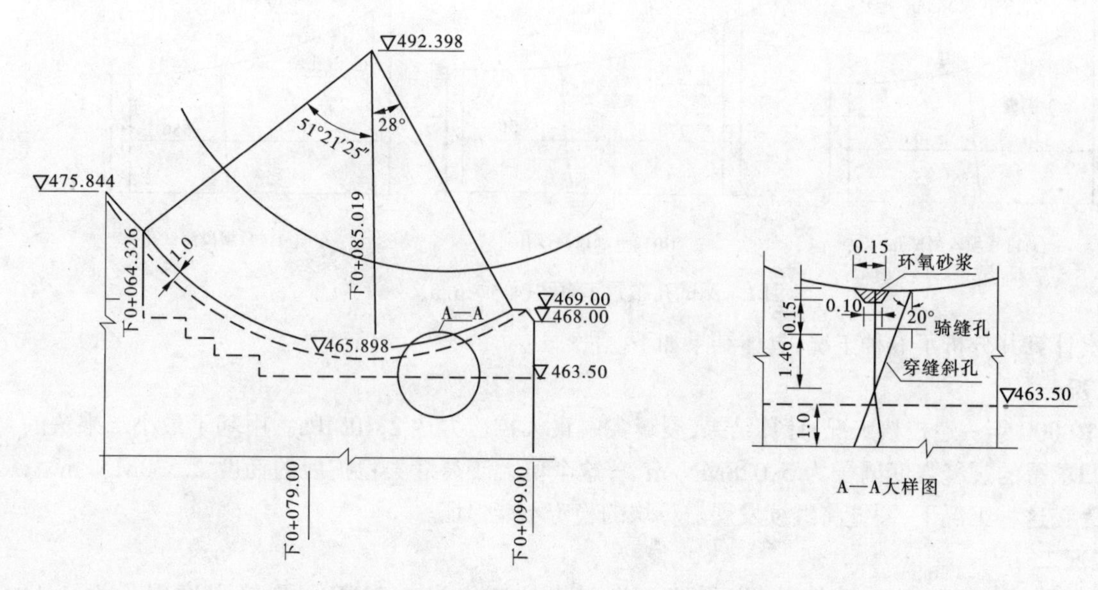


**图 2 溢流坝反弧段裂缝处理方案示意图**(单位:m)

### 5.1 施工工艺流程

凿槽→造孔→冲洗→嵌缝→埋管→试压→灌浆→封孔→检查→磨平修整。

### 5.2 施工要求

(1)凿槽。沿缝两侧凿出深 150mm、开口宽 150mm 的梯形断面槽,并将粉尘及松动块冲洗干净。

(2)造孔。成槽后沿缝面打骑缝孔,孔距 1.0m,孔深 45cm,同时可进行穿缝斜孔施工。穿缝斜孔孔距 1.5m,孔径 75mm。孔深必须满足穿过裂缝并锚入基层混凝土中不小于 1.0m。

(3)清洗。采用风水联合冲洗,风水压 0.15MPa。

(4)嵌缝、埋管。用环氧基液涂刷一遍梯形断面槽后,用环氧砂浆填槽,要求分层回填压实。同时埋设灌浆管。

(5)试压。待环氧砂浆达到一定强度,即可进行压水压风试验,以便对进浆量做到心中有数。压水试验可以从任一孔开始,逐一检查灌浆孔贯通情况,最后用经过油水分离的高压风将缝面吹干;吹风时间不少于 30min。风压 0.15MPa。

(6)灌浆。灌浆顺序从每个坝段的两侧开始,先灌穿缝斜孔,后灌骑缝孔,灌浆压力 0.15MPa。当相邻的孔出浆时,可关闭出浆孔,原灌浆孔继续灌注,当灌浆时间延续较长时,可关闭原孔,使用另外一孔继续灌注,基本不吃浆后,保持原灌浆压力延续 30min 后结束。

穿缝斜孔插入穿缝钢筋后实施灌浆,穿缝锚筋用 3 根直径 28mm 螺纹钢点焊组成。

### 5.3 施工结果

按照设计要求,选择 1998 年 1 月气温较低情况下开始施工。

施工中管理方进行了严格质量监理。重点抓了环氧砂浆嵌缝及浆液灌注两道工序。因为这是保证裂缝灌浆饱满与否的关键。

为保证梯形槽嵌缝质量,专门选用了中国水电第十一工程局科研所研制的高强 NE 环氧砂浆与环氧基液,NE 环氧砂浆性能如下:

抗压强度最低为 98MPa,大于技术要求的 85MPa,其黏结强度为 4.76MPa,大于技术要求 4.5MPa。同时具有配置工艺简单、施工方便的特点。

溢流坝段裂缝化学灌浆严格按工艺流程进行了施工,历时 90 多天(1998 年 1 月 1 日至 1998 年 4

月15日),共灌入EAA浆材660.87L,平均缝长耗浆3.41L/m,大于预计的裂缝吃浆量,说明裂缝基本充填饱满,灌浆效果较好。灌后在鼻坎下游面(该处距裂缝水平距离约14m)混凝土上下层接合缝面上看到有浆液渗出,说明EAA浆材有优异的渗透性能。

施工过程中发现有几个问题值得引起注意:

(1)由于裂缝走向并非完全是铅直的,因此有些骑缝孔不能完全骑在缝上,造成某些孔不吃浆现象。

(2)灌浆压力问题。在浆液黏度和裂缝宽度一定的条件下,灌浆压力决定灌浆浆液扩散范围。有不少邻孔没有出现串浆现象而按设计要求结束灌浆,浆液的扩散范围就很难判断。

(3)穿缝斜孔本身所占比重相当大,造成浆材的浪费。

## 6 结 语

故县大坝反弧段裂缝发现后,及时进行了探测分析、稳定计算和加固处理,处理工艺是严格的,采用的封槽及化学灌浆EAA浆材性能优越、施工方便。裂缝基本充填饱满,达到了预期效果。

# 预应力锚固技术在混凝土坝裂缝处理中的应用

汪　强

（黄委会勘测规划设计研究院，郑州　450003）

**摘　要**：故县大坝施工中当17号坝段甲块混凝土浇筑至525m高程时，在其上游面发现1条水平裂缝。对其采用了预应力锚固技术处理。经过施工和运行检验表明，采用该技术处理混凝土大坝裂缝，可减少投资、缩短工期，安全可靠。

故县水库位于黄河支流洛河中游峡谷区，地处河南省洛宁县境内，距下游洛阳市165km，是以防洪为主，兼有灌溉、发电、供水等综合利用的大型水利工程，被列为国家“七五”期间重点建设项目。拦河混凝土重力坝坝顶高程553m，最大坝高125m，坝顶长315m。总库容11.76亿$m^3$，为坝后式厂房，装机60MW。

大坝施工过程中，当17号坝段甲块混凝土浇筑至525m高程时，在其上游面517m高程发现1条水平裂缝。从坝块上、下游侧和左侧面外观检查，裂缝延长约40m，裂缝张开度上游面最大为1mm。经压水试验和声波测试检查，裂缝自上游向下游混凝土内部贯通至少15.5m。裂缝产生的主要原因是由于混凝土浇筑水平施工缝面处理不妥。根据结构分析，裂缝将对大坝安全运行构成威胁。经开挖处理方案和化学灌浆与预应力锚固结合的处理方案比较，并经有关单位批准，决定采用化学灌浆与预应力锚固的综合处理方案。

预锚施工自1990年6月开始造孔，至1990年10月预应力锚索张拉锁定和灌浆封闭结束，历时4个月完成了施工任务。故县水库工程于1991年2月下闸蓄水，1993年竣工，至今，大坝运行安全可靠。

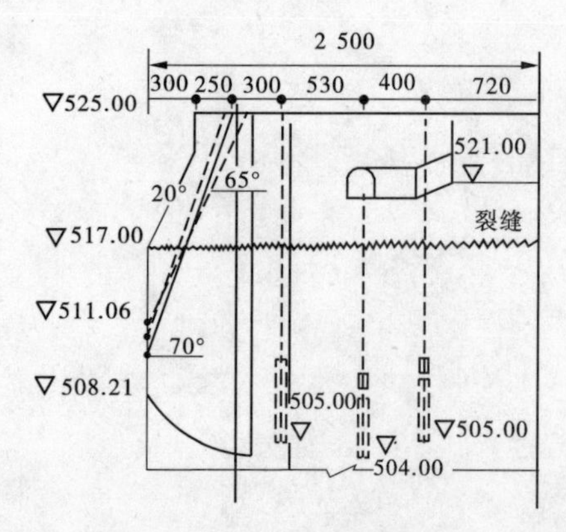


**图1　锚束布置示意图**（单位：cm）

## 1　预应力锚束的布置与设计

预应力锚束采用对穿型和内锚胶结型两种型式布置（见图1）。上游侧5束，采用对穿型锚束；下游侧3排，每排2束，共计6束，采用内锚胶结型锚束。方案设计阶段，曾对镦头锚固体系（BBRV体系）和XM锚固体系进行了比较，考虑到镦头锚钢丝等长下料精度要求较高，镦头工艺严格，施工相对困难，且需购置比较大的张拉设备，经比较选用XM锚固体系；锚束设计参考了龙羊峡水电站和铜街子水电站的经验。

为避免应力集中，对穿锚束的倾角和胶结锚束的内锚根底部高程均错开布置。锚束平面上最近距离为3m。对穿锚束布置倾角为65°～70°，设计孔长为16～17m，孔径130mm。每束由9根7$\phi$5钢绞线组成，单束锚固力1 305kN。胶结锚束设计孔长16～20m，自由段孔径120mm，锚固段孔径150mm，每束由7根7$\phi$5钢绞线组成，单束锚固力1 015kN。

---

本文原载《水力发电》1995年第2期。

为确保穿束顺利和减小孔道摩阻损失,要求孔壁应光滑、孔轴线顺直,全孔孔斜偏差不大于1°。

胶结锚束内锚固段(锚根)设计长度6m,其中扩孔段4m,要求扩孔段孔径比自由段孔径大20~30mm。锚固段注浆采用无压注浆法,浆液水灰比为0.4:1,胶结材料选525号硅酸盐水泥,要求张拉时锚根水泥结石28d龄期强度不小于48MPa。

锚束体选用7$\phi$5钢绞线;要求其极限强度 $\sigma_p=1\ 570$MPa,延伸率 $\varepsilon_p=4\%$,使用强度按照0.58$\sigma_p$、张拉控制强度按0.64$\sigma_p$ 采用。锚束编束采用同心圆排列方式,锚束体由隔离架(或扩散架)、灌浆系统、45号钢垫板和锚具等组成,胶结锚束锚固段编束采用扩散段形式。对穿锚束和胶结锚束的锚具分别采用XM15-9和XM15-7型夹片式锚具。锚束临时防锈采用涂防锈漆或灌石灰水的办法,永久防护采用封闭灌浆的施工措施。

为监测预应力锚固施工的效果和长期运行观测;对穿锚束和胶结锚束各布置一个测力计,并在上游侧裂缝位置及其附近布设了若干测缝计和应变计。

## 2 预应力锚固施工

造孔设计要求采用合金钻头或金刚石钻头钻进,由于多种原因,施工单位采用300型钻机铁砂钻头钻进。根据钻孔成孔检测结果,除个别锚孔外,对穿锚孔的孔斜和方位偏差和胶结锚孔的锚固段扩孔量很难达到设计要求。钻孔结束后,为确保锚束吊装顺利,对穿锚孔采用了下钢管进行畅通检查。

对穿锚孔下部在坝体混凝土内开挖70cm×120cm×85cm承压墩洞5个,采用浅孔小炮分层爆破施工。承压墩混凝土标号均为$R$400,墩表面埋设厚45mm、平面尺寸500mm×500mm的钢垫板。混凝土中掺入硅粉和减水剂,并注意早期养护,承压墩混凝土质量良好,试件7d平均强度达到40MPa。

锚束钢绞线采用天津预应力钢丝二厂的7$\phi$5钢绞线,材料到货后,从每盘钢绞线首尾分别截取450mm,验证材料的力学指标是否满足设计要求。钢绞线采用砂轮切割下料,为避免切口处散头,切口处采用铅丝绑扎。编束前先用钢丝刷除锈,进行外观质量检查,然后涂两遍环氧防锈漆(胶结锚束锚固段除外)。钢绞线采用同心圆编束,隔离架间距1.5m。

锚束吊装采用塔吊配合人工下锚,下锚前用高压水、风将锚孔冲洗干净。锚束吊装就位后要求钢绞线在锚束中平直,无扭转,由于锚束长度在15.3~21.5m之间,锚束就位后的顺直检查和调整比较方便。胶结锚束内锚固段采用先下锚后注浆的施工方法,浆液水灰比为0.4:1,并掺入硅粉和减水剂,注浆后提动锚束2次。设计胶结锚束锚固段长6m,经过检查,水泥结石深度为6~8m,注浆3d后,孔中注入pH≥12的石灰水,作为临时防护措施,外锚头采用铁皮罩防护。

设计原要求在锚根水泥结石28d龄期抗压强度达到48MPa,试验表明,锚根注浆11d结石试件平均强度达到42MPa,为缩短施工期即按20d龄期控制。

张拉设备采用YC20 D型千斤顶配ZB4-50型高压油泵及压力表。YC20 D型千斤顶自重19kg,单根张拉,操作比较方便。张拉前对所有张拉设备进行率定,并对张拉施工人员进行了技术培训。正式张拉前对锚束进行预张拉,使钢绞线平直,锚具各部位接触紧密,而且也可减少正式张拉过程中的预应力损失,张拉力为40kN,张拉后稳定1min即锁定。

正式张拉程序为:0→40kN(稳压1min)→100kN(稳压5min),一束锚索循环一圈后开始第2级加荷至145kN,稳定10min即锁定。原设计要求进行补偿张拉,由于实施困难未再进行补偿张拉。

封孔灌浆于张拉结束后进行,材料采用525号硅酸盐水泥,灌浆压力为0.4~0.6MPa,对穿锚束下锚头回填用200号混凝土,基本恢复上游坝面形状。

## 3 结 语

故县水库大坝17号坝段甲块预应力锚固施工,工期非常紧迫,质量要求严格。各方技术人员密切配合,施工单位顺利完成了任务,取得了较好的技术经济效益。根据锚束测力计等观测资料分析和检查孔对比声波测试,预应力损失在设计估算之内,检查孔声波值大幅度提高,说明预应力锚固施工比较成功,化学灌浆的效果是好的。17号坝段甲块上游水平裂缝处理达到了预期的目的,通过了由建设、施工、管理和设计4方单位组织的验收,恢复了大坝正常施工,确保了故县水库1991年2月下闸蓄水。

经估算分析,17号坝段上游水平裂缝处理如果采用爆破开挖方案,由于17号坝段布置有泄洪中孔检修闸门井和工作门启闭机室,需开挖裂缝面以上钢筋混凝土约3 000m³,需投资70万~80万元。而采用预应力锚固与化学灌浆综合处理方案,较开挖方案节约投资80%左右,经济效益非常明显。

# 大峡水电站溢洪道边墩裂缝处理

黄　波

(水电三局大峡工程指挥部,甘肃白银　730912)

**摘　要**:通过对处于寒冷地区的大峡水电站溢洪道闸墩裂缝产生原因分析及处理,提出了同类条件下防裂和裂缝处理的措施,根据观测及大坝溢洪道弧门运行表明,对裂缝的处理措施是可行的。

## 1　问题的提出

大峡水电站溢洪道布置于左岸岸边,设三孔四墩:左、中、右孔及两个中墩和左、右边墩,中墩厚4.0m,边墩厚3.5m,边墩示意图见图1。

溢洪道设潜孔式弧形工作门挡水,尺寸为11m×15m,弧门单铰最大推力为13 105kN。为保证闸墩稳定,更好地承受弧门上的推力,采用了预应力闸墩的方案。

1996年5月和6月分别进行了溢洪道两边墩高程1 462.0～1 466.622m层的混凝土浇筑,拆模后发现两边墩均出现了截水流向的5条裂缝,且较为规则,其中贯穿性裂缝各4条,裂缝开度左边墩较右边墩为大,闸墩左侧裂缝较右侧大,而且裂缝开度由下游向上游渐增,最上游的裂缝开度最大,裂缝部位和性状分别见图2和表1。

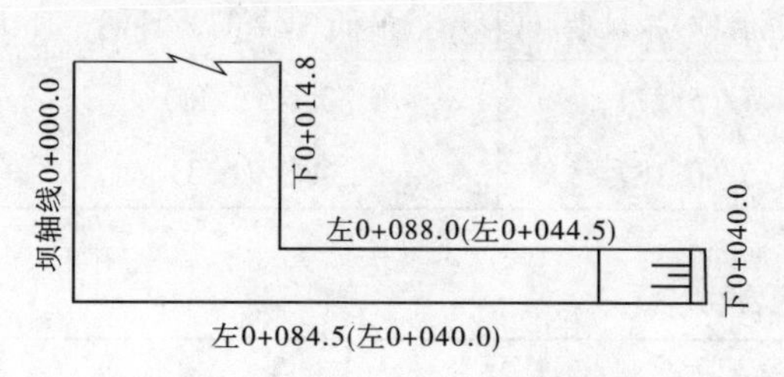


图1　边墩▽1 465.0m平面图

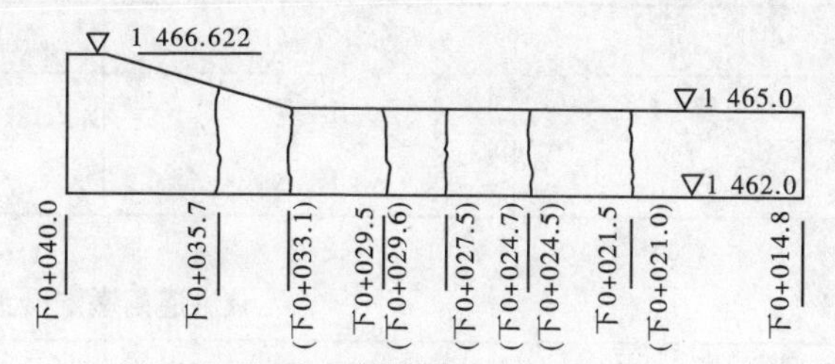


图2　溢洪道左边墩左0+088.0(右边墩左0+043.5)裂缝位置示意图

## 2　裂缝原因分析

### 2.1　温差影响

大峡电站地处黄河上游的西北寒冷地区,虽然5、6月份是混凝土浇筑的黄金时段,但昼夜温差、月温差变幅较大(气温资料见表2),昼夜温差、月温差的急剧变化必然在混凝土表面附加一个较大的拉应力。

### 2.2　闸墩混凝土基础约束和体型

溢洪道闸墩下部混凝土间歇期达30个月,故对其上部新浇混凝土有约束作用。闸墩体形狭长,长宽比达7.2,比例失调。

### 2.3　预应力闸墩混凝土配合比

因闸墩体形狭窄,内置预应力系统锚束管及其排架,且处于预加应力区,钢筋密布,要求混凝土抗

本文原载《陕西水力发电》1999年第1期。

压强度高，并且混凝土下料、振捣条件差，因此闸墩混凝土不仅标号高且多为二级配料，所以其水泥用量很大，闸墩混凝土配合比见表3。

**表1　溢洪道左、右边墩裂缝检查情况**

| 序号 | 裂缝部位 | 位　置 | 裂缝性状 | | | 备　注 |
|---|---|---|---|---|---|---|
| | | | 表面长度(m) | 深度(m) | 张开度(mm) | |
| 1 | 溢洪道左边墩 | 下0+021～22.3 | 4.2 | 3.5 | 0.5～1.0 | |
| 2 | | 下0+024.7 | 3.0 | 3.5 | <0.5 | |
| 3 | | 下0+029.5 | 2.0 | <3.5 | | 左侧立面张开度为0.5～1.0 mm,右侧未见裂缝 |
| 4 | | 下0+033.0 | 1.6 | 3.5 | ≤0.2 | |
| 5 | | 下0+035.7 | 1.8 | 3.5 | ≤0.2 | |
| 6 | 溢洪道右边墩 | 下0+021.0 | 4.0 | 2.5 | ≤0.2 | |
| 7 | | 下0+024.6 | 2.8 | 3.5 | ≤0.2 | |
| 8 | | 下0+027.5 | 1.6 | <3.5 | 0.1～0.2 | 右侧立面未见裂缝 |
| 9 | | 下0+029.6 | 2.2 | 3.5 | ≤0.1 | |
| 10 | | 下0+033.1 | 1.7 | 3.5 | ≤0.1 | |

**表2　1996年5、6月份实测温度资料**

| 时　间 | 平均气温(℃) | 最高气温(℃)/日期 | 最低气温(℃)/日期 |
|---|---|---|---|
| 5月 | 14.7 | 29.5/(5.27) | 3.5/(5.13) |
| 6月 | 18.3 | 31.5/(6.18) | 4.5/(6.3) |

**表3　溢洪道闸墩混凝土配合比**

| 使用部位 | 设计标号 | 水灰比 | 骨料最大粒径(mm) | 混凝土湿容重($kg/cm^3$) | 砂率(%) | 混凝土用材料($kg/m^3$) | | | | | | 外加剂 | |
|---|---|---|---|---|---|---|---|---|---|---|---|---|---|
| | | | | | | 水 | 水泥 | 砂 | 石 5～20 | 石 20～40 | 石 40～80 | 木钙($kg/m^3$) | 松脂皂($g/m^3$) |
| 预应力闸墩 | C30 | 0.4 | 40 | 2 420 | 30.0 | 125 | 313 | 595 | 693 | 694 | | 0.47 | 13 |
| | | 0.4 | 80 | 2 460 | 23.0 | 105 | 263 | 481 | 483 | 483 | 645 | 0.4 | 11 |
| 预应力闸墩 | C40 | 0.33 | 40 | 2 420 | 28.0 | 125 | 379 | 536 | 690 | 690 | | 0.57 | 15 |

混凝土硬化过程中释放大量的水化热，混凝土内部温度不断升高，致使混凝土中心和表面处温度分布不匀，在混凝土内部产生了温差较大的温度梯度，从而促发温度应力。通过实际测算水化热温升在浇筑一周左右达到最大。

在施工中也存在着混凝土浇筑温度超过15℃，收仓后及昼夜温差、月温差变化大时，未及时进行表面覆盖保护的现象。

可见闸墩产生裂缝的内因是混凝土水泥用量大，外因是温差变化大、体形长宽比失调、基础约束影响及施工中表面保护不及时。由于几方面温度拉应力的叠加超过混凝土极限抗拉强度所致，属于温度裂缝。

# 3 处理措施

## 3.1 处理方案

由于裂缝处于溢洪道闸墩的预应力区,若不进行处理溢洪道工作弧门运行时必然严重影响闸墩混凝土的整体受力,经过专家多方论证决定采用以下措施:

(1)裂缝块混凝土。①对裂缝进行化灌补强处理;②裂缝顶面凿槽扣半圆钢管,铺设限裂钢筋;③裂缝混凝土块侧面帮贴 HF 高强耐磨混凝土。

(2)裂缝上部混凝土:①采用掺加粉煤灰和 HF 外加剂的高强耐磨混凝土,达到减少水化热并提高混凝土早期强度,避免裂缝产生的目的;②严格控制混凝土浇筑温度≤15℃;③采用内贴式保温模板,表面保温标准 $\beta \leqslant 8.4 kJ/(m^2 \cdot h \cdot ℃)$。

## 3.2 裂缝的化灌处理

### 3.2.1 化灌材料的选定及处理时段

化灌作为裂缝处理的主要手段,要求选用弹模值大、强度高且黏度小的材料,以使浆液灌入细微的裂缝中,从而有效地改善闸墩混凝土的受力条件,降低裂缝对应力传递的不利影响,经研究决定采用甲凝为补强灌浆材料,浆材性能见表 4。处理时间根据裂缝发展趋势,选择在混凝土内部温度较低、裂缝开度较大时,即 1997 年 2~3 月。

**表 4　　甲凝浆材性能**

| 密度($g/cm^3$) | 0.936 | 抗剪强度(MPa) | 干缝 2.4~3.6 |
|---|---|---|---|
| 黏度(厘泊) | <0.9 | 抗剪断强度(MPa) | 干缝 2.8~3.9 |
| 渗透性(cm) | 4~6 | 黏结抗拉强度(MPa) | 干缝 2.0~2.8 |
| 抗压强度(MPa) | 70~80 | | 湿缝 1.7~2.2 |
| 抗拉强度(MPa) | 13~15 | 弹性模量(MPa) | $(2.9 \sim 3.2) \times 10^4$ |

注:黏度在常温下与 20℃对比,用移液法测定;渗透性在 0.2~0.3MPa 下渗入无缝混凝土中。

### 3.2.2 施工工艺

化灌布孔→钻孔→埋孔口管 / 凿槽→贴盒→裂缝表面封闭 }→孔缝压风冲洗检查→ 修补 / 配浆 }→施灌→检查验孔

### 3.2.3 灌浆孔

化灌孔根据其部位和形式不同分为三种:①高程 1 465.0m裂缝顶面钻孔埋管;②左、右边墩临河侧埋设的灌浆盒;③左、右边墩临河侧的斜穿孔。由于该部位埋设有锚束管及其排架,还有观测仪器及电缆,故钻孔施工难度大。

### 3.2.4 凿槽

先在裂缝开度大的部位留出粘贴灌浆盒的位置,考虑裂缝细小钻孔成孔率低,采用增加埋管的办法。根据甲凝浆液渗透性好、扩散范围远的特点,在裂缝两侧凿浅宽"V"形槽,槽深 5cm,宽 15~20cm。

### 3.2.5 缝面封闭

利用纯净的压缩空气对孔进行通风试气检查,通过试气检查孔缝的贯通情况、缝面封闭的密闭程度并对孔缝中残留的尘渣再次冲洗,多次反复直至缝面不漏风为止。

### 3.2.6 配浆

首先进行甲凝原材料的处理,对市售甲基丙烯酸甲酯采用振荡、分馏法进行 MMA 单体的分离,脱除阻聚剂,对市售醋酸乙烯酯进行蒸馏分离。将各种固体原材料根据现场情况分别称量成不同重量单元分类，以备根据各孔进浆情况现场配制。甲凝浆材的原材料不同程度地具有毒性，有的易燃易爆，在施工过程中须加强安全保护。

3.2.7 施灌

裂缝灌浆采用由下游向上游，对每条裂缝则是自低而高施灌，灌浆方式为单液法填压式。灌浆压力取为 0.3～0.4MPa。灌浆结束标准为达到设计压力后稳压 15min。从裂缝灌浆耗浆量基本反映出闸墩由下游向上游增大，左墩较右墩为大，与裂缝表面张开度吻合。裂缝灌浆成果汇总见表 5。

表 5 溢洪道边墩化灌成果汇总

| 部位 | | 灌注持续时间（时:分） | 结束灌浆压力（MPa） | 结束吸浆率（L/min） | 耗浆量（kg） | 封缝胶（kg） |
|---|---|---|---|---|---|---|
| 溢左边墩 | 下 0+021.0 | 14:41 | 0.3～0.4 | 0.04～0.58 | 140.12 | 45.32 |
| | 下 0+024.7 | 5:02 | 0.3～0.4 | 0.02～0.29 | 42.87 | 29.53 |
| | 下 0+029.5 | 3:24 | 0.3～0.4 | 0.02～0.40 | 41.47 | 254 |
| | 下 0+033.1 | 3:34 | 0.3～0.4 | 0.01～0.36 | 42.68 | 13.35 |
| | 下 0+035.7 | 2:05 | 0.3～0.4 | 0.09～0.31 | 28.36 | 14.76 |
| 溢右边墩 | 下 0+021.0 | 8:12 | 0.3～0.4 | 0.03～0.36 | 37.16 | 33.67 |
| | 下 0+024.6 | 5:36 | 0.3～0.4 | 0.01～0.29 | 32.95 | 288 |
| | 下 0+027.5 | 2:11 | 0.3～0.4 | 0.03～0.21 | 20.59 | 16.19 |
| | 下 0+029.6 | 3:07 | 0.3～0.4 | 0.04～0.24 | 19.94 | 28.310 |
| | 下 0+033.1 | 2:10 | 0.3～0.4 | 0.02～0.23 | 14.41 | 13.3 |

# 4 闸墩表面应力应变监测

为检查化灌效果，了解化灌后混凝土传导应力的情况，根据设计要求在右边墩裂缝部位混凝土内埋设了钢筋计、裂缝计，混凝土表面粘贴了三向应变片对闸墩在预应力锚索张拉前后进行观测，由于测点部位、测时不同，使内外部仪器两者可比性较差。相对混凝土表面监测测点布置较多，虽然测试断面布置不甚完整，但从测试成果仍可见右边墩裂缝经过化灌后，虽应力传递大小不一，但均有所改善，尤以 2 号、3 号、4 号裂缝效果明显。右边墩裂缝测点布置见图 3。

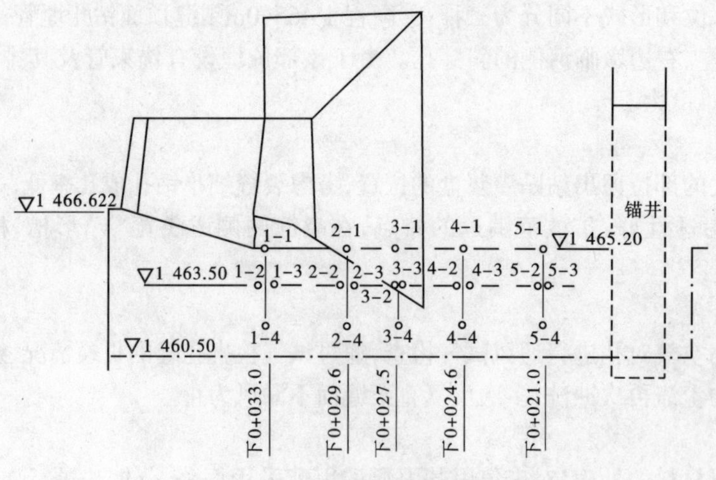


图 3 右边墩测点布置图

通过对预应力张拉过程及之后不同时段的混凝土表面应力的测试,可见裂缝测点主应力大部分表现为压应力,仅在2号缝附近出现了较大的拉应力变化区,这与2号缝处于闸墩锚块上游的颈缩区,而锚块底面与闸墩呈脱离的自由状态有关。

剪应力上游裂缝测点比下游裂缝测点大,裂缝下部测点比上部测点大。

从裂缝应力传递情况可见:4号缝4-2与4-3测点比较,水平正应力 $\sigma_x$ 最大差值为0.85MPa,垂直正应力最大差值为1.50MPa,且从整个观测过程看,最大应力差值均出现在锚索张拉过程,张拉结束后其应力值相差很小,可以看出由于裂缝化灌后应力传递的滞后现象。4号缝应力见图4、图5("-"号为压,"+"为拉)。

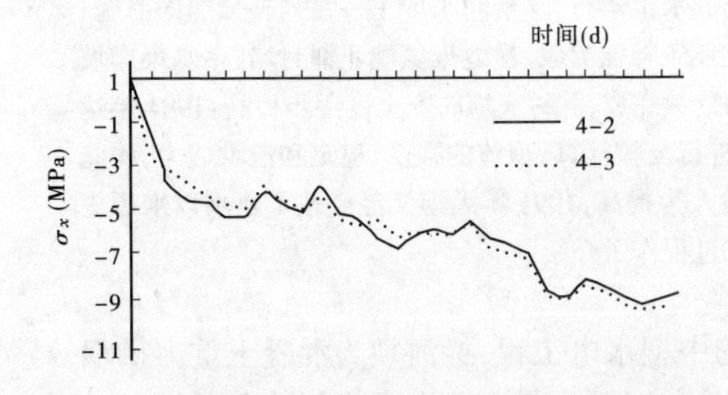


图4 闸墩裂缝水平正应力 $\sigma_x$ 传递曲线

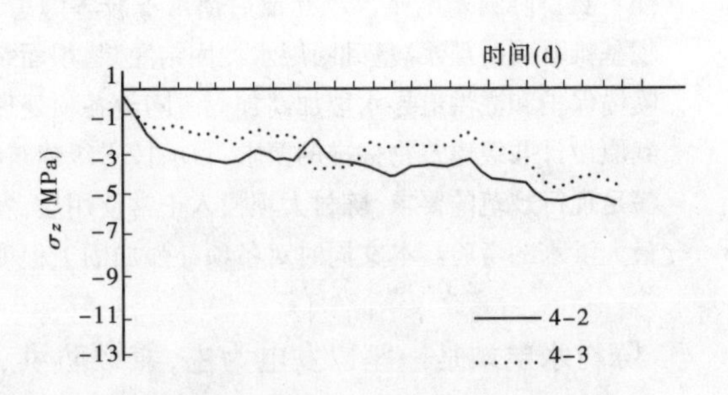


图5 闸墩裂缝垂直正应力 $\sigma_z$ 传递曲线

## 5 结 语

(1)昼夜温差、月温差变幅大的地区在混凝土浇筑时一定要严格温控措施,加强表面保护。

(2)在满足混凝土强度、抗渗、抗冻等要求的情况下,尽量减少水泥用量,这是防止混凝土裂缝的主要措施。

(3)化灌结束后10d通过对裂缝凿槽部位的外观检查,左边墩4号、5号缝,右边墩2号、4号缝均可见裂缝表面有沿缝走向的棕黄色浆液痕迹。

(4)裂缝块上部混凝土未出现裂缝。

(5)通过16个月大坝正常蓄水位及弧门启闭各种工况运行裂缝未出现异常,可见大峡水电站溢洪道边墩裂缝甲凝灌浆和防裂限裂措施是成功的。

# 陈村大坝补强加固工程取得良好效果

邢 林 生

（能源部大坝安全监察中心）

**摘　要：**陈村水电站大坝建成后遗留下较多隐患，被迫降低水位运行，这期间采取了一系列补强加固措施：坝基帷幕丙凝灌浆、基础断层水泥固结灌浆、坝面裂缝改性环氧补强灌浆、横缝聚氨酯止漏封堵、尾水渠岸坡喷锚保护和溢洪道导水墙加高加固。随着各项处理工程的陆续完成，陈村大坝的安全度逐步提高：1984 年达到原设计Ⅱ级建筑物标准的要求；目前按Ⅰ级建筑物标准进行复核计算，坝体的强度、稳定和泄洪能力，均能满足现行规范的要求，陈村大坝投入正常使用后，发电效益大为提高，1991 年大坝又经受住了建坝以来历史最大洪水的考验。本文同时对各项补强加固工程项目施工过程作了介绍。

陈村水电站是一座以发电为主，兼顾防洪、灌溉的中型水电工程，拦河坝为混凝土重力拱坝，高 76.3m，长 419m，共计 28 个坝段，坝基岩层较复杂，见图 1、图 2、图 3。该坝 1958 年动工兴建，1962 年停工缓建，1968 年复工续建，1972 年建成，1984 年达到设计标准，投入正常运行。

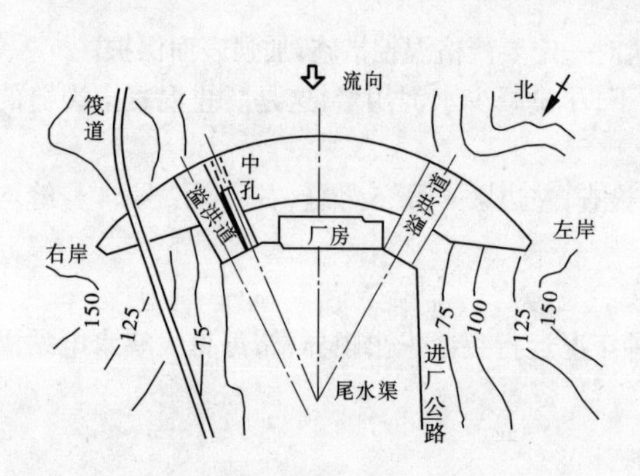


图 1　陈村水电站枢纽平面布置示意图

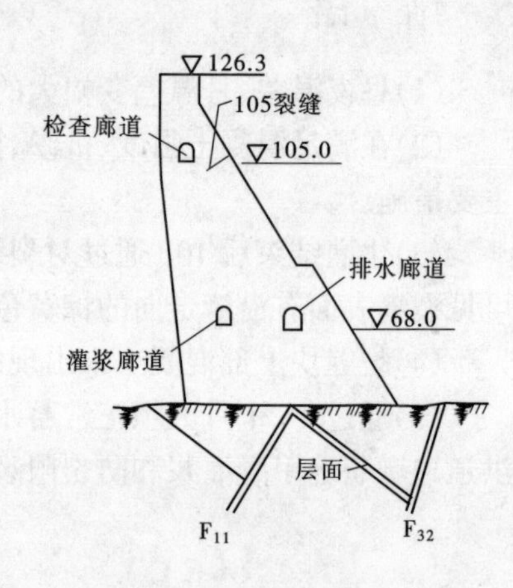


图 2　陈村大坝剖面图（高程单位：m）

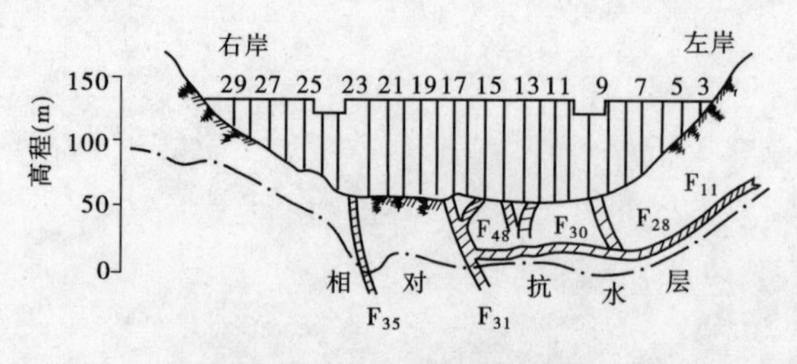


图 3　陈村大坝地质剖面图

由于陈村大坝采用“三边”方式兴建，故在 1972 年建成后遗留下许多问题，导致坝体失稳、强度不够、渗漏严重。20 多年来，先后采用了坝基帷幕丙凝灌浆、基础断层水泥固结灌浆、坝身裂缝改性环

本文原载《水利水电技术》1994 年第 1 期。

氧补强、横缝聚氨酯止漏封堵、尾水渠岸坡喷锚保护、溢洪道导水墙加高加固等一系列补强、堵漏、加固措施,使存在的重大问题逐一解决,水库投入正常运行。事实说明,陈村大坝补强加固工程取得良好效果,现将几项补强加固工程项目的施工过程介绍如下。

# 1 基础防渗补强工程

## 1.1 丙凝防渗帷幕灌浆

陈村大坝河床7~17号坝段的坝基,处于$F_{11}$、$F_{13}$、$F_{32}$三条断层的上、下盘或交会带上,由于断层上盘影响带岩体被切割成大小不等的岩块,众多裂隙与库水贯通,构成曲折迂回的强渗漏透水带,而压扭性的$F_{11}$、$F_{13}$断层本身却是弱透水体,因而将压力渗水集中和阻滞在左半个坝基之中。该部位1970年前原设主、副水泥帷幕各一排,主帷幕深至相对不透水层。但完工后经插孔压水检查发现,幕体$\omega$值为0.01~0.05L/(min·m·m)的孔段仍占30%~40%,其中最大达0.132L/(min·m·m);13~16号坝段排水廊道排水量达45L/min,幕后第一道排水孔线上渗压力系数最大达0.43。为此决定于1974年开始,在主、副帷幕之间,再增设一排丙凝帷幕,采用直孔,孔深65~75m(穿入$F_{11}$、$F_{12}$断层下盘5m),基本孔距1.5m。现场试验证明,黏度低、可灌性好、胶凝时间可以控制的丙凝,充填入已成水泥帷幕的细缝内,具有很大的抗挤出能力,能够形成防渗能力良好的丙凝加强混合幕体。1977年底全部工程结束,总计灌入丙凝10t,组成的截水面积6 630m$^2$,经全面检测,丙凝加强幕体的$\omega \leqslant$ 0.01L/(min·m·m)的孔段占97%,当库水位与施工前相近时,13~16号坝段排水廊道排水量为0;幕后第一道排水孔线上渗压力系数,在排水系统尚未完善的条件下为0.223~0.227,已低于设计取值0.25的要求。通过系列观测证实,丙凝加强帷幕的阻水降压效果持续而稳定。

## 1.2 帷幕补强丙凝灌浆

位于左坝肩部位的3号、4号坝段主帷幕施工时,压水漏量普遍较大,水泥帷幕完成后未进行检查。1986年,在这两个坝段上各布置2个帷幕检查补强孔,先压水检查,对不合格的孔段,用水泥和丙凝进行补强,共灌入水泥3 765kg,灌入丙凝浆液4 180kg。灌后经检查,在总共36段次中,$\omega$值满足设计要求的25段次;$\omega$值略大于设计要求的为11段次,因超出标准量值很小,整个检查补强工程基本达到设计要求。

## 1.3 坝体与帷幕接缝补强灌浆

位于河床与右侧岸坡连接处的24号坝段,幕后扬$_1$孔实测渗压力系数,长期高于设计取值,经分析和现场试验,确定坝基水泥帷幕与坝体接触部位已局部破损。1986年底,先用丙凝浆液进行补强灌浆,共灌入丙凝344kg,使扬$_1$孔的渗压力系数由灌前的0.49降至0.38左右;后又在扬$_1$孔附近增设2个排水孔,使扬$_1$孔的渗压力系数进一步降至0.27左右。通过堵、排结合的处理措施,该部位的渗压力系数基本满足设计要求。

# 2 混凝土坝体补强和堵漏工程

## 2.1 坝面裂缝补强处理

陈村大坝下游面105m高程附近,有大规模的水平裂缝(简称105裂缝,见图2),它不仅横贯5~28号所有坝段,且有的坝段存在2~3条近似平行的水平裂缝,累计延伸总长约450m。表面缝宽0.1~0.5mm,个别坝段缝宽达7mm。1984年采用超声波对测法,对河床10~21号坝段进行检测,发现这10个坝段的缝深已超过5m。陈村大坝105m高程上下游方向梁向宽度18m,已被裂断1/3左右,根据计算,当库水位超过百年一遇水位122.2m时,在105m高程上游坝面将出现规范不允许的拉应力,当库水位超过千年一遇洪水位124.6m时,若105m高程上游坝面已有深达20cm的裂缝,则将产生失稳现象。为此,决定采用高强度的改性环氧灌浆补强处理。

室内和现场试验表明，改性环氧具有强度高、黏度低、可灌性和亲水性好、耐老化等特点。1987年春天，对105裂缝全面灌浆充实，总共处理裂缝619.5m，打直径42mm的灌浆孔、止浆孔628眼，钻孔总深1 304.7m，贴灌浆盒133个，凿缝口混凝土3.1m$^3$，耗用浆液1 033.7kg，施工结束后，通过耗浆量分析、凿缝和取芯检查，以及缝宽变化观测，证明裂缝缝口部位已被改性环氧充填密实，预计在高水位运行时，上游坝面的应力状态将有所改善，并将减少雨水污物沿105裂缝缝口渗入坝内对混凝土的侵蚀损害，坝体的整体性和耐久性也将得到一定程度的加强。

### 2.2　进水口边墙裂缝堵漏处理

在坝中孔进水口末端有一条环形裂缝，从右边墙底部一直向上，经过顶部绕过中垛末端向左侧延伸，直至左边墙。右边墙缝宽最大达0.5～2mm。当上游水位为110m时，漏水从缝内喷射出来，总漏量达106.6L/min，实测漏水压力与库水相平，表明该裂缝直接与库水贯通。虽然该裂缝所在部位结构上无受力要求，但任其发展下去，无疑会影响到中孔的安全运行。处理目的是以防止渗漏为主，决定采用自胀性和抗渗性好的浆材聚氨酯LW进行灌浆处理，共灌入浆液114kg，平均灌进深度约2m，灌时漏水严重，灌后立即止漏。经过处理，当库水位超过110m时，该裂缝不再漏水。

### 2.3　利用灌浆廊道对坝横缝渗漏处理

陈村大坝横缝止水片大多为铝片，随着时间的推移，在坝体反复变形的作用下，止水铝片焊接处变脆开裂，直角衔接的拐点刚性损坏严重，而大坝施工期拖得很长，止水系统多数已失效，封拱灌浆时坝体温控又不严，致使灌浆质量较差，灌后横缝再次拉开，这两方面的原因，造成横缝普遍渗漏水，尤其是在低温高水位时段，横缝张开较大时，漏水比较严重。由于水库不能放空，无法从上游坝面对横缝进行止漏处理，1987年春天，在灌浆廊道内，对漏水严重的9－11、11－1、15－1、17－1、24－1、28－1、29－1坝段共计7条横缝，采用LH和LW按1:1比例的聚氨酯混合液进行止漏灌浆封堵。经过试验，这种比例的聚氨酯混合液弹性变形为50%，遇水时体积自膨胀20%～80%，抗压破坏强度达20MPa以上。灌浆时，控制一定压力，使浆液自横缝口至坝内形成深度约2m的封闭环，其目的是既能止漏，同时也能适应坝体的变形，并能传递拱坝侧向之间的作用力，7条横缝总共灌入聚氨酯浆液500kg，封堵后都不再渗漏水，这对防止缝内水泥结石被带走，减少横缝两侧混凝土的溶蚀，增强拱坝整体性，改善廊道内的观测工作条件，起到了一定作用。

### 2.4　利用检查廊道对坝横缝渗漏处理

陈村拱坝左坝肩基岩弹模较低，拱坝整体向左发生侧移，左侧1/4拱呈向上游突出的态势，致使该部位坝段横缝上游端张开，漏水比较严重，其中105m高程检查廊道8号、9号坝段间的横缝，1985年初产生集中漏水通道，水流成喷射状在检查廊道内涌出，随着库水位的上升，涌量急骤增大，当上游水位为110.46m时，最大漏量达147L/min，1987年初，选用LW与LH按1:1比例的混合液，在灌浆廊道内对该漏水通道进行封堵，灌浆压力为0.44MPa，整个灌浆历时5h，检查廊道上游侧壁距上游坝面5m，灌浆时库水位约为107m，直至在上游水库内发现浆液冒出水面时才停止灌浆，共灌入浆液200kg，灌前该通道仍在漏水，灌后立即止漏。近几年来，库水位曾长期在105m高程以上运行，但该处始终不再渗漏水。

## 3　其他部位的补强加固工程

### 3.1　尾水渠岸坡保护

陈村大坝下游尾水渠右岸为裸露山体，筏道施工时上部曾发生滑坡，在近右坝肩部位，做过预应力锚固等加固处理，但接近水面部位未做工程措施。水工模型试验表明，在下泄大流量时，该部位回流速度较大，对右岸冲刷比较严重，有可能淘空下部而影响上部山体的稳定，进而影响到右坝肩的安全。1983年下泄流量为2 140m$^3$/s时，该部位已见到强烈的回流，而这时的流量尚低于5年一遇的标准。为此，1983年底开始，对右岸加以保护，范围为自右溢洪道挑坎向下游120m，底至60m高程，顶至72m高程,先将岸坡上的松散岩石和泥土清除,冲洗干净,每隔2m打一个锚筋孔,成梅花形布置,内埋$\phi$25钢筋,沿坡面铺设20cm×20cm的$\phi$6钢筋网,并与锚筋焊接,然后喷射20cm厚的细石混凝土保护层,1984年全部完工。1991年下泄流量为2 380m³/s,超过了1983年,是大坝建成后的最大下泄流量,泄洪后经检查,尾水渠右岸喷锚护坡遭到一定程度的冲刷,表层出现一些冲痕,这说明如不加以保护,裸露山体将受到淘刷,喷锚护坡取得了预期的效果。

### 3.2 左溢洪道导水墙加高

陈村大坝溢洪道导水墙高度,是1972年按Ⅱ级建筑物千年一遇洪水时溢流面水深加超高设计和施工的。1989年陈村大坝首次安全定检时,要求大坝按Ⅰ级建筑物标准复核计算,根据水工模型试验,若下泄5 000年一遇洪水时,导水墙的部分墙段超高偏小,尤其是左溢洪道,由于进口左侧山坳横向来水的影响,溢流面局部位置水面波动较大,水流有可能溢出墙顶。1992年底至1993年春,对这些部位进行加高处理,满足了5 000年一遇的泄洪要求。

### 3.3 右溢洪道导水墙加固

按Ⅰ级建筑物标准复核计算,右溢洪道导水墙在下泄相应洪水时,反弧段到溢洪道出口之间的水平向拉筋面积偏小,垂直向钢筋的安全系数小于规定值。1992年底至1993年春,根据右溢洪道所在位置,因地制宜采取了以下加固措施:左导水墙外侧用18根支撑梁,与中孔侧面连接起来,达到支撑加固目的;右导水墙外侧,用块石填实后表层浇筑混凝土支撑面板,顶面与右导水墙顶齐平,成为支撑受力结构。整个加固工程包括砌石800m³,混凝土浇筑190m³,打锚筋孔432个。

## 4 补强加固工程取得良好效果

### 4.1 大坝安全度逐步提高

陈村大坝在蓄水运行初期,坝基渗压力超限,渗漏量过大,坝体抗滑稳定不能满足规范要求。1978年,坝基丙凝加强帷幕施工结束,河床部位主要坝段的坝基渗流状态得到根本改善,以后又对其他部位隐患作了处理。1984年,通过对加固工程评审验收和观测资料反馈分析,陈村大坝终于达到原设计Ⅱ级建筑物标准的要求,大坝开始按设计水位正常挡水运行。近10年内,又经过一系列补强、加固处理,大坝安全度进一步提高,坝体的稳定、强度和泄洪能力,均能满足Ⅰ级建筑物的各项要求。1991年,陈村地区出现历史罕见特大暴雨,最大入库洪峰流量8 570m³/s,坝前水位118.81m,下泄流量2 380m³/s,都是建坝以来的最高值,陈村大坝经受了一次考验,各种监测设施的观测资料表明,大坝运行状态安全正常。

### 4.2 减少电能损失

从附表可见,陈村大坝1972～1983年,12年中被迫降低水位运行,实际汛限水位比设计汛限水位低2～7m,这就造成发电单耗用水增加和汛期多弃水现象,因而损失掉大量宝贵的电能。陈村水库设计多年平均径流量27亿m³;陈村水电站设计发电水头为52m,相应上游水位为113m、下游水位为61m时的发电用水单耗为8.9m³/(kW·h),1972～1983年,陈村水库实际多年平均来水量为30.26亿m³,12年中总共发电29.25亿kW·h,实际平均发电用水单耗为10.32m³/(kW·h),与库水位为107m时的设计发电用水单耗10.3m³/(kW·h)相近。从以上长系列有关资料的宏观分析中可大致看出,该时段来水正常且偏丰,而因发电水头小、平均单耗大,损失掉大量电能,除系统调度上的一些因素外,降低库水位运行是其主要原因之一。另外,1973年、1980年、1983年,因汛限水位降低,与设计汛限水位相比,汛期多弃水10.92亿m³,损失电能约1.3亿kW·h,约占这3年总发电量11.68亿kW·h的11.1%。1984年以后,以往因大坝挡水能力差而造成发电用水单耗加大和多弃水现象得以消除,电站的发电效益得到充分发挥。

**附表　　陈村水电站大坝多年运行水位**

| 年份 | 实际汛限水位(m) | 设计汛限水位(m) |
| --- | --- | --- |
| 1972<br>1973 | 110 | 117 |
| 1974<br>1975 | 115 | |
| 1976<br>1977 | 110 | |
| 1978<br>1979<br>1980 | 113 | |
| 1981<br>1982<br>1983 | 115 | |
| 1984～1992 | 117 | |

# 陈村重力拱坝裂缝加固方案及其效应初探

沈长松　陆绍俊　林益才

(河海大学水力发电工程系,南京　210098)

**摘　要:** 陈村重力拱坝在施工和运行过程中,坝体下游面出现了一条较大裂缝(简称 105 裂缝)。在分析以往跨缝插筋(1973 年)和改性环氧灌浆处理效应的基础上,提出了预应力锚索加固处理方案,并对锚固力大小、作用位置、加固后的应力状态等进行探讨,得到了较合适的锚固力及应避免的不利水位,其方法可供深入研究大坝加固效应时参考。

## 1　裂缝开度变化规律分析及加固方案选择

陈村水电站位于安徽省皖南泾县境内,坝型为重力拱坝,最大坝高 76.3m,坝顶高程 126.3m,共分 28 个坝段。在施工过程中,大坝陆续出现了较多裂缝,在运行期的不利荷载组合下有所发展,尤其是下游面 105m 高程附近的裂缝(以下简称 105 裂缝)更为严重,见图 1。该缝自 5 号坝段延伸至 28 号坝段,长达 300 余米,深 5~6m,这种情况必然影响大坝的整体性并产生应力重分布。为了保证大坝的安全运行,防止裂缝的进一步扩展,陈村水电站对 105 裂缝曾两次采取加固措施。第一次是 1973 年采取的插筋处理,用 3$\phi$25 长 3.5~5.5m 的钢筋进行跨缝插筋,经多年缝宽变化观测发现(见图 2):

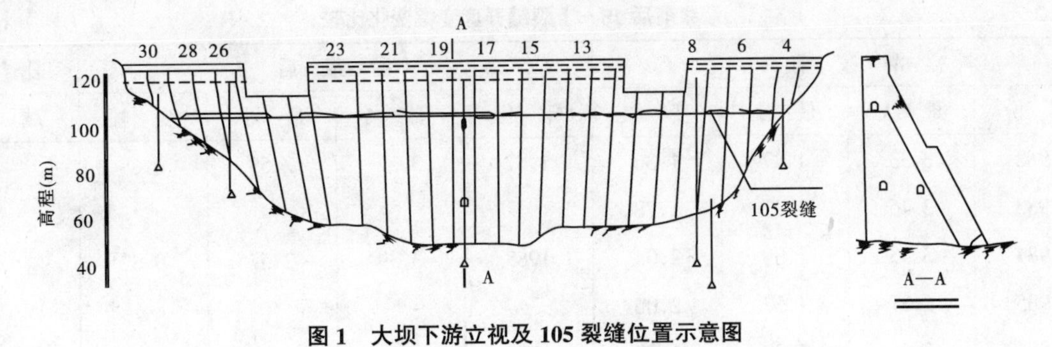


**图 1　大坝下游立视及 105 裂缝位置示意图**

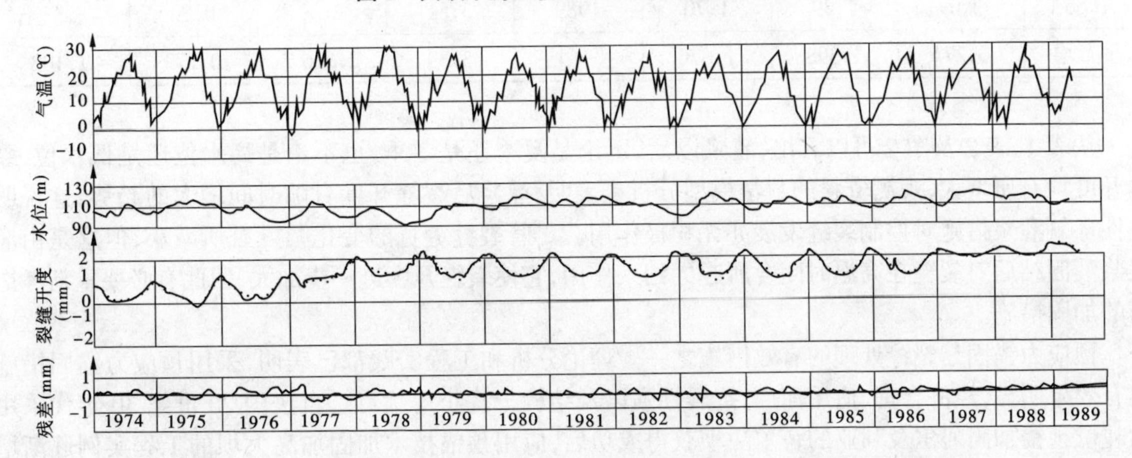


**图 2　18－Ⅰ裂缝开度、水位、温度随时间变化过程线(虚线为数学模型拟合值)**

---

本文原载《河海大学学报》1994 年第 5 期。

1976年以前,裂缝缝宽随温度呈规律性变化,1977年受寒潮袭击后裂缝宽度明显增大。说明跨缝插筋处理尚不能阻止不利荷载组合下裂缝开度的增加。第二次是1987年采用的改性环氧灌浆,为了检验其效果,取灌浆前后水位、温度相近情况下的裂缝开度值及其变化幅度进行比较,见表1、表2。

**表1　18-Ⅰ裂缝开度变化比较**

| 水位 | 温度 | 灌浆效应分析 | | | | | | |
|---|---|---|---|---|---|---|---|---|
| | | 灌浆前 | | | 灌浆后 | | | 比　较 |
| | | 日　期 | 水位(m)/温度(℃) | 裂缝开度(mm) | 日　期 | 水位(m)/温度(℃) | 裂缝开度(mm) | 张开(mm) |
| 相对高水位 | 高温 | 1985-07-15 | 112.48/28.70 | 1.51 | 1988-06-27 | 112.43/26.50 | 2.61 | 1.10 |
| | 低温 | 1982-01-07 | 110.93/3.20 | 2.99 | 1989-12-25 | 110.08/4.40 | 3.35 | 0.36 |
| 相对低水位 | 高温 | 1985-07-01 | 107.85/25.10 | 1.43 | 1988-08-08 | 107.88/25.10 | 2.63 | 1.20 |
| | 低温 | 1982-12-02 | 102.04/3.70 | 2.85 | 1989-03-06 | 102.98/3.40 | 3.25 | 0.40 |

注:灌浆日期1986年9月～1987年4月。

**表2　灌浆前后18-Ⅰ裂缝开度变幅变化比较**　(单位:mm)

| 灌　浆　前 | | | | 灌　浆　后 | | | | 比　较 |
|---|---|---|---|---|---|---|---|---|
| 年　份 | 最　大 | 最　小 | 变　幅 | 年　份 | 最　大 | 最　小 | 变　幅 | 减　小 |
| 1982 | 3.33 | 1.47 | 1.36 | 1987 | 3.27 | 2.59 | 0.68 | |
| 1983 | 3.15 | 1.37 | 1.78 | | | | | |
| 1984 | 3.43 | 1.39 | 2.04 | 1988 | 3.39 | 2.57 | 0.82 | |
| 1985 | 3.37 | 1.37 | 2.00 | | | | | |
| 1986 | 3.09 | 1.39 | 1.70 | 1989 | 3.51 | 2.69 | 0.82 | |
| 平　均 | 3.274 | 1.398 | 1.876 | 平　均 | 3.39 | 2.616 7 | 0.773 | 1.103 |

从表1、表2及图2可以看出,灌浆以后,不论是夏季还是冬季,也不论是高水位还是低水位,裂缝开度均有所增大,观测资料的数学模型分析也表明,灌浆后裂缝开度有随时间增大的趋势,这说明改性环氧灌浆措施对控制裂缝发展亦无积极作用。尽管裂缝缝宽的变化幅度有所减小,但这是由灌浆浆液固结后对裂缝在高温时闭合所起的约束作用,它使裂缝开度进一步加大,因此有必要重新考虑新的加固措施。

预应力锚固是裂缝处理的有效措施之一。理论分析和工程实践都已表明,采用预应力锚固措施具有效果明显,经济合理,适用面广,抗震性强以及结构干扰小等优点。自法国20世纪30年代采用大吨位预锚加固阿尔及利亚的舍尔法坝获得成功后,应用预锚技术加固加高大坝的工程实例逐渐增多,我国已有很多成功的例子。如1965年梅山水库首先采用了300t级锚索加固坝头岩体,保证了坝头岩体的稳定,1974年双牌水库参照梅山的经验,在蓄水运行中对坝基破碎夹层进行了大规模的预应力锚固,并作了试验研究和原型观测,取得了较好的效果,陈村水电站在右岸下游坝基岩体处理时也使用过预应力锚固方法;东北白山重力拱坝应用预应力锚固法加固水电站进水口悬臂体垂直裂缝获得成功。因此,本文亦试图用预应力锚固法对陈村重力拱坝105裂缝进行加固,探讨不同加固力和水位、温度组合作用下坝体的应力状态和分布规律,从而选择最优方案。

显然,对三维超静定结构进行多方案加固效应研究是不现实的。为使计算尽可能方便,又能获得一定的精度,特将空间问题转化为拟空间问题,即用空间有限元计算拱冠梁各点(含地基)在各种荷载组合作用下的位移($\delta_x,\delta_y,\delta_z$);取垂直、径向二向位移,按平面问题求其应力,将结果作为加固前的初始状态;然后在设计位置施加预应力,求得加固后的应力分布,与初始状态比较得加固效应。

## 2 拟空间问题初始应力状态分析

依上述设想,在拟空间问题中采用四结点等参元,以便与空间8～21节点三维实体元相对应,裂缝部位局部加密,单元划分见图3。

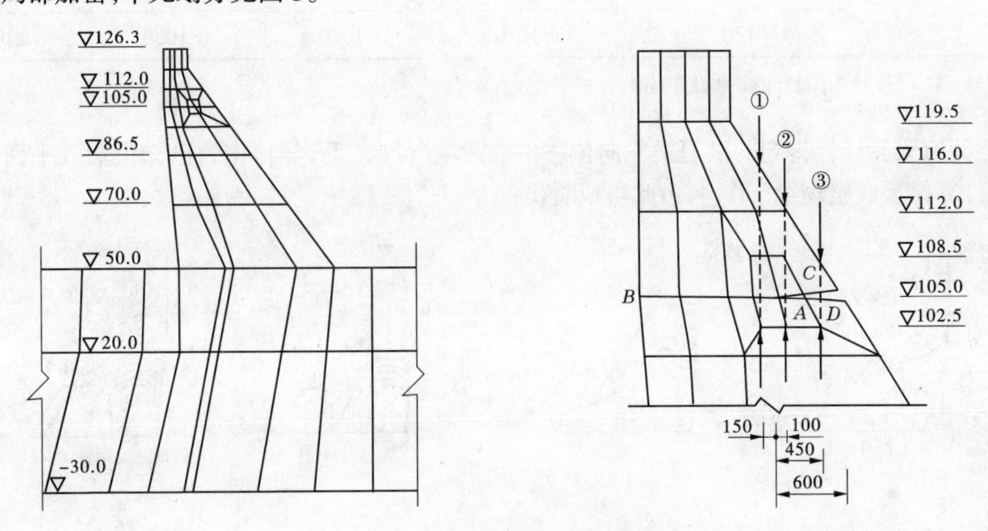


图3 单元划分及锚固力位置

四节点等参元的位移模式为:

$$u=\sum_{i=1}^{4}N_i(\zeta,\eta)u_i \quad \upsilon=\sum_{i=1}^{4}N_i(\zeta,\eta)\upsilon_i \tag{1}$$

式中:$N_i(\zeta,\eta)$——形函数,$N_i(\zeta,\eta)=\frac{1}{4}(1+\zeta_i\zeta)(1+\eta_i\eta)$,$i=1\sim4$。

将式(1)用矩阵表示为:

$$\{\int\}=\begin{Bmatrix}u\\ \upsilon\end{Bmatrix}=[N]\{\delta\}^e \tag{2}$$

节点力与节点位移的关系为:

$$[K]\{\delta\}^e=\{F^e\} \tag{3}$$

式中:$[K]=\int_{-1}^{1}\int_{-1}^{1}[B]^{\mathrm{T}}[D][B]\mid J\mid \mathrm{d}\zeta\,\mathrm{d}\eta$;

$[B]$—— 单元的应变矩阵;

$\mid J\mid$—— 雅可比行列式。

则单元的应变应力为:

$$\{\varepsilon\}=[B]\{\delta\}^e \tag{4}$$

$$[\sigma]=[D][B]\{\delta\}^e=[S]\{\delta\}^e \tag{5}$$

空间有限元计算考虑了36种工况,即取对裂缝较为不利的四组水位,分别与设计温升及温降组合，部分工况见表 3。

**表 3　　计算工况**

| 荷载工况 | | 一 | 二 | 三 | 四 |
|---|---|---|---|---|---|
| 计算水位(m) | 上游 | 90.75 | 100.00 | 110.00 | 123.80 |
| | 下游 | 59.20 | 59.50 | 59.90 | 65.50 |
| 各高程设计温度(℃) | 坝体▽50.00m 处 | ±1.0 | ±1.0 | ±1.0 | ±1.0 |
| | 坝体▽60.00m 处 | ±1.0 | ±1.0 | ±1.0 | ±1.0 |
| | 坝体▽75.00m 处 | ±1.5 | ±1.5 | ±1.5 | ±1.5 |
| | 坝体▽90.00m 处 | ±2.0 | ±2.0 | ±2.0 | ±2.0 |
| | 坝体▽105.00m 处 | ±3.0 | ±3.0 | ±3.0 | ±3.0 |
| | 坝体▽120.00m 处 | ±10.0 | ±10.0 | ±10.0 | ±10.0 |

注：表中“+”、“-”分别表示设计温升和设计温降。

从空间有限元计算得到的拱冠梁三向位移中取两项（径向、垂直向）作为已知值输入平面有限元程序，其计算结果经整理绘于图 4，由此可以看出：

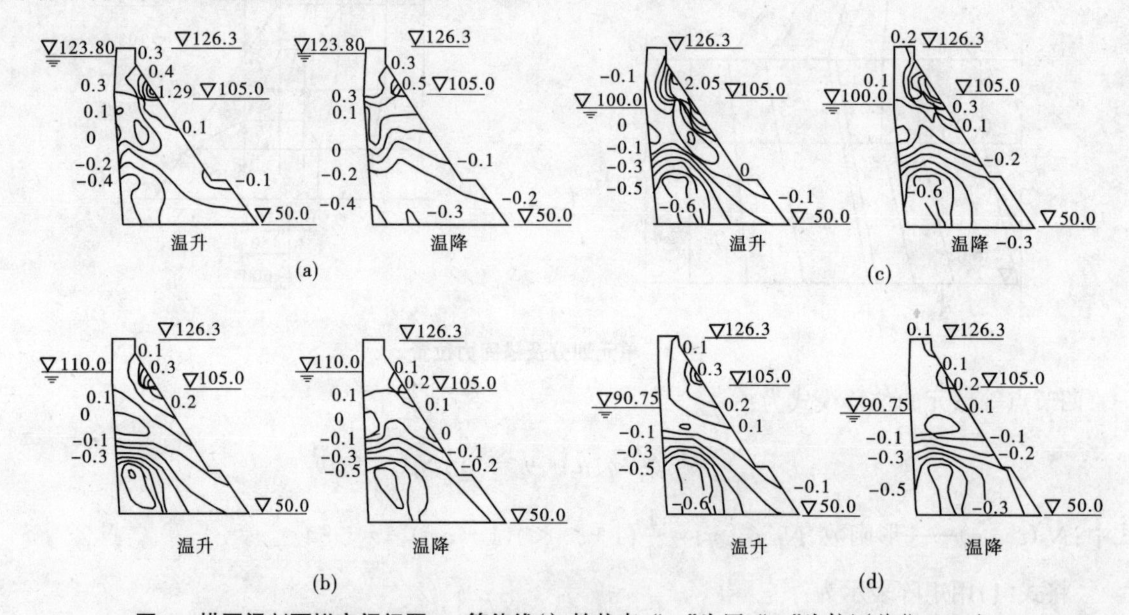


**图 4　拱冠梁剖面拟空间问题 $\sigma_1$ 等值线**（初始状态，“-”为压，“+”为拉）（单位：MPa）

(1)在各计算荷载作用下，坝踵第一、第二主应力均为压应力（第二主应力未示出），某一高程（约 90.00m）以上出现主拉应力，且坝体下游面的主拉应力值及范围大于上游面，并随荷载变化而变化，最大值出现在 105 裂缝附近，说明 105 裂缝是陈村重力拱坝的薄弱环节。

(2)比较坝体不同部位在不同荷载作用下的 $\sigma_1$ 可知：不同部位的不利应力状态发生于不同的荷载组合，对裂缝前缘，应由设计温升加低水位控制，而对 105m 高程截面上游点，应力则由设计温降加高水位控制，综合起来看，以设计温升加低水位最为不利。

特别指出：这里所指的低水位是对陈村重力拱坝特定结构型式而言的某一相对低水位（100.00m 左右），并非最低水位。

(3)在 100.00m 水位加设计温升荷载组合作用下，105 裂缝前缘部位的主拉应力 $\sigma_1$ 最大，达 0.664MPa，上游面亦出现了较小的主拉应力。随着水位的升高，坝体 105m 高程截面上游点主拉应力增大,而裂缝前缘则减少,当水位升至123.80m时,温升作用上游点的主拉应力为0.169MPa(温降作用上游点主拉应力为0.257MPa),裂缝前缘 $\sigma_1$ 为0.38MPa。可见,当库水位高于105m时,裂缝前缘拉应力随水位升高而减小,对防裂有利,而100.00m水位加设计温升则会加剧裂缝的扩展。

## 3 105裂缝加固方案及其效应分析

由前所述,以往对105裂缝采取的插筋加固和改性环氧灌浆措施,其效果均不甚明显,且在不利荷载组合下,裂缝开度继续增大,故这里着重讨论预应力锚固方案。

### 3.1 锚固位置的选定

锚固位置关系到加固效应和施工的难易,105裂缝深达5.0~6.0m,缝端是薄弱部位,为防止在不利荷载组合作用下继续开裂,宜在末裂部位施加预压应力,把第一锚固点设在缝端上游1.5m处,然后依次在缝端下游1.0m和4.5m处设第二、第三锚固点,见图3。

### 3.2 锚固力估计

由前分析可知,105裂缝的产生、扩展与变温有密切关系,若以锚固力抵御变温产生的不利应力,并考虑适当的安全储备,可望改善坝体的应力状态。为此,按三维有限元计算获得的105m高程单宽截面上由变温引起的梁向拉应力,求其合力作为锚固力的估计值。

### 3.3 加固力方案的选定

为分析坝体应力随加固力变化的规律,找出最优加固力方案,计算时除按上述方法求得的加固力(900kN/m)列为计算方案外,再选取1 800kN/m及0(初始状态)作为两项补充方案。经计算,得到裂缝前缘(*A* 点)和105m高程上游面(*B* 点)第一主应力随加固力改变的变化规律(图5)。由图5可以看出:裂缝前线(*A* 点)主拉应力 $\sigma_1$ 随加固力增大而减小,故对裂缝前缘而言,加大锚固力对阻止裂缝继续向上游扩展有利。但上游面(*B* 点)主拉应力 $\sigma_1$ 则随锚固力增加而加大,故对上游坝面(105m高程)而言,锚固力又不宜太大。综合考虑 *A*、*B* 两点的应力,加固力(*P*)选用900kN/m。

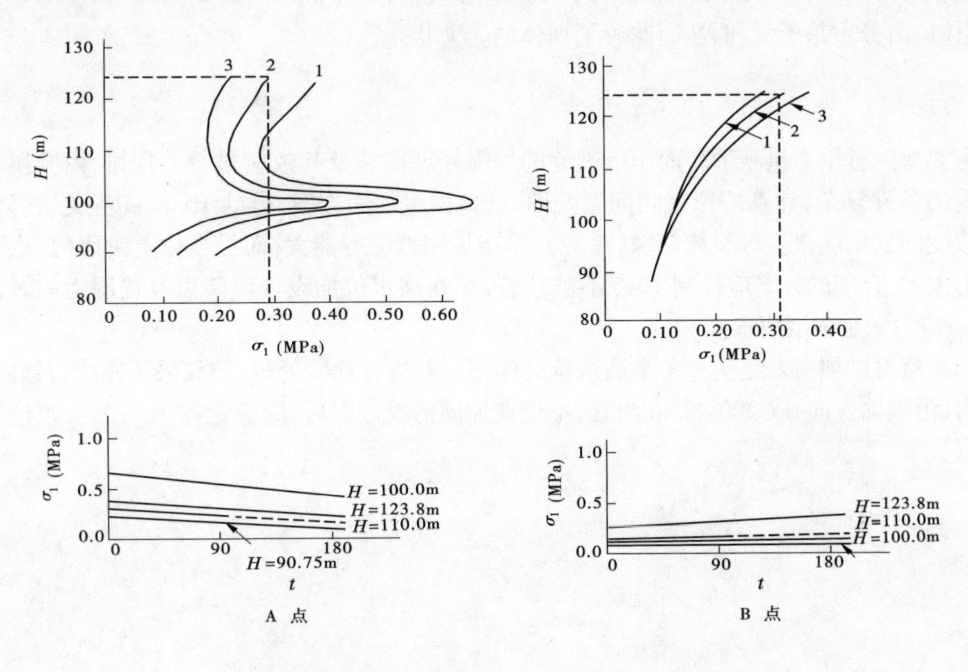


**图5 *A*、*B* 部位 $\sigma_1$—(*H*,*T*,*P*)曲线**

1—初始状态;2—*P*=900kN/m;3—*P*=1 800kN/m

### 3.4　加固力(*P*)、水压(*H*)和变温(*T*)共同作用下坝体应力分析

图6示出了加固力为900kN/m及各运行荷载共同作用下坝体的应力($\sigma_1$)分布，由此可以清楚地看出：

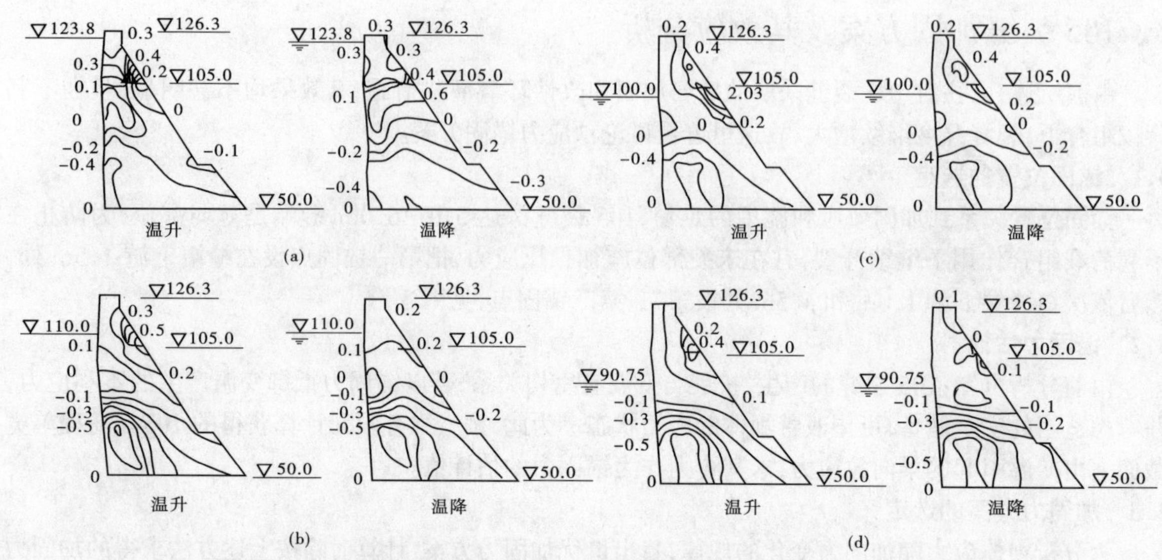


**图6　加固力为900kN/m时拱冠梁剖面 $\sigma_1$ 等值线图**(“－”为压，“＋”为拉)(单位：MPa)

(1)施加锚固力后，$\sigma_1$ 在100.0m高程以上量值有所改变，以105m高程最为明显，说明局部加固措施对锚固点周围部分的应力状态影响较大，距锚固点越远，影响越小。

(2)温度变化对坝体应力的影响随部位不同而异，对裂缝前缘及其下唇应力由高温低水位(非最低水位)控制，上唇应力由高温高水位控制，105m高程上游面(*B*点)主应力由低温高水位控制。

(3)由图5可以看出，各种水位作用下，裂缝前缘(*A*点)的 $\sigma_1$ 加固后比加固前减小，而*B*点略有增加，使坝体应力分布趋于缓和，从而改善了坝体的受力状态。

## 4　结　语

本文主要对陈村重力拱坝下游面105裂缝的加固处理措施及其效应进行了探讨，由于拱坝结构和该坝的受力条件复杂，计算按拟空间问题处理，选择两组加固方案，得到105m高程关键部位应力随加固力改变的变化规律。对裂缝前缘(*A*点)，希望加固力尽可能大；而对坝体上游面(*B*点)，则不希望加固力太大，合理的方案应控制*B*点不被拉裂，即在高水位加设计温降以及锚固力三者共同作用下使*B*点应力满足强度要求。

目前陈村重力拱坝尚未经受过冬季高水位的作用。若进行加固处理，建议采用预应力锚固方案，单宽加固力(沿坝轴方向)取900kN/m为宜，不论在加固前或加固后，应避免在100.00m水位附近及其以下运行。

# 虎盘水电站大坝裂缝成因分析与处理

陈维杰　张建生　刘建国　李孟奇

(河南省汝阳县水利局,471200)

**摘　要:**虎盘水电站大坝竣工后,经过第1次寒流产生了4条裂缝。经过分析其形成的原因是多方面的,主要可能是环境温差、温控措施、约束条件、间歇施工、间断养护、保温条件、空库施工、水泥用量、骨料性质等。自采用水泥浆灌注后,漏水现象逐渐消失,水库运行至今再未发现异常。

## 1　工程概况

虎盘水电站位于汝阳县境内马兰河上游,是河南省王坪电气化建设试点乡的骨干电源工程。总库容1 060万 $m^3$,设计4级装机1 485kW,年均发电能力500万kW·h。水库坝顶高程618.1m,最大坝高46.5m,其中基础垫座为5.5m高的150号混凝土埋块石,坝体为41m高的细骨料混凝土砌块石双曲溢流拱坝。垫座厚15.8m,坝体底部厚8.6m、顶部厚1.5m,拱冠下部倒悬度为1∶0.32,1/3处坝段下部为1∶0.513。垫座于1986年3月15日开工,4月5日完成;坝体1986年4月19日开工,1989年10月竣工。

## 2　裂缝的发生与发展过程

1986年11月20日第1次寒流过后,大坝出现了4条竖向裂缝(编号见附图),其中1号缝在高程581.2m处,距拱坝中心线5.28m,缝宽2mm;2号缝在高程581.2m处,离中心线20.33m,缝宽1mm;3号缝离中心线31m,缝宽0.1mm,4号缝不明显,位于中心线左侧31m。这些裂缝的共同特点是:①纵向分布,切断坝轴线;②由下向上发展,下宽上窄;③上下游基本对称,且背水面宽,迎水面窄;④均未裂到坝顶。

到1987年3月25日止,通过3个月的观测,1号缝在持续发展,背水面缝(高程581.688m处)宽达4.1mm,迎水面缝(高程585.4m处)宽达3.2mm,漏水高程585.8m,漏水量0.43L/s;2号缝背水面(高程581.95m处)缝宽达1.8mm,迎水面缝宽1mm;3号缝背水面缝宽0.2mm,迎水面未发现裂缝;4号缝背水面(高程581.688m处)缝宽0.7mm,迎水面(高程586.37m处)缝宽由原来发丝状发展到0.55mm。1～4号缝之间又出现3～5m长的不明显裂缝数条。

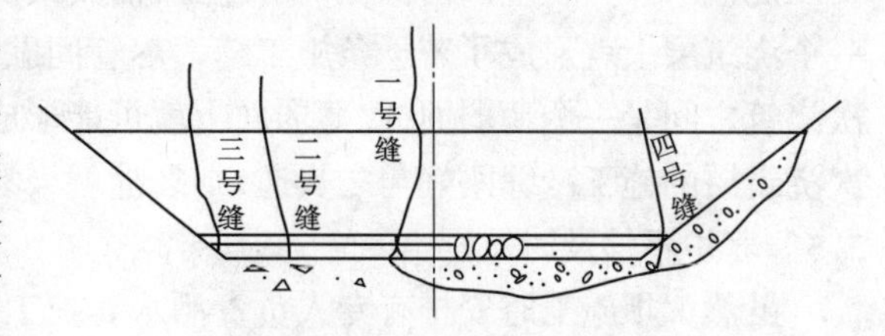


附图　大坝背水面裂缝位置图

1987年4月份以后,对迎水面裂缝进行了水泥砂浆勾缝,之后开始蓄水,即水位随坝高上升,从此裂缝变化趋于稳定状态。

---

本文原载《水利科技》2001年第3期。

## 3 裂缝成因分析

大坝发生裂缝的原因一般比较复杂，况且各坝又有各自的特定因素。具体就虎盘水库大坝而言，可能主要有以下几个方面。

### 3.1 环境温差作用

大坝座垫是在1986年3月27日至4月5日完成的，当时日均气温在10℃。4月19日开始在垫座之上砌坝，至4月24日砌高至高程579.1m，即净升高2m，这时的日均气温也只13.7℃。换言之，包括拱冠（垫座）在内的左侧坝段是在低温条件下完成的，而搁置的右坝段是5月22日至5月30日完成的，此阶段的日均气温已升高到22.9℃，且岩基（高度平垫座）又是深槽，散热条件差。于是，当11月20日寒流袭来、气温突降到-3℃时，右段坝体下部就收缩而导致开裂。

### 3.2 未采取应有的温控措施

预冷是最积极而有效的温控方法之一，对粗骨料进行使用前冷却可以明显地降低混凝土的现场浇筑温度。特别是在炎热的夏天施工，应对备起的粗骨料进行不停地洒水，或者将其堆放在搭盖的凉棚下，条件许可时两种办法兼用效果更佳（一般可降低温度10℃左右）。而虎盘水库大坝的粗骨料是由当地农民分备后自选地点堆放在坝址附近的，夏季温度高达40℃以上（一般为10时至17时），比水电部水电建设总局编《砌石坝施工》建议温控30℃高10℃左右。另外，美国垦务局著《拱坝设计》把混凝土中埋管充水进行后期冷却作为控制裂缝的有效措施进行了专题论证，而虎盘水库大坝根本没有采取任何后期冷却措施，这就难免在秋冬季施工中使混凝土内部的高温与表面低温之间形成陡温度梯度，这种陡温度梯度，最易导致混凝土开裂。

### 3.3 混凝土的约束条件不同

虎盘水库的坝基岩性不对称，右侧基础为开挖后的岩石基槽，左侧为自然河床之上筑以混凝土垫座与右侧基槽持平，然后在此基础上筑坝，这样就造成了事实上垫座与岩基之间的受力特征的差异。在这种情况下，使受基岩约束的混凝土和受尚未完成其全部体积收缩的先浇混凝土（垫座）约束的混凝土之间肯定将产生不均匀收缩，即不相同的位移，这就难免导致坝体的裂缝。1号和4号缝刚好处在混凝土垫座与基岩接触处上方附近，可能就是这种原因诱发的。

### 3.4 间歇性施工造成冷缝出现

虎盘水库大坝全部由民工负责施工，而其最长的浇筑层达179m，一般需数天才能完成。这样在一个浇筑层上就形成了若干条施工缝。尽管间歇后对前筑混凝土衔接面进行了人工刨毛，但毕竟两次浇筑之间是一个薄弱面，此薄弱面上就可能形成陡的温度梯度，由此产生拉应力而形成裂缝。如果次浇筑层的施工冷缝刚好与之贯通，则裂缝就极易上下发展。

### 3.5 养护不够及时

虽然大坝施工时安排有专人负责洒水养护工作，但由于种种原因，养护工作时常间断，混凝土表层被晒得发白是常见的事。于是混凝土表层出现干缩现象。干缩作为一种表面效应，能使大体积混凝土结构表面产生发丝状裂缝。这些深度有限而不易发觉的发丝裂缝，虽然只是表面现象，但当同时存在其他裂缝因素时，就往往会成为更深入和更广泛开裂的开端。前述1～4号裂缝之间的数条不明显裂缝的出现就不能排除这种原因。

### 3.6 保温条件差

按要求，冬季施工时，混凝土浇筑层表面需要敷设砂子、锯屑、草袋防护，或加盖农膜利用水泥自身的水化热保温，直至浇筑次一层浇筑层时才能拆除。但这一工作往注不被人们所重视。虎盘水库大坝在冬季施工中也未采取这一措施，这就难免会使混凝土表面温度急剧下降至暴露温度时，其内部温度却仍在上升。这样一种表里矛盾现象的产生会使混凝土表面形成拉应力。尽管这种情况导致混凝土开裂的先例不多，但却没有理由完全排除这种可能。

### 3.7 空库情况下施工所致

由于库空,加上坝体向上游倒悬度大,坝体拉应力集中于下游侧。特别是当坝体已被裂缝竖直切断,抗拉强度削弱(甚至为0)时,悬臂梁的稳定全靠坝体下游侧自身的材料拉力来维持。因此,不稳定悬臂梁的重力作用,会对1~4号缝的发展产生一定影响,这也是1~4号迎水面缝在低水位时能够继续开裂的重要原因。3月14日开始蓄水后,裂缝趋于稳定状态,这一现象可以证明空库对裂缝的产生与发展有着不可低估的影响。

### 3.8 水泥的用量和品种问题

美国垦务局在《拱坝设计》中指出:由于混凝土内产生的热量与每立方米水泥用量成正比,所以选择的混合物应在达到所要求的强度和耐久性的同时,水泥的用量要最小。虎盘水库大坝所用150号细骨料混凝土的设计单位水泥用量为280kg/m³,和一般尺寸的混凝土建筑物之要求并无多大差别,故其水泥产生的水化热效应也就不会明显降低。另据研究,大坝硅酸盐水泥的水化热比普通硅酸盐水泥的水化热低20%左右,但由于条件所限(主要是考虑立足当地),虎盘水库大坝所用水泥全部是普通硅酸盐水泥,没用一点大坝水泥。还有,虎盘水库大坝主要是用的500号水泥,但有部分也用600号水泥的。众所周知,高标号水泥的细度比较细,$C_2S$含量较高,在性能上突出地表现为抗型性能差、收缩性大、强度出现早、温度峰值出现快等情况,故当今筑坝,尤其是高坝对选用高标号水泥都是慎之又慎的。

### 3.9 骨料性质与裂缝也有一定关系

混凝土可以看做是骨料与砂浆的两相复合体。据有关学者研究,水泥砂浆与粗骨料的界面结合是一个薄弱环节,不同性质的岩石,其黏结强度也不相同;在不同岩石试样表面上形成的水泥水化产物,其产物数量和结晶度因骨料不同而异,其中在方解石和石灰石表面上还可观察到$Ca(OH)_2$析出。所以应该说,石灰石或方解石与砂浆的结合要优于其他种类的岩石。虎盘水库坝址附近主要是安山片麻岩,按照上述研究成果,其与水泥砂浆相结合而成的混凝土的易裂性较石灰岩或方解石为大就在情理之中了。

## 4 处理方案

水工混凝土建筑物裂缝按其发育变化趋势一般分作三类:一是稳定性裂缝。这种裂缝的特点是其宽度、长度、深度一次成型,不再发展。二是伸缩性裂缝。这种裂缝的特点则是随着气温变化和外力作用等因素的改变会有一定规律的变化。三是发育性裂缝。这种裂缝的特点是随着时间的推移,会持续不断地向纵深发展。

显然,根据上述分析,虎盘水库大坝的裂缝属于伸缩性裂缝这种类型。由于伸缩性裂缝是有随温度变化和外力作用而有规律地变化这种显著特点,所以处理时使用柔性化学灌浆材料灌注为好。如弹性聚氨酯、水溶性聚氨酯、丙凝、铬渣木索、SD-1木素等化学灌浆材料。其中对缝宽大于1.0mm的1号、2号缝和缝宽虽小于1.0mm但所处位置比较重要的4号缝则可灌注水泥浆或强度高、黏结力强的环氧树脂、甲凝、呋脲酚等特殊化学灌浆材料。另外,灌浆时间选择应考虑在混凝土施工季节中温度最低的3、4月份进行,因为这时的混凝土裂缝张开度最大,灌注效果也相应最好。

考虑到就地取材和简化施工技术等因素,虎盘水电站主管部门选择了上述建议方案中的水泥浆灌措施,并于1988年4月1~26日进行了机械压力灌浆,之后漏水现象逐渐消失,水库运行至今再未发现异常。

# 东江坝体混凝土裂缝及其处理

中南勘测设计研究院

## 1 坝体混凝土设计

东江双曲拱坝坝体混凝土 91 万 $m^3$，右岸重力墩 3.3 万 $m^3$，共计 94.3 万 $m^3$。在设计荷载作用下，用拱梁分载法计算基本组合坝体最大主压应力接近 6.84MPa，考虑坝前存在 $F_3$ 断层等不利因素，最大主压应力可能略有增大。东江工程初步设计审定，在设计荷载下坝体混凝土抗压安全系数不小于 5，据此坝体在高压应力区混凝土标号为 C35(90d)，坝体各部位混凝土主要设计指标见表 1。

**表 1** 坝体各部位混凝土主要设计指标

| 标号分区 | 极限抗压强度 (90d)(MPa) | 极限抗拉强度 (28d)(MPa) | 抗渗 (28d) | 抗冻 (28d) | 极限拉伸值 $\varepsilon_P$ ($\times 10^{-4}$) | 极限水灰比 $W/C$ |
|---|---|---|---|---|---|---|
| Ⅰ | 35.0 | 2.3 | $S_{12}$ | $D_{150}$ | 1.00 | <0.5 |
| Ⅱ | 30.0 | 2.1 | $S_{20}$ | $D_{150}$ | 1.00 | <0.55 |
| Ⅲ,Ⅳ | 25.0 | 1.9 | $S_8$ | $D_{100}$ | 0.85 | <0.60 |
| Ⅴ (重力墩) | 20.0 | 1.6 | $S_6$ | $D_{50}$ | 0.85 | <0.65 |

混凝土标号分区示意图

注：自 1984 年 11 月以后，坝体高程 160.00～250.00m，为便于施工取消Ⅲ区，均为Ⅱ区，抗冻标号由 $D_{150}$ 改为 $D_{100}$。

要求混凝土的强度保证率 P≥85%，现场试件 28d 抗压强度离差系数 $C_v \leqslant 0.15$，争取达到 $C_v \leqslant 0.13$。

混凝土温控主要设计指标如下：

平整基础强约束区允许基础温差：19℃

弱约束区允许基础温差：22℃

斜坡坝段的基础温差比平整基础严格 2℃。

大坝混凝土骨料采用下游斜滩天然砂石料，水泥用专门为东江工程生产的湘东 525 号普通大坝水泥，掺用 15% 鲤鱼江火电厂的粉煤灰，塑化剂用 $DH_4$，掺量 0.4%，引气剂用 801，掺量 0.025%。

## 2 坝体混凝土浇筑

大坝自 1983 年 11 月 25 日开仓浇筑到 1989 年 12 月全面浇筑至坝顶，历时共 72 个月，其间大致可分为 3 个阶段。

第 1 阶段自 1983 年 11 月至 1984 年 7 月，共浇筑 8 个坝段⑫～⑲，高程由 137.00m 至 160.00m，共计 6.7 万 $m^3$。这阶段坝体混凝土均由设置在左岸高程 170.00m 的 3×1 000L 混凝土系统生产，1 台 20t 缆机入仓。由于该混凝土生产系统无制冷温控设施，生产能力很低，秤量不准，故障频繁，加上缆机初期运行缺乏经验,平均月浇筑量不足10 000$m^3$,台班浇筑量100$m^3$左右,造成浇筑层浇筑时间过长,层间间歇过长,严重影响混凝土的质量。在此期间,坝体混凝土产生了严重裂缝,大坝被迫停止浇筑,进行裂缝处理。

第2阶段自1984年11月大坝恢复浇筑至1986年8月下闸蓄水,这阶段共浇坝体混凝土约60万$m^3$,坝体浇筑高程超过237.00m,最高坝段已达高程247.00m。1984年11月,右岸高程270.00m混凝土产生系统(3×2 700L)投产,然后制冷、骨料预冷等配套设施相继投入运行,坝体浇筑强度显著提高,多数月份月浇筑强度超过3万$m^3$,最高达4.5万$m^3$,台班产量都在400~500$m^3$以上。由于浇筑强度提高,层间间歇基本做到满足设计要求,混凝土浇筑温度得到控制,落实了仓面保温养护措施,这阶段浇筑的混凝土质量很好,很少发生裂缝,基本上避免了严重裂缝的产生。

第3阶段自1986年8月下闸蓄水至1989年12月坝体全面浇筑到坝顶,共浇筑坝体混凝土约24万$m^3$,这阶段由于受20t缆机布置上的限制,河床坝段由临时发电过渡到正常运行等因素的影响,坝体浇筑形象进展缓慢,但由于坝体上部仓面较小,浇筑强度满足设计要求,混凝土质量也较好。

## 3 坝体裂缝概况

与坝体混凝土浇筑相应,东江拱坝混凝土裂缝可分为3个阶段。

### 3.1 第1阶段

自1983年11月25日开仓到1984年7月19日正式停浇,共浇筑⑫~⑲坝段8个坝段,96个浇筑层次,共计6.7万$m^3$,到1984年9月19日全面进行裂缝处理前,已发现大小裂缝共177条,即平均每1 000$m^3$混凝土有裂缝的2.6条,有35个浇筑层发现裂缝,占总层次的36%。按严重裂缝、一般裂缝和微细裂缝3类划分如下。

(1)严重裂缝。在仓面上拱向贯穿或近于贯穿整个坝段,深度一般裂穿或几乎裂穿整个浇筑层,有的甚至几个浇筑层。

(2)一般裂缝。在仓面上一般延伸较短、最长不超过坝段宽度的50%,侧面延伸一般是1个浇筑层,有时也可延伸几个浇筑层。

(3)微细裂缝。在仓面上一般没有发现或延伸很短,侧面一般延伸长度小于1个浇筑层。

在这阶段发现的177条裂缝中,严重裂缝有41条,占23.1%;一般裂缝62条,占35%;微细裂缝74条,占41.9%。先浇坝段(高块)第⑫、⑭、⑯、⑱坝段裂缝无论在数量上、严重程度上都比后浇块严重,其中第⑭、⑯坝段最为严重。

坝体裂缝与混凝土浇筑季节直接有关,冬季低温时,一般性裂缝和微细裂缝占绝大多数,春季和春夏之交,寒潮频繁,严重裂缝大量出现,5月中下旬和夏季浇筑的混凝土因浇筑温度控制不严,仓面养护不善也易出现严重裂缝和一般性裂缝。

这阶段产生裂缝部位正处于坝体高应力区,必须认真处理,确保大坝正常运行。

### 3.2 第2阶段

自1984年11月恢复浇筑至1986年8月下闸蓄水,共浇筑约60万$m^3$的混凝土。据不完全统计,共发生大小裂缝287条,即平均每1 000$m^3$混凝土产生0.48条。在这287条裂缝中,严重裂缝仅1条,占0.35%;一般裂缝23条,占8%;微细裂缝263条,占91.6%。这一阶段坝体裂缝无论在数量上或严重程度上,都远低于第1阶段的裂缝。

### 3.3 第3阶段

自1986年8月下闸蓄水至1989年12月坝体全面浇筑到坝顶,共浇筑混凝土约24万$m^3$。平均每1 000$m^3$混凝土产生0.8条裂缝,无严重裂缝,除少量一般裂缝外,绝大部分为微细裂缝。这阶段浇筑的部位虽处于坝体低应力区,但由于坝体较薄,上游坝面又处水位变动区,坝体温度变化也较剧烈,因此这部分坝体裂缝也需认真处理,在今后运行中也应密切监测。

## 4　裂缝原因分析

东江拱坝混凝土裂缝原因是多方面的，主要是3大原因：环境条件(外界温度、湿度、风速等)、施工条件(混凝土生产、浇筑、养护等工艺和浇筑温度控制措施等)及原材料的物理力学特性。根据1984年1月和5月，原水电总局先后在工地和北京召开东江大坝已浇混凝土裂缝问题讨论会，对裂缝原因分析、东江拱坝混凝土浇筑的全过程、大量的科学试验及理论计算分析证明，不利的环境条件，主要是外界温度和湿度变化所引起的拉应力超过了混凝土的抗拉强度是东江拱坝裂缝的根本原因，浇筑初期混凝土生产能力过低，层间间歇期过长，养护不善容易受到不利环境变化的冲击，这是产生裂缝的又一重要原因。至于东江大坝混凝土早期抗拉强度偏低、相反弹性模量偏高、混凝土线膨胀系数偏大，极限拉伸值偏低，以及混凝土部分骨料软弱颗粒较多，低温季节部分层次混凝土外加剂$DH_4$用量不适当、缓凝时间过长，仓面形成“橡皮土”等原材料不足之处，在不同程度上促使裂缝的形成和发展。

1984年5月以前浇的混凝土裂缝主要原因是由于层间间歇期过长，又无可靠的养护措施下受到温度骤降冲击的结果。详见坝段高程141～143m、151～153m两个浇筑层的表面应力成果(表2)。1984年6月至9月浇的混凝土产生大量裂缝主要原因是外界相对湿度过小，风速较大，养护不善引起混凝土干缩所致。研究表明，如果浇筑表面不洒水养护，因水分扩散而引起的表面拉应力可达1.8～1.4MPa，尤其是浇筑早期，因混凝土抗拉强度较低而导致裂缝。外界湿度越低，表面应力越大。风速越大，混凝土散热系数越大，表面温度梯度就越大，表面早期拉应力也就越大。1984年11月以后浇的混凝土，由于施工条件大大改善，温控和保护得到重视和措施落实，裂缝大大减少。但由于河床坝段发电引水进水口结构复杂、钢管安装、两岸滑雪式溢洪道进水口坝段等部分仓面间歇期过长，仓面难于长期保护等原因，后期浇筑的混凝土还是产生了一些一般性或微细裂缝。

**表2　　⑯坝段寒潮时混凝土表面应力成果**

| 高程(m) | 浇筑日期 | 寒潮情况 | | 龄期(d) | 寒潮引起的拉应力(MPa) | 水化热和初始温差引起的拉应力(MPa) | 混凝土表面总的拉应力(MPa) | 混凝土抗拉强度*(MPa) |
|---|---|---|---|---|---|---|---|---|
| | | 日　期 | 降温幅度(℃) | | | | | |
| 143～141 | 1983年12月27～28日 | 1983年12月27～30日 | 7.1 | 2 | 0.57 | 0.34 | 0.91 | <0.5 |
| | | 1984年1月14～16日 | 10.5 | 18 | 2.04 | 1.17 | 3.21 | 2.36 |
| 153～151 | 1984年4月20～21日 | 1984年5月2～5日 | 12.4 | 14 | 2.29 | 1.57 | 3.86 | 2.22 |

* 系由水电八局科研所提供的试验资料推算而得。

缩短浇筑层层间间歇很大程度上减少了温度、湿度、风速等外界环境条件变化对混凝土浇筑层的不利影响。对避免裂缝有着十分重要的作用。基础混凝土浇筑层的间歇期统计见表3。

从表3可以看出，虽然1984年11月恢复烧筑以后，还没有完全达到设计提出的基础混凝土间歇期为5～7d，个别部位不大于10d的要求。但比其以前已有很大的改善，小于等于10d的已占70%，其中，小于等于7d的占42%，而大于等于15d者仅占7.2%。在1983年11月至1984年7月间，则间歇期小于等于10d者仅占56%，而大于等于15d的却有23%。

表 3　**基础混凝土浇筑层的间歇期的统计值**

| 统计时段 | 统计坝段 | 统计层数 | 下列间歇期的层数和百分比 | | | | | | | |
|---|---|---|---|---|---|---|---|---|---|---|
| | | | ≤7d | | 8～10d | | ≥11d | | | |
| | | | | | | | | | 其中≥15d | |
| | | | 层数 | % | 层数 | % | 层数 | % | 层数 | % |
| 1984 年 11 月至 1985 年 12 月 | 6～24 | 152 | 64 | 42.1 | 42 | 27.6 | 46 | 30.3 | 11 | 7.2 |
| 1983 年 11 月至 1984 年 7 月 | 12～19 | 61 | 13 | 21.3 | 21 | 34.4 | 27 | 44.3 | 14 | 23 |

大坝混凝土浇筑温度对混凝土裂缝有直接影响。第 1 阶段浇筑的 6.7 万 $m^3$ 混凝土虽因混凝土生产系统无制冷设备,浇筑温度无法控制,但其中绝大部分是冬、春低温季节浇筑。浇筑温度不是裂缝的主要原因。自 1984 年 11 月右岸高程 270.00m 混凝土生产系统投产,大坝恢复浇筑后,混凝土浇筑温度得到了较好的控制,据 1985 年 7 月气温最高月统计,机口温度在 15℃以下者占 73%。据统计从第⑥坝段至第㉔坝段,基础强约束区实测的最高浇筑温度为 10～18℃,其中少部分高出设计要求 15℃标准 2～3℃,大部分能满足设计要求。因此,1985 年 6～8 月浇筑的约 10.5 万 $m^3$ 混凝土未发现裂缝。

大坝混凝土一直使用湘乡水泥厂专门为东江工程生产的湘东 525 号普通大坝水泥,7d 龄期平均水化热为 265.39J/g,掺入 15%粉煤灰后降为 236.30J/g,水泥水化热不算高。

大坝混凝土力学指标是评价抗裂性能的重要指标。根据大坝混凝土现场质量统计,坝体主要 2 种标号(90d 龄期,C35 和 C30)的混凝土 $C_v$ 值绝大部分小于 0.15,强度保证率 $P$ 大于 85%,满足设计要求,主要存在问题是:

(1)抗压强度超强过多,一般超强约 30%,最多 50%,超强过多导致混凝土脆性增加,不利于抗裂。

(2)混凝土抗拉强度相对偏低。据工地试验资料,不同抗压强度相应抗拉强度如下:

| 抗压强度(MPa) | 10, | 15, | 20, | 25, | 30, | 35 |
|---|---|---|---|---|---|---|
| 抗拉强度(MPa) | 1.13, | 1.49, | 1.82, | 2.13, | 2.42, | 2.69 |

(3)早期混凝土弹性模量偏高,尤其是抗拉弹模高于抗压弹模,平均高出 6%,详见表 4。

表 4　**抗拉、抗压弹性模量**

| 混凝土强度等级 | 龄期(d) | 抗拉弹性模量 $E_p$ (平均)(GPa) | 抗压弹性模量 $E_c$ (平均)(GPa) |
|---|---|---|---|
| C35 | 7 | 24.28 | 22.62 |
| | 28 | 30.25 | 28.19 |
| C30 | 7 | 22.33 | 21.64 |
| | 28 | 30.03 | 27.52 |

弹性模量较高,尤其是早期,抗拉强度偏低,这对混凝土抗裂不利。

(4)混凝土线膨胀系数 $\alpha$ 在 $10.83\times10^{-6}$～$11.4\times10^{-6}$ 范围内,略大于温控计算值 $10\times10^{-6}$,这对抗裂也是不利的,造成 $\alpha$ 值偏大的原因主要是细骨料砂中石英含量偏高,粗骨料大多为砂岩。

综上所述，东江大坝混凝土浇筑质量虽较好，但混凝土力学特性对抗裂有不利的因素。

## 5 坝体混凝土裂缝处理

东江大坝自1983年11月开仓到1984年7月完全停仓，这阶段浇筑的6.7万$m^3$混凝土产生了严重的裂缝，它位于河床最高坝段受力较大的部位，对这部分混凝土裂缝处理必须持十分慎重的态度，是裂缝处理的重点。

### 5.1 拟定裂缝处理的基本前提

#### 5.1.1 对裂缝情况的基本估计

上述6.7万$m^3$混凝土的裂缝情况清楚，对各坝段的主要裂缝均有记载和描述。在1983年冬季至1984年4月底以前低温季节裂缝以拱向为主，延伸长、发展较深，并以第⑫、⑭、⑯双数坝段（高块坝段）更为严重。5、6月份高温季节则以龟裂为主。顺水流向裂缝发展深度均较浅，最大深度在1.0m以内，可以挖除。迎水面裂缝很少，且均为延伸很短的微细裂缝，发生在浇筑层面接触处，是由于接缝处漏浆或接缝处理不好所致。这些裂缝深度9均在10cm之内，一般只裂到坝面钢筋为止。

这6.7万$m^3$混凝土在1984年11月覆盖以前最短历时近6个月，混凝土水化热、自身体积变形已基本完成，仅在以后进行大坝二期冷却，运行期形成准稳定温度场时，随内部温度的下降，这些裂缝的稳定性应予以重视。这部位的主要裂缝在上层混凝土覆盖前，在裂缝顶部都布置了双层并缝钢筋，这对限制裂缝的开展，补强结构可起一定作用。

#### 5.1.2 对混凝土质量的估计

这6.7万$m^3$混凝土的质量其强度均匀性均能满足设计要求，存在问题主要有抗压超强较多，混凝土拉压强度之比略偏低，早期弹模偏高，混凝土抗拉、抗裂性能较差，从大量室内和现场试验、测试资料分析，这部分混凝土力学指标无明显异常现象。

#### 5.1.3 关于裂缝稳定性

裂缝存在对坝体应力、坝体安全度影响的研究。根据断裂力学研究，在运行期，大坝在各种荷载作用下，拱向裂缝处于压剪状态，某些缝端（拱向缝或顺水流径向缝）的应力强度因子超过了混凝土的断裂韧度，裂缝将会进一步扩展0.5～1.0m，特别要引起重视的是，库水一旦进入裂缝，将恶化缝端应力和稳定条件。

裂缝的存在和发展除削弱大坝的防渗能力外，还将影响坝体的整体性和承载能力。根据非线性有限元计算和石膏模型试验分析结果，裂缝两侧2m和缝端3m范围内的应力大小和方向有所改变，对坝体上下游面控制应力值影响不大，对坝体承载能力的影响，无裂缝拱圈超载系数为4.5，有裂缝后降为3.5～3.8。

### 5.2 裂缝处理措施

根据上述分析，东江大坝裂缝采用补强坝体结构，阻止库水进入裂缝、阻止裂缝进一步发展和局部裂缝挖除等综合处理方案见图1。

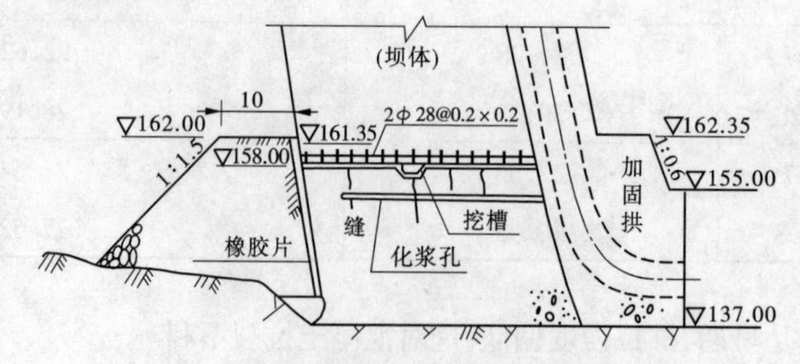


**图1 拱冠剖面裂缝处理措施示意图**(单位:m)

5.2.1 坝后加固

利用坝后已有引水钢管镇墩形成加固拱,做好坝和镇墩二者之间的结合,做好填墩和两岸基岩的嵌固,保证坝体和镇墩形成整体以加固坝体裂缝部位的结构,弥补裂缝对坝体承载能力和应力的影响。为此,将镇墩顶高程由原设计155.00m提高到162.35m,增加地基开挖500m³,混凝土8 000m³。经三维有限元计算,增设加固拱后,拱冠下游压应力较同等工况下的原结构降低58%,加固拱尾部基础处主压应力也比原坝趾下降8.3%。

5.2.2 铺设并缝钢筋,限制裂缝开展

为限制裂缝向上发展,补强裂缝部位坝体结构,在裂缝上部布置并缝钢筋。配筋量根据断裂力学计算,并参考其他工程用双层 $\phi$28mm@20cm×20cm,长度为下层800cm和上层500cm,钢筋骑缝布置,第1层距仓面20cm,第2层距第1层40cm。本次并缝钢筋主要布置于第⑫~⑱坝段,高程151.00~160.50m的仓面共427t。

5.2.3 坝踵填筑黏土

坝踵在高程162.00m以下填筑黏土,目的在于改变坝体上游温度的边界条件。原设计坝前底部水温7℃,填筑黏土后这部位边界条件可接近地温。经分析,填筑黏土后这部位的上游边界温度可由7℃提高到10~12℃,这样坝体严重裂缝部位的准稳定温度场可以提高,从而减少了这部位坝体Ⅱ期冷却的温差,有利于防止裂缝继续开展。黏土填筑体断面:顶部高程162.00m,顶宽10m,底宽60m,实施这项措施约需填筑黏土32 000m³。

5.2.4 重点挖除

重点挖除的裂缝有:靠近上游面的径向裂缝和严重的拱向贯穿裂缝,它们的存在对坝体的防渗、应力和承载能力影响较大。一共挖除23条裂缝,共约700m³混凝土。开挖采用无声挤压爆破和低能量邻近爆破,辅以风镐撬挖清理,两侧开挖坡1:1,槽底宽度1.0m,开挖深度一般0.8~1.0m。开挖完成并经人工修整后,沿槽底和原浇筑层面各布置1层 $\phi$25mm@20cm的抗裂钢筋,回填2级配或3级配混凝土。

5.2.5 裂缝化学灌浆

为了弥合裂缝、防止库水渗入裂缝和补强坝体结构,选用亲水性较好、与混凝土黏结强度较高且可灌性较好的环氧化学灌浆,经试验配制的环氧浆液黏度为6~7Pa·s,其结石的主要力学指标:抗压 $R_c=15\sim20$MPa,抗拉 $R_L=2.75$MPa和混凝土黏结强度不小于1.37MPa,弹模 $E=7.9$GPa,化学灌浆系统由仓面骑缝预埋系统和下游坝面水平孔系统两部分组成。前者预埋系统大部分被堵失效,主要靠下游水平孔系统。下游坝面水平孔均在Ⅱ期冷却,横缝灌浆完成后造孔,孔径 $\phi$56mm,人造金刚石钻头,孔距2.5m,最大孔深28m,最大灌浆压力0.4MPa。灌浆前认真做好压水试验,摸清孔间互串情况和总吸水量。采用由低部位到高部位,互串孔群孔灌浆法,结束标准为进浆量小于0.1L/min,并浆时间为30min,共灌注裂缝41条,总灌浆3 590L。

5.2.6 上游坝面橡胶防渗层

上游坝面在高程160.00m以下存在水平和竖向微细裂缝共10条,其最长长度为3m,缝宽小于0.2mm,深度10cm左右,一般裂至上游坝面钢筋($\phi$22mm@10cm×10cm)为止。这些裂缝稳定性较差,在库水位作用下有可能发展,经坝面防渗方案比较,采用坝面粘贴氯丁橡胶片防渗方案,它具有施工方便、延伸率高等优点,粘贴范围自高程161.35m至基岩面高程137.00m的上游坝面,共计2 260m²。

## 5.3 裂缝处理效果评价

5.3.1 压水和取样检查

在第⑫至⑱坝段,高程151.00m至160.50m的裂缝仓面上,布置了双层 $\phi$28mm@20cm×20cm的并缝钢筋,为了检查其并缝效果,在坝体进行Ⅱ期冷却,裂缝化灌造孔之后,化灌以前在第⑭

至⑰坝段布置了裂缝检查孔,做压水试验,其检查结果见表 5。

表 5 并缝效果检查

| 坝段 | 并缝钢筋铺设高程(m) | 检查孔布置和 ω 值 | | | |
|---|---|---|---|---|---|
| | | 高 程(m) | 孔 数(个) | 总孔深(m) | ω 值 |
| ⑭ | 160.70 | 162.20 | 3 | 55.85 | 0 |
| ⑮ | 155.20 | 156.00 | 1 | 23.75 | 0 |
| ⑯ | 158.20 | 159.50 | 1 | 25.50 | 0 |
| ⑰ | 151.20 | 153.00 | 3 | 79.60 | 0 |

表 5 各孔 ω 值均为 0,且不与邻近裂缝检查孔或化学灌浆孔串通,这表明,并缝钢筋有效地控制了裂缝向上发展。

化灌结束后,在第⑱坝段钻孔取样 $\phi$110mm,芯样上 0.11mm 的微细裂缝也被灌密实,且黏结牢固,另外在第⑫至⑯坝段布置 7 个化灌检查孔做了压水试验,压力为 0.3MPa,共 22 个试段。其中 12 段 $\omega=0$,7 段 $\omega<0.0006$L/(min·m·m),1 段 $\omega=0.008\ 8$L/(min·m·m),2 段因打穿冷却水管无效。从 ω 值说明,裂缝经化灌后充填密实,不渗水。

5.3.2 内部观测成果

为观测坝体裂缝和并缝钢筋的效果,布置了共 36 支仪器,其中测缝计 27 支,五向应变计 1 组,无应力计 1 支,钢筋计 3 支,分别布置于第⑫、⑭至⑰、⑲坝段高程 151.00~160.00m 的裂缝仓面上。仪器于 1984 年 11 月埋设,1985 年 7 月至 1986 年 4 月进行裂缝化灌,1986 年 8 月 2 日下闸蓄水,1989 年 9 月大坝完建库水位蓄至高程 266.00m。根据到 1989 年底的内部观测资料分析成果,化灌后,裂缝的开度、并缝钢筋的应力均趋稳定,裂缝得到弥合,结构得到补强;随着水库水位的上升,裂缝所在平面的拱向应力变化正常,坝体整体得到恢复;大坝蓄水后,并缝钢筋呈受压状态,裂缝计开度呈闭合趋势。

5.3.3 外部观测成果

自 1986 年 5 月至 1989 年 12 月,其间气温变幅为 -2.2~32.2℃,库水位 150.02~259.0m,大坝高程由 230.00m 上升至 294.00m。外部观测资料表明,坝体变位正常,拱冠第⑮坝段最大径向、切向和竖直(沉陷)位移分别为 15.4mm、1.2mm 和 12.0mm。同时,高程为 205.00m 的观测廊道内的倒垂线观测资料表明:当库水位变幅不大时,测点径向位移随气温升高而向上游移动,气温下降时则向下游移动,其滞后约 3 个月。这符合拱坝的变形特征,说明坝体裂缝经综合处理后坝体整体性得以恢复,坝体运行正常。

综上所述,针对大坝高程 160.00m 以下严重裂缝采取的 6 项处理措施效果良好,达到了提高坝体整体性、防渗性和补强结构的目的,保障了原大坝的设计指标。

5.3.4 坝体高程 160m 以上裂缝处理

坝体高程 160.00m 以上混凝土共 84.3 万 $m^3$,占大坝总混凝土量的 92.5%。浇筑时间由 1984 年 11 月至 1989 年 12 月。这部分混凝土均由设置在右岸高程 270.00m 的大坝混凝土拌和楼生产,相应的骨料预冷、拌和加冰等温控设施较完善,混凝土入仓、平仓振捣机械化程度较高。仓面采用泡沫塑料保温被,保温效果较好,因此这部分混凝土浇筑质量较好,在因钢管安装或结构复杂较长时间停仓的仓面上专门布置了抗裂钢筋,因此这部分混凝土较少发生裂缝,尤其是较少有严重裂缝。另外这部分混凝土有的已脱离了基础强约束区,大部分在运行期坝体应力也较小,因此这部分混凝土一旦发生裂缝后,一般仅在裂缝顶层布置 1~2 层限裂钢筋,不作裂缝局部挖除、化学灌浆等特殊的处理。

# 西北口面板堆石坝面板裂缝成因分析

罗先启　刘德富　黄　峄

**摘　要**:引起西北口面板堆石坝混凝土面板裂缝的因素很多,重点对面板温度荷载及其产生的温度应力、面板的抗裂能力进行分析,指出温度荷载是产生面板裂缝的重要因素,面板混凝土质量均匀性差是造成面板开裂的内部原因,阐明了面板施工期裂缝的原因。

## 1　概　述

西北口混凝土面板堆石坝位于长江一级支流黄柏河东支中游、宜昌县境内。距葛洲坝 46km。坝高 95m,坝顶长 222m,坝顶宽 8m,上、下游边坡 1∶1.4。钢筋混凝土防渗面板底部厚 0.6m、顶部 0.3m,中间呈直线变化。面板由纵缝分成 25 块,其中河床中部 12 块(板宽为 12m),左、右岸 13 块(板宽 6m)。面板总面积 27 900m$^2$,最大板长 147m,面板混凝土总方量 12 288m$^3$。在混凝土面板中性面上布设有双向钢筋,各向含筋率均为 0.4%。典型剖面示意图如图 1 所示。

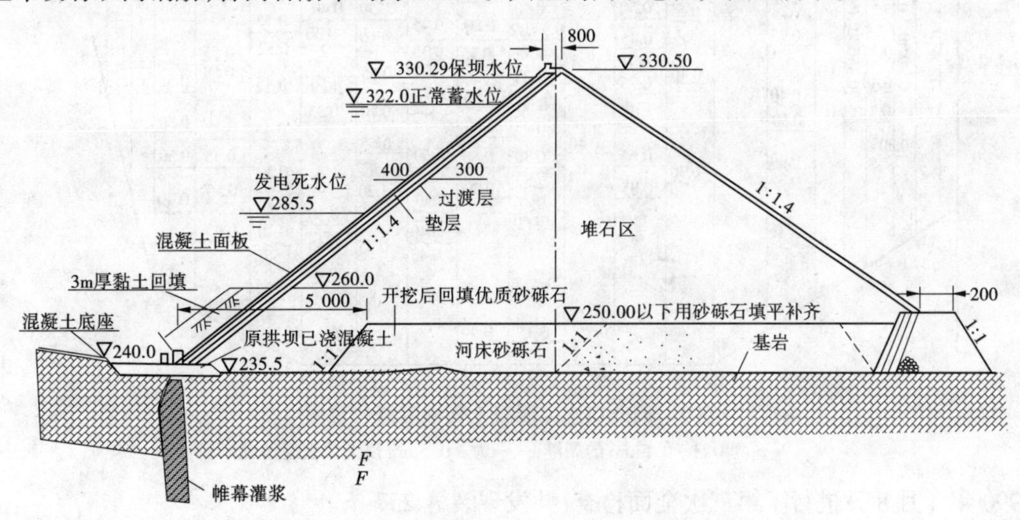


**图 1　西北口面板堆石坝典型剖面图**(单位:cm)

西北口工程于 1986 年 12 月 30 日截流并开始基础开挖及趾板的浇筑。1987 年 1 月开始坝体填筑,1988 年 12 月底坝体顶部高程填筑到防浪墙底高程。1989 年 3 月 29 日开始大面积的面板混凝土浇筑,同年 6 月 9 日面板浇筑结束。1991 年 9 月 24 日水库下闸蓄水。

西北口混凝土面板堆石坝是我国该坝型的试验坝。由于设计、施工经验不足,加上面板施工时间及水库蓄水时间安排不当,造成了面板在水库蓄水之前,出现了大量贯穿性裂缝。虽然裂缝经修补后并没有影响水库的正常蓄水,但对造成面板蓄水前出现大量裂缝的原因众说纷纭。为了搞清面板施工期裂缝的原因及裂缝的规律,加深对面板受力的认识,以提高我国混凝土面板堆石坝的建设水平,我们从施工期面板所受荷载的分析入手,详细研究了面板在开裂前的弹性温度应力的大小及分布规律,开裂的条件及开裂后的裂缝分布规律,并从混凝土材料及施工过程出发,结合部分实测资料,详细论述了西北口面板的施工质量及抗裂能力。通过上述各个问题的探讨,基本上弄清了面板蓄水前产生裂缝的原因,提出了防止面板裂缝的措施。

## 2　混凝土面板裂缝状况及其特点

从 1989 年 6 月 9 日面板浇筑结束至 1991 年 9 月 24 日下闸蓄水,中间间隔两年多时间,在此期间对面板的裂缝作过多次检查与统计工作,其中几次全面检查的结果如下:

面板裂缝第一次全面检查是在 1989 年 8 月,检查结果表明,除右 L7、左 L2、左 L4、左 L7、左 L11 等几块面板没有裂缝外,其他 18 块面板均出现了一定程度的裂缝,肉眼可见的裂缝总数达 58 条。1990 年 1 月 13～14 日进行了第二次全面检查,除左 L5 因帷幕灌浆无法检查外,其他共发现可见裂缝 253 条(如图 2 及表 1 所示)。其中裂缝大于 0.3mm 的共 135 条,最大裂缝宽度为 1.2mm。

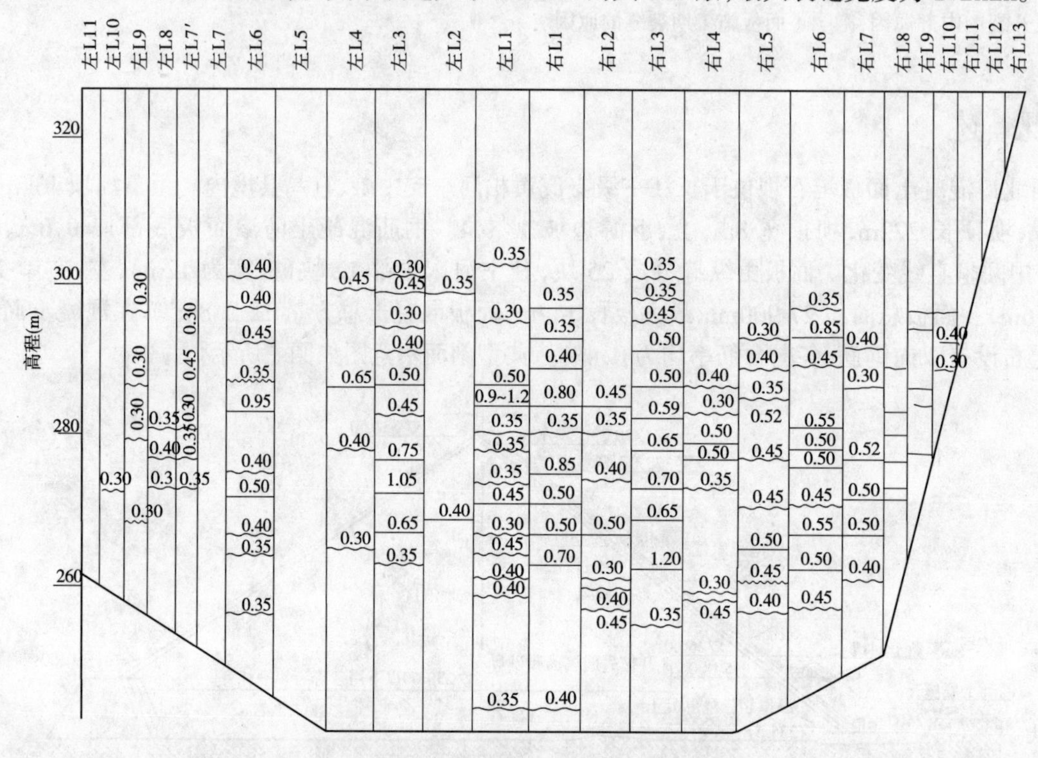


**图 2　西北口水库混凝土面板裂缝位置图**

～～为 0.3～0.5mm 的裂缝;——为≥0.5mm 以上的裂缝情况

1990 年 4 月 8 日进行了第三次全面检查,共发现裂缝 257 条。

水库 1991 年 9 月 24 日下闸蓄水后,又多次对面板裂缝进行过检查,最近一次是 1994 年 5 月水库放空后的检查。

由图 1 及表 1 可见,西北口面板裂缝呈现以下四个方面的特点:

(1)在时间方面,大量的裂缝是在 1990 年 1 月检查时发现的,以后裂缝虽有增多,但数量不大。水库蓄水后主要发生在水上部分。

(2)在分布方面,裂缝几乎遍布整个面板,但靠近岸边的短块裂缝少一些,试验块基本上没有大于 0.3mm 的裂缝。

(3)裂缝方向基本上是水平方向的,横穿整个板块;大于 0.2mm 裂缝多是贯穿面板的整个厚度,仅在钢筋处略有束窄(1990 年 5 月水科院超声纵波绕射检查结果)。

(4)对 1990 年 1 月裂缝检查结果进行统计分析得到:12m 宽的面板平均缝宽 0.315mm,6m 宽的面板平均缝宽为 0.213mm。裂缝大致等间距分布,平均裂缝间距为 3.517m,均方差为 0.0784,离散系数为 0.022 3。裂缝距面板顶部的平均距离为 34m,底部的平均距离为 16.7m。

表1 西北口面板1990年1月裂缝检查结果统计

| 位置 | 各缝宽的裂缝条数 | | | | | | |
|---|---|---|---|---|---|---|---|
| | <0.2mm | 0.2～0.29mm | 0.3～0.39mm | 0.4～0.49mm | 0.5～0.59mm | >1.0mm | 合计 |
| 左L1 | 3 | 1 | 7 | 4 | 1 | 1 | 17 |
| 左L2 | 5 | 4 | 1 | 2 | | | 12 |
| 左L3 | 2 | 2 | 3 | 3 | 3 | 1 | 14 |
| 左L4 | 1 | 4 | 1 | 2 | 1 | | 9 |
| 左L5 | 6 | | 3 | | | | 9 |
| 左L6 | 3 | | 3 | 5 | 2 | | 13 |
| 左L7 试浇块 | 3 | 2 | 1 | | | | 6 |
| 左L7′ | 2 | 4 | 4 | 1 | | | 11 |
| 左L8 | 3 | 1 | 2 | 1 | | | 7 |
| 左L9 | 9 | 3 | 4 | | | | 16 |
| 左L10 | 11 | 1 | | | | | 12 |
| 左L11 | 6 | 3 | | | | | 9 |
| 右L1 | 2 | 2 | 3 | 2 | 5 | | 14 |
| 右L2 | 3 | 2 | 2 | 4 | 1 | | 12 |
| 右L3 | 1 | 3 | 3 | 1 | 6 | 1 | 15 |
| 右L4 | 3 | 5 | 3 | 2 | 2 | | 15 |
| 右L5 | | 1 | 2 | 5 | 2 | | 10 |
| 右L6 | | 3 | 1 | 3 | 6 | | 13 |
| 右L7 | 2 | 2 | 1 | 2 | 3 | | 10 |
| 右L8 | 2 | 1 | 3 | 4 | 1 | | 11 |
| 右L9 | | 1 | 3 | 4 | 1 | | 9 |
| 右L10 | 5 | | 1 | 2 | | | 8 |
| 右L11 | 1 | | | | | | 1 |
| 右L12 | | | | | | | 0 |
| 总计 | 73 | 45 | 51 | 47 | 34 | 3 | 253 |

# 3 蓄水前面板荷载分析及计算

裂缝检查结果表明,大量的裂缝出现在水库下闸蓄水之前,在此期间面板承受的荷载主要有:混凝土的体积变形、自重及堆石体滞后不均匀沉陷。其中体积变形又包括温度变形、干缩变形及自生体积变形三部分。现对面板混凝土体积变形及坝体不均匀沉陷荷载的大小论述如下。

## 3.1 变温荷载

### 3.1.1 概述

在面板混凝土浇筑之后,由于受底部垫层及混凝土内部的约束,在面板混凝土温度相对于浇筑温度有改变时,则会出现温度应力。但考虑到混凝土水化热温升阶段所产生的温度应力为压应力,加上混凝土尚处于可塑状态、弹模较小,所产生的压应力数值较小。因此,变温荷载计算可以取混凝土水化热温升达到最高温度时所对应的温度场作为基准。现取出面板建立如图3所示的坐标系。由于面板在 $z$ 方向(即厚度方向)远小于 $x$ 和 $y$ 方向的尺寸(即宽度和长度),因此在混凝土水化热散发及环境温度改变时,其热传导主要沿板厚方向进行,可以简化为一个一维热传导问题。因此,沿厚度方向任意一点的温度仅是 $z$ 坐标及时间 $t$ 的函数。设面板在水化热温升达到最高温度时的温度场为 $T(z,t_0)$,以后任意时间的温度场为 $T(z,t)$,则相应该时刻的变温荷载 $\Delta T(z,t)$ 为:

$$\Delta T(z,t)=T(z,t)-T(z,t_0) \tag{1}$$

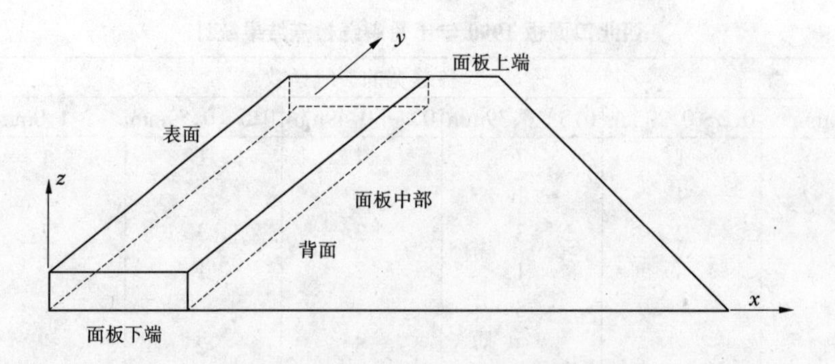


图 3　面板相对位置及其坐标系示意图

3.1.2　求解温度场 $T(z,t)$ 的方程

任意时间温度场 $T(z,\ t)$ 可以通过求解下列热传导方程得到：

$$\frac{\partial T}{\partial t}=\alpha\frac{\partial^2 T}{\partial z^2}+\frac{\partial\theta}{\partial t} \tag{2}$$

$$T(z,0)=T_p \tag{3}$$

$$-\lambda\frac{\partial T(z,t)}{\partial z}\Big|_{z=h}=\beta[T(h,t)-T_a(t)] \tag{4}$$

$$T(0,t)=T_0(t) \tag{5}$$

式中：$\theta$——混凝土水化热绝热温升，可按 $\theta=\theta_0(1-e^{-mt})$ 计算；

$T_p$——混凝土的浇筑温度；

$h$——板厚；

$T_a(t)$——气温值；

$T_0(t)$——面板浇筑后垫层的温度；

$\alpha$、$\lambda$、$\beta$——分别为导温系数、导热系数及放热系数。

3.1.3　温度场 $T(z,t)$ 的分解

如图 4 所示，$T(z,t)$ 可以分解成三部分，即：

$$T(z,t)=T_m(t)+T_d(t)(\frac{2z}{h}-1)+T_n(z,t) \tag{6}$$

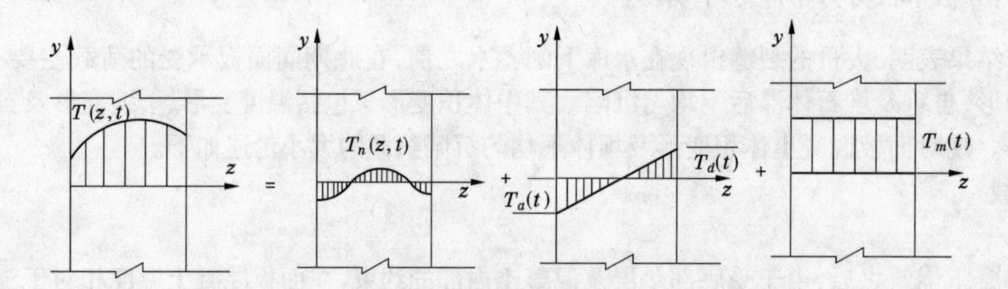


图 4　面板混凝土温度场的分解

式中：$T_m(t)$——均匀温度；

$T_d(t)$——梯度温度；

$T_n(z,t)$——非线性温度。

其求解公式为：

$$\left.\begin{aligned}T_m(t)&=\frac{1}{h}\int_0^h T(z,t)\mathrm{d}z\\T_d(t)&=\frac{6}{h^2}\int_0^h T(z,t)(z-\frac{h}{2})\mathrm{d}z\\T_n(z,t)&=T(z,t)-T_m(t)-T_d(t)(\frac{2z}{h}-1)\end{aligned}\right\}\tag{7}$$

3.1.4 变温荷载的求解

当由 $T(z,t)$变化过程确定出水化热温升到最高时的时间为 $t_0$ 时,任意时刻的变温荷载也可以表示成三部分,即均匀变温荷载 $\Delta T_m(t)$、梯度变温荷载 $\Delta T_d(t)$和非线性变温荷载 $\Delta T_n(z,t)$。本文约定 $\Delta T_m$、$\Delta T_n$ 以温升为正,$\Delta T_d$ 以面板表面温升、背部温降为正。其值可以由下式确定:

$$\left.\begin{aligned}\Delta T_m(t)&=T_m(t)-T_m(t_0)\\\Delta T_d(t)&=T_d(t)-T_d(t_0)\\\Delta T_n(z,t)&=T_n(z,t)-T_n(z,t_0)\end{aligned}\right\}\tag{8}$$

3.1.5 西北口变温荷载的计算

采用上述计算方法,我们对西北口混凝土面板左 L1 板块的变温荷载进行了详细的计算。在计算中取 $T_p=24℃$, $\theta_0=27.41℃$, $m=0.38/d$, $a=0.1\mathrm{m}^2/\mathrm{d}$, $\lambda=9.336\ 6\mathrm{kJ}/(\mathrm{m}\cdot\mathrm{h}\cdot℃)$, $\beta=50\ \mathrm{kJ}/(\mathrm{m}^2\cdot\mathrm{h}\cdot℃)$。$T_a(t)$由当地气象资料查得。其时间 $t$ 的起点取左 L1 面板浇筑结束时间(1989 年 5 月 24 日)。$T_0(t)$没有实测资料。作为近似处理,将式(5)用$\frac{T(z,t)}{z}\Big|_{z=0}=0$代替。采用隐式差分法求解式(2)。计算时段一般为一天(24h),但在浇筑初期及昼夜温差较大的时刻进行了加密,面板厚度 $h$ 考虑了 40cm 和 60cm 两种情况,计算结果:

(1)浇筑初期(前 7d) $T_a(t)$、$T_m(t)$、$T_d(t)$的过程线如图 5 和图 6 所示。由此图定出,当 $h=40$cm时 $t_0=1$d,当 $h=60$cm 时 $t_0=2$d。

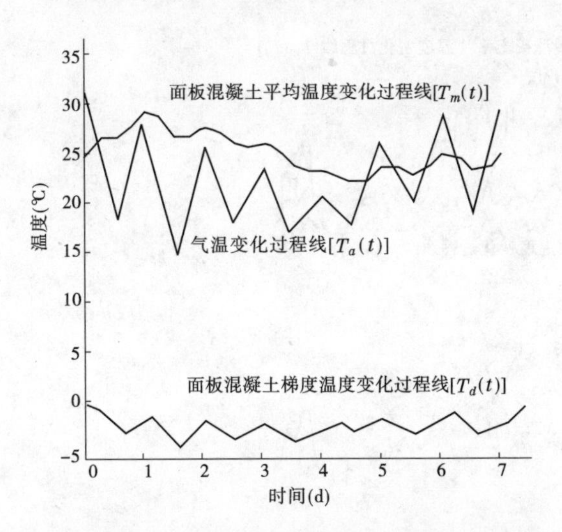


图 5 $h=40$cm 面板混凝土浇筑初期温度变化过程线

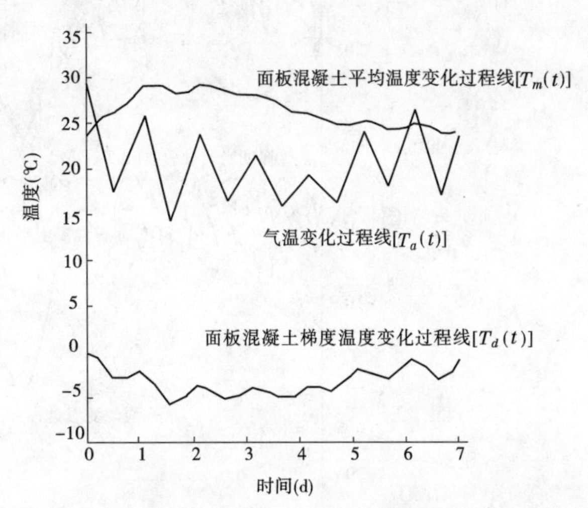


图 6 $h=60$cm 面板混凝土浇筑初期温度变化过程线

(2)从 $t_0$ 开始至 1990 年 1 月 14 日,$T_a(t)$、$T_m(t)$、$T_d(t)$、$\Delta T_m(t)$、$\Delta T_d(t)$变化过程线如图 7、图 8 所示。

(3)1989 年 12 月 3 日气温日变化达 17℃,此时混凝土面板温度 $T$ 及非线性温度 $T_a$ 沿厚度方向的分布及随时间变化过程如图 9~图 12 所示(气温从中午的 22℃变化到深夜的 5℃)。

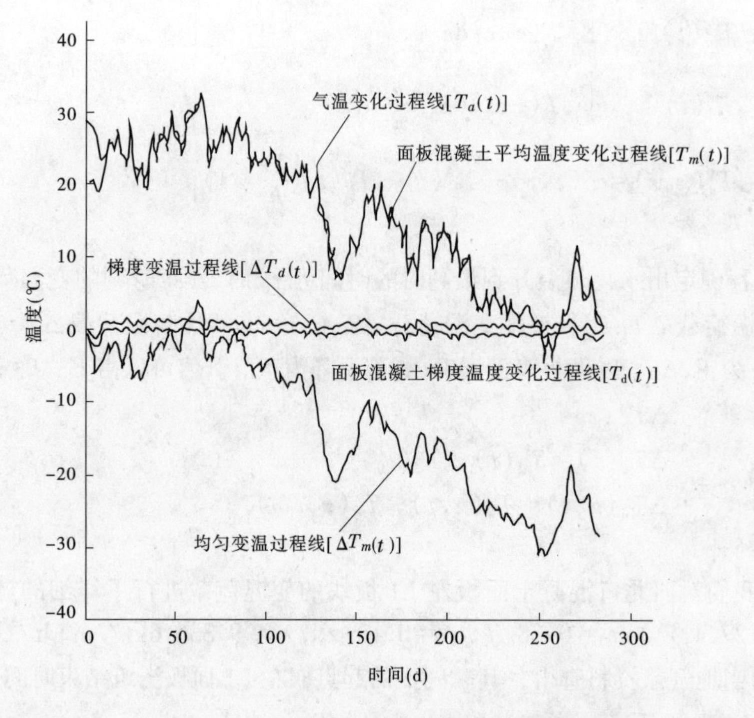


图 7　$h=40$cm 时面板温度变化过程线

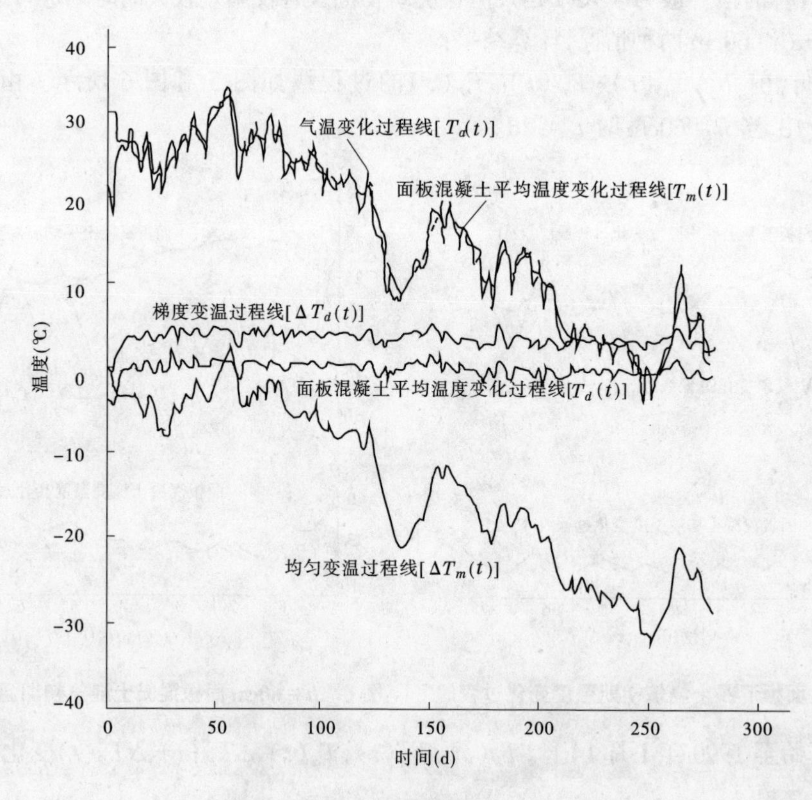


图 8　$h=60$cm 时面板温度变化过程线

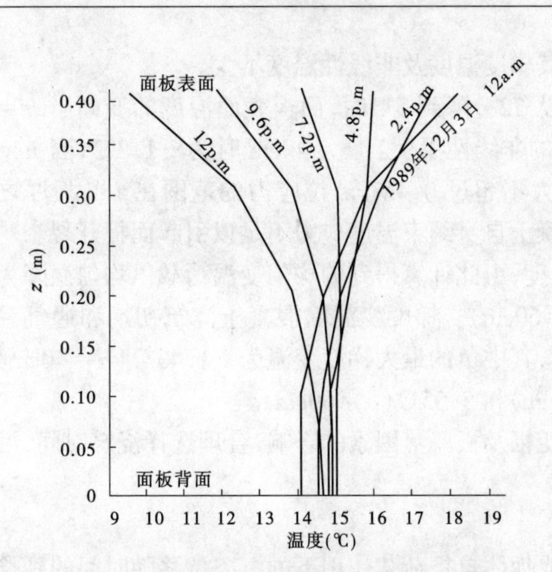


图 9 $h = 40$cm 面板遇气温骤降时混凝土温度分布及变化过程图

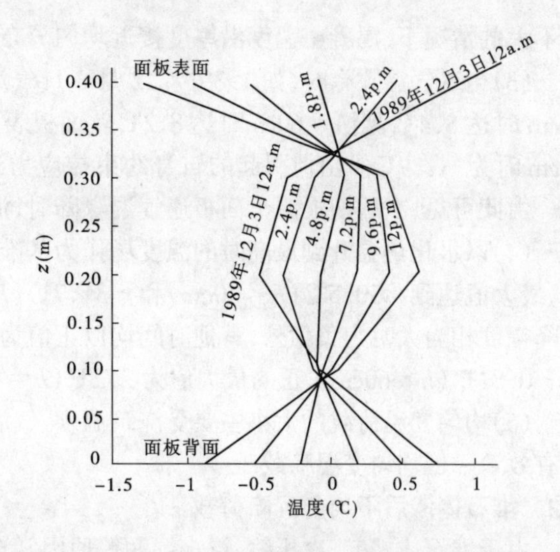


图 10 $h = 40$cm 面板遇气温骤降时混凝土非线性温度分布及变化过程图

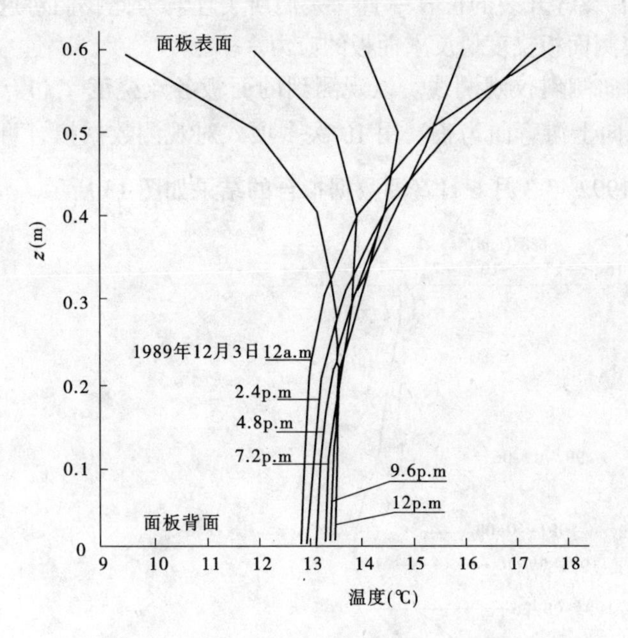


图 11 $h = 60$cm 面板遇气温骤降时混凝土温度分布及变化过程图

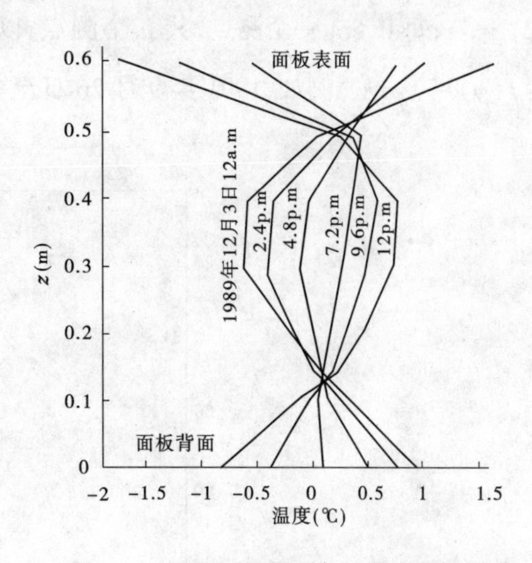


图 12 $h = 60$cm 面板遇气温骤降时混凝土非线性温度分布及变化过程图

计算结果表明:

(1)面板混凝土水化热温升的时间主要发生在前 7d。当 $h = 40$cm 时,一天后水化热温升使混凝土平均温度达到最高值 28.219℃,高出浇筑温度 4.219℃。当 $h = 60$cm 时,二天后混凝土平均温度达到最高值 29.856℃,高出浇筑温度 5.86℃。前 7d 内混凝土温度沿厚度呈表面温度低、背面温度高的分布形式,表、背面最大温差高达 8.6℃($h = 40$cm)和 11.9℃($h = 60$cm),此时对应的梯度温度分别为 −4.196℃和 −5.532℃,表面非线性温度分别为 −1.693℃和 −2.893℃。由于混凝土内部自身的约束,非线性温度可在表面产生约 0.6MPa 的拉应力(对应的日气温最大变幅为 13℃)。由此可见,在混凝土水化热阶段,当遇日气温变幅较大时,仅混凝土自身内部约束就足以在面板表面产生微裂缝。

(2)7d 后混凝土平均温度基本上与日平均气温相当,且随日平均气温的变化而变化,在气温日变幅不大的情况下,混凝土温度沿厚度接近均匀分布,其梯度温度及非线性温度不大。

(3)当遇气温骤降时,如1989年12月3日气温从22℃降到5℃时,面板表面温度的变幅当$h=40$cm时达8.4℃,当$h=60$cm时达8.2℃。面板表面的非线性温度当$h=40$cm时为-1.3℃,当$h=60$cm时为-1.9℃。由此引起的自身约束拉应力最大不超过0.4MPa,拉应力的范围在1/5板厚之内。由此可见,在后期混凝土面板遇气温骤降时,混凝土自身约束温度应力不足以引起面板开裂。

(4)以水化热温升到最高时的温度场作为基准温度,由此计算得到的均匀变温荷载以均匀温降为主,最大值达到-30.5℃($h=40$cm)和-31.7℃($h=60$cm)。梯度变温除混凝土浇筑初期和遇气温骤降幅度相当大时为负值外,其他时间均以正值为主,其中负的最大梯度变温为-1.43℃($h=40$cm)和-0.81℃($h=60$cm),正的最大值为2.2℃($h=40$cm)和5.55℃($h=60$cm)。

(5)均匀变温荷载的大小主要受浇筑温度、气温变幅及板厚等因素的影响,合理选择浇筑时间,可以有效地降低均匀变温荷载。

### 3.2 堆石体滞后不均匀沉陷荷载

由于堆石体蠕变、次压缩、浸水湿润等原因常造成坝体自重荷载作用下的沉陷位移随时间的延长而加大。当这种滞后的沉陷位移发生在面板浇筑之后,则必然会在面板内产生不均匀沉陷应力。该不均匀沉陷应力是否会造成面板的裂缝或左、右裂缝开裂的位置一直为人们所关注。为此我们对这一问题作了专门的研究。研究的方法是利用实测面板挠度值反求面板的应力。

西北口面板坝在左L1中面布设有一条斜向测斜仪观测线。以观测到的面板各点挠度$f_i$($i=1,2,\cdots,n$;每0.5m一个测点,共$n$个测点;以向上游弯曲为正),用10次多项式对观测数据拟合可得:$f(y)=\sum_{j=0}^{10}a_jy_j$,例如,1991年9月26日至1992年3月6日观测数据拟合的结果如图13所示。

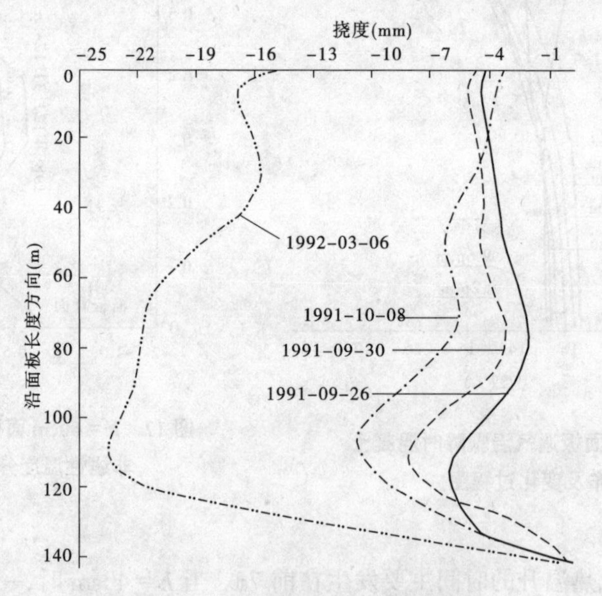


**图13 西北口面板斜向测斜仪观测数据分析**

(面板挠度沿长度方向分布图)

由于面板挠曲变形所产生的应力则为:

$$\sigma_y(y,z)=\frac{Ef''}{1-\mu^2}\left(z-\frac{h(y)}{2}\right) \tag{9}$$

式中:$E$、$\mu$——面板混凝土弹模及泊松比;

$h(y)$——面板的厚度。

按上述方法求得面板表面$\sigma_y$在上述观测时间沿面板长度方向的分布曲线如图14所示。

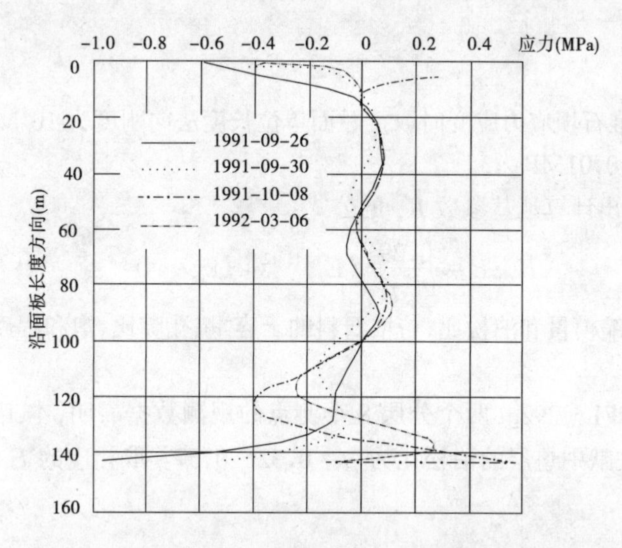


**图 14 西北口面板斜向测斜仪观测数据反分析**

(面板表面应力沿长度方向分布图)

斜向测斜仪第一次观测是在 1991 年 9 月 26 日,此时上游水位为 262.0m。面板挠曲分布如图 13 所示规律为:总体上朝下游位移,但位移沿高度方向的分布为上部和下部大,中部小,但总的位移量不大(在 6mm 以内)。由此求出的面板上游表面的应力如图 14 所示。由图可见,面板表面在上部为压,中部为拉,下部为压。除去底部应力稍大之外,其他部分的应力均在 0.1MPa 的范围内。

必须说明的是:斜向测斜仪观测到的挠度值是由坝体沉陷、水压力、温度等共同产生的。如果扣除水压力及温度产生的部分之后,坝体滞后沉陷使面板产生的挠度分布规律为:面板上部朝下游变位,中下部朝上游变位。该挠曲变形会使面板在中下部表面产生一定的拉应力,但量值甚小,我们认为,该应力不足以影响面板裂缝的多少和部位。因此,在后面的分析中不考虑本荷载的影响。

### 3.3 其他荷载

干湿变形是在湿度变化的直接影响下而产生的体积变形。混凝土自生体积变形是混凝土的胶凝材料在恒温恒湿和不受荷载的作用下,由于水化作用引起的水化胶状生成物和晶体生成物的体积变形。该两项作用的后果同变温荷载,但其大小目前还无成熟的办法计算,又缺乏必要的试验资料,因此本次计算暂不考虑这两项荷载的影响。

## 4 面板弹性温度应力的有限元分析

面板是斜卧在垫层上的变厚度的混凝土板,由上节分析计算表明,面板在蓄水前主要受体积变形荷载的作用,该荷载可简化成均匀变温 $\Delta T_m$、梯度变温 $\Delta T_d$ 及非线性变温 $\Delta T_n$ 三部分荷载。其中 $\Delta T_n$ 仅在作用截面内产生应力,其大小可以按

$$\sigma = \frac{-E\alpha\Delta T_n}{1-\mu} \tag{10}$$

计算,求得的计算结果已在上节中介绍过。$\Delta T_m$、$\Delta T_d$ 在面板产生的应力与垫层的约束等因素有关,必须进行整体分析才能求得。为了搞清 $\Delta T_m$、$\Delta T_d$ 所产生应力的大小及分布规律,我们采用三维弹性有限元方法对 $\Delta T_m$ 及 $\Delta T_d$ 单独作用下的弹性温度应力进行了分析计算。

### 4.1 计算模型

本文取堆石坝典型剖面的面板(左 L1)作为研究对象,将面板简化为三维弹性地基上的板结构,采用有限元的方法进行温度应力的分析。坐标系如图 3 所示。垫层对面板的约束用弹簧支承表示。面板共剖分成 8 节点 6 面体单元 900 个,节点总数 2 499 个,$x$、$y$、$z$ 向弹簧支承共 1 071 个。

### 4.2 约束参数的选取

#### 4.2.1 法向约束刚度

(1)有关文献在计算堆石坝应力应变时取接触面单位长度法向刚度为 $10^4$MPa/m,当算出接触面法向应力为零时,取 $K_n=0.01$MPa/m。

(2)Vesic－Francis 提出计算地基参数 $K_n$ 的公式:

$$K_n \cdot B=\frac{0.29}{1-\mu^2}(E_s)^{13/12} \quad (\mathrm{kg/m^2}) \tag{11}$$

式中:$E_s$、$\mu$——堆石料压缩模量和泊松比,与堆石料的干容重、孔隙比、饱和程度、受力状态等因素有关。

由高程 255～271m、271～292m 两个分层 8 个测点的观测数据表明,本工程的压缩模量 $E_s$ 在 88～676MPa 之间,有关文献中垫层的泊松比为 $\mu=0.52\sim0.57$。取相应的 $E_s$、$\mu$ 可算出 $K_n=65\sim87$MPa/m。

#### 4.2.2 切向约束刚度

(1)有关文献取面板与垫层间的单位长度切向刚度为 45MPa/m。

(2)另一有关文献的试验资料分别给出了混凝土面板与垫层、喷混凝土护面垫层、土工合成材料垫层、沥青垫层间在不同 $\sigma$ 下,单位水平力与水平位移 $S$ 的关系曲线。由此试验曲线我们可以求出混凝土面板与垫层、喷混凝土护面垫层在较低正应力下的剪切刚度($\sigma=0.056$MPa)$K_s=600\sim2\,000$MPa/m。

另一文献表明,$K_s=K\sigma_n^m$, 取 $m=1$,则西北口混凝土面板与垫层间 $K_s=70\sim500$MPa/m。

#### 4.2.3 本文取值

综合以上各种资料,考虑到 $K_n$、$K_s$ 的变化范围较大,加上均匀变温应力的大小对 $K_s$ 特别敏感,梯度变温应力与 $K_n$ 有直接关系,为弄清 $K_s$、$K_n$ 与温度应力的关系,本次计算选取了多组参数进行了温度应力的分析,具体取值见后。

### 4.3 计算方案

为了弄清均匀变温及梯度变温应力的大小及分布规律,弄清 $K_n$、$K_s$ 对温度应力的关系,$K_s$ 对温度应力影响的大小及影响规律,本次分别计算了均匀温降及梯度温降两种荷载作用下,在不同 $K_n$、$K_s$ 下的温度应力。具体计算方案详见表 2。

**表 2 计算方案**

| 方案组数 | 方案编号 | 约束参数 | 温　差 |
|---|---|---|---|
| 均匀温降 | No1－1 | $K_s=40$MPa/m　$K_n=87$MPa/m | $\Delta T_m=-30$℃ |
| | No1－2 | $K_s=16$MPa/m　$K_n=87$MPa/m | |
| | No1－3 | $K_s=8$MPa/m　$K_n=87$MPa/m | |
| | No1－4 | $K_s=1.6$MPa/m　$K_n=87$MPa/m | |
| 梯度温降 | No2－1 | $K_s=16$MPa/m　$K_n=87$MPa/m | $\Delta T_d=-10$℃ |
| | No2－2 | $K_s=16$MPa/m　$K_n=65$MPa/m | |

### 4.4 计算结果

#### 4.4.1 均匀温降情况

在均匀温降情况下,整个面板沿 $x$、$y$ 向均受拉,其中沿 $x$ 向的拉应力量值较小;$y$ 向的拉应力较大;$\sigma_z$ 主要是由自重产生的压应力,量值在 0.01MPa 以下。面板内主应力 $\sigma_1$ 方向与 $\sigma_y$ 基本一致,而 $\sigma_3$ 的方向与 $\sigma_z$ 基本一致,亦即坐标面基本上就是主应力面,下面我们着重讨论 $\sigma_y$。

(1)面板表面 $\sigma_y$ 沿 $y$ 向分布规律是中部大,两端小,如图 15 所示,$\sigma_{y\max}$ 位于中部。在 $K_s=$

40.0MPa/m 时,$\sigma_{ymax}=5.43$MPa。

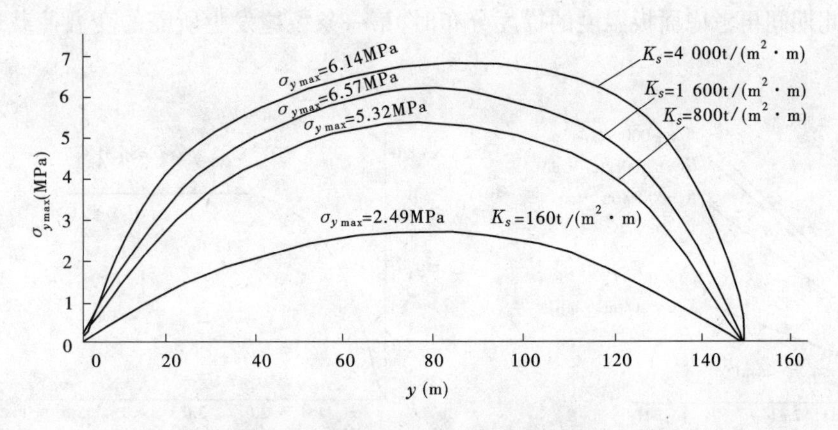


**图 15　面板表面 $\sigma_y$ 沿 $y$ 向分布曲线**(No1,$x=6.0$m)

面板表面 $\sigma_y$ 沿 $x$ 向分布规律如图 16 所示,面板在宽度方向近似于均匀受拉,由此可以看出,面板裂缝为什么会横穿整个面板的原因。

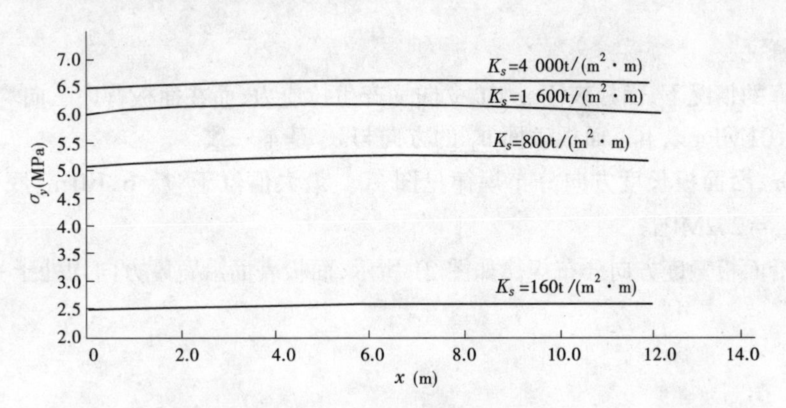


**图 16　面板表面 $\sigma_y$ 沿 $x$ 向分布曲线**(No1,$y=82.37$m)

面板 $\sigma_y$ 沿 $z$ 向分布规律如图 17 所示。由此可见面板在厚度方向近似于均匀受拉,由此引起的面板裂缝必然会贯穿面板整个厚度。

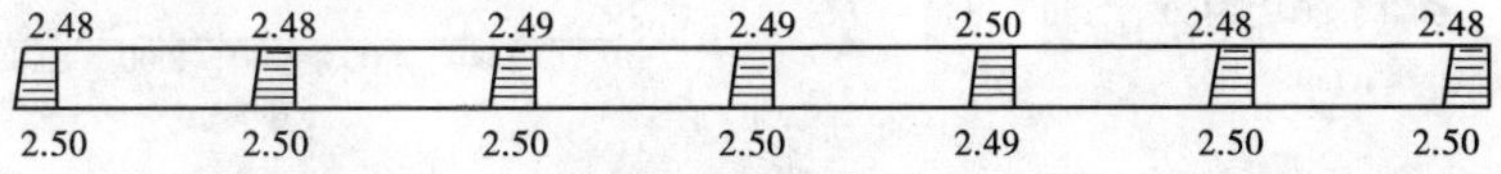

2.48　2.48　2.49　2.49　2.50　2.48　2.48

2.50　2.50　2.50　2.50　2.49　2.50　2.50

**图 17　面板横截面上 $\sigma_y$ 沿 $z$ 向分布曲线**(No1-4,$y=82.37$m)(单位:MPa)

(2)如图 18、图 19 所示,面板沿 $y$ 向的最大拉应力 $\sigma_{ymax}$ 的量值主要与切向约束刚度 $K_s$ 和均匀温降幅度 $\Delta T_m$ 有关。在 $K_s$ 为常数时弹性温度应力与 $\Delta T_m$ 成正比。当 $\Delta T_m$ 一定时,$\sigma_{ymax}$ 随 $K_s$ 从 0 逐渐变大而迅速增大,但当 $K_s$ 增大一定量值之后(约为 15.0MPa/m)$\sigma_{ymax}$ 增长不大,几乎为常数,其值已接近完全约束应力。

(3)从左 L1 面板的具体情况看,面板从施工完毕,到 1990 年 1 月 14 日期间,面板的最大均匀变温值高达 $\Delta T_m=-31.70$℃。从已有试验数据及计算资料,同时考虑到混凝土面板浇筑时为了架立面板钢筋,大量直立钢筋插入垫层内部,这些插筋无疑会增大切向刚度。因此,我们认为,实际的切向刚度 $K_s$ 应在 15.0MPa/m 以上。如此大的 $K_s$ 加上如此高的变温荷载,在面板 $y$ 方向产生的拉应力早已大大超过混凝土的设计抗拉强度(约为 2.2MPa)。这就说明在 1990 年 1 月 14 日以前就会因拉应力过大而裂缝。当取 $K_s=40.0$MPa/m 时,在 L1 第一条裂缝产生所需的均匀温降值约为 −11℃,发生的部位居板中部。从温度变化的过程可以查得第一次温降值大于 11℃ 的时间大约发生在 1989 年 9 月 27 日。当在此期间再考虑面板温度的梯度分布时,第一条裂缝发生所需的变温荷载还要小,发生的时间还要提前。

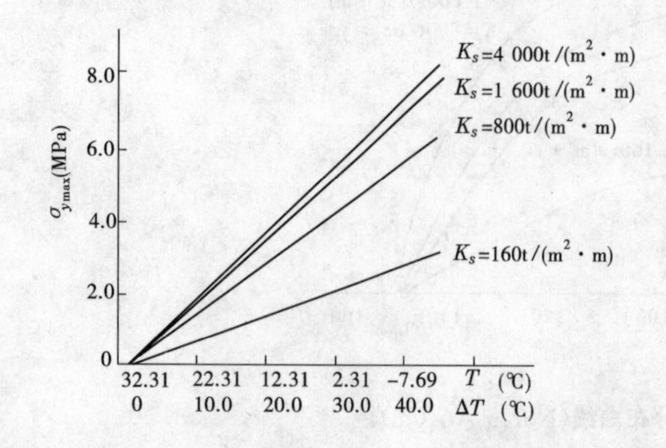


**图 18　面板表面 $\sigma_{ymax}$ 与均匀温降的关系曲线**
(No1, $x=6.0$m)

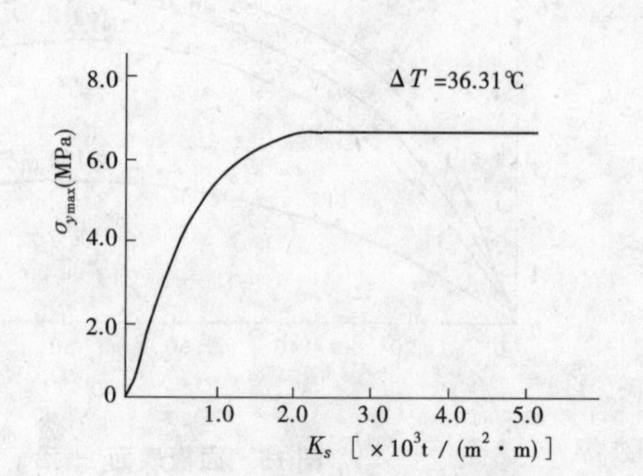


**图 19　面板表面 $\sigma_{ymax}$ 与 $K_s$ 的关系曲线**
(No1, $x=6.0$m)

4.4.2　梯度温降情况

(1)在梯度温降的情况下,面板表面 $x$ 向、$y$ 向均产生拉应力;而在面板背面三向均受压。$z$ 方向的压应力量值在 0.01MPa 以下。面板表面 $\sigma_1$ 的方向与 $\sigma_y$ 基本一致。

(2)面板表面 $\sigma_y$ 沿面板长度方向分布规律见图 20。最大值位于 $y=6.101$m(底部)。取 $K_n=530$MPa/m 时,$\sigma_{ymax}=2.2$MPa。

面板表面 $\sigma_y$ 沿面板宽度方向分布规律如图 21 所示,面板表面沿宽度方向均处于受拉状态。

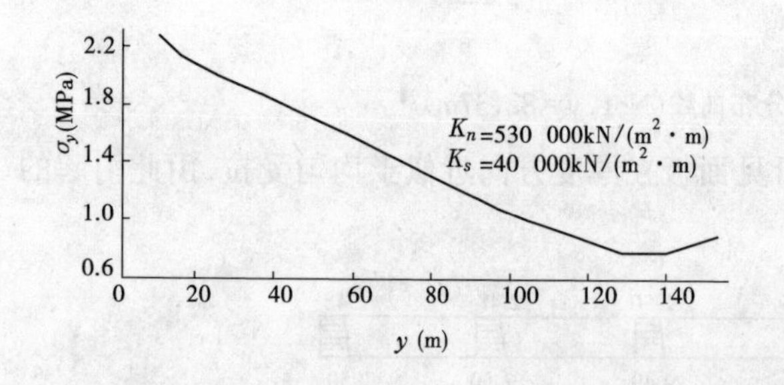


**图 20　面板表面 $\sigma_y$ 沿 $y$ 向分布曲线**
(No2, $x=6.0$m)

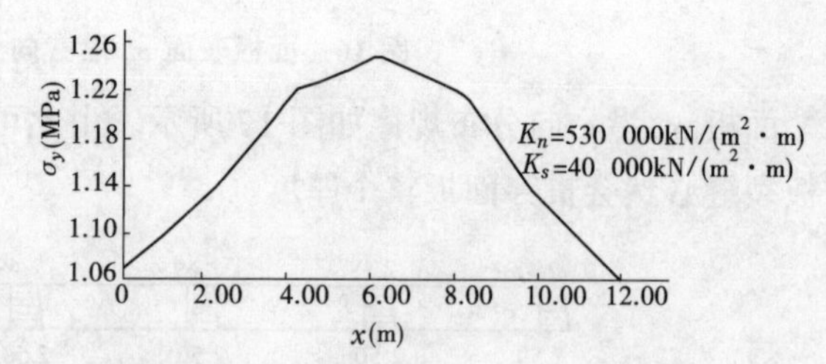


**图 21　面板表面 $\sigma_y$ 沿 $x$ 向分布曲线**
(No2, $y=73.21$m $z=0.46$m)

面板表面 $\sigma_y$ 沿面板厚度方向分布规律接近弯曲应力分布。

(3)面板表面的拉应力 $\sigma_y$ 量值的大小主要与梯度温降幅度有关,法向约束刚度影响较小。即使取 $K_n=0$,梯度温降 10℃时,面板表面也只产生 2.0MPa 的拉应力。

## 4.5　小结

从均匀温降、梯度温降在不同地基约束参数下的温度应力分布,我们可以得出如下几条结论:

(1)在均匀变温作用下,以 $y$ 向应力为最大。因板长较大,即使在地基切向约束刚度不太大的情况下(如 15MPa/m),该方向的应力在面板中间高程处的拉应力已接近完全约束力,当 $\Delta T_m=-11$℃时,则最大拉应力已接近面板的极限抗拉能力,且拉应力在整个面板横截面上接近均匀受拉。因此,我们认为,均匀温降荷载是引起面板形成贯穿性裂缝的根本原因。

(2)在梯度变温作用下,仍以 $y$ 方向的应力最大。该应力在 $y$ 方向的分布规律为:随面板高程降低、板厚增加,应力值增大,沿厚度方向的分布接近弯曲应力分布。其量值即使在 $\Delta T_d=-10℃$ 时,表面最大拉应力也只有2.2MPa左右,因此我们认为,梯度变温不会引起贯穿性裂缝,也不是造成开裂的根本原因。但该应力与均匀变温应力叠加后,将使面板开裂的位置从中部向下移动,使裂缝集中在中下部位置。

(3)计算表明,第一条贯穿性裂缝发生的时间应在1990年9月27日之前。开裂之后,裂缝附近的应力会得到释放,而在未裂部分形成新的应力最大点,当该应力超过极限拉应力时,则会形成新的裂缝。这一开裂过程已无法由弹性有限元计算得到。下面我们在一定的假设情况下,用理论分析的方法,对这一开裂过程及开裂规律作些研究。

# 5 面板裂缝分布规律的理论分析

## 5.1 求解变温应力的基本方程

设面板由应力引起的轴向位移为 $u$(顺 $y$ 方向)、挠曲位移为 $v$(顺 $z$ 方向)。从面板中取出一微段 d$y$(不包括钢筋),所受的力如图22(a)所示。在平面应变及平截面假定的情况下,由平衡方程及物理方程可得求解变温应力的基本方程为:

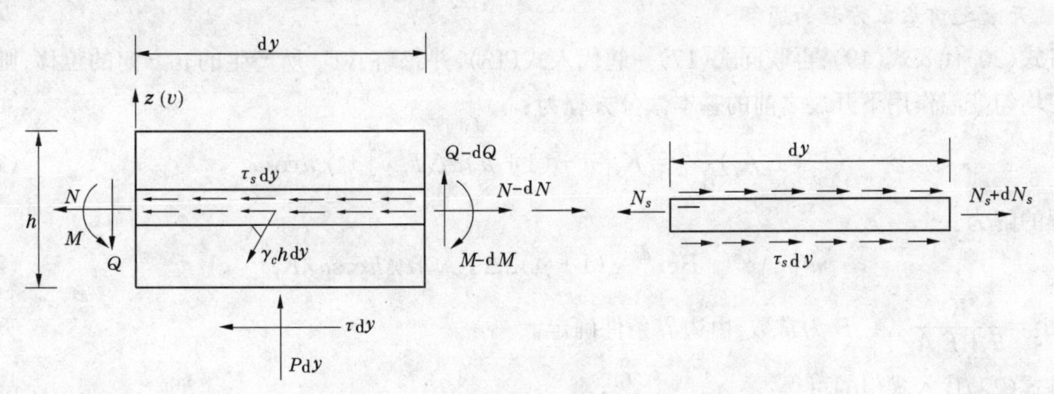


(a)面板混凝土微段受力图 (b)钢筋微段受力图

**图22 面板受力计算图**

$$D\frac{\mathrm{d}^4 v}{\mathrm{d}y^4}=P+\frac{h}{2}\frac{\mathrm{d}\tau}{\mathrm{d}y}-\gamma_c h\sin\alpha \tag{12}$$

$$F\frac{\mathrm{d}^2 u}{\mathrm{d}y^2}=\tau+\tau_x+\gamma_c h\cos\alpha \tag{13}$$

$$M=-D\frac{\mathrm{d}^2 v}{\mathrm{d}y^2} \tag{14}$$

$$Q=\frac{\mathrm{d}M}{\mathrm{d}y} \tag{15}$$

$$N=F\frac{\mathrm{d}u}{\mathrm{d}y} \tag{16}$$

式中:$D=\frac{Eh^3}{12(1-\mu^2)}$;$F=\frac{Eh}{1-\mu^3}$。

$\tau$、$P$——热层的切向和法向应力,在弹性地基假设下,可由下式求得:

$$\tau=K_s[u+(1+\mu)\alpha\Delta T_m y] \tag{17}$$

$$P = K_n\left[\frac{(1+\mu)\alpha\Delta T_d}{2h}y^2 - v\right] \tag{18}$$

$\tau_s$——钢筋传给面板混凝土的黏结力。

现从面板中取出一微段钢筋 d$y$,如图 22(b)所示,进行受力分析可得:

$$\tau_s = -\frac{\mathrm{d}N_s}{\mathrm{d}y} \tag{19}$$

当钢筋与混凝土联合受力不产生相对滑移时,由物理方程可得钢筋轴力 $N_s$ 与轴向位移的关系为:

$$N_s = E_s A_s \frac{\mathrm{d}u}{\mathrm{d}y} \tag{20}$$

式中:$E_s$——钢筋的弹模;

$A_s$——单位宽面板内钢筋的截面积。设 $y$ 向配筋率为 $\rho_s$,则:

$$A_s = \rho_s h$$

当面板开裂后裂缝附近的钢筋与混凝土发生了相对位移时,其钢筋内力的计算将在后面专门讨论。

### 5.2　在均匀变温荷载作用下裂缝开展规律的分析

#### 5.2.1　开裂之前基本方程的通解

将式(20)代入式(19),再联同式(17)一起代入式(13),并忽略 $\Delta T_m$ 所产生的 $v$ 方向的位移,则可得到在均匀变温作用下开裂之前的基本微分方程为:

$$(F + E_s A_s)\frac{\mathrm{d}^2 u}{\mathrm{d}y^2} = K_s[u + (1+\mu)\alpha\Delta T_m y] + \gamma_c h\cos\alpha \tag{21}$$

其方程的解为:

$$u = A\mathrm{e}^{\beta y} + B\mathrm{e}^{-\beta y} - (1+\mu)\alpha\Delta T_m y + \gamma_c h\cos\alpha / K_s \tag{22}$$

式中,$\beta^2 = \dfrac{K_s}{F + E_s A_s}$,$A$、$B$ 为常数,由边界条件确定。

将式(22)代入式(16)可得:

$$N = F\beta(A\mathrm{e}^{\beta y} - B\mathrm{e}^{-\beta y}) - F(1+\mu)\alpha\Delta T_m \tag{23}$$

#### 5.2.2　第一条裂缝发生的位置及开裂的极限均匀变温值

将式(22)、式(23)中 $y$ 坐标的原点设在面板与底座的交界面处,则确定 $A$、$B$ 两个常数的边界条件为:

$$N|_{y=0} = N_0 \qquad \text{(底端边界条件)}$$

$$N|_{y=l} = 0 \qquad \text{(顶端边界条件)}$$

$N_0$ 为周边缝及止水对面板的作用力,如忽略此作用力,则可得:

$$N = F(1+\mu)\alpha\Delta T_m\left[\frac{\mathrm{sh}\beta y - \mathrm{sh}\beta(y-L)}{\mathrm{sh}\beta L} - 1\right] \tag{24}$$

第一条裂缝发生的位置必然是轴力最大的断面。因此,可由 $\mathrm{d}N/\mathrm{d}y = 0$ 定出开裂的位值 $L_0$ 为 $L/2$,即居面板的中部。

开裂的条件必然是最大轴力超过面板的极限抗拉能力。设混凝土的极限拉伸应变为 $\varepsilon_p$,则面板的极限抗拉能力为$[N] = F\varepsilon_p$。由 $N|_{y=L_0} = [N]$可以求出第一条裂缝发生所需的均匀变温值 $\Delta T_m$ 为:

$$[\Delta T_m] = \frac{\varepsilon_p}{(1+\mu)\alpha[\mathrm{sech}(\beta L/2) - 1]} \tag{25}$$

5.2.3 面板两端开裂位置的确定

在给定 $\Delta T_m$ 的情况下,当面板中部的轴力超过面板极限抗拉能力时,会形成第一条裂缝,之后在裂缝的两边形成新的最大轴力断面,当此轴力仍超过其抗拉能力时,则继续一条一条地裂下去,当裂缝发展到一定的条数后,则会由于应力的释放而停止开裂。现在我们要求的就是面板两端不开裂的长度。如图 23 所示在第 $n$ 条裂缝发生之后,在 $0\sim n$ 之间将形成新的轴力高峰。忽略开裂断面 $n$ 附近钢筋与混凝土之间的相对位移。则式(24)、式(25)的解可以近似地适用。在 $\Delta T_m$ 已知的情况下,由下列条件:

$$N|_{y=0}=0;\quad \left.\frac{\mathrm{d}N}{\mathrm{d}y}\right|_{y=L_d}=0;\quad N|_{y=L_d}=[N]$$

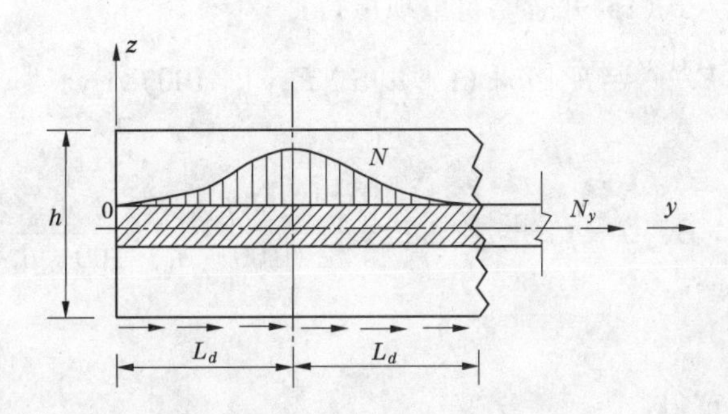


图 23

则可以求得最后一条裂缝距端部的距离为:

$$L_d=\frac{1}{\beta}\ln(K+\sqrt{K^2-1})\tag{26}$$

式中:$K=\dfrac{(1+\mu)\alpha\Delta T_m}{(1+\mu)\alpha\Delta T_m+\varepsilon_p}$。

5.2.4 裂缝间距的分析

现从面板某条裂缝开始取出一段面板进行分析,$y$ 的原点就放在裂缝处。因面板混凝土的抗裂能力 $F\varepsilon_p$ 小于钢筋的屈服极限能力 $A_s f_y$($f_y$ 为钢筋的屈服极限强度),所以在开裂之后,裂缝断面处的钢筋内力应为 $A_s f_y$。钢筋在混凝土内的轴力大小与钢筋与混凝土之间的黏结力有关。在图 24 所示坐标下,设钢筋轴力为:

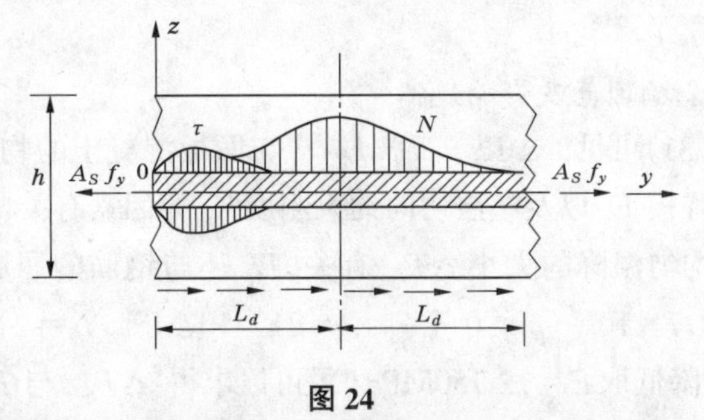


图 24

$$N_s=a(1+by)\mathrm{e}^{-cy}\tag{27}$$

则由式(19)可求得钢筋传给混凝土的黏结力 $\tau_s$ 为:

$$\tau_s=-a\left[(b-c)\mathrm{e}^{-cy}-bcy\mathrm{e}^{-cy}\right]\tag{28}$$

在上式中,$a,b,c$ 为待定常数,可以由钢筋混凝土的黏结试验求得。一般试验表明,黏结力 $\tau_s$ 在裂缝处为 0,在一小段处取最大值(如 $y=0.1\text{m}$ 处),然后大约在 0.5m 处下降到与混凝土协调变形。根据上述规律,可以确定求 $a,b,c$ 三个常数的条件为:

$N_s\big|_{y=0}=f_yA_s$ （裂缝处钢筋屈服条件）

$\tau_s\big|_{y=0}=0$

$\dfrac{d\tau_s}{dy}\bigg|_{y=0.1}=0$ （0.1m处，$\tau_s$ 最大的条件）

$N_s\big|_y>0.5\leqslant E_sA_s\varepsilon_p$ （钢筋与混凝土协调变形条件）

由前三个条件可求得：$a=f_yA_s$，$b=c=10$，将 $a,b,c$ 代入式(27)可验证上面第四个条件也满足，将 $a,b,c$ 代入式(28)可得：

$$\tau_s=100f_sA_sy\mathrm{e}^{-10y} \tag{29}$$

将式(29)及式(17)代入式(13)并忽略自重项可得：

$$F\frac{\mathrm{d}^2u}{\mathrm{d}y^2}=K_s[u+(1+\mu)\alpha\Delta T_my]+100f_yA_sy\mathrm{e}^{-10y}$$

其方程的解为：

$$u=A\mathrm{e}^{\beta ly}+B\mathrm{e}^{-\beta ly}-(1+\mu)\alpha\Delta T_my+\frac{100f_yA_s}{F(100-\beta_1^2)}\left(\frac{20}{100-\beta_1^2}+y\right)\mathrm{e}^{-10y} \tag{30}$$

式中：$\beta_1^2=\dfrac{K_s}{F}$。

将式(30)代入式(16)可得：

$$N=F[A\beta l\mathrm{e}^{\beta ly}-B\beta l\mathrm{e}^{-\beta ly})-(1+\mu)\alpha\Delta T_m+\frac{100f_yA_s}{F(100-\beta_1^2)}\left(\frac{100+\beta_1^2}{100-\beta_1^2}+10y\right)\mathrm{e}^{-10y}$$

利用条件：

$$N\big|_{y=0}=0$$

$$\frac{\mathrm{d}N}{\mathrm{d}y}\bigg|_{y=L_f}=0$$

$$N\big|_{y=L_f}=[N]$$

则可求出 $A$、$B$ 及 $L_f$，其中 $L_f$ 在忽略了次要因素之后，可得：

$$L_f=\ln(K+\sqrt{K^2-1})/\beta_1 \tag{31}$$

式中：$K=\dfrac{F(1+\mu)\alpha\Delta T_m+f_yA_s}{F(1+\mu)\alpha\Delta T_m+F\varepsilon_p}$。

5.2.5 $[\Delta T_m]$、$L_d$、$L_f$ 的影响因素及影响规律

由式(25)、式(26)、式(31)可见，$[\Delta T_m]$、$L_d$、$L_f$ 均与面板混凝土的物理力学指标 $\varepsilon_p$、$\mu$、$\alpha$、$E$、面板厚度 $h$、配筋率 $\rho_s$、钢筋弹模 $E_s$ 以及垫层切向约束刚度 $K_s$ 等因素有关，除此之外，$[\Delta T_m]$ 还与面板长度 $L$ 有关，$L_d$、$L_f$ 还与均匀温降的大小 $\Delta T_m$ 有关，$L_f$ 还与钢筋的屈服强度 $f_y$ 有关。当取 $\varepsilon_p=85\times10^{-5}$、$\mu=0.167$、$\alpha=0.7\times10^{-5}$、$\rho_s=0.4\%$、$E_s=21\times10^4$MPa、$f_y=240$MPa、$h=45$cm、混凝土弹模 $E$ 考虑到开裂后弹模的降低取 $E=12\ 750$MPa 时，可以求得 $[\Delta T_m]$ 与 $K_s$、$L$ 的关系如图 25 所示；$L_d$ 与 $K_s$、$\Delta T_m$ 的关系如图 26 所示；$L_f$ 与 $K_s$、$\Delta T_m$ 的关系如图 27 所示。

由图 25 可见，极限均匀温降 $[\Delta T_m]$ 随 $K_s$ 的增加而降低，随面板长度 $L$ 的增加而降低。当 $L<20$m 时，则无论 $K_s$ 有多大，对于西北口工程所处的气候条件，一般均不会出现裂缝。对右 L1 面板因 $L=147$m，由此求得 $[\Delta T_m]$ 在 $K_s=8\sim40$MPa/m 时为 $-10.5\sim-12.1$℃。

由图 26 可见，面板两端第一条裂缝距两端的距离 $L_d$ 随 $K_s$ 的增大而变小，随均匀温降值的增大而减小。对左 L1 面板，因 $\Delta T_{mmax}\approx30$℃，由此可求得 $K_s$ 在 1.6～40MPa/m 之间变化时，$L_d$ 在 62～

12.4m 之间变化,当 $K_s$ 在 8~40MPa 之间变化时,$L_d$ 在 27.7~12.4m 之间变化。

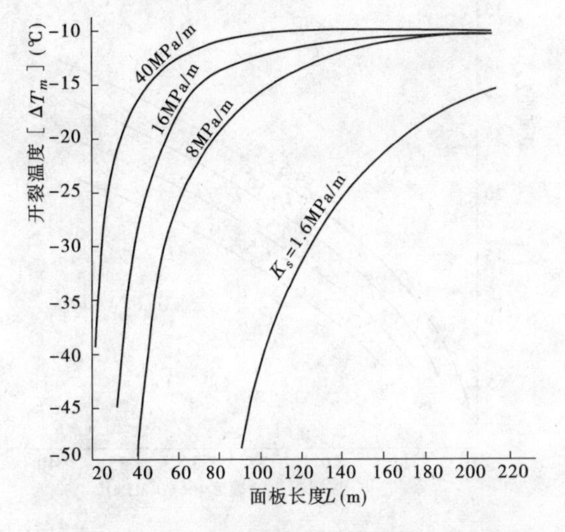


**图 25　面板开裂温度与面板长度的关系图**

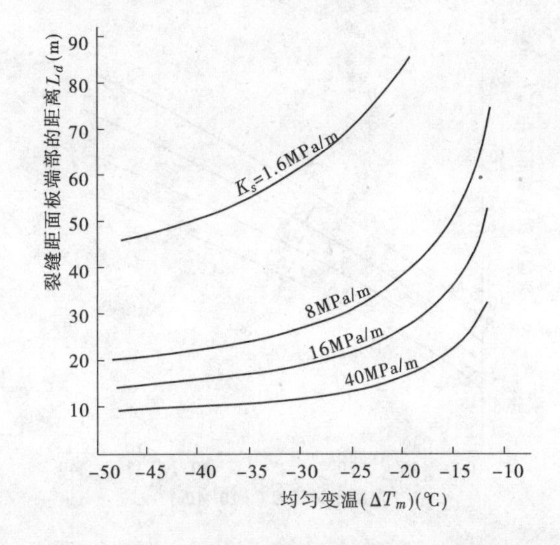


**图 26　面板裂缝距端部的距离与均匀温变关系图**

由图 27 可见,裂缝间距随 $K_s$ 的增加而降低,随均匀温降值的增大而降低。当$|\Delta T_m|=30$℃时,由此可求得当 $K_s$ 在 8~40MPa/m 变化时,裂缝间距 $L_f$ 在 4.6~10.4m 之间变化。

面板混凝土与抗裂有关的质量参数主要是混凝土的极限拉伸应变 $\varepsilon_p$ 与混凝土的弹模$E$。为了分析 $\varepsilon_p$ 及$E$ 变化时对面板混凝土开裂的影响规律,我们取左 L1 面板为例进行了专门分析,取 $L=147$m, $K_s=16$MPa/m, $\Delta T_m=30$℃,其他参数取值同前。将上述参数代入式(26)及式(31),求得 $L_d$、$L_f$ 与$\varepsilon_p$、$E$ 的关系曲线如图 28、图 29 所示。

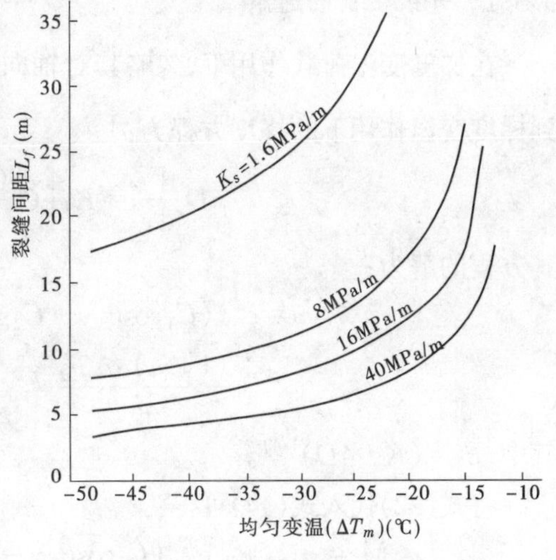


**图 27　面板裂缝间距与均匀温度关系图**

由式(25)可见,面板开裂温度[$\Delta T_m$]与 $\varepsilon_p$ 成正比关系,$\varepsilon_p$ 每增加 10 个微应变,[$\Delta T_m$]的绝对值可增加 1~1.4℃。[$\Delta T_m$]绝对值随 $E$ 的增大而增大,$E$ 值每变化 2 000MPa,[$\Delta T_m$]变化 0.1~0.2℃。

由图 28 可见,面板两端第一条裂缝距端部的距离 $L_d$ 随 $\varepsilon_p$ 及 $E$ 的增大而增大。$\varepsilon_p$ 每增大 10 个微应变,$L_d$ 增大 1~2m,$E$ 值每变化 2 000MPa,$L_d$ 变化 0.5~1m。

由图 29 可见,开裂间距 $L_f$ 随$\varepsilon_p$ 及 $E$ 的增大而增大。$\varepsilon_p$ 每增大 10 个微应变时,$L_f$ 变化 2~2.9m,$E$ 每增大 2 000MPa 时,$L_d$ 变化 1~2m。

综合 $\varepsilon_p$、$E$ 对[$\Delta T_m$]、$L_d$、$L_f$ 的影响规律及大小,我们认为,混凝土质量对面板开裂温度的影响不大,但对开裂后面板裂缝的分布及条数影响较大,故提高混凝土质量是减少裂缝条数的有效措施之一。

西北口面板裂缝实测统计资料表明,裂缝距顶端的平均距离在 34m 左右,距底端约 16.7m。这一方面说明面板靠顶端受垫层的切向约束小于底部;另一方面说明面板底部混凝土质量不如顶部混凝土的质量,还有面板厚度的增大,将使梯度变温的影响增大。实测裂缝平均间距在 3.5m 左右,比 $K_s=40$MPa/m、$\Delta T_m=-30$℃,$\varepsilon_p=85\times10^{-6}$,$E=12\ 750$MPa 时的理论计算值 4.6m 还小,其原因可能是混凝土质量没有达到上述值,或是叠加梯度变温时使裂缝间距变小了。

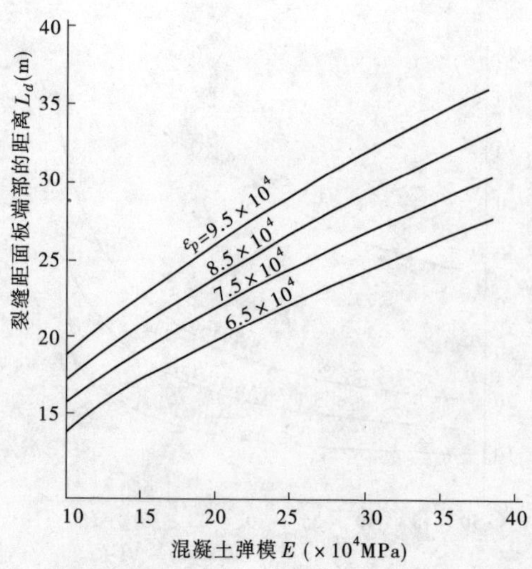


**图 28　面板($L = 147$m)裂缝距端部的距离 $L_d$ 与弹模关系图**

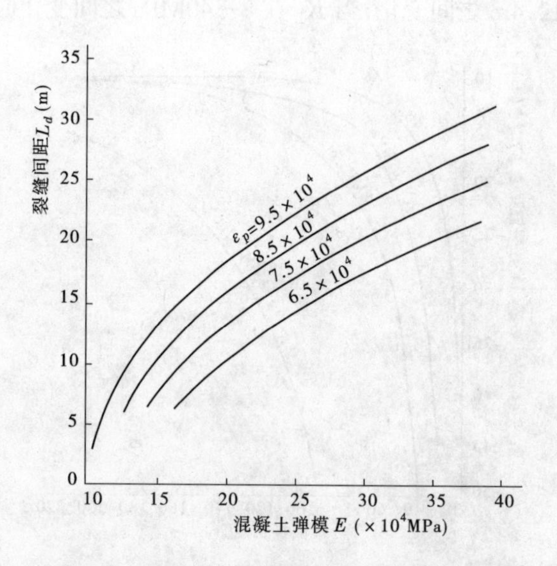


**图 29　面板($L = 147$m)裂缝间距与弹模关系图**

## 5.3　在梯度变温荷载作用下裂缝的分布规律

### 5.3.1　开裂之前的通解

在梯度变温荷载作用下,忽略其对轴向位移的影响,则有:$\frac{d\tau}{dy}=0$,将式(18)代入式(12),则可得到梯度变温作用下的挠度方程为:

$$D\frac{d^4 v}{dy^4}=K_n\left[C\frac{(1+\mu)\alpha\Delta T_d y^2}{2h}-v\right]-\gamma_c h\sin\alpha$$

其方程的解为:

$$\begin{aligned}v=&e^{\beta_2 y}(C_1\cos\beta_2 y+C_2\sin\beta_2 y)+e^{-\beta_2 y}(C_3\cos\beta_2 y+C_4\sin\beta_2 y)\\&+\frac{(1+\mu)\alpha\Delta T_d}{2h}y^2-\frac{\gamma_c h\sin\alpha}{K_n}\end{aligned}\tag{32}$$

其中,$\beta_2=(K_n/4D)^{1/40}$。

将式(32)代入式(14)可得:

$$\begin{aligned}M=&-2D\beta_2^2\left[e^{\beta_2 y}(C_2\cos\beta_2 y-C_1\sin\beta_2 y)+e^{-\beta_2 y}(C_3\sin\beta_2 y-C_4\cos\beta_2 y)\right]\\&-D(1+\mu)\alpha\Delta T_m/h\end{aligned}\tag{33}$$

### 5.3.2　开裂条件

在开裂前,设面板两端近似自由,将 $y$ 的原点置于面板中部,由两端自由条件:

$M|_{y=\pm L/2}=0,\frac{dM}{dy}\Big|_{y=\pm L/2}=0$ 可求得式(32)、式(33)中的常数 $C_1$、$C_2$,由$\frac{dM}{dy}=0$ 可求得 $M$ 最大值发生的断面在 $y=0$ 处,且该断面的弯矩为:

$$M|_{y=0}=\frac{D(1+\mu)\alpha\Delta T_d}{h}\left[\frac{2\cos G\,\mathrm{ch}G(\tan G+\mathrm{th}G)}{\sin 2G+\mathrm{sh}2G}-1\right]\tag{34}$$

式中:$G=\beta_2 L/2$。

如果不考虑塑性变形的影响,取面板的开裂弯矩为:

$$[M]=2D\varepsilon_p/h$$

则由 $M=[M]$的条件即可以求出引起面板开裂的梯度变温值$[\Delta T_d]$为:

$$[\Delta T_d]=\frac{\varepsilon_p}{(1+\mu)\alpha}\frac{\sin 2G+\mathrm{sh}2G}{(\mathrm{sh}G-\sin G)(\cos G-\mathrm{ch}G)} \tag{35}$$

设 $E=12\ 750\mathrm{MPa}$, $\mu=0.167$, $h=0.45\mathrm{m}$, $K_m=16\mathrm{MPa/m}$, $\varepsilon=85\times10^{-6}$, $\alpha=10^{-5}/℃$。由式(35)可以求得开裂温度如表 3 所示。

表 3 开裂温度

| 面板长度 $L$(m) | 30 | 40 | 80 |
|---|---|---|---|
| 开裂温度$[\Delta T_d]$(℃) | −20.87 | −20.81 | −20.81 |

由表 3 可见,开裂温度$[\Delta T_d]$在面板长度大于 30m 时,基本上与面板长度无关。在梯度变温作用下,开裂温度一般大于 20℃,而实际上可能发生的最大梯度变温荷载达不到这个值。因此,当只考虑该项荷载时,不会引起面板的裂缝。

# 6 面板混凝土抗裂能力分析

## 6.1 面板混凝土抗裂能力的主要影响因素

影响面板混凝土抗裂能力的主要因素有:混凝土材料组成、混凝土施工工艺与养护条件等。其中,材料组成与混凝土的极限拉伸值,也就是直接影响开裂能力的 $\varepsilon_p$ 有密切的关系;而施工工艺则直接决定了极限拉伸值 $\varepsilon_p$ 的变化幅度,大致可用离差系数 $C_v$ 表示。在材料组成中,对混凝土有直接影响的几个方面分别是混凝土骨料最大粒径、水泥品种、砂石类型与外加剂掺量等;在施工工艺中,对 $C_v$ 值有直接影响的因素为:混凝土的拌和方式、运输方式、浇筑方式与施工时的气象条件等。和养护条件有关的因素主要是养护方式与养护时间两个方面。归纳起来,混凝土抗裂能力影响因素如图 30 所示。

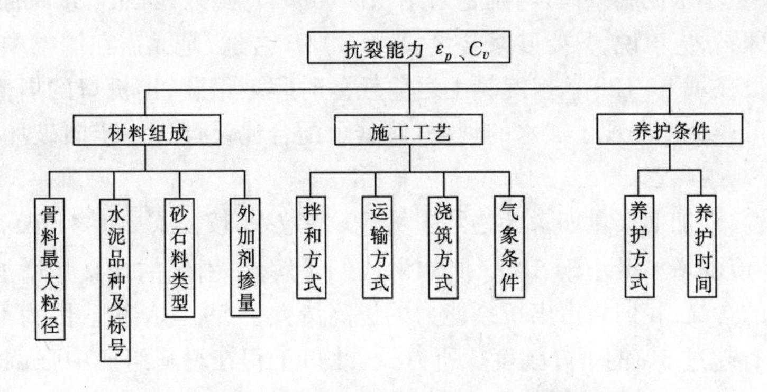


图 30 抗裂能力影响因素层次分析图

### 6.1.1 材料组成方面

(1)骨料最大粒径 $d_{max}$。在配合比中,骨料最大粒径对单位体积水泥用量,以及砂浆比例有很大影响。对面板常用的 C 20、C 25混凝土而言,单位体积水泥用量应在 250～350kg/m$^3$ 之间。如果采用二级配混凝土,即 $d_{max}$为 40mm,砂浆比较丰富,常在 45%～55%之间,这对混凝土的抗裂是有好处的。表 4 是根据韦伯理论,结合有关文献的试验资料导出的骨料最大粒径 $d_{max}$与混凝土极限拉伸值 $\varepsilon_p$、抗拉弹性模量 $E_t$ 的相对关系,这从理论上进一步说明了 $d_{max}$对混凝土抗裂能力的影响。

表 4 C20混凝土 $d_{max}$, $\varepsilon_p$, $E_t$ 相对关系

| $d_{max}$(mm) | 20 | 40 | 60 | 80 | 150 |
|---|---|---|---|---|---|
| $\varepsilon_p/\varepsilon_p 40$ | 1.19 | 1.00 | 0.93 | 0.87 | 0.69 |
| $E_t/E_t 40$ | 0.90 | 1.00 | 1.11 | 1.18 | 1.21 |

西北口水库所用的几种设计配合比中，$d_{max}$均为40mm，砂浆含量在51.5%～53.0%之间（按北科院1988年12月提交的室内试验资料），根据有关文献所推荐的分式 $\varepsilon_p = 4.165 f_c^{0.5}(P-G)/P^{2.5}$ 计算所得的设计极限拉伸值均满足设计要求的条件 $\varepsilon_p \geqslant 85\times10^{-5}$（$f_c$ 按20.0MPa计算）。由于实际施工中水灰比改变较大，水泥用量在某些块面上较设计值也有较大幅度的下降，致使砂浆比率 $(P-G)/P$ 的抗压强度 $f_c$ 在这些板块中达不到设计值，面板的实际极限拉伸值小于 $85\times10^{-5}$，使面板抗裂能力不足，这是导致混凝土面板大面积出现裂缝的内在原因。

(2)水泥品种。我国《混凝土面板堆石坝施工技术暂行规定》（征求意见稿）中规定："面板混凝土的水泥品种应优先选用硅酸盐水泥和普通硅酸盐水泥；水泥标号不宜低于425号"。西北口水库在水泥品种及标号上均较《规定》有较大突破，这一做法我们认为还缺乏依据。其理由如下：①《规定》之所以对水泥品种和标号进行规定，不仅仅是为了保证面板混凝土的抗压强度不低于20MPa，更重要的是为了提高面板的耐久性与抗裂能力。采用矿渣硅酸盐水泥最大的毛病是无法克服其泌水率高的弱点。泌水率高导致混凝土黏聚性下降，骨料分离现象严重，混凝土质量的均匀性得不到保证，从而加大了影响抗裂能力的第二个指标（$C_v$ 值）。②北科院于1988年12月在做了一系列配合比试验后得出结论："水泥品种对面板混凝土和易性有较大影响，保水性好、泌水量少的水泥，其混凝土和易性好，易于输送。矿渣水泥由于保水性差，泌水量大，其混凝土和易性也差。当采用这种水泥时应采用其他措施，如适当降低坍落度、提高砂率、采用较小的水灰比、掺入引气剂、粉煤灰等。室内试验采用的水泥，以荆门525号普通硅酸盐水泥为最好。"③从北科院的室内试验资料上不难发现，用425号矿渣水泥代替525号普通水泥，只有当水灰比在0.40～0.44之间，单位体积水泥用量在320～360kg/m$^3$之间时才可达到24MPa的施工配制强度。

(3)砂石类型。就提高 $\varepsilon_p$ 而言，无疑是采用较多、较细的河砂为好，采用较多的人工碎石为好；从满足混凝土和易性，减小水泥用量而言，则是采用粗砂和卵石为好。西北口水库面板混凝土较多的是采用了细河砂与河卵石，应该说，只要砂浆含量 $(P-G)/P$ 合适，是无需在溜槽中加水完成斜向运输的。但由于拌和站设在坝下，T20承担混凝土运输任务时爬坡很陡，出机口的坍落度限制得很小，所以在斜向运输时不可避免地出现了加水的现象，使整个配合比设计进一步向破坏混凝土品质的方向恶化了。

(4)外加剂掺量。外加剂掺量如果能达到引气5%的效果，按公式 $\varepsilon_p = 4.165 f_c^{0.5}(P-G)/P^{2.5}$ 计算，混凝土极限拉伸值的增加量小于5%。但如果我们了解到，引气的含义是增加水泥胶凝的体积，减少单位体积石子的含义，我们将得出抗裂能力的提高量大于5%的结论。因为不仅 $(P-G)$ 将保持常数，弹模 $E_t$ 也将有超过5%的下降幅度。所以，西北口工程在材料组成中强调木钙（减水剂）掺量为0.2%，DH9（引气剂）掺量为0.07‰是比较合适的。但这必须有容量恰当的拌和机与控制严密的拌和时间作保证。

### 6.1.2　施工工艺

(1)拌和方式。西北口面板混凝土的拌和方式有两种：一种是0.8m$^3$鼓筒式拌和机，搅拌时间为45s；另一种是0.8m$^3$强制式拌和机，搅拌时间为90s。这两种拌和方式的容积都较小，掺气条件欠佳，使混凝土弹性模量增加，对抗裂不利。更为严重的是用T20自卸汽车与之配套，时间间歇长，坍落度损失大，影响斜面运输。除此以外，拌和的地点也欠佳。从坝下出机口到坝顶集料斗，混凝土熟料的暴露时间常在15min左右，从集料斗到仓面浇筑，顺利条件下也需要5min左右，这比试验块的运输时间长了一倍多，因此试验块的裂缝数量相对较少是可以理解的。

(2)运输方式。正如上文所述，T20自卸汽车与0.8m$^3$拌和机配套欠佳，且T20的运输坡度较大，对坍落度的限制很严，难以达到室内试验所提出的5～7cm范围。由于所用水泥为矿渣425号与矿渣325号，实际施工时并没有严格按照北科院提出的"几点措施"来改善其泌水性，使本来可行的斜面溜槽输送混凝土方案在具体操作时出现了粗骨料分离现象,难以下滑的砂浆由于其摩阻大而不得不靠加水输送。这一部分自由水有的当时挟带一部分砂浆流入基坑,有的残存在仓面的混凝土骨料的空隙间。在振捣作用下,一部分自由水溢出仓面,没有溢出的部分就留在混凝土中。由于矿渣水泥的保水性差,泌水量大,残留在混凝土中的水在振捣停止后、混凝土初凝前就渗出仓面外,留下许许多多的渗水通道和微裂缝,降低了混凝土的抗裂能力。

(3)混凝土浇筑。由于模板的提升时间与滑行速度、振捣的部位与时间对工人的操作有很高的要求,非技术工人能否胜任这一工作值得担心。

另外,在整个混凝土面板浇筑过程中,由于机器故障和下大雨等原因导致混凝土浇筑时经常停盘,这对混凝土的整体性极为不利。尤其是裂缝特别多、特别宽的右L6、左L3等几块面板,几条宽的裂缝毫无疑问就是由于停盘造成的交接面上混凝土抗拉能力极端削弱的原因所致。当停盘时间达两小时以上时,先浇混凝土早已假凝。由于其上覆有表面模板,且在斜面上超出混凝土受料面0.5m以上,新混凝土到达仓面时,振捣棒由斜向插入,其深度难以控制,新老结合面处难以密实,便构成了整个面板抗裂的薄弱环节。因此,连续均匀地浇筑混凝土面板是用滑动模板进行施工的基本要求。

(4)气象条件。面板混凝土浇筑期间的天气条件,最高温度为33℃,日最大温差达16℃。这对由矿渣水泥浇筑的面板是十分不利的,浇筑温度的大小与温度骤降的幅度对裂缝的形成与发展影响极大。

#### 6.1.3 养护条件

(1)养护方式。根据有关资料,除试验块覆盖报纸与草袋洒水养护外,大面积面板的养护没有遮荫棚与草袋。养护有不及时与超前的情况。由于面板斜长147m,在斜面上操作、养护很不方便,且保水困难,西北口作为试验坝,在这方面的教训比较深刻。

(2)养护时间。设计要求上覆草袋、洒水养护28d。以矿渣水泥而言,这一标准是偏低的。我们知道,$\varepsilon_p$ 与 $f_c$ 的平方根成正比,而对矿渣水泥而言,28d抗压强度仅有其90d抗压强度的75%~80%,如不养护到足够的龄期,抗裂能力就得不到保证。

虽然西北口面板混凝土强度在表面上看并不是很低,由于其取样的地点不是仓面,而是出机口,所以发现了混凝土标号大于水泥标号的反常现象。但根据现场实测面板弹模与强度发现,有相当一部分混凝土强度小于20.0MPa,换算成28d的抗压强度后更是如此。西北口面板浇完后,并未及时蓄水,面板经过一个冬季后裂缝由1989年8月份的58条发展到1990年1月份的253条。可见,未经蓄水或保护的面板是难以抵抗均匀温降或温度骤降太大的冲击的。面板开裂情况与养护条件密切相关已成为工程界的共识。

### 6.2 面板混凝土质量现场测量及成果整理方法

为进一步评定面板混凝土的相对质量,葛洲坝水电学院建筑工程系与西北口水库管理局于1994年8月24日、25日两天利用声发射技术对已浇混凝土进行了纵波测量。试验方法按《水利水电工程岩石试验规程》(补充部分G315—92)中的平透法测量,测量部位定在面板同一高程(298.0m±0.5m)上,每块面板按平均6个测点布置,对读数比较差或读数特别稳定的板块略有增减。

根据所测纵波波速,可按G315—92推荐的公式 $E_d=\rho V_p^2\times10^{-3}$ 或 $E_d=2\rho V_s^2(1+\mu_d)\times10^{-3}$ 计算出混凝土的动弹性模量。按统计规律,当 $E_d$ 较大时,静弹性模量 $E_s$ 也较大,相应地混凝土抗压强度也较高。因此,可以通过波速、动弹模等反映混凝土的相对质量。为了便于计算,在本次测量成果整理中,对混凝土纵波与横波的换算关系、动弹模与静弹模的换算关系按推荐的范围取了平均值,即 $V_p/V_s=1.73$,$E_d/E_s=1.28$ 等。为了评价混凝土的抗裂能力,进一步地将静弹性模量转化成了抗压强度与混凝土极限拉伸值。

由实测资料经过换算得到面板实测平均抗压强度为 $f_c=25.72$MPa,对应的离差系数为 $C_v=$

0.4;平均极限拉伸值 $\varepsilon_p = 91.2 \times 10^{-6}$,$C_v = 0.229$。上述数据说明,混凝土质量在均匀性上与设计要求还相差较大。

### 6.3 面板抗裂能力评价

通过以上各个方面的分析,我们可以对西北口面板抗裂能力作出如下评价:

(1)面板混凝土的实际抗裂极限拉伸值的平均值较设计的 $\varepsilon_p = 85 \times 10^{-6}$ 还要大一些,但其离差系数 $C_v$ 较设计 $C_v = 0.16$ 还存在着较大的差距(实测面板极限抗拉值的平均值为 $91.2 \times 10^{-6}$;其 $C_v$ 为0.229),这对面板混凝土的抗裂十分不利。

(2)水泥品种与混凝土配合比的变化是导致抗裂能力下降的主要原因之一。

(3)拌和机械与运输机械的配合欠佳;混凝土坍落度小且损失大,出现了不可避免的加水现象,导致混凝土质量的均匀性下降。

(4)由于停水、停电、机器故障与下雨等原因造成混凝土非连续、均匀浇筑,使混凝土面板存在抗裂薄弱环节。从几条较宽的裂缝看,这种非连续浇筑面板混凝土造成的危害超过了加水对混凝土质量的影响。

(5)混凝土浇筑季节的不合适为面板裂缝的产生与发展提供了机会。

(6)把矿渣水泥浇筑的混凝土整体薄板的养护时间定为28d,突破了《暂行规定》,是一种偏于危险的做法。

## 7 结论及建议

通过对面板斜向测斜仪观测资料分析、面板温度应力的有限元分析、面板开裂机理和裂缝分布规律的理论分析以及对面板混凝土抗裂能力的评价,我们可以得出以下结论。

### 7.1 西北口面板施工期裂缝的成因

(1)混凝土面板施工期产生裂缝的外因主要是变温荷载。均匀温降是造成宽大裂缝的主要原因,梯度变温及非线性变温决定了裂缝的多少及裂缝的位置集中在面板的中下部。

(2)变温荷载早期以梯度变温及非线性变温荷载为主,后期则以均匀变温荷载为主。

(3)梯度及非线性变温荷载主要是由气温骤降及水化热温升所致,均匀温降的大小主要与年气温变化的大小及浇筑时的气温有关。

(4)在均匀变温荷载作用下,面板处于双向均匀受拉状态,并以板长方向的拉应力为主,其大小主要与变温荷载的大小、板长及垫层的切向约束刚度等因素有关。当板长较大时,只要切向约束刚度达到15MPa/m时,则该方向上温度应力已接近完全约束应力。

(5)在梯度变温荷载作用下,面板处于近似双向弯曲状态,其应力的大小主要与梯度变温的大小及板厚有关,随板厚的增加,表面拉应力增加。梯度变温本身不足以引起贯穿性裂缝,但与均匀变温叠加后左右着裂缝集中发生在中下部。

(6)在均匀变温作用下,面板开裂温度主要与板长、垫层切向约束刚度及混凝土的抗裂能力有关。对西北口大部分面板开裂均匀温降在-10~-12℃之间变化。当 $|\Delta T_m| < 10$℃或 $L < 20$m 时,面板将不会出现大的贯穿性裂缝。

(7)裂缝距面板两端的距离以及面板裂缝之间的间距主要与混凝土质量、切向约束刚度、变温荷载的大小有关,切向约束刚度越大,均匀温降荷载越大,混凝土质量越差,则裂缝越多,间距越小,距两端的距离越近。

(8)西北口面板混凝土浇筑初期昼夜气温变化大、无相应的覆盖及养护是造成初期梯度变温及非线性变温过大的原因。浇筑季节的不合适,浇筑时气温偏高,是造成均匀变温荷载较大的主要原因。

(9)出机口混凝土抗压强度平均为29.42MPa,$C_v = 0.266$。水库蓄水后,由声波测得水库水位

298m。以上0.5m范围内混凝土的抗压强度平均值为25.72MPa,$C_v=0.4$。由理论换算得到实测混凝土平均极限拉伸值$\varepsilon_p$为$91.2\times10^{-6}$,$C_v$为0.229。虽然平均值均达到了设计要求,但质量均匀性差,离差系数$C_v$值偏大,致使31.8%的面板抗压强度小于20.0MPa,40.9%的面板极限拉伸值小于$85\times10^{-6}$。面板混凝土质量均匀性差是造成面板开裂的内在原因。

(10)混凝土面板的质量主要与混凝土材料组成、混凝土施工工艺及养护条件等因素有关。西北口采用矿渣水泥,水泥品种、水灰比变化大,加上混凝土浇筑时任意加水,自然或人为造成的浇筑中断是造成西北口混凝土面板质量不均匀的重要原因。

**7.2 防止面板裂缝的措施**

(1)合理选择混凝土浇筑的季节以降低均匀变温荷载的大小是避免裂缝发生的措施之一。

(2)混凝土浇筑初期表面进行覆盖、加强洒水养护、防止气温骤降对混凝土的不利影响是减少裂缝条数,防止早期裂缝的措施。

(3)及时蓄水,不仅可以对面板起到养护的作用,保护面板免受气温骤降的不利影响,而且蓄水荷载使面板表面受压,可抵消变温荷载产生的拉应力,防止裂缝的发生。

(4)合理选择混凝土的原材料及配合比,规范施工工艺,加强施工过程及混凝土初期养护的管理,以提高混凝土抗裂性能。

# 三峡二期工程泄洪坝段裂缝处理质量控制

杜泽快　　郑　路

(长江水利委员会三峡工程建设监理部,湖北宜昌　443002)

**摘　要:**泄洪坝段是三峡工程结构最复杂、承压水头最大的部位,由于诸多因素影响,其上游迎水面高程90m以下产生了浅层裂缝,属于由表面向浅层发展的温度裂缝。因裂缝所处位置较为特殊,处理质量备受各方关注。本文介绍了裂缝处理方案及项目实施过程,监理工程师根据现场施工特点,及时规范现场验收签证程序,制定施工质量管理办法,并对裂缝处理各施工工序严格把关,有效地保证了裂缝处理施工质量。

## 1　概　述

三峡工程泄洪坝段上游迎水面裂缝是由诸多综合因素造成的,属于由表面向浅层发展的温度裂缝。由于裂缝所处位置的特殊性,处理方案的制订十分审慎。最终的处理方案是结合国务院三建委、专家组咨询意见,在大量生产性工艺试验的基础上,由设计单位提出,经四方工作组结合现场实际,不断优化、完善而确定的。裂缝处理以防渗为主要目的,并兼顾恢复坝体整体性要求,决定采取缝内灌浆、缝口封闭、表面防护等综合处理措施。

泄洪坝段上游面裂缝处理从2001年11月开始施工准备,至2002年4月15日全部处理结束。整个裂缝处理项目施工进展顺利,经监理、业主、设计、施工四方共同验收,质量满足设计要求,保证了上游围堰按期破堰进水的工期目标。

## 2　裂缝处理方案与施工程序

### 2.1　裂缝处理方案

泄洪坝段上游面裂缝处理包括裂缝本体处理和裂缝两侧及上下端防护两方面。

(1)裂缝本体处理。裂缝本体处理采用化学灌浆＋嵌填止水材料＋粘贴橡胶片方案。

(2)裂缝两侧及上下端防护。裂缝防护采取坝段中间8m粘贴SR防渗盖片、两侧各6.5m喷涂水泥基渗透结晶型防水材料KT1、高程45m以下钢筋混凝土板两侧各2m喷聚丙烯纤维混凝土方案。

泄18～23号坝段裂缝已接近基岩面,为防止水库蓄水后高压水经基岩渗入缝内,要求对缝端附近基岩进行加固处理,处理方法采用浇筑压浆板后,对裂缝附近岩体进行化学灌浆。灌浆材料采用丙烯酸盐。

防护范围为裂缝两侧全坝段进行防护,裂缝上端防护至高程84m,裂缝下端防护至基岩面(泄1～4号坝面防护至高程24m)。

裂缝处理方案如图1所示。

### 2.2　施工程序

根据最终确定的裂缝处理方案,泄洪坝段上游面裂缝处理与防护程序为:排架搭设→裂缝检查、描述→缝面清理→灌浆孔(嘴)施工→灌浆(LPL)→凿“U”形槽→坝面修整(磨平干燥)→嵌填SR－2

本文原载《人民长江》2002年第10期。

→粘贴橡胶片→粘贴SR防渗盖片→涂刷KT1(混凝土板范围)→浇筑混凝土保护板或安装PVC板→涂刷KT1(混凝土板两侧)。

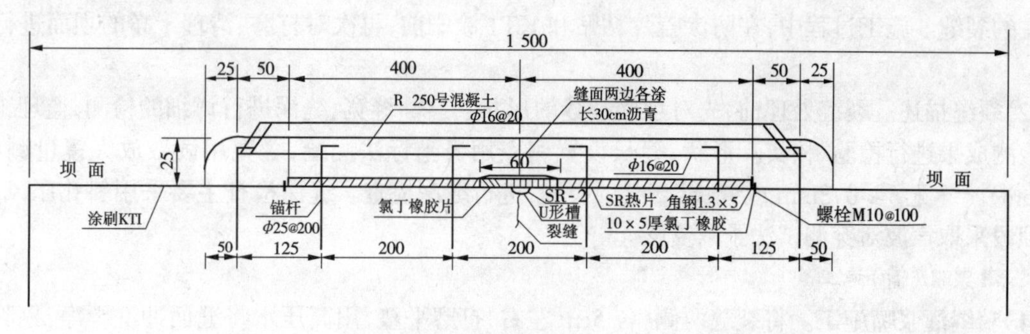


**图1 泄洪坝段上游面裂缝处理示意图**(单位:cm)

# 3 施工质量控制

## 3.1 施工质量控制措施

为确保裂缝处理的施工质量,监理工程师重点采取了以下质量控制措施:

(1)由业主、设计、监理、施工四方主要领导组成裂缝处理四方工作组,坚持每天现场办公,及时解决现场施工中的技术问题。

(2)根据裂缝处理进展情况,结合设计技术要求及现场实际,及时总结施工经验,调整和规范施工工艺。

(3)规范裂缝处理监理程序,完善质量检验、工序签证制度,统一工序验收表格。

(4)督促承建单位建立健全质量保证体系,对现场操作人员进行技术交底和技术培训,未受专门训练的人员禁止参与裂缝处理工作。

(5)加强对裂缝检查与检测作业过程的巡视、巡查与重要作业工序的旁站监督,发现问题及时指令整改。

(6)规范现场监理记录,加强对承建单位现场施工记录和报送成果的检查与审查,确保相关资料准确、翔实。

## 3.2 裂缝处理选材及质量控制

### 3.2.1 裂缝处理选材

坝面裂缝因所处位置的特殊性,其处理效果直接关系到将来大坝的安全运行。各方对裂缝处理材料的选用十分审慎。为有效提高裂缝处理质量,对宜选用的新材料、新技术、新工艺,在使用前都要进行严格的材料性能检测和现场工艺试验,只有性能指标满足设计要求,并且现场具有较强的可操作性,施工质量容易得到保证的材料,才允许正式用于坝面裂缝处理。

### 3.2.2 材料性能检测

为确保坝面裂缝处理中材料质量的可靠性,监理工程师在裂缝处理施工过程中,对采用的灌浆材料、止水材料、橡胶片和混凝土等材料进行了抽样检测,检测结果表明,所用材料各项性能指标全部满足设计要求。

## 3.3 裂缝处理工序质量控制

根据裂缝处理施工程序,监理工程师将上游面裂缝处理划分为裂缝检查、封缝、灌浆、凿槽、止水材料嵌填及橡胶片粘贴、防渗盖片粘贴、钢筋混凝土板或PVC板施工、KT1涂刷、纤维混凝土喷射、坝踵基岩化学灌浆等10大工序进行现场质量检验,在取得上道工序检验合格签证后,方允许进行下道工序作业。

3.3.1　裂缝检查

(1)坝面清理。施工排架搭设完毕后,用高压水枪冲洗、砂轮打磨等方法清理坝面,并仔细检查可能存在的裂缝。施工过程中,在防渗盖片粘贴和KT1涂刷前,再次对打磨、清理干净的坝面进行细致检查。

(2)裂缝描述。裂缝处理前,先对坝面裂缝的形状、缝长、缝宽、缝深进行详细的检测,监理工程师对照检测成果进行检验、核实。形状、缝长设置测点用极坐标法测绘,缝宽用读数放大镜量测(精度0.01mm)。缝宽 $\delta \geqslant 0.3$mm或缝长≥5m的裂缝,进行缝深检查。缝深检查主要采用斜孔压风方法,少量坝段采取声波对穿测试法予以复核。

3.3.2　灌浆孔(嘴)施工

(1)骑缝灌浆嘴施工。将裂缝两侧(各5cm左右)打磨平整,用高压水将缝面冲洗干净,剔除缝口残留的浆皮和碎渣。缝口清理干净以后,再次用高压水冲洗,待缝面完全干燥后,自下而上进行贴嘴施工。用1438环氧胶泥骑缝贴嘴,嘴距30cm左右。贴嘴时用铁丝穿过嘴上铜管并插入缝口,确保管口对准缝口,贴嘴2~3h后,用1438环氧胶泥封缝,厚度为2~5mm。

(2)灌浆斜孔施工。灌浆斜孔按每孔灌浆面积0.5~1.0$m^2$布置。若缝深在1m以内,不需施打灌浆斜孔;若缝深在1~2m间,施打垂直孔深1m的灌浆斜孔;若缝深在2~3m间,施打垂直孔深为1m和2m的两级灌浆斜孔……以此类推。钻孔完成后,监理工程师对孔位、孔斜和孔深进行检查,重点控制穿过裂缝面的深度不小于50cm。

(3)封缝。骑缝灌浆嘴施工24h后进行压风试气,试气过程中,监理工程师旁站检查各灌浆嘴通畅情况及缝口密封情况。压风从底部开始向上逐孔进行,风压0.2~0.3MPa,发现外漏则要求返工处理。

3.3.3　灌浆

(1)裂缝灌浆。裂缝灌浆采用LPL浆材专用配套设备CD-15自动稳压灌浆泵进行灌注。开灌前,监理检查CD-15泵维护等情况,检查合格后签发开灌许可证。灌浆过程中,监理全过程旁站监督。裂缝灌浆一般采用5个支管,先从裂缝底端开始跳嘴灌注,然后自下而上依次轮换推进,单嘴灌注时间不少于30min。灌浆结束标准为灌至不吸浆后,继续屏浆30min结束。

(2)灌浆效果检查。为检查上游面裂缝灌浆效果,在灌浆结束后,分别选取泄17、20、3、9号坝段,进行了取芯效果检查,共钻取芯样19孔,所取芯样均光滑完整,裂缝内浆液充填良好。对泄6、13、16、20、17号等坝段典型裂缝进行了灌前与灌后声波对比检测,检测结果表明,缝口至缝深1.0m左右,灌后声波波幅显著提高,灌浆效果明显。缝深超过1.0m后,灌后声波波幅有一定提高。

3.3.4　凿槽、止水材料嵌填及橡胶片粘贴

(1)凿槽。灌浆待凝时间大于72h后,开始凿槽。要求裂缝始终位于"U"形槽中心。槽型验收时,监理工程师先宏观检查,然后按5m左右间距,抽测槽型尺寸。局部偏离裂缝中心部位,要求将"U"形槽加宽处理。

(2)止水材料嵌填。嵌填前先用高压水将"U"形槽冲洗干净,待槽内干燥后,开始嵌填作业。先在"U"形槽内均匀涂刷两道SR-2材料配套底胶,第1道底胶在常温下自然干燥1h再涂刷第2道底胶,第2道底胶在常温下自然干燥0.5h或用灯烘烤至表面干燥,用手触摸而不粘手即可进行SR-2材料嵌填。嵌填时将SR-2材料搓成细条,按"先里后外"的原则,分层填入槽内,用木榔头锤击密实,外表与混凝土表面平齐。

(3)橡胶片粘贴。橡胶片采用3mm厚氯丁橡胶片,裂缝区及上下端1m范围采用60cm宽,裂缝上端1m处至高程84m采用120cm宽。橡胶片粘贴施工前,先将橡胶片按需要尺寸形状剪裁,用配套清洁剂将橡胶片表面清洗干净并晾干。再将混凝土表面打磨,除去表面尘污并清洗干净,自然干燥或人工烤干。

粘贴施工时,先用毛刷蘸胶,在混凝土和橡胶片表面均匀涂刷。待第二遍胶干至不粘手且又略带黏性时,立即进行平贴挤压黏合,然后用橡胶锤敲击密实。

3.3.5 防渗盖片粘贴及外侧保护

(1)防渗盖片粘贴。先采用砂轮或角磨机将坝面打磨平整,并用高压水冲洗干净,自然晾干或烘干。经监理工程师检查满足要求后,进行防渗盖片粘贴作业。

粘接材料采用 SR-2 材料配套底胶,底胶的涂刷方法与嵌填 SR-2 材料时相同。粘贴时由一端逐渐展开防渗盖片,并从盖片中间向两边赶尽空气。待平整后再用橡胶锤锤实防渗盖片,使盖片与坝面粘贴密实。

(2)接缝封边。防渗盖片周边用 L30×30 角钢封闭,盖片接缝、边缘要求用 SR-2 材料封缝,封缝质量要求平整密实。SR-2 材料表面再用 HK961 腻子盖面,腻子要求涂刮均匀、厚薄适中。

(3)施工质量检验。检验方法为“看、摸、揭”,主要检查表面是否平顺、严密,HK961 腻子颜色是否均匀,盖片中间有无气泡,封边和接缝 SR-2 材料填充是否密实,必要时将盖片揭开 50cm,总粘接面大于 80%为合格,否则返工处理。

(4)SR 盖片保护。SR 盖片表面采用浇筑钢筋混凝土板或安装 PVC 板保护,施工质量主要通过过程检查、仓位验收及工序验收予以控制。

泄 1~17 号坝段高程 45m(或 46m)以下混凝土保护板宽 10m、厚 40cm,高程 56m(或 57m)以上混凝土保护板宽 9.5m、厚 25cm。泄 18~23 号坝段混凝土保护板全部为宽 9.5m、厚 25cm。混凝土保护板通过坝面预设的锚筋(杆)与坝体相连。高程 56m(或 57m)以上混凝土保护板中间设一条竖直结构缝,缝内嵌填厚 1cm 沥青杉木板。混凝土保护板采用 $R_{28}$250 号泵送混凝土,施工时,将坝面原有的定位锥和拉筋头凿出,焊接拉条后立模浇筑。

PVC 板规格尺寸 2m×1m,厚 6mm,一般竖向铺设,顶部和底部水平铺设。PVC 板采用角钢压条固定,通过埋设锚栓固定在坝面上。PVC 板固定用角钢、压板、螺栓等外露铁件均涂刷防锈漆做防锈处理。

3.3.6 KT1 涂刷

涂刷施工前用高压水枪或钢丝刷清洗除去大坝表面浮浆、污垢等至表面微毛,然后用水充分湿润混凝土面,使之呈饱和面干,要求涂刷面做到“毛、潮、净”。

表面清理经监理验收合格后,方允许进行涂刷施工。KT1 材料随拌随施工,拌制好的 KT1 材料要求在 25min 内用完。KT1 涂刷要求做到均匀、无遗漏、无空白,涂层厚度按 0.8~1kg/$m^2$ 耗量控制。待表面涂层达到足够硬度后(约 10h),立即进行喷雾养护,保证涂层始终处于湿润状态。喷雾养护 3d 后,可改为流水养护。KT1 涂刷 14d 后结束养护。

## 4 结 语

(1)泄洪坝段上游面裂缝处理材料是经认真比选后确定的,处理方案是可靠的。处理施工中,监理工程师根据裂缝处理施工程序,制定和完善了质量检验、工序签证制度,统一了各工序验收表格。凡上一道工序未经检验合格,决不允许进入下道工序施工,从而有效地保证了裂缝处理各工序施工质量。

(2)泄洪坝段上游面裂缝处理克服了时间短、工期紧、工程量大、工序复杂等困难,对所发现的坝面裂缝,按设计要求进行了认真处理,裂缝处理原材料满足设计要求,各道工序质量全部检验合格。2002 年 4 月 25 日,参建四方对裂缝处理工程进行联合验收,验收小组成员一致认为,裂缝处理质量满足设计要求,能够保证大坝蓄水后的正常运行。

# 柘溪大坝1号支墩劈头裂缝处理

李友楼

(湖南柘溪水电站,湖南安化 413508)

**摘 要**:介绍了柘溪大坝1号支墩劈头裂缝水下处理施工情况,通过施工期间的漏水量变化,分析影响漏水量变化的因素;通过施工结束后漏水情况,对处理效果进行了分析。

## 1 概 述

柘溪大坝位于湖南省资水中游安化县境内,始建于1958年,由溢流段的单支墩大头坝和非溢流段的宽缝重力坝组成,共22个坝段。最大坝高104m,坝顶全长330m。大坝防洪标准按200年一遇设计,1 000年一遇校核。工程于1961年开始蓄水,1962年发电。各坝段混凝土在浇筑后不久即出现较多的表面裂缝,且不断向下游发展,形成劈头裂缝,先后于1969年、1977年、1983年出现过由于1、2号支墩大面积劈头裂缝和水平裂缝漏水引起的3次险情。期间曾对大坝分阶段进行了"前堵、后排,在空腔内加固"处理,并用瓷泥、手抹环氧胶泥和压贴环氧砂浆块等材料多次在大坝迎水面进行水下堵漏处理,在当时取得了较好的效果。但随着时间推移,原粘贴块普遍存在松动、脱落现象。1998年底至1999年初进行了一次裂缝封堵,到2000年初,漏水量又有所增大。为了寻求一种操作简便、止水可靠、质量保证、使用寿命长的处理方法,从根本上解决大坝裂缝漏水问题,通过广泛的调查、分析和研究,决定采用嵌填SR塑性止水材料结合表面浇筑增韧水下环氧混凝土保护方法对1、2号支墩迎水面裂缝进行堵漏处理。

## 2 1号支墩裂缝处理施工方案

### 2.1 施工方案

首先由潜水员用水下液压工具对原粘贴环氧砂浆块进行清理,沿劈头缝切割成"V"形槽,在"V"形槽表面涂刷HK水下涂料,在槽内嵌填SR塑性止水材料,然后在混凝土表面立模,浇筑HK增韧水下环氧树脂混凝土进行保护(见图1)。

### 2.2 施工工艺

施工工艺过程见图2。

### 2.3 材料特性

#### 2.3.1 HK水下涂料

HK水下涂料是一种改性环氧涂料,它以环氧树脂为主,通过添加增韧剂、活化剂、固化剂等一系列助剂而成,在其分子结构中引入了强极性亲水基团,并采用专用的水下固化剂,使得在水中与混凝土有很强的黏结力。

#### 2.3.2 SR塑性止水材料

SR塑性止水材料是专门为面板堆石坝周边缝和伸缩缝止水研制的系列止水材料,具有独特的耐老化、高塑性、温适性、延伸性、抗渗性、常温冷操作施工以及与基面牢固粘接等特性。根据温度的变

---

本文原载《湖南电力》2002年第5期。

化,其延伸率可达500%~1 000%,有很好的适应变形能力。在水下使用时必须通过HK水下涂料将其粘贴于混凝土表层,并在表面采取一定的保护措施。

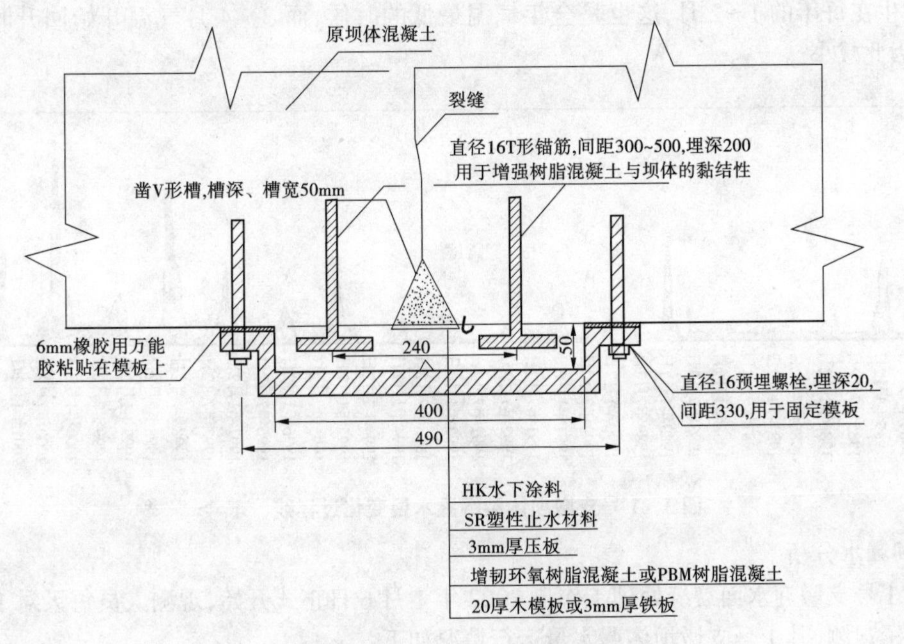


**图1 SR嵌缝法处理坝面裂缝平面示意图**(单位:mm)

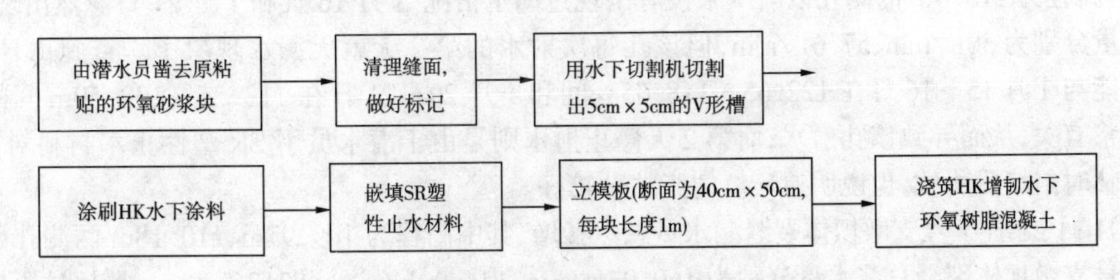


**图2 施工程序示意图**

2.3.3 HK增韧水下环氧树脂混凝土

HK增韧水下环氧树脂混凝土是以亲水性的HK水下环氧材料为胶结料,通过添加一定的石子、砂作为填充料而形成的一种聚合物混凝土。它之所以具有较好的力学性能指标,在于引入了一种具有极强增韧效果的长链性高分子材料,通过与环氧树脂上的活性基团发生化学反应而形成一个整体,从而使混凝土的韧性有了极大的提高。

**2.4 施工方案的技术特点**

本方案采用了刚柔结合的防水措施,SR塑性止水材料是一种具有良好伸展性和抗渗性的止水材料,具有很强的适应变形的能力;HK系列水下材料具有良好的浸润性,可以较好地涂刷在水中的混凝土表面,但由于SR材料是柔性材料,在重力的作用下,时间一长就会下垂。因此,采用了在外层浇筑增韧水下环氧树脂混凝土的办法,一是对SR材料进行支撑保护,二是可通过其与原混凝土面良好的黏结性能,对原混凝土进行加固,三是增韧环氧树脂混凝土可以适应缝的张合变形而不被破坏,本身也是一道非常好的防渗层。

# 3 漏水量及效果分析

大坝加固处理时,为了加强对坝体裂缝的监测和排除裂缝渗水以降低缝面上的渗水压力,在左、右导墙和1~8号支墩坝身共打有278个排水孔,并采用容积法以量杯、秒表作量测,每5d观测一次,在高水位、低温工况下以及低水位、高温等不利工况下每天都进行了严密观测。图 3 是 1984 年以来历年渗漏量的变化情况。从图 3 中可以看出，由于混凝土的热胀冷缩，漏水量呈明显的年周期变化，最大漏水量发生在每年的 1～2 月，这也是全年气温最低的时候，而 3～4 月气温开始回升时裂缝闭合，漏水量也因此减小。

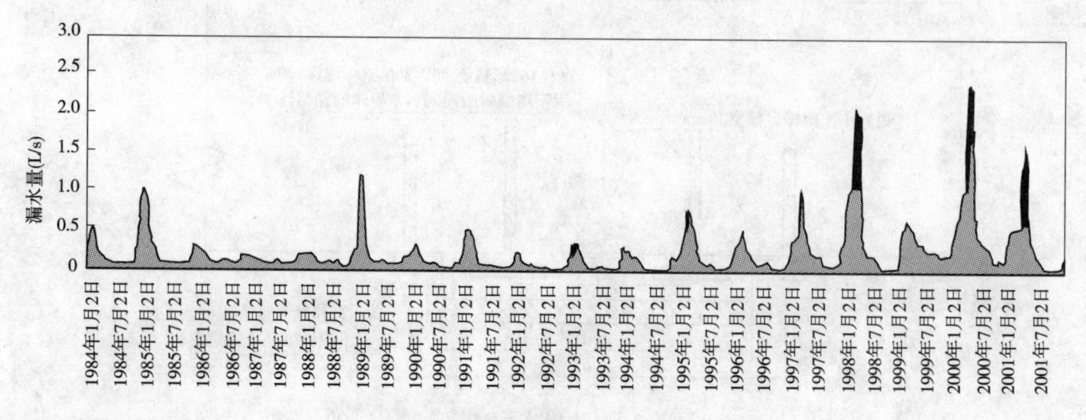


**图 3　1 号支墩坝体裂缝漏水量变化过程线**

### 3.1　施工期间漏水分析

柘溪大坝 1 号支墩迎水面裂缝处理工作自 2002 年 1 月 6 日正式开始，观测人员每天对 1、2 号支墩漏水量进行了观测，其 1 号支墩坝体漏水量运行情况如下：

(1)高程为 113.0m 的测孔以前从来没有出现过漏水情况，1 月 16 日和 1 月 21 日忽然出现射水，其漏水量分别为 30L/min、57.6L/min，但该孔每次射水的第 2 天就无漏水现象了。查施工日志，其原因可能与 1 月 15～16 日在 122.65～118.65m 间和 1 月 20～21 日在 113.35～108.50m 间的切割环氧砂浆有关，从而导致该孔射水；而第 2 天停止射水则是由于潜水员用 SR 塑性止水材料对“V”形槽进行临时封堵后所致，也说明原环氧树脂粘贴较好。

(2)1 月 21 日 1 号支墩坝体裂缝漏水量忽然猛增，其中高程为 109.97m、110.18m 两测孔漏水量以及 1 号支墩坝体裂缝总漏水量分别为 160.02L/min、144.00L/min、483.36L/min，都超过历史最大值(相应的历史最大值分别为 2000 年 2 月 15 日的 115.86L/min，1995 年 1 月 17 日的 9.9L/min，2000 年 2 月 18 日的 151.08L/min)，同时还发现排水沟里含有大量的泥沙。经查阅施工日志，其原因可能与 1 月 20 日至 21 日正在切割高程 113.35～108.50m 间裂缝内的环氧砂浆有关；1 月 22 日用 SR 塑性止水材料对以上“V”形槽进行临时封堵后，23 日 1 号支墩坝体裂缝总漏水量降至 42.84 L/min，说明高程 113.35～108.50m 间的裂缝漏水对总漏水量变化影响十分明显。

(3)高程为 98.3m 测孔在 2 月 21 日前起随着气温的逐渐增高，其漏水量逐渐减小，2 月 20 日该测孔漏水量为 4.8L/min，从 2 月 21 日起开始铲除 101.0～93.5m 的原环氧树脂砂浆，该孔漏水量又开始增加，3 月 1 日该孔漏水量增至为 30L/min，当从 3 月 2 日起开始对 101.0～93.5m 间进行粘贴环氧砂浆时，其漏水量又开始减小，目前该孔漏水量保持在 0.12L/min 左右，漏水量减少很多。由于该孔还在漏水，说明还有裂缝没有找到或有的裂缝还没有完全处理好。

### 3.2　施工结束后漏水分析

本次采用嵌填 SR 塑性止水材料结合表面浇筑增韧水下环氧混凝土保护方法对 1 号支墩迎水面裂缝进行堵漏工作于 2002 年 3 月 26 日结束，目前 7 个排水管中只有 1 个标有高程为 98.3m 测孔漏水，其漏水量目前也只有 0.12L/min 左右。说明堵漏效果较为明显，但考虑到水库水位一直在 153m 以下，水温也比历史同期高出 3℃，这是大坝最为有利的运行工况，因此这次所选取柘溪大坝劈头裂缝的处理材料是否能适用裂缝张合变形以及大坝迎水面表层混凝土强度较弱的特点，还得经历低温高水位和高温低水位的工况条件的考验。

## 4 结　论

柘溪大坝溢流段支墩劈头裂缝漏水是困扰多年且一直未解决的问题,曾采用瓷泥、手抹环氧胶泥和压贴环氧砂浆块等方法进行处理,但效果均不是很好,本次采用新的方法,经科研单位进行了认真的分析和研究,施工中首先对缝进行切槽,增大堵料与裂缝的接触面,更好地增强了堵漏的效果,另外,采用HK水下涂料、SR塑性止水材料、HK增韧水下环氧树脂混凝土3道防线有效地防止了水渗入裂缝,从施工结束后漏水观测资料来看,堵漏效果较为明显。

# 水工大体积高性能混凝土裂缝原因分析

曹恒祥　殷保合

(水利部小浪底建管局,河南济源　454681)

**摘　要**:本文从多方位、多角度对豫西水利枢纽工程泄水建筑物的高性能混凝土裂缝原因进行了全面的分析,并通过对观测资料的计算分析,得出了高性能混凝土裂缝时的极限参数。同时阐述了水工大体积高性能混凝土在设计、施工中应注意的问题及采取的预防措施。

豫西水利枢纽工程"进水口、洞群和溢洪道"标段(Ⅱ标),为提高泄水建筑物抵抗黄河泥沙及高速水流的冲刷能力,设计采用了28d抗压强度70MPa的高性能混凝土,实际浇筑高性能混凝土50万$m^3$左右。这在我国乃至世界水工建筑物中均是罕见的。由于种种原因,豫西高性能混凝土产生了一定数量的裂缝,本文就此混凝土产生裂缝的原因进行了分析,并提出了缓解高性能混凝土裂缝的措施,仅供参考。

## 1　基础资料

### 1.1　豫西水利枢纽工程高性能混凝土设计要求

(1)豫西水利枢纽工程"进水口、洞群和溢洪道招标文件"第二卷技术规范对高性能混凝土要求如表1。

**表1**　　高性能混凝土技术要求

| 混凝土类别 | 龄期(d) | 抗压强度(MPa) | 透水性级别 | 抗冻融级别 | 最大骨料尺寸(mm) | 最大水灰比 $W/C$ | 混凝土最高温度(℃) | |
|---|---|---|---|---|---|---|---|---|
| | | | | | | | 衬砌厚度(m) | 允许最高温度 |
| C70-1 | 28 | 70 | $S_6$ | $D_{50}$ | 40 | 0.30 | <1 | 50 |
| C70-2 | 28 | 70 | $S_6$ | $D_{50}$ | 80 | 0.28~0.30 | 1~2 | 56 |
| | | | | | | | >2 | 54 |

(2)豫西水利枢纽工程高性能混凝土(C70级混凝土)分布情况及其典型结构尺寸见表2。

### 1.2　豫西高性能混凝土裂缝类型概况

(1)分布在1号、2号、3号明流洞及其泄槽边墙、排沙洞泄槽边墙、溢洪道边墙的铅直向裂缝。这类裂缝从边墙的底部一直发展到边墙的顶部,每个浇筑块裂缝数量多在1~2条,1条裂缝的情况多发生在浇筑块中部,2条者则将浇筑的边墙混凝土块体"均匀"分割为3块,即铅直向裂缝。

(2)分布在1号、2号、3号明流洞及其泄槽边墙,从边墙底部发展到边墙伸缩缝的边底角弧形裂缝。这种裂缝伴随着上述(1)中的裂缝共同存在,即边底角裂缝。

(3)明流洞底板、明流洞泄槽底板、溢洪道底板的混凝土裂缝。这类裂缝沿泄槽轴线方向将底板切割成均匀的两份。有些底板还从这条裂缝的长度中心延伸出一条垂直于此缝的裂缝,即相互垂直的混凝土裂缝。

---

本文原载《混凝土》2000年第11期。

**表 2　　C70 级混凝土分布与典型结构尺寸**

| 部位 | | 典型尺寸 | 混凝土浇筑方量(万 $m^3$) |
|---|---|---|---|
| 孔板洞洞身段 | 上半圆 | 洞径 14.5m,内弧长 34.16m,外弧长 36.05～36.90m | 17.0 |
| | 下半圆 | 内弧长 11.39m,外弧长 14.19～15.38m,混凝土厚 0.8～1.2m | |
| 孔板洞中闸室 | 边墙 | 浇筑层长 29m、高 3m、厚 1.0～1.5m | 7.0 |
| 明流洞 | 边墙 | (长×高×厚)12.0m×9.0m×1.0m | 9.2 |
| | 底板 | (长×宽×厚)12.0m×13.7m×1.0m | |
| 明流洞泄槽 | 边墙 | (长×高×厚)12.0m×11.5m×1.0m | 5.2 |
| | 底板 | (长×宽×厚)12.0m×12.5m×0.8m | |
| 排沙洞泄槽 | 边墙 | (长×高×厚)8.9m×7.9m×0.8m | 2.8 |
| | 底板 | (长×宽×厚)8.9m×6.0m×0.8m | |
| 溢洪道 | 边墙 | (长×高×厚)15m×11m×0.8m | 12.0 |
| | 底板 | (长×宽×厚)15m×14m×0.5m | |

(4)排沙洞泄槽,明流洞泄槽这样的网状(地图状)裂缝,即网状裂缝。

(5)表面干缩裂缝,这种裂缝均发生在高性能混凝土浇筑块表面。

(6)导流洞(孔板洞)洞身腰部的,由斜向发展到近似水平向的裂缝,即斜向—水平向裂缝。

(7)明流洞、明流洞泄槽边墙,由底部垂直变化后改为近似“水平”向变化的裂缝,即铅垂向—水平向裂缝。

### 1.3　高性能混凝土裂缝情况说明

豫西高性能混凝土裂缝一般发生在浇筑后的 1～3d 内,主要裂缝的深度经取芯量测基本贯穿高性能混凝土结构。在承重墙和底板,有的高性能混凝土裂缝已深入到与高性能混凝土“同时”浇筑的底层 C15 或 C25 混凝土中。混凝土表面裂缝宽度一般为 0.12～0.16mm。除网状及表面干缩裂缝外,大多主要裂缝不能自行闭合。整体及间歇期 2～3d 分层浇筑的边墙混凝土,均避免不了裂缝。洞中混凝土的裂缝少于露天混凝土的裂缝。圆形洞身段的混凝土裂缝数量少于城门洞形段的混凝土裂缝。圆形洞身段的混凝土裂缝数量少于渐变段混凝土裂缝数量。用高性能混凝土浇筑的 1 号、7 号桥,长 39.96m、高 2.25m 的后张“T”形预制梁没有产生裂缝。

## 2　豫西高性能混凝土裂缝原因分析

豫西高性能混凝土裂缝原因是多方面的,其主要原因可归纳为图 1 的高性能混凝土裂缝因果关系图。下面逐一探讨高性能混凝土裂缝因果关系图中造成混凝土裂缝的主要原因。

### 2.1　混凝土原材料方面

就表 2 中的大体积高性能混凝土而言,豫西高性能混凝土设计和选择胶凝材料——水泥和骨料是不够理想的。

#### 2.1.1　胶凝材料——水泥方面

就大体积泄水建筑物而言,设计和选择国家无水化热控制要求的普通水泥,即 P.O525R 早强水泥是不利于混凝土温度控制的,特别是不利于主要发热源——水泥含量高的大体积高性能混凝土的温度控制。对于这类混凝土应首选中热水泥即 525MH 水泥。

尽管豫西水利枢纽工程对所用 P.O525R 水泥的水化热进行了严格控制,7d 水化热不得大于 305kJ/kg,但水泥的热学性能还应包括水化速率,P.O525R 水泥的水化速率要比 525MH 水泥水化速率大,因此 P.O525R 水泥使得混凝土内部早期发热快而高,极易造成混凝土温度裂缝。有人可能要讲:“水泥水化速率高,意味着混凝土抗拉强度增长得快,早期混凝土抗拉强度也大。”但应注意大体积含水泥量较高的高性能混凝土,因 R 型水泥带来的早期温度拉应力的增长要远远大于其带来的抗拉强度的增长,这在后面对混凝土温度裂缝计算中可详知。再者,用 R 型水泥的高性能混凝土升温快而高,对“环境—气象条件”的影响也极为敏感和脆弱。就水工泄水建筑物的抗冲耐磨而言,普通水泥拌制的混凝土也不如中热水泥拌制的混凝土。

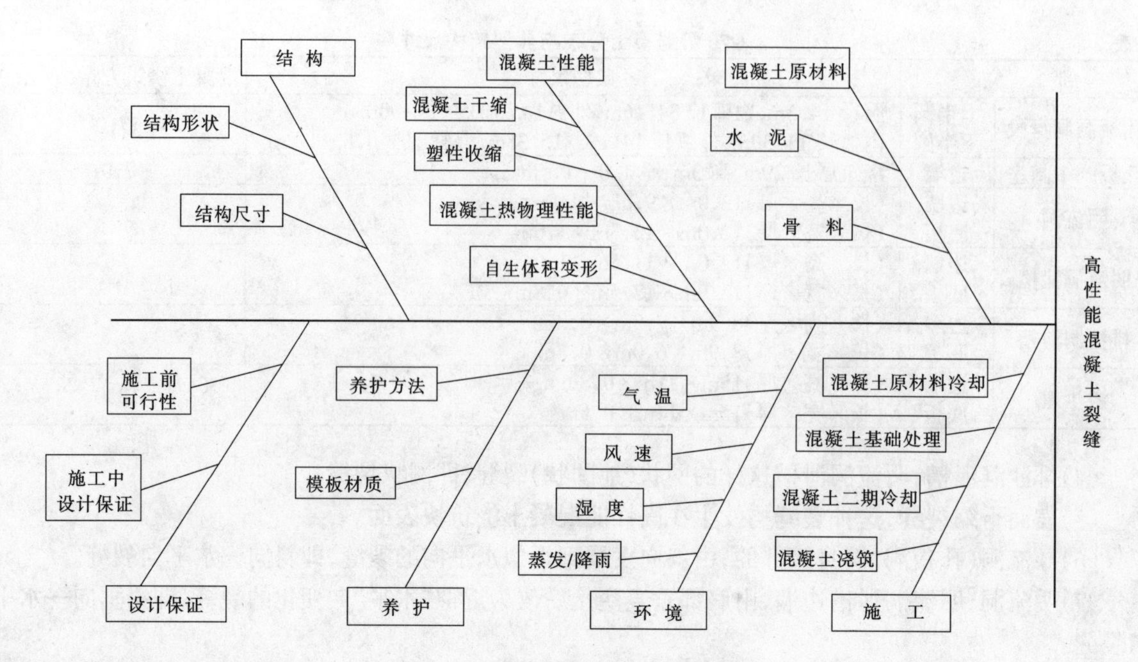


**图1　高性能混凝土裂缝因果关系**

2.1.2　骨料方面

骨料在混凝土中占绝对数量，它的热学性能对混凝土的热学性能起着至关重要的影响。豫西高性能混凝土采用的是坝下游6km处的河滩砂石骨料，该骨料中砂岩含量占20%～45%，骨料线膨胀系数为$11.67\times10^{-6}$/℃，通过对观测资料的分析计算，豫西高性能混凝土线膨胀系数达$(11.75\sim12.00)\times10^{-6}$/℃。由此可知，豫西高性能混凝土温度变形较大，其带来的温度应力同样也较大，易造成混凝土裂缝。再者，使用砂岩含量高的骨料配制出的混凝土干缩也比较大。

因此笔者认为，材料的"先天不足"是导致豫西高性能混凝土裂缝的主要原因之一。

## 2.2　混凝土拌和物和混凝土方面

2.2.1　高性能混凝土的自生体积变形

豫西高性能混凝土自生体积变形表现为收缩。有关资料也显示P.O525R水泥拌制的混凝土自生体积收缩最大。豫西高性能混凝土的自生体积变形曲线见图2。从图中可以看出，高性能混凝土早期2～3d内的自生体积收缩量很大，收缩变形速率也很大。3d自生体积收缩近$100\times10^{-6}$，这相当于线膨胀系数$12.00\times10^{-6}$/℃的C70级混凝土温度变化8.7℃引起的变形。北京水科院用525MH水泥拌制的C70级混凝土，也显示出C70级混凝土早期自生体积收缩变形大、收缩速率高。后期90d自生体积收缩达$246\times10^{-6}$(见图3)。如此收缩大而速率快的混凝土自生体积变形，对早期无温控措施和温控投入的高性能混凝土来讲，自然成了混凝土裂缝的主要原因之一。

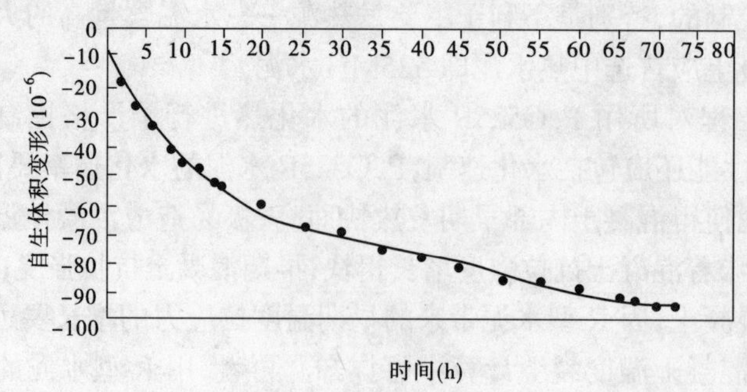


**图2　豫西高性能混凝土自生体积变形曲线**

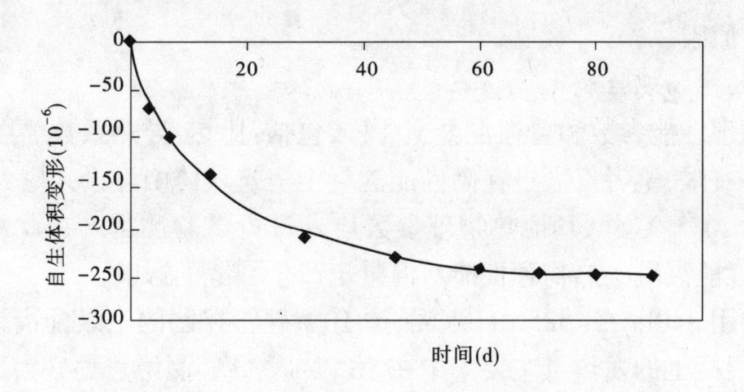


**图 3　C70 级混凝土自生体积变形曲线**

### 2.2.2　高性能混凝土的塑性收缩

混凝土拌和物的裂缝主要是混凝土拌和物塑性收缩引起的,混凝土拌和物的塑性收缩主要是气象条件造成的。美国规范 ACⅠ305R 中指出“混凝土拌和物水分蒸发速度达到 0.98kg/($m^2$·h)时,应采取防止混凝土拌和物塑性收缩裂缝的措施”。笔者认为,这一混凝土拌和物塑性收缩裂缝的条件是对普通混凝土而言,且是假定风速 16km/h,混凝土拌和物温度与空气温度相差 5.6℃ 等条件下得出的。对于高性能混凝土拌和物,由于 *W/C* 小、胶凝材料用量较大,特别是掺入了比表面积非常大的硅粉后,高性能混凝土拌和物不像普通混凝土拌和物那样,或多或少存在泌水(析水)的情况,因此气象条件对高性能混凝土拌和物中水分的“掠夺”略去了对泌水(析水)的“掠夺”步骤,直接对高性能混凝土拌和物表面的水分子进行“掠夺”,造成混凝土拌和物中毛细管负压,而使毛细管收缩,从而引起高性能混凝土拌和物的塑性收缩。

豫西高性能混凝土塑性收缩裂缝在一年四季均发生过,发生塑性收缩裂缝数量的概率依次是夏季>春季>秋季>冬季。发生塑性收缩裂缝的部位均是在露天施工的泄水建筑物底板,一般发生在饰面前后数小时内。结合豫西气象资料及对塑性收缩裂缝发生情况的调查,笔者比较同意 R.G.L.Hermite的观点。Hermite 认为,当混凝土拌和物表面的水分蒸发速率超过 0.5kg/($m^2$·h)时,将引起混凝土拌和物的塑性收缩。这个塑性收缩条件比较吻合豫西高性能混凝土拌和物塑性裂缝产生时的气象条件。因此,塑性收缩也是造成豫西高性能混凝土裂缝的重要原因之一。

### 2.2.3　高性能混凝土的干燥收缩

干缩主要是混凝土置于未饱和空气中,因水分散失而引起体积收缩,由此而引起的混凝土裂缝称混凝土干缩裂缝。南京水科院曾做过硅粉混凝土的干缩试验,试验表明,掺硅粉的混凝土比不掺硅粉的混凝土干缩要大,尤其是早期干缩更是大得多。豫西高性能混凝土干缩曲线见图 4,从图中看出 C70 级混凝土早期干缩是比较大的。但由于混凝土干缩扩散速度比较慢,因此干缩仅是引起高性能

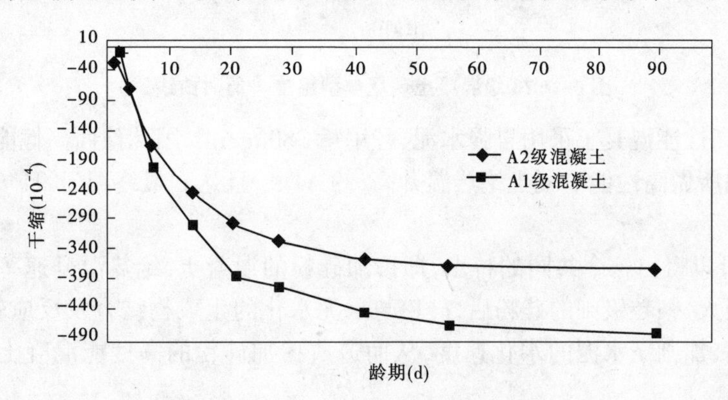


**图 4　C70 级混凝土干缩曲线**

混凝土表面龟裂的主要原因。

### 2.2.4　高性能混凝土的热物理性能

高性能混凝土热物理性能参数和普通混凝土一样,包括:比热、导热系数、导温系数、线膨胀系数、绝热温升等。由于条件有限,笔者仅通过在高性能混凝土浇筑块体中埋设无应力计,并通过计算得到线膨胀系数 $\alpha=12.00\times10^{-6}/℃$ 外,其他热物理参数均未进行试验测得。在此结合北京水科院的试验资料,来解释豫西高性能混凝土热物理性能对混凝土产生裂缝的影响。

图 5 为北京水科院用 340kg/m$^3$525MH 水泥,掺 10%硅粉拌制的三级配高性能混凝土绝热温升曲线。从曲线可看出,混凝土的发热量主要集中在 5d 以前,3d 实测绝热温升为 37.5℃。如推算最终绝热温升为 39.64℃,则 3d 温升达到最终温升的 94.6%。图 6 为豫西高性能混凝土浇筑块中埋设温度计测得的混凝土典型温度过程线,从图中看出,在混凝土与空气有热交换的情况下,混凝土在 24h 左右基本达到温度最高点。

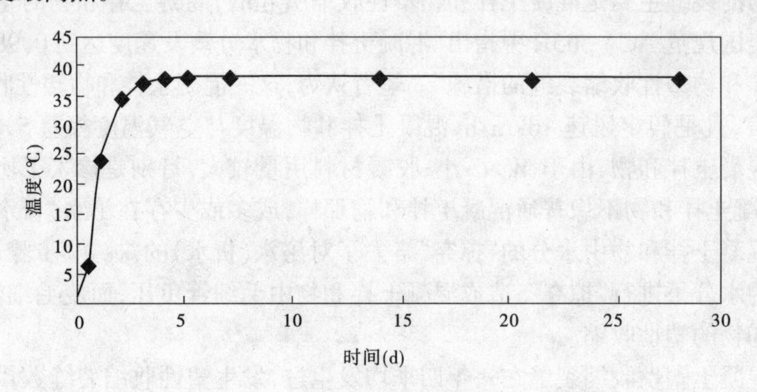


图 5　C70 级混凝土绝热温升—历时曲线

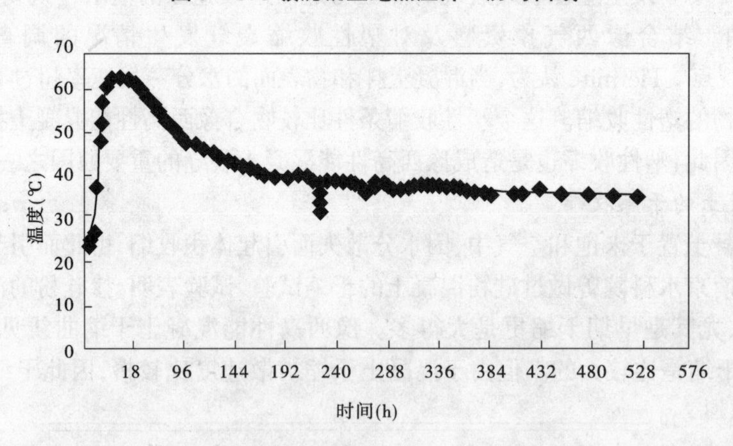


图 6　C70 级混凝土现场典型温度—历时曲线

笔者认为,豫西高性能混凝土采用早强水泥,且用量 380kg/m$^3$,因此豫西高性能混凝土最终绝热温升应比北京水科院所做高性能混凝土绝热温升高,约 44℃,且达到最终温升 94.6%的时间也应提前,约在 2d。

从图 5、图 6 还可以得出一个共同的特点,即掺加硅粉的混凝土,绝热温升速率要大。这可能是由于掺入比表面积很大、颗粒极细的硅粉后,硅粉与水泥水化的生成物结合及反应较快,进一步打破了水泥水化反应平衡,加剧了水泥的水化速度,从而造成掺加硅粉的高性能混凝土绝热温升速率要大。

由于绝热温升高,速率大,且均出现在早期,这对于没有埋设二期冷却水管的高性能混凝土养护等带来不可逾越的困难。

表3为北京水科院经试验测得的豫西高性能混凝土热物理性能参数。表3反映出高性能混凝土线膨胀系数是非常大的。混凝土温度收缩变形是温差 $\Delta T$ 与混凝土线膨胀系数 $\alpha$ 的乘积,即 $\alpha\Delta T$,结合豫西工程施工区气象条件和图6,不难算出非极端最低温度下浇筑的表2中的结构,在极端最低温度季节的变形量。如果这一温度收缩变形受到约束,转变为收缩应力是多大,而高性能混凝土的极限抗拉强度和极限拉应变能抗拒吗?我们在溢洪道渠首段10月份浇筑的与表2C70级混凝土结构尺寸相同的C25级混凝土块体,在来年的2月份出现了形式与C70级混凝土块体相同的裂缝,它从一个侧面也反映高性能混凝土裂缝的必然性。因此,绝热温升高、速率大、线膨胀系数大等,也是豫西高性能混凝土裂缝的主要原因之一。

**表3　北京水科院测C70级混凝土热物理性能参数**

| 导热系数[kJ/(m·h·℃)] | 导温系数($m^2$/h) | 比　热[kJ/(kg·℃)] | 线膨胀系数($\times10^{-6}$/℃) |
|---|---|---|---|
| 8.786 | 0.0046 3 | 0.759 | 11.75 |

## 2.3　结构形状和尺寸

表2中,豫西C70级混凝土结构除孔板洞洞身段是圆形外,其余均是板、条状结构,结构的厚长、厚高比一般在0.5/12~2/12,它们临空面大,受气象条件影响大,受基础约束相对很大,混凝土抵抗约束的抗拉截面却相对较小。

从目前每块混凝土裂缝形式来看,主要裂缝将结构均匀分割为2~3块。我们曾在3号明流洞泄槽第81块两侧边墙做了一个试验,人为在边墙制造一缺陷(见图7),意在使此边墙仅在此裂一条缝。制造缺陷的方法为:在边墙迎水面中间垂直安放一由底至顶的∠100×100×5角铁,再在角铁同一截面的混凝土内部安放一25cm×25cm的钢筋网笼,形成一人造空腔竖井,第81块的边墙混凝土在角铁和钢筋网笼部位截面积最小。待边墙混凝土进入冬季并稳定后再向钢筋网笼内浇筑膨胀混凝土。遗憾的是,该块左右边墙的混凝土不仅在这条“人造缺陷”上开裂了,而且在“人造缺陷”两侧各裂了一条缝,并“均匀分割”了81块边墙。

台湾石林(shchlin)水电站在溢洪道等部位浇筑高性能混凝土时,产生了与豫西高性能混凝土类似的裂缝后,将原10m×13.5m的浇筑块对角分割成独立的4块,隔期分别浇筑,混凝土裂缝得到了很大缓解。美国KINZUA大坝将高强混凝土块体定为30cm厚、5m长、5m宽后,混凝土裂缝也得到了很大的缓解。

豫西溢洪道第48块左右边墙长度均为9.86m,左右边墙仅出现了一条较小的裂缝。

针对1.2(2)节边底角裂缝,我们增加了如图8所示的 $\phi16@200$ 限裂钢筋网,遗憾的是仍然阻止不了裂缝的开展。

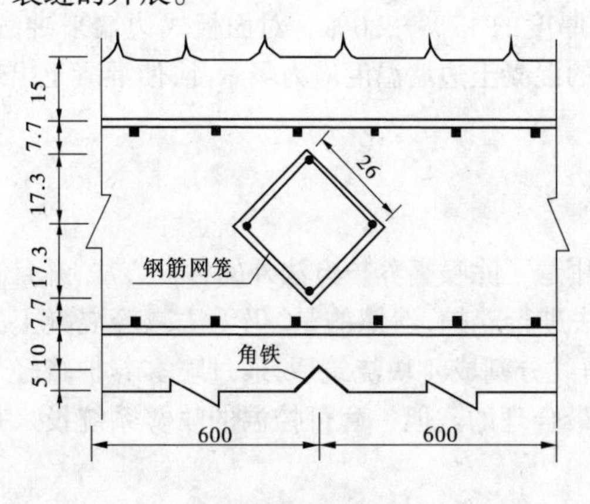


**图7　边墙预留竖井**(单位:cm)

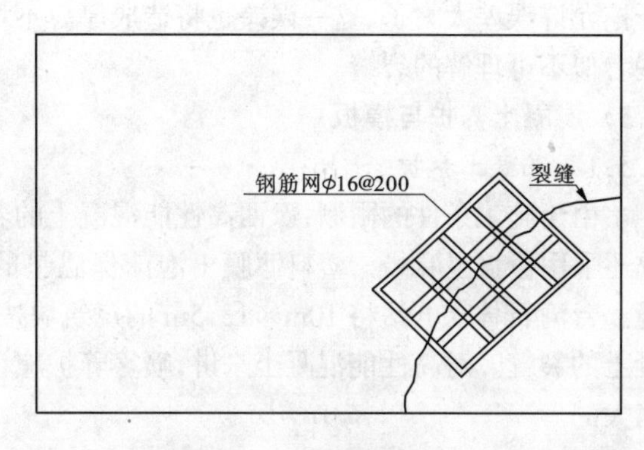


**图8　限裂钢筋网**

从上所述,笔者认为,结构设计尺寸和形状也是导致豫西高性能混凝土裂缝的主要原因之一。

**2.4　施工因素**

2.4.1　混凝土的冷却

(1)混凝土拌和物原材料的冷却。豫西高性能混凝土全年仅在冬季最寒冷的10d内不加冰拌和,同样,粗骨料也仅在这段时间左右不进行冷却。粗骨料使用前的准备过程为:砂石场筛洗→拌和站筛洗→通过长90m可变频调速冷水浴(水淹)廊道冷却→脱水→衡量楼储料仓风冷。经过这个过程的粗骨料,在冬季进入拌和机前,温度能保持在3~5℃。但对于细骨料——砂却无法冷却,夏季砂子温度达25~28℃。特别是水泥,夏季温度高达70~80℃以上,冬季一般也在60~70℃,粉煤灰温度全年也在30~50℃之间。对于细骨料和胶凝材料用量较大的高性能混凝土来讲,细骨料和胶凝材料温度过高,势必影响混凝土拌和物入仓温度。豫西高性能混凝土夏季拌和一般都超常规加冰,每立方米拌和水仅加3~6kg/m$^3$,其余的每立方米用水量全部改为加冰,即使这样,高性能混凝土拌和物的出机口温度,也仅能控制在22~27℃。

如果细骨料含水量较大,加冰量受影响,混凝土拌和物出机口温度还将提高1~3℃。原材料温度过高,势必导致拌和物出机口和入仓温度的增高,继而导致混凝土最高温度增高,使得高性能混凝土与气象条件的矛盾越加突出,混凝土在气象条件下更显得脆弱。

(2)高性能混凝土的二期冷却。就豫西高性能混凝土的特性、结构形状尺寸、环境及养护条件来讲,应当设计二期冷却系统,并根据混凝土温度和气象条件对混凝土通入不同温度的水进行冷却。这样可能缓解高性能混凝土的裂缝。遗憾的是,承包商也未对此投入,最后反而造成裂缝修补费用的大量增加。

2.4.2　混凝土的浇筑

作为高性能混凝土拌和物来讲,坍落度较大,和易性较好。有人认为施工浇筑容易,从而忽略了因掺入硅粉而增大拌和物的黏滞力,以及混凝土拌和物更容易受到环境气象条件的影响,往往容易出现上下层混凝土振捣不透,窝集的空气排不出去,连续浇筑不紧凑等。笔者认为,1.2(7)节铅垂向一水平向裂缝、1.2(6)节斜向一水平向裂缝中的水平裂缝,多数是施工振捣较差,混凝土浇筑的连续性较差造成的施工缝。再者,混凝土拌和物振捣不均匀,也将造成混凝土结构内的温度应力场紊乱,而产生一些不规则裂缝。

2.4.3　混凝土基础处理

豫西混凝土基础开挖面允许误差为20cm。底板高性能混凝土一般是连续浇筑在低标号的垫层混凝土上。

边墙高性能混凝土除约15%是重力墙外,大多是直接浇筑在开挖喷护后的岩面上。表2中,边墙厚度为0.8~1.0m,设计开挖面的允许误差占边墙厚度的17%~20%。对面板式边墙来讲,这个开挖允许误差太大了,这一误差也将造成厚薄不均匀的混凝土边墙温度应力场紊乱,使混凝土出现一些看似不可理解的裂缝。

**2.5　混凝土养护与模板**

2.5.1　混凝土养护

由于施工条件的限制,豫西高性能混凝土的养护用遍了除喷雾养护方法外的各种方法,并且在冬季还采用覆盖湿麻袋+塑料薄膜+泡沫保温垫的方法进行养护,遗憾的是,仍无法减轻混凝土的裂缝。台湾石林水电站将10m×13.5m的浇筑块按对角线分割成4块浇筑后,通过喷雾养护减轻了混凝土的裂缝。对高性能混凝土来讲,喷雾养护应该是最合理的。但一套可控温的喷雾系统投入是相当大的。

2.5.2　模板

豫西高性能混凝土除孔板洞洞身段使用针梁钢模板外,表2中的边墙混凝土均采用的是木模板。

经过多次使用的木模板吸水率较强,易造成混凝土表面失水,使混凝土表面产生干缩裂缝。

由于木材热传递系数小,故木模板热传导性差,在夏季使用其浇筑混凝土是不合理的,它阻断了早期混凝土热量的向外传递,造成混凝土的蓄热,蓄热又将进一步导致水泥加快水化速度和混凝土温度的升高,极不利于混凝土的温控。根据冬季对混凝土温升状况的观测,笔者认为,高性能混凝土冬季施工也不宜使用木模板。

至于拆模时间对混凝土的影响,我们曾对不同拆模时间的高性能混凝土进行了观察,拆模时间长短不能减轻高性能混凝土的裂缝。

### 2.6 混凝土强度的验收时间

所谓验收期即混凝土龄期,是指混凝土能合理达到某一性能应经历的最佳合理时间。可以看出,验收期即混凝土龄期是混凝土性能度量标准之一。但这一度量标准并不是一成不变和惟一的,它也是根据不同类型的混凝土性质而变化的。如国家将普通混凝土龄期定为28d,将碾压混凝土定为90d,就是这个道理。作为高性能混凝土,笔者认为,其验收期应定为56d或90d。因为高性能混凝土以28d作为验收期时,客观上必须增加混凝土发热源——水泥的用量,为此它将导致混凝土温升的增高;水泥用量的增加也导致细骨料用量的增加,是不利于混凝土的抗冲耐磨的;水泥用量的增加,还使得混凝土黏滞力增大,施工中混凝土表面更容易窝集气泡,更不利于混凝土的抗冲耐磨要求。如果以56d或90d作为验收期,高性能混凝土中可降低水泥用量,增大硅粉特别是粉煤灰用量,在达到强度前提下能减小混凝土温升和温升的速率,缓解混凝土裂缝。

再者,应明确验收期针对的混凝土性能,对混凝土的各种性能不应笼统地确定为同一验收期。以抗冲耐磨性能为主的混凝土,就应以能合理达到某一抗冲耐磨指标,应经历的最佳合理时间作为验收期。这里需要说明的是,尽管混凝土抗压强度与抗冲磨强度成正比的关系,但它们属混凝土性能的两个范畴。如果以抗冲磨强度作为验收标准,那么解决它的方法还有很多,从这个角度出发,还能达到事半功倍、节约资金及获得更可靠的抗冲磨混凝土的效果。

## 3 高性能混凝土的仪器埋设与资料分析

### 3.1 观测仪器布置

为定量解释豫西高性能混凝土裂缝的原因,我们曾在1号明流洞第62块左边墙(FFC-1-62)和2号明流洞泄槽第55块左边墙(FFC-2-55),埋设了无应力计、温度计、应变计。仪器布置如图9所示。62块、55块边墙均为承重墙,承重墙中同时浇筑的C70、C15级混凝土,用孔眼1~2cm的双层钢丝网隔开。

埋设无应力计的目的,是为了解高性能混凝土及E级混凝土C15的自生体积变形;埋设应变计的目的,一是为了解不同种类、不同部位混凝土的变形情况,并希望捕捉到混凝土裂缝时的混凝土变化情况,二是对无应力计测值、温度计测值的修整;埋设温度计的目的,是要了解沿边墙厚度方向的混凝土温度变化情况。埋设的无应力计、应变计均含有测温功能。

需要说明的是,1号明流洞泄槽第62块左边墙是1998年7月13日浇筑的,2号明流洞泄槽第55块左边墙是1999年2月2日浇筑的。选择这两个时间埋设仪器观测高性能混凝土的目的,是要了解在两个极端气象条件下,造成高性能混凝土裂缝的极限参数。1号明流洞泄槽第62块左边墙裂缝描述如图10所示。

### 3.2 观测资料的计算分析

在此我们仅对温度计的观测资料进行分析计算,以解释裂缝原因。因C70、C15级混凝土同时浇筑,C70、C15级混凝土早期强度和弹模差别较大,因此我们忽略C15级混凝土在早期(2~3d)对C70级混凝土的约束,将分析的1号明流洞泄槽FFC-1-62块和FFC-2-55块边墙作为自由墙对待。

根据朱伯芳先生的理论:

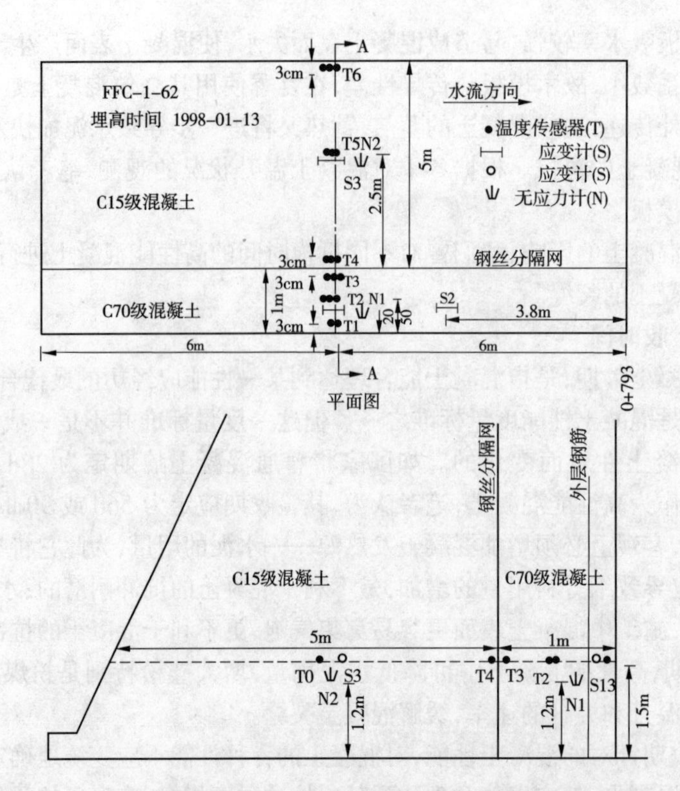


图 9　1 号明流洞左边墙第 62 块观测仪器布置图

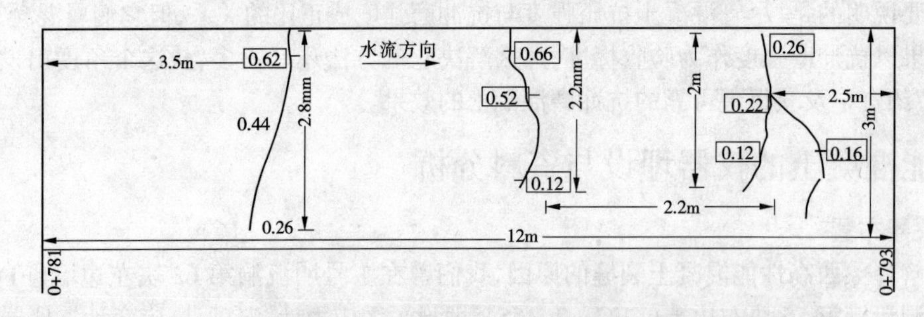


图 10　1 号明流洞泄槽左边墙第 62 块混凝土裂缝分布图

(1)自由墙不受任何外界约束,其温度应力完全是墙体自身内部约束引起的。

(2)混凝土温度沿墙的厚度方向变化,即温度 $T$ 是沿墙厚度 $y$ 轴变化的,温度 $T$ 是 $y$ 的函数即 $T(y)$。

(3)根据平面截面假设理论,应变 $\varepsilon_x$ 是 $y$ 的一次函数,$\varepsilon_x$ 沿墙的宽方向,即:

$$\varepsilon_x = (A + By)\alpha$$

$$\sigma_x = [E\alpha/(1-\mu)][A + By - T(y)]$$

(4)根据自由墙平衡条件

$$A = 1/h\int_{-h/2}^{h/2} T(y)\mathrm{d}y \qquad B = 12/h^2\int_{-h/2}^{h/2} T(y)\mathrm{d}y$$

(5)根据混凝土弹性模量变化时自由墙的温度应力计算理论

$$E_i = [E(t_i) + E(t_{i-1})]/2$$

$$\Delta\sigma_x(y_{ti}) = [E_i\alpha/(1-\mu)][A + By - \Delta T_i(y)]$$

(6)根据无应力计观测资料分析,C70 级混凝土线膨胀系数 $\alpha = 12.00\times10^{-6}/℃$,泊松比 $\mu$ 在此取1/6。

(7)FFC－1－62和FFC－2－5块混凝土的弹模/抗压强度—龄期曲线见图11。

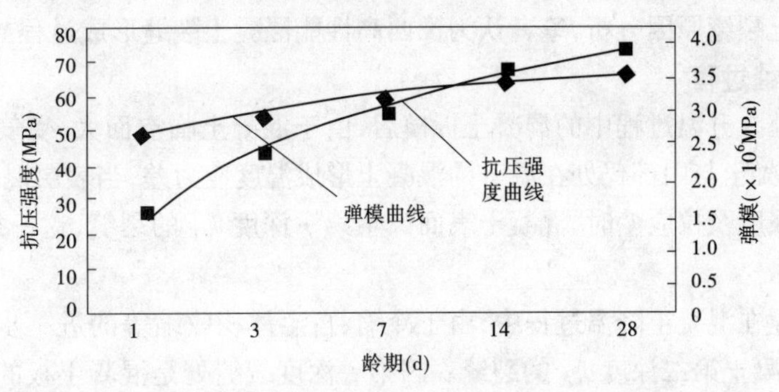


**图11 C70级混凝土弹模/抗压强度—龄期关系曲线**

(8)由于早期高性能混凝土极限拉应变非常小,因此计算分析中认为,混凝土温度应力$\sigma$大于混凝土抗拉强度时混凝土将开裂。经计算分析FFC－1－62和FFC－2－55块混凝土开裂时温度应力/抗拉强度—时间关系见图12、图13。

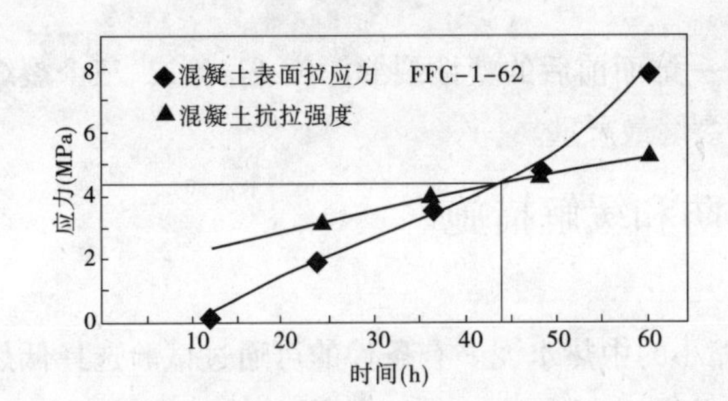


**图12 高性能混凝土开裂时温度应力/抗拉强度—时间曲线**

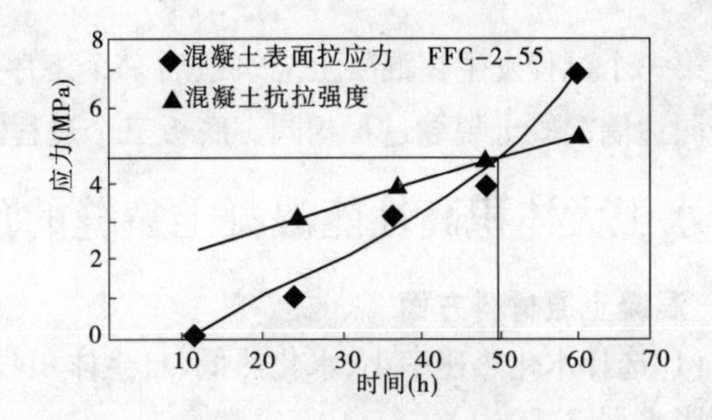


**图13 高性能混凝土开裂时温度应力/抗拉强度—时间曲线**

(9)豫西高性能混凝土在两个极端气温季节裂缝时的参数见表4。

表4 豫西高性能混凝土裂缝点参数

| 混凝土部位 | 时间$T$(h) | 表面混凝土温度应力$\sigma_{表}$(MPa) | 内部混凝土温度应力$\sigma_{内}$(MPa) | 混凝土内外温差$T_{内-表}$(℃) | 混凝土内外应力差$\sigma_{表-内}$(MPa) | 混凝土浇筑日期 | 混凝土表面与气温差$T_{表-Air}$(℃) |
|---|---|---|---|---|---|---|---|
| FFC－1－62 | 44 | 4.2 | 1.2 | 9.23 | 3.0 | 1998－07－13 | 22.3 |
| FFC－2－55 | 50 | 5.0 | 2.1 | 8.23 | 2.9 | 1999－02－31 | 18.1 |

## 3.3 高性能混凝土裂缝观测资料计算分析

(1)计算得出的FFC－1－62和FFC－2－55块混凝土开裂点与现场观察点是一致的,计算进一步证明,高性能混凝土开裂的主要原因是环境温度造成表面混凝土“冷缩”,“冷缩”的表面混凝土受到内部热胀混凝土约束限制,使得表面混凝土受到来自内部混凝土的拉应力,当拉应力大于混凝土抗拉强度及极限拉应变时表层混凝土开裂。当混凝土继续降温冷缩时逐渐受到基础的约束,混凝土裂缝在边墙板截面最小处——原表层混凝土开裂处,继续加深、加长、加宽直至达到拉应力与抗拉应力平衡为止。

(2)如考虑围岩对混凝土约束,非重力墙高性能混凝土裂缝程度将更加严重。

# 4 豫西高性能混凝土裂缝形成过程

根据以上混凝土裂缝原因分析,笔者认为豫西高性能混凝土裂缝形成过程如下。

## 4.1 边墙混凝土裂缝过程

第一个过程是处在升温过程中的混凝土拆模后,由于混凝土临空面大,受气象条件影响,表层混凝土“冷缩”,表层混凝土与内部仍处在温升的混凝土形成温度应力差,当表层混凝土受到的拉应力大于混凝土极限抗拉强度及拉应变时,混凝土表面产生第一深度 $h_1$ 的裂缝,这一裂缝发生在混凝土浇筑后 44～50h。

第二个过程产生在混凝土降温过程中,由于冷缩、自生体积收缩等的进一步发展,围岩对混凝土产生拉应力,导致混凝土第二深度 $h_2$ 的裂缝。因第一深度裂缝处是混凝土板的最小截面处,第二深度的裂缝自然发生在第一裂缝的截面上,第二过程的裂缝是在第一过程裂缝基础上加深、加宽、加长。但这两个裂缝过程的原因是不同的。

## 4.2 底板混凝土裂缝形成过程

底板混凝土裂缝分两到三个过程,两个过程的裂缝同边墙的裂缝过程,三个混凝土裂缝过程如下:

第一个过程发生在混凝土浇筑最后一个工序——饰面前后的塑性裂缝深度 $h_1$;第二、三个裂缝过程同边墙混凝土裂缝过程相同。底板三个过程的裂缝最严重。

# 5 水工大体积高性能混凝土裂缝的预防和缓解措施

## 5.1 混凝土原材料方面

(1)选择水化热速率小、水化热低、自生体积收缩小的中热水泥。有条件的可通过试验选择低热微膨胀水泥。

(2)在满足强度等方面要求的前提下,适当掺加硅粉,硅粉因制成浆液参加混凝土拌和,加密硅粉应解密后参加拌和。

(3)选择线膨胀系数小的混凝土骨料,粗骨料入拌和机前要充分加水饱和与冷却。

(4)严格控制细骨料的含水量和胶凝材料的温度。

## 5.2 混凝土配合比方面

(1)尽量增加粗骨料含量,细骨料的细度模数应大于 3.0。

(2)选择优良的高效减水剂(超塑化剂),既要有效减水又要保持混凝土坍落度不损失。

(3)选择掺加优质的粉煤灰,改善混凝土的性能及提高混凝土后期强度。

(4)适当掺入膨胀剂缓解混凝土的收缩。

## 5.3 施工与养护

(1)宜采用搅拌运输车。运输高性能混凝土的运输车不宜交叉运输其他种类的混凝土。运输应协调好,混凝土拌和物不应长时间滞留车中,要及时入仓、及时饰面。

(2)围岩开挖要平整,混凝土拌和物要振捣均匀透彻,尽量缩短浇筑和饰面时间。

(3)有条件的应在混凝土浇筑前搭建遮阳、挡风、养护棚,以便消除混凝土的塑性裂缝,养护应采用喷雾的方法,喷雾的水温应根据混凝土温度、气温及时调节。

## 5.4 结构尺寸及混凝土强度验收期

减小结构尺寸,边墙宽度不宜大于 4～6m,底板长宽不宜大于 5m×5m,无法缩小结构尺寸的浇筑块,应在内部布置二期冷却水管对混凝土进行冷却。混凝土验收期应延长到 56d 或 90d,给混凝土强度一个较宽裕的缓慢增长空间。

### 5.5 钢筋钢模材质要求

钢筋应使用张拉钢筋,底板双向钢筋均应使用张拉钢筋,尽量使用钢模板。

## 6 总 结

通过上述分析,笔者认为,原材料、混凝土特性、结构几何尺寸、较早的验收期等“先天不足”,决定了豫西高性能混凝土裂缝的必然性。“后天”施工与养护的不足以及无缓解和预防裂缝的措施,更进一步增加和加深了混凝土裂缝出现的几率和程度。它从一个侧面反映出对水工大体积高性能混凝土这一“新生事物”还有待于进一步认识。本文内容仅代表笔者个人见解,不构成对豫西水利枢纽工程“进水口、洞群和溢洪道”合同的解释。

# 小浪底水利枢纽导流洞混凝土衬砌裂缝分析

徐运汉　薛喜文　肖　强

(水利部小浪底工程咨询有限公司)

在小浪底,黄河汛期河水平均含沙量为 49kg/m$^3$,最大含沙量 941kg/m$^3$,这样的水沙条件在世界上是罕见的。枢纽建成后,在正常蓄水位,导流洞改建成的永久泄洪洞要承受 140m 水头的压力,泄洪时水流最大流速 35m/s。

围绕高水头、大流量、多泥沙条件下,泄洪洞如何消能防磨蚀课题,黄委会设计院经过多年试验研究,根据三门峡水利枢纽运用经验,决定采用高标号(70MPa)混凝土来解决这个难题。

1996 年 7 月导流洞 C70 混凝土衬砌开始,混凝土配合比如表 1。

**表 1**　　**C70 混凝土配合比**　　(单位:kg /m$^3$)

| 水泥 | 水 | 硅粉 | 粉煤灰 | 砂子 | 小石 | 中石 | 大石 |
|---|---|---|---|---|---|---|---|
| 350 | 95 | 30 | 15 | 636 | 580 | 527 | — |

1997 年 2 月对已经完成的 16 万 m$^3$ 混凝土进行了全面细致的检查,发现混凝土表面有裂缝出现。此事引起有关方面高度重视,裂缝记录见表 2。

**表 2**　　**混凝土表面裂缝记录**

| 部位 | 总计 | | 裂缝宽度 | | | | | | 其中有渗水裂缝 | |
|---|---|---|---|---|---|---|---|---|---|---|
| | | | 2~1mm | | 1~0.5mm | | 0.5mm 以下 | | | |
| | 条数 | 总长(m) | 条数 | 总长(m) | 条数 | 总长(m) | 条数 | 总长(m) | 条数 | 总长(m) |
| 1 号导流洞 | 57 | 228 | 1 | 4 | 31 | 124 | 25 | 100 | 20 | 80 |
| 2 号导流洞 | 10 | 40 | 2 | 8 | 4 | 16 | 4 | 16 | 3 | 12 |
| 3 号导流洞 | 34 | 136 | 7 | 28 | 13 | 52 | 14 | 56 | 16 | 64 |
| 1 号中闸室 | 9 | 10 | 9 | 10 | | | | | | |
| 2 号中闸室 | 11 | 15 | 11 | 15 | | | | | | |
| 3 号中闸室 | 11 | 21 | 11 | 21 | | | | | | |
| 总计 | 132 | 450 | 41 | 86 | 48 | 192 | 43 | 172 | 39 | 156 |

裂缝宽度一般是 0.5mm,最大宽度 2mm,平均长度 4m。这些裂缝集中分布在边顶拱和中闸室 1.13 区第二层,大部分是冬季施工的混凝土。

## 1　裂缝产生的原因

混凝土产生裂缝的原因很多:外界温度和湿度的变化、混凝土的不均匀性、混凝土建筑物结构不合理、施工过程中分缝分块不当,另外混凝土原材料不合格、模板变形、基础不均匀沉陷等都有可能造成裂缝。

---

本文原载《黄河小浪底建设工程技术论文集》,1997 年。

出现裂缝的部位主要是冬天施工的混凝土,其他季节浇筑的混凝土情况良好,基本没有裂缝,说明这里产生裂缝的主要原因是温控问题。

### 1.1 水泥水化热引起的温度应力

导流洞中闸室混凝土可以近似地用自由板理论进行模拟分析。对于自由板,混凝土浇筑后各个时期应力分布发展过程见图1。

从图1显示的应力变化过程可以看出:混凝土浇筑前期,表面出现比较大的拉应力。这是因为开始时自由板中心因水化热作用温度升高较快(见图2),体积开始膨胀,但是表面由于散热比较快,体积变化不大,中心膨胀变形受到表面约束,于是中心受压,表面受拉。混凝土表面的最大拉应力出现在浇筑前期温度升高幅度最大的时候,然而这时混凝土抗拉强度不高,所以容易在前期(浇筑以后3~4d)出现裂缝。中闸室边墙拆模时就发现有裂缝出现。根据自由板理论计算公式,因为没有70MPa混凝土参数,采用60MPa混凝土参数($E_0=3.65\times10^5$, $\alpha=1.1\times10^{-5}$, $\theta_0=27(1-e^{-0.384\tau})$, $v=1/6$)得到这个拉力大于130N。

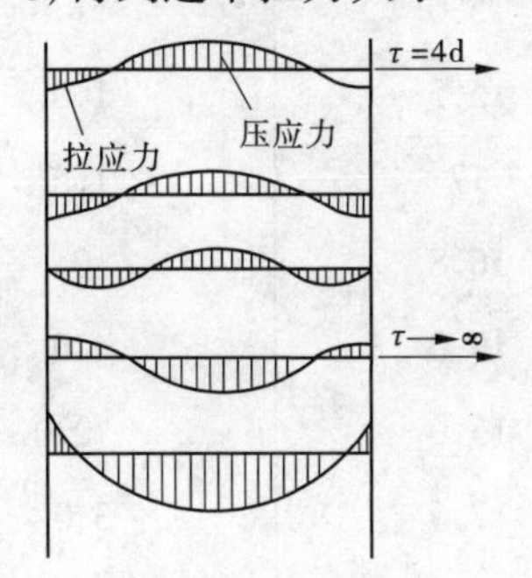


图1 混凝土各期应力发展过程

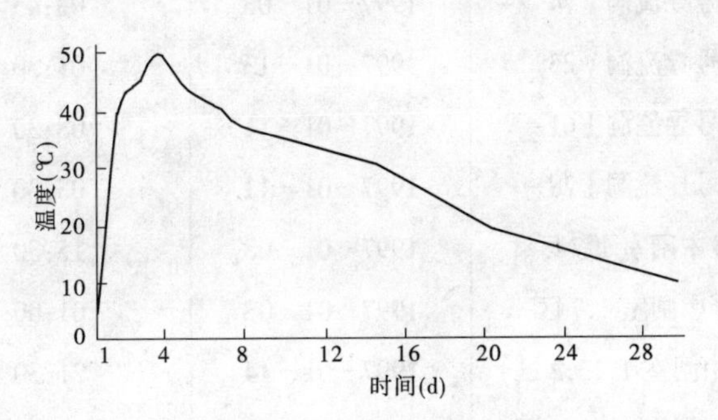


图2 70MPa混凝土温升曲线(1996年12月)

### 1.2 初始温差引起的拉应力

浇筑时混凝土的温度和当时外界环境温度的差就是初始温差(见表3)。这种温差也会引起温度应力,正温差引起拉应力,负温差引起压应力。根据理论分析,温差与应力存在线性关系(见图3)。

根据统计的现场温度资料,浇筑时混凝土温度为17~19℃,外界空气温度0~5℃,因此初始温差为15~17℃,对于衬砌厚度2.5m的边墙,由初始温差引起的拉应力为1.5~1.7MPa。

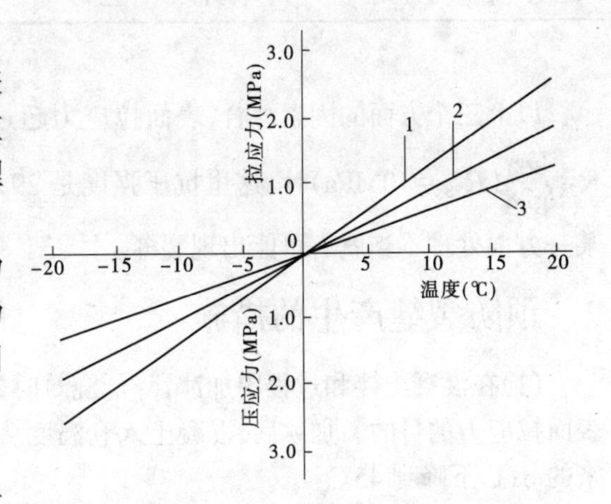


图3 应力与初始温差关系

1—距表层3m;2—距表层2m;3—距表层1m

### 1.3 拆模后养护问题

从水化热引起的应力分析可以知道,由于混凝土表面和中心散热不均匀,引起比较大的温度梯度,在混凝土表面引起拉应力。那么,如果推迟拆模时间,减小混凝土温度和湿度的损失,对于减小混凝土裂缝无疑是有利的。但是,中闸室混凝土位于1997年截流的关键线路,工期紧,要求模板周转率较高,浇筑后3~5d必须拆模,当时又是冬天,于是在混凝土表面产生"温度冲击"效应,表面温度骤然下降,从而引起更大的温度变化,在混凝土表面产生的附加拉应力与上述拉应力叠加,使得表面拉应力更大。

对于混凝土,如果外界温度小于10℃,它的干缩性能很低,拆模以后保持混凝土表面水分不蒸发也是很重要的。

**表 3　浇筑时混凝土和外界空气温度测试结果**

| 位　置 | 测量日期 | 测量时间（时:分） | 混凝土温度（℃） | 空气温度（℃） |
|---|---|---|---|---|
| 1 号导流洞Ⅴ62 | 1997－01－10 | 20:30 | 17.0 | 5.0 |
| 1 号导流洞Ⅴ22 | 1997－01－14 | 10:00 | 17.5 | 4.0 |
| 1 号导流洞Ⅰ55 | 1997－01－10 | 20:45 | 18.5 | 5.5 |
| 2 号导流洞Ⅴ72 | 1997－01－08 | 10:15 | 17.3 | 4.6 |
| 2 号导流洞Ⅴ26 | 1997－01－13 | 21:30 | 19.0 | 2.0 |
| 2 号导流洞Ⅰ30 | 1997－01－08 | 11:05 | 18.3 | 5.0 |
| 2 号导流洞Ⅰ58 | 1997－01－09 | 15:10 | 17.0 | 4.5 |
| 3 号导流洞Ⅴ74 | 1997－01－08 | 03:45 | 15.0 | －1.0 |
| 3 号导流洞Ⅴ23 | 1997－01－13 | 01:30 | 15.5 | 1.0 |
| 3 号导流洞Ⅰ61 | 1997－01－11 | 08:30 | 17 | 1.5 |
| 3 号导流洞Ⅰ28 | 1997－01－11 | 03:30 | 16.8 | 0 |
| 1 号中闸室 1.7 区 | 1997－01－08 | 15:30 | 19.0 | 4.0 |
| 2 号中闸室 1.7 区 | 1997－01－08 | 01:00 | 15.0 | －2.0 |
| 2 号中闸室 1.13.2 区 | 1997－01－14 | 21:30 | 17.5 | 3.0 |
| 3 号中闸室 1.13.1 区 | 1997－01－13 | 21:50 | 16.0 | 2.0 |
| 3 号中闸室 1.13.2 区 | 1997－01－12 | 10:00 | 18.5 | 5.0 |

以上三个方面的因素综合，表面拉应力超过 3MPa，混凝土这时的抗压强度根据经验公式 $R_t = R_{28}\frac{\lg t}{\lg 28}$（$R_{28}=70$MPa）计，这里抗压强度是 29.1MPa，抗拉强度取抗压强度的 1/10，为2.91MPa，故某一方面处理不当就有可能出现裂缝。

## 2　预防裂缝产生的措施

（1）在混凝土拌和过程中加冰，降低浇筑时的温度，也就是降低了最高温升和初始温差，达到降低表面拉应力的目的。加冰后，混凝土入仓温度从原来的 17～19℃降低到 10～12℃，最高温升也从原来的 61℃下降到 45℃。

（2）在保证混凝土浇筑进度的前提下，尽量推迟拆模时间。

（3）混凝土拆模后，禁止用冷水养护，应该用养护剂养护，同时覆盖泡沫塑料保温。

（4）冬天，导流洞洞口用草席、帆布等封堵，避免冷空气对流，提高洞内环境温度。

（5）对于已经裂缝的混凝土，在浇筑上面一层混凝土时，在下面一层混凝土裂缝表面布置 $\phi$25mm@0.25m，$L=2$m 的骑缝筋，防止裂缝继续向上面发展（见图 4）。

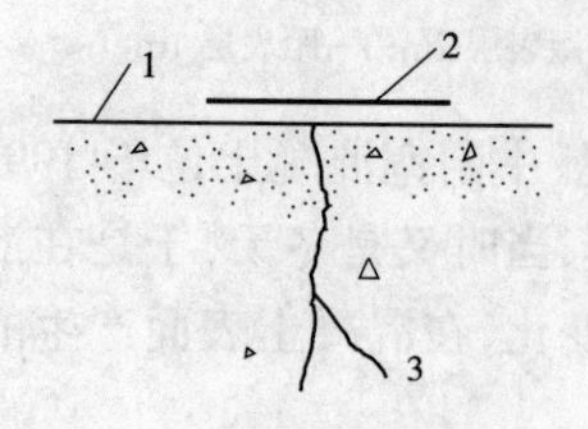


**图 4　骑缝筋布置示意图**
1—混凝土表面；2—骑缝筋；3—裂缝

在施工中采取以上措施后，有效地控制了裂缝的发生和发展，中闸室第三层混凝土没有出现裂缝。

## 3 对已经产生的裂缝建议采取的处理措施

### 3.1 阻止混凝土裂缝向下一个浇筑块继续延伸的措施

(1)增加骑缝筋。这项措施已经在施工中应用,在“预防措施”中已经有论述,这里不再叙述。采取这项措施后有效地阻止了裂缝的继续延伸。

(2)锚杆加固。对于已浇混凝土没有骑缝筋或者原骑缝筋无效的部位,建议使用锚杆加固,加固方案如下:

沿着裂缝走向的一侧用直径35mm左右的钻头打锚杆孔,倾斜穿过裂缝,倾斜的角度45°,锚杆孔孔口到裂缝的距离大于50cm锚杆孔穿过裂缝的长度1m左右,锚杆孔打好后,用注浆机注入高强度砂浆,然后插入锚杆(直径大于25mm),锚杆长度2m,间距30~50cm(见图5)。

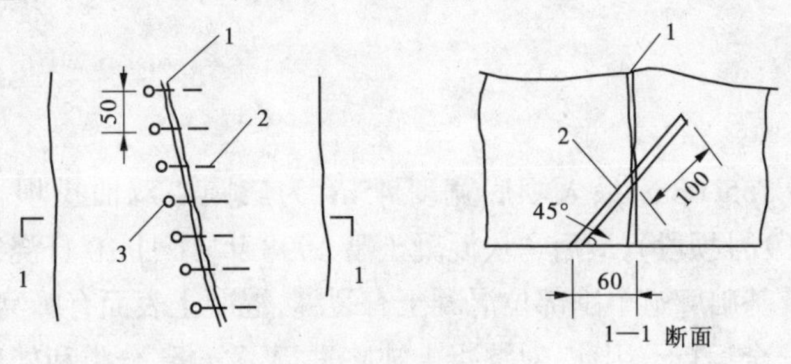


**图5 斜锚筋孔布置示意图**(单位:cm)

1—裂缝;2—斜锚筋;3—锚筋孔

根据自由板理论分析,混凝土裂缝后期发生和发展的可能性不大,因为后期混凝土表面出现压应力,加上混凝土徐变,以及混凝土长期在水下产生的膨胀,裂缝有可能消失。

### 3.2 对裂缝进行化学灌浆

对导流洞和中闸室等运行条件要求比较高的部位,采用化学灌浆是一种好办法。化学灌浆材料的选择是非常关键的,一般选用浆液黏性小、黏结强度高的环氧类型的复合物。在施工中根据不同情况,及时调整灌浆材料的配比、施工参数也是很重要的。混凝土裂缝受到气温的影响比较大,所以灌浆工作应该在裂缝宽度最大的季节进行,最好在11~翌年3月之间进行。

# 李家峡水电站主坝混凝土裂缝及缺陷处理

钱　宁[1]　薛振江[2]

(1.国家电力公司西北勘测设计研究院,西安　710001;2.陕西省水电工程局,西安　710068)

**摘　要**:李家峡水电站主坝浇筑混凝土130万$m^3$,基础廊道及主坝个别部位混凝土有蜂窝、麻面、狗洞、错台和裂缝等多种缺陷。尤其是对混凝土裂缝进行了更细的分类、分析,详述了不同的处理措施,介绍了对混凝土缺陷的处理方法及效果。

## 1　概　述

李家峡水电站坝高155.08m,最大坝底宽度45m,为三圆心双曲拱坝。主坝第一块混凝土于1993年4月28日浇筑(9号坝段),最后一块混凝土于1998年11月10日浇筑(1号坝段),共浇筑混凝土130万$m^3$。主坝及基础廊道个别部位混凝土有裂缝,混凝土表面有蜂窝、麻面、狗洞、错台、裂缝等多种缺陷,影响大坝安全运行。因此,对混凝土缺陷进行了分析、分类和处理。

## 2　挡水建筑物外观缺陷的处理

### 2.1　缺陷及裂缝的调查

经过对2 150m高程以下基础廊道,8号、9号、14号坝段上游坝面等部分外观混凝土裂缝(见表1、表2)的资料分析及调查(压风、压水),发现裂缝都分布在廊道顶部、施工缝、灌浆孔附近等部位。混凝土缺陷都在坝及廊道等混凝土建筑物表面。

**表1**　**基础廊道混凝土裂缝分布**

| 高程(m) | 左廊道(条) | 坝体廊道(条) | 右廊道(条) | 合计 |
|---|---|---|---|---|
| 2 030 | | 8 | | 8 |
| 2 059 | 28 | | | 28 |
| 2 087 | 41 | | 7 | 48 |
| 2 114 | 25 | | 10 | 35 |
| 2 135 | | | 7 | 7 |
| 合计 | 94 | 8 | 24 | 126 |

注:表面裂缝较少。

**表2**　**主坝表面混凝土裂缝分布**

| 部　　位 | 8号坝段(条) | 14号坝段(条) |
|---|---|---|
| 坝体上游面 | 10 | 2 |

注:都为表面裂缝。

本文原载《西北水电》2000年第4期。

### 2.2 成因分析

经过对挡水建筑物外观缺陷的分析,认为缺陷的成因为:

(1)跑模、漏振。

(2)基岩及老混凝土的约束裂缝。在混凝土降温时其内部出现很大的拉应力,产生约束裂缝。

(3)基岩不平整引起的裂缝。混凝土在降温过程中受到基岩约束作用,基岩表面有突变,则容易形成应力集中而开裂。

(4)寒潮引起的裂缝。由于混凝土内外温差较大,易产生拉应力,出现表面裂缝。

### 2.3 混凝土裂缝及缺陷的危害

(1)影响外观,尤其是过水部位易产生空蚀现象,造成构件的破坏。

(2)产生渗漏。在廊道中裂缝将使建筑物产生渗漏。一方面,压力水作用使裂缝逐步扩宽和发展;另一方面,使水泥的某些水化产物溶解并流失。据调查,由裂缝引起的各种不利结果中,渗漏水占60%。

(3)加速混凝土碳化。通常在空气中 $CO_2$ 的浓度很低时,混凝土的碳化速度非常缓慢,但当混凝土不密实或布满裂缝时,则可能在1~2年内使混凝土钢筋保护层完全碳化。

### 2.4 混凝土裂缝及缺陷的处理方法

(1)蜂窝、麻面、狗洞。首先凿除缺陷部位的混凝土,再用砂浆回填抹平,体积大的回填2级配混凝土。

(2)挂帘、错台。先凿除混凝土多余部分,然后用砂浆抹平。

(3)以上缺陷在进水口、高速水流部位要求用环氧砂浆抹平。

(4)基础廊道中的灌浆孔漏水处,须先扫孔后重新封孔。

(5)基础廊道中的开裂、漏水。根据《水工隧洞设计规范(试行)》(SD134—84),先凿开,然后用玻璃丝布及环氧粘贴2层,要求进行化学灌浆。

(6)上游坝面裂缝。先凿开,然后用玻璃丝布及环氧粘贴2层,有的辅以化学灌浆(根据缝深情况现场定)。

## 3 施工期间大坝仓面混凝土缺陷的处理

### 3.1 混凝土裂缝分布

从1994年10月20日开始统计,大坝混凝土仓面发现第一条裂缝到2 185.08m高程主坝混凝土全部浇筑完毕,共发现裂缝146条,需要进行化学灌浆的裂缝108条。根据裂缝的深度、宽度和部位对其进行了分类,见表3、表4。

**表3** 立面裂缝分类

| 类别 | 裂缝深(m) | 裂缝宽(mm) | 分类依据 |
|---|---|---|---|
| 立 | $h<0.3$ | $b\leqslant0.2$ | 裂缝分类以缝深为主,以缝宽为参考 |
| 立° | $0.3<h<1.0$ | $0.2<b\leqslant1.0$ | |
| 立。 | $h>1.0$ | $b>1.0$ | |

注:裂缝多为垂直缝,水平缝较少。

**表4** 仓面裂缝分类

| 类别 | 分类 | 备注 |
|---|---|---|
| 仓 | 没有把坝块两侧横缝连通 | 图2 |
| 仓° | 把坝块两侧横缝连通或上下游面连通 | 图2 |

注:小于0.05mm的裂缝为微裂缝。

1994 年 4 月中旬，11 号、12 号、13 号坝段高压固结灌浆完毕。当时寒流侵袭，温度降幅 15℃。在仓面清理的过程中，监理工程师发现仓面出现了裂缝。监理部对裂缝进行了查勘、监测、调查和录像，并对其产生原因进行分析。此外，又要求在可见(0.05mm 以上)的裂缝处，选择较大缝宽部位，凿长为 1.0m、深为 30cm、开口宽为 50cm、底宽为 20cm 的梯形槽，随时记录裂缝延伸变化情况，并结合横缝面压风、压水测试(其孔深、孔径、孔斜监理部进行了专门的要求)，为探明裂缝的确切深度，监理部又委托西北院物探队利用裂缝两侧钻孔进行物探监测，测量成果见表 5。

**表 5　　混凝土裂缝深度成果**

| 坝段名 | | 13 号坝段 | | | 12 号坝段 | | | 11 号坝段 | | |
|---|---|---|---|---|---|---|---|---|---|---|
| 仓面高程(m) | | 2 066.0 | | | 2 062.0 | | | 2 066.0 | | |
| 组次 | | 3 | 2 | 1 | 3 | 2 | 1 | 3 | 2 | 1 |
| 距 13 号缝(m) | | 3.1 | 8.0 | 15.7 | 23.0 | 29.9 | 34.1 | 37.9 | 45.0 | 50.8 |
| 裂缝 | 深度(m) | 6.0 | 6.0 | 8.5 | 4.5 | 5.5 | 6.0 | 8.0 | 5.5 | 6.0 |
| | 高程(m) | 2 060.7 | 2 060.7 | 2 058.2 | 2 057.5 | 2 056.5 | 2 056.0 | 2 058.0 | 2 060.5 | 2 061.0 |
| 微裂缝 | 深度(m) | 8.5 | 9.0 | 11.5 | 6.5 | 8.0 | 9.0 | 11.0 | 9.0 | 9.0 |
| | 高程(m) | 2 058.2 | 2 057.7 | 2 055.2 | 2 056.5 | 2 054.0 | 2 053.0 | 2 055.0 | 2 057.0 | 2 057.0 |

物探监测成果表明，裂缝深度为 4.5～8.0m，高程为 2 053.0～2 058.3m。裂缝从坝面向下游逐渐由宽变窄，13 号坝段裂缝较之 11 号、12 号坝段窄一些，裂缝基本是直立的，而且被测处混凝土质量良好。

### 3.2　成因分析

裂缝成因是十分复杂的，从施工质量控制来看，认为主要有以下原因造成。

(1)温度应力。李家峡水电站坝址位于青藏高原东部青海省境内，全年日温差大于 15℃ 的天数为 146d，最低气温为 -19.8℃，每年平均出现寒流 13 次以上。混凝土表里温差使混凝土极易发生表面裂缝，这种温差愈大，裂缝规模也愈大。另一方面在浇筑时间很长的老混凝土块上浇筑新混凝土，当新浇混凝土水化热温度下降时，由于老混凝土块对新混凝土块约束作用，产生较大温度应力，引起仓面裂缝，这种裂缝深度、宽度均较大，延伸范围也较大。

(2)混凝土养护。混凝土应在初凝后立即进行洒水养护，尤其是冬季施工，混凝土应边浇边盖保温被，但由于各工序相互干扰，养护间断屡有发生。这也使混凝土产生大量裂缝。因此，进一步健全质量保证体系、改进施工工艺是十分关键的。

(3)骨料质量。骨料砾石成分以变质砂岩为主，花岗岩次之。骨料中存在软弱颗粒，不仅使准确调整配合比、质量控制增加难度，而且在承受应力过程中，软弱颗粒容易断裂。这对裂缝的生成有促进作用。

### 3.3　立面裂缝处理

#### 3.3.1　立类裂缝

先冲洗干净，吹干，不得留有泥土、粉尘等杂物；然后刷 1 层环氧树脂基液粘贴 1 层玻璃丝布，再刷 1 层环氧树脂基液粘贴第 2 层玻璃丝布，再刷第 3 层环氧树脂基液。玻璃丝布宽 10cm。

#### 3.3.2　立°、立。类裂缝

由于缝宽较小，主要采用化学灌浆处理。灌浆孔径为小于 48mm 的风钻孔，止浆孔径为小于 120mm 潜孔钻孔，钻孔要穿过裂缝面至少 50cm。灌浆孔内要预埋 $\phi$40mm 钢管引至廊道(见图 1)。缝表面处理同立类裂缝。

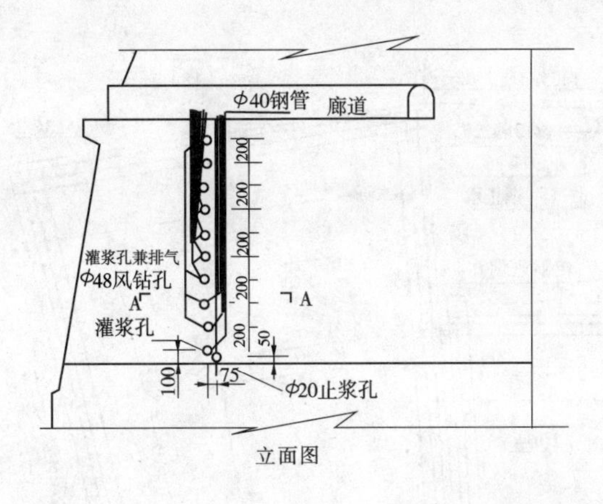


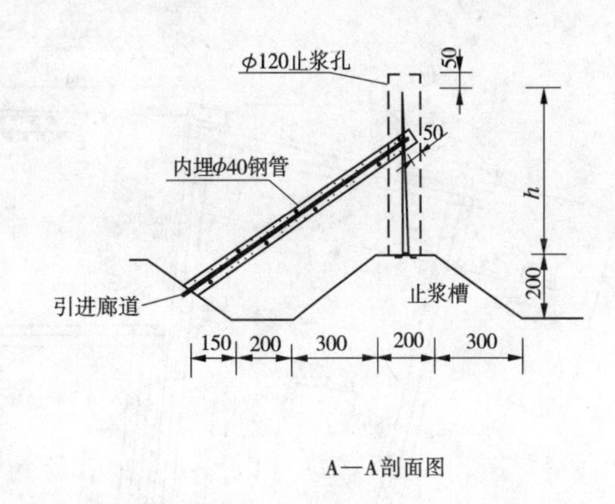


**图1 立面裂缝处理示意图**(单位:mm)

### 3.4 仓面裂缝处理

对于仓面裂缝主要采取化灌补强,先沿裂缝凿成底宽5cm、顶宽15cm、深10cm的止浆槽,裂缝中间部位埋设裂缝计,再用膨胀水泥砂浆回填(埋设裂缝计时要求回填环氧砂浆)。凡有裂缝的仓面浇筑第1层和第2层混凝土时要铺设双层钢筋。在浇第1层混凝土时沿裂缝铺半径为25cm的半圆钢模形成止缝孔(半圆中心位于裂缝处)。

对于仓类裂缝仅在距裂缝50cm处骑缝打U150机钻孔作为止浆孔。仓°类裂缝在两侧距裂缝50cm处骑缝打U150机钻孔作为止浆孔,在裂缝中间部位打排气孔,孔径为<48mm,手风钻钻孔。要求钻进时取芯,止浆孔内回填微膨胀水泥砂浆,排气孔口预埋直径<15mm钢管。灌浆孔和其余排气孔均为斜孔(见图2)。

裂缝灌浆应在该部位接缝灌浆竣工后进行。灌浆按自下向上或由低向高的次序进行。如果裂缝较深或区域较大应进行群孔灌浆,但所有排气孔的阀门都要打开。灌浆结束,关闭孔口阀门后立即拆卸管路,并用丙酮冲洗管路和设备。

### 3.5 质量检查与验收

依照《大坝混凝土裂缝处理施工技术要求(试行)》对裂缝处理的验收给了具体方法和数据:

(1)灌浆结束3个月后布检查孔,检查孔要求钻取混凝土芯,并作简易压水试验(视情况而定,一般为0.1~0.4MPa)。

(2)检查孔用200号水泥砂浆封孔。

(3)原则上每条灌浆的裂缝至少布置一个检查孔。

最后,监理工程师组织各单位有关人员经过对资料的分析和混凝土芯的检查,验收合格。

## 4 施工中混凝土重大缺陷的处理与验收

关于主坝13号坝段2 066.7m高程混凝土水平施工缝处理。1995年3月7日,监理部人员在现场巡视中发现12号横缝2 066.7m高程砂浆铺层有受冻迹象,结合面形成一断断续续层面,初探10~30cm深。

经分析、论证后认为成因是:该层混凝土是基础高压固结灌浆后第1层混凝土,当时仓面钢筋与预埋管路共有4层,约70cm厚(因为是高寒地区冬季施工,仓面采取蒸汽排管、加盖保温被保温)。该层混凝土浇筑时揭掉保温被,当时铺砂浆后,由于吊运机械发生故障,混凝土覆盖稍晚(浇筑混凝土后立即盖保温被),造成的浇筑块边角部位砂浆受冻(主要是钢模板保温措施不好)。

此后,施工局从上游面打水平检查孔取芯,凿除12号横缝受冻砂浆,并打孔压风检查。经检查:缝面混凝土层面受冻砂浆约30cm宽、30~40cm深(已经凿除),止水片周围20~40cm宽(已经凿

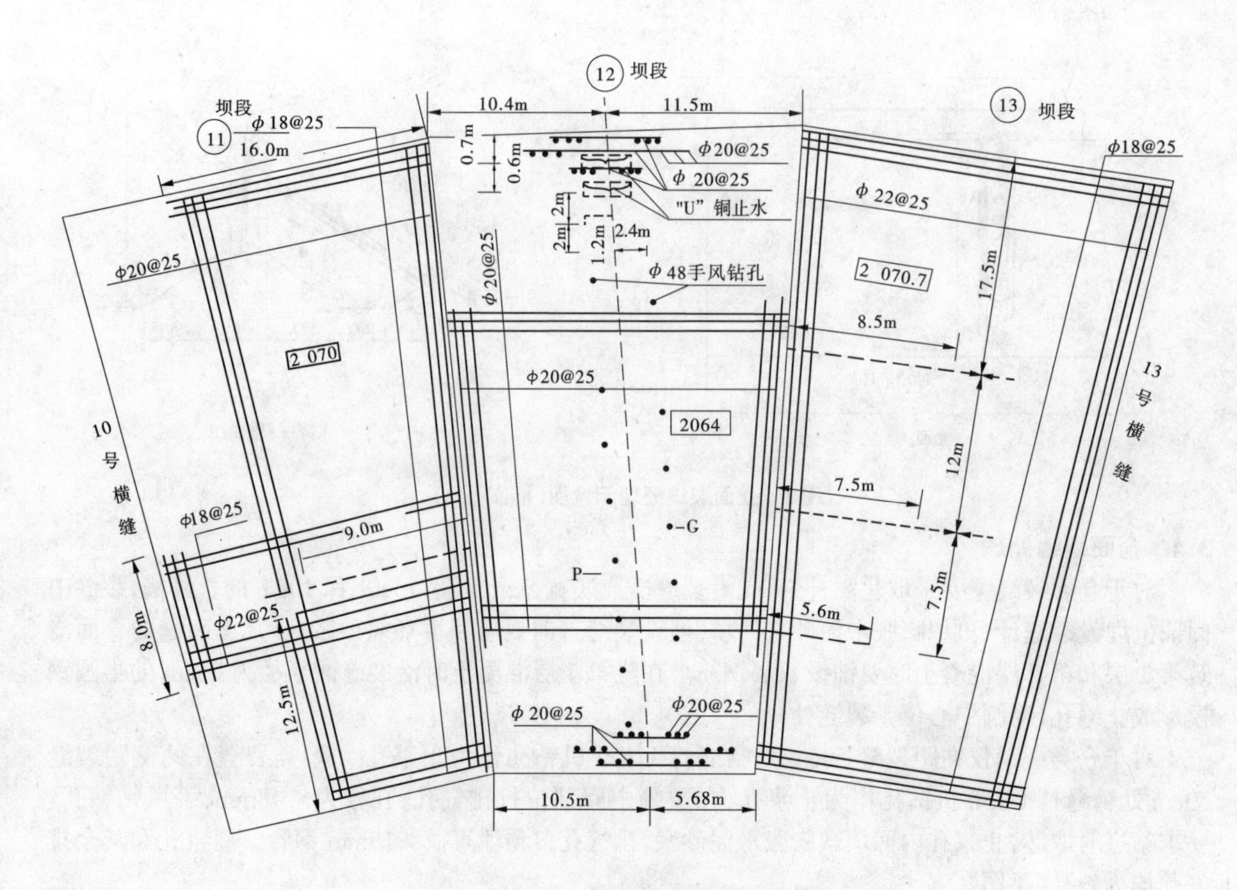


**图 2　主坝 11～13 号坝段裂缝处理示意图**

注:1. 11～13 号坝段裂缝处理钢筋布置由监理、设代人员现场定,裂缝位置 3 层,其余部位 2 层;

2. 12 号坝段 2 064m 仓面顺河向裂缝处增设 2 道铜止水,548 手风钻孔 19 个,埋设 515 钢管引入坝后;

3. 图示“----”表示裂缝位置;G—灌浆孔;P—排水孔

除),并用环氧砂浆混凝土 2 次回填。最后施工缝用环氧玻璃丝布覆盖。

# 5　结　语

截至 1998 年 11 月 11 日,主坝混凝土共完成 130 万 $m^3$,基础及主坝混凝土缺陷共计 294 处,平均每 1 万 $m^3$ 混凝土缺陷数 2.3 处。混凝土缺陷是无法完全避免的,尤其是混凝土裂缝,但是可以通过以下措施来减少混凝土缺陷的发生,并在李家峡水电站施工中取得了良好的效果。

(1)以预防为主。考虑李家峡地区是一个温度变幅较大的地区(即使夏天也可能出现寒流),我们在上下游坝面增设保温泡沫板;进入冬季施工后仓面覆盖保温被,仓号周围挂保温被等。

(2)严格控制关键工序,尤其是后期的混凝土养护。

1996 年底李家峡水电站通过大坝安检的验收并蓄水至 2 145m,于 1997 年 2 月 13 日第 1 台机组并网发电,到目前为止已完成 4 台机组并网发电,蓄水至 2 158.5m。经过 3 年观察、监测,未发现处理过的混凝土裂缝有大的渗漏。证明混凝土缺陷处理的措施是正确、有效、合理的。

# 从丰乐混凝土双曲拱坝裂缝的分析探讨拱坝设计中的有关问题

张丹青　陈怀宝

（安徽省水利水电勘测设计院，合肥　230022）

**摘　要**：丰乐水库大坝为变圆心变半径的等厚拱混凝土双曲拱坝。1978年夏季，坝区出现百年不遇的长期高温干旱气候，此时水库又处于空库状态，致使坝体长期在空库+自重+温升荷载组合下运行。1978年冬季，在左、右岸下游坝面分别出现9条和3条裂缝；其后，下游坝面陆续发现新的裂缝。本文通过对下游坝面裂缝原因的分析，总结出拱坝设计中在体型及日照温度等方面对坝体应力的影响，借以提出对拱坝设计规范中有关日照影响因素进行妥善改进。

## 1　工程概况

丰乐水库位于安徽省黄山市岩寺区境内丰乐河上，距黄山东南约50km，是一以防洪、灌溉为主结合发电的综合利用工程，水库尾水流入新安江水库。水库总库容8 400万$m^3$，坝址以上控制流域面积297$km^2$，为中型三等工程。水库校核洪水位(500年一遇)为210.6m，设计洪水位为208.8m，正常蓄水位为201.0m，死水位为183.0m。

丰乐水库大坝为变圆心变半径的等厚拱混凝土双曲拱坝，坝顶高程211.0m，坝底最低高程157.0m，最大坝高54.0m；坝顶厚2.5m，坝底厚12.5m，厚高比0.23；坝顶弧长216.15m，坝顶弦长168.2m，弧高比4.0，弦高比3.1。大坝沿拱坝轴线分为16个坝块，各坝块宽约12m。拱坝的结构尺寸见表1。

**表1**　　丰乐拱坝的结构特征

| 高程(m) | 160.0 | 169.0 | 178.0 | 187.0 | 196.0 | 205.0 | 211.0 |
|---|---|---|---|---|---|---|---|
| 拱厚(m) | 12.5 | 10.1 | 8.0 | 6.7 | 6.1 | 3.8 | 2.5 |
| 拱圈半径(m) | 56.75 | 62.60 | 70.40 | 78.85 | 86.75 | 89.00 | 89.15 |
| 中心角(°) | 84.0 | 121.0 | 122.5 | 124.0 | 126.0 | 131.0 | 136.0 |

坝顶设有开敞式自由挑流溢洪道，溢流坝段弧长56.1m，堰顶高程204.0m，最大泄量2 060$m^3/s$。

大坝于1973年1月开始混凝土浇筑，1976年6月完成大坝混凝土施工，1978年3月大坝横缝重复灌浆结束，至此，拱坝已形成整体结构，具备蓄水运用条件。但因库内公路改线工程未能按期完成，为维持屯溪市至黄山的公路交通，坝内放水底孔一直敞开，水库迟迟不能蓄水。1978年夏季，该地区出现百年不遇的长期高温干旱气候，水库同时处于空库状态，致使坝体长期处于空库+自重+温升荷载组合下运行。1978年冬季在左、右岸下游坝面分别出现9条和3条裂缝，后于1986年进行了裂缝灌浆处理。

---

本文原载《水电站设计》2003年第3期。

大坝裂缝分布见图 1。图中裂缝编号 1～20 系 1979～1986 年间出现的,其中有 12 条裂缝即为 1978 年冬季在下游坝面产生的(左岸 9 条、右岸 3 条);图中未编号的裂缝是 1986～2001 年间发展的新缝。

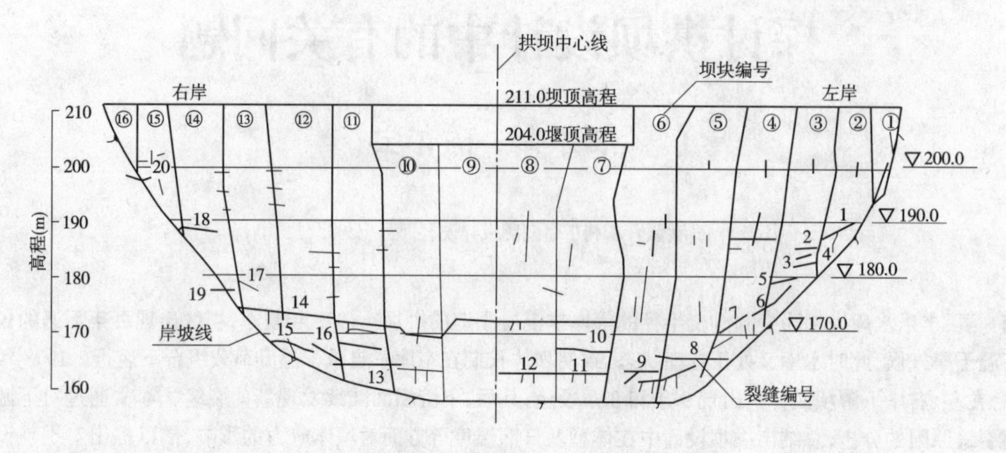


**图 1 拱坝下游坝面裂缝位置示意**

## 2 坝身裂缝及其发展

### 2.1 1986 年灌浆前下游坝面裂缝状况

由于 1978 年夏季高温干旱,大坝处于空库状态,而拱坝较薄,拱圈曲率又较大,温度荷载引起拱坝向上游变位,在下游坝面拱座附近产生较大拉应力。1978 年 5 月 7 日到 8 月 26 日,在大坝左岸下游 2 号坝块 195m 高程至 6 号坝块 165m 高程发现裂缝,裂缝基本上平行于岸坡方向,总长度达 80m 左右,缝宽达 1.0mm;右岸 12 号坝块 175m 高程至 14 号坝块 176.3m 高程裂缝,沿 175m 高程水平建筑缝延伸 29.35m 长。1979 年初用环氧树脂封堵裂缝,当年 10 月发现裂缝继续张开并向两端延伸。1979 年 12 月,南京水利科学研究所用超声波对大坝左岸下游拱座附近 184m 高程裂缝进行探测,裂缝深度大于 2.3m,该处坝厚 6.9m。

由于大坝裂缝未能及时修补,1979 年水库蓄水后至 1986 年 9 月,大坝裂缝已发展到 20 条,总长度达 260.8m,在裂缝和横缝相交处,坝面潮湿、渗水,高水位时局部裂缝有喷射水雾现象。1986 年冬季,用改性环氧树脂进行灌浆,共灌了 19 条裂缝,共计灌入改性环氧树脂浆液 331.2L,灌后缝面不再渗漏,通过超声波检测,大多数裂缝的波幅都有很大程度的提高,有的已接近无缝混凝土的波幅。

### 2.2 坝身裂缝的发展

裂缝灌浆后,大坝运行一直比较正常。从 1986 年至 1994 年的观测资料看,左岸坝后裂缝宽度有增大的趋势,但没有发现新的裂缝,已灌浆的裂缝也没有被拉开。

1996 年以后,下游坝面陆续发现新的裂缝,下游坝面漏水点增多,至 2001 年底共发现有 40 多处漏水点,并拌有白色的氢氧化钙析出,部分裂缝和横缝交叉处漏水,且渗水缝段较长,出现新的裂缝。2001 年 12 月 14 日检查发现,6 号、8 号、10 号、11 号坝块出现水平裂缝或斜裂缝共 6 条,总长度 28.1m。

### 2.3 坝身裂缝的性状

通过 1979 年和 1986 年分别由南京水科所和蚌埠水科所用超声波对裂缝进行检测,裂缝最大深度分别为 2.3m 和 2.14m,缝宽不大于 1.0mm,2002 年初由淮河流域水利工程质量检测中心对新、老裂缝进行检测,裂缝宽度为 0.05～0.45mm。

从几次裂缝检测结果看,丰乐拱坝下游面裂缝均为表面裂缝。

## 3 裂缝原因分析

### 3.1 1978年大坝裂缝分析

#### 3.1.1 拱坝体型对大坝变形的影响

丰乐拱坝是等厚圆弧拱,拱坝中心角较大,以196m高程拱圈为例,该层拱圈厚6.1m,拱圈中心半径86.75m,中心角126°。如按目前的扁平拱坝布置,相同坝高处中心角约80°,拱圈中心半径120.25m。可见,在拱圈厚度相同、跨度相同时,丰乐拱坝拱圈弧长比一般扁平拱坝多22.87m,在拱圈受到相同温升荷载的作用时,丰乐拱坝拱圈向上游膨胀比一般扁平拱坝要大得多,而丰乐拱坝有六分之五的坝高段的中心角都大于120°,拱圈膨胀使下游坝面拱座附近产生的拉应力相当大。同时,丰乐拱坝是圆弧拱且中心角较大,造成左、右岸坡梁向上游倒悬度达到1:0.33,在拱坝自重荷载作用下,左、右岸坡下游将产生0.7~0.8MPa的拉应力,并使拱坝产生向上游的变位。

#### 3.1.2 下游坝面温度变化对拱坝应力的影响

丰乐河水在坝址附近由北向南流,拱坝中心线走向为NE18°25′,下游坝面朝南,在夏季高温期间,阳光直射下游坝面。在空库期间,上游坝面一直处在阳光照射不到的坝阴下,由于山区昼夜温差较大,因此上游坝面温度比下游坝面低得多;而两岸坡梁又向上游倒悬,下游坝面接收阳光的热量更多,上、下游坝面温差更大。下游坝面温度高于上游坝面,使岸坡梁向上游变形,在自重和温升荷载作用下,用多拱梁法计算下游坝面的最大拉应力为3.56MPa,该计算结果还未考虑拱坝朝向和实际日照温差的影响。

综上所述,丰乐拱坝受体型及方位的制约,在空库温升条件下运行必然会产生裂缝。实际运行情况是,1978年8月26日在左、右岸坡发现的裂缝,即由上述原因所造成。因受上部拱圈的约束作用,岸坡梁向上游的变形受到限制,所以受拉裂缝没有向坝的深部延伸。

### 3.2 后期裂缝发展成因

丰乐拱坝由15条横缝将大坝分成16个坝块,每个坝块的下游面宽度都小于12m。横缝虽然经过接缝灌浆,但其承受拉应力的能力仍然低于坝身混凝土。从1986年以后坝下游面出现的36条竖向裂缝看,6号坝块和4号坝块中部都各有一条长12m和8m的长缝,其余34条竖缝长1~5m,缝宽0.05~0.45mm,缝深均小于2.0m,以上裂缝大多发生在河床至左岸坝块。从裂缝分布和横缝位置看,因较大的拱圈拉应力可以通过横缝释放,故两横缝之间的坝体混凝土不致被拉裂。

丰乐拱坝下游面朝南,拱冠附近坝体向下游倒悬,两岸是拱座山脊,盛夏高温期下午2时至3时,坝下游好似大烤箱,行人不能停留,下游坝面温度可达55~60℃。坝体内1.0m深处的混凝土温度达34.6℃,坝面附近的混凝土温度可能达到40℃以上,而夜晚山谷的温度可很快降低到30℃以下,坝面下的混凝土温度则下降较慢,内、外温差可达20℃以上,由此产生的拉应力可将坝面混凝土拉裂。由于拱坝中心线为NE18°25′,左岸下游坝面日照时间较长,右岸山脊较高,下午4时以后,右岸坝下即照不到阳光,因此左岸下游坝面温度应力较大,大坝实际运行也是在左岸坝下出现较多的竖向裂缝。

由上可知,下游坝面后期出现的裂缝多是由坝面的非线性温差引起的表面裂缝。

## 4 日照对坝面温度的影响

《混凝土拱坝设计规范》(SD145—85)在关于边界温度的确定中规定:下游表面年平均温度等于年平均气温加日照影响,下游表面温度年变幅等于气温年变幅加日照影响(1~2℃)。规范中对下游坝面温度的计算,不管下游坝面是朝南还是向北,日照影响都定为1~2℃,对下游坝面朝北的拱坝可能差别不大,但对于下游坝面朝南的拱坝,其日照影响决不是1~2℃。

丰乐拱坝处的年平均气温为16.4℃,按规范规定计算下游表面温度年变幅为18.4℃,按以上温度荷载,用多拱梁法程序计算,左岸坡梁的拉应力为3.56MPa;而实测的下游坝面内1.0m处混凝土的温度达34.6℃,靠近坝面处混凝土温度会更高,因而丰乐拱坝实际承受的温度荷载应比计算值要大得多,这也是丰乐拱坝前期产生裂缝的重要原因之一。

## 5　预防坝面温度裂缝的措施

在拱坝设计中,可能会遇到下游坝面朝南的中小型薄拱坝,有类似丰乐拱坝这样的问题,如处理不好显然将会在下游坝面出现较多的温度裂缝。这些裂缝虽然不深,但对薄拱坝来说,裂缝切断拱圈的深度占拱厚的比例较大,必然会引起拱圈应力的再分配,也可能在缝端产生应力集中,对拱坝安全造成不利,因此防止坝面出现温度裂缝的问题不可轻视。

从丰乐拱坝实测温度资料及分析可以看出,夏季日照对坝面温度的影响不可忽视。较好的解决办法是在下游坝面贴上保温层,使每天日照高温来不及传到坝面混凝土就到了晚上的降温时间。中国水利水电科学研究院研究的发泡聚氨酯保温层是较好的保温材料,聚氨酯和混凝土坝面的黏结力为0.1MPa,5~6cm厚的发泡聚氨酯可相当于4.0m厚的混凝土的保温效果,足以阻止日晒高温传至下游坝面,从而使下游坝面温度能长期保持在夏季的平均温度。此外,保温层对冬季气温骤降也有很好的防护作用。

## 6　结　语

经以上对丰乐拱坝坝面裂缝的分析可知,其1978年发生的裂缝是1978年夏季高温+空库+自重荷载组合引起的,而后期发生的坝面裂缝中的少部分水平缝是由于拱坝应力重分配引起的,大量的裂缝是线性温差和表面非线性温差引起的浅层短小细缝。丰乐拱坝特有的体型及方位布置进一步促使了上述裂缝的产生,应引起足够的重视。

针对丰乐拱坝运行中出现的问题,可说明以下两点:

(1)等曲率、等厚、大中心角的拱坝设计有一定的局限性,过大的中心角虽然可以减小拱厚,但拱圈弧长的增大却降低了拱圈适应变形的能力。而变曲率、变厚的三圆心拱、椭圆拱、抛物线拱应是拱坝的发展趋势,它们可以更好地改善坝体应力,同时亦更有利于拱座的稳定。

(2)日照对坝面温度的影响不可轻视。对于薄拱坝来说,由于日照影响造成坝面温度升高,在拱坝的上、下游线性温差中所占比重更大,因此拱坝规范中规定的日照影响为1~2℃,对有些拱坝就不适宜,希望新的拱坝设计规范能妥善解决好日照对坝面温度的影响问题。

# 防止水工混凝土裂缝的措施和修补方法

王国秉[1]　丁宝瑛[1]　王　历[1]　江光亚[1]　李文芳[2]　赵　玺[3]

(1.中国水利水电科学研究院;2.山西黄河水利工程咨询有限公司;
3.山西省引黄工程总公司偏关项目部)

**摘　要**:本文从工程实践经验出发,从力学观点分析了水工混凝土结构型式、分缝分块、浇筑层厚、混凝土的配筋等与防止裂缝的关系,阐述了防止水工混凝土裂缝的结构措施和施工措施,并简要地介绍了为恢复结构整体性、抗渗性、耐久性等几种目的的不同的修补裂缝的方法。

## 1　概　述

在水工混凝土建筑物,尤其是大体积混凝土工程中,温度应力具有重要的意义。无论在施工期或运行期,经常出现的剧烈的温度和温度应力变化,往往使混凝土结构发生裂缝,给工程带来不同程度的危害。几十年来,如何防止裂缝一直是混凝土工程技术中的一个重大课题。本文试图结合国内外已有的研究成果和工程实践经验,阐述防止水工混凝土裂缝的措施和简要介绍修补裂缝的方法,供从事这方面工作的同志参考。

## 2　防止混凝土裂缝的结构措施

### 2.1　结构型式与混凝土裂缝

实践经验表明,大体积混凝土结构的类型,对混凝土裂缝有相当大的影响。现有的混凝土结构裂缝,绝大多数是由温度应力原因产生的。因而结构型式选择恰当,可能减小温度应力,从而减少裂缝。目前在严寒地区较少修建薄拱坝和支墩坝,就是因为人们已认识到这类坝型由于厚度较小,受外界温度变化影响较大,容易产生温度裂缝。大头坝和宽缝重力坝(特别是高宽缝)由于在施工中暴露面较多,在不利的气候条件下,也容易产生裂缝。在同一工程中,有时电厂部分裂缝较大坝多,也是因为结构型式不同。电厂的孔洞多是不利因素。河床式电站在结构和运行上有其特点,但薄壁、孔洞多,温度应力集中,容易产生裂缝。所以选择适当的结构型式,也是避免产生裂缝的一个重要措施,应该在设计时充分注意。此外设计者若能掌握结构中温度应力的分布和发展规律,常常能避免很多裂缝的发生。譬如在基础浇筑块的中间基础面上设置排水廊道和其他用途的孔洞,以及为抗滑稳定性而设置的众多齿槽等,都会形成不利的温度应力场,应尽可能避免或尽量减少。另外,有的工程任意设置错缝,又无防裂措施,则势必在错缝处上下互相撕裂。这些都是在设计中应该谨慎考虑的。

### 2.2　分缝分块对防止混凝土裂缝的关系

工程实践证明,将大体积混凝土分成较小的块体,在施工时可以有效地减少裂缝。因为浇筑块越长,温度应力越大,可能遇到的基础起伏和应力集中以及出现冷缝的机会也愈多,暴露时间也可能要长些。因此,浇筑块越长,温度控制要求应越严。

表1为美国垦务局发表的该局采用的允许温差,也明确了这一事实。

一般地说,混凝土浇筑后,其温度演变为:起始时为浇筑温度 $T_p$,以后由于水泥水化而升温 $T_r$,

本文原载《山西水利科技》2001年第1期。

达到最高温度 $T_{max}$，后来由于天然的或人工的冷却，浇筑块的温度下降到稳定温度 $T_f$（或最低温度 $T_{min}$），于是浇筑块形成温差 $\Delta T$：

$$\Delta T = T_p + T_r - T_f \tag{1}$$

**表1**　　**美国垦务局的允许温差**　　（单位：℃）

| 浇筑块长度 $L$(m) | $h=(0\sim0.2)L$ | $h=(0.2\sim0.5)L$ | $h>0.5L$ |
|---|---|---|---|
| 55～73 | 16.7 | 19.5 | 22.2 |
| 37～55 | 19.5 | 22.2 | 25.0 |
| 27～37 | 22.2 | 25.0 | 不限制 |
| 18～27 | 25.0 | 不限制 | 不限制 |
| <18 | 27.8 | 不限制 | 不限制 |

注：表中 $h$ 为距建基面的高度。

温差 $\Delta T$ 可分解为两部分：① $T_p - T_f$ 为均匀温差，浇筑块通体一致；② $T_r$ 为不均匀温差，由于向基础散热而形成。

作者在文献[1]中提出，保证基础块混凝土不裂缝的条件为：

$$\sigma_1 + \sigma_3 \leqslant \frac{E\varepsilon_p}{K} \tag{2}$$

$$\sigma_1 = \sigma_{11} + \sigma_{12} \tag{3}$$

$$\sigma_{11} = \frac{K_p E_c \alpha A_1 (T_p - T_f)}{1-\mu} \tag{4}$$

$$\sigma_{12} = \frac{K_p E_c \alpha A_2 K_r T_r}{1-\mu} \tag{5}$$

式中：$A_1$——均匀温差（$T_p - T_f$）约束系数；

$A_2$——不均匀温差 $T_r$ 约束系数；$A_1$ 只与 $E_c/E_R$ 有关，而 $A_2$ 除与 $E_c/E_R$ 有关外，尚与浇筑块长度 $L$ 有关。

其余符号含义见文献[1]。

图1表明了浇筑块分缝长度 $L$ 与 $A_2$ 的关系，说明 $L$ 的绝对尺寸对温度应力有相当的影响。因而当施工时温度控制水平不高时，采用分缝的措施以减小温度应力，也不失为一个有效的措施。另外分缝的目的，除了减小温度应力、防止裂缝以外，还可适应施工设备的条件及满足结构布置和施工安排上的要求。分缝的型式，对于混凝土坝来说，一般有横缝和纵缝（碾压混凝土坝可能不设缝）。横缝型式一般为直缝，拱坝的横缝有时从应力方面考虑，往往在近基础处垂直于基岩面。纵缝的型式有直缝、斜缝和错缝。通仓浇筑时则无纵缝。

浇筑层的厚度对混凝土工程的温度应力、施工速度、施工质量和施工费用影响很大，应慎重研究。目前各国各工程单位采用的浇筑层厚度相差很悬殊，前苏联在托克托古尔坝（Токтогуль）采用过0.5m厚的薄浇筑层，以便于进行表面流水养护，降低水化热温升。美国大多采用1.5～2.3m薄层，近基岩处往往只有0.75m。加拿大过去曾采取高块浇筑，每层高达12～15m，近年来也有浇筑薄层的（如 Reverstock 坝）。我国目前多采用1.5～3.0m薄层，50年代时也采用过高块。一个成功的例子是三门峡大坝，该工程坝体混凝土基本上是采用6m左右的高块浇筑的，混凝土质量良好。

从防止裂缝的观点来选择浇筑层厚度，主要目的是降低水化热温升，从而减小温度应力。薄层浇筑有利于层面散热，有利于降低混凝土块的最高温升和内外温差，便于架立模板及铺设冷却水管。但采用薄层浇筑时，水平施工缝较多，对强度、抗渗都不利，而且层面处理工作量大，浪费混凝土也多。

厚浇筑层的利弊正与薄浇筑层相反。当采用加冰拌和、预冷骨料、后冷混凝土等降低混凝土浇筑温度时,浇筑层厚的选择,对降温效果有较大影响。因为此时浇筑温度低于气温,形成初始温差,热量通过浇筑层面倒灌而使混凝土温度回升($T_m$)。显然浇筑层越薄、初始温差越大,温度回升也越严重,恰与水化热的散失相反。

如果单从降温效果来看,应选择一种综合降温效果最大的浇筑层厚度。在浇筑间歇期为5d、绝热温升20℃时,一般混凝土的浇筑层厚、初始温差与总温升的关系如图2所示。在这种情况下可以看出:初始温差为15℃时,浇筑层厚度的变化与总温升无关;当初始温差低于15℃时,浇筑层越薄,总温升越小。因此,如果有的工程只采取加冰和一般的骨料洒水等简单降温措施时,所形成的初始温差不大,采用较薄的层厚是有利的;如果采取预冷骨料降温,形成了较大的初始温差,则应选择较厚的浇筑层。

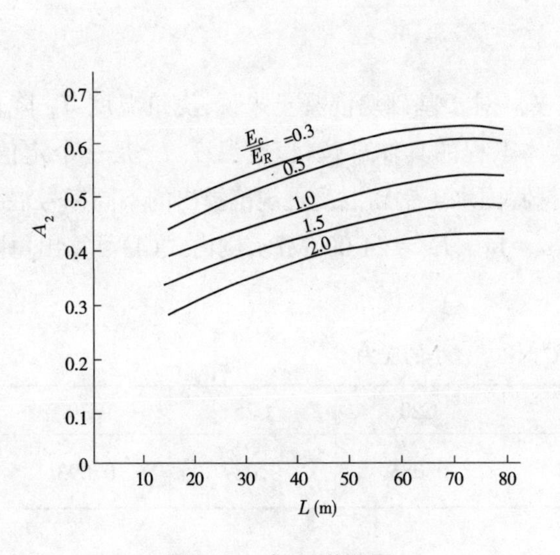


**图1 $A_2$与$L$关系图**

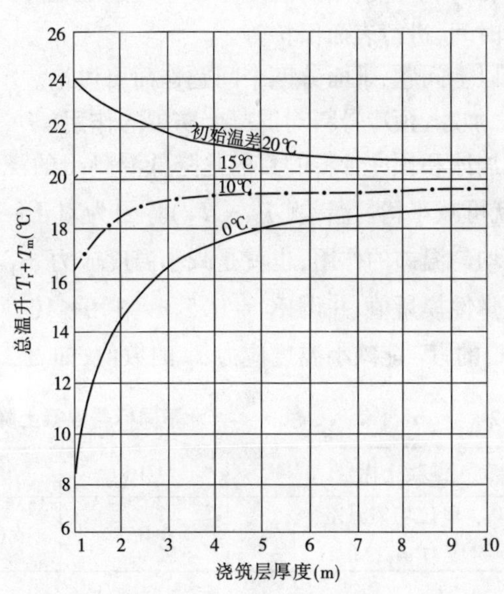


**图2 浇筑层厚、初始温差与总温升的关系**
(间歇5d,$\theta_0=20$℃)

## 2.3 混凝土配筋与防止裂缝的关系

大体积混凝土的裂缝,主要由温度应力和干缩应力产生,那么是否可用配筋的方法来防止大体积混凝土的裂缝?

首先分析干缩作用。混凝土因失去水分而产生干缩变形,但钢筋没有干缩,所以钢筋的存在,阻碍混凝土的干缩变形,使混凝土内干缩应力增加,因此不能用配筋来防止干缩裂缝。

在一般常温和允许应力状态下,钢的性能是稳定的。钢的热膨胀系数约为$1.2\times10^{-5}$/℃,且此值与混凝土的$\alpha$相差不大。因而在温度变化时,钢与混凝土之间的内应力很小。两者的共同作用工作依靠黏着力。在弹性阶段两者应力的比值等于其弹性模量的比值。一般钢的弹性模量为210 000MPa,约比混凝土的弹性模量大6~16倍。因此,当混凝土的强度达到极限强度、变形达到极限拉伸值时,钢筋中应力也只有约20MPa。可以想像,如果混凝土在此时失去承载能力,所有应力都转移到钢筋上,而钢筋的变形保持为$\varepsilon_p$或略大(即混凝土刚刚开裂),则可算出每平方米混凝土中需配置8%~10%面积的钢筋,即每平方米断面上有800~1 000$cm^2$的钢筋面积,这在经济上是不能接受的。所以大体积混凝土为防止由温度应力产生裂缝,从经济上考虑也不能采用配筋的方法,而是在施工中采用温度控制的方法。不过,虽然不能用配筋的方法来防止大体积混凝土的裂缝,但配筋对限制裂缝的开展还是有作用的,因此在实际工程中使用很普遍。这多半是因为有足够的配筋,能够有效地将原来素混凝土的数目少、宽度和深度比较大的裂缝,变为数量较多、宽度较窄、深度较浅的微细裂缝,因而在一定程度上将裂缝的危害性减小了。

# 3 防止混凝土裂缝的施工措施

一般的大体积混凝土裂缝,是由综合原因产生的,因此也必须采用综合防裂措施,才能最大限度地避免裂缝。除了作者在文献[1]中阐述过的一些有关原材料选择、混凝土设计、温度控制的结构设计以外,还有一个重要方面就是施工措施。施工措施有很多,但综合起来可归结为三方面的内容:

(1)降低浇筑温度。包括加冰、预冷骨料和后冷混凝土等(后一问题尚处于研究阶段,本文暂不予讨论)。

(2)减小水化热温升。包括水管冷却、薄层浇筑和适当控制间歇期等。

(3)调节浇筑块的温度分布。特别是在外界气温剧烈变化时,减小混凝土表层的温降,包括减小暴露时间、进行表面保护等。

以上问题,下面分四个问题作简要讨论。

## 3.1 加冰、预冷骨料对混凝土防裂的作用

加冰和预冷骨料的目的是降低混凝土的浇筑温度。对于基础块混凝土来说,浇筑温度 $T_p$ 降低了,就可减小均匀温差($T_p - T_f$)。因为对于一个具体工程的具体部位,稳定温度 $T_f$ 是一个定值。减小均匀温差的作用,也就是减小温度应力 $\sigma_{11}$。根据我国水工钢筋混凝土规范提出的不同标号混凝土的弹性模量值,并设 $K_p=0.5$、$\alpha=1.0\times10^{-5}/℃$、$\mu=1/6$、$E_R=24\ 000\text{MPa}$,则由式(4)可算出每降低 1℃ 的 $T_p$ 能减小温度应力 $\sigma_{11}$ 的数值,如表 2 所示。

表 2　不同标号混凝土降低 1℃ 时 $T_p$ 减小的应力

| 混凝土标号 | C10 | C15 | C20 | C25 | C30 |
|---|---|---|---|---|---|
| 单位均匀温差应力 $\sigma_{11}$(MPa) | 0.063 | 0.075 | 0.085 | 0.089 | 0.093 |

由表 2 可知,采取降低浇筑温度的措施,对防止混凝土裂缝是有效的。目前我国的工艺水平采取加冰的措施,一般可以降低浇筑温度 5℃左右(加冰率约 50%),可减小温度应力 0.3~0.45MPa。不同加冰率对混凝土出机温度的影响,可按表 3 初估。

表 3　加冰拌和效果

| 加冰率(%) | 25 | 50 | 75 | 100 |
|---|---|---|---|---|
| 降温值(℃) | 2.8 | 5.7 | 8.5 | 11.4 |

从表 3 可知,加冰所能降低的温度是有限的,在需要大幅度降低浇筑温度时,则可采取预冷骨料降温措施。按我国的工艺水平,把骨料预冷到 4℃ 也是可以做到的。预冷骨料的方法很多,有水冷法、真空汽化法和液态氮法等。我国目前倾向于联合预冷法,即喷冷水冷却加气冷,效果尚好。如东江水电站在夏天最高气温 32~34℃时,仍可控制浇筑温度不超过 15℃。因为采用预冷骨料,形成了较大的初始温差,因此浇筑层厚不可太薄,否则冷量损失较大,总的温升也不低。

降低浇筑温度除了可降低基础温差从而减小基础块应力、避免贯穿性裂缝以外,由于浇筑块本身的最高温升降低,在外界气温剧烈下降时,也可相对地减小内外温差,对防止表面裂缝也是有利的。

## 3.2 水管冷却措施

水管冷却的目的主要有两个:一是减小水化热温升,从而降低混凝土的最高温度,减小基础温差和内外温差;二是能按施工计划安排,灵活而适时地将混凝土温度降低至指定的温度,满足接缝灌浆的需要。

冷却水管大多采用直径2.5cm的钢管或铝管,在混凝土浇筑时埋入坝内。为了施工方便,水管通常是埋设在每一个浇筑层顶面上,因而水管的垂直间距即为浇筑层的厚度,一般为1.5~3.0m。若浇筑层厚度较大,则需要在浇筑过程中,在尚未凝固的新混凝土中埋设冷却水管,势必增加施工的难度和不易保证质量。水管的水平间距一般也为1.5~3.0m。水管间距大于3.0m,冷却效果很差,一般不宜采用。冷却水管的冷却过程一般分为两期,即一期冷却和二期冷却。一期冷却是在混凝土浇筑开始时即通水冷却,习惯上多使用河水,但有特殊要求时,也可使用人工冷冻水。一期冷却一般持续15d(或更短),并应控制混凝土的降温速度和幅度。根据作者的研究及有关工程实践,可控制降温速度为不大于1℃/d;对于一般长度的浇筑块($L=15\sim30$m),其降温幅度为6~8℃。进行这种控制的原因,是因为早期混凝土强度低,降温速度过快及幅度过大,基础块混凝土的温度应力,可能超过混凝土当时的极限强度而导致裂缝。对于脱离基础约束又无上下层约束的混凝土,上述限制可以放宽。水管冷却时另一种限制是混凝土温度与水管中冷却水温度之间的允许温差,目前多控制在20.0~25.0℃。在一期冷却和二期冷却之间,一般应有一个间歇期。在此期间不进行冷却,而让混凝土的强度得到发展,以便承担以后冷却时产生的温度应力。二期冷却是在水泥水化热已基本发散完毕后进行的,主要目的是为了接缝灌浆,有时也兼顾浇筑块内外温差和防止表面裂缝的需要。

进行混凝土二期冷却时,因为混凝土中已基本无水化热散发,而且浇筑块已相当高,于是可看成是一个初温均匀无热源的温度场计算问题,有兴趣的读者可参阅文献[2]。

### 3.3 控制浇筑间歇期对防止裂缝的作用

根据实践经验,大体积混凝土中产生的裂缝,绝大多数为表面裂缝。而这些表面裂缝的大多数又是在经受寒潮冲击或越冬时经受长时间的剧烈降温后产生的。所以在施工时若能减小混凝土的暴露面和暴露时间,就可以使这些混凝土面减小遭遇寒潮冲击,并在越冬时避免直接接触寒冷空气,从而减小裂缝的可能性。控制间歇期就可部分解决上述问题。

先看一个简单的例子。墙式浇筑块(自由板)在水化热作用下的表面应力如图3所示[2]。图中,$\sigma$为表面最大拉应力;$\mu$、$E_0$、$\alpha$分别为混凝土的泊松比、弹性模量和线膨胀系数;$\alpha$、$\lambda$、$\beta$分别为混凝土的导温系数、导热系数和放热系数;$\theta_0$为混凝土的绝热温升。表面早期为拉应力,以后逐渐转变为压应力。其转变的时间与板的厚度有关。板越厚表面拉应力持续的时间越长。因此,当板表面处于拉应力状态时,如遭遇到寒潮袭击或越冬,则又叠加上一个很大的拉应力,当然是比较危险的。

对于一个实际工程中的三维浇筑块,块体尺寸为1.5m×15m×15m,文献[3]中计算出其在水化热、自生体积收缩($43\times10^{-6}$)、干缩(90d约$439\times10^{-6}$平均干缩变形)和徐变作用下,块体上棱边中点处应力随时间的变化见图4。容易看出,在不进行养护情况下,间歇时间延长,棱边上应力随之增大。如果养护较好,假设干缩应力不产生,则应力要减小许多。但无论如何早期混凝土棱边和表面上均有拉应力存在。如任其暴露则极易裂缝;若适时地浇筑上层混凝土,则改变了应力状态,裂缝会得到防止。

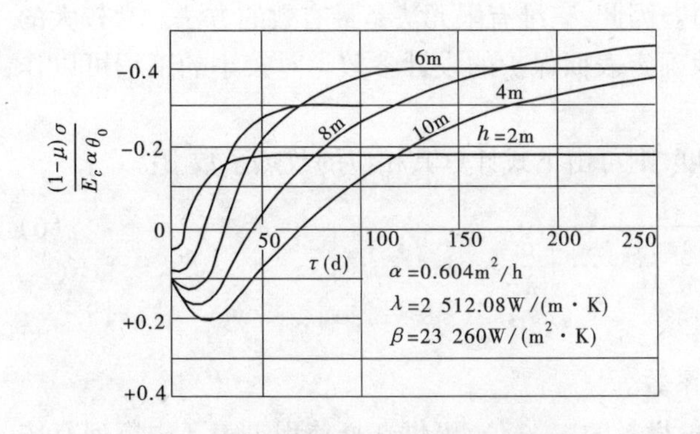


图3 水化热引起自由板表面应力变化

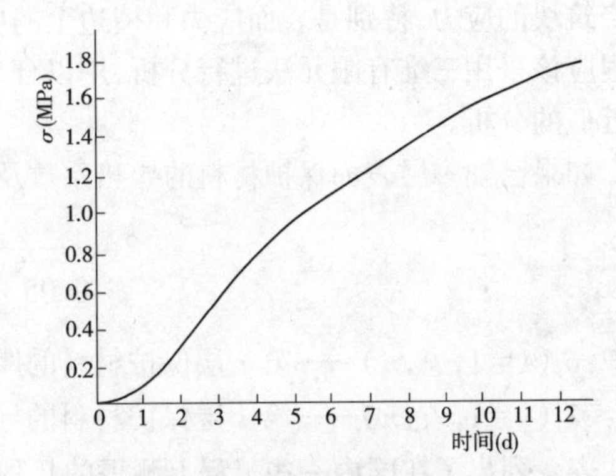


图4 浇筑块顶面棱边中点处应力变化

### 3.4　表面保护措施对防止裂缝的必要性

表面保护对防止混凝土裂缝的作用,从理论上易于让人们接受。但在实际施工时,特别在施工不正常的情况下,这项措施极易被忽视。

表面保护的目的一般有三个:第一是减小混凝土的内外温差,防止表面裂缝;第二是防止混凝土超冷,避免产生贯穿裂缝;第三是延缓混凝土的冷却速度,以减小新老混凝土的上下层约束。为第二、第三项目的而进行的表面保护,是一种特殊要求,并不是每一个工程都要考虑的。因此,减小混凝土的内外温差、防止表面裂缝,实为表面保护的主要目的。对于一个工程来说,如果原材料选择适当,混凝土配合比设计合理,浇筑工艺良好,浇筑后养护精心,只是在水化热和微小的自生体积变形作用下,一般产生表面裂缝的可能性较小。若浇筑后不进行养护或养护工作不当,则必将产生较大的干缩应力,导致裂缝的可能性是存在的。若届时又遭遇到寒潮袭击,则裂缝的可能性更大。中国水利水电科学研究院结构材料所岳跃真、丁宝瑛 1987 年 8 月在“掺粉煤灰混凝土早期抗裂性的有限元分析”中曾用三维有限元计算了 15m×15m×1.5m 的浇筑块,在龄期 5d 时遇到两天降温 8℃ 的大寒潮时产生的温度应力。采用了两种混凝土进行对比,一种为普通不掺粉煤灰的混凝土,另一种为掺入 40% 粉煤灰的混凝土。计算结果表明,两种混凝土都产生了很大的温度应力,并且相差不大,如图 5 所示。将其应力与混凝土强度比较,都有可能开裂,只是掺粉煤灰的混凝土裂缝会更大、更深、更宽些。若寒潮幅度减小(如为 6℃),则普通混凝土的抗裂性应较好些。但无论如何在寒潮冲击下,混凝土表面产生的温度应力非常大,单单依靠混凝土本身的抗裂能力,实际上是难以防止裂缝的。在这种情况下,表面保护是最有效的防裂措施。

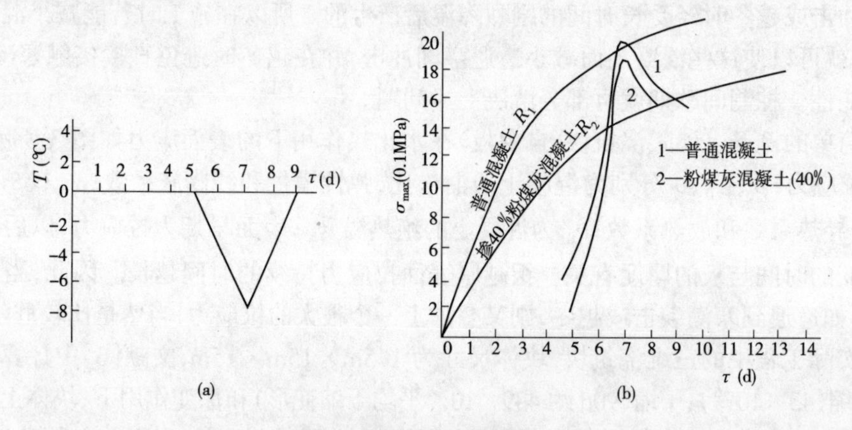


图 5　寒潮时混凝土温度应力

对表面保护的设计,实际上就是确定混凝土表面放热系数 $\beta$,以及维持这种放热系数的持续时间。根据确定的 $\beta$ 值,考虑实际可能的材料来源,选择恰当的材料及其厚度。当然确定 $\beta$ 值时,应分析浇筑块的应力,特别是表面应力和棱边上的应力。因此,三维有限元法是最有效的方法。对较大的工程应该采用三维有限元法进行分析,用以合理地确定表面保护的设计参数。对较小的工程可以作些近似的分析。

如果已知多层表面保护材料的导热系数及厚度,则可由下式计算其相应的放热系数 $\beta$:

$$\beta=\frac{1}{0.05+\frac{\delta_1}{\lambda_1}+\frac{\delta_2}{\lambda_2}+\cdots+\frac{\delta_n}{\lambda_n}} \tag{6}$$

式中:$\delta_i(i=1,\cdots,n)$——第 $i$ 层保护材料的厚度;

$\lambda_i(i=1,\cdots,n)$——第 $i$ 层保护材料的导热系数。

表 4 列出了在国内一些工程上测得的几种保护材料的 $\lambda$、$\beta$ 值,可供选择使用。表 4 中还列有按式(6)的 $\beta$ 计算值,十分接近于实测值。所以只要有了某种材料的 $\lambda$ 值,就可算出不同厚度的该种保

护材料的 $\beta$ 值。各种材料的 $\lambda$ 值是容易从各种手册上查到的。美国平顶岩(Table Rock)坝在无保护时坝面温度约降至 -3.9℃,用厚2.5cm纸板保护时,坝面温度约降至6.7℃;若用厚2.5cm塑料板保护,坝面温度只降到8.3℃,效果是显著的。前苏联西伯利亚布拉茨克(Братская)坝采用厚为70cm的重力式混凝土模板保护,在外界气温为 -27℃时,新浇混凝土表面上约为3℃,新混凝土可保持不冰冻。我国目前采用的保护材料趋向于用化学材料,许多大坝工程采用了聚苯乙烯泡沫塑料板,保温效果比较满意。

**表4　几种表面保护材料的 $\lambda$ 与 $\beta$ 值**

| 保护材料 | 厚度(cm) | 实测 $\beta$(W/K) | 计算 $\beta$(W/K) | $\lambda$[(W/(m·K)] |
|---|---|---|---|---|
| 玻璃棉毡 | 6 | 732.8 | 750 | 46.39 |
| | 9 | | 505.8 | 46.39 |
| | 15 | 290.8 | 305.8 | 46.39 |
| 稻草板 | 8 | 895.6 | | |
| 泡沫混凝土 | 20 | 674.4 | 674.7 | 139.4 |
| 稻草帘 | 10 | 930.3 | 1 046.7 | 11.39 |
| 刨花板 | 5 | | 2 326 | 128.06 |
| 无保护 | | 23 260 | 23 260 | 2 058.61 |

## 4　混凝土裂缝的修补

虽然人们曾反复强调防止混凝土结构裂缝的重要性和可能性,几乎所有的工程单位,无一例外地都主张采取事前防止裂缝,而不采取事后修补加固。不过目前由于种种主观的和客观的原因,大多数工程还不能完全防止裂缝,或多或少地在施工时或运行时产生了一些裂缝。

结构产生了裂缝以后,应该慎重对待。首先应该仔细研究产生该裂缝的原因。在肯定了裂缝发生的原因以后,要研究该裂缝是否已经稳定。若仍处于发展的过程,要预估该裂缝发展的最终状态,然后确定该裂缝的危害性。裂缝的危害性一般可分为以下几种:①破坏结构的整体性;②破坏结构的抗渗性,破坏结构的耐久性;③破坏结构的外观。有些裂缝既破坏结构的整体性,又破坏其抗渗性、耐久性及外观。有的裂缝只破坏其中之一。所以对每一条裂缝要分别研究其危害性,最后研究处理方案。

原则上讲,对每一条裂缝都应研究是否需要处理。工程上有些裂缝在发现时不长不深,往往被人们忽视。但这些裂缝处在不稳定的时期,随时间推移可能发展成危害性大的裂缝,为处理它不得不停止运行,造成很大的损失。大体积水工混凝土的裂缝有其特殊性,在研究这些裂缝时,应该对其施工期及运行期的应力状态有一个全面了解,才可能对其裂缝的发生、发展和处理,有一个恰当的结论。不因现在缝小而忽略,也不会因其缝大缝多而惊慌失措。下面分别简要说明几种目的不同的修补裂缝的方法。

### 4.1　为了恢复结构整体性

破坏结构整体性的裂缝是混凝土中最严重的裂缝。因为在目前的技术水平下,恢复结构整体性是一大难题,技术复杂、施工困难、费用很高,还不能完全满足要求。所以对这种裂缝,在施工中必须完全防止,若一旦产生了这种裂缝,则必须认真补强。

恢复结构整体性的措施一般分为两种:第一种为灌浆,第二种为加固,有时两种措施同时采用。常用的灌浆有水泥灌浆和化学灌浆。水泥类浆材有普通水泥浆材、超细水泥浆材、硅粉水泥浆材等[3]。用水泥灌浆充填的裂缝只能传递不大的压应力，不能抵抗拉应力和剪应力。在应力状态较明确，压应力不大，抗剪可依靠其他措施时可以考虑采用水泥灌浆。化学灌浆由于能在一定程度上将裂缝两边的混凝土粘结在一起，并且有一定抗拉强度、抗剪强度和变形能力，近年来在工程界得到广泛应用。目前国内外为恢复整体性所用的化学灌浆材料，绝大多数为以环氧树脂为主的材料。国内常用的环氧树脂灌浆固化剂，是带有活泼氢原子的有机胺类。为增加韧性可加入增塑剂。常用的增塑剂有液体聚硫橡胶、丁腈胶浆、不饱和聚酯、聚酰胺树脂。为降低黏度可加入稀释剂。活性稀释剂有环氧丙烷丁基醚、呋喃稀料等。非活性稀释剂有苯二甲酸二丁酯、丙酮等。为调整固化时间还可加入促进剂。目前国内大坝工程使用的环氧材料的配方有了明显改进，灌浆质量有了较大提高。除了使用环氧材料灌浆外，国内还进行过甲凝灌浆，这种材料黏度低、可灌性好、凝结时间可调节，适合于灌细缝，但因其有一定毒性，目前已不常使用。这些材料的一般性能见表5。

**表5　　灌浆材料性能**

| 浆材特性 | | 水泥 | 环氧材料 | | 甲凝 |
|---|---|---|---|---|---|
| | | | 普通 | 低温水下 | |
| 抗压强度(MPa) | | 3~10 | 80~100 | 73.3 | 70~80 |
| 黏结强度(MPa) | 干缩 | 0.1~0.6 | 1.7~2.0 | | 2~2.8 |
| | 湿缝 | 0.1~0.6 | 1.7~1.9 | | 1.7~2.2 |
| 抗拉弹模(MPa) | | $(0.9\sim1.30)\times10^4$ | $(0.28\sim0.42)\times10^4$ | $0.29\times10^4$ | $(0.29\sim0.32)\times10^4$ |
| 化学稳定性 | | 耐一般酸、碱、盐侵蚀 | 能耐强酸、碱侵蚀 | | 耐弱酸、碱、盐侵蚀 |
| 适灌缝宽(mm) | | 1.5以上 | 0.3~1.5 | 0.3~1.5 | 0.1~0.5 |
| 固化时间控制 | | 一般 | 一般 | 一般 | 较好控制 |
| 施工温度要求 | | 常温 | 常温 | 可在负温下施工 | 可在负温下施工 |
| 缝面水的影响 | | 有一定影响 | 对黏结强度有一定影响 | 无影响 | |
| 施工工艺 | | 一般 | 较复杂 | 复杂 | 复杂 |
| 收缩率(%) | | 7~30 | 2~3 | 2~3 | 15~20 |

目前无论是水泥灌浆或是化学灌浆，都不能完全达到全部恢复结构整体性的目的，且受到浆液黏度、裂缝宽度，甚至混凝土内部裂缝位置等的制约，要想完全灌好是困难的。所以一般在灌浆后还辅以加固措施，或者在施工期预先加固后再灌浆。例如，施工过程中发现的裂缝，多数是不稳定裂缝，如果等待裂缝稳定并处理结束后再继续施工，就会贻误工期。一般在发现裂缝后就立刻预先处理。这类处理措施有铺钢筋网(视具体情况铺一层或多层)、预埋灌浆管路及出浆口等。有些重要部位甚至浇筑加固拱、钢筋混凝土加固板等。例如东江拱坝基础部位混凝土裂缝较多，除了浇筑混凝土时在裂缝块顶上铺设骑缝钢筋网外，还在下游面紧贴坝体浇筑加固拱。又如唐山陡河电厂，由于地震使发电厂房框架的结点处产生大量裂缝，后来采用环氧灌浆处理，并外包加固套。由此可见，恢复结构整体性的处理是相当复杂和费工、费时、费钱的，所以要求在施工时完全防止这类裂缝是绝对必要的。

**4.2　为了恢复结构的抗渗性**

与恢复结构整体措施比较，恢复由裂缝而破坏了的混凝土抗渗性，其难度要小一些。一般若是单独的裂缝，则采取内部灌浆加表面处理的方法。裂缝较宽时可用水泥灌浆；细缝则用化学灌浆。化学灌浆种类很多，也比较有效，但成本较高。通常使用的化灌材料有丙凝(丙烯酰胺)、弹性聚氨酯、水泥水玻璃和铬木素等。后一种有明显毒性，使用时要特别注意。聚氨酯类浆材是一种防渗堵漏效能较好、固结效能较高的高分子化灌材料。国内有氰凝、SK型聚氨酯浆材、LW和HW水溶性聚氨酯浆材等。甘肃省引大入秦工程盘道岭隧洞二次衬砌混凝土纵(斜)向裂缝,应用水溶性聚氨酯复合浆材进行了化学灌浆处理,取得了较显著的效果[4]。当然用环氧材料灌浆也是可行的。混凝土的表面处理方法,可以凿鱼尾槽填环氧砂浆或其他聚合物砂浆,但要尽量使环氧砂浆和聚合物砂浆的热膨胀系数 $\alpha$ 值较小,以免因与混凝土的收缩变形相差太大而脱开。

对于混凝土表面裂缝有时也可采用表面封贴措施,表面封贴材料可采用环氧玻璃钢等。对于水工建筑物混凝土表面有特殊防渗要求时(如湿陷性黄土隧洞),除采取必要的裂缝修补措施外,最好在混凝土表面采用防水层全封闭措施,喷涂一种可靠的高分子防水涂层材料,如弹性聚氨酯、环氧树脂、EVA(乙烯—醋酸乙烯树脂)等。

有些裂缝初期不被人重视,但所处部位在以后的运行中,往往会发展成重大裂缝,甚至影响到结构的运用。例如在大头坝的迎水面上,施工时往往会产生一些细小裂缝,过去一般只采取表面处理措施。但这些部位由于其温度和湿度的反复变化,一般的表面处理以后有可能脱开,在一定的条件下裂缝会继续向深处发展,造成很大的危害。例如湖南柘溪大头坝支墩的竖向缝曾发生过失稳,将坝段劈为两半。所以对这些裂缝的处理一定要彻底。表面处理材料一定要能经得住温、湿度的反复作用。

对于大面积多条裂缝所造成的抗渗性破坏,一般主要依靠表面处理。目前比较可靠的措施有浇筑沥青混凝土面层、粘贴多层环氧玻璃丝布、粘贴橡皮板等,采用了这些措施后,对于混凝土比较大的裂缝,仍要进行灌浆处理。

### 4.3 为了恢复结构的耐久性

有裂缝的混凝土结构,经处理如已能恢复其整体性和抗渗性,则一般也可认为基本上恢复了混凝土的耐久性。对于仅仅影响混凝土耐久性的表面裂缝和浅层裂缝,目前很多工程不主张处理。例如葛洲坝工程,对于表面龟裂、表面缝宽小于 0.1~0.2mm、缝深小于 5~10cm 的裂缝规定不予处理。如果这些裂缝是稳定的,对于结构的整体性和抗渗性也许影响不大,但对结构的耐久性却有一定影响。若这些裂缝还处于不稳定状态,不仅影响耐久性,对结构整体性和抗渗性也可能产生威胁,对这种裂缝,显然必须处理。关键是要对这些裂缝的发展和危害性判断准确。

作者认为,对于重大工程,设计和施工时要采取一切必要措施防止裂缝。在目前的技术水平条件下,防止贯穿性裂缝和深层裂缝是可以做到的,但要完全防止表面裂缝和浅层裂缝还有一定困难。若一旦产生了这些裂缝,应在结构投入运行前进行处理(这里指的是一般素混凝土,至于钢筋混凝土则按有关规定另行研究)。

### 4.4 为了恢复结构的美观

水工建筑物特别是一些水利枢纽,工程大,往往发展成旅游点,所以因结构裂缝而影响外观美,必须很好处理。某些裂缝渗水、射水、结冰、挂冰柱、淌“白浆”等,都对环境美有某种程度的破坏;混凝土表面龟裂,也使人不适,这些裂缝均应处理。有些部位还应进行表面美化,喷涂表面涂料以改变因处理裂缝造成外观色彩的不协调。关于这方面问题应予足够的注意。

## 参 考 文 献

[1] 王国秉,等 . 水工混凝土裂缝的防止 . 山西水利科技,2001(1)
[2] 朱伯芳,等 . 水工混凝土结构的温度应力与温度控制 . 北京:水利电力出版社,1976
[3] 王国秉,等 . 改性灌浆水泥的性能与应用 . 山西水利科技,1999(2)
[4] 郭立富,王国秉 . 引大入秦工程盘道岭隧洞纵(斜)向裂缝的化学灌浆处理 . 水利水电技术,1995(5)

# 葛洲坝 1 号船闸混凝土裂缝成因及加固研究

杨本新　李江鹰

(长江水利委员会设计院,武汉　430010)

**摘　要**:葛洲坝 1 号船闸是我国目前运行规模最大的船闸,设计规模 3 000t 级,闸室有效尺度 280m×34m×5m(长×宽×槛上水深),可一次通过万吨船队。船闸下闸首右 2 块下游面中部在施工过程中发现一条长达 30m 的竖直向裂缝,船闸运行后,该裂缝一直处于发展状态,并已沿顶部顺水流方向贯通。根据近 10 年来对裂缝的跟踪检测资料,结合下闸首混凝土施工情况和结构工作特点,对裂缝成因及危害性进行了分析,对裂缝处理原则和处理方案进行了论证,研究提出了采用预应力锚索加回填灌浆的综合处理措施,加固工程于 1999 年 5 月完成,取得了较好的效果。

## 1　概　述

葛洲坝 1 号船闸下闸首为分离式结构,由两条顺水流向的纵缝将闸首结构分为左、右边墩及底板 3 部分,再由 1 条垂直水流向的横缝将边墩和底板共分成 6 个浇筑块。下闸首右边墩顺水流向总长度为 56m,其中下右 1 块长 21m,下右 2 块长 35m,垂直水流方向宽度 40.5m,闸墩顶部高程 70.0m,建基面高程 12.7m。混凝土强度等级 C20。下右 2 块为人字门支持体,其结构内布置有泄水廊道和启闭机房等建筑物。

1 号船闸下右 2 块于 1983 年 3 月开始浇筑混凝土,1984 年 10 月当其混凝土浇至 60m 高程、而与其下游面相连的下辅导墙混凝土浇至 30m 高程时,在下右 2 块下游面中间部位发现 1 条近似竖直方向的裂缝,裂缝表面宽度一般在 0.5mm 以下,最宽处约为 1.2mm,最大缝宽部位在高程 45～55m 间,裂缝下部被下辅导墙混凝土遮挡,上部已延伸至浇筑块顶部。在进行了仓面铺筋处理之后,随着浇筑块的上升,裂缝继续往上延伸,至 1984 年 12 月底,混凝土浇到顶部高程 70m 时,裂缝也随之延伸至闸顶。

为了恢复结构整体性,1985 年对该裂缝进行了化学灌浆补强处理,但从 1987 年开始发现该裂缝有发展趋势。船闸于 1990 年投入运行后,管理单位先后 6 次采用不同方法对其进行了跟踪检测,证实裂缝缝深及范围一直在缓慢发展。1998 年和 1997 年检查资料比较,在环境条件变化不大的情况下,裂缝底深线变化也不大。

## 2　裂缝检查

下右 2 块为人字门支持体,除挡闸室水荷载外,还承受着由人字门传递的约 14 100t 水压力作用。为了监控裂缝的发展规律及结构运行安全,从 1987 年开始对裂缝进行了为期 10 年的跟踪检查观测,积累了大量的现场检查资料,为分析裂缝成因,进行裂缝补强加固处理设计提供了宝贵的资料。

### 2.1　超声波检测

1987 年及船闸投入使用后的 1991～1993 年间,对裂缝进行了钻孔超声波测试检查,检查成果见表 1。

---

本文原载《人民长江》2003 年第 2 期。

表1 1987～1993年裂缝深度检测成果 (单位:m)

| 高程 | 裂缝深度 | | | |
|---|---|---|---|---|
| | 1987年 | 1991年1月 | 1992年1月 | 1992年2月 |
| 53.5 | 4.3 | | 7.0 | 4.25 |
| 56.5 | | 6.3 | 8.9 | 8.3 |
| 59.5 | | 7.9 | 9.7 | >10 |

## 2.2 裂缝开度检测

1996年开始在下游立面主裂缝上沿高程方向跨缝埋设了编号分别为$J_1$、$J_2$和$J_3$三支测缝计,其高程分别为54.0、59.0、56.0m,同时在管线廊道侧墙壁也跨缝埋设了1支测缝计,编号为$J_4$,高程为60.1m,以检测裂缝开度增量变化规律。检测结果见表2。

表2 裂缝缝宽变化增量观测成果

| 观测日期 | $T_1$(℃) | $\delta_1$(mm) | $T_2$(℃) | $\delta_2$(mm) | $T_3$(℃) | $\delta_3$(mm) | $T_4$(℃) | $\delta_4$(mm) |
|---|---|---|---|---|---|---|---|---|
| 1996-12-18 | 17.0 | 0 | 17.1 | 0 | 16.8 | 0 | 15.6 | 0 |
| 1996-12-31 | 14.6 | +0.04 | 14.0 | +0.17 | 14.2 | -0.14 | 14.0 | +0.09 |
| 1997-01-10 | 8.8 | +0.33 | 8.1 | +0.61 | 7.2 | +0.36 | 11.5 | +0.11 |
| 1997-01-29 | 14.0 | +0.24 | 12.6 | +0.04 | 12.8 | +0.06 | 9.9 | +0.17 |
| 1997-02-14 | 12.4 | +0.20 | 11.3 | +0.34 | 10.9 | -0.02 | 10.3 | +0.11 |
| 1997-02-26 | 13.1 | +0.08 | 12.1 | +0.17 | 11.5 | -0.2 | 11.6 | +0.08 |
| 1997-03-14 | 14.0 | -0.16 | 13.3 | -0.10 | 12.4 | -0.46 | 13.3 | 0 |
| 1997-03-26 | 14.2 | -0.12 | 13.5 | -0.10 | 13.4 | -0.48 | 12.6 | 0 |
| 1997-04-15 | 17.2 | -0.29 | 16.8 | -0.27 | 16.8 | -0.66 | 15.2 | -0.02 |
| 1997-04-29 | 20.5 | -0.35 | 20.0 | -0.40 | 21.1 | -0.76 | 15.1 | +0.02 |
| 1997-05-16 | 22.1 | -0.45 | 22.1 | -0.50 | 22.9 | -0.88 | 21.6 | -0.04 |
| 1997-05-26 | 23.0 | -0.43 | 23.2 | -0.50 | 24.2 | -0.88 | 22.1 | -0.04 |

注:"-"号表示闭合增量,"+"号表示增开增量。

## 2.3 面波仪检测

1997年由中国水利水电科学研究院采用面波仪技术对该裂缝进行了测试。结果表明:该块裂缝在顶部已沿顺水流方向贯通,裂缝深度在1.5～16.2m之间,较以前有较大发展。裂缝面形态分布见图1。

## 2.4 综合检测

1998年1月,管理单位再次组织设计、科研等部门对裂缝进行了补强处理前的全面复查工作。此次复查工作以1987～1997年以来历次检查成果为基础,并采取逐步渐进法追综裂缝部位。此次检查共采用了钻孔压水检查、钻孔彩色电视观察、跨孔超声波层析成像(CT)、孔内全波列声波测试等综合检测技术。结果表明:混凝土内部仍以单一裂缝发展为主,70m高程顶部网状裂缝属表面不规则龟裂,未发现有向下发展的迹象,而且主裂缝形态与1997年检查成果基本一致。复核检查的裂缝形态分布见图1。

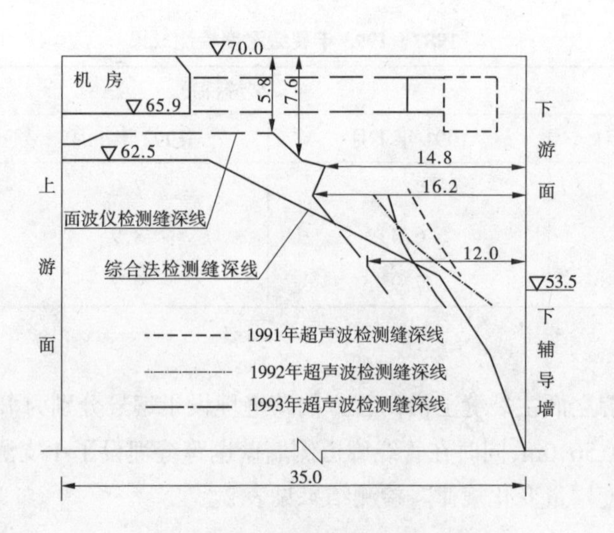


**图1 下右2块裂缝缝面形态示意**(单位:m)

# 3 裂缝成因分析

## 3.1 混凝土施工及温度影响分析

根据资料记载,当1984年10月发现裂缝时,裂缝始于30m高程以下,向上部延伸至浇筑层顶60.0m高程。下右2块于1984年1月2日达到30m高程,在这之前于1983年5月浇完基础混凝土至20m高程后,停歇了130d,在上部浇筑混凝土时,又在高程31.8m层停歇了73d。浇筑层在长间歇后再浇上层混凝土时,下部老混凝土对新浇混凝土起着基础强约束的作用,这是产生裂缝的原因之一。而从裂缝发展情况分析,内外温降差过大则是产生裂缝的主要原因。从表3知,30m高程以上混凝土大部分是在夏季浇筑的,到当年10月份时,内部温度仍较高,而表面因无遮挡散热较快,遇气温骤降时,内外温度梯度更大,表面混凝土变形受到内部混凝土的约束,因而产生裂缝。裂缝一旦在某处发生,由于整个闸墙下游面暴露部分受力状况相似,缝端又有应力集中现象,裂缝就会迅速向上下方向发展。高程44~56m部分混凝土是在7~8月浇筑的,此时气温最高,内部温度也最高,表面降温时内外温差最大,产生的裂缝开度也就最宽,这和观测到的最大缝宽部位在下游面45~55m高程是一致的。对于30m高程以下的墙面,在下游面发现裂缝之前已被下辅导墙遮挡,不会再受到气温骤降变化的影响,内外温度梯度变化不可能太大,即使有裂缝,其裂缝宽度及深度也不会太大。

## 3.2 人字门推力对裂缝影响分析

对下右2块在水压力及人字门推力荷载作用下的结构应力及对裂缝的影响进行了分析,分别计算了无缝和有缝状态下的结构应力。计算结果表明:在船闸正常运行工况下,除局部范围(如孔洞部位)有较小拉应力外,闸墙上部均为压应力,且其值不大,不构成对结构产生裂缝或使裂缝进一步发展。

## 3.3 混凝土施工质量的影响分析

1998年1月,在对下右2块裂缝进行综合复查时,采用钻孔彩色电视录像技术对所有钻孔进行了电视录像观察,发现在顶部70m高程以下3~5m范围内混凝土质量较差,存在不同程度的蜂窝、孔洞、架空现象,特别是顶部2~3m范围内尤为严重,这一现象在顶部跨孔超声波层析成像(CT)测试中也得到了验证。在对钻孔压水时,孔间连通,而且孔与顶部表面的裂缝也连通。由此可认为:闸墙顶面出现的大量不规则龟裂缝,究其原因,首先是因为混凝土施工质量差,然后受块体内外温差影响而开裂,这类裂缝一般缝深较浅,属表面龟裂缝类型,这与检查过程中其下部所有水平钻孔均只发现一条单一主缝的结论一致。

表3 **1号船闸下右2块混凝土施工进度**

| 层号 | 高程(m) | 浇筑日期 | 间歇时间 $\Delta t$(d) | 层号 | 高程(m) | 浇筑日期 | 间歇时间 $\Delta t$(d) |
|---|---|---|---|---|---|---|---|
| 1 | 10.2～12.7 | 1983年3月11～14日 | | 20 | 35.5～36.8 | 1984年5月18～19日 | 10 |
| 2 | 12.7～13.8 | 3月27～31日 | 13 | 21 | 36.8～38.5 | 5月27～29日 | 8 |
| 3 | 13.8～15.1 | 4月8～10日 | 8 | 22 | 38.5～40.5 | 6月4～7日 | 6 |
| 4 | 15.1～16.1 | 4月22～24日 | 12 | 23 | 40.5～42.5 | 6月14～17日 | 7 |
| 5 | 16.1～17.1 | 4月29日～5月1日 | 5 | 24 | 42.5～44.0 | 6月24～27日 | 7 |
| 6 | 17.1～18.4 | 5月7～9日 | 6 | 25 | 44.0～46.3 | 7月5～7日 | 8 |
| 7 | 18.4～19.2 | 5月17～19日 | 8 | 26 | 46.3～48.3 | 7月14～16日 | 7 |
| 8 | 19.2～20.0 | 5月24～25日 | 5 | 27 | 48.3～50.3 | 7月23～26日 | 7 |
| 9 | 20.0～21.5 | 10月2～6日 | 130 | 28 | 50.3～52.3 | 8月6～8日 | 10 |
| 10 | 21.5～22.5 | 10月21～23日 | 15 | 29 | 52.3～54.3 | 8月16～19日 | 8 |
| 11 | 22.5～24.0 | 10月31日～11月3日 | 8 | 30 | 54.3～56.0 | 8月25～29日 | 6 |
| 12 | 24.0～25.5 | 11月25～14日 | 11 | 31 | 56.0～57.5 | 9月8～10日 | 10 |
| 13 | 25.5～26.5 | 11月25～26日 | 9 | 32 | 57.5～59.0 | 9月25～26日 | 15 |
| 14 | 26.5～27.0 | 12月2～4日 | 6 | 33 | 59.0～60.4 | 10月3～5日 | 7 |
| 15 | 27.0～28.0 | 12月15～17日 | 11 | 34 | 60.4～62.4 | 10月12～16日 | 7 |
| 16 | 28.0～30.0 | 12月31日～1月2日 | 14 | 35 | 62.4～64.8 | 10月24～26日 | 16 |
| 17 | 30.0～31.8 | 1984年1月21～25日 | 19 | 36 | 64.8～66.0 | 11月29日～12月1日 | 34 |
| 18 | 31.8～33.5 | 4月7～9日 | 73 | 37 | 66.0～68.5 | 12月15～17日 | 14 |
| 19 | 33.5～35.5 | 5月5～8日 | 26 | 38 | 68.5～70.0 | 12月27～30日 | 10 |

# 4 补强处理方案研究

## 4.1 现有裂缝对结构的影响

为了判断闸首结构在裂缝状态下的工作状况,按照已查明的主裂缝位置及缝深,将已开裂的上部块体划分成完全脱开的两个独立块,分别与下部无缝块连成整体,复核前块(迎水面块)与下部块体形成的闸墙结构在原设计条件下的工作状况。经计算,裂缝开展后,迎水面应力条件虽较无缝情况有所变化,但仍为压应力,如61.5m高程面竖向压应力最小值为0.037MPa(门推力+地震,下同);57m高程面竖向压应力为0.052MPa;47.6m高程面竖向压应力为0.17MPa。这说明在目前缝深情况下,结构处于安全状态。但是,历次裂缝检查资料也表明,由于受外界环境条件的影响及裂缝缝端力学特性决定,主裂缝尚有缓慢发展迹象,当其发展到一定程度之后,将破坏闸首的整体性,并导致工程失事。

## 4.2 补强处理方案研究

水工大体积混凝土裂缝处理的原则应是最大限度地恢复结构整体性,满足结构稳定及缝面传力要求。根据前述裂缝机理分析及缝端应力计算结果,即使裂缝缝深达10m,裂缝缝端在块体内外温差作用下,仍产生0.3～0.5MPa的拉应力(夏季),考虑缝端应力集中后,其拉应力更大。因此,为防止裂缝继续发展,必须采取措施消除或限制缝端拉应力,有效的措施之一是对缝面施加预压应力。同时由于裂缝开裂后,块体整体性破坏,雨水入渗侵蚀,降低混凝土耐久性,增加预应力筋的锈蚀速度,而且缝隙的存在,会导致预应力损失加大,预应力筋张拉时过大的(裂缝)变形,还会产生对结构不利的次生应力。因此,从结构整体性、防渗要求及预应力筋设计等方面考虑,还必须对裂缝进行灌浆处理。

经研究比较,对下右2块裂缝采用灌浆和预应力锚固相结合的综合处理措施。

### 4.3 预应力锚固处理设计

预应力锚固措施研究了锚索和锚杆两个方案。受单根锚杆允许承载力限制,要达到设计锚固效果需设较多的锚杆,但施工布置困难,而且锚杆长度长,一般需采用2～3根高强钢筋接长,同时该方案工程实践的例子不多。而预应力锚索已在水利工程中广泛使用,且1号船闸下左2块裂缝处理即是采用预应力锚索方案,处理效果较好。因此,对下右2块裂缝锚固处理选用预应力锚索方案。

#### 4.3.1 基本规定及处理标准

(1)应力控制标准。在锚索处于张拉及锁定状态时,锚垫板下及其周围混凝土压应力均不大于6.5MPa,局部拉应力不大于0.45MPa;裂缝面缝底压应力不小于0.5MPa。

(2)锚索(钢绞线)张拉控制应力值 $\sigma_{con}$ 取 $0.7f_{ptk}$。

(3)预应力设计时考虑温度变化的影响。

#### 4.3.2 锚固形式

根据检查资料,裂缝走向摆幅较大,由于端头锚形式所需的内锚段长度一般不宜小于4～6m,考虑钻孔与结构外表面间的安全距离后,裂缝有可能进入内锚段范围,这样,锚索不但不能起到预压紧裂缝的作用,相反还会在裂缝面产生附加拉应力,导致裂缝发展。因此,下右2块预应力锚索锚固形式选用对穿锚,闸室墙面对穿锚锚头采取在墙面上凿槽形成,对位于水下部分锚头采用镀锌铁皮防护帽保护,并在锚头与防护帽间灌注防腐润滑脂,外部用高强环氧砂浆回填并抹平处理。

#### 4.3.3 锚索布置

锚索布置依据裂缝形态及结构计算成果确定,即锚索的作用在于储备足够的压应力,不使裂缝向下开展。因此,锚索以沿裂缝缝底及底线以下一定范围为主,裂缝上部则以灌浆填塞封闭处理为主,以满足防渗堵漏要求。

据此布置原则并结合结构形状特征,通过有限元分析,在满足裂缝处理设计标准的前提下,论证选定布置3 000kN级预应力锚索28束。锚索布置见图2。

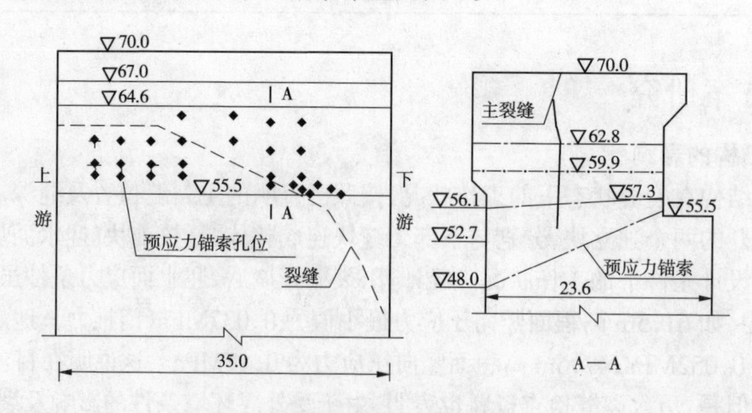


图2　预应力锚索布置(单位:m)

### 4.4 裂缝灌浆处理设计

裂缝灌浆的目的主要是为了恢复缝面的传压传剪功能,在满足可灌性的前提下应优先选择磨细水泥灌浆。根据隔河岩工程实灌经验,当缝宽不小于0.3mm时,湿磨细水泥具有较好的可灌性。

下右2块主裂缝上部缝宽一般为0.3～0.7mm,表面最宽约1mm,下部通过钻孔彩色电视观测,宽度一般为0.1～0.3mm,且连通性较差。据此确定对该裂缝下部缝面选用环氧浆材填压式灌注,上部则采用湿磨细水泥浆材孔内循环灌注。累计灌注湿磨细水泥3.95t,环氧浆材90L。

## 5 结 语

(1)下右2裂缝产生于施工期,裂缝的成因主要是新老混凝土约束,以及大体积混凝土内外温差影响。

(2)根据历年检查资料分析,虽然目前裂缝深度尚未影响到结构运行安全,但鉴于结构的重要性,以及裂缝受外界环境条件恶化影响的不确定性等因素,对裂缝块结构进行加固处理是必要的。

(3)结构开裂后,其前后块受气温影响变形是相互独立的,裂缝开度随年气温呈现周期性变化,要消除这种变化以求完全恢复结构整体性,其加固规模庞大。因此,结合裂缝后的结构受力特点,在选择预应力布置时,确定了“在裂缝缝底及底线以下非裂缝区储备预压应力”为主的方案。

(4)下右2裂缝加固工程于1999年5月完成,实践证明:加固后的下闸首结构运行状况良好,锚索受力稳定,裂缝开度变化幅值得到了较好的控制。

# 潘家口水库主坝水平裂缝问题探讨

徐宏宇

(潘家口水利枢纽管理局水工处)

**摘　要**:潘家口水库主坝系混凝土低宽缝重力坝。溢流坝41号坝段在运行期出现一条水平深层裂缝,由坝上游面向坝内延伸约8m,切断坝段内全部6个坝体无砂混凝土排水管,造成坝内漏水异常增大和裂缝197m高程扬压力大增,对工程安全运行十分不利。本文对裂缝产生的原因等做了简单的分析,提出了符合混凝土重力坝设计原理的处理措施。

潘家口水库主坝于1975年10月开工兴建,1985年竣工,1988年通过国家验收,大坝按1 000年一遇洪水设计(库水位224.5m),5 000年一遇洪水校核(库水位227.0m)。正常蓄水位222.0m,最高蓄水位224.7m,汛限水位216.0m。最大坝高107.5m,坝顶高程230.5m。总库容29.3亿$m^3$。大坝全长1 039m,分为56个坝段,其中23～30号坝段和33～44号坝段为溢流坝段。18孔溢洪道由15m×15m弧形闸门控制。堰顶高程210.0m。

1991年1月发现41号坝段坝体排水管排水量增大异常,当即决定采取措施进行跟踪监测。3年的监测资料表明:排水量有明显的季节变化,每年1至3月排水量有明显的长落过程,以2月下旬至3月上旬为高峰阶段。6月至11月基本不漏水。1992年2月11日实测最大值为215$m^3$/d。坝段长18m,共设6个无砂混凝土排水管,管径20cm。当时该坝段左1号排水管下端在185m廊道见不到漏水(施工堵塞),所测排水量仅为其余5孔。后在202m廊道内详细检查发现,左1号孔排水也很大,是从202m廊道反出,通过排水沟进入42号坝段右1号孔排入185m廊道。据此分析推算,上述最大漏水量应为258$m^3$/d。

1993年对异常排水的部位(高程)、成因进行了多方面的检查、分析(现场测量集中漏水高程、复查施工记录、钻孔录像和应力分析),确认在197.0m高程存在一条水平裂缝。水平缝不仅切断距上游面4.0m的排水减压管,而且一直向坝内延伸约8m。水平缝的高程恰好是施工间歇层面,而且有质量事故及处理记录。

为尽快恢复41号坝段正常工作状态,确保工程安全,满足供水、发电和防洪要求,现做以下有关资料分析,并提出处理方案。谨作抛石之论,望指正。

## 1　稳定与应力分析

### 1.1　分析计算情况

潘家口水利枢纽主坝稳定分析报告中设计计算情况共分5种,见表1。

现从5种情况中选取基本组合①和特殊组合②作为控制情况,分析41号坝段的整体抗滑稳定,坝体内各水平截面的抗滑稳定安全系数应大于或等于此基础面的抗滑稳定安全系数,坝基面抗滑稳定计算成果与规范要求的抗滑稳定安全系数比较(Ⅰ级建筑物)见表2。

### 1.2　197m高程应力分析

中国水科院结构所提出的41号坝段水平裂缝处理方案研究报告(以下简称研究报告),对

---

本文原载《水库安全》。

197.0m高程应力进行了分析计算。计算分两种情况:第一种,不计入年气温变化引起的温度荷载;第二种,计入温度荷载。分别见表3和表4。

**表1**

| 荷载组合 | 情况 | 库水位(m) | 下游水位(m) | 地震(度) |
|---|---|---|---|---|
| 基本组合 | ①最高蓄水位 | 224.7 | 145.0 | / |
| | ②设计洪水位(0.1%) | 224.5 | 155.4 | / |
| 特殊组合 | ①校核洪水位(0.02%) | 227.0 | 157.8 | / |
| | ②最高蓄水位遇地震 | 224.7 | 145.0 | 8 |
| | ③保坝洪水位 | 230.1 | 160.8 | / |

**表2**

| 安全系数 | | 基本组合① | 特殊组合② |
|---|---|---|---|
| $K$ | 规定 | 1.10 | 1.00 |
| | 设计 | 1.27($f=0.75$);<br>1.18($f=0.7$) | 1.07($f=0.75$);<br>1.00($f=0.7$) |

**表3** (不计入温度荷载)

| 荷载组合 | 上游表面应力性质 | 应力大小(MPa) |
|---|---|---|
| 基本组合① | 压应力 | 0.24~0.26 |
| 特殊组合② | 压应力 | 0.081~0.133 |

**表4** (计入温度荷载)

| 荷载组合 | 上游表面应力性质 | | 应力大小(MPa) | |
|---|---|---|---|---|
| | 2月 | 8月 | 2月 | 8月 |
| 基①加温度 | 拉应力 | 压应力 | 1.16 | 1.69 |
| 殊②加温度 | 拉应力 | 压应力 | 1.38 | 1.50 |

计入温度荷载后,坝体表面197m高程应力随时间变化见图1。图1中A点和B点对应的应力分布见图2和图3,这是造成197.0m高程施工缝开裂的主要原因之一。

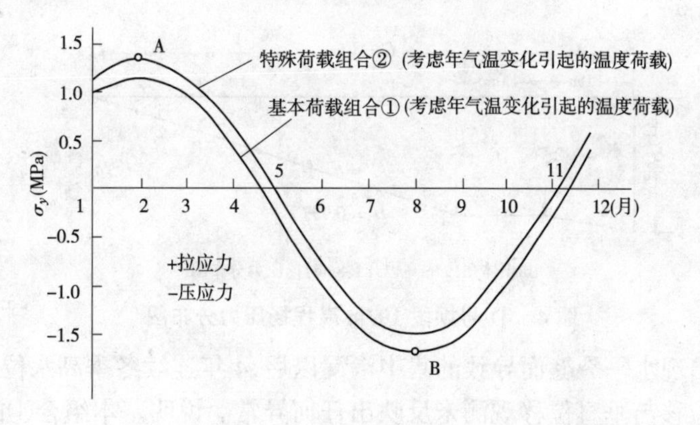


**图1 197m高程上游面竖向应力 $\sigma_y$ 变化曲线**

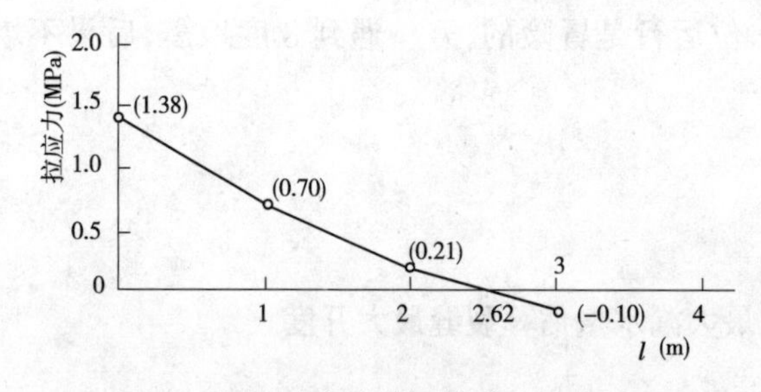


**图2 197m高程上游面拉应力分布区**

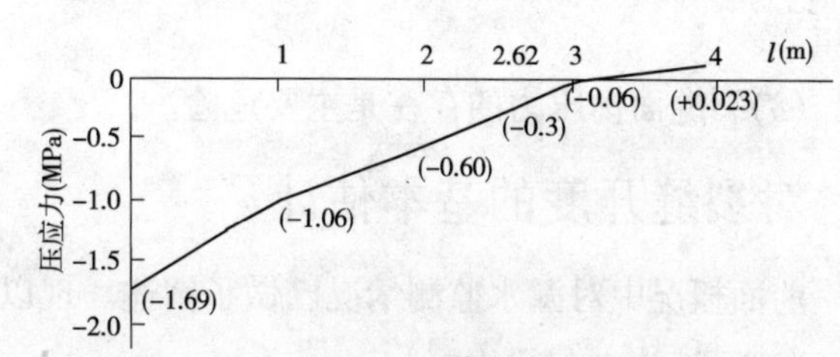


**图3 197m高程上游面压应力分布区**

## 1.3 197m以上坝体的稳定分析

根据《混凝土重力坝设计规范》(SDJ21—78)按下列公式计算197.0m高程以上坝体的抗滑稳定安全系数:

$$K=\frac{f\sum W}{\sum P}$$

(1)对 $f$ 值的取法，潘家口水利枢纽主坝稳定分析报告中，地质推荐 $f$ 值为 0.72～0.75，初步设计报告建议采用 0.7。作为混凝土重力坝抗滑稳定计算的控制断面尚且能取 $f=0.7\sim0.75$，据此推论，作为非控制断面的 197m 高程，混凝土之间的摩擦系数应至少可取 $f=0.7$。

(2)竖向荷载 $\sum W$，参见研究报告三、4、$A$ 和 $B$，在单宽坝段上应增加 69t/m 水压力，弧门前 210m 以上水压力。

(3)水平推力 $\sum P$。参见研究报告三、4、$A$ 和 $B$。抗滑研究稳定安全系数见表 5。

**表 5**

| 荷载组合 | 安全系数 | 无水平缝扬压力 | 计入裂缝扬压力 $\sigma_3=0.9$ |
|---|---|---|---|
| 基本组合① | $K_{基①}$ | 1.43 | 0.88 |
| 特殊组合② | $K_{特②}$ | 0.96 | 0.57 |

由表 5 可见，在同是基本荷载组合①的情况下，坝体 197m 高程出现水平裂缝前后，抗滑稳定安全系数差别较大(降低 38%)。水平裂缝出现前后的扬压力图形分别如图 4(a)和(b)。

从抗滑稳定计算成果与大坝运行实际情况比较来看可以初步得出以下三点结论：

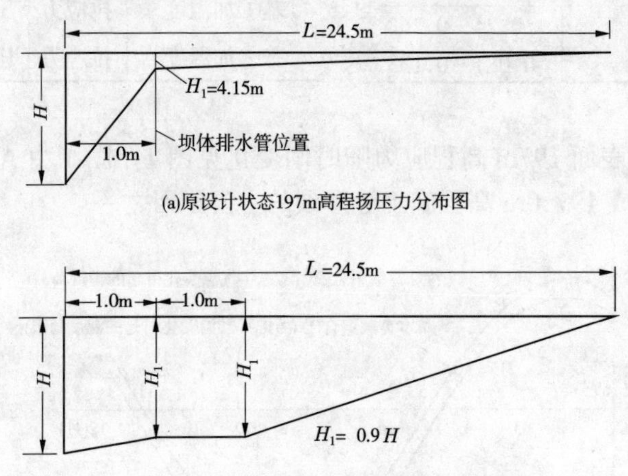


(a)原设计状态197m高程扬压力分布图

(b)坝体在197m高程开裂8m时扬压力分布图

**图 4　41 号坝段 197m 高程扬压力分布图**

(1)在 41 号坝段出现水平裂缝而导致的集中渗漏以后，4 年连续冬季高水位运行，水位达224.7m 到 225.0m，坝顶水平位移与垂直位移观测未反映出任何异常。说明基本组合①的有裂缝情况计算是偏于保守的(忽略了坝顶以上永久设备自重，摩擦系数 $f$ 取值偏低)。

(2)在计算值 $K_{基①}=0.88$ 情况下仍然保持高水位运行是冒险的，万一遇到 8 度地震，后果不堪设想。

(3)裂缝面扬压力的存在是主要危险。

## 2　对裂缝开度的基本估计

前面概况中对漏水监测情况已做了阐述。现以最大漏水量估算裂缝最大开度。

漏水量：$W=Q\cdot t\ (\mathrm{m}^3)$

流量：$Q_{出}=v_2\cdot A_2(\mathrm{m}^3/\mathrm{s})$

$Q_{入}=v_1\cdot A_1(\mathrm{m}^3/\mathrm{s})$

水头：$H=\dfrac{\alpha v_2^2}{2g}(\mathrm{m})$，令 $\alpha=1$

则：　$v_2=\sqrt{2gH}\ (\mathrm{m/s})$

出口断面:$A_2=\pi\cdot D\cdot n\cdot F\ (m^2)$

入口断面:$A_1=L\cdot F(m^2)$

式中:$W$——最大排水量,$258m^3/d$;

$H$——197m 裂缝以上水头,$H=222-197=25(m)$;

$D$——坝体排水管直径,20cm;

$n$——排水管数,$n=6$;

$L$——坝段全长,$L=18m$;

$F$——裂缝的平均开度。

计算得:$v_2=22.14m/s$

$v_1=4.605m/s$

$F=0.036mm$

值得指出的是:①裂缝漏水分散,例如部分水量从坝段两侧的横缝检查井排出,无法测量,另外,也有不同高程的少量坝体排水混入,所以排水量测值难以精确。②裂缝细微,且缝面粗糙,水流阻力难以考虑。简单地用短管恒定流公式计算过流断面,势必带入较大误差。③裂缝的产生是受坝体内外温差作用的结果,因此裂缝每年张开的初期应是外大内小,总之,以上对裂缝开度的估算只具有一定量级的参考价值。

## 3 对裂缝扩展问题的考虑

研究报告指出,在基本荷载组合①温度荷载和缝面扬压力(缝面上作用全水头)共同作用下,在缝端将产生 0.118MPa 拉应力,裂缝扩展的可能性较小。在特殊荷载组合②温度荷载和缝面扬压力作用下,裂缝端部的拉应力达 0.654MPa,裂缝可能会进一步扩展。可见,冬季高水位运行遇 8 度地震是最危险情况。而人为能够改善的因素只有降低冬季运行水位;或通过一定的工程方法阻塞裂缝前端进水,消除缝面上的扬压力;同时也可考虑缝端上游的锚固措施。遇上述危险情况时锚固构件承受拉力而不向缝端传递。

## 4 处理措施讨论

从混凝土重力坝工作原理考虑,首先应恢复 41 号坝段的整体性、抗渗性和稳定性。因此,采用以下锚固、排水、化学灌浆三合一的处理方法可能简单、经济、可靠地达到这一目标。具体做法如下(见图 5)。

### 4.1 锚固

202m 廊道与 185m 廊道中心线同为 TK5m,197m 高程水平缝夹于两层廊道之间。现考虑在廊道中心线上游附近打一排孔,共 18 孔(如图 5 中⑤),用钢丝绳做锚索将 185m 廊道拱顶(187.8m)与 202m 廊道底板锚固在一起,每孔内锚索施加拉力 50t,即造成每单宽坝段增加锚固压力 50t/m。

锚固的具体措施将另行设计。同时应考虑一定的观测措施,如锚索测力计,裂缝附近的温度与渗压观测等,以便施工时控制加力和投入运行后观测渗压、坝体温度和钢丝绳拉力变化,为重力坝水平缝处理积累完整的资料。

锚固施工宜在灌浆之前进行,建议在 10 月底前完成为好,以便有一段时间观察钢丝绳应力变化。

### 4.2 增设排水孔

为确保 197m 缝面在施工期和运行期不出现较大扬压力,在 202m 廊道下游向 185m 廊道打一排排水孔(9 个),孔径 89mm(如图 5 中④)。

排水孔应与锚固孔同时施工。可以利用排水孔观察和限制坝体上游侧灌浆的扩散范围。

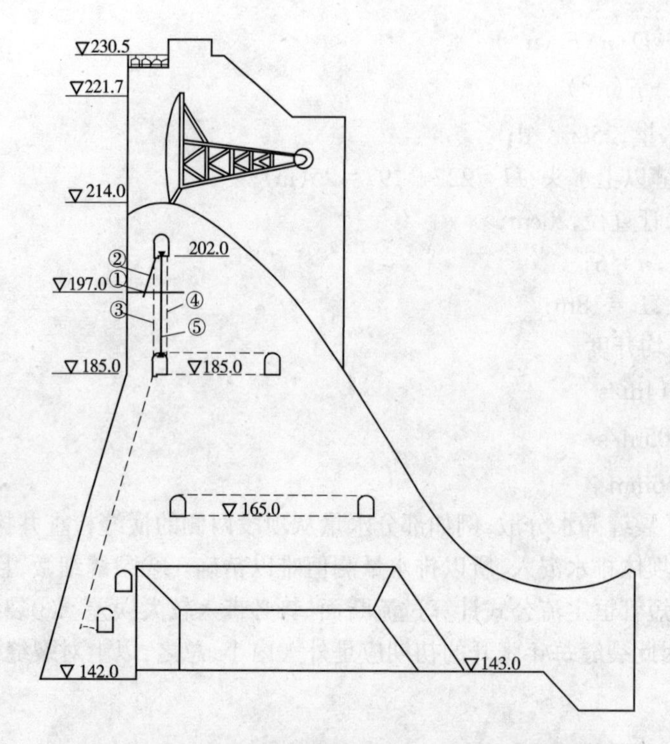


**图5　41号坝段197m高程上游水平裂缝处理示意图**

①水平裂缝，贯穿坝段全长18m，深入坝内8m；②灌浆孔，5个；
③坝体排水孔，6个 $\phi$20cm；④机钻排水孔，9个 $\phi$8.9cm；⑤锚固索，18个，50t/个

### 4.3　灌浆

根据裂缝开度的估算情况，灌浆材料以选择化学浆材为宜。浆材应与混凝土结合良好，固结后密实，能够承受至少1.69MPa以上的允许压应力和1.38MPa以上的允许拉应力(参见图5中②)。

灌浆孔斜向上游，如图5中②，考虑浆液扩散半径为3.0m才能将上游裂缝充填饱满，拟共布设灌浆孔5个，其中3个利用检查孔，各相邻孔之间最大距离为3.30m。

灌浆前必须将6个坝体排水管与裂缝相交段封堵，防止漏浆，施工完毕后清除堵塞体，恢复排水管畅通。

灌浆前还需将锚索孔用特种砂浆回填密实，一是防止漏浆，二是防止锚索锈蚀。

坝体上游面水平缝无须止浆。

灌浆时间宜选在12～翌年2月进行。这时坝体表面裂缝开始张开，坝体内部温度较高，裂缝一定深度以内尚处于受压闭合状态。此时灌浆有利于浆液向上游扩散，从而产生以浆驱水、维持浆液压力和达到充填饱满的效果。

建议5个灌浆孔同时灌浆。灌浆压力可控制在2～2.5倍的坝前水压力，或根据灌浆时的具体情况临时研究确定。

## 5　处理后的抗滑稳定安全系数与缝端应力

### 5.1　抗滑稳定安全系数

按上述方案处理完毕后，坝体扬压力恢复或小于设计扬压力(因设第二道排水孔)，且单宽坝段增加了50t/m锚固力，因此197m高程的抗滑稳定安全系数应为：

基本荷载组合①：

$$K_{基①}=\frac{f\sum W}{\sum P}=\frac{0.7(824.27-106+69+50)}{383.6}=1.53$$

特殊荷载组合②:

$$K_{特②}=\frac{f\sum W}{\sum P}=\frac{0.7(824.27-106-36.9+69+50)}{383.6+106.4+55.2}=1.027$$

可见单宽坝段增加50t/m锚固力并消除缝面扬压力以后,已满足规定的安全系数值。

### 5.2 缝端应力

研究报告已经指出,只有在计入温度荷载和缝面与全水头扬压力作用时,8m缝端才产生一定的拉应力(0.118MPa和0.654MPa)。而且后一种情况是遇8度地震的计算值,这种情况出现的几率相当地小。

经过上述处理,缝面全水头扬压力已经消除,另有锚索的加压作用,坝段整体性已被恢复,故原来的缝端应力状态问题也不复存在。

## 6 结 语

(1)41号坝段197m水平裂缝恰是施工浇筑层面,其张开的原因是:①层面施工间歇时间长,又加之处理方法欠妥,造成新老混凝土之间结合不良,抗拉强度低于其他水平层;②按材料力学法设计时,坝体上游面附近没有拉应力产生。但计入温度变化荷载后,坝体水平截面的正应力$\sigma_y$会随着坝体内外温差的变化而产生重分布,即在气温低时,坝体内部温度较高,坝体产生内胀外缩的现象,压应力向坝内转移。再加上上游一定水推力作用,便在坝体上游面一定范围产生拉应力。当坝体内外温差相反时,则坝体表面压应力增大。这也正是197m水平缝能够自行张开和闭合的原因。

(2)加锚索的主要目的:①防止197m水平缝在某种特定荷载组合作用下继续扩展;②增加197m水平缝上的压应力,使197m以上坝体稳定满足规范要求。

(3)控制灌浆范围的目的:①补偿混凝土的局部收缩,恢复坝段整体性,防止集中渗漏;②使产生一定的压应力集中,即增加坝体上游面附近的压应力,防止裂缝处产生温度拉应力而重新张开;③有利于锚索作用的发挥。

(4)此方案施工全在大坝廊道内进行,简便,安全,不影响水库正常运行,施工质量易于保障。

## 参 考 文 献

[1] 徐宏宇.混凝土重力坝横缝观测与纵向变形分析.水利水电工程,1993(4)

# 松山堆石坝面板混凝土裂缝成因调查与分析

梁　龙　黄如卉　韩会生　王德库

（水利部东北勘测设计院科学研究院，长春　130061）

**摘　要**：松山面板堆石坝位于吉林省抚松县境内，2001 年在清除坝面保温材料时，发现 $B_{14}$ ~ $B_{18}$ 块面板出现严重的破坏，局部混凝土表层破损，钢筋外露；周边缝有水流外淌，面板与趾板间有较大错位等现象，如此严重的破坏在面板混凝土中是不多见的。调查发现，破坏的主要原因是坝体内存有积水，由于冬季得不到排放导致冰水冻胀，最终将面板鼓起造成其破坏。

松山混凝土面板堆石坝位于吉林省抚松县境内。大坝于 1999 年 5 月从基础高程 633m 开始填筑，年末填至 666m 高程，2000 年末填筑到顶。至 2000 年 10 月 18 日完成高 669m 以下、编号为 $B_6$ ~ $B_{20}$ 的 15 块一期混凝土面板，每块面板宽 12m，板厚 0.5m。入冬前对这部分面板和全部趾板进行了保温覆盖。2001 年 5 月 4 日在清除面板保温材料时，发现 $B_{14}$ ~ $B_{18}$ 块面板出现多条裂缝，局部混凝土表层破损严重；周边缝也有水流从坝内流出；面板与趾板间有较大错位等现象。

为探明其破坏原因，尤其是为以后的修补施工提供必要的技术依据，对松山面板堆石坝混凝土面板破坏情况进行了详细的调查和成因分析。

## 1　调查内容

（1）测试范围。所有已浇筑的趾板和一期面板，重点在 $B_{14}$ ~ $B_{17}$ 面板。

（2）外形检测。观测与设计尺寸变位情况，包括裂缝分布范围、裂缝长度、宽度、深度（是否贯通）及面板的鼓起情况。对深度超过 1/2 板厚的裂缝，尚需测裂缝与面板垂直方向的夹角。不同高程裂缝漏水情况。

（3）测试周边缝、垂直缝变位和止水破坏情况。

（4）混凝土面板指标测试。在 $B_{14}$ ~ $B_{17}$ 面板采用现场钻孔取混凝土芯样（直径 100mm、深度 1/2 板厚），测试其强度、抗冻标号、抗渗标号。在 $B_{13}$ 或 $B_{18}$ 面板与 $B_{14}$ ~ $B_{17}$ 面板取芯部位相对应处钻取混凝土芯样测试，作为分析比较参数。其他板块视具体情况确定取芯位置。

（5）面板与垫层间空腔检测。检测面板与垫层间是否有空腔及空腔分布状况；面板下小区料、垫层的状况。重点测试趾板和面板发生较大错位区域。

（6）坝内、外水位观测。观测坝内水位和坝外上、下游水位。

（7）观测位于 $B_{14}$ ~ $B_{17}$ 面板的施工排水管的排水量。

（8）调查大坝趾板和面板的施工条件（气温、混凝土浇筑温度等）、保湿养护和冬季施工及保温养护情况。

（9）面板破坏情况及成因分析。

本文原载《混凝土》2002 年第 2～3 期。

# 2 测试仪器及检测方法

## 2.1 裂缝观测

依据不同测试精度要求,采用米尺对裂缝长度及各裂缝所处的相对位置进行测量,对裂缝宽度的测量则采用了放大镜。

裂缝深度测试,采用了美国捷姆斯仪器公司生产的混凝土超声波测定仪和钢筋扫描仪。前者系利用超声波绕过裂缝末端的传播时间来计算出裂缝深度,后者是利用仪器产生的磁场并测量由磁性材料的存在而引起该磁场的如何变化,从而确定钢筋距离仪器底部的距离和位置。混凝土超声波测定仪和钢筋扫描仪的配套使用可有效剔除混凝土内部钢筋的影响,使混凝土内缺陷的测量更加准确可靠。

## 2.2 混凝土性能和破坏状况观测

面板混凝土力学性能、耐久性能以及面板鼓起情况、空腔、周边缝和板间缝止水破坏情况的测试,采用了钻孔取芯的方法,即从现场钻取芯样,而后根据不同的试验要求加工成标准试件进行检测。钻芯机系意大利生产,型号为 20063 CERNUSCOS,最大钻取深度 2m,钻头直径 10cm。

# 3 面板及趾板破坏状况

## 3.1 面板裂缝范围

### 3.1.1 面板裂缝的分布

经过对已浇筑面板的检测发现,裂缝主要集中在 $B_{14}$～$B_{17}$ 面板,$B_{18}$ 面板只有一条裂缝。各面板裂缝的分布数量分别为:$B_{14}$ 面板 24 条裂缝,$B_{15}$ 面板 104 条裂缝,$B_{16}$ 面板 71 条裂缝,$B_{17}$ 面板 89 条裂缝,$B_{18}$ 面板 1 条裂缝,总计裂缝数为 289 条。

这些裂缝均集中分布在 635～642m 高程范围之内,裂缝长度几乎横跨整个面板。$B_{14}$～$B_{17}$ 每块面板的裂缝分布见照片 1～4。

照片 1 $B_{14}$ 面板裂缝分布图

照片 2 $B_{15}$ 面板裂缝分布图

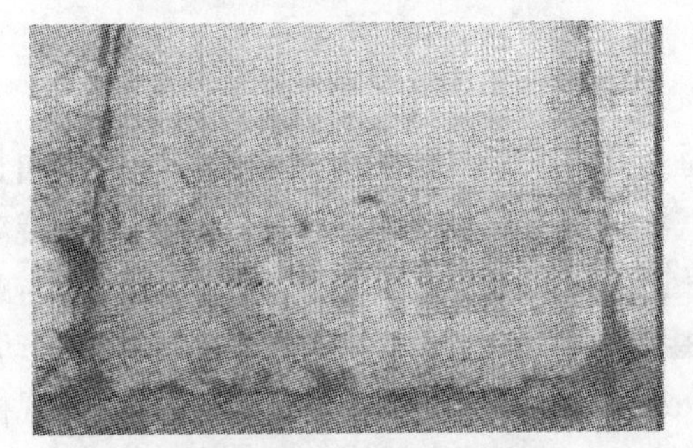

照片 3 $B_{16}$ 面板裂缝分布图

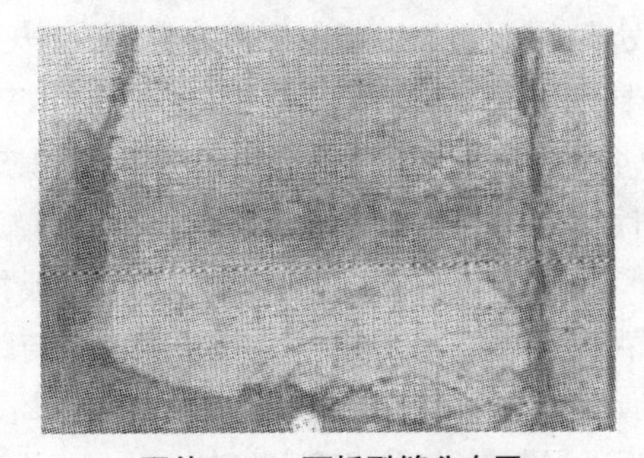

照片 4 $B_{17}$ 面板裂缝分布图

### 3.1.2 $B_{14}$～$B_{17}$ 混凝土面板破损情况及裂缝走向描述

$B_{14}$～$B_{17}$ 混凝土面板破损情况见照片 5～8。

$B_{14}$～$B_{17}$混凝土面板破损情况及裂缝走向描述如下：

(1)$B_{14}$面板。裂缝分布的规律性很强，呈环状向面板左下方叠加，裂缝数较少，右上方面板基本无裂缝，在面板中间、高程为636.5m的位置处有一个排水管，全天24小时排水，水流畅通，趾板中部位置混凝土表皮出现剥落。

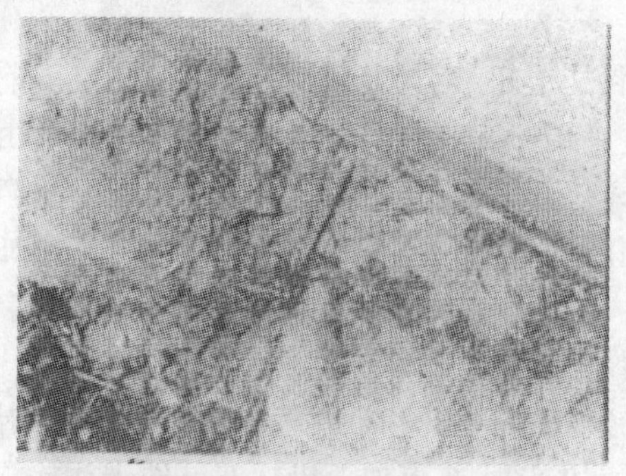

照片5 趾板表层剥落，趾板内钢筋外露

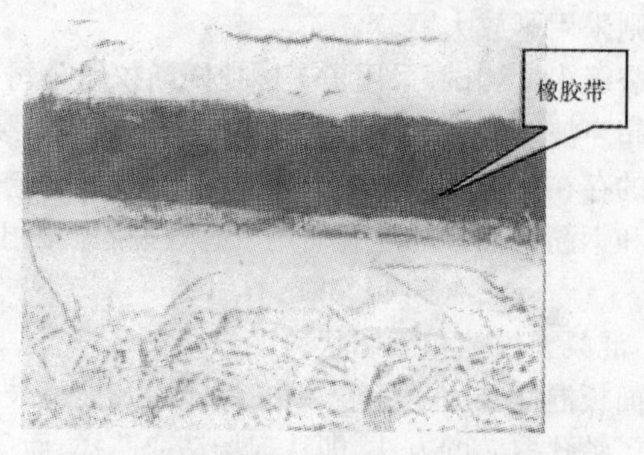


照片6 面板抬起高于趾板，止水橡胶带外露

照片7 $B_{16}$面板与趾板接缝处有泉涌

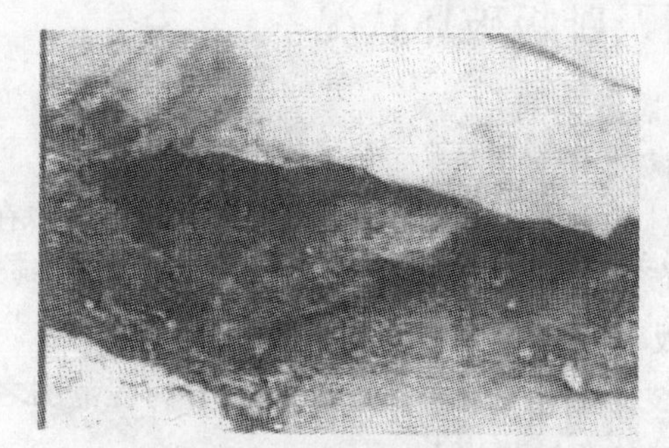

照片8 $B_{17}$面板右下角混凝土分层破坏

(2)$B_{15}$面板。裂缝大致分布在高程642m以下、总长约7m的区间内，以横跨整个面板的斜长缝居多。面板左下方破损严重，在宽0.6m、长5m的范围内混凝土出现大块剥落现象，在与$B_{16}$面板接缝约0.5m处，有水流从面板与趾板间涌出。在距$B_{16}$面板板间缝2.8m、高程635.2m处的排水管已堵死，趾板顶部严重脱落，趾板内钢筋外露(详见照片5)，面板与趾板错位的程度自左向右逐渐减小，从整个面板的裂缝分布来看较有规律，从右上方向左下方呈圆弧状层层叠加。

(3)$B_{16}$面板。裂缝大致分布在高程640.5m以下总长约5m的区间内，横跨面板的长裂缝较多，各缝间成网状交联，裂缝分布较有规律，自左上方向右下方呈圆弧状叠加。面板与趾板的接触面发生分离，错位最大距离约0.2m。连接面板与趾板的止水橡胶带外露(详见照片6)。面板右下角与趾板交接处有水流涌出，面板左侧距离$B_{17}$面板接缝约4m的地方亦有水流(详见照片7)，说明此处的橡胶止水带已经断裂。

(4)$B_{17}$面板。裂缝大致分布在高程642.5m以下总长约7m的区间内，存在横跨面板的横向长裂缝，面板右下角的裂缝呈现出较有规律的圆弧状，并有叠加的趋势。接近趾板右下角的区域内混凝土出现严重的分层破坏(详见照片8)。与面板相接处的趾板混凝土表层剥落，钢筋外露。面板与趾板发生错位，面板上抬，其位移约10cm，面板与趾板的衔接处有宽约0.3m的错缝，用手试探有风动感，证明面板底部有空腔。在高程635.1m，距$B_{16}$面板2.9m处的趾板与面板接缝处骑缝钻孔，发现橡胶止水带已经断裂，错位0.8m左右。

### 3.1.3 裂缝与面板垂直方向夹角

检测发现，裂缝与面板垂直方向之夹角的分布较有规律，在面板破损区域的下半部分，以斜裂缝为主,裂缝与面板垂直方向之夹角为30°左右(详见照片9)。在高程636~640m的范围内,裂缝逐渐与面板方向垂直,即,裂缝与面板板面约成90°(详见照片10)。根据裂缝与面板垂直方向夹角的变化特点,认为面板是在弯矩和剪力的共同作用下开裂的,因为只有在弯剪共同作用之下,混凝土的开裂才具有如上的特点。

照片9 面板上的斜裂缝

照片10 面板上的垂直裂缝

### 3.2 裂缝长度、宽度与深度

对$B_{14}$~$B_{18}$面板上的所有裂缝均进行了长度和宽度测量。裂缝深度则取数条长度及宽度都较大的裂缝进行选测,具体测点数目依据缝长来确定,测点间距按缝长从左向右依序平均分配。

各面板选作深度测量的缝数分别为:$B_{14}$面板10条,测点30个;$B_{15}$面板13条,测点47个;$B_{16}$面板10条,测点40个;$B_{17}$面板10条,测点32个;$B_{18}$面板1条,测点3个。

从各面板裂缝深度、长度和宽度的测量结果可以看出:

(1)$B_{14}$面板裂缝最深50.0cm,最浅18.8cm,平均裂缝深度达35.7cm;缝宽最宽为1.0mm,最窄为0.1mm,平均裂缝宽度为0.3mm;缝长最长为11.2m,最短为0.5m。

(2)$B_{15}$面板裂缝最深50.0cm,最浅13.0cm,平均裂缝深度达31.3cm;缝宽最宽为15.0mm,最窄为0.1mm,平均裂缝宽度为1.2mm;缝长最长为12.5m,最短为0.2m。

(3)$B_{16}$面板裂缝最深50.0cm,最浅12.5cm,平均裂缝深度达30.8cm;缝宽最宽为20.0mm,最窄为0.1mm,平均裂缝宽度为1.2mm;缝长最长为12.5m,最短为02m。

(4)$B_{17}$面板裂缝最深50.0cm,最浅18.8cm,平均裂缝深度达35.7cm;缝宽最宽为20mm,最窄为0.1mm,平均裂缝宽度为1.5mm;缝长最长为8.2m,最短为0.1m。

(5)$B_{18}$面板裂缝最深23.2cm,最浅10.1cm,平均裂缝深度达15.4cm。

### 3.3 面板空腔分布范围及周边缝和垂直缝的止水结构破坏情况

检测发现,$B_{14}$~$B_{17}$面板明显隆起。为验证面板与趾板间、面板与面板间止水结构是否受损,将钻芯取样机于面板与趾板的接缝处,面板与面板接缝处骑缝下钻,并在面板明显隆起部位将面板沿垂向钻透,以检查空腔范围及空腔深度。

面板隆起空腔深度是指面板隆起脱离面板垫层的高度。其测量范围及测点分布见图1和图2。测量结果见表1。

检测结果表明,面板的空腔主要分布在644m以下,$B_{14}$~$B_{17}$面板之间。空腔深度较大的区域处于:纵向636~640m之间,横向$B_{15}$~$B_{16}$面板之间。面板空腔和面板与趾板的错位说明,面板确有在外力作用下"鼓起"的趋势,止水橡胶带的断裂也正是由面板与趾板的错位所产生的。

周边缝(面板与趾板接缝)骑缝钻取止水结构的芯样,检测的部位及结果见表2,止水橡胶带断裂情况见照片11。

对测点14—5和测点15—5芯样的检测还发现,面板间的接缝处之下部虽仍有空腔,面板发生上抬,但由于相邻两板之间未发生相对位移,故此处面板混凝土垂直缝(面板与面板之间的接缝)的止水结构未受破坏,其止水铜片和止水橡胶带完整。据此不难推断,在目前面板隆起程度之情况下,如两板间不发生相对位移,则垂直缝之止水结构就不易破坏。垂直缝处止水铜片和止水橡胶带的芯样见照片 12。

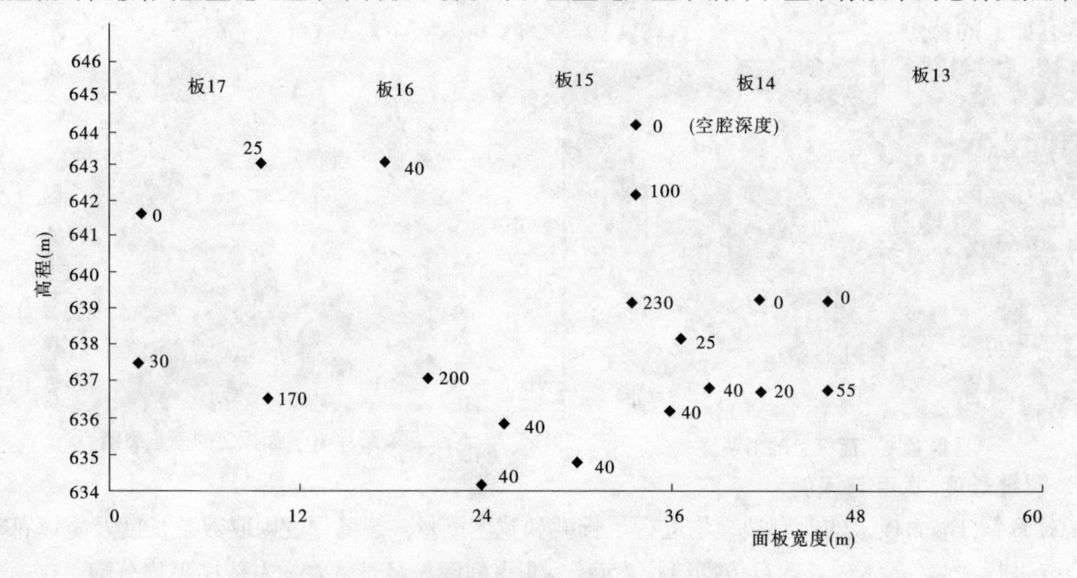


**图 1 面板空腔测点分布图**(空腔深度:mm)

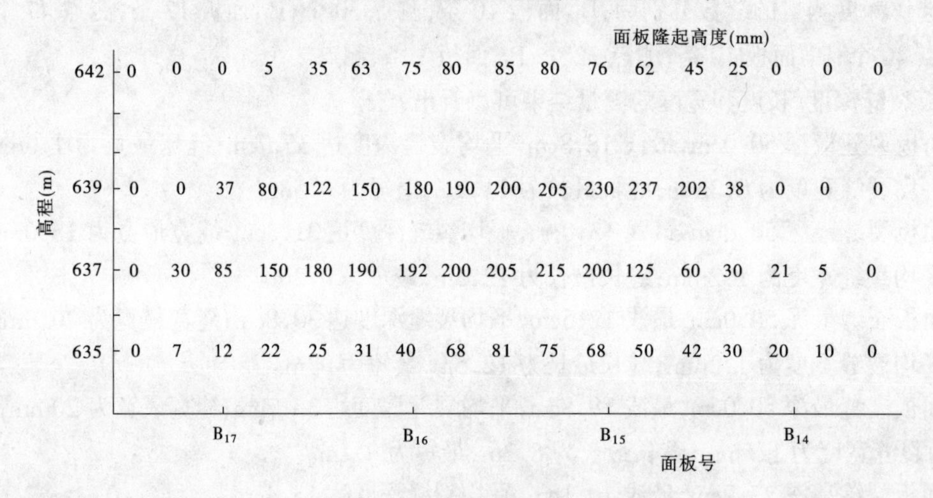


**图 2 面板空腔范围与隆起高度**(单位:mm)

**表 1 各测点空腔深度**

| 面板号-序号 | 测点 | | 空腔深度 | 面板号-序号 | 测点 | | 空腔深度 |
|---|---|---|---|---|---|---|---|
| | 距离(m) | 高程(m) | (mm) | | 距离(m) | 高程(m) | (mm) |
| 14-1 | 10.2 | 636.5 | 20 | 15-4 | 6.0 | 634.6 | 40 |
| 14-2 | 10.3 | 639.0 | 0 | 15-5 | 0 | 634.0 | 40 |
| 14-3 | 6.0 | 639.0 | 0 | 15-6 | 1.5 | 635.7 | 40 |
| 14-4 | 6.0 | 636.5 | 55 | 16-1 | 6.0 | 643.0 | 40 |
| 14-5 | 0 | 636.0 | 40 | 16-2 | 8.6 | 637.0 | 200 |
| 14-6 | 0.8 | 638.0 | 25 | 17-1 | 2.0 | 641.6 | 0 |
| 14-7 | 2.6 | 636.6 | 40 | 17-2 | 1.3 | 637.5 | 30 |
| 15-1 | 9.7 | 639.0 | 230 | 17-3 | 9.8 | 643.0 | 25 |
| 15-2 | 10.2 | 642.0 | 100 | 17-4 | 10.2 | 636.4 | 170 |
| 15-3 | 10.2 | 644.0 | 0 | | | | |

**注:**测点距离以每块面板的左边缝为零点算起。

表 2 周边缝止水结构检测

| 检测部位 | 测点坐标 | 检测结果 |
| --- | --- | --- |
| $B_{17}$面板 | 高程 635.1m,距 $B_{16}$板间缝 2.9m | 胶带断裂,置于面板内的橡胶带与置于趾板内的橡胶带错位 8.0cm |
| $B_{16}$面板 | 高程 634.8m,距 $B_{17}$板间缝 1.05m | 胶带断裂,置于面板内的橡胶带与置于趾板内的橡胶带错位 20.0cm |
| $B_{15}$面板 | 高程 634.2m,距 $B_{16}$板间缝 5.3m | 胶带未断裂 |

照片 11 $B_{17}$面板周边缝止水橡胶带

照片 12 垂直缝处止水铜片和止水橡胶带取芯样品

### 3.4 面板漏水检测

通过对 $B_{14}$~$B_{17}$面板的检测发现,只有 $B_{15}$和 $B_{16}$面板与趾板接缝处漏水,其高程在 635m 附近。其他部位的面板裂缝处均无漏水现象。

### 3.5 坝内外水位观测

根据松江河监理处提供的资料,松山大坝河床段 $B_{14}$~$B_{17}$坝块处的坝基分布深约 12m 的砂砾石层,按设计要求沿 645m 向下开挖至 633m 的趾板处,处理范围为沿上下游方向共长 65m、深 12m,并将其作为坝体填筑。

由于坝基开挖了 12m,加之坝基右侧导流洞出口底板为 640m,同时坝基的砂砾石层又与导流洞出口相通,开挖形成的高度差,造成出口河水由砂砾石透水层经围堰下部反渗至坝基上游,因此在施工期间被迫采取在坝体内设浆砌挡墙积水,同时又在 636.48m 处 $B_{14}$面板内设置一根直径为 159mm、长为 30m 的钢管引流到上游坝外基坑,并在 635.32m 的 $B_{15}$面板内设置一竖向花管,其作用是排出趾板后坝内较低部位的水。

坝内积水主要由安插于 $B_{14}$面板上的排水管排出。根据 $B_{14}$面板排水管的排水情况和排水量发现,坝内水位如果低于排水管的话,那么水就无法从排水管中排出。根据坝体剖面图分析,$B_{14}$~$B_{17}$的坝基基础为“U”形槽,槽底在 $B_{15}$和 $B_{16}$之间,因此根据水流特性及挡水墙的阻水作用,坝内积水水位线至少应在 $B_{14}$面板的排水管处,即 636.48m。

大坝上游基坑排水从基础施工开始一直进行,整个施工期间大坝上游无积水,2000 年冬季基坑停止排水,基坑中冰面最高达 642.45m(施工单位观测)。

### 3.6 $H_{14}$、$H_{15}$面板施工排水管的排水量检测

置于 $B_{15}$面板的排水管为一竖向花管,位置为 635.32m,距 $B_{16}$面板板间缝 2.1m 处,检测发现该排水管道已被堵死,见照片 13。置于 $B_{14}$面板的排水管为 $\phi$159mm 的钢管,其位置为 636.48m,距 $B_{13}$面板板间缝 3.8m,见照片 14,目前平均排水量为 1.67kg/s。

照片 13　$B_{15}$面板排水管

照片 14　$B_{14}$面板排水管

## 4　面板混凝土施工质量检测

为考察面板混凝土各项力学性能,以便对面板破坏进行成因分析,进行了面板混凝土芯样的抗压强度、抗剪强度、劈裂抗拉强度、轴向拉伸强度以及抗渗、冻融性试验。

检测结果表明,混凝土强度测值离散性较大,$B_{14}$、$B_{15}$、$B_{16}$面板的平均抗压强度值达到设计强度等级,$B_{13}$面板和$B_{17}$面板未能达到设计强度等级;轴向抗拉试验中发现个别混凝土芯样存在有蜂窝孔洞。混凝土劈裂抗拉强度也是$B_{14}$、$B_{15}$、$B_{16}$面板的抗拉强度高于$B_{13}$、$B_{17}$面板的抗拉强度,符合抗拉强度为抗压强度的1/10～1/12的普遍规律;由于混凝土剪断面的骨料大小不等,起伏差变化很大,使得个别混凝土芯样在高法向应力下的剪切应力值低于低法向应力下的剪切应力值的反常现象,因此每块面板的摩擦系数$\tan\varphi$和黏聚力$C$值变化无规律;所取的混凝土芯样抗渗标号达到设计技术要求;混凝土芯样冻融试验,因采用的芯样尺寸非《水工混凝土试验操作规程》中所规定的尺寸要求,同时也没有查寻到有关的混凝土芯样冻融试验的参考资料,故所测得的相对动弹性模数值仅供参考,而将冻融质量损失率作为主要评定指标,从表3看出,$B_{14}$、$B_{15}$、$B_{17}$面板混凝土冻融75次时冻融质量损失率皆超过5%。

## 5　施工期的气温

为有助于全面分析面板破坏成因,收集了一些有关现场施工条件的资料,根据施工现场提供的施工资料,施工期的最低气温出现在2000年1月15日,达到－38.4℃,松山大坝坝址地区自1959年至2001年的43年最低气温为1970年1月上旬的－40.5℃,次低温为1963年1月上旬和1977年1月上旬的－38.9℃。因此,此次松江河地区的负温情况在近几十年中是较为少见的。

## 6　坝体变形

在大坝0＋130断面(最大坝高断面)埋设有水管式沉降仪,测得的坝体最大沉降量为40cm,根据坝体最大沉降量换算,产生裂缝的面板部位的坝体最大沉降量为2cm。大坝从1999年5月即开始填筑,2000年底之前已填筑到顶,故可以认为这部分的沉降在混凝土面板浇筑前已经基本完成。可以排除坝体沉降对混凝土面板产生的破坏。

## 7　大坝面板破坏成因分析

检测结果表明:面板裂缝无论从其分布范围及数量、形状、深度、宽度、长度或裂隙走向等都十分有规律。为了探明面板破坏产生的原因,为后期的修补施工提供技术依据,结合对松山混凝土面板破坏的调查结果和目前所掌握的资料,就影响混凝土破坏的主要因素进行了分析比较,以期找到其主要破坏根源。

造成混凝土破坏的原因很多,目前就混凝土破坏的成因,一般有以下几种主要的破坏方式。

**7.1 混凝土拌和物凝结前的沉降破坏**

这种破坏主要发生在大流动性混凝土,因为大流动性混凝土在初凝前拌和物中的粗骨料易于在自身质量的作用下缓慢下沉,对于钢筋混凝土而言这种下沉是非均匀的,因此在钢筋上表面沿着钢筋的走向容易产生裂缝。但根据松山面板混凝土施工配合比可知,该混凝土不属于大流动性混凝土,而且就裂缝的分布特点来看,与面板混凝土内钢筋走向没有丝毫联系。因此,这不是使面板混凝土产生裂缝的首要原因。

**7.2 混凝土温度应力裂缝**

混凝土拌和物内的水泥在水化时,要产生大量的水化热,当混凝土内外温差超过一定限度时,混凝土构件在外部约束的作用下拉应力小于混凝土的热胀应力,便会产生温度应力裂缝。这种裂缝主要出现在大体积混凝土或在冬期施工的混凝土。

这一特点看似符合松山面板混凝土施工情况,但对整个面板来说,如混凝土早期干缩作用机理类似,温度应力的作用也大致应均匀,但松山面板的裂缝主要集中在高程635~642m之间,可见温度应力对面板不足以产生如此密集的破坏。

**7.3 早期混凝土干缩裂缝**

混凝土拌和物在振捣完毕后,拌和物内部的水分一部分泌出流失,一部分被水泥水化所用,另一部分被蒸发。在干热风大的环境下混凝土拌和物会出现失水,如果混凝土中用水量增加,水灰比增大,那么毛细管孔隙就增多,混凝土在干燥失水过程中,这些毛细管产生很大的毛细管张力,混凝土产生体积收缩导致干缩裂缝。特点:这种裂缝出现时间较早,多在混凝土表面出现,形状不规则,长短宽窄不一,呈龟裂状。

通过与现场调查的结果比较发现,此次面板混凝土的开裂裂缝宽度大,最大达到20mm,裂缝分布较有规律。因此,由于混凝土的干缩所产生裂缝的可能性是不存在的。

**7.4 混凝土冻害裂缝**

这种裂缝一般分两种情况:一种是混凝土在凝结之后但未达到要求的强度时发生冻结,与结冰相联系的膨胀将引起混凝土破裂并造成不可恢复的强度损失;另一种是交替冻融对硬化混凝土的破坏,这种破坏是由两种膨胀压力源引起的,第一种是水结成冰体积增长9%,以致孔隙中的过量水被排出,产生挤水压力,第二种是由于水的扩散产生的。由于冻害造成的混凝土破坏特点是先从裸露的混凝土表面开始逐渐深入到内部,从表面剥落到全部瓦解。

但是通过现场调查却发现面板混凝土表层并没有出现剥离发酥现象,混凝土表层的坚固性好,没有冻蚀痕迹,而且通过调查数据(表3和表4)我们还发现$B_{13}$面板混凝土施工期的温度比$B_{15}$面板高,经过一个冬季冻融循环,取芯检测发现,$B_{13}$面板强度没有$B_{15}$面板高,但$B_{13}$面板却没有裂缝,说明在同一冻融条件下,强度的高低并不是造成混凝土破坏的直接因素,因此冻融所产生的强度损失并非面板产生裂缝的真正原因。

对面板裂缝的检测结果发现,无论从裂缝分布范围,裂缝数量,裂缝形状,裂缝深、宽、长度或裂隙的走向等都与面板底部的空腔有很大关系,比较照片1~4与图2,会发现面板底部空腔的分布范围与面板表面裂缝的分布范围相一致。因此,混凝土面板底部的空腔是造成此次面板破坏的关键。

对于混凝土面板底部空腔的来源无外乎两种方式:一种是坝基的不均匀沉降引起的;一种是面板受到外力作用向上鼓起。

埋设在高程674m的大坝沉降仪测得的坝体沉降量最大为40cm,不到坝高的0.5%,根据坝体的最大沉降量换算,产生裂缝的面板部位的坝体的最大沉降量为2cm,因此坝基的不均匀沉降不足以造成面板内空腔的形成。

表 3 混凝土芯样抗冻、抗渗试验结果

| 试验面板编号 | 冻融次数 | 质量损失率(%) | 相对动弹性模数(%) | 抗渗等级 |
|---|---|---|---|---|
| $B_{13}$ | 50 | 0.2 | 54.8 | $W_8$ |
| | 75 | 1.8 | 44.8 | |
| $B_{14}$ | 50 | 5.9 | 49.8 | $W_8$ |
| | 75 | 5.2 | 20.8 | |
| $B_{15}$ | 50 | 1.4 | 57.2 | $W_8$ |
| | 75 | 6.2 | 24.7 | |
| $B_{16}$ | 50 | 1.0 | 59.5 | $W_8$ |
| | 75 | 2.2 | 39.7 | |
| $B_{17}$ | 50 | 3.8 | 46.7 | $W_8$ |
| | 75 | 9.1 | 22.5 | |

表 4 混凝土芯样力学试验结果

| 试验面板编号 | 平均抗压强度(MPa) | 抗剪强度(MPa) | 平均劈裂抗拉强度(MPa) |
|---|---|---|---|
| $B_{13}$ | 23.8 | 1.41 | 2.41 |
| $B_{14}$ | 30.2 | 1.93 | 2.80 |
| $B_{15}$ | 36.0 | 2.75 | 2.74 |
| $B_{16}$ | 33.1 | 2.91 | 3.45 |
| $B_{17}$ | 25.6 | 2.04 | 2.25 |

通过对周边缝和垂直缝的检测发现,面板与趾板发生错位,见照片 11,面板与趾板间的止水橡胶带发生断裂,而且面板与趾板的错位形式是面板抬起,高出趾板,见照片 6。所以如果是碾压堆石体不均匀沉降引起趾板与面板的错位,那么趾板与面板的错位方式应该是趾板在上,面板在下,但事实并非如此,因此面板下的空腔就只能是外力的作用所致。

根据施工记录,$B_{14}$～$B_{17}$面板基础开挖深度比其他面板基础深度都大,最深处达 633m 高程,从坝体的剖面图来看,$B_{14}$～$B_{17}$面板基础就形成了以 $B_{16}$ 面板基础为最低点的“U”形槽。在开挖施工过程中还发现,由于该区域地下水位线较高(>633m),因此地下水就会从周围向此处汇集。由于坝基岩石为整体性较好的安山岩和玄武岩,渗水性很差,因此坝体内部就总有积水。根据连通器原理,该积水水位线应与地下水位线相一致。

气温资料显示,2000 年冬季,松江河地区最低气温达到 − 40℃,如此低的温度在当地几十年不遇。2000 年入冬前,停止了大坝基坑排水工作,随着气温逐渐降低,处于 $B_{15}$ 块面板内的排水管(见照片 14)很快被冻住,这样水就在这个“U”形槽内聚集得不到释放并不断结冰膨胀。“U”形槽内的水如同一个膨胀源向周围扩散,随着冰层的缓慢上升和不断膨胀,由于面板对冰水的膨胀起约束作用,因此形成内部的冰水冻层就对面板产生了向上的垂直于面板的冻胀力。并且这股力量不断加大,最终将面板鼓起导致破坏。

虽然面板与趾板发生错位,但它们并未完全脱离开,因此通过对面板的受力分析认为,面板与趾板衔接处可看做是面板受冰水胀力时的约束点,面板的受力模型可看做是一端约束的受弯剪板。其受力特点与受均布荷载作用下的简支梁相似:支座截面(面板与趾板连接处)剪力最大而跨中(面板底部空腔最大位置)弯矩最大,因此其破坏方式是在跨中部位首先出现垂直裂缝,然后向腹部延伸为弯斜裂缝。检测结果发现,松山面板的裂缝形状确实与此相吻合,见照片 9～10。

通过板间缝的钻芯试样发现,$B_{16}$～$B_{17}$面板之间的止水橡胶带并未发生断裂,见照片11,这就说明在这受损坏的四块面板,板与板之间并未发生错位,而且从图1中还可发现,板间缝底部存在空腔,因此这就说明$B_{14}$～$B_{17}$面板在冰水胀力的作用下是以一个整体的方式上抬的,从而进一步证明冰水胀力是导致此次面板破坏的主要原因。

总之,由于面板受力条件是复杂的,破坏方式可能是多种因素共同作用的结果。但从上述分析中可以认为,此次松山面板堆石坝面板裂缝主要是冰水的冻胀引起的。

# 8 几点建议

面板共计发生289条裂缝。此次面板混凝土无论就破坏方式和破坏程度来讲,在面板堆石坝的施工中都是较为罕见的,对于其成因的分析有助于以后避免该情况的发生。修补工作应该就其破坏的实际情况具体实施,有以下几点建议:

(1)从坝体剖面图中可知,坝体内的水位线在高程642m,也就是说,即使完成了面板的修补工作,入冬前坝区如不能正常蓄水,在负温条件下排水管如果被冻住无法排水,那么面板仍然存在被冰水冻胀的隐患,因此做好坝体排水通畅,尤其是做好冬季坝体内的排水通畅是今后要做的首要工作之一。

(2)面板存在贯穿性裂缝,修补工作应从板上和板下两方面着手,其原因是由于裂缝的存在,使水容易进入到混凝土内部,如果裂缝深至钢筋,那么在水的作用下容易引发电化学反应,导致钢筋锈蚀,由于钢筋的锈蚀所导致的膨胀将引发混凝土开裂,这就为以后大坝的正常使用埋下了隐患,因此修补工作除了要做好面板上的修补之外,更要做好面板下的修补。

(3)空腔内的填补材料对于面板下裂缝的修补是一个很好的方法,但是如何做到填补材料与面板混凝土的良好黏结却是这项工作的技术难点,因为新老混凝土之间存在一个界面,如果二者结合得不好,那么在界面处就存在着一个渗水通道,通过这个渗水通道水就容易沿着面板原有裂隙进入混凝土内部,进而引发钢筋锈蚀。因此,填补材料应做到抗渗性好,与混凝土黏结性好。

(4)检测结果发现,面板下空腔深浅不一,由于堆料区粗糙不平,因此灌浆材料的流化性能一定要好,否则较难将面板下所有空腔区填满。

(5)由于地下水的处理不当,在寒冷地区冬季水结冰膨胀导致建筑物冻胀破坏在东北地区较为普遍,因此建议在寒冷地区无论是大坝还是民用建筑设计都应考虑到地下水位的影响,以及做好建筑物越冬的前期准备工作。

# 9 结　论

(1)大坝面板的裂缝主要分布在$B_{14}$～$B_{17}$面板上,$B_{18}$面板上有1条裂缝,$B_{17}$面板有89条裂缝,$B_{16}$面板有71条裂缝,$B_{15}$面板有104条裂缝,$B_{14}$面板存在深达50cm的垂直于面板的贯穿型裂缝,裂缝平均深度都在30cm以上。

(2)通过比较$B_{14}$～$B_{17}$面板裂缝走向,发现裂缝分布较有规律,以$B_{15}$和$B_{16}$面板接缝底部为圆心向周围辐射,裂缝成圆环状有规律叠加。

(3)面板的空腔范围主要分布在高程638～640m之间,横向$B_{15}$～$B_{16}$面板之间,从此位置向周围,空腔深度逐渐递减。

(4)通过对测点14—5和测点15—5芯样的检测发现,面板混凝土垂直缝的止水结构没有破坏,其止水铜片和止水橡胶带完整,但在垂直缝下仍有空腔,说明面板的上抬,板与板之间未发生相对位移。

(5)$B_{16}$面板与趾板连接处的止水橡胶带断裂,橡胶带错位20.0cm,$B_{17}$面板与趾板连接处的止水橡胶带断裂,橡胶带错位8.0cm,$B_{14}$、$B_{15}$面板未发现有止水橡胶带的断裂。

(6)$B_{15}$面板上的排水管已经堵死，$B_{14}$面板的排水管排水量为1.67kg/s。

(7)面板混凝土强度的离散性较大，轴向抗拉试验中发现个别混凝土芯样存在有蜂窝孔洞。根据混凝土的设计强度要求C30，$B_{14}$～$B_{16}$面板的混凝土强度满足设计规范要求，分别是$B_{14}$:30.2MPa、$B_{15}$:36.0MPa、$B_{16}$:33.1MPa；$B_{13}$、$B_{17}$面板的混凝土强度没有达到设计要求，分别是23.8MPa和25.6MPa。$B_{13}$面板未发现裂缝，在其面板上取芯的目的是为了与存在裂缝的面板混凝土进行比较，但试验发现其抗压强度为25.6MPa，比有裂缝面板的混凝土强度都低。

(8)$B_{14}$～$B_{17}$面板的混凝土的劈裂抗拉强度都满足设计要求，它们分别是$B_{13}$:2.41MPa，$B_{14}$:2.80MPa，$B_{15}$:2.74MPa，$B_{16}$:3.45MPa，$B_{17}$:2.25MPa。

(9)面板混凝土的抗冻抗渗设计要求为$F_{200}W_8$，检测发现$B_{14}$～$B_{17}$面板的混凝土的抗冻等级没有达到$F_{50}$，抗渗等级达到抗渗设计要求。

(10)在面板混凝土施工期间最低气温到-11.7℃。2000年冬季松江河地区最低气温达到零下40℃，如此低的温度在此地区为几十年不遇，这一情况不仅给坝面施工、保温工作带来极大的困难，而且也是造成面板破坏的一个很重要的因素。

(11)面板裂缝的主要原因是在本地区特具的地形和水文地质等条件下，冬季大坝排水管冻死，在负温作用下冰的冻胀力生产的弯剪破坏所致。

## 参考文献

[1] 黄士元．混凝土早期裂纹的成因与防治．混凝土，2000(7)
[2] 冯乃谦．商品混凝土在施工应用中的开裂与对策．混凝土，2000(9)
[3] 王德库，黄如卉，刘凯，韩会生，傅强．混凝土裂缝的调查与修补技术．混凝土，2000(9)
[4] 金红伟．混凝土面板堆石坝面板防裂混凝土性能研究．混凝土，2000(9)
[5] 金涛，陈军科．高层建筑基础大体积混凝土抗裂措施分析．混凝土，2000(9)
[6] 黄金国．混凝土路面的常见裂缝与防治措施．混凝土，2000(10)
[7] 曹恒祥，殷保合．水工大体积高性能混凝土裂缝原因分析．混凝土，2000(10)
[8] 张相宝．混凝土建筑物裂缝原因分析与处理．混凝土，2000(10)

# 柘溪支墩坝劈头裂缝研究及其强度监测

Tu Chuanlin

## 1 工程简介

柘溪水电站坐落在中国湖南省次水河中游的暗花县境内,装机容量为447.5MW。由于溢流坝段采用的是单支墩菱形混凝土坝,在两岸带有宽缝结构的重力坝段采用非溢流坝段。如图1所示。坝顶高174m,基础挖掘深70m,所以最大坝高104m,每段支墩坝长16m。支墩横截面为梯形结构,其顶端最小厚度为5.52m,在底部最大厚度为8m,大坝最大底宽为102m。在两个临近钻头放置着一个1cm宽的伸缩接头。

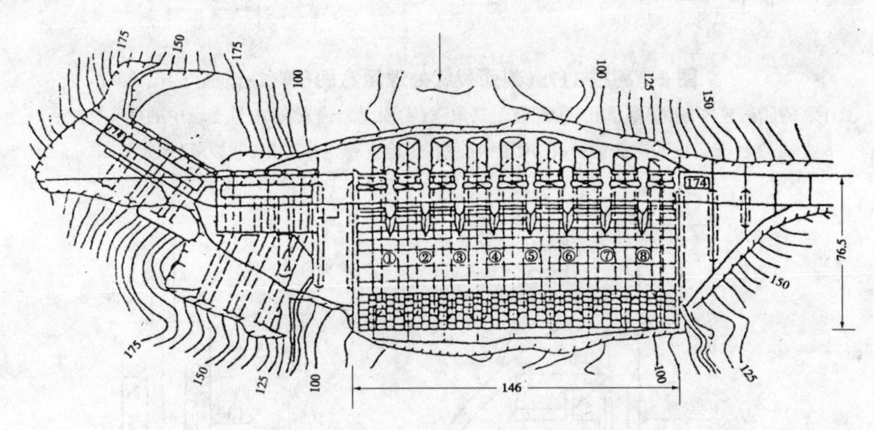


图1　柘溪大坝枢纽平面布置图(单位:m)

在坝体的不同部位使用不同标号的水泥:CM200用在上游部位和基础,CM170用在钻头背面和高程低于114.5m的部位,CM100用在高程在114.5m之上和坝体的内部。上游面水泥的抗渗标号为$S_8$,其内部为$S_4$。基础岩石主要由优良的砂岩和带有砂质和黏土的石板夹层的长石组成,其抗压强度通常有1 000kg/cm$^2$。

柘溪水电站建设于1958年开始,在1961年2月开始蓄水,1962年发电。在1967年水库蓄水到正常水位167.5m,后来提高到169.5m。从1969年在大坝的正面出现裂缝以来,实施了一系列试验性的补救措施,包括封上来自上游面的裂缝,排干裂缝中的水以减小水压力,用预应力锚加固支墩,在两个临近的钻头之间放置三角形混凝土塞子(见图2),填充两个墩之间空的部分(见图3)。目前,加固工作已完成,正常的运转将很快恢复。

## 2 坝体上游面的裂缝

### 2.1 建设阶段

混凝土浇筑开始于1959年12月。大坝高程在96m和126m之间的所有部位的混凝土浇筑大约从1960年3月到1960年8月。在浇筑后不久在所有的混凝土部位出现了一些表面裂缝，其中124

---

本文原载《第15届国际大坝会议·主题57》,1985年。

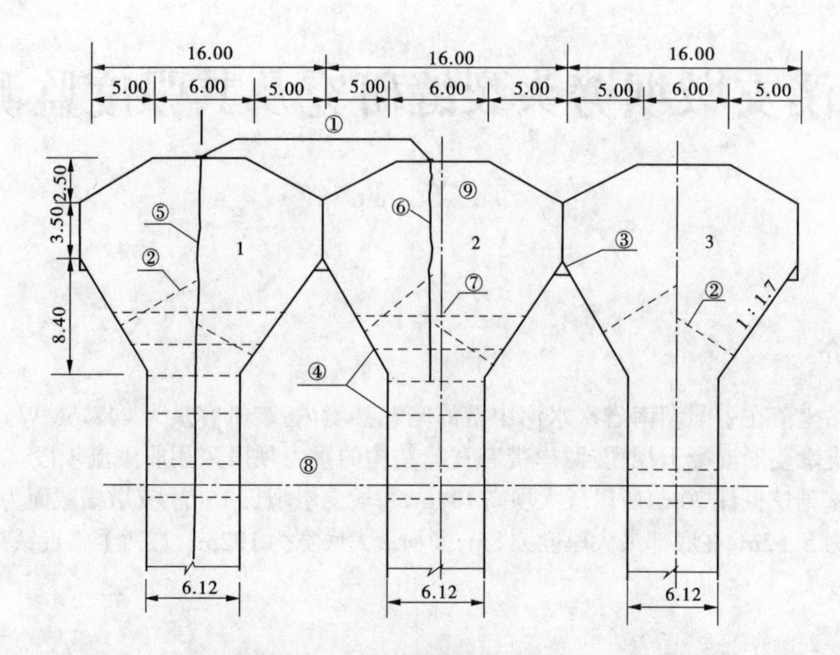


**图 2　高程 117m 剖面裂缝处理示意图**(单位:m)

①环氧树脂砂浆密封;②排水孔;③混凝土三角塞;④预应力锚索;⑤1 号支墩中的劈头裂缝;⑥2 号支墩中的劈头裂缝;⑦坝段中心线;⑧检查廊道中心线;⑨裂缝(假定)

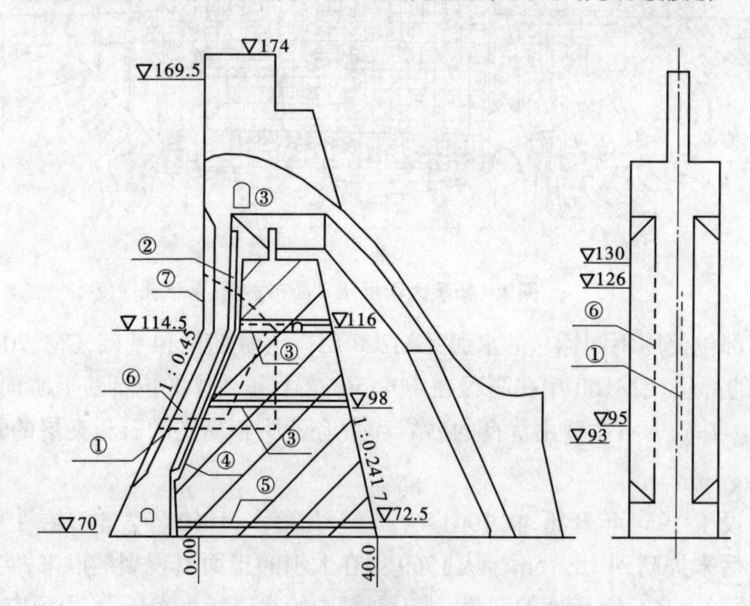


**图 3　2 号支墩空腔加固示意图**

①劈头裂缝;②混凝土三角塞;③检查廊道;④排水井;⑤底部排水廊道;⑥裂缝(假定);⑦环氧树脂砂浆密封

条在上游面。

在面向上游面的所有裂缝中,垂直裂缝几乎对称于支墩中心线,长度在 25～30m 之间,宽度 0.1～0.2mm 之间,深度大约 2cm(除了 3 号和 7 号支墩以外,其深度为 10cm),是采用沿着裂缝方向的切槽并在上面灌满水泥浆的方法来处理裂缝的。

## 2.2　运行阶段

1969 年 6 月,在坝轴线向下游 20m 的地方,高程 114.5m 的检查廊道中发现了一条位于支墩中线附近最大宽度为 2.5mm 的垂直裂缝(图 4),水从裂缝中喷射出来,其渗流量为 6L/(s·m),为了减少应力,在空腹处打了排水孔,其最大渗流量提到了 40L/(s·m)。

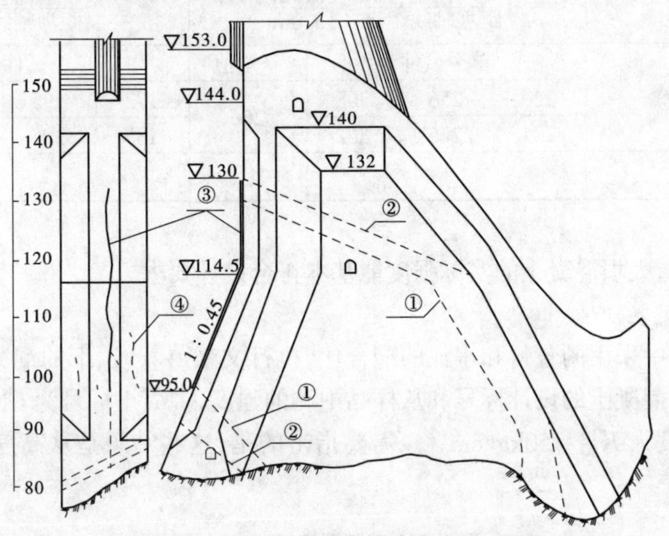


**图 4 1 号支墩劈头裂缝的扩展**(单位:m)

①1969 年 7 月裂缝边界;②1970 年 2 月裂缝边界;

③环氧树脂砂浆密封;④施工期表面裂缝

通过观察发现,裂缝的产生是由于建设阶段表面裂缝的扩散形成的。至于裂缝的延伸,在上游面高程在 90～130m 范围内的最大裂缝开度为 3mm,从坝轴线延伸到地基,向下游扩展了 43m。裂缝范围估计有 2 000m$^2$,其中贯穿性裂缝占了 45%。为了确保大坝的安全运行,以上提到的 4 种初步的工程措施都被运用于支墩 1 中,其中打排水孔和放置三角形混凝土块等措施被运用于所有的支墩中。

1977 年 5 月,在支墩 2 的排水孔中出现了 4.02L/s 的渗漏量。在上游面高程 97.8～126m 范围内裂缝扩展开了,其最大开度为 2mm,从坝轴线向下游延伸了 20m 距离。裂缝区域面积估计有 600m$^2$。在高程 100m 处裂缝偏离中心线有 1.1m,其初步的工程措施也被运用于支墩 2。

通过向大坝中的空腹处灌浆来加固大坝,"重力"变换项工作开始于 1982 年(图 3)。在 1983 年 2 月,当混凝土浇筑到高程 80～90m 范围内时,在高程 100m 处出现了垂直裂缝,水流从许多裂缝中喷射出来。支墩中的垂直裂缝如表 1 所示。

**表 1** **上游面水平裂缝统计**

| 支墩编号 | 1 | 2 | 3 | 4 | 5 | 6 | 7 | 8 |
|---|---|---|---|---|---|---|---|---|
| 上游面裂缝高程(m) | 104 | 98 | 95.5 | 99.6 | 100 | 97 | 146 | |
| 上游面裂缝长度(m) | 16 | 9 | 16 | 16 | 16 | 16 | 11 | |
| 上腔中可见裂缝长度(m) | | | 1.6 | 2.5 | 4 | 5 | | |

# 3 裂缝的形成原因以及发展过程

## 3.1 大坝混凝土的强度特性和裂缝稳定评判准则

### 3.1.1 混凝土坝的强度

在大坝经过几年运行后,为了检验混凝土的实际强度,从支墩 1 中切取出混凝土样品,其强度检验如表 2 所示。

表 2　　1 号支墩中混凝土芯样的强度

| 位　置 | $\frac{高程}{距坝轴线距离}=\frac{86.4m}{13.0m}$ | | | | $\frac{高程}{距坝轴线距离}=\frac{92.2m}{12.4m}$ | | | |
|---|---|---|---|---|---|---|---|---|
| | 单个试件 | | | 平均值 | 单个试件 | | | 平均值 |
| 抗压强度(kg/cm²) | 220 | 256 | 308 | 266 | 172 | 195 | 202 | 193 |
| | 204 | 246 | 362 | | 185 | 195 | 212 | |
| 抗拉强度(kg/cm²) | | | | 21.3 | | | | 15.5 |

表 2 清楚地表明,大坝混凝土的实际强度能基本符合设计要求。

3.1.2　大坝混凝土断裂韧度

根据在大坝建设中采用的骨料和水泥的配合比,执行文献[1]、[2]下的混凝土断裂韧度测试,结果列在表 3 中。根据混凝土的设计标号和从样品中测的强度,混凝土标号为 CM200 的被作为平均水平,其混凝土断裂韧度为 $K_{IC}=50kg/cm^{3/2}$。需要指出的是,这些结果是从高度为 10cm 的测试样品中得到的。

表 3　　混凝土Ⅰ型断裂韧度试验结果

| 编　号 | $K_{IC}(kg/cm^{3/2})$ | | | $\sigma_C$ (kg/cm²) | $E$ (kg/cm²) | 备　注 |
|---|---|---|---|---|---|---|
| | 分析方法 | 弹性方法 | | | | |
| | | 直接法 | 无因次法 | | | |
| A | 29.2 | 37.8 | 38.7 | 114 | 113 000 | 试件尺寸 10cm×10cm×51.5cm<br>$\sigma_C$——抗压强度<br>$E$——弹性模量 |
| $B_1$ | 39.1 | 51.9 | 52.3 | 130 | 125 000 | |
| $B_2$ | 56.5 | 75.0 | 72.7 | 228 | 145 000 | |
| $B_3$ | 62.1 | 83.0 | 82.3 | 336 | 198 999 | |

3.1.3　大坝混凝土在复合模式下的断裂准则

把从柘溪电站坝址处的骨料配制成混凝土样品,然后执行复合模式下的断裂测试,结果列在表 4 里。

表 4　　混凝土复合型断裂试验结果

| 编　号 | $K_{I}$ | $K_{II}$ | $K_{IC}$ | $\sigma_C$ | $\theta$ | 备　注 |
|---|---|---|---|---|---|---|
| | (kg/cm^{3/2}) | | | (kg/cm²) | (°) | |
| A | 0.679 | 43.02 | 89.09 | 366 | 58.33 | 试件尺寸<br>A、B、C:10cm×10cm×15cm<br>D、$E_1$、$E_2$、F:10cm×22cm×50cm<br>$K_{IC}$平均值 87.25<br>$K_{IIC}$平均值 43.02<br>$\theta$——初始断裂角 |
| B | 12.20 | 42.68 | 94.30 | 363 | 54.92 | |
| C | 36.41 | 33.16 | 87.43 | 353 | 46.75 | |
| D | 67.27 | 37.95 | 84.80 | 338 | 46.60 | |
| $E_1$ | 78.28 | 26.60 | 84.80 | 338 | 38.00 | |
| $E_2$ | 73.69 | 25.39 | 87.43 | 353 | 39.75 | |
| F | 81.18 | 14.41 | 84.80 | 338 | 26.50 | |

混凝土断裂标准的综合模型及其初始开展角计算公式如下:

$$K_{I}^{2} = 4.2K_{II}^{2} = K_{IC}^{2} \qquad (K_{I} > 0, K_{II} > 0)$$

$$\theta = 0.649\sqrt{(\pi/2)^{2} - (\arctan K_{I}\sqrt{K_{II}})^{2}} \qquad (\theta 为极角)$$

式中:$K_{\mathrm{I}}$——模型Ⅰ(张开模型)中的应力强度因子;

$K_{\mathrm{II}}$——模型Ⅱ(滑裂模型)中的应力强度因子。

根据参考文献[4]和[5]的试验数据和分析结果,由 200cm 高试样测得 $K_{\mathrm{IC}}$的值大约是 10cm 高试样的两倍。所以对于柘溪大坝的大混凝土结构而言,取 $K_{\mathrm{IC}}=100\mathrm{kg/cm^{3/2}}$ 较为合理。另外,结合文献[4]的试验观测数据和文献[6]的理论分析并结合柘溪大坝的实际情况可知,开裂的混凝土坝体出现定时的不稳定现象,并且当缝端的 $K_{\mathrm{I}}\geqslant(0.4\sim0.5)K_{\mathrm{IC}}$时,裂缝进行亚临界开展。根据断裂力学知识可得到裂缝稳定的评判准则如下:

$K_{\mathrm{I}}\ (\mathrm{or}\overline{K})\geqslant(0.4\sim0.5)K_{\mathrm{IC}}=40\sim50\mathrm{kg/cm^{3/2}}$,裂缝亚临界开展;

$K_{\mathrm{I}}\ (\mathrm{or}\overline{K})\geqslant K_{\mathrm{IC}}=100\mathrm{kg/cm^{3/2}}$,裂缝失稳开展。

式中 $K_{\mathrm{I}}$ 和 $\overline{K}$ 分别是模型Ⅰ和综合模型(Ⅰ、Ⅱ)计算中的结构缝端应力强度因子,但是,$\overline{K}=\sqrt{K_{\mathrm{I}}^2+4.2K_{\mathrm{II}}^2}$,另外 $K_{\mathrm{IC}}$为通过试验得到的材料特性常数。

### 3.2 结构中的应力和裂缝及其初期发展

#### 3.2.1 垂直裂缝

##### 3.2.1.1 水化热引起的温升阶段

在文献[7]中,张燕秋研究了裂缝的发展情况,研究结果可概括如下:

(1)在混凝土浇筑后的第七天,大坝出现了劈头裂缝和侧边缝。初始裂缝的开展深度分别为20cm 和 16cm。

(2)侧缝出现后,该缝突然转向支墩坝中心线,并立即停止开展。水库蓄水后该缝已稳定。不管水压力如何分布,均证实该侧缝对大坝的安全影响很小。

(3)劈头裂缝和侧缝的发展互相影响,互为条件。在此有三种情况出现。第一种情况是七天后,劈头裂缝没有达到初期的开展深度和开展长度,但侧缝已达到初期开展深度并及时发展至 3.1m。第二种情况是七天后劈头裂缝和侧缝均开展到初期深度,并分别发展至 1.2m 和 2.83m。上述的两种情况下,当水库蓄水后裂缝均稳定,对大坝安全没有威胁。第三种情况就是七天后侧缝的开展深度和延伸长度均没有达到初期标准时,劈头裂缝已开展至初始深度并最终延伸到 5.57m。这种情况下,劈头裂缝就会严重威胁大坝安全。

##### 3.2.1.2 初始运行阶段

Xu Nianzeng 截取一座自由裂缝大坝的一个横断面进行分析研究。当水库蓄水时,由于库水的作用大坝表面温度急剧下降,在上游面产生较大的水平拉应力。应力在支墩中心线最大并向两侧逐渐减小,最大应力为 $17.3\mathrm{kg/cm^2}$,达到混凝土的抗拉强度。据此我们计算得到,如果表面裂缝开展深度达到 8.5cm 就会产生不稳定影响。但如果劈头裂缝和侧缝均开展至一定深度,由库水引起的温降不会进一步导致裂缝的开展(参见文献[7]),裂缝不久就会稳定。

#### 3.2.2 水平裂缝

通过对施工期和大坝运行初期 77.3m 高程上游面的垂直正应力的观测来看,由于温度的变化,应力也有一个明显的变化过程。当温度升高时,表面压应力增加;当温度降低时,表面拉应力增加。水库蓄水前最大拉应力为 $14.5\mathrm{kg/cm^2}$(发生在 2 月份),蓄水后减小至 $2.5\mathrm{kg/cm^2}$。这可能是因为在蓄水前上游面垂直拉应力接近于混凝土的抗拉强度,蓄水后在库水的低温和水压作用下,坝体出现水平裂缝,使得上游坝面的拉应力得到释放。

### 3.3 运行后期的应力情况

柘溪大坝运行多年后,其上游面裂缝的开展主要受大坝运行性态的影响,即大坝运行时间的影响。

在大坝运行初期,库水压力被视为作用在大坝上游面的面力。随着时间的推移,库水渗入坝体内部,面力转化为体力。支墩头部的压应力也转化为拉应力。大坝渗透应力的发展参见文献[10](图5),确定柘溪大坝形成稳定渗流场的时间为7~9年(渗透应力也达到其最大值),此时1号支墩产生了劈头裂缝。

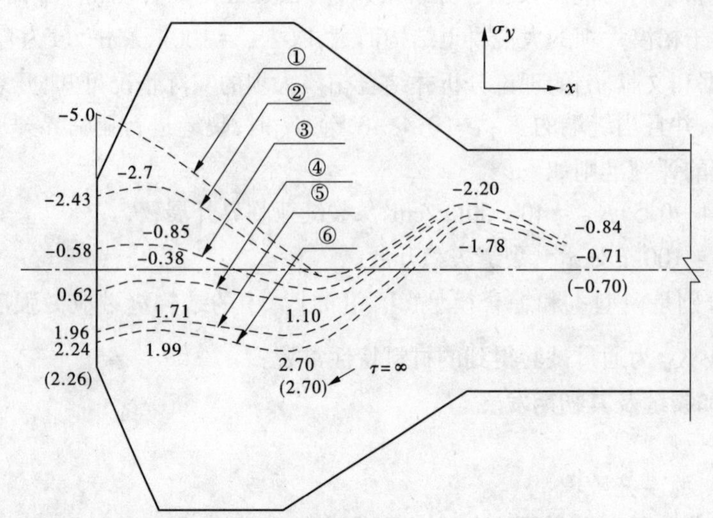


**图5 90m高程剖面对称轴上渗流应力 $\sigma_y$ 的变化**(单位:kg/cm²,+代表拉应力)

①τ=0;②τ=6个月;③τ=1年;④τ=2年;⑤τ=5年;⑥τ=7年

在1969~1977年的前几年,支墩的大头部持续受库水的低温作用,并一直处在拉应力作用下(图6)。因此在这两年,1号支墩和2号支墩分别出现劈头裂缝。

Ji Zhenlin对柘溪大坝进行了三维有限元分析。在他的计算中考虑了水压荷载、自重、泥沙荷载以及2月份气温的年平均温度荷载。当考虑渗流影响时,我们计算得到的上游面主应力见表5。

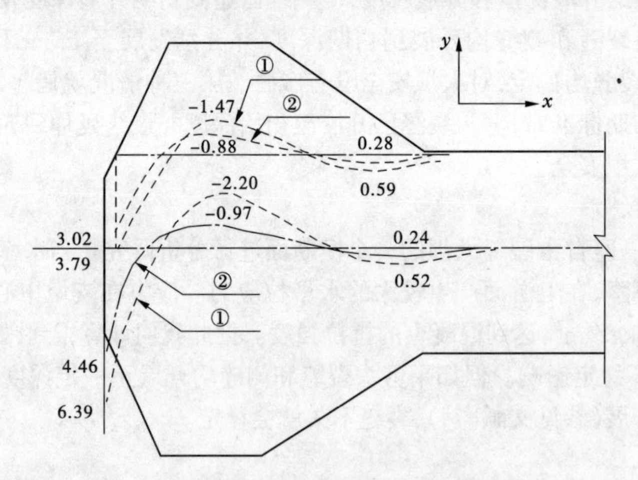


**图6 横截面上的温度应力 $\sigma_y$**(单位:kg/cm²,+代表拉应力)

①1969年5月 $\sigma_y$ 的计算值;②1969年6月 $\sigma_y$ 的计算值

**表5 大坝上游面主应力**

| 高程(m) | 145.5 | 130 | 114.5 | 96.3 | 78.5 | 70 |
|---|---|---|---|---|---|---|
| 表面切向主应力 $\sigma_1$(kg/cm²) | 3.32 | 4.72 | 9.51 | 7.1 | 19.1 | 47.6 |
| 表面水平主应力 $\sigma_2$(kg/cm²) | 0.55 | 5.1 | 7.13 | 6.29 | 5.63 | |

由表5可知,在水平裂缝和垂直裂缝均产生的地方(高程96.3~145.5m),$\sigma_1$ 和 $\sigma_2$ 的最大值分

别为 9.51kg/cm$^2$ 和 7.13kg/cm$^2$,都小于混凝土的抗拉强度(13.0kg/cm$^2$)。因此,这些部位的应力满足要求。然而,在库水的低温季节,主应力 $\sigma_1$、$\sigma_2$ 就接近混凝土的抗拉强度。因此,在这种情况下大坝的应力强度的富余就相当小。

### 3.4 大坝后期运行的裂缝情况

因为柘溪大坝在施工阶段就出现了大量裂缝,所以通过断裂力学知识分析研究了这些裂缝的稳定性。

我们首先研究垂直裂缝。对应不同高程的裂缝深度和 $K_{\mathrm{I}}$ 的关系见图 7。从图 7 我们可知在 78.5~130m 高程之间,当裂缝的开展深度达到 12.7~25cm(这些数值非常接近施工期产生的裂缝深度),并且 $K_{\mathrm{I}} \geqslant 50$kg/cm$^{3/2}$ 时,裂缝处于亚临界开展状态。由于裂缝受到渗透压力的作用,变化的温度应力的作用以及渗透进裂缝的高压水的作用,这种亚临界开展以致产生恶化,但是是时断时续的。

接下来研究的是水平裂缝。不同高程的裂缝的深度 $C$ 和 $\overline{K}$ 的关系见图 8。由图 8 分析可知,在 96.3~130m 高程之间,当裂缝深度为 6~30cm 时裂缝处于亚临界状态。并且当裂缝深度为 25~50cm 时,裂缝就不稳定。以上的讨论是就大坝的正常运行情况分析的,因为水平裂缝大部分是在空腔加固期间发生的,所以其产生的原因是多方面的、复杂的,有待进一步研究。

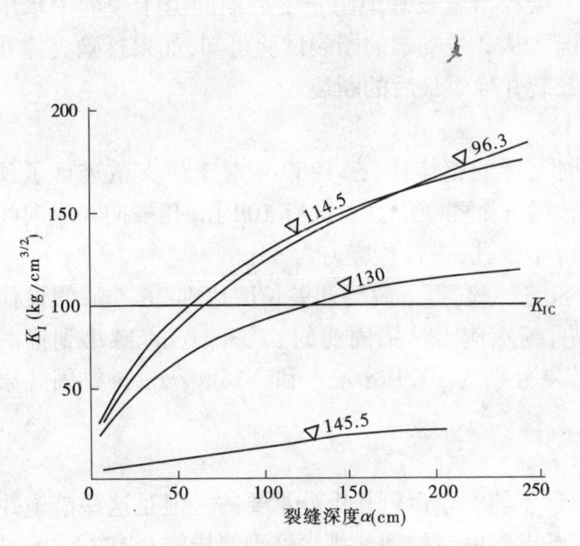


**图 7 不同高程处垂直裂缝(劈头裂缝)的 $\alpha$—$K_{\mathrm{I}}$ 的关系**

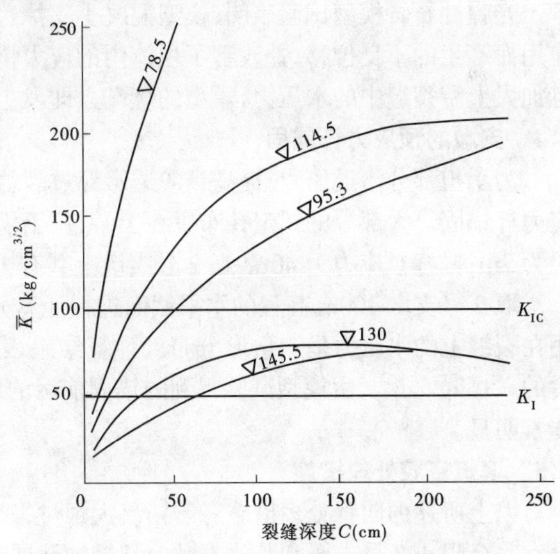


**图 8 不同高程处水平裂缝的 $C$—$\overline{K}$ 的关系**

## 4 各种修补措施和效果分析

在 1969 年 1 号支墩上出现了劈头裂缝后,先后采取了四种补强加固措施。以下是对处理效果的评估分析。

### 4.1 上游面进行密封处理以阻止渗漏

对上游裂缝进行高压注射环氧砂胶以阻止渗漏。通过十多年的运行证明该措施是有效果的。其一般特性参数见表 6。

**表 6 密封对大坝安全的效果**

| 荷载 | 缝端正应力 $\sigma_y$ (kg/cm$^2$) | $K_{\mathrm{I}}$ (kg/cm$^{3/2}$) | 大坝安全系数 | |
|---|---|---|---|---|
| | | | 没有裂缝时 | 有裂缝时 |
| 上游面水压力 | −8.7 | −143.5 | 2.88 | 2.78 |
| 上游面水压力+裂缝中的水压力 | 15.5 | 170.25 | | |

从表 6 可知,如果上游面进行了全面的密封处理,应力和缝端应力强度因子均是负值,裂缝不会开展;当裂缝中没有水压作用时,安全因子不会有太大的影响。

**4.2 裂缝排水**

排水是减小裂缝中水压力的一种不可缺少的措施。在 1 号支墩上的 90~121m 高程之间,距离上游面 7~8m 一共钻取了 23 个 50mm 孔径的排水孔。其后还钻取了更多的排水孔。其他支墩上也进行了类似的钻孔排水措施。

由 100m 高程的一条 7m 深的劈头裂缝的计算可知,当大坝进行了加重补强后,若水压是呈三角形分布的,缝端 $K_{\mathrm{I}} = -26.74\mathrm{kg/cm^{3/2}}$,裂缝是稳定的。如果裂缝中是受全水头作用的,则 $K_{\mathrm{I}} = 225.53\mathrm{kg/cm^{3/2}}$,裂缝不稳定。文献[7]也给出了类似的研究结果。所以利用排水来阻止裂缝开展的重要性是显而易见的。

**4.3 楔型混凝土支撑的运用**

当发现 1 号支墩产生裂缝后,在每个开展裂缝所在的支墩下游侧建造了楔形混凝土块作为支撑。其作用旨在阻止裂缝出现后支墩的不良位移,并将沿支墩分布的裂缝中的水压力传到两岸支座的基岩上。这种楔形混凝土支撑的大小为底宽 1.5m,高 1.28m,浇筑范围从 93.5m 高程到 128m 高程。

光弹性石膏模型试验表明,楔型混凝土支撑这一处理措施很好地阻止了后期的由于裂缝中水压作用而产生的不良位移,并改善了坝体内的应力情况。从 2 号支墩的断裂试验可知,如果拆除支撑并且加大上游裂缝中的水压力,模型的缝端立即发生开裂并导致最后的断裂。

**4.4 支墩的预应力杆锚固**

为承担部分渗透压力,提高当渗透水穿过裂缝时支墩的整体性,在 1969 年对 1 号支墩进行了预应力杆锚固。大部分的锚定孔布置在上游,位于坝轴线下游侧 20m。总共有 108 孔,孔横向和纵向间距为 2m,锚杆预应力为 40t。在 2 号支墩上共有 103 个锚孔,锚杆预应力为 53t。

取 2 号支墩 100m 高程的水平截面进行计算分析,这一高程上裂缝开展长度达到 26.5m,假设作用在裂缝上的水压力呈三角形分布。计算结果表明,缝端应力从锚固前的 $52.3\mathrm{kg/cm^2}$ 减小到锚固后的 $-16\mathrm{kg/cm^2}$。由模型试验得到的锚固前后的结果分别为 $10.1\mathrm{kg/cm^2}$ 和 $-15\mathrm{kg/cm^2}$。锚固效果非常明显。

**4.5 填筑空腔处理措施**

以上所述的四种处理措施对于柘溪大坝过去十余年的安全运行是十分重要的。但是这些措施并没有完全阻止 2 号支墩和其他支墩上裂缝的开展。考虑到密封处理和排水处理等措施总有失效的可能,这样大坝就会受到严重破坏。所以决定将支墩空腔进行混凝土填筑——所谓的重力式方案——以确保大坝安全(参见图 3)。填筑空腔的目的在于不管大坝出现何种裂缝,仍能保证大坝的安全运行。填筑后大坝坝体内的应力得到改善,整体刚度和抗扭性都得到加强。分析计算了不同高程的缝端强度因子。对于 100m 高程的计算结果见表 7。

**表 7 100m 高程剖面处劈头裂缝缝端的 $K_{\mathrm{I}}$** (单位:$\mathrm{kg/cm^{3/2}}$)

| 处理措施 | 裂缝中的水压力 | 裂缝深 3m | 裂缝深 4m | 裂缝深 5m | 裂缝深 7m |
|---|---|---|---|---|---|
| 未加固 | 全水头 $H$ | 137.1 | 204.3 | 312.3 | 638.7 |
| 用混凝土加固空腔 | 全水头 $H$ | 78.8 | | 155.3 | 225.5 |
| | 上游面水头 $H$ 三角形分布,缝端为 0 | | | | -26.7 |
| | 裂缝中的水压力为 0 | | | -334.6 | |

通过对大坝加固后不同深度的裂缝(包括深度裂缝)的计算分析可知:

(1)大坝加固后,大坝的运行性态得到改善,显著减小了裂缝开展的可能性。

(2)大坝加固的效果主要受老混凝土和新填筑混凝土之间力传递性的影响。

(3)作用在裂缝上水压分布对裂缝的开展有决定性的影响。

## 参 考 文 献

[1] Liang Wenhao, Qiao Changxin, Tu Chuanlin. —Journal of Hydraulic Engineering(JHE), No6, 1982

[2] Yu Yaozhong—JHE, No4, 1981

[3] Yu Yaozhong—JHE, No6, 1982

[4] Trian Minglun—JHE, No6, 1982

[5] Xu Shilang——JHE, No6, 1982

[6] Xu Zhenxing. Mechanics and Practice, No2, 1983

[7] Zhang Yanqion. Collected Research Papers Water Conservacy and Hydroelectric Power Research Institute Academia Sinica. MWREP. PRC(Structure & Materials), 1984

[8] Wang Lei. Collected Research Papers Water Conservancy and Hydroelectric Power Research Institute Academia Sinica. MWREP. PRC. (Structure & materials), 1982

[9] Xu Nianzeng. Journal of East China Technical University of Water Resources, No2, 1983

[10] Deng Changtie—JHE, No6, 1983

[11] Tu Chuanlin—JHE, No7, 1983

# 三峡工程大体积混凝土裂缝处理施工技术

傅自义　赵　葳　王　剑

(葛洲坝集团三峡指挥部厂坝项目管理二部,湖北宜昌　443134)

**摘　要**:介绍三峡工程大体积混凝土裂缝的评判标准以及沿缝凿槽、钻孔压水、超声波等裂缝检查方法。在三峡工程大体积混凝土裂缝处理方法的生产性试验中,采用喷涂、粘贴、充填和灌浆等方法对裂缝进行了处理,效果良好,保证裂缝处理符合规定要求。

三峡工程混凝土具有工程量大、结构复杂、质量要求高、施工时间长等特点。三峡工程所在地区虽属气候温和地区,但根据本地区统计资料,夏季5月至9月气温超过35℃的高温天气平均每年45d;极端最高气温达42℃。春秋冬季节温度变化大,1年内2～3d日平均气温降低6～8℃及以上次数达11次,1次降温最大值达16.5℃,因此温控防裂任务十分艰巨。

三峡工程既有大体积混凝土,也有板、梁、墩、墙等薄壁结构,受气温等各种因素影响,存在发生混凝土裂缝的可能性。水工大体积混凝土中危害性较大的裂缝破坏了建筑物的整体性,改变了建筑物的受力状态,造成渗水、漏水、钢筋锈蚀等后果,降低了建筑物的耐久性,一些表面裂缝也会延伸发展为严重的深层或贯穿性裂缝。为确保三峡工程的长期安全运行,经过多次生产性试验,以及对裂缝处理材料的比较,逐渐摸索出适合三峡标准的大体积混凝土裂缝处理施工技术。

## 1　裂缝分类评判标准

裂缝分类评判标准的主要依据是裂缝的表面缝宽、裂缝深度和裂缝平面长度,并按大体积混凝土和钢筋混凝土所产生的裂缝性质及对结构应力和安全影响程度进行分类评判。

三峡工程大体积混凝土裂缝分类及评判标准[1]如下:Ⅰ类:一般缝宽 $\delta<0.2$mm,缝深 $h\leqslant30$cm,性状表现为龟裂或呈细微规则性;Ⅱ类:表面(浅层)裂缝,$0.2\text{mm}\leqslant\delta<0.3\text{mm}$,$30\text{cm}<h\leqslant100\text{cm}$,平面缝长 $L$ 满足 $300\text{cm}<L\leqslant500\text{cm}$,呈规则状;Ⅲ类:表面深层裂缝,$0.3\text{mm}\leqslant\delta\leqslant0.5\text{mm}$,$100\text{cm}<h\leqslant500\text{cm}$,$L>500$cm,或平面大于、等于1/3坝块宽度,侧面大于1～2个浇筑层厚度,呈规则状;Ⅳ类:缝宽 $\delta>0.5$mm,缝深 $h>500$cm,侧(立)面长度大于500cm,若从基础向上开裂,且平面上贯穿全仓,则称为基础贯穿裂缝,否则称为贯穿裂缝。

## 2　裂缝检查

裂缝检查是为裂缝分类、补强处理提供基本资料,裂缝检查项目包括缝宽(表面缝宽)、缝深、缝长、裂缝方向、所在部位、高程、数量,以及缝面是否渗水、有无溶出物等。

对表面裂缝缝宽、条数的检查以人工目测现场普查为主,所用工具有米尺、读数放大镜、塞尺等;对细裂缝可先洒水,用风吹干或晒干后再检查;对高部位的裂缝用高倍望远镜普查,必要时搭设人工排架或放吊篮靠近检查。

缝深检查采用以下方法[1]:

(1)沿缝凿槽法。沿缝凿槽,凿至目测不到缝为止,凿槽深度视为裂缝深度。该方法适用于表面

本文原载《水利水电科技进展》2003年第3期。

浅层裂缝。

(2)钻孔压水法。沿裂缝一侧或两侧打斜孔穿过缝面(过缝大于或等于0.5m),然后在孔口安装压水设备(压水管、手摇泵)和阻塞器,进行压水。若压水缝表面出水,说明钻孔过缝且缝深大于钻孔穿过缝的垂直深度,这样再打少量斜孔检查,直至表面无水冒出。此时斜孔与缝的交点至混凝土表面的垂直距离即为裂缝深度。

(3)超声波法。在混凝土裂缝的两侧(约1m)打垂直孔,孔径大于或等于60mm,但应在缝的一侧打1个对比孔,先进行无缝的声波测试,然后再进行跨缝测试,测前孔应冲洗干净,并灌满清水。测试时探头在孔内自上而下每20~30cm移动一次。经过波幅的对比变化,判定其缝深。若缝在侧面,其钻孔应向下倾斜3°~5°。

(4)对重要或危害性大的缝,必要时可沿缝钻$\phi$91~150mm的孔,用孔内电视和录像方法探测缝深。

## 3 裂缝处理施工技术

### 3.1 混凝土裂缝处理原则

(1)危害性较大的裂缝破坏了建筑物的整体性,改变建筑物的受力状态,造成渗水、漏水、钢筋锈蚀等,降低建筑物的耐久性,危害建筑物安全运行。虽然多数裂缝为危害性较小的表面裂缝,但也存在着危害性很大的深层裂缝和贯穿性裂缝,而且因裂缝所在部位和外界环境等不同,有一部分原为危害性较小的裂缝,亦会延伸发展为严重的深层裂缝或贯穿性裂缝。因此,对于发现的每条裂缝都必须分析产生裂缝的原因,并认真进行处理。

(2)混凝土裂缝补强处理的目的主要是恢复结构的整体性,限制裂缝的扩展,满足结构的强度、防渗、耐久性和建筑物的安全运行要求。

(3)混凝土裂缝处理方案的选择要通过裂缝调查获得必要的数据资料,再根据裂缝所在的部位、发生的原因、裂缝规模大小和危害性评定等,进行精确计算和分析研究,综合确定合理处理措施。

### 3.2 Ⅰ类裂缝处理

Ⅰ类裂缝一般不做处理,但对过流面等重要部位按以下技术要求进行处理:

(1)对于表面缝宽$\delta<0.1$mm的裂缝沿缝宽20cm范围用钢丝刷刷毛,并用丙酮清洗干净;缝面干燥后涂刷一层环氧基液或凯顿百森高效渗透结晶型防水系列材料之一的KR YSTOL T1(用于地面或地下混凝土结构的干/湿面的永久性防水)。

(2)对于$0.1\text{mm}\leqslant\delta<0.2$mm的裂缝骑缝凿宽10cm、深2.5~3.0cm的梯形槽,并覆盖裂缝两端头40cm;将槽内杂物清理并冲洗干净,然后进行修补,修补材料采用环氧砂浆(或KR YSTOL T1、麦斯特1438环氧胶泥)。

### 3.3 Ⅱ类裂缝处理

Ⅱ类裂缝采用灌浆法加表面喷涂法进行处理。

(1)缝面处理。用打磨机将裂缝表面两边5~10cm宽的范围打磨,然后用高压水将缝面冲洗干净,观察缝口的状况;有浆皮封住缝口的地方用薄刀片挑开缝口,待所有的缝口挑开后,再用高压水冲洗。待缝面干燥后进行贴嘴施工,局部未干的缝面用碘钨灯烤干。

(2)灌浆孔施工(贴嘴)。Ⅱ类裂缝灌浆孔采用骑缝布置,在混凝土表面采用环氧胶泥粘贴灌浆嘴(自制铜管灌浆嘴,外径6mm),间距20~30cm(如采用注射低黏度环氧树脂LPL作为化学灌浆材料,则间距不大于30cm)。

(3)封闭裂缝缝口(封缝)。灌浆口施工完成3h(环氧胶泥等待时间约8h)后,采用环氧胶泥进行缝口的封闭处理,环氧胶泥沿打磨的宽度封贴,厚度2~5mm,贴嘴底板上面和贴嘴底板周边稍厚实。如封闭后裂缝渗水,则采用防水材料堵渗。

(4)灌浆前的试气。封闭完成24h后进行试气,以检查各灌浆孔间的通畅情况及裂缝口是否密封。试气压力先小后大,最后压力控制在0.2～0.3MPa之间。试气时吹尽裂缝内的尘土后,堵塞除进气嘴以外的其余嘴子,用肥皂水或洗涤剂水满刷封闭裂缝表面,如有漏气需对漏气部分重新进行封闭。

(5)化学灌浆。灌浆材料采用上海麦斯特公司生产的注射低黏度环氧树脂LPL,灌浆设备采用CD15自动稳压灌浆泵。水平缝由一端向另一端逐孔灌注,竖直缝由下向上逐孔灌注。灌浆压力0.4～0.8MPa,先小后大,进浆宜缓慢,不应急促;连续灌注30min保持压力不下降,结束该孔灌浆工作,进行下孔灌浆;为防止在灌浆压力作用下裂缝两侧混凝土产生有害应力和变形,在灌浆过程中宜布置千分表进行观测,控制裂缝增开度不大于100$\mu$m;为保证化学灌浆质量,化学灌浆工作安排在10月至次年4月低温季节进行。

(6)表面处理。化学灌浆完成7～10d后,清除嵌缝材料,进行表面处理,表面喷涂采用环氧胶泥或KR YSTOL T1。

(7)质量检查。灌浆完成20d后每30～50cm长的裂缝取3个$\phi$76mm的岩芯,并对岩芯进行分析和劈拉试验。

### 3.4 Ⅲ类、Ⅳ类裂缝处理

#### 3.4.1 非大坝迎水面的Ⅲ类、Ⅳ类裂缝处理方法

Ⅲ类、Ⅳ类裂缝产生在非大坝迎水面的部位视重要程度采用如下方法之一:①化学灌浆法加表面喷涂法(主要适用于Ⅲ类裂缝);②化学灌浆法加凿槽嵌填止水材料加表面喷涂法(主要适用于Ⅳ类裂缝和重要部位的Ⅲ类裂缝)。

##### 3.4.1.1 化学灌浆法加表面喷涂法

0.3mm$\leqslant\delta\leqslant$0.5mm,100cm$<h\leqslant$500cm的Ⅲ类裂缝的化学灌浆法加表面喷涂法与Ⅱ类裂缝化学灌浆法加表面喷涂法的处理程序基本相同,即表面处理→灌浆孔施工→封闭缝口→试气→灌浆→表面喷涂→质量检查。不相同之处是在灌浆孔的施工中,除布置骑缝灌浆孔外,还需增加布置灌浆斜孔,灌浆斜孔按每孔灌浆面积0.5～1.0m$^2$布置。缝宽$\delta\geqslant$0.5mm的Ⅳ类裂缝的化学灌浆法中除增加布置灌浆斜孔外,采用的化学灌浆材料也不同,由LPL变为80%LW加20%HW混合液(弹性聚氨酯材料)。

##### 3.4.1.2 化学灌浆法加凿槽嵌填止水材料加表面喷涂法

(1)化学灌浆。Ⅲ类裂缝的化学灌浆过程与Ⅱ类裂缝化学灌浆过程基本相同,即:表面处理→灌浆孔施工→封闭缝口→试气→灌浆。

(2)凿槽嵌填止水材料。沿裂缝凿宽8cm、深5cm的止水槽,凿槽向裂缝两端顺延0.5m,槽底2cm嵌填材料采用SR－2塑性止水材料,槽外3cm采用903砂浆。

(3)表面喷涂法。裂缝两侧各6m,上下端各3m喷涂凯顿百森T1(KR YSTOL T1)高效渗透结晶型防水材料。

化学灌浆法加凿槽嵌填止水材料加表面喷涂法施工如图1所示。

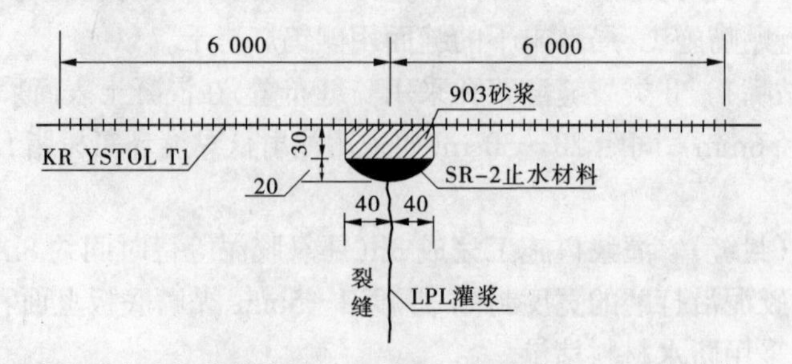


**图1　化学灌浆法加凿槽嵌填止水材料加表面喷涂法施工**(单位:mm)

3.4.2 大坝迎水面的Ⅲ类、Ⅳ类裂缝处理方法

大坝迎水面的Ⅲ类裂缝以及Ⅳ类裂缝则采用化学灌浆法与充填粘贴法相结合的方法进行。当大坝迎水面裂缝较多、分布范围大时,可参照东北地区的恒仁大坝采用浇筑混凝土防渗面板来处理裂缝的方法[2]。

3.4.2.1 化学灌浆法

Ⅲ类裂缝和Ⅳ类裂缝的化学灌浆法同3.4.1.1中的化学灌浆法。

3.4.2.2 充填粘贴法

在裂缝灌浆处理完成7d后,再对裂缝表面进行充填粘贴处理,处理程序为:凿槽嵌填塑性止水材料→粘贴橡胶片和防渗保护盖片→防渗保护盖片四边的防护→防渗保护盖片表面的防护。

(1)凿槽嵌填塑性止水材料。处理工序:凿槽→涂刷SR-2底胶→嵌填SR-2塑性止水材料(图2)。①沿裂缝开凿出3~5cm深,8~10cm宽的"U"形槽;②凿槽完成后,用有压水将槽内冲洗干净,待槽内干燥后,将"U"形槽内均匀涂刷第一道SR-2塑性止水材料底胶,常温下自然干燥1h后,再涂刷第二道底胶,常温下自然干燥0.5h或用灯烘至表面干燥,用手触摸,黏而不粘手,经验收后即可进行嵌填SR-2塑性止水材料;③将SR-2塑性止水材料搓成细条,沿槽分层嵌填,按"先里后外"的原则,将SR-2塑性止水材料填入槽内,用木榔头(或橡胶榔头)锤击至密实,表面与"U"形槽上口齐平。竖向裂缝一次嵌填高度不宜大于3m。

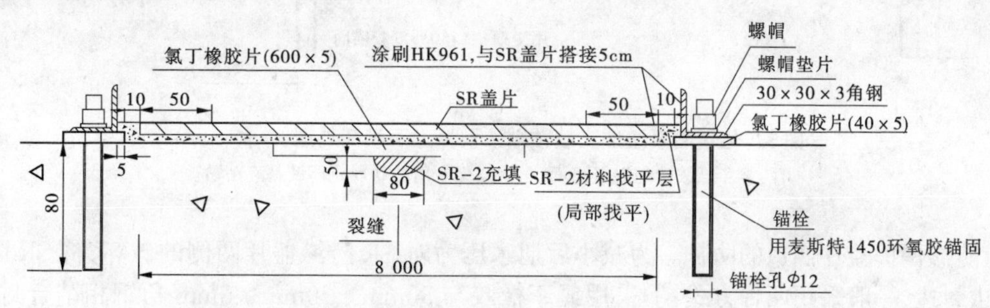


**图2 化学灌浆法加充填粘贴法裂缝部分处理**(单位:mm)

注:氯丁橡胶片与混凝土面、角钢间用专用粘贴剂或环氧基液粘贴。

(2)粘贴橡胶片和防渗保护盖片。裂缝两侧的表面处理工序:缝面处理→涂刷1438环氧胶泥→涂刷氯丁橡胶片底胶→粘贴氯丁橡胶片→涂刷SR防渗盖片底胶→粘贴SR防渗盖片→裂缝端头的处理。①将混凝土面打磨,使无明显错台,钢筋拉条等沿混凝土壁面齐根切除,混凝土壁面平整度控制在±2mm以内;同时钻取SR防渗盖片周边封闭用的锚栓孔,孔深8cm,$\phi$12mm,顺裂缝方向间距为30cm,之后将混凝土面用高压水冲洗干净后晾干或烘干,保证壁面无松动物、无浮尘、无油污和表面干燥;②基面验收后,根据氯丁橡胶片尺寸和裂缝位置,在裂缝两边等距对称涂刷氯丁橡胶片底胶,底胶为专用粘贴剂或环氧基液,涂刷后一定要控制好等待时间,过早或过晚粘贴都会影响粘贴质量;③氯丁橡胶片的规格为60cm宽、5mm厚,粘贴前,根据裂缝走向进行放样,尽量不将氯丁橡胶片截断,如遇到裂缝走向不规则必须截断时,需将接头严密对缝,并在缝外涂刷HK961等防水材料进行保护;粘贴前还要将氯丁橡胶用专用清洗剂或浓硫酸浸泡5~10min后,再用清水洗净晾干后才能粘贴;④精确放样后,用漆刷均匀涂刷2~3道SR防渗盖片配套底胶,时间间隔1h;SR底胶涂刷范围大于SR防渗盖片(厚7mm)覆盖范围1cm,保证混凝土壁面SR防渗盖片覆盖范围内不漏刷,等SR防渗盖片底胶表面干(黏而不粘手)后,进行下一道工序;⑤采用SR-2塑性止水材料(胶泥状)进行局部找平,平顺过渡、保证壁面无明显错台后粘贴SR防渗盖片,粘贴SR防渗盖片时,从左向右或从右向左粘贴,并随SR防渗盖片的粘贴进度利用光滑的木棍、橡皮棍由一端向另一端赶尽空气,为保证防渗盖片与底胶紧密结合,在施工过程中可用木榔

头（或橡胶榔头）对SR防渗盖片、盖片周边进行表面敲打，直至密实，SR防渗盖片间拼缝间隙控制范围为110～115cm，拼缝间隙1.0～1.5cm利用SR－2塑性止水材料（胶泥状）充填密实，粘贴橡胶片和防渗保护盖片的位置见图2；⑥混凝土裂缝端头处理：氯丁橡胶片超出裂缝上下端头各1.0m，SR防渗盖片超出裂缝上下端头各1.0m，氯丁橡胶片和SR防渗盖片的施工及周边封闭同裂缝两侧的表面处理(见图3)。

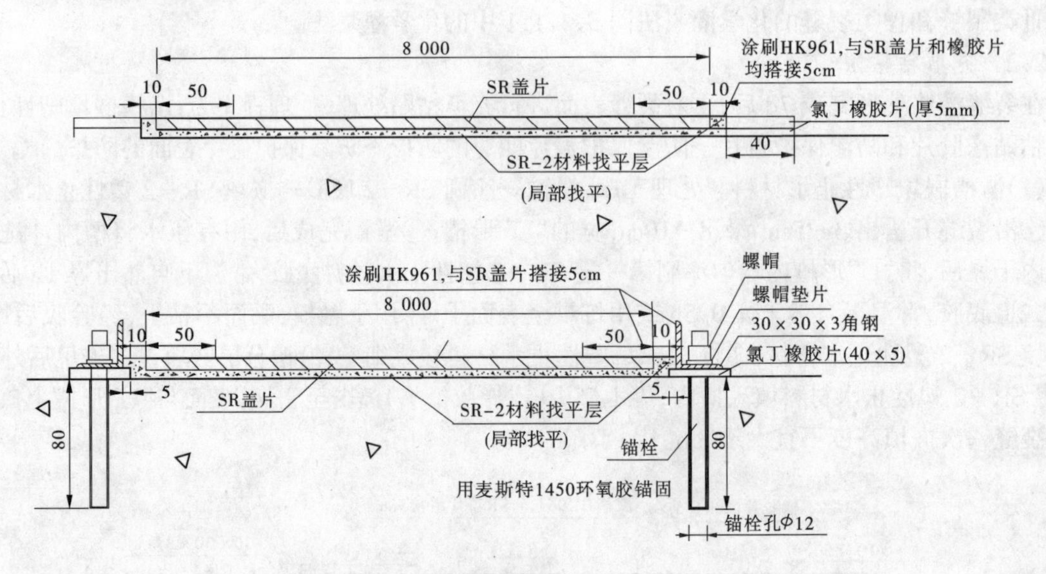


**图3　化学灌浆法加充填粘贴法裂缝上下端头处理**(单位:mm)

注:氯丁橡胶片与混凝土面、角钢间用专用粘贴剂或环氧基液粘贴。

(3)防渗保护盖片四边的防护。为减小后期水压力对SR防渗盖片两侧的破坏,将SR防渗盖片四条外边封边,一般采用两种方式:①采用氯丁橡胶与30mm×30mm×3mm角钢相结合封闭,氯丁橡胶与混凝土之间采用环氧基液或厂家提供的专用粘接剂粘贴,SR防渗盖片与角钢结合处的表面均涂刷HK961防护涂料,角钢的固定采用钻孔上$\phi$10mm锚栓(筋)的方法,锚栓孔洗干净后注入适量1450环氧树脂或HK2982树脂锚固剂,然后插入锚栓(筋),在锚固剂凝固前不要扰动锚栓(筋),见图2;②直接采用两层氯丁橡胶封边,氯丁橡胶间、橡胶与混凝土之间采用环氧基液或厂家提供的专用粘接剂粘贴,SR防渗盖片与氯丁橡胶结合处的表面均涂刷HK961防护涂料。氯丁橡胶采用4cm宽、5mm厚的条材,封闭前将氯丁橡胶用专用清洗剂或浓硫酸浸泡5～10min后,再用清水洗净晾干后使用,氯丁橡胶与混凝土面、角钢间用专用粘贴剂或环氧基液粘贴。氯丁橡胶与SR－2塑性止水材料(胶泥状)间预留1.0cm空隙,空隙间先涂刷2道SR－2配套底胶,后采用SR－2塑性止水材料(胶泥状)充填,最后采用HK961防护涂料封闭。

(4)防渗保护盖片表面的防护。①对SR防渗盖片间拼缝间隙,采用HK961防护涂料涂刷,HK961防护涂料分为A、B两个组分,A∶B＝4∶1(重量比)搅拌均匀后方可使用;HK961涂刷在拼缝两侧各5cm范围内。SR防渗盖片封闭方法同拼缝间的封闭方法。②由于SR防渗盖片防冲击性较差,为防止硬物击穿而影响其防渗性能,可在SR防渗盖片外采用钢筋混凝土板进行封闭保护,在钢筋混凝土板施工不便的地方采用6mm厚PVC板对其进行封闭防护,主要视部位重要性和部位施工方便性而定。

## 4　结　语

三峡工程的裂缝处理施工采用了《混凝土坝养护修理规程》[2]中的喷涂法、粘贴法、充填法和灌浆法,并且大多数裂缝处理采用以上4种方法中的两种或三种方法相结合的方法,确保了三峡工程主体建筑物的耐久性和整体性,满足了三峡工程设计要求。以上混凝土裂缝处理施工技术和材料在其他混凝土坝的施工中可参照使用。

## 参 考 文 献

[1] TGPS-1998,混凝土裂缝评判和处理规定(试行)
[2] SL230-1998,混凝土坝养护修理规程

# 三峡永久船闸中隔墩裂缝原因分析

杨启贵　王冬珍

(长江水利委员会勘测规划设计研究院,武汉 430000)

**摘　要**:分析中隔墩顶面混凝土上出现的裂缝,是岩体裂缝、混凝土温差、混凝土干缩等因素的综合反映,而岩体裂缝的主要原因是开挖卸荷和岩体中存在不利的地质结构面,其次是锚固不及时,开挖爆破以及端头锚引起的附加拉应力等。开挖停止后,未产生新的裂缝,岩体中的裂缝扩展呈收敛状,裂缝尚未对中隔墩造成严重的损伤,中隔墩仍处于稳定状态。

## 1　基本情况

三峡工程双线连续五级船闸系在长江左岸山体中深切开挖修建,其中船闸主体结构段长1 617m,两侧的岩质高边坡最高达160m;两线船闸平行布置,中间留有60m宽的中隔墩。中隔墩在闸首部位由混凝土重力式墙和保留岩体组成,高约68m;在边坡最高的二、三闸室段由微未风化保留岩体和两侧各厚1.5～2.4m的混凝土薄衬砌墙组成,在其他闸室段由保留岩体和薄衬砌——重力式混合墙组成,高约48m。中隔墩岩体内布置有一条9m×12m的输水洞,各闸首布置有阀门井和分流隧洞与其连通。

船闸区岩体为前震旦系闪云斜长花岗岩,其间穿插有脉岩、捕虏体等;断裂构造以与船闸轴线方向(111°)呈大交角的陡倾角为主;与船闸轴线方向交角小于30°的断层占总数的8.3%,裂隙占总数的27%。

中隔墩两侧除结合锚固衬砌混凝土闸墙布置间距1.5m×1.5m～2m×2m、长8～14m的系统锚杆进行加固外,在闸首、阀门井部位系统布置有2～3排对穿预应力锚索(见图1),在地质缺陷部位还需要布有锚杆、锚索进行加固处理。

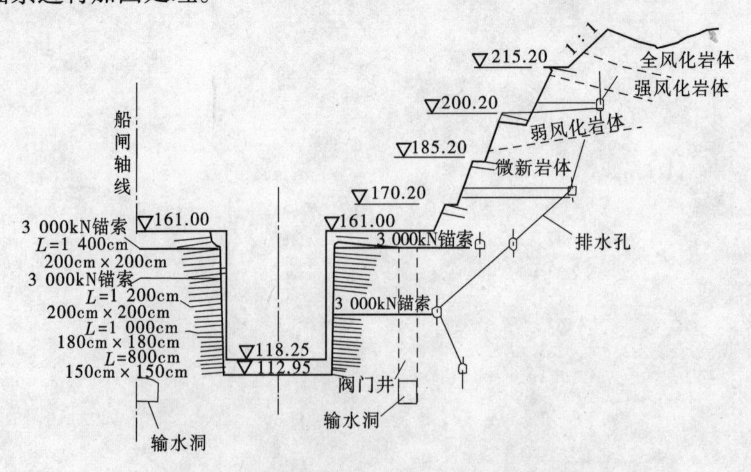


**图1　中隔墩及边坡典型支护示意图**

1996年7月到1999年4月开挖及块体处理基本完成。但在1997年10月以后,中隔墩顶面混凝

本文原载《水电能源科学》1999年第4期。

土上陆续发现裂缝,其中以二闸室段裂缝(含二闸室和三闸首)数量最多。截至1999年1月底,该部位的混凝土面上共发现140条裂缝。中隔墩顶面出现裂缝后,其发生的原因和对中隔墩稳定的影响如何,引起各方面的关注。本文以二闸室段为典型,对裂缝原因进行初步分析。

## 2 裂缝特征

### 2.1 混凝土面上裂缝的规模

二闸室段发现的裂缝均出现在中隔墩顶面的封闭混凝土上,规模多短小。长度小于10m的裂缝占76%,10~20m的占17%,大于20m的占7%,最长为31.4m;张开宽度小于3mm的占76%,3~10mm的占21%,大于10mm的占3%,最宽为23mm。

### 2.2 混凝土裂缝的分布

裂缝分布范围、密度极不均一,南侧(占70%)明显多于北侧(占30%);在闸首、阀门井周围和闸首支持体部位相对集中分布,裂缝走向与船闸轴线方向交角小于15°的占40%,在15°~80°之间的占36%,大于80°的占24%。超过一半的裂缝与中隔墩临空面走向方向呈小于30°的小交角。

### 2.3 混凝土裂缝与断裂构造的对应性

混凝土裂缝的位置、走向与下覆结构面基本吻合的占25%,沿混凝土分缝(与船闸轴线垂直或平行)张开的占16%,其他占59%,显示混凝土面上的裂缝与岩体的结构面对应关系不明显。在长度大于20m的10条裂缝中,9条沿混凝土浇筑分缝张开。

### 2.4 混凝土裂缝宽度与中隔墩岩体变形的关系

经过4个监测断面上同时段内混凝土裂缝开度累计值与变形监测所得的中隔墩岩体张开位移进行比较,发现混凝土裂缝开度累计值明显大于岩体张开位移值,且存在倍数的差别,说明混凝土裂缝不完全是岩体裂缝的反映。

## 3 岩体裂缝成因分析

### 3.1 岩体中存在地质结构面是裂缝形成的基础

完整岩体不会产生裂缝,地质结构面的存在,为裂缝形成创造了物质基础,尤其是与临空面走向近平行的不利地质结构面,其影响更为明显。中隔墩顶部岩体中,有8.3%的断层、27%的裂隙与船闸轴线方向的交角小于30°。当岩体进入拉应力状态时,结构面顶部逐渐松开,出现裂缝,随着拉应力的增加,裂缝沿结构面向深部发展并可能撕裂结构面的终端继续扩展。已发现张开度、下切深度最大的几条裂缝均是沿着结构面形成,但在直观揭露的裂缝中,尚未发现裂缝的深度超过结构面的深度。

在结构面密集的区域,岩体中的岩桥相对薄弱,当拉应力超过岩体的抗拉强度时,岩桥被拉裂,形成曲折的裂缝。现场调查证实,结构面密集的区域,对应就是裂缝分布较密集的区域。

### 3.2 开挖卸荷引起岩体应力场的变化是形成裂缝的主要力学条件

三峡坝址区的闪云斜长花岗岩形成年代久远,微裂隙发育,岩石强度高,未风化岩石的单轴抗压强度达100MPa以上,岩体且有典型的脆性破坏特点。中隔墩岩体随着开挖下降,上覆荷载及两侧的约束被解除,岩体三面自由临空,岩体由原三向受压状态逐步被解除围压,乃至处于拉应力状态,岩体呈现出明显的向临空方向卸荷拉张变形的趋势。

实测地应力资料[1]表明,开挖前二闸室、三闸室底板高程处的地应力值为7~10MPa,顶部高程处的地应力值为4~6MPa,中隔墩两侧地应力存在较明显的量值差别。计算分析表明[2],随着下切开挖,大主应力方向由原来与船闸轴线小交角的NW方向逐渐转向近垂直船闸轴线的NE方向;中隔墩上部约1/2范围进入拉或拉剪屈服状态,拉应力值一般小于0.6MPa,局部可达2.5MPa。而含微裂隙岩体的劈裂拉伸强度为4.66~3.12MPa[3]。因此,完整岩体不会因卸荷产生的拉应力而导致裂缝产生。当结构面的走向与拉应力的方向近于正交时,由于结构面的抗拉强度很低[4],岩体具备沿结构面被拉开形成裂缝的条件。计算分析还表明,中隔墩顶部向两侧的分开位移约为 60mm,这种分离,除少量属于岩石自身卸载后的膨胀和拉伸外[4],主要就是岩体中结构面张开。

### 3.3 加锚不及时导致裂缝扩展和宽度增大

按照规定的施工程序,加固应紧随开挖进行;实际开挖基本完成时,中隔墩仅施工了顶部 2～5 排锚杆和 1～2 排锚索。断裂力学模拟分析❶表明:完整岩体不会出现裂缝;与临空面平行的长大断裂肯定将出现裂缝;按设计要求的程序和布置的锚杆、锚索施工,能明显减少顺结构面形成的裂缝的开裂宽度和扩展深度,裂缝扩展的深度可减少一半以上,在锚杆加固的范围内,裂缝基本不扩展;仅施工设计布置的锚杆,裂缝宽度仅为无加固措施的 40%,且在达中隔墩高度一半以后继续下挖时,裂缝宽度增加量不足总宽度的 10%。中隔墩大量裂缝出现的时间约在开挖超过中隔墩高度一半后,加锚不及时是导致裂缝大量出现且宽度明显增加的关键原因。

### 3.4 爆破加剧岩体开裂和扩展

爆破对岩体的影响表现为表层岩体原生裂隙的张开与扩展,或直接构成新的爆破裂隙。爆破使中隔墩沿自由面形成一似“帽子”状的强松动区❷,区内岩体完整性降低,强度指标下降,在不断开挖下切卸载过程中,易产生裂缝;事实上,裂缝在靠近临空面附近出现较多。阀门井与闸槽间岩体单薄,且阀门井开挖滞后于闸槽开挖,区间岩体受爆破频繁影响,导致该区域裂缝数量较多且深度较大。

### 3.5 端头锚的附加拉应力增加了岩体被拉裂和扩展的可能性

局部地段,为处理位于临空面的不稳定块体而集中布置有端头锚索,锚固端部位的岩体中存在接近 0.1MPa 的附加拉应力,与正常拉应力叠加,加大了岩体被拉裂和扩展的可能性。但因锚固端均布置在完整的岩体中,该因素仅影响局部。实际上,对应部位的裂缝宽度小,长度短。

### 3.6 其他

中隔墩两侧开挖高差过大、中隔墩顶面外水入渗等因素,对裂缝开裂和扩展也可起一定的作用,但效果不明显,影响较小。

## 4 裂缝对中隔墩稳定影响的评价

仅处于混凝土中的裂缝,只要及时进行封堵处理,防止雨水入渗,就不会对中隔墩的稳定造成影响。岩体中的裂缝,除极少数延伸较长、深度较大外,多数都延伸短、切割浅,发生在岩体浅表部位,在开挖停止后,裂缝扩展呈收敛状,也未见新的裂缝产生。经详细的地质查勘和设计搜寻,未见裂缝与裂缝、裂缝与结构面组合成不稳定块体。综合分析认为,裂缝尚未对岩体造成严重的损伤,中隔墩仍处于稳定状态,只要抓紧施工完成设计已布置的锚杆和锚索,裂缝扩展将会得到有效控制,不会危及中隔墩的运行。

## 参考文献

[1] 龚壁新,钟作武,罗超文 . 三峡工程船闸区地应力测量和地应力场初步分析 . 长江科学院院报,1995,12(2):62～68

[2] 徐麟祥,杨启贵 . 三峡船闸高陡岩石开挖边坡设计研究 . 人民长江,1997,28(10):27～29

[3] 张有天,周维垣 . 岩石高边坡的变形与稳定 . 北京:中国水利水电出版社,1999

[4] 任放 . 对三峡工程船闸高边坡稳定性的再认识 . 人民长江,1998,29(3):6～8

---

❶ 徐平. 三峡工程永久船闸中隔墩裂缝扩展及加固效果数值分析. 1999.4

❷ 中国科学院武汉岩土力学研究所,长江水利委员会,香港大学. 三峡工程临时船闸和升船机之间隔墩岩体力学性状研究(总报告). 1997.12

# 三峡二期工程大坝混凝土施工温度控制的综合技术

周厚贵

(中国葛洲坝集团公司,湖北宜昌 443002)

**摘 要:** 三峡工程混凝土浇筑总量 2 800 万 $m^3$,其中泄洪坝段及左厂 11～14 号坝段混凝土总量约 777 万 $m^3$。为保证混凝土施工在高温季节连续进行,混凝土温度控制至关重要。本文从施工角度出发,介绍了配比设计优化、拌和制冷、遮阳、覆盖与仓面喷雾、通水冷却及施工管理措施等混凝土温控综合技术,并给出了相应的实施效果,可供各类大、中型工程参考借鉴。

## 1 引 言

三峡工程大坝为混凝土重力坝,坝轴线全长 2 309.47m,坝顶高程 185m,最大坝高 181m。泄洪坝段位于河床中部,前沿总长 483m,设有 23 个深孔和 22 个表孔。深孔尺寸 7m×9m,进口孔底高程 90m,表孔净宽 8m,溢流堰顶高程 158m。厂房坝段位于泄洪坝两侧,电站进水口底高程为 108.5m。压力管道内径为 12.4m,采用钢衬钢筋混凝土联合受力的结构型式。三峡工程混凝土浇筑总量为 2 800 万 $m^3$,其中二期工程泄洪坝段及左岸厂房 11～14 号坝段混凝土总量达 777 万 $m^3$。

由于工程施工进度紧迫,致使混凝土浇筑急速进入高峰期,故在混凝土浇筑初期,浇筑手段未能全部形成。这样,大部分基础约束区混凝土都将集中于高温季节浇筑,混凝土温度控制任务非常艰巨。为了保障三峡工程大坝混凝土施工在高温季节连续进行,施工中实施了一系列综合温度控制技术,本文即对此加以叙述。

## 2 配比设计优化

通过优选原材料、降低胶材用量等途径对混凝土配合比进行优化,是搞好混凝土温度控制、保证混凝土质量的关键。

### 2.1 配合比的提出

根据三峡二期工程招标文件和建设单位有关文件要求,于 1998 年 1 月开始进行三峡二期工程混凝土施工配合比设计工作,1998 年 8 月提供了《三峡二期工程大坝混凝土施工配合比报告》,由于当时拌和系统刚建好,各方面条件尚不完善,为保证混凝土质量,加大了每立方米混凝土单位用水量。在粉煤灰掺量方面,由于试验资料尚不丰富、粉煤灰掺量均按设计执行。该配合比经监理批准,于 1998 年 10 月用于三峡二期工程。该配合比在投入二期工程应用后,混凝土拌和物和易性良好,混凝土各项指标满足设计要求。

### 2.2 配合比的优化

随着工程施工的推进,拌和系统日益完善,试验资料亦不断丰富。根据施工现场反馈的情况,1999 年初进行了配合比的优化试验。

优化试验主要从以下几个方面进行:

(1)根据拌和系统各方面条件已经比较完善,混凝土浇筑方量较大,砂石骨料含水量较为稳定等特点,降低混凝土的单位用水量。

(2)随着长江科学院、中国水科院和三峡总公司试验中心等有关单位共同完成的三峡工程第二阶段混凝土配合比试验研究成果报告的提出,并通过专家验收会的审查,在粉煤灰掺量方面突破了设计要求。因此,配合比优化中,进一步提高了粉煤灰掺量,以降低混凝土中的水泥用量。

(3)根据施工现场反映出的振捣后混凝土表面砂浆过于丰富的现象,调整混凝土砂率,其中三级配混凝土的砂率减少2%,四级配混凝土的砂率减少1%。

1999年4月,完成并提出《二期工程混凝土配合比补充试验及大坝混凝土配合比优化试验报告》。报告提出了优化后的大坝混凝土配合比,其配合比参数见表1。

**表1　三峡二期工程大坝混凝土施工优化配合比**

| 部　位 | 混凝土标号 | 水胶比 | 级配 | 用水量($kg/m^3$) | 粉煤灰掺量(%) | 砂率(%) | 总胶材($kg/m^3$) |
|---|---|---|---|---|---|---|---|
| 大坝基础 | $R_{90}200,D_{150},S_{10}$ | 0.50 | 四 | 85 | 35 | 27 | 170 |
| 大坝内部 | $R_{90}150,D_{100},S_{8}$ | 0.55 | 四 | 88 | 40 | 28 | 160 |
| 水上水下外部 | $R_{90}200,D_{250},S_{10}$ | 0.50 | 四 | 86 | 30 | 27 | 172 |
| 水位变化区外部 | $R_{90}250,D_{250},S_{10}$ | 0.45 | 四 | 86 | 30 | 26 | 191 |

优化后配合比于1999年5月1日经监理批准采用。它比优化前的混凝土配合比单位用水量减少5~9$kg/m^3$;胶凝材料用量除大坝内部配合比由于受低胶凝材料用量160$kg/m^3$限制降低较少外,其余部位混凝土胶凝材料用量降低16~20$kg/m^3$;配合比优化后的粉煤灰掺量比优化前提高了5%~10%。粉煤灰掺量的提高,不仅有利于改善混凝土的施工和易性,也起到了降低混凝土单位用水量和水泥用量的目的。通过这两项优化措施,使四级配混凝土中的水泥用量减少了14~35$kg/m^3$,平均为22.5$kg/m^3$。按中热525号水泥各龄期水化热计算,平均每立方米混凝土减少发热量为:3 937.5kJ(1d)、5 400kJ(3d)、6 075kJ(7d)。混凝土的比热按910J/(kg·℃)、密度按2 400$kg/m^3$考虑,则混凝土温升比未调整前降低值为:1.80℃(1d)、2.47℃(3d)、2.78℃(7d)。

# 3　拌和制冷

拌和制冷的主要目的是控制混凝土出机口温度,三峡工程混凝土施工按季节、浇筑区域、结构部位等对拌和系统出机口温度提出了不同要求。主体建筑物基础约束区域重要结构部位的混凝土除冬季12月~翌年2月采用自然入仓外,其他季节出机口温度不超过7℃;脱离约束区混凝土除11月~翌年3月采用自然入仓外,其他季节拌和楼出机口温度不超过14℃。

## 3.1　拌和制冷工艺

三峡工程混凝土温度控制要求严,骨料降温幅度大,因此采用了最先进的两次风冷骨料与加片冰及加冷水拌和混凝土的施工工艺。即在调节料仓内一次风冷特大石、大石、中石、小石四级粗骨料,拌和楼料仓二次风冷四级粗骨料,然后加入冰及冷水拌和温控混凝土。拌和制冷系统由一次风冷系统、二次风冷系统、制冷系统组成。拌和制冷工艺流程见图1。

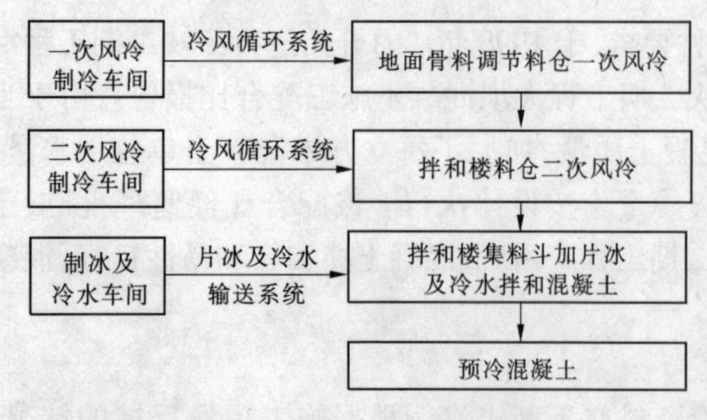


**图1　拌和制冷工艺流程图**

## 3.2　拌和系统温控实施

### 3.2.1　出机口温度的变化

按招标文件和最初设计要求,脱离约束区的混凝土出机口控制温度为14℃,浇筑温度16~18℃。

由于夏季(5～8月)高温环境影响,虽采取拌和楼前喷雾、运输车配遮阳篷及加快入仓浇筑速度等降低混凝土运输入仓过程中的温度回升等措施,但浇筑温度仍有超过设计要求的情况出现。

为保证浇筑温度不超过设计规定值,在夏季每天高温时段(7～8月,每天9:00～18:00),将出机口温度12～14℃先调整为10℃,后又改为按7℃控制。

### 3.2.2 制冷风机冲霜

制冷风机经过一定时间运行后,蒸发器叶片表面将蒙上一层霜与石粉混合物,影响料仓骨料冷却效果,故须定时对制冷风机蒸发器进行冲霜。

合理安排冲霜时间非常重要。最初拌和系统一、二次风冷冲霜每天安排3次,每次冲霜0.5h,滤水0.5h。安排在交接班时进行,冲霜效果比较理想。但1d冲霜需占用3h,每次冲霜时间太长。尤其中午冲霜时,骨料温度加升快,影响出机口温度控制。后来为减少冲霜时间,改为每天冲霜2次(早班6:00～7:00、中班22:00～23:00)。虽然避开白天高温时段冲霜,但由于时间间隔太长,蒸发器叶片表面霜垢太厚,风冷骨料效果较差,无法满足出机口温控要求。为此,进一步对冲霜时间加以改进,采用每天交接班时冲霜(早班6:00～6:45,白班14:00～14:45,中班22:00～22:45),每次冲霜0.5h,滤水15min。实际运行表明,改进后既能缩短冲霜时间,又能保证冲霜效果。

### 3.2.3 拌和制冷温控参数的调整

一、二次风冷骨料冷却终温、胶凝材料和水的温度是拌和制冷的质量控制点。在高温时段,为保证混凝土出机口温度,对拌和制冷温控参数进行了必要调整。实际执行的温控参数与设计参数对照见表2。

表2 **79m高程拌和系统实际制冷参数与设计参数对照** (单位:℃)

| 部位 | 温控项目 | | 设计参数 | 实际运行参数 | 备注 |
|---|---|---|---|---|---|
| 一次风冷料仓 | 进风温度 | 特大石 | －1～1 | －4～－6 | |
| | | 大石 | －1～1 | －4～－6 | |
| | | 中石 | －1～1 | －4～－6 | |
| | | 小石 | －1～1 | 1～－1 | |
| | 料冷却终温 | 特大石 | 8 | ≤4 | |
| | | 大石 | 8 | ≤4 | |
| | | 中石 | 8 | ≤4 | |
| | | 小石 | 8 | 4左右 | |
| 拌和楼二次风冷料仓 | 进风温度 | 特大石 | －8～－12 | －12 | |
| | | 大石 | －8～－12 | －12 | |
| | | 中石 | －8～－12 | －12 | |
| | | 小石 | －8～－12 | －8 | 为防冻仓经常停风 |
| | 料冷却终温 | 特大石 | －1～－1.5 | －6～－9 | |
| | | 大石 | －1～－1.5 | －4～－8 | |
| | | 中石 | 0～0.5 | －2～－6 | |
| | | 小石 | 1～1.5 | 0～6 | 冻仓停吹温度回升 |
| 拌和楼 | 冷水温度 | | 4 | 0.5～2 | |
| | 片冰温度 | | －5～－8 | －8～－9 | |
| | 砂温 | | max26.7 | max25 | |
| 水泥 | 进罐温度 | | ＜60 | ＞60 | |
| | 楼上温度 | | max45 | 40～45 | |
| 粉煤灰温度 | | | 45 | 38左右 | |

# 4 遮阳、覆盖与仓面喷雾

## 4.1 运输汽车遮阳

运送混凝土自卸车的遮阳篷采用塑料编织彩条布材料。在汽车厢两侧各焊一根 $\phi$25mm 钢管，将彩条布两侧安装滑环并套装在钢管上。当汽车装料时遮阳篷沿钢管滑至车厢尾部，汽车装完混凝土后由人工将篷拉开覆盖车厢。遮阳篷亦有防雨功能。

在 4～10 月间如有太阳直射时，每天早 7:00 至下午 18:00 在拌和楼下有专人拉遮阳篷。在 6～8 月期间气温较高、阳光较强时，汽车卸完料后也将遮阳篷盖上，使空车返回拌和楼时避免阳光直射车厢。

1999 年 5 月，对自卸汽车遮阳效果进行了跟车对比测试，选取自 79m 高程拌和系统至 2 号塔带机临时供料线区段测试。结果表明，当气温在 28～30℃时，安装遮阳篷的运输汽车，其混凝土温度回升仅 1～3℃，而无遮阳情况时的回升达 2～5℃。

## 4.2 拌和楼前喷雾

采用自卸汽车运输混凝土时，空车在拌和楼前进行喷雾降温。喷雾装置架设在进入拌和楼前 10～25m 长的道路两侧，略高于自卸车厢，使该范围形成雾状环境。

喷雾装置采用油漆喷枪改装而成。喷枪中间设置一个进水接口，尾部设置一个进气接口。进水、进气接口均用高压橡胶软管与供水、供气主管相连。供水压力在 0.4～0.6MPa，供风压力 0.6～0.8MPa。每座拌和楼前两侧各设一排喷嘴，间距 75cm 左右，喷嘴直径 0.5mm。每座拌和楼用水量约 $8m^3/h$。通过实测雾区比实际气温低 5～10℃，此喷雾装置对混凝土温控作用较大。

## 4.3 供料线遮阳

塔带机 1～5 号供料线线长分别为 318m、525m、581m、631m 和 596m，塔带机 1 号、2 号布料皮带长 97m。在供料线及布料皮带沿线桁架上均覆盖一层铝合金遮阳板，遮阳板与桁架宽度一致，可保障输送皮带上混凝土不受阳光直射和雨淋。

由于供料线较长，且覆盖材料为金属，故在夏季实际运行中混凝土的温度回升幅度高于设计允许的 2℃以内，通常在 3～5℃以上，供料线温度控制设备存在缺陷。因此，对供料线上混凝土的进一步降温措施尚需深化研究。

为减少阳光直射强度和降低混凝土与外界环境温差，以控制供料线运输途中混凝土温度回升，初步设想对供料线沿线进行喷雾降温。喷雾供水管沿供料线布置，每间隔一定距离设一喷嘴。喷嘴间距和水量需试验确定。

## 4.4 仓面覆盖

仓面保温材料一般选择保温被，保温被采用两层 1cm 厚聚乙烯保温卷材外套塑料编织彩条布。为现场使用方便，保温被一般做成 1.5m×2.0m 一块。在开仓浇筑前要求每仓配备不少于 $400m^2$ 的保温被。浇筑时，对振捣好的混凝土立即覆盖，直至需要下料时才能掀开。覆盖范围为浇筑接头处。台阶平台以及最后一层仍需覆盖一段时间，保持新浇筑混凝土少受阳光直射。

## 4.5 仓面喷雾

仓面喷雾机是将清水通过离心式压力雾化喷嘴雾化成细小雾滴后，用风力将雾滴均匀吹送到混凝土浇筑面上方形成雾层。一方面雾滴吸热蒸发，同时雾层阻隔阳光直射，从而降低浇筑面上环境温度。

仓面喷雾机由雾化系统、气流风送系统和摆动系统及底座部分等组成。底座上装有脚轮，可在仓面上推行及改变喷雾方向。底座台架用角钢焊接，外部用钢板覆盖，可拆下以便于检查和维护底座箱内的摆动系统。

1999 年夏季，葛洲坝集团公司共购置 20 台新型喷雾机，分别布置在泄洪坝段和左厂 11～14 号

坝段施工仓面。在经过短期的试用和摸索后,迅速用于仓面降温保湿,其应用效果如下:

(1)混凝土仓面温度随着距喷头距离的不同有不同程度的降低。离喷头愈近,仓面混凝土温度降低幅度愈大。仓面喷雾后混凝土温度较环境最大降温可达11℃,在离喷头9~12m范围内可降温6~10℃,距离喷雾机18.0m,降温2~3℃。

(2)当喷雾机无仰角即仰角为0°时,较有仰角时降温效果好。

(3)喷雾效果与风向、风速大小有关,顺风向喷雾降温效果最好,覆盖范围也大。

(4)通过在距喷头6m和9m处分别设置的100ml观测量筒所进行的降水量观测表明,1h后筒内无水滴,说明雾滴不会影响仓面浇筑质量。

(5)喷雾效果与水头压力有一定关系,水压大,雾化降温效果较好,但继续增大时,雾化效果变化不大。应用结果表明,当水压为0.6MPa左右时最优。

喷雾机主要技术性能参数见表3。

表3 喷雾机主要技术性能参数

| 供水压力 | 0.3~0.6MPa | 风机俯仰角 | 0°~20°(4级,每级5°) |
|---|---|---|---|
| 雾滴直径 | 40~10μm | 摆动范围 | 0°~90° |
| 喷量 | 3~5L/min | 摆动频率 | 3~4往复/min |
| 喷幅 | 20m(在静风状态下) | 整机重量 | 400kg |

## 5 冷却通水

三峡工程的冷却通水分为三期,即初期通水、中期通水和后期通水。初期通水主要是起削减混凝土初期温峰作用。削减大体积混凝土内部的最高温度,使其最高温度不超过允许的最高值。初期通水一般使用6~8℃的制冷水,流量为18L/min,时间为10~15d。初期通水是降温过程,削减混凝土的内外温差,使大体积混凝土顺利过冬。

中期通水采用江水进行,通水时间为1.5~2.5个月,以混凝土块体温度达到20~22℃为准,通水流量为20~25L/min。

需要进行坝体接缝灌浆及岸坡接触灌浆部位,在灌浆前必须进行后期通水冷却。后期冷却通水采用8~10℃的制冷水,通水流量不小于18L/min。若改用通江水,流量应达到20~25L/min。经过后期通水冷却,将坝块温度降至14~18℃。

### 5.1 初期通水

三峡二期工程I&IIB标项目的制冷水由79m高程系统和90m高程系统生产。其中79m高程系统有3台氨压机制冷,供水流量为100m$^3$/h。主要供应左岸厂房坝段、左导墙坝段,以及部分泄洪坝段上块的混凝土冷却。在混凝土收仓后12h内开始通水冷却,通水流量控制在15~18L/min。当冷却水管内流量达到15L/min时,管内即可产生紊流,可以很好地带出热量。因此,流量控制在15~18L/min最合理,超大则会浪费制冷水。

制冷水首先是满足基岩填塘混凝土和强约束区混凝土,其次是弱约束区,再次是脱离约束区部位。对于脱离约束区的部位,在冷却水不够的情况下,可以通河水。通水流量不小于25L/min,通水时间15~20d。通水后,每隔2d进出口方向互换一次。

经过初期通水,坝块内部温度一般降到25~28℃;并且有效地控制了混凝土的最高温升,满足设计要求。

### 5.2 中期通水

在上游围堰左端和下游围堰右端各建一抽水泵站,作为中期通水的取水点,分别从$\phi$700mm和$\phi$180mm的钢管引接到主体工程上下游。上游泵站主要供应左岸厂房的中期通水,下游泵站供泄洪坝段的中期通水。两泵站的供水量共 70 000t/d。

中期通水前,先检查冷却水管的出水温度,在出水温度高于进水温度 2℃以上时,方可进行正式通水。若出水的水温低于进水温度可延后一段时间,等江水温度降至比坝内温度低时再行通水。通水时间为 1.5~2.5 个月。在通水期间,凡进水水温与出水水温持平或相差在 1℃以内,可终止通水,隔 3~5d 后再恢复。通水时,每隔 2d 互换一次进出水方向。通水结束的标准是坝内温度降至 20~22℃,即当出水温度低于 18℃时,即可结束中期通水。通水一月进行抽样闷温,待坝体内温度降至 20~22℃时,进行全面闷温,闷温时间为 3d。

### 5.3 后期通水

在后期通水前,对各混凝土块进行闷温,闷温时间为 3d。然后汇成资料,分析确定是通江水还是通制冷水。对于混凝土块体温度超过制冷水 15℃,先用江水降温,等温度降至一定程度后,再用制冷水冷却到坝体灌浆温度。

后期冷却的原则是:对需要接缝灌浆的灌区,相邻块体必须冷却;被灌灌区的上一个灌区和下一个灌区所在的混凝土块体必须同时冷却,达到接缝灌浆所需要的温度,才开始施灌。

## 6 施工管理措施

### 6.1 合理安排仓位

三峡二期工程根据不同浇筑时段和部位,分层厚度一般为 1.5~2.0m。在当年的 12 月至翌年的 2 月,分层厚度一般为 2.0m。其他时段,基础约束区为 1.5m,脱离基础约束区的为 2.0m。层间间歇时间 6~9d,一般控制在 15d 以内。

在基础仓部位,陡坡填塘需要分层施工,分层厚度 2m 以内。在浇平基岩面后,要求间歇 15d 以上,并辅以初期冷却通水等措施,将混凝土内部的温度降至基岩稳定温度后再继续浇筑。在基础仓面施工过程中遇到固结灌浆时,间歇时间比正常上升情况下稍长一些。

安排仓位时,一般要求各坝块均能合理地短间歇使其连续和均匀上升,并按跳仓浇筑的原则安排仓位。这样可以避免有的坝段出现较长间歇,影响相邻坝块的上升,甚至大面积压仓。

### 6.2 加快入仓速度

在资源一定的情况下,加强设备的调度管理,提高作业效率至关重要。在加强管理上,一是强调现场交接班制度,所有设备运行人员,必须在现场交接班,交接班时间不能超过 30min;二是吃饭时间仓内混凝土不能停料停浇,要保证浇筑的连续性;三是重点仓位必须采用重点保仓措施。

欲提高混凝土入仓速度,一要配备足够的入仓设备,二要合理地布置和利用好入仓设备,充分发挥入仓设备的效率。目前水电工程建设中的入仓设备有电动吊车、门塔机、胎带机、塔带机、缆机以及碾压混凝土直接入仓浇筑用的汽车等。选用何种设备及方式,要根据浇筑部位的实际情况和具体要求来安排。

### 6.3 避开高温时段

夏季混凝土施工温控是温控工作的难点和重点。尤其是每年 7 月和 8 月的高温季节,对仓位安排提出了更高的要求。基本的原则是:避开中午最热时段,在早晚或阴天施工;安排仓位时,随时了解和跟踪天气预报,掌握天气的趋势走向,一有阴天或低温时间,就抓住时机,抢浇快浇。平时避开上午 10:00 至下午 4:00 时段,在中班开仓,跨过零点班,早班 10:00 前争取收仓。与此相配套,必须在设备、人员等资源的各个环节认真组织、加快浇筑速度,以减少温度影响。

充分利用有利的浇筑时段,抓住早、晚和夜间温度相对较低的时机,抢阴雨天时段浇筑。关键在于施工管理上的合理安排。在高温时段停止浇筑时,要集中力量检修各种设备,搞好备仓和各项浇筑准备。一旦进入有利的低温时段,即组织高强度入仓和快速浇筑,使混凝土施工一气呵成,抢在下一高温时段到来之前收仓。

### 6.4 加强表面养护和保温

永久暴露面采用长期流水养护。采用 $\phi$25mm 的钢管(或塑料管)。每隔 20～30cm 钻 $\phi$1mm 左右的小孔,挂在模板上或外露拉筋上,孔口对着混凝土壁面流出自来水养护,通水流量为 15L/min 左右。拆模后立即开始流水养护,水管随模板上升而上升。白天实行不间断的流水养护,夜间(20:00～6:00)可实行间断流水养护,即流水养护 1h,保持湿润 1h。当夜间气温超过 25℃时,实行不间断流水养护。

水平仓面的混凝土浇筑 12～18h 混凝土初凝后,表面即可进行人工洒水养护。当较大的仓面连续浇筑两个班以上时,对先浇的部位要进行洒水,但不能让水流到未初凝的混凝土面上。仓面收仓后 12h,用自动洒水器养护。视仓面的大小可配 2～3 台洒水器,每台流量为 12～15L/min. 对洒不到的位置,辅以人工洒水或表面流水养护,流水量为 16～20L/min,养护时间直至上一仓浇筑为止。在浇筑层面养护时,严禁借洒水养护进行压力水冲毛。

每年 10 月初,对大坝永久外露面进行保温。保温材料选取 1cm 厚的外包编织彩条布的高发泡聚乙烯卷材。根据试验测试结果,经保护后混凝土表面等效放热系数 $\beta = 2.21\text{W}/(\text{m}^2\cdot\text{K})$。保温方法是将聚乙烯卷材展开,悬挂在永久暴露面上,每隔 1.5～2.0m,采用 1cm×3cm 长木条固定,木条固定在外露的钢筋头上,若是由多卡模板施工无外露钢筋头,可在套筒孔内点焊一钢筋头或加木楔与长木条一起将保温被固定,也可用其他方法利用套筒固定,固定点按 3m×3m 布置。

## 7 结 语

1999 年是三峡二期工程大坝混凝土浇筑的第一个高峰年,葛洲坝集团共完成三峡工程主体混凝土浇筑 247 万 $\text{m}^3$,其中 6～9 月浇筑混凝土 100 万 $\text{m}^3$。在高温时段施工中,由于采取了上述各项温度控制综合技术,十分有效地保证了混凝土的施工质量。

# 三峡工程混凝土施工及温控科研成果

戴会超　张超然

（中国长江三峡工程开发总公司，湖北宜昌　443002）

**摘　要**：论述三峡工程混凝土施工及温控科研成果及其工程应用。主要成果有：混凝土浇筑以塔（顶）带机为主，辅以大型门塔机和缆机，并实行一整套快速施工工艺和现代施工管理体系；混凝土生产系统采用二次风冷技术；混凝土原材料优选，配合比优化；实施全过程综合温控措施。

三峡工程混凝土施工及温度控制是三峡工程的重大科技成果。由于混凝土浇筑量巨大、浇筑强度高和持续时间长，采用常规的吊罐浇筑方法已完全不能适应需要，经综合分析研究采用了混凝土连续浇筑系统，从各混凝土拌和系统通过皮带机供料系统输送到塔（顶）带机直接入仓浇筑，浇筑速度远远超过了常规方式。1999年、2000年、2001年三峡工程年浇筑混凝土分别为458万$m^3$、548万$m^3$和403万$m^3$。1999～2001年混凝土连续快速施工强度，均超过了伊泰普水电站、古比雪夫水电站所保持的最大年浇筑强度、月浇筑强度和日浇筑强度，创造了新的世界记录。

## 1　快速施工背景

长江三峡水利枢纽是治理和开发长江的关键性骨干工程，兴建方案为“一级开发，一次建成，分期蓄水，连续移民”，施工工期为17年，分三个阶段施工，第一、第二、第三阶段的工期分别为5年、6年、6年。

### 1.1　混凝土施工特点

根据三峡工程建设方案，三峡工程施工主要有以下特点：

（1）工程量巨大。三峡工程混凝土工程总量为2 800万$m^3$，是长江葛洲坝工程的2.5倍，为世界上已建最大的巴西伊泰普水电站的2倍。第二阶段工程1 860万$m^3$混凝土中，厂坝工程1200万$m^3$。

（2）高峰强度高，高峰期持续时间长。首先，枢纽工程年浇筑高峰强度高，达548万$m^3$，最大月强度55.35万$m^3$，其中第二阶段厂坝工程年最高强度达400万$m^3$，最高月强度达45万$m^3$，强度在40万$m^3$左右的月份持续9～10个月。金属结构安装以及其他项目的施工强度高，大坝和厂房各类闸门、埋件及钢管等共约14.8万t，年高峰强度约5万t，而且安装与混凝土施工同步进行，相互干扰很大。其他工序如开挖、清基交面、固结灌浆、接缝灌浆等无论总量还是施工强度都是国内外水电建设史上罕见的。其次，工程的特点，决定了必须要在夏季大量浇筑约束区混凝土，这既是一个施工组织难题，也是重大的技术和质量控制难题。第三，大坝下部仓面面积大，从满足大坝均匀、连续上升，间歇期尽可能短的角度，必须要做到高强度，而初期则由于主要浇筑设备形成需要时间，操作熟练需要有个过程，使这一矛盾十分突出。

（3）施工干扰大。一是工程施工过程中，各种工序交叉或平行作业，相互之间干扰很大；二是由于工程巨大，必须分几个标段施工，各承包商之间在界面交接、设备使用、进度协调等方面必然存在大量分歧，干扰很大。

---

本文原载《水利水电科技进展》2003年第1期。

(4)施工技术要求高,难度大。长江洪水峰高、量大、水深;施工期通航要求高,第二阶段工程施工期间,导流明渠要通航,使左、右岸分割,不能支援,这些都给施工安排带来困难。

### 1.2 混凝土快速施工带来的技术难题

(1)在当时情况下,国内已有的浇筑手段如大型门塔机、缆式起重机等,均难以满足施工强度要求;如果增加数量,按国内类似水平推算,需120余台,施工场地布置不下。同时,与传统浇筑手段相应的传统施工工艺也难以满足施工强度和质量要求,加之三峡大坝结构复杂,混凝土的标号、级配种类繁多,也给混凝土高强度的施工增加了复杂性和难度。

(2)为满足三峡混凝土施工强度需要,必须设计和建设当今世界上最大规模的人工砂石料和混凝土、制冷生产系统,以及与之相配套设施及管理。

(3)三峡工程是千年大计、国运所系,必须从原材料及混凝土的各环节高度重视三峡工程混凝土的质量和耐久性,要求高性能的混凝土。

(4)第二阶段混凝土浇筑高峰持续3年,而该地区夏季持续时间长,不利于混凝土浇筑,温控防裂问题异常突出,为确保夏季混凝土的照常施工,特别是基础强约束区部位混凝土的施工,以往各工程所采取的单项或多项温控措施联用都已经不能满足施工要求,必须采取全过程、全方位、高标准、大容量的综合温控措施。

(5)传统的混凝土浇筑仓位安排采取人工调度方法,大多靠经验主观判断,随意性较大,不能满足大规模快速施工需求。因此,必须采取科学排仓方法和现代测控技术,保证混凝土连续、高效、均衡施工。

上述几方面的问题,正是三峡工程混凝土快速施工必须攻克的关键难题。很显然,如果这些难题不能在三峡工程施工中按期攻克,势必严重拖延工程的建设工期,使国家蒙受巨大的政治影响和经济损失。为此,我们狠狠抓住混凝土快速施工关键技术研究这一课题,进行立项并在工程施工前期和施工过程中开展系统科技攻关。

## 2 科研成果简介

本成果所属领域为水利水电工程领域。早在国家“七五”重点科技攻关期间,就开始了本成果及其各个子题的研究,特别是浇筑施工方案的选定和混凝土温控防裂技术,一直都是重点攻关的项目。“七五”期间,国家专门确立了“三峡工程坝体混凝土快速施工技术研究”课题,以对混凝土快速施工关键技术开展研究;其后,在“八五”、“九五”攻关期间及工程实践阶段,进一步加大了对本成果的研究力度,相应取得了一系列重大成果。本项目高度重视施工新技术的应用和集成,其主要成果介绍如下。

### 2.1 混凝土快速施工方案研究及选定

(1)针对三峡工程混凝土浇筑工程量大、施工强度高的特点,在充分比较、论证,充分听取各方面意见的基础上,最终选定以塔(顶)带机为主,同时辅以大型门塔机和缆机的施工方案,具体为:①塔(顶)带机生产效率高,适合于连续高强度施工,用以承担混凝土浇筑的主要任务;②大型门塔机、缆机用以承担备仓、仓面设备转移、金属结构安装等辅助工作;③拌和能力配备留有余地,以利塔(顶)带机效率的充分发挥;④供料线布置一机一带,确保塔(顶)带机运行的可靠性。

(2)厂坝第二阶段工程首次大量使用了当前国际上综合性能参数最为先进的、多达6台的特大型塔(顶)带机,每台最大布料半径达100m,其覆盖面积不小于10 000$m^2$。与塔(顶)带机配套的混凝土供料线总长达3 400多米,布置方便灵活,首次大规模地实现了常规混凝土连续运输至浇筑仓面的方式,且省去了大量的水平运输道路和车辆。厂坝第二阶段工程使用的9台大型门塔机和7座大型拌和楼中,有8台高架门机和5座拌和楼是国内自行研制和开发的新型设备,拌和楼的技术性能指标也达到了国际先进水平。

(3)经过三峡第二阶段工程1999~2001年3年的工程实践,年浇筑强度均在400万$m^3$以上,最高的2000年达548万$m^3$,最高月浇筑强度为55.35万$m^3$,最高日浇筑强度为2.2万$m^3$,创造了年、月、日混凝土浇筑强度的一系列世界之最。泄洪坝段深槽部位在38个月实现了控制性的计划目标,比初步设计论证的45个月提前了7个月,大大缩短了关键线路工期,满足了厂坝第二阶段工程2002年9月(实际为7月)下游基坑进水的要求。

**2.2　混凝土快速施工技术及工艺**

(1)针对大坝混凝土施工最终选定的方案,在施工现场进行了周密的优化布置。结合施工总体布置和各种设备的性能,制定并采取了一系列施工设备运行管理办法,尤其是对于首次大规模使用塔(顶)带机群组,摸索出了一整套设备运行管理和使用维护经验,为三峡第二阶段工程混凝土施工强度创造一系列世界之最提供了强有力的保障。

(2)为了与选定的快速施工方案相配套,确保混凝土浇筑进度和质量,经过大量的研究、论证、试验和实践,全面推行仓面工艺设计,改进并制定了一整套严密的浇筑施工工艺,配备与入仓强度相匹配的仓面资源,形成了三峡工程所独有的混凝土快速施工工法。该施工工法既有工艺硬件的突破,也有管理理念的创新,体现了浇筑工艺与浇筑手段的高度协调与配合。

(3)混凝土施工采用从拌和到浇筑仓面"一条龙"连续作业方式,保证"一条龙"高度协调地动作至关重要。"混凝土生产输送浇筑计算机综合监控系统"是在大型水利水电工程施工中融入现代测控技术的一次尝试和创新,通过视频监控、状态检测、生产管理与决策、优化调度等子系统的开发与实施,实现了混凝土施工全过程的实时监控、动态调整和优化调度,极大地提高了三峡工程施工管理水平和工程施工质量,开创了大型工程项目施工计算机综合监控的先河。

(4)三峡工程混凝土施工较一般工程混凝土施工更为复杂,施工方案和施工计划的选择和安排,将影响整个三峡工程的效益。为使模拟系统能够全面反映工程施工的方方面面,有针对性地对三峡工程混凝土浇筑施工进行了大量的现场资料收集工作,同时也收集了大量类似工程的资料。在此基础上,采用适应当前的混凝土施工状况的优化方法和数学模型,研制了三峡工程混凝土浇筑施工计算机仿真系统。采用该仿真系统指导施工,使各工种各工序的衔接、资源的分配、材料的供应做到科学、合理、均衡、有节奏地进行,达到近期目标与长期目标有效结合以及混凝土浇筑量与工程最佳面貌的有机统一,对三峡工程按预定的目标顺利实施和建成起到积极作用。

**2.3　人工砂石骨料快速生产技术**

(1)成功设计并快速建成世界上最大规模的人工砂石料生产系统。三峡工程人工碎石设计生产能力为2 550t/h,人工砂设计生产能力为782t/h,在工程建设第4个施工年快速建成。系统从第5个施工年投入主体建筑物应用,成品质量优良,产量达到设计生产能力,在高峰期1999~2001年连续3年共生产、供应人工砂石料3 243.83万t,其中碎石2252.46万t,人工砂991.37万t,月供碎石80万t以上,供人工砂40万t以上,满足工程混凝土快速生产和浇筑的要求。

(2)充分利用主体工程基坑开挖料,生产人工碎石,为工程节省数亿元投资,减少占地和环境污染。在工程土石方平衡的基础上,充分利用三峡工程基坑开挖岩石,就近堆存,建成了人工碎石加工系统,不仅有利于三峡工程总体土石方平衡的需求和施工强度的提高,减少弃渣占地和环境污染,同时还节省了砂石料料场开采费和运输费用,降低成本约50%。

(3)三峡工程人工碎石设计结合原岩特性和成品粒度要求,采用"粒径控制"流程,对国内外破碎、制砂设备的性能进行全面的优化设计,并引进部分先进的破碎机及制砂机设备。经过几年的运行,上述设备的生产能力、生产质量均满足三峡工程混凝土快速浇筑的需求,且对进口设备易磨易损件进行了国产化,系统加工的成品针源状、超逊径颗粒含量大大降低,大大节约了混凝土生产成本,产生了巨大的经济效益。

(4)三峡工程人工砂生产强度达782t/h,人工砂生产改变了传统的仅采用棒磨机制砂工艺,引进国际先进的立式冲击破碎制砂机,并形成与棒磨机、筛分楼石屑混合制砂的新工艺,即筛分筛下物粗砂先与冲击破碎制砂机生产的中粗砂在运行皮带上混合,再与棒磨机细砂和石粉(回收废料)在进入成品砂仓胶带机上混合后进入成品砂仓,充分利用了筛下物。立式冲击破碎制砂机产量高,磨耗小,棒磨机制砂细度模数可调的综合经济效果,满足工程对人工砂成品的质量要求,减少系统石料排放,取得良好的环保效益。

**2.4 混凝土生产系统及二次风冷技术**

三峡工程低温混凝土生产系统是世界上已建及在建工程中规模最大、温控要求最严的混凝土生产系统。混凝土制冷系统装机总容量为76 177kW,配合五个混凝土生产系统、9座拌和楼,在夏季生产出机口温度为7℃的低温混凝土,设计生产能力为1 770$m^3$/h,设计夏季高峰月混凝土浇筑强度为44.13万$m^3$/月。

针对三峡工程混凝土施工的特殊性及混凝土预冷工艺的要求,经反复试验研究后首次将二次风冷骨料技术应用于三峡工程,在取得成功的基础上将二次风冷骨料技术在三峡工程混凝土快速施工中全面推广。

三峡工程7℃低温混凝土生产线的工艺流程为:①利用地面二次筛分所设骨料调节仓作冷却仓进行第一次风冷粗骨料;②利用拌和楼料仓进行第二次风冷粗骨料;③加片冰拌和混凝土。

二次风冷骨料技术的创新点在于地面骨料风冷替代常规的水冷骨料工艺,即利用地面骨料二次筛分后所设的调节料仓兼作冷却仓,与高效冷风机及其相应的送配风装置组成冷风封闭式循环系统,用以连续冷却骨料。

二次风冷骨料技术于1996年在三峡第一阶段工程高程98.7m系统投产应用成功。第二阶段工程先后完建高程79m、82m、90m和120m四大系统,与第一阶段已建高程98.7m系统均采用二次风冷骨料技术,五大系统经受了1999~2001年3个夏季高峰的运行,实测混凝土出机口温度为1.6~13℃,平均温度为6.85℃,小于7℃的合格率均在80%以上。1999年6~8月共浇筑低温混凝土126.59万$m^3$,2000年6~8月完成126.83万$m^3$,2001年6~8月完成97.74万$m^3$,3年夏季月平均浇筑量为39.02万$m^3$,最高月产量达45.18万$m^3$,达到并超过系统设计温控标准和低温混凝土设计生产能力,为三峡混凝土施工连续创造世界混凝土浇筑新记录,确保工程的按期建设和工程质量提供了重要保证。

**2.5 混凝土原材料的优选及配合比优化**

(1)采用具有微膨胀性质的中热525号硅酸盐水泥。为利用水泥中方镁石后期水化体积膨胀的特点,以部分补偿混凝土降温阶段体积收缩,将水泥熟料中的MgO含量控制在3.5%~5.0%范围内,使混凝土具有微膨胀性,这项措施对减少混凝土裂缝具有重要意义。

(2)选用了减水率在18%以上、其他指标满足国标一等品指标要求的高效减水剂,以降低混凝土用水量;在混凝土中全部掺引气剂,以保证混凝土耐久性和使用寿命,提高混凝土的工作性。

(3)在混凝土中首次全面将Ⅰ级粉煤灰作为功能材料掺用,以降低混凝土用水量,改善混凝土的和易性,提高混凝土性能。

(4)采用缩小水胶比、加大粉煤灰掺量的技术路线,减小混凝土孔隙率,提高混凝土强度和耐久性。此外,增加粉煤灰掺量,其微珠效应和减水效果更加明显,对混凝土的和易性和后期性能也有明显提高。

(5)限制中热水泥熟料中的碱含量小于0.5%,中热水泥的碱含量小于0.6%;粉煤灰碱含量小于1.5%;人工骨料混凝土总碱量小于2.5kg/$m^3$,天然骨料混凝土总碱量小于2.0kg/$m^3$。这些限制可以确保三峡工程混凝土不会发生碱骨料危害反应,保证了三峡工程混凝土的耐久性。

混凝土同时采用上述各项技术措施,在国内外都是极少有的。通过缓凝高效减水剂与引气剂联掺以及使用Ⅰ级粉煤灰,有效地降低了混凝土用水量,成功地将花岗岩骨料四级配混凝土用水量由原来的110kg/$m^3$降至85kg/$m^3$左右。混凝土抗冻性外部及基础部位可达$D_{250}$以上,其他部位可达$D_{200}$

以上，最高冻融循环次数已达 1 250 次。在抗冻耐久性达到设计最高要求的同时，混凝土水泥用量并不高，绝热温升却较低，内部混凝土绝热温升平均为 20℃左右，自生体积变形为微胀，弹模和干缩都较低，混凝土的极限拉伸满足设计要求，提高了混凝土的抗裂性、体积稳定性和耐久性，同时混凝土还具有良好的施工和易性。据初步估算，优选出的配合比可取得约 2 亿元的经济效益。

**2.6 混凝土温控防裂技术及实践**

(1)三峡工程自可行性研究以来，一直将混凝土温控设计作为一个重要的课题进行研究。"七五"攻关期间，三峡大坝通仓浇筑作为"七五"国家重点科技攻关项目"三峡工程坝体混凝土快速施工技术研究"课题之一，对泄洪坝段混凝土通仓长块浇筑的各种技术经济问题进行了研究。《三峡水利枢纽初步设计报告》在"七五"攻关研究成果的基础上，对大坝、电站厂房及永久船闸、升船机等稳定温度场及准稳定温度场、温控标准、分缝分块及温控防裂措施作了详细分析论证，并通过了专家组审查。招标设计过程中，采用了专家组"对河床大坝高程 110m 以下横缝进行接缝灌浆，以提高大坝整体性"的审查意见，通仓长块浇筑温控设计前提条件发生变化。为此，在 1996 年对大坝分缝分块重新进行了研究，1996 年 9 月提交了《长江三峡水利枢纽大坝纵向分缝专题报告》及补充材料，对三峡大坝各种分缝方案及其相应温控标准，以及对混凝土施工进度、施工方案、经济性等的影响重新进行了分析论证。1996 年 12 月在北京召开大坝专家组会议，对长江水利委员会提出的《长江三峡水利枢纽大坝纵向分缝专题报告》及补充材料进行了审查，认为"推荐的泄洪坝段和厂房坝段采用 2 条纵缝方案技术上可行，混凝土温度应力相对较小，可作为采用的第一方案。同意专题报告提出的基础允许温差、防止表面裂缝、坝体最高温度的温控标准。并建议对导流底孔部位温度控制适当加严"。施工详图设计泄洪坝段及厂房坝段除个别坝段采用 3 条纵缝外，均采用 2 条纵缝，并按此确定相应温控标准及主要温控措施。实施效果表明，该成果为防止危害性基础贯穿裂缝提供了重要技术保证。

(2)计算分析混凝土运输浇筑过程中温度回升，采取措施使温度回升率不大于 0.25；计算分析各种温控措施效果，确定各部位混凝土温控措施。混凝土运输过程中温度回升率一般采用实测资料，但三峡工程所使用的特大型施工机械，特别是塔带机没有与之对应的参照资料，必须寻求理论计算等方法。采用差分法对混凝土运输浇筑过程中温度回升进行了较全面的计算分析，解决了大型施工机械运送混凝土温度回升的有关计算，特别是对塔带机及其供料线运输预冷混凝土的温度回升研究为国内首次，取得了宝贵的经验和数据，经工程实践验证，计算结果正确。

(3)高温季节塔带机快速高强度浇筑坝体约束区混凝土，在国内外为首次，没有可借鉴的施工经验及有关计算分析方法。采用有限元法、差分法及实用计算法等方法模拟实际施工条件，对高温季节浇筑基础约束区混凝土早期最高温度、温度应力及各种温控措施效果进行全面分析，提出了适合三峡工程施工的混凝土温控措施。

(4)三峡工程大坝分块尺寸大，温控标准极严，国内外已有采用的单项温控措施和多项措施联用均不能满足要求。为此，在深入调研、反复论证和认真计算的基础上，提出了全面实施综合温控措施，以全过程、全方位、高标准、大容量的综合温控技术确保混凝土高强度浇筑的质量。

(5)控制中热水泥熟料中的 MgO 含量为 3.5%～5%，使原来具有自身体积收缩变形的中热水泥混凝土改性为微膨胀的中热水泥混凝土，并在第二阶段的大坝中推广应用，使用Ⅰ级粉煤灰和高效减水剂，每立方米花岗岩人工骨料混凝土减少胶凝材料用量 50～60kg，并明显改善混凝土性能；二次风冷骨料新工艺在三峡工程首创并成功应用，在侧面抗冲磨部位使用立面布置的冷却水管，有效削减最高温度 4～5℃。这些新技术的推广应用，成为具有特色的三峡工程混凝土温控一系列重要措施，在三峡工程混凝土防裂上取得十分显著的成效。

(6)三峡工程混凝土温控所采用的温差标准及综合防裂措施均超出了国内外已建及在建工程。为了加强对三峡工程混凝土温控防裂的协调和管理，中国长江三峡工程开发总公司除经常邀请国内外著名专家进行咨询外，并成立了由业主单位负责的由设计、施工、监理共同组成的三峡工程混凝土温控小组,定期组织协商及现场检查,对三峡工程混凝土温控进行指导和监督;修订和完善三峡工程温控标准,对施工中迫切需要解决的有关混凝土温控和相关质量问题组织研究;组织编写了《三峡水利枢纽混凝土工程温度控制手册》,供广大工程技术人员现场使用。

(7)在进行温控防裂综合措施研究并取得重大成果的基础上,全过程、全方位、高标准、大容量地实施从混凝土配合比优化、拌和制冷、运输过程保温,到浇筑仓面温控、冷却通水、长流水养护、保温以及施工管理等一系列温控施工技术。通过实施该技术,不仅为三峡工程混凝土施工连续3年刷新世界记录提供了质量保证,而且自1999年以来施工的大坝混凝土至今未发现具有危害性的深层和贯穿裂缝。

## 3 应用情况和经济效益

该项研究成果自1998年底三峡第二阶段工程大坝混凝土开始浇筑以来,在施工中得到了全面应用,并取得了巨大的综合经济效益。

混凝土浇筑采用6台塔(顶)带机,辅以10余台大型门塔机、2台摆塔式缆机和4台胎带机的综合方案,1999~2001年分别完成混凝土浇筑量458万$m^3$、548万$m^3$和403万$m^3$。创造了年、月、日等一系列世界之最,实现了大坝混凝土的机械化快速施工。

改进传统的仓面资源和工艺配置,创立了一整套混凝土快速施工工艺和现代施工管理体系,为按计划、高质量完成第二阶段高强度混凝土浇筑提供了保障。

混凝土生产系统采用了二次风冷技术,5个系统9座拌和楼,夏季月生产低温混凝土可达45万$m^3$。其配置的制冷容量大大低于原有的制冷方法。经过1999~2001年3个夏季高峰的运行,实测混凝土出机口平均温度为6.85℃,小于7℃合格率均在80%以上,确保了混凝土的生产质量。

混凝土原材料采用具有微膨胀性能的525号中热水泥、优质高效减水剂和Ⅰ级粉煤灰,四级配混凝土用水量仅90kg/$m^3$左右,节省了水泥用量,经济效益显著,并能满足高性能大坝混凝土的要求。

通过实施全过程综合温控措施,混凝土浇筑温度、基础温差和混凝土最高温度均满足设计要求,大大减少了坝体混凝土裂缝的产生。截至2001年底,三峡第二阶段工程未发现具有危害性的贯穿裂缝。

该项成果有力地保证了三峡第二阶段工程的顺利实施,为确保2003年初期蓄水、船闸通航和首批机组发电起到了重要作用,并取得了约10亿元的直接经济效益。该成果可在溪洛渡、向家坝、龙滩、小湾、水布垭等大型水电工程推广应用,将取得更大的综合效益。

## 参考文献

[1] 张超然,王忠诚,戴会超．三峡水利枢纽混凝土工程温度控制研究．北京:中国水利水电出版社,2001

# 加强混凝土坝面保护<br>尽快结束“无坝不裂”的筑坝历史

朱伯芳　许　平

(中国水利水电科学研究院,北京　100038)

**摘　要**:混凝土坝裂缝绝大多数是表面裂缝,但其中一部分可能发展为深层裂缝甚至贯穿裂缝,表面保护是防止混凝土坝裂缝的重要措施。通过给出的表面放热系数计算公式,计算分析了表面保温效果,指出混凝土表面养护和保温28d的时间太短,建议在坝体上下游表面采用聚苯乙烯泡沫塑料板长期保温,水平层面和坝块侧面用聚乙烯泡沫塑料板保温。这套措施,保温效果好,保护时间长,兼有保湿功能,施工方便,价格低廉,同时要做好基础混凝土温度控制,有可能很快结束“无坝不裂”的筑坝历史。

实践经验表明,混凝土坝所产生的裂缝,绝大多数都是表面裂缝,但其中一部分后来会发展为几十米深的深层裂缝或贯穿裂缝,影响结构的整体性和耐久性,危害很大。

引起混凝土坝表面裂缝的原因是干缩和温度变化,而引起温度变化的因素包括初始温差、水化热、寒潮、气温年变化和日变化。

目前,在部分工程技术人员中存在着一种误解:认为混凝土坝表面裂缝主要产生在龄期28d以前的早期混凝土中,只要把28d龄期内的养护和表面保温做好了就不致产生裂缝。实践证明,这种看法是不正确的,例如我国某重力坝施工过程中曾产生较多裂缝,其中绝大多数并不是在龄期28d内产生的,而是在当年冬季、次年冬季甚至更晚的时候产生的。

表面保护是防止混凝土坝表面裂缝的重要措施,通过给出的表面放热系数的计算公式,分析了表面保温的效果,指出表面养护和保温28d的时间太短,因此建议在坝体上下游表面采用聚苯乙烯泡沫塑料板长期保温,在水平浇筑层面和坝块侧面采用聚乙烯泡沫塑料板保温。实践证明,其保温效果好,保温时间长,兼有保湿功能,施工方便,价格低廉。

目前我国混凝土预冷技术也得到很好发展,可以较好地控制混凝土坝的基础温差;只要认真做好表面保温和基础混凝土温度控制,完全可以防止混凝土坝的裂缝,彻底结束过去国内外“无坝不裂”的筑坝历史。

## 1　混凝土的表面放热系数

混凝土与空气接触时的热传导边界条件为

$$-\lambda\frac{\partial T}{\partial x}=\beta(T-T_a) \tag{1}$$

式中:$\lambda$——混凝土导热系数,kJ/(m·h·℃);

$\beta$——表面放热系数,kJ/(m$^2$·h·℃);

$T_a$——空气温度,℃;

$x$——法向坐标。

表面放热系数$\beta$对混凝土表面的温度梯度和温度应力有重要影响,其数值与风速有密切关系,下面给出计算公式:

---

本文原载《水力发电》2004年第3期。

$$粗糙表面:\beta = 21.06 + 17.58 v^{0.910} \tag{2}$$

$$光滑表面:\beta = 18.46 + 17.30 v^{0.883} \tag{3}$$

式中:$v$——风速,m/s。

由图1可见,式(2)、式(3)与试验值符合得相当好。

天气预报给出的往往是风力等级而不是风速,下面根据风力等级与风速的关系,给出表面放热系数 $\beta$ 与风力等级 $F$ 的关系如下:

$$粗糙表面:\beta = 21.06 + 14.60 F^{1.38} \tag{4}$$

$$光滑表面:\beta = 18.46 + 13.60 F^{1.36} \tag{5}$$

式中:$F$——风力等级。

当混凝土表面附有保温层时,混凝土表面通过保温层向空气放热的等效放热系数 $\beta_s$ 可由下式计算:

$$\beta_s = \frac{1}{1/\beta + \sum (h_i/\lambda_i)} \tag{6}$$

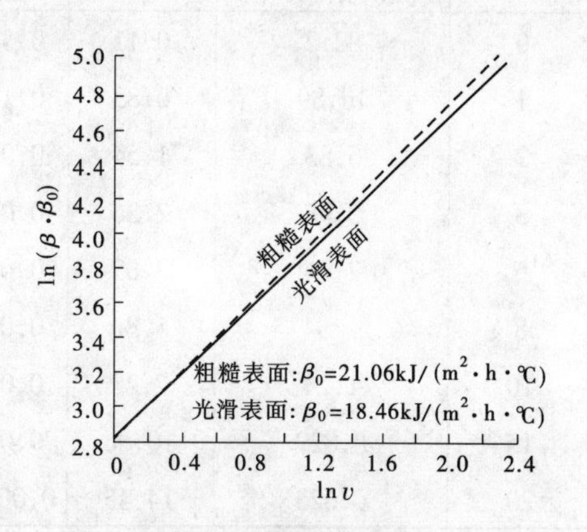


**图1　表面放热系数 $\beta$ 与风速 $v$ 关系**

把混凝土结构的真实边界向外延拓一个虚拟厚度 $d = \lambda/\beta_s$,得到一个虚拟边界,在虚拟边界上温度等于气温,而在厚度 $d = \lambda/\beta_s$ 处的温度等于温凝土表面的真实温度,虚拟厚度越大,混凝土表面温度与气温 $T_a$ 相差越远,因此虚拟厚度可用来衡量表面放热系数对混凝土表面温度变化的影响。在有保温层的情况下,混凝土表面的虚拟厚度为

$$d = \frac{\lambda}{\beta_s} = \frac{\lambda}{\beta} + \sum \frac{\lambda}{\lambda_i} h_i \tag{7}$$

式中:$\lambda_i$——第 $i$ 层保温材料的导热系数;

$h_i$——第 $i$ 层保温材料的厚度;

$\beta$——最外面保温板与空气间的表面放热系数。

## 2　混凝土表面保温效果

设混凝土导热系数 $\lambda = 9.0$kJ/(m·h·℃),导温系数 $a = 0.004\ 2$m²/h,混凝土外面有一层泡沫塑料保温板,其厚度为 $h_1$,导热系数为 $\lambda = 0.125\ 6$kJ/(m·h·℃),保温板与空气间的表面放热系数 $\beta = 82.2$kJ/(m²·h·℃),由式(6)、式(7)计算等效表面放热系数 $\beta_s$ 和虚拟厚度 $d$,再由热传导理论可计算表面保温效果如表1所示。由表1可见,混凝土表面保温效果是明显的,例如,当泡沫塑料板厚度为3cm时,混凝土表面温度年变化幅度可削减44%,日变化幅度削减95%;寒潮期间混凝土表面温度变幅可削减75%～87%(与降温历时 $Q$ 有关)。

## 3　对混凝土表面养护和保温问题的认识

### 3.1　混凝土表面养护28d时间太短

《水工混凝土施工规范》(DL/T5144—2001)规定:“混凝土养护时间不宜少于28d”,实践经验表明,如果在28d以后停止养护,在半年甚至一年以后还会出现干缩裂缝,表面养护28d是不够的。

图2表示水泥与玄武岩粉按1∶1制成的水泥浆试件交替置于水中和相对湿度50%空气中的水分迁移,循环周期为28d,由图2可见,即使在龄期28d以后,试件置于水中即产生膨胀,置于空气中即产生收缩,虽然膨胀和收缩的变化幅度随着龄期的延长而逐渐减小。但龄期2年后仍然如此,可见混凝土表面养护28d是远远不够的。

**表 1**　　**等效表面放热系数 $\beta_s$、虚拟厚度 $d$ 及表面保温效果**

| 泡沫塑料板厚度(cm) | 等效表面放热系数 $\beta_s$[kJ/(m²·h·℃)] | 虚拟混凝土厚度 $d$(m) | 混凝土表面温度变幅与气温变幅的比值 $A_0/A$ | | | 寒潮期间不同降温历时混凝土表面降温幅度与气温降幅比值 | | | | |
|---|---|---|---|---|---|---|---|---|---|---|
| | | | 日变化 | 半月变化 | 年变化 | 1d | 2d | 3d | 4d | 5d |
| 0 | 82.2 | 0.11 | 0.580 | 0.856 | 0.968 | 0.774 | 0.830 | 0.857 | 0.874 | 0.886 |
| 1 | 10.89 | 0.83 | 0.137 | 0.400 | 0.790 | 0.298 | 0.377 | 0.427 | 0.464 | 0.493 |
| 2 | 5.83 | 1.54 | 0.077 | 0.254 | 0.657 | 0.183 | 0.242 | 0.282 | 0.313 | 0.338 |
| 3 | 3.98 | 2.26 | 0.054 | 0.186 | 0.558 | 0.132 | 0.177 | 0.210 | 0.235 | 0.256 |
| 5 | 2.44 | 3.69 | 0.033 | 0.120 6 | 0.426 | 0.084 5 | 0.116 | 0.139 | 0.157 | 0.173 |
| 8 | 1.54 | 5.84 | 0.021 | 0.079 | 0.312 | 0.054 9 | 0.076 2 | 0.091 9 | 0.104 7 | 0.115 8 |
| 10 | 1.24 | 7.28 | 0.017 | 0.064 | 0.263 | 0.044 5 | 0.061 9 | 0.174 9 | 0.085 6 | 0.094 9 |
| 15 | 0.829 | 10.86 | 0.012 | 0.043 | 0.190 | 0.030 2 | 0.042 3 | 0.051 3 | 0.058 9 | 0.065 4 |
| 20 | 0.623 | 14.45 | 0.008 6 | 0.033 0 | 0.148 | 0.022 9 | 0.032 1 | 0.039 0 | 0.044 8 | 0.049 9 |

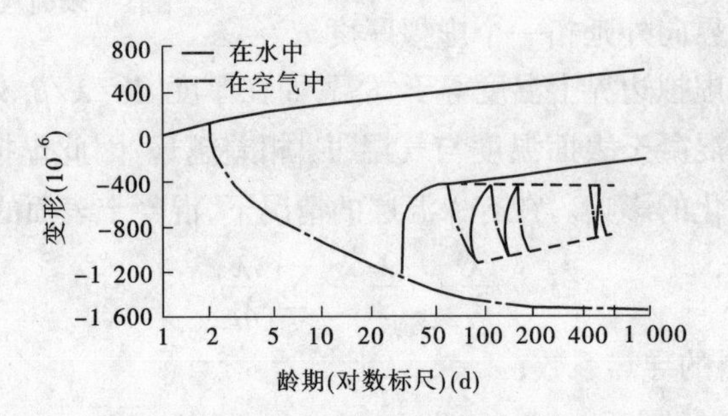


**图 2　水泥与岩粉 1:1 混合物试件的变形**

二滩大坝施工中,水平表面喷水养护,一直到上面浇新混凝土为止,坝块的侧面挂塑料管,管壁打小孔,通水喷淋,养护 28d,但实际上水从上往下流,使施工期中整个坝面一直处于潮湿状态,这对防止干缩发挥了重要作用。

### 3.2　混凝土坝表面保温 28d 时间太短

《水工混凝土施工规范》(DL/T5144—2001)规定:"28d 龄期内的混凝土,应在气温骤降前进行表面保护",这里给人一种错觉,似乎 28d 龄期以后的混凝土,除了某些特殊情况外,一般不必进行表面保温了。实际情况并非如此,例如某重力坝,当地年平均气温 17.3℃,气温年变幅 11.3℃,最大寒潮期间 3d 内日平均气温下降 13.3℃,混凝土后期抗拉强度为 3.32MPa,取安全系数 $K=1.50$,允许水平拉应力$[\sigma_x]=2.21$MPa,设水平施工缝抗拉强度折减系数为 0.60,允许铅直拉应力为$[\sigma_y]=1.33$MPa。根据实际施工情况进行仿真计算,上游面最大应力如图 3 所示,最大拉应力出现在当年冬季及次年冬季,无保温措施时,最大水平拉应力 $\sigma_x=4.2$MPa,最大铅直拉应力 $\sigma_y=2.6$MPa,都超过混凝土允许拉应力,说明了该重力坝出现大量裂缝的原因(见表 2)。为此,考虑两种表面保温方案:①5cm+2cm 方案,上下游面用内贴厚 5cm 聚苯乙烯泡沫塑料板保温,浇筑层水平面及侧面用厚 2cm 聚乙烯泡沫塑料板保温。②3cm+1cm 方案:上下游面用内贴厚 3cm 聚苯乙烯泡沫塑料板保温,浇筑层水平面及侧面用 1cm 厚聚乙烯泡沫塑料板保温。计算结果见图 3 及表 2,采用泡沫塑料板保温后,拉应力已大为减小。该坝后续工程中,已决定在大坝上游面下部采用 5cm 厚苯板,上游面的上部及下游坝面采用 3cm 厚苯板,水平层面及侧面采用 2cm 厚聚乙烯泡沫塑料板保温。仿真计算表明,采用这套保温措施后,温度应力大大降低,混凝土坝不至于出现裂缝。

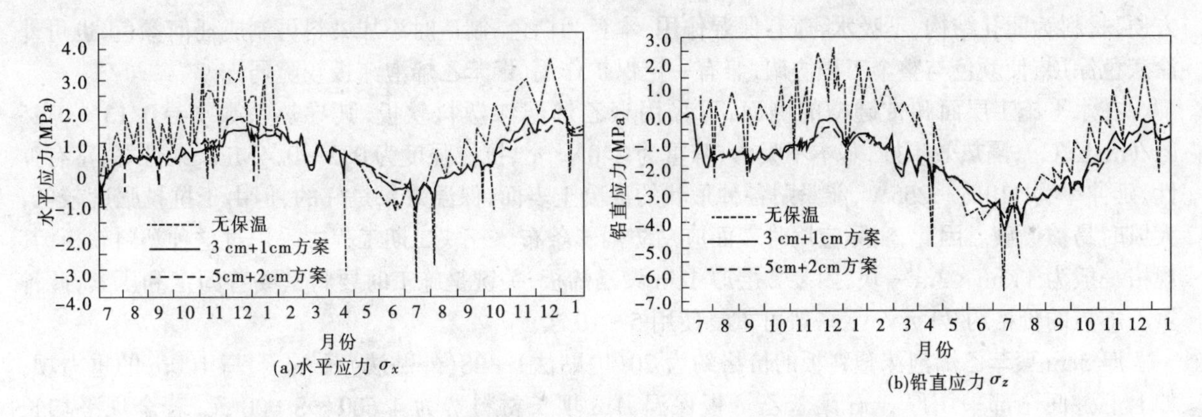


**图 3　仿真计算的某重力坝上游面 87m 高程三种工况应力变化过程(拉应力为正)**

**表 2**　　**某重力坝上游面冬季最大拉应力**　　(单位:MPa)

| 应力类型 | 无保温措施 | 5cm+2cm 方案 | 3cm+1cm 方案 | 允许拉应力(后期) |
|---|---|---|---|---|
| 水平应力 | 4.2 | 1.6 | 1.9 | 2.2 |
| 铅直应力 | 2.6 | −0.1 | 0.1 | 1.33 |

## 4　解决“无坝不裂”问题的主要措施

从 20 世纪 30 年代开始,水利工程师已重视如何防止混凝土坝裂缝的问题,并做了大量工作,也取得了不少成就,但到目前为止,国内外的混凝土坝几乎都出现了一些裂缝,虽然裂缝数量和危害程度有所不同,但“无坝不裂”却是事实。究其原因我们认为,主要是人们比较重视基础贯穿裂缝的防止,而对于如何防止表面裂缝重视不够,表面保护措施不够有力。

美国早在 20 世纪 30 年代已重视坝体分缝分块,40 年代已重视控制基础温差,并发展了水管冷却、预冷骨料等有效措施,到 50 年代以后虽已开始注意表面保护问题,但总的来说,重视是不够的,表面保护措施不够有力。例如,美国 1968～1972 年修建的德沃歇克通仓浇筑重力坝,在整个施工过程中,控制混凝土入仓温度为 4.4～6.6℃,在基础约束区内还采用一期水管冷却,水管间距 1.5m×1.5m,对基础温差的控制是十分严格的。在秋、冬、春三季,对暴露的表面进行保护,春秋季节表面放热系数不大于 10kJ/($m^2$·h·℃),冬季不大于 5kJ/($m^2$·h·℃)。但由于该坝位于美国西北部,当地气候寒冷,这些表面保温措施仍嫌不够。实际施工结果,坝体上游面出现了不少表面裂缝,其中一部分在水库蓄水后发展为严重的劈头裂缝。

我国在混凝土坝施工中,同样对基础温差的控制比较重视,而对表面保护问题重视不够,甚至在看法上还存在一些误区,认为保护 28d 就够了,因而不少混凝土坝产生了较多裂缝。

由于表面裂缝可以发展为深层裂缝甚至贯穿裂缝,因此为了防止危害性裂缝的出现,除了严格控制基础温差外,还必须加强表面保护。时至今日,这不但是必要的,在技术上也是可以做到的。

在 20 世纪 80 年代以前,我国主要采用草袋、草帘等作为保温材料,但草袋、草帘一受潮就腐烂,也不易固定好,保温效果不好,保温时间不长,因此实际工程表面裂缝较多,近年来我国塑料工业得到迅速发展,采用泡沫塑料板进行表面保温,保温效果好,施工方便,价钱便宜。

混凝土坝上下游表面的保温,以采用聚苯乙烯泡沫塑料板为宜,该种材料有一定强度,不吸水,保温性能好,质轻,耐久性强,其导热系数 $\lambda=0.13\sim0.16$kJ/(m·h·℃),弯曲抗拉强度≥0.18MPa,抗压强度≥0.15MPa,吸水率≤0.08kg/$m^3$,容重为 200～300N/$m^3$,尺寸稳定性达到 ±5%(−40～70℃)。立模时将保温板钉在模板内侧,拆模时保温板自动附着在混凝土表面(内贴法),长期不掉,施工十分方便，材料为闭孔结构，不吸水，兼有保湿作用，本色为白色，制造时添加染料可制成任何颜色，也可外涂灰色涂层，使颜色与整个工程协调，兼有一定保护作用(聚苯乙烯泡沫板较脆弱)。

在水平施工层面和带键槽的侧面，可采用聚乙烯泡沫塑料软板，其导热系数 $\lambda = 0.13 \sim 0.15$ kJ/(m·h·℃)，隔热效果好，基本不吸水，容重为 240N/m³，抗拉强度为 0.2～0.4MPa，柔性好，富有弹性，延伸率为 110%～255%，能紧贴各种形状的混凝土表面，保温效果是好的，但由于抗拉强度较低，大风时易被撕破。因此，实际应用时表面应贴防雨彩条布。三峡二期工程中采用过这种塑料软板，其规格一般为 1.5m×2m 一块，内装 2 层厚 1cm 聚乙烯板，关键是施工时要将其妥善固定和压紧，此种聚乙烯板的价格约 20 元/m²，一般可重复使用 5～10 次。

厚 3cm 聚苯乙烯泡沫塑料板的价格约为 20(内贴法)～38(外贴法)元/m²。高 100m 的重力坝，如上下游面全部采用厚 3cm 聚苯乙烯板保温，1m 坝长材料费为 4 600～8 600 元，若全坝平均长 500m，全坝保温材料费为 230 万～430 万元。

目前我国混凝土预冷技术也得到较好发展，盛夏期间，机口混凝土温度已可做到不超过 7℃，在不少工程中，已经防止了基础贯穿裂缝的出现。过去“无坝不裂”主要是表面保温做得不好，今后只要重视并做好表面保护，同时做好基础混凝土温度控制，完全可以防止混凝土坝的裂缝，结束过去“无坝不裂”的筑坝历史。

## 5 结 语

(1)混凝土坝裂缝绝大多数是表面裂缝，深层和贯穿裂缝也多由表面裂缝发展而成，加强养护和表面保温是防止混凝土坝表面裂缝的主要措施。

(2)新混凝土养护 28d 和表面保温 28d 是远远不够的，实际工程中很多裂缝都是在 28d 龄期以后产生的，水工混凝土施工规范的有关规定应指明混凝土后期的养护和保温的重要性。

(3)建议在混凝土坝体上下游表面采用聚苯乙烯泡沫塑料板保温，水平层面和坝块侧面采用聚乙烯泡沫板保温，其保温效果好，保护时间长，兼有保湿功能，施工方便，价格低廉。保温板厚度可根据当地气候条件通过计算决定。

(4)只要加强混凝土坝表面保护，同时做好基础混凝土温度控制，完全可以防止混凝土坝裂缝，彻底结束“无坝不裂”的筑坝历史。

### 参 考 文 献

[1] 《水工混凝土施工规范》(DL/T5144—2001).

[2] 朱伯芳. 大体积混凝土温度应力与温度控制. 北京：中国电力出版社，1999

[3] Neville A·M. Properties of concrete. London: Pitman Publishing Limited, 1981

# 重力坝的劈头裂缝

朱伯芳

（中国水利水电科学研究院　北京　100038）

**摘　要**：在重力坝的上游面有时产生严重的劈头裂缝，裂缝深度可达几十米。本文首先介绍几个重力坝劈头裂缝的情况，然后分析产生这种裂缝的原因，最后提出预防措施。

加拿大的雷威尔斯托克坝、美国的德沃歇克坝和卢塞尔坝，虽然采用了预冷骨料、水管冷却、表面保温等综合温度控制措施，但在坝体上游面产生了严重的劈头裂缝，深入坝内几十米，有的甚至将整个坝段一分为二，引起严重漏水。本文将首先说明这些工程的温度控制和裂缝情况，然后分析产生这种裂缝的原因，最后提出预防裂缝的技术措施。

## 1　雷威尔斯托克坝的裂缝

雷威尔斯托克(Revelstoke)实体重力坝，高175m，位于加拿大西南部Columbia河上，当地年平均气温7℃，1月份平均气温为-5℃，7月份平均气温为20℃，春秋两季日气温较差为20℃，记录到的7月最高气温曾达到41℃，1月最低气温曾达到-34℃。坝体断面见图1。该坝坝体混凝土浇筑从1980年7月开始，到1983年12月结束，经历了三个冬季，在冬季混凝土停止浇筑。1983年10月开始蓄水[1]。

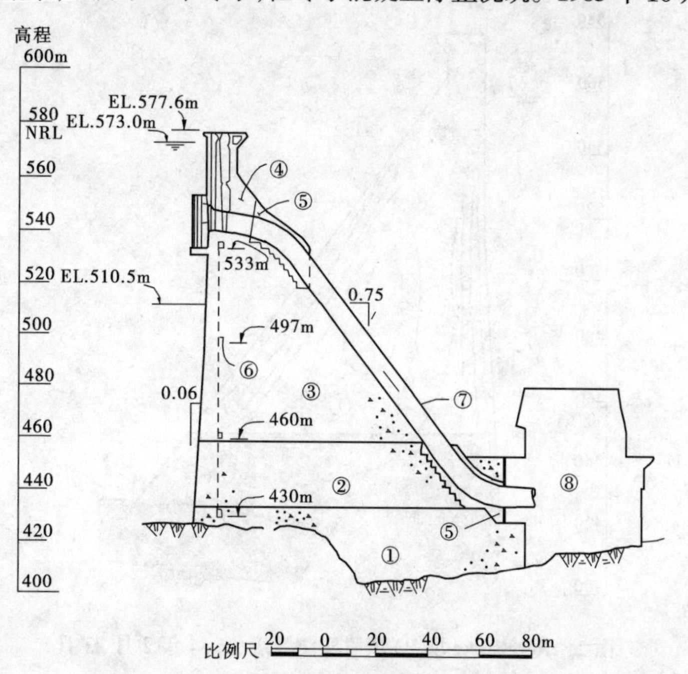


**图1　Revelstoke重力坝P3坝段横剖面**

①—23MPa混凝土；②—17MPa混凝土；③—14MPa混凝土；④—28MPa混凝土；
⑤—引水钢管外包混凝土；⑥—排水廊道；⑦—钢管；⑧—电厂

本文原载《水力发电学报》1997年第4期。

坝内无纵缝,通仓浇筑,由于气候寒冷,工程规模较大,采取了如下温度控制措施。

混凝土掺用减水剂和引气剂,胶凝材料用量 138kg/m³(普通波特兰水泥掺 40%飞灰),28 天绝热温升 20℃,经过有限单元法计算,要求控制基础约束区内混凝土最高温度不超过 21℃,浇筑层厚度一般为 2.3m,在最高 4 个坝段的下部,由于坝体应力较大,水泥用量较高,层厚用 1.5m。当气温在 0℃以上时,要求混凝土入仓温度不超过 7℃;当气温低于 0℃时,要求入仓温度不超过 10℃。为此对混凝土进行预冷,粗骨料在运输皮带上淋冷,冷水拌和,部分拌和水用冰屑代替。在坝体下部埋设聚乙烯水管,一般通低温河水冷却,水管直径 25mm,水平间距 1.5m,铅直间距与层厚相同。在最高 4 个坝段的下部,前 14 天通 5℃低温水。水管长度不超过 366m。通水时间由计算决定,一般为 30~60 天,每 12 小时自动改变一次水流方向,停水以后水管用水泥浆灌死。每年冬季(11 月 1 日至次年 4 月 1 日),所有已浇坝块顶面和横缝面都进行保温,此外 11 月 1 日以后新浇块的上、下游表面也进行保温,要求表面放热系数不大于 5.04kJ/(m²·h·℃),当相邻坝块高差超过 4.6m 时,先浇坝块侧面的表面放热系数要求不超过 2.52kJ/(m²·h·℃),考虑到棱角的双面散热,在棱角两边各 1.5m 范围内要求用双倍厚度的保温层。

该坝冬季不浇混凝土,计算结果表明,坝块中部表层 38cm 深处冬季将降温 17℃,最大降温速度为 0.3℃/d,由于表面温度降幅较大,估计会出现一些表面裂缝。增加保温层厚度可以减小表面降温,但次年早春恢复浇筑混凝土时,拆除保温层后混凝土表面与当时气温之差也较大,温度冲击也将增加裂缝的可能性,考虑及此,没有增加保温能力(这种考虑是否妥当值得研究)。

该坝于 1983 年 12 月建成,1984 年 2 月 23 日实测温度见图 2。在强约束区内控制最高温度不超过 21℃的要求基本上实现了。

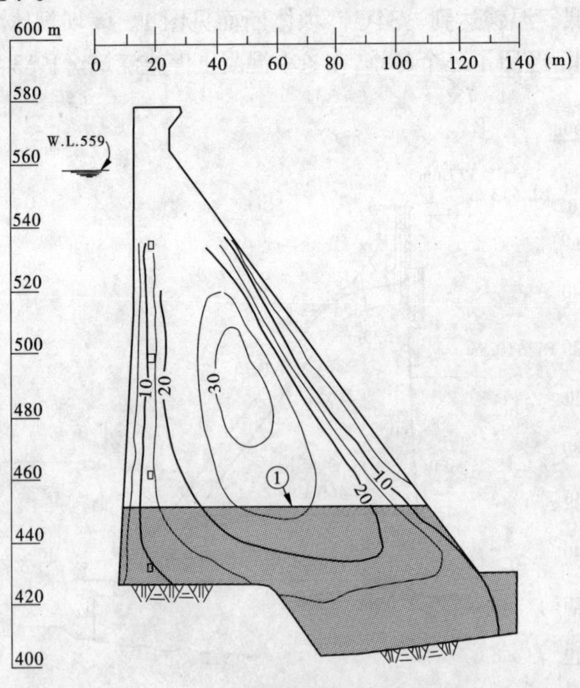


**图 2 Revelstoke 坝 P3 坝段实测温度**(1984 年 2 月 23 日)

①—水管冷却顶面

该坝施工中经历了 1980~1982 年三个冬季,每次冬季结束、拆除保温层时,在层面上都发现了不少裂缝,图 3 表示了 1981~1982 年冬季在坝块顶面上出现的裂缝,最大缝宽 3mm。裂缝处理:铺设骑缝钢筋,基础约束区内,U35mm,间距 30cm,在裂缝上面连续铺三个浇筑层;基础约束区以外,U25mm,间距 30cm,只铺一层。

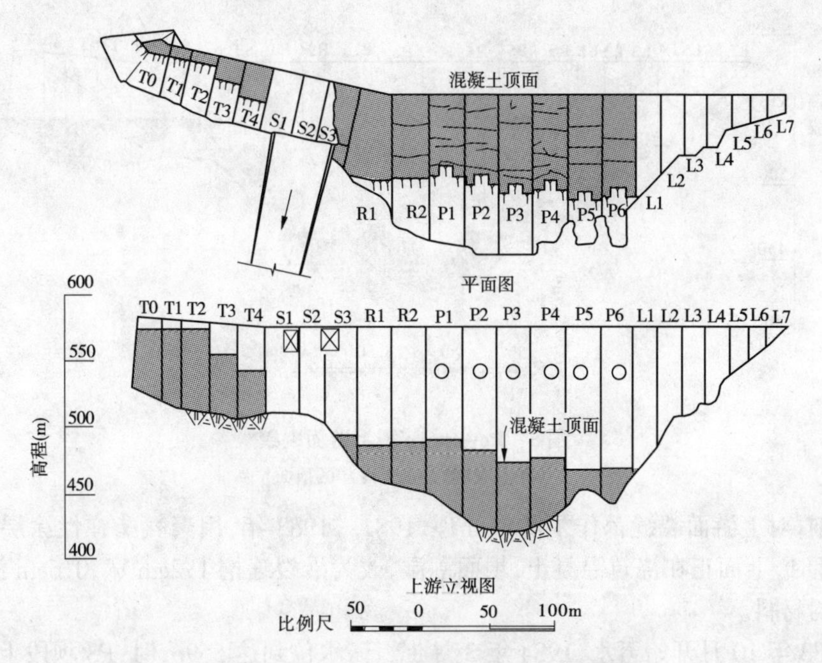


**图 3 1981～1982 年冬季坝体顶面的表面裂缝**

每个冬季,先浇块的横缝面上都出现了裂缝,最大裂缝宽 5mm,出现在 P6 坝段,见图 4 中②,此缝在坝块的顶面和两侧面都能看到。

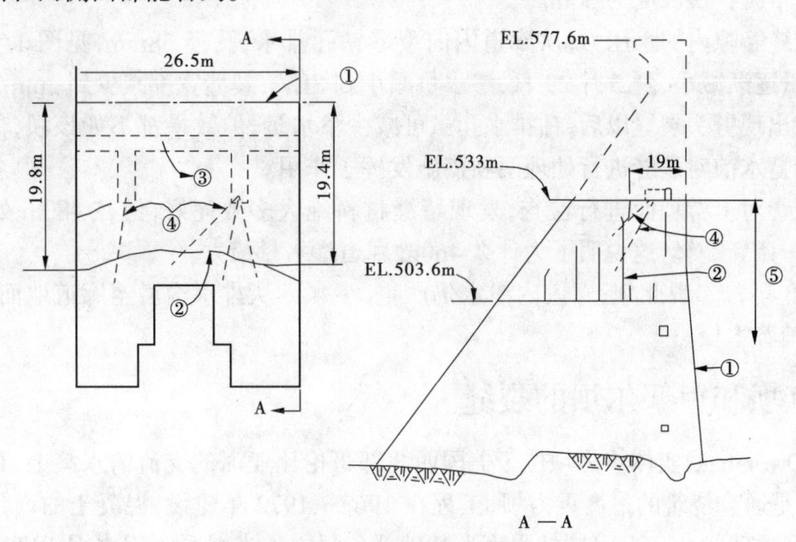


**图 4 1982～1983 年冬季在先浇坝块侧面和顶面的裂缝**

①上游面;②主要纵向裂缝;③533m 排水廊道;

④钻孔 U76mm;⑤1982～1983 年冬季前先浇筑的混凝土

图 5 表示了该坝上游面裂缝,可见绝大部分坝段的上游面都出现了裂缝。这些裂缝初期都是表面裂缝,在坝体廊道内看不到。从图 1 可见,该坝共有 4 个廊道,最上廊道距上游面 4.1m,最下廊道距上游面 9.0m,经过两个冬季以后,上游面的表面裂缝扩展了,在 P3、T2、T3 三个坝段最低廊道的上游侧,在坝段中间发现了发丝状裂缝。

为了防止上游面裂缝的扩展,设计上曾采取一项措施,让横缝止水离上游表面尽可能远一些,该坝上游止水至上游面的距离,自顶部 2.4m 到底部 7.3m,使得止水前面的水压力在坝体上游面能产生一些压应力,有利于阻止上游面裂缝向下游扩展。

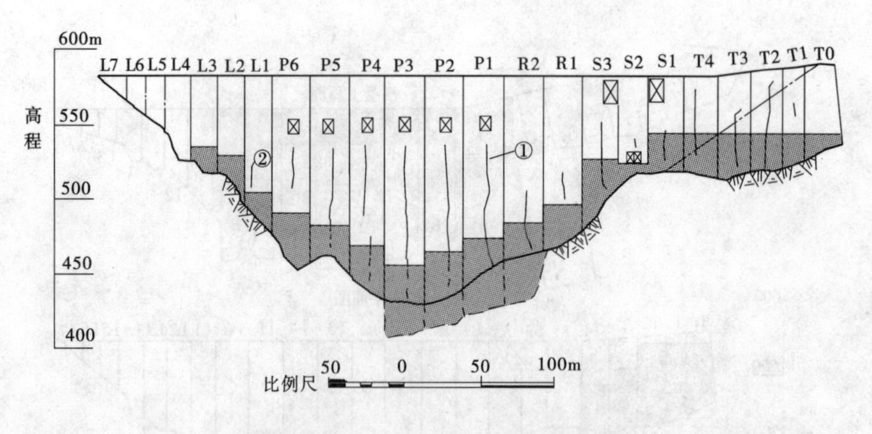


**图 5 Revelstoke 坝上游面裂缝**

①铅直裂缝;②水管冷却区顶面

在蓄水以前,对上游面裂缝都作了防渗处理,1981～1982 年,用聚氨酯弹性涂层粘贴在裂缝外面,1983 年处理时,上面正在浇筑混凝土,坝面潮湿,改为沿裂缝挖 1.2cm 宽、0.6cm 深的槽子,然后填塞聚氨酯密封材料。

该坝于 1983 年 10 月开始蓄水,1984 年 3 月 12 日,水位到达 559m 时,P3 坝段上游面裂缝突然扩展,切断了 430m、460m、497m 三个廊道,但没有扩展到 533m 廊道。在 460m 廊道内渗水量最大,在 5 月 15 日渗水量最大达到 174L/s,裂缝宽度 6mm,根据坝内埋设的温度计实测的温度变化估计,裂缝自上游面向下游扩展深度为 30m。

为了降低裂缝缝隙内的水压力,从廊道内向裂缝钻孔排水,孔径 38mm,见图 1A—A 剖面,钻排水孔以后,渗水量逐渐减小,到 5 月 29 日,渗水量减小到 8L/s,裂缝宽度减少到 2mm。

其他工程在出现劈头裂缝以后,钻排水孔虽可减少渗水量,但效果都不如该坝,似乎表明该坝将上游止水下移和蓄水前对裂缝进行处理两项措施发挥了作用。

利用水下摄影对上游坝面进行检查,发现堵缝材料绝大多数完好,但在 480m 处在原裂缝旁边 0.5m 处发现了一条新裂缝,这说明了为什么 460m 廊道渗水量最大。

笔者于 1988 年曾参观此坝,廊道内渗水仍严重,渗水已从排水沟溢至廊道地面,为行人走路方便,廊道地面上铺着木板。

## 2 德沃歇克坝和卢塞尔坝的裂缝

德沃歇克(Dworshak)实体重力坝位于美国西北部哥伦比亚河的支流清水溪上,最大坝高 219m,坝顶长 1 000m,是通仓浇筑的最高重力坝,工程在 1968～1972 年建设,混凝土的设计强度从基础部分的 20.6MPa 到顶部的 8.8MPa(圆柱强度),基础部分每立方米混凝土用水泥 127kg、火山灰 43kg,水灰比 0.58,90 天强度 20.6MPa,预冷骨料,在整个施工期中要求混凝土入仓温度不高于 6.6℃,不低于 4.4℃。在基岩以上 0.4 倍坝高范围内,或 28 天龄期老混凝土以上 6m 范围内,进行水管冷却,通水 21 天,水管间距 1.5m×1.5m,进口水温(5±1.1)℃。在秋、冬、春三季,对暴露的表面进行保护,春秋季表面放热系数不大于 10kJ/($m^2$·h·℃),冬季不大于 5kJ/($m^2$·h·℃),浇筑块最大厚度 1.5m,相邻坝块允许最大高差 3～11 月为 6m,冬季为 4.5m,全坝最高坝块与最低坝块之间高差不大于 12m,上述各项温度控制措施在施工过程中得到了严格实行,施工期中未发生严重结构裂缝,被认为在温控上取得良好成绩。但运行数年后,在 9 个坝段上出现了劈头裂缝,其中以 35 坝段的裂缝最为严重,见图 6。在 1972 年大坝竣工以前,在 35 坝段上游面下部已发现裂缝,大坝竣工后不久,裂缝扩展到坝体检修廊道内,在廊道内安装了观测裂缝的仪器并定期进行肉眼观察,连续几年的春季水库水位都达到了设计最高水位,裂缝宽度未见显著增加,但 1980 年 5 月坝体上游达到最高水位时,35

坝段裂缝张开 2.5mm,廊道内渗水量达到 $29m^3/min$,其他 8 个坝段的裂缝也安装了仪器,但在同一时期未发现大的变化[2,3]。

卢塞尔(Richard B. Russel)坝位于美国东南部佐治亚州和南卡罗来纳州交界处,坝高 64m,也是通仓浇筑的实体重力坝,和德沃歇克坝一样,也是由美国陆军工程兵团设计的。

该坝有 3 个坝段出现了劈头裂缝,其中有一个坝段的裂缝在上游和下游面的全部坝高内都能看到,尽管当时水库尚未蓄水,文献[3]认为该坝段已被劈开成两半。不过笔者认为,既然当时尚未蓄水,冷却时间不长,坝体内部温度尚高,不至于完全断开,但蓄水以后,内部继续冷却,加上上游缝内裂缝水的劈裂作用,裂缝必然继续扩展,如不采取措施(上游堵缝防渗、缝内灌浆、打排水孔),该坝段被劈开成为两半的可能性确实存在。

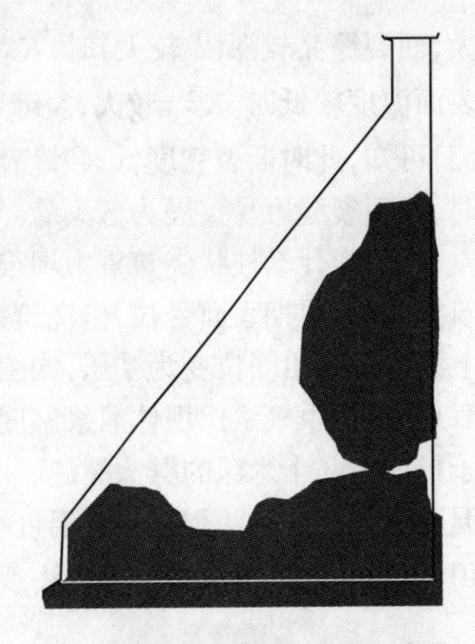

**图 6 德沃歇克坝 35 坝段上游面劈头裂缝塑料模型**

## 3 重力坝劈头裂缝原因分析

实际工程经验表明,施工过程中在坝体上游面出现了表面裂缝,水库蓄水以后,经过一段时间,有的表面裂缝可能突然大范围扩展,成为劈头裂缝。

今用断裂力学观点来分析劈头裂缝形成的条件,在上游面附近切取一个坝段的水平剖面见图 7。

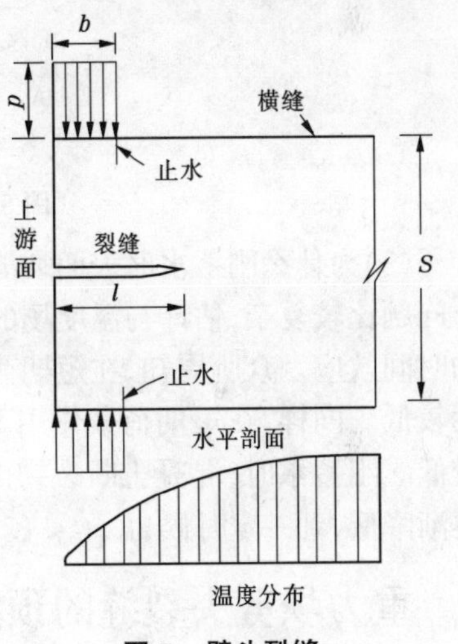


**图 7 劈头裂缝**

上游面有一条表面裂缝,长度为 $l$,缝内作用着均布的裂隙水压力 $p$,横缝止水至上游面距离为 $b$,在止水与上游坝面之间的横缝面上作用着水压力 $p$,坝内温度场为 $T(x,y,z,S)$,假定裂缝位于坝段中面上,该裂缝稳定(不扩展)的条件为

$$K_{\mathrm{I}} = K_{\mathrm{I}T} + K_{\mathrm{I}P} - K_{\mathrm{I}j} \leqslant K_{\mathrm{I}C} \tag{1}$$

式中:$K_{\mathrm{I}}$——缝端应力强度因子;

$K_{\mathrm{I}T}$——温度引起的张开型裂缝应力强度因子;

$K_{\mathrm{I}P}$——缝内水压力引起的张开型裂缝应力强度因子;

$K_{\mathrm{I}j}$——止水与上游面之间横缝内水压力引起的应力强度因子;

$K_{\mathrm{I}C}$——混凝土Ⅰ型裂缝的断裂韧度。

由文献[7],当裂缝较浅,按半面平表面裂缝计算,有

$$K_{\mathrm{I}P} = 1.985p\sqrt{l} \tag{2}$$

由文献[5]可知,混凝土的Ⅰ型断裂韧度可用下式估算:

$$K_{\mathrm{I}C} = 2.86kR_t \quad (\mathrm{kg/cm^{3/2}}) \tag{3}$$

式中:$R_t$——混凝土劈裂抗拉强度,$kg/cm^2$;

$k$——尺寸效应系数,对于大体积混凝土文献[5]建议取 $k=1.9$。

$K_{\mathrm{I}T}$和$K_{\mathrm{I}j}$无理论解,但用有限元方法很容易计算。

式(1)表明,当 $K_{\mathrm{I}} < K_{\mathrm{I}C}$时,表面裂缝不扩展,而当 $K_{\mathrm{I}} > K_{\mathrm{I}C}$时,表面裂缝扩展为大的劈头裂缝,换句话说,$K_{\mathrm{I}} > K_{\mathrm{I}C}$是产生劈头裂缝的原因。

下面我们利用式(1)来说明实际工程中出现的一些复杂现象:

(1)哪些表面裂缝容易发展为大的劈头裂缝?①由式(2)可知,当水头较大即裂隙内水压力 $p$ 较

大,而裂缝又较深($l$ 较大)时,$K_{IP}$较大,裂缝容易扩展。②当内外温差较大,例如内部温度较高,而表面温度较低时,$K_{IT}$较大,裂缝容易扩展。③当混凝土标号较低、施工质较差、抗拉强度低时,由式(3)可知,此时断裂韧度低,裂缝容易扩展。总之,当水头大、裂缝长、内外温差大、混凝土抗拉强度低时,表面裂缝容易扩展为劈头缝。

(2)为什么柱状浇筑重力坝很少出现劈头裂缝,而通仓浇筑的重力坝容易出现劈头裂缝?柱状浇筑重力坝,早期表面受拉,但浇筑完毕几个月后即进行二期水管冷却,使坝体温度降至稳定温度,此后上游表面将由受拉变为受压,如图8所示[6],因此表面裂缝将闭合,不会发展为劈头裂缝。当然,在严寒地区,冬季气温比坝体灌浆温度低得多,表面裂缝也可能扩展为深层裂缝,但因无裂隙水压力,不至于扩展为几十米深的劈头裂缝。通仓浇筑重力坝,因无纵缝,不进行二期冷却,水库蓄水时,坝体内部温度还很高,内外温差很大,温度引起的缝端应力强度因子 $K_{IT}$较大,再加上缝内裂隙水的劈裂作用,容易使表面裂缝扩展为劈头裂缝。

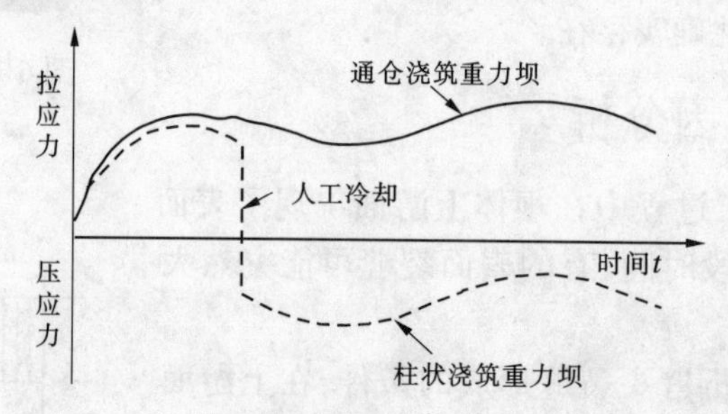


**图8 通仓重力坝与柱状重力坝内外温差的区别**

(3)为什么刚蓄水时表面裂缝不扩展,而往往是过了一定时间,表面裂缝才扩展为劈头裂缝?这个问题比较复杂,估计与温度场的变化及裂隙水的渗入速度有关,但更重要的因素是混凝土抗裂能力的时间效应。众所周知,在短期荷载作用下,混凝土抗拉强度较高,在长期荷载作用下,混凝土抗拉强度较低。同样,在短期荷载作用下,混凝土断裂韧度 $K_{IC}$较高,在长期荷载作用下,混凝土断裂韧度较低。刚蓄水时,混凝土断裂韧度较高,表面裂缝不扩展;在荷载持续作用下,混凝土断裂韧度 $K_{IC}$逐渐降低,到一定时候,$K_{IC}<K_{I}$,表面裂缝即扩展为劈头裂缝。

## 4 重力坝劈头裂缝的预防和处理

为了防止劈头裂缝,应采取下列措施:

(1)在坝体上游面采用较严格的保温措施,例如在上游模板内侧预贴泡沫塑料保温板,拆模后留在坝面上,防止出现表面裂缝,这是最根本的措施。泡沫塑料板的厚度应根据计算决定,见文献[4]。

(2)当坝内埋有冷却水管时,除了一期冷却,最好也进行二期冷却,尽量减小内外温差。

(3)加大上游坝面至止水的距离,利用横缝内止水上游的水压力,在坝体表面产生一定压应力,阻止裂缝的扩展。

(4)水库蓄水前对坝体上游面进行全面检查,对全部表面裂缝进行防渗处理,以便水库蓄水后能阻止压力水进入裂缝。

万一出现了劈头裂缝,应进行如下处理:

(1)首先要打排水孔穿过裂缝,以便迅速降低缝内水压力。

(2)进行上游面堵漏。

(3)对裂缝进行化学灌浆。

## 5 结 语

(1)重力坝上游面的劈头裂缝往往是很严重的,一般情况下多是在施工期中产生了表面裂缝,蓄水后在坝内外温差和裂隙水压力的共同作用下,进一步扩展为深层大裂缝。

(2)劈头裂缝多出现在通仓浇筑的重力坝上,而在柱状浇筑的分缝重力坝上很少见,这是由于通仓浇筑重力坝不进行二期冷却,蓄水时坝体内部温度还很高,内外温差很大,上游面的表面裂缝容易扩展。

(3)在坝体上游面应加强表面保温,防止施工期出现表面裂缝。

(4)坝体横缝止水应适当向下游移动,在蓄水后,止水上游横缝中的水压力可以阻止上游面表面裂缝的扩展。

(5)水库蓄水以前应对上游坝面进行严格检查,对全部裂缝均应进行认真的处理,以免蓄水以后进一步扩展。

(6)碾压混凝土重力坝因无纵缝,结构上与通仓浇筑常态混凝土重力坝相近,目前坝体不高,尚未出现劈头裂缝。今后坝高增加,也可能出现劈头裂缝,应予重视。

## 参 考 文 献

[1] Brunner, W.J., K.H.Wu. Cracking of the Revelstoke Concrete Gravity Dam Mass Concrete, 15th In ternational Congresson Large Dams, Vol, 1985

[2] Honghton, D.L. Measures Being Taken for Prevention of Cracks in Mass Concrete at Dworshak and Libby Dam, 10th International Congresson Large Dams, 1979

[3] Norm an, C.D., F.A.Anderson. Reanalysis of Cracking in Large Concrete Dams in the U.S.Army Corps of Engineers, 15th International Congress on Large Dams, Vol, 1985

[4] 朱伯芳.大体积混凝土表面保温能力计算.见:水工结构与固体力学论文集(朱伯芳论文选集).北京:水利电力出版社,1988

[5] 于骁中主编.岩石和混凝土断裂力学.长沙:中南工业大学出版社,1991

[6] Zhu Bo fang, Ping Xu. Thermal Stresses in Roller Compacted Concrete Gravity Dams, Dam Engineering, Vol.6, No.3, 1995

[7] 朱伯芳,等.水工混凝土结构的温度应力与温度控制.北京:水利电力出版社,1976

# 从拱坝实际裂缝情况来分析边缘缝和底缝的作用

朱伯芳

(中国水利水电科学研究院,北京 100038)

**摘 要**:除了水平施工缝和横缝被拉开外,拱坝裂缝绝大多数垂直于岩石表面,即垂直于边缘缝和底缝,表明边缘缝和底缝并不能防止拱坝裂缝的扩展。严格控制基础温差和内外温差,优化坝体灌浆温度,是防止坝体裂缝的最有效措施。文中提出了对设置边缘缝和底缝必要性进行论证的方法。

在拱坝中是否需要设置边缘缝和底缝,是人们所关心的一个课题。认识来源于实践,本文首先对已有拱坝裂缝情况进行分析,然后对边缘缝和底缝的作用进行分析,指出了防止拱坝裂缝的有效途径,并提出了对设置边缘缝和底缝的必要性进行论证的方法。

## 1 实际拱坝裂缝情况

图1表示了法国索达特(Sautet)拱坝的裂缝,上游面右岸裂缝较大,上游面长17m,下游面长12.5m,进行两次灌浆处理后才消除了渗漏。图2表示法国卡斯梯翁拱坝裂缝,在下游面发现5号坝段有2条斜裂缝,在13号坝段有2条由基础向上的裂缝,其方向大致与基础垂直[1]。

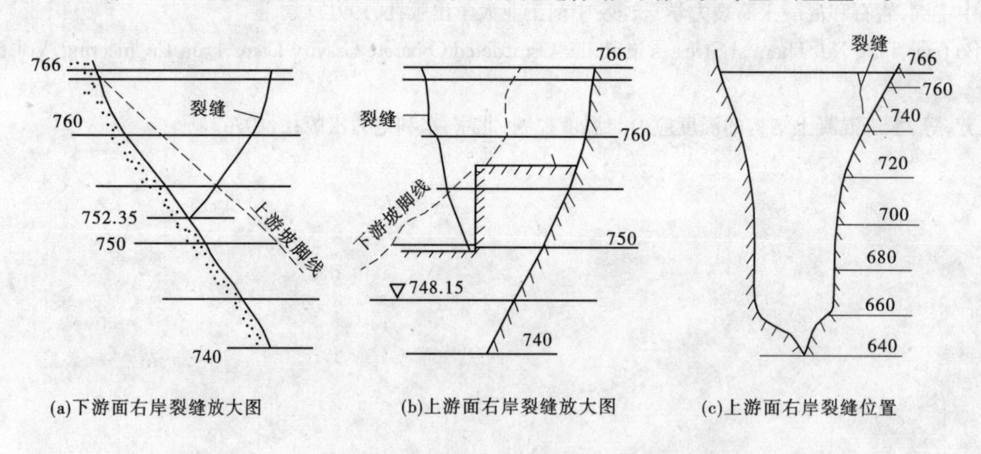


**图1 索达特拱坝的裂缝**(单位:m)

图3表示美国垦务局1910年建成的野牛嘴(Buffalo Bill)拱坝的裂缝,该坝未设横缝,在两岸之间连续浇筑混凝土,每层厚0.3m,有时每天浇筑4层,上升1.2m/d,坝址高程2 347m,最低月平均温度为-3℃,最高月平均温度为21℃,坝内产生大量垂直和水平裂缝是不足为奇的。

罗马尼亚的德拉根(Dragan)双曲拱坝,高120m,1979年开始浇筑坝体混凝土,至1982年为止,产生了水平裂缝44条(其中上游面5条,下游面39条),裂缝深度0.2~1.2m,开度0.1~0.3mm,长度等于坝段宽度,垂直裂缝15条,长度延伸1~5个浇筑层,裂缝开度1~1.5mm,见图4,当地气候寒

本文原载《水力发电学报》1997年第2期。

本项研究得到国家自然科学基金重大项目(编号59493600)和国家攀登计划(编号FB-1)的资助。

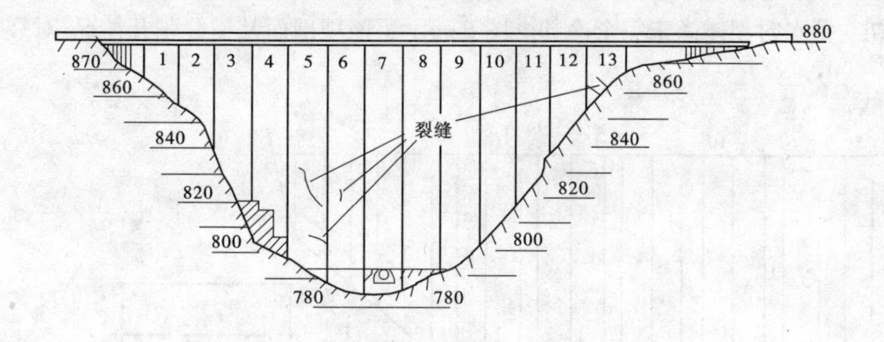


**图2 卡斯梯翁拱坝下游面裂缝**(单位:m)

冷,冬季三个月停工,裂缝是温度应力引起的。1983年以后浇筑混凝土时采取了以下温控措施:春季恢复浇混凝土时,对前年浇筑的老混凝土,在帆布下面吹热气进行预热,使50cm深度混凝土温度达到15℃以上,冷天采用保温模板,坝面不断喷水防止干缩,春秋两季新混凝土表面用帆布保护10~14天。采取这些措施后,裂缝大为减少。

格仑峡(Glen Canyon)拱坝,高216m,大坝施工期间在6坝段和18坝段产生了两条斜裂缝,见图5。基础是比较软弱的砂岩,有限元分析结果表明,两条斜裂缝的产生与不均匀基础沉陷有关。

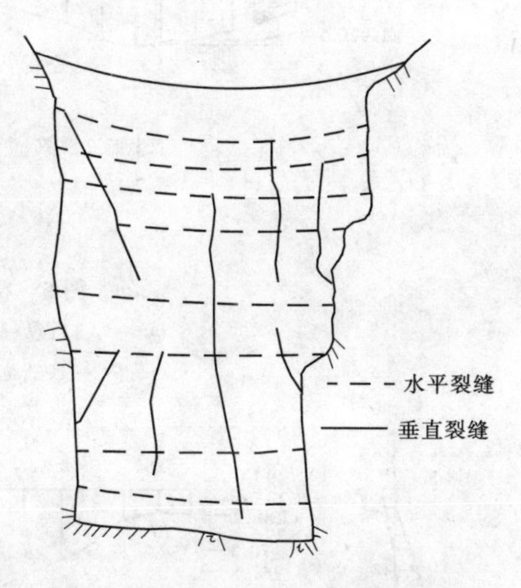


**图3 野牛嘴(Buffalo Bill)拱坝裂缝**

葡萄牙的卡布里尔(Cabril)双曲拱坝,高132m,弧长290m,设有边缘缝,1954年建成,至1980年因有大量裂缝而被迫进行修理。当时在下游面共有252条裂缝,其中77条裂缝开度在1mm以上,55条开度为0.2~1.0mm,120条开度小于0.2mm,所有这些裂缝都是施工缝(层厚1.5m)被拉开,并在两横缝之间贯穿,有时还延伸到相邻坝段去,大裂缝位于坝体上部高程275~290m之间(坝顶高程297m),从左岸延伸到右岸,据用有限元法分析,裂缝原因:①坝体顶部刚度过大;②横缝张开,坝的整体性下降;③基岩裂隙被冲蚀,渗水增加,排水孔堵塞;④气温年变幅和日

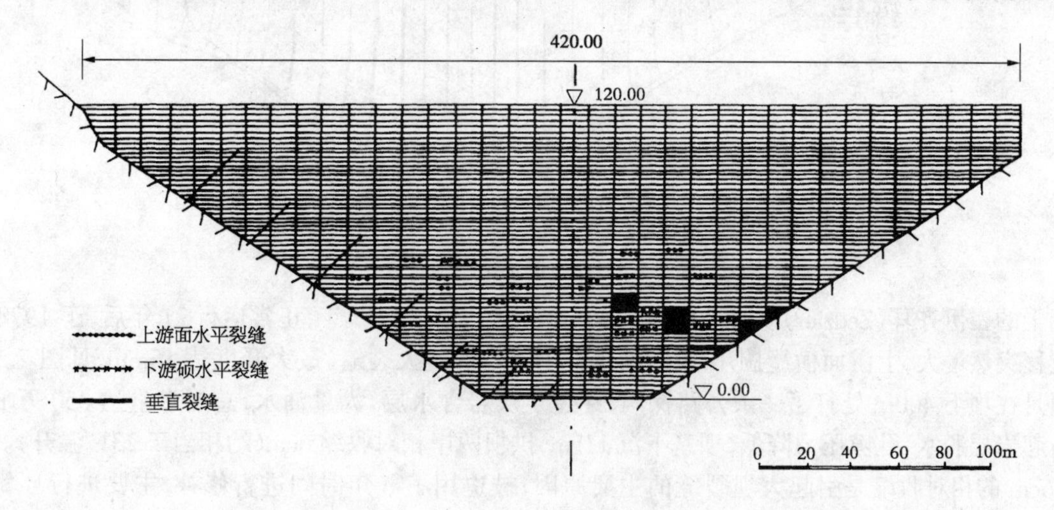


**图4 德拉根(Dragan)拱坝裂缝**(单位:m)

变幅较大;⑤初次蓄水时坝体尚未完全冷却。图 6 表示了该坝剖面及横缝张开情况,对裂缝进行了环氧灌浆。

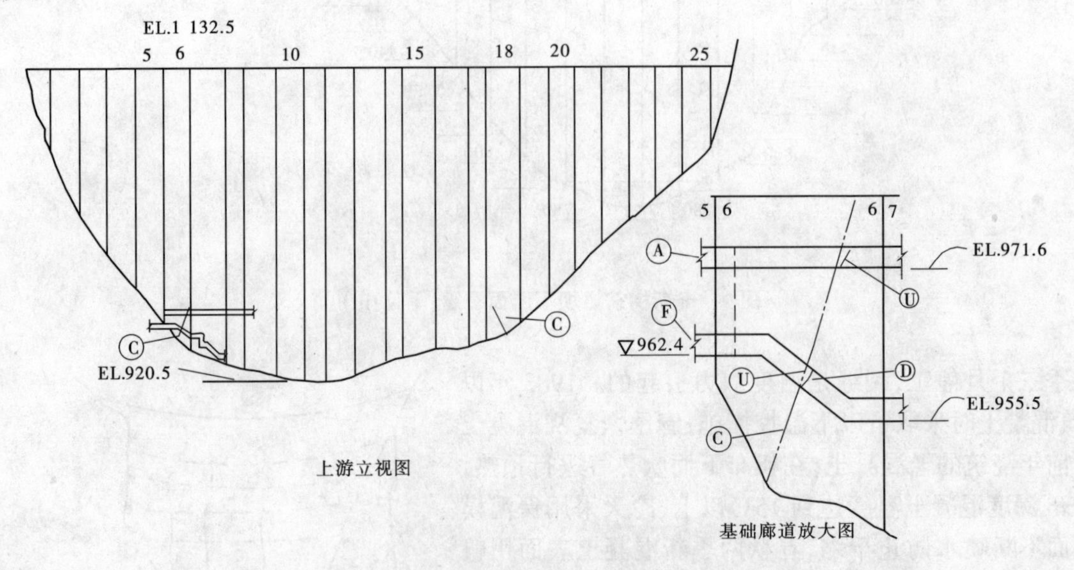


**图 5 格仑峡(Glen Canyon)拱坝裂缝**

Ⓐ —入口;Ⓒ—裂缝;Ⓓ —基础廊道下游面看到的裂缝;
Ⓕ —基础廊道;Ⓤ —基础廊道上游侧看到的裂缝

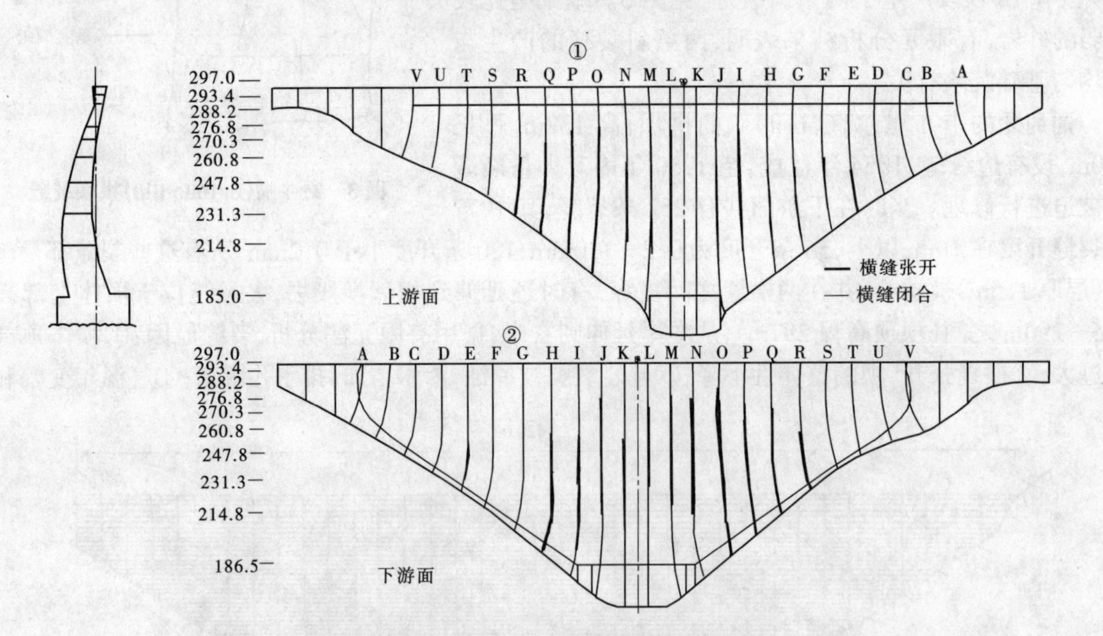


**图 6 卡布里尔(Cabril)拱坝横缝张开情况**

瑞士的崔伊齐耳(Zeuzier)双曲拱坝,高 156m,建于 1954~1957 年,正常运行 21 年后,于 1978 年坝体位移突然增大,上游面横缝拉开,下游面平行于基岩产生大裂缝,最大开度达 15mm,见图 7。裂缝原因是在坝下 400m 处打了一条公路探洞,穿过了灰岩含水层,大量涌水,总涌水量达 350 万 $m^3$,从而引起岩层脱水,孔隙压力降低,坝基下沉 11cm,拱坝两岸相对收缩 6cm(约相当于 23℃温升)。显然,这 6cm 的相对收缩是引起大坝裂缝的主要原因,被迫用了 6 年时间进行修补,主要进行环氧灌浆。

我国响水拱坝裂缝情况见图 8。该坝为单曲薄拱坝,坝高 19.5m,顶厚 1.5m,底厚 3.0m,设有水

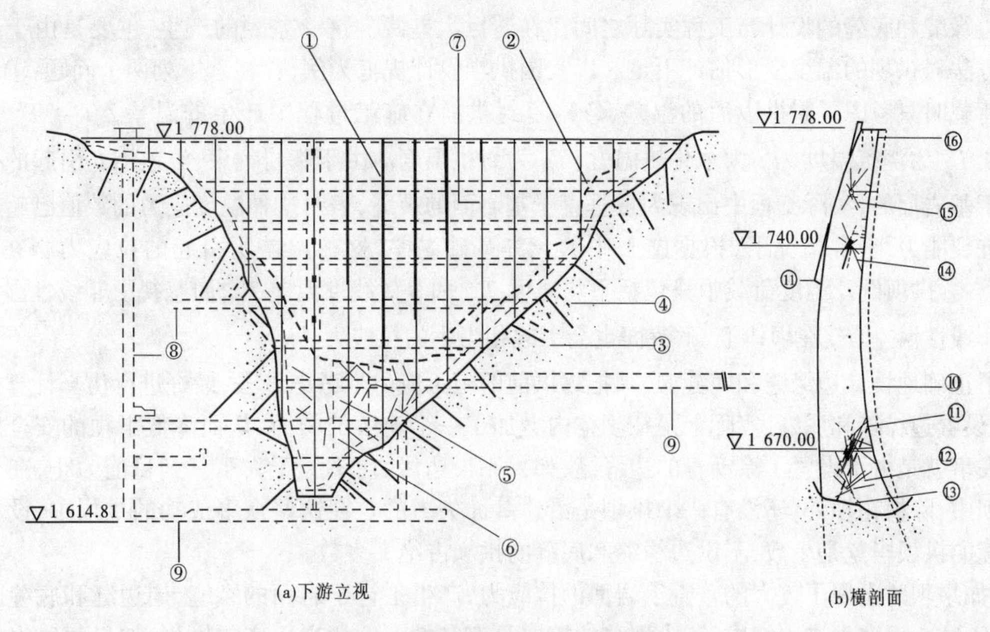


(a)下游立视　　(b)横剖面

**图 7　崔伊齐尔(Zeuzier)拱坝裂缝**

①—上游面横裂缝张开;②—下游面主裂缝;③—灌浆孔;④—检查孔;⑤—灌浆孔;
⑥—监测孔;⑦—横缝;⑧—电梯井及检查廊;⑨—灌浆廊;⑩—脚手架;⑪—主裂缝;
⑫、⑬、⑭、⑮—灌浆孔;⑯—监测孔

平底缝,缝内填料由一层冷底子油、一层滑石粉和沥青组成,总厚度 1.0~1.3mm,当地气候寒冷,年平均气温 2.4℃,月平均气温 1 月为 -17.7℃,7 月为 19.7℃。该坝坝体于 1981 年 8 月浇筑,坝体内部最高温度达 53℃,同年 10 月开始蓄水,1984 年发现裂缝 18 条,1987 年增至 36 条。裂缝原因:①设计中用美国垦务局经验公式 $T_m = 57.7(t + 2.44)$ 计算温度荷载,严重偏小;②施工中无严格温控措施;③运行期无保温措施;④把防止裂缝的希望寄托在底缝上,结果落空。由图 8 可见,主要裂缝垂直于底缝和两岸基岩面,底缝面上涂有沥青,在高温时可以滑动,曾实测到相对位移 11mm,但沥青变形能力与温度关系极大,低温时底缝已不能滑动,坝体继续降温,受到底缝约束,即产生一系列垂直裂缝。业主委托笔者研究处理措施,经研究决定在坝体下游面粘贴 5cm 厚聚苯乙烯泡沫塑料板永久保温,对裂缝进行环氧灌浆。处理后,运行情况良好。

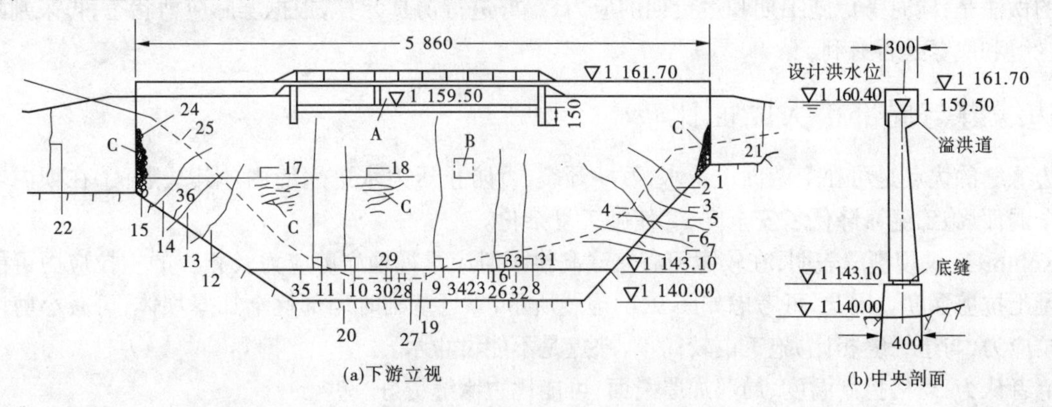


(a)下游立视　　(b)中央剖面

**图 8　响水拱坝裂缝**(单位:高程 m,尺寸 cm)

## 2　从实际工程裂缝情况来看边缘缝与底缝的作用

(1)拱坝边缘缝和底缝是针对上游坝面平行于基岩面的裂缝而设置的,但实际工程中除了水平施工缝和横缝被拉开外,其余裂缝几乎都是垂直于基岩表面的,与边缘缝和底缝正好成 90°夹角,这表明目前边缘缝和底缝的设计与工程实际之间存在着巨大差距。这一差距的产生，主要是由于现行拱坝设计方法对拱坝的温度变形估计不足。以我国拱坝设计规范为例，存在着下列两个问题：①计算拱坝温度荷载时只考虑了封拱以后的温差，忽略了封拱前在施工过程中产生的温差 $\Delta T = T_p + T_r - T_0$，其中 $T_p$ 为浇筑温度，$T_r$ 为水化热温升；$T_0$ 为封拱温度。由于基岩约束，温差 $\Delta T$ 引起的拉应力是平行于基岩面的，实际工程中出现大量垂直于基岩面的裂缝，表明这种温度应力的数值已超过了混凝土的抗裂能力，正常情况下，根据施工中的允许基础温差，这一温差所引起的拉应力当在1.0～1.5MPa。②拱坝设计温度荷载中只包括平均温度 $T_m$ 和等效线性温差 $T_d$，而忽视了非线性温差 $T_n$，实际上非线性温差 $T_n$ 在坝体上、下游面也会引起相当大的拉应力。

为了正确地设计边缘缝和底缝，必须把封拱前的施工应力也考虑进去，最好进行仿真计算。

(2)设置边缘缝和底缝，实际上是在坝体内增加了一个连续的弱面，从而降低了坝的安全度。梅花坝的失事就是由于设置了涂沥青的边缘缝，如果不设边缘缝，不至于失事。到目前为止，在全世界所有拱坝中，除梅花坝外，还没有一个拱坝是沿建基面失事的。在这些众多成功的拱坝中，设置边缘缝和底缝的拱坝毕竟是少数，不设边缘缝和底缝的拱坝占绝大多数。

(3)如果坝踵出现了较大的垂直于岩面的拉应力，产生平行于岩面的裂缝，周边缝和底缝因设有止水，对于防止压力水进入缝内、防止裂缝的扩展是有利的。例如崔伊齐尔拱坝，如果两岸岩体产生的相对变位是6cm的张开变形，则可能在坝体上游面产生平行于岩面的大裂缝，边缘缝的止水对防止裂缝的扩展显然是有利的。

(4)设置了底缝的响水拱坝产生了严重裂缝，表明边缘缝和底缝并不一定能防止拱坝裂缝。

(5)防止拱坝裂缝最有效的措施是严格控制温度，包括：①严格控制基础温差和内外温差，防止施工期出现裂缝；②优化坝体灌浆温度，选择合理的灌浆温度 $T_{m0}$ 和 $T_{d0}$，从崔伊齐尔拱坝事例中可以看到，如果适当超冷，就有可能大幅度降低坝踵拉应力；③在寒冷地区兴建拱坝，应加强表面保温，设置永久保温层，如响水拱坝。

(6)从拱坝裂缝的实际资料来看，不能得出边缘缝和底缝能防止拱坝裂缝扩展的结论。因为大多数拱坝裂缝是垂直于边缘缝和底缝的，当然目前也不能把边缘缝和底缝一棍子打死。可以肯定的是，忽略施工期温度应力，只根据目前拱坝设计规范中的运行期温度荷载、水压力和自重，计算坝的应力状态，由于在坝踵出现了垂直于岩面的拉应力，就得出必须设置边缘缝和底缝的结论，是不全面的。正确的做法是：同时考虑施工期和运行期的应力，最好进行仿真计算，根据实际应力状态，再来判断设置边缘缝和底缝是否有利。

## 3 边缘缝与局部扩大断面比较

边缘缝的优点是可在上游面设止水，万一开裂，可防止压力水进入缝内。其缺点：①在坝内增加了一个弱面(施工缝)，降低了安全度；②使施工复杂化。

Kolnbrein拱坝裂缝表明，在较宽河谷修建高拱坝时应重视坝底剪应力及相应的主拉应力可能超出混凝土抗剪强度。因此，可考虑如图9(b)虚线所示，靠近基础时局部逐渐加厚坝体，可减小剪应力和主拉应力，与边缘缝相比，施工也较简单，缺点是不能设止水。

笔者认为，严格控制温度、局部加厚断面，可能比边缘缝更好一些。

## 4 结　语

(1)在实际工程中，除了水平施工缝和横缝被拉开外，大多数拱坝裂缝都是垂直于岩石表面的，因此不能认为边缘缝和底缝能防止拱坝裂缝的扩展。

(2)严格控制温度、控制基础温差和内外温差，优化坝体灌浆温度 $T_{m0}$ 和 $T_{d0}$，是防止拱坝裂缝的

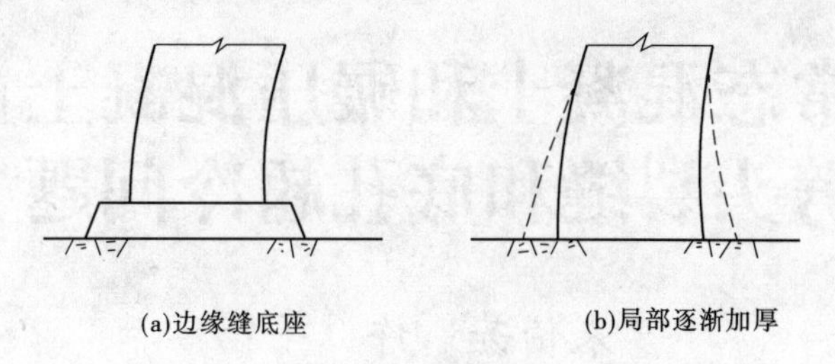

(a)边缘缝底座　(b)局部逐渐加厚

**图9　拱坝边缘缝与局部扩大断面**

最有效途径。

(3)应同时考虑施工期和运行期的荷载,进行仿真计算,根据计算结果,再来判断是否有必要设置边缘缝或底缝。

(4)如底缝设在坝内,将削弱坝体剖面,如底缝结构设在坝外[7],将延误工期,增加投资,与加强温度控制相比,是否合算,应进行论证。

(5)吸取 Kolnbrein 拱坝裂缝的教训,拱端局部加厚,效果可能更好。边缘缝并不能降低梁底剪力。

## 参　考　文　献


[1]　朱伯芳.水工混凝土结构的温度应力与温度控制.北京:水利电力出版社,1976

[2]　Boggs,H.L.,Cracking in Concrete Dams,USBR Case Histories,15th ICOLD,Vol,173～190

[3]　Portuguese National Commission on Large Dams,Cracking and Repair of Works in Cabril Dam,15th ICOLD,Vol,367～387

[4]　Berchten,A.R.,Repair of the Zeuzier Arch Dam in Switzerland,15th ICOLD,Vol,693～720

[5]　Ionescu,S.,D.Hulea,Concrete Cracking during Dragan Arch Dam Construction,15th ICOLD,Vol,249～261

[6]　Lombardi,G.,Kolnbrein Dam:An Unusual Solution for an Unusual Problem,International Water Power and Dam struction,No.6,1991

[7]　Rescher,O.J.,Arch Dams with an Upstream Base Joint,International Water Power & Dam Construction,No.3,1993

[8]　朱伯芳,厉易生,林乐佳.响水拱坝裂缝成因及其处理咨询报告.水电科学院,1987

[9]　Baustadter,K.,R.Widmann. The Behaviour of the Kolnbrein Arch Dam,15th ICOLD,Vol,633～651,1985

# 通仓浇筑常态混凝土和碾压混凝土重力坝的劈头裂缝和底孔超冷问题

朱伯芳　许　平

(中国水利水电科学研究院,北京　100038)

**摘　要**:不少重力坝在上游面产生了几十米深的严重劈头裂缝,首次指出这与通仓浇筑有密切关系,由于坝内没有纵缝,因而没有接缝灌浆前的二期水管冷却,水库蓄水时,坝内温度仍然很高,而水温较低,产生了较大的内外温差,使得在施工过程中上游面已出现的表面裂缝扩展成为深层劈头裂缝。目前,碾压混凝土重力坝的高度不大,似乎还没有报道过严重劈头裂缝,但碾压混凝土重力坝也是通仓浇筑的,没有二期水管冷却,今后随着坝高的增加,对碾压混凝土重力坝产生劈头裂缝的问题也应给予重视,对于通仓浇筑的常态混凝土重力坝和碾压混凝土重力坝,由于基础约束区域扩大,底孔超冷可能产生巨大的温度应力,并引起严重裂缝。为了防止裂缝,需要采取严格的温度控制措施。针对三峡大坝通仓浇筑方案,进行了详细的计算分析,计算结果证实了上述判断。

## 1　前　言

不少混凝土重力坝在上游面产生了严重的劈头裂缝,裂缝深度达到几十米,漏水严重,危及坝的安全。经过细致的分析,作者发现这种现象在柱状浇筑的混凝土重力坝中极少出现,主要出现在通仓浇筑的混凝土重力坝中,因此劈头裂缝的出现与通仓浇筑有密切关系。进一步深入分析后,作者发现主要是由于通仓浇筑的混凝土重力坝没有纵缝,因而没有接缝灌浆前的二期水管冷却,坝体蓄水时,内部温度仍很高,而水温较低,形成较大内外温差,促使施工过程中在上游表面产生的表面裂缝扩展成为深层劈头裂缝。

碾压混凝土重力坝目前似乎还没有报道过严重的劈头裂缝,但碾压混凝土重力坝也是通仓浇筑的,没有二期水管冷却,蓄水时坝体内部温度还很高,这些情况与通仓浇筑常态混凝土重力坝基本相似,如果施工过程中上游面出现了表面裂缝,在内外温差和缝内裂隙水的共同作用下,也存在着产生劈头裂缝的可能性。目前碾压混凝土重力坝的高度不大,问题较轻,今后随着坝高的增加,对碾压混凝土重力坝产生劈头裂缝的问题也应给予重视。

底孔超冷是引起混凝土坝裂缝的一个重要原因,柱状浇筑的常规混凝土重力坝也存在着这个问题,但本文首次指出,对于通仓浇筑的常态混凝土和碾压混凝土重力坝,由于基础约束范围的扩大,底孔超冷问题更加严重,为了防止裂缝,需要采取更为严格的温度控制措施。针对三峡大坝通仓浇筑方案,本文进行了详细的计算分析,计算结果证实了上述判断。

## 2　常态混凝土重力坝的劈头裂缝问题

### 2.1　劈头裂缝与通仓浇筑有密切关系

通仓浇筑的混凝土重力坝,虽然采取了预冷骨料、水管冷却、表面保温等温度控制措施,但不少坝体在上游面仍产生了严重的劈头裂缝,裂缝深度达几十米,引起严重漏水。

---

本文原载《水利水电技术》1998 年第 10 期。

本项研究是国家攀登计划 FB-1 成果的一部分,并得到中国三峡开发总公司和国家自然科学基金的资助。

加拿大的雷威尔斯托克(Revelstoke)实体重力坝,高175m,通仓浇筑,采取了掺40%飞灰,预冷骨料,坝体下部埋设水管进行一期冷却,冬季停浇,表面保温的措施,放热系数不大于5.0 kJ/($m^2$·h·℃)等温控措施。1980年7月开始浇混凝土,1983年底竣工,坝体上游面裂缝如图1所示,绝大部分坝段上游面都出现了裂缝,初期都是表面裂缝,在坝体廊道内看不到,蓄水前都做了防渗处理,用聚氨酯弹性涂层粘贴在裂缝外面。该坝1983年10月开始蓄水,1984年3月12日水位达到559m时(正常蓄水位573m),P3坝段上游面裂缝突然扩展,切断了上游面4个廊道中的下面3个,裂缝宽度6mm,裂缝深度约30m,廊道内渗水量达174L/min,从廊道内向裂缝钻排水孔后,裂缝宽度减小到2mm,渗水量减小到8L/min,本文第一作者1988年7月参观该坝时,廊道内渗水仍很严重。

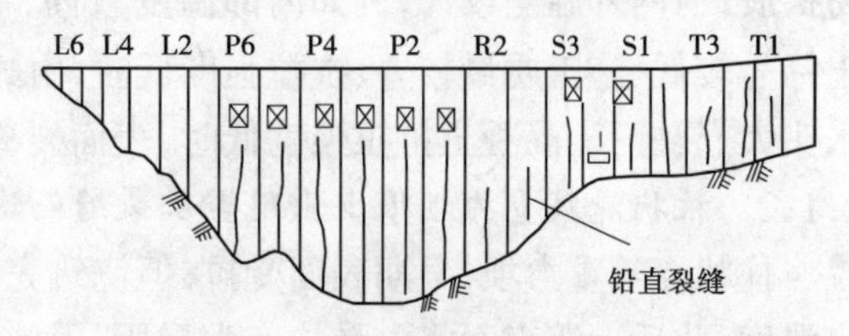


图1 雷威尔斯托克坝上游面裂缝

美国德沃歇克(Dworshak)实体重力坝,最大坝高219m,通仓浇筑,预冷骨料,整个施工期,混凝土入仓温度控制于4.4~6.6℃,坝体下部还埋设冷却水管,进行一期冷却,春秋冬三季进行表面保温,春秋两季表面放热系数不大于10kJ/($m^2$·h·℃),冬季不大于5kJ/($m^2$·h·℃),上述各项措施在施工过程中得到了严格执行,施工期间未发现严重裂缝,被认为在温控上取得良好成绩。工程在1968~1972年建设,运行数年后,在9个坝段上游面出现了劈头裂缝,其中以35坝段的裂缝最为严重,裂缝张开2.5mm,廊道内渗水量达29$m^3$/min。

实际工程经验表明,施工过程中在坝体上游面出现了表面裂缝,水库蓄水以后,经过一段时间,有的表面裂缝突然大范围地扩展,成为劈头裂缝,这种现象在通仓浇筑重力坝内经常出现,但在大量分缝柱状浇筑重力坝内却很少出现,人们过去并未发现这一差别。为探讨这种现象的偶然性或必然性,以及在通仓浇筑碾压混凝土重力坝内是否会出现劈头裂缝,我们用断裂力学观点来进行分析。在坝体上游面切取一水平剖面如图2所示。

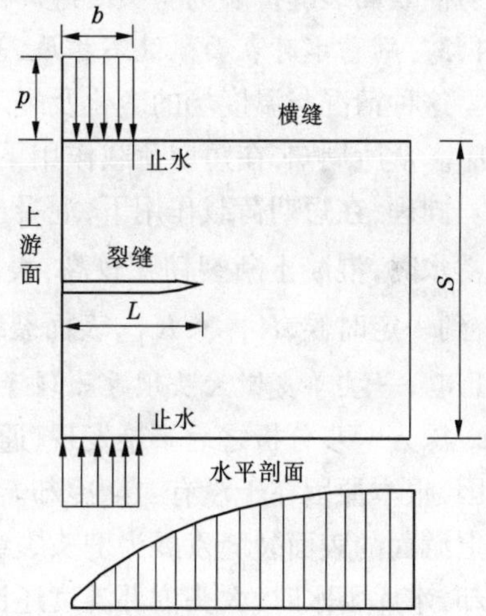

图2 劈头裂缝剖面示意图

图2中上游面有一条表面裂缝,长度为$L$,缝内作用着均布的裂隙水压力$p$,横缝止水至上游面距离为$b$,在止水与上游坝面之间的横缝面上作用着水压力$p$,坝内温度场为$T(x,y,z,\tau)$,假定裂缝位于坝段中面上,该裂缝稳定(不扩展)的条件为

$$K_{\mathrm{I}} = K_{\mathrm{I}T} + K_{\mathrm{I}P} - K_{\mathrm{I}J} \leqslant K_{\mathrm{I}C} \quad (1)$$

式中:$K_{\mathrm{I}}$——缝端应力强度因子;

$K_{\mathrm{I}T}$——温度引起的张开型裂缝应力强度因子;

$K_{\mathrm{I}P}$——缝内水压力引起的张开型裂缝应力强度因子;

$K_{\mathrm{I}J}$——止水与上游面之间横缝内水压力引起的应力强度因子;

$K_{\mathrm{I}C}$——混凝土Ⅰ型裂缝的断裂韧度。

当裂缝较浅时,按半平面表面裂缝计算,有:

$$K_{\mathrm{I}P} = 1.985p\sqrt{L} \quad (2)$$

混凝土Ⅰ型断裂韧度可用下式估算,即

$$K_{\mathrm{I}C} = 2.86kR_t \quad (3)$$

式中:$R_t$——混凝土劈裂抗拉强度;

$k$——尺寸效应系数,对于大体积混凝土可取 $k=1.9$。

$K_{IT}$和$K_{IJ}$无理论解,但用有限元方法很容易计算。

式(1)表明,当 $K_I<K_{IC}$时,表面裂缝不扩展,而当 $K_I>K_{IC}$时,表面裂缝扩展为大的劈头裂缝,换句话说,$K_I>K_{IC}$是产生劈头裂缝的原因。

下面我们利用式(1)来说明实际工程中出现的一些复杂现象。

2.1.1 容易发展为大的劈头裂缝的表面裂缝

由式(2)可知,当水头较大即裂缝内水压力 $p$ 较大,而裂缝又较深($L$ 较大)时,$K_{IP}$较大,裂缝容易扩展;当内外温差较大,例如内部温度较高,而表面温度较低时,$K_{IT}$较大,裂缝容易扩展;当混凝土标号较低、施工质量较差、抗拉强度低时,由式(3)可知,此时断裂韧度低,裂缝容易扩展。总之,当水头大、裂缝长、混凝土抗拉强度低时,表面裂缝容易扩展为劈头裂缝。

2.1.2 柱状浇筑重力坝很少出现劈头裂缝而通仓浇筑的重力坝容易出现劈头裂缝的原因

柱状浇筑重力坝,早期表面受拉,但浇筑完毕几个月后即进行二期水管冷却,使坝体温度降至稳定温度,此后上游表面将由受拉变为受压,因此表面裂缝将闭合,不会发展为劈头裂缝。当然,在严寒地区,冬季气温比坝体灌浆温度低得多,表面裂缝也可能扩展为深层裂缝,但因无裂隙水压力,不至于扩展为几十米深的劈头裂缝。通仓浇筑重力坝,因无纵缝,不进行二期冷却,水库蓄水时,坝体内部温度还很高,内外温差很大,温度引起的缝端应力强度因子 $K_{IT}$较大,再加上缝内裂隙水的劈裂作用,容易使表面裂缝扩展为劈头裂缝。

2.1.3 刚蓄水时表面裂缝不扩展,而往往是过了一定时间,表面裂缝才扩展为劈头裂缝的原因

这种情况与温度场的变化及裂隙水的渗入速度有关,但更重要的因素是混凝土抗裂能力的时间效应。众所周知,在短期荷载作用下,混凝土抗拉强度较高,在长期荷载作用下,混凝土抗拉强度较低。同理,在短期荷载作用下,混凝土断裂韧度 $K_{IC}$较高,在长期荷载作用下,混凝土断裂韧度较低。刚蓄水时,混凝土断裂韧度较高,表面裂缝不扩展;在荷载持续作用下,混凝土断裂韧度 $K_{IC}$逐渐降低,到一定时候,$K_{IC}<K_I$,表面裂缝即扩展为劈头裂缝。

2.1.4 一些单支墩大头坝也出现了劈头裂缝的原因

深入一步分析之后不难发现,通仓浇筑重力坝之所以频繁出现劈头裂缝,通仓浇筑只是表面上的原因,根本原因在于没有二期冷却。水库蓄水时,坝体内部温度还相当高,出现了较大的内外温差,促使上游面的表面裂缝发展为劈头裂缝,有些单支墩大头坝,头部尺寸较大,散热很慢,又没有进行人工冷却,水库蓄水时,大头内部温度还比较高,出现了较大内外温差,加上裂隙水的劈裂作用,促使施工中已产生的表面裂缝发展为劈头裂缝。相反,双支墩大头坝,坝头较单薄,散热较容易,就没有出现劈头裂缝。

**2.2 劈头裂缝的预防与处理**

2.2.1 预防措施

(1)在坝体上游面采用较严格的保温措施,例如在上游模板内侧预贴泡沫塑料保温板,拆模后留在坝面上,防止出现表面裂缝,这是最根本的措施,泡沫塑料板的厚度应根据计算决定。

(2)当坝内埋有冷却水管时,除了一期冷却,最好也进行适当的二期冷却,从而减小内外温差。

(3)加大上游坝面至止水的距离,利用横缝内止水上游的水压力,在坝体表面产生一定压应力,阻止裂缝的扩展。

(4)水库蓄水前对坝体上游面进行全面检查,对全部表面裂缝进行防渗处理,以便水库蓄水后能阻止压力水进入裂缝。

2.2.2 劈头裂缝处理

(1)打排水孔穿过裂缝,以便迅速降低缝内水压力。

(2)进行上游面堵漏。

(3)对裂缝进行化学灌浆。

## 3 碾压混凝土重力坝的劈头裂缝问题

到目前为止似乎还没有报道过碾压混凝土出现严重劈头裂缝的实例,但由于碾压混凝土重力坝内没有纵缝,不进行接缝灌浆前的人工冷却,坝前蓄水时,坝内温度仍高,这一基本情况与通仓浇筑常态混凝土重力坝是相同的。目前已建成的碾压混凝土重力坝还比较低,问题较轻,因为劈头裂缝大多是施工期间上游面产生的表面裂缝到坝体蓄水后在内外温差和缝内裂隙水的共同作用下扩展而成的,对于低坝,缝内裂隙水的水头较小,另外,低坝厚度较小,较易散热,蓄水时内外温差也较小,所以产生劈头裂缝的可能性较小。今后随着坝高的增加,碾压混凝土重力坝也可能产生劈头裂缝,对于这个问题似应给予重视。

## 4 底孔超冷问题

基础温差 $\Delta T$ 按下式计算,即

$$\Delta T = T_p + T_r - T_f \tag{4}$$

式中:$T_p$——浇筑温度;

$T_r$——水化热温升;

$T_f$——坝体稳定温度。

式(4)中,$T_p + T_r$ 代表混凝土的最高温度,$T_f$ 代表最低温度,在实体重力坝内部,坝体稳定温度就是最低温度,因此按照式(4)计算基础温差是正确的。

当坝内设有孔口时,情况就不同了,孔口内壁与空气或水接触,冬季的水温或气温远低于坝体稳定温度。以三峡工程为例,坝体稳定温度为14~18℃(上游面较低,下游面较高),而冬季1月平均水温为9.3℃,1月平均气温为6.0℃,最低日平均气温为1.5℃,瞬时最低气温更低,它们远低于坝体稳定温度,因此在孔口附近出现了较大的温差,这种现象称为超冷。施工期间,孔口表面暴露在大气中,在寒潮作用下,容易出现表面裂缝;蓄水后,由于水温低于坝体内部温度,引起拉应力,加上缝内裂隙水的劈裂作用,往往促使扩展为大裂缝。

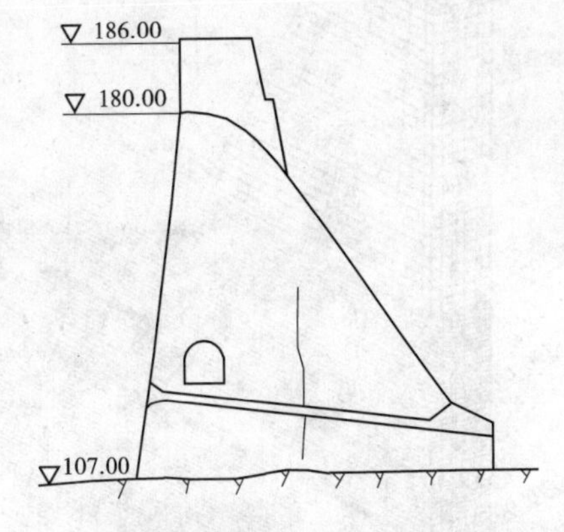

图3 诺福克坝16号坝段裂缝示意(单位:m)

图3所示美国诺福克(Norfork)坝,为通仓浇筑的重力坝,坝内产生了一条铅直大裂缝,最大缝宽4.7mm,从基础向上发展,裂缝高度达25.9m。对于常规柱状浇筑的重力坝,也存在着底孔超冷问题,不少柱状浇筑的混凝土重力坝在导流底孔的底板和边墙上都出现裂缝。但对于通仓浇筑的重力坝,其底孔超冷问题比常规柱状浇筑混凝土重力坝更为严重,其原因如下:

(1)通仓浇筑重力坝基础约束范围大,如图4所示,重力坝高200m,底宽150m,设底孔底部离基础高度为10m,若分5条纵缝,纵缝间距为25m(见图4(a)),则底孔基本上已脱离基础约束范围,相反,若

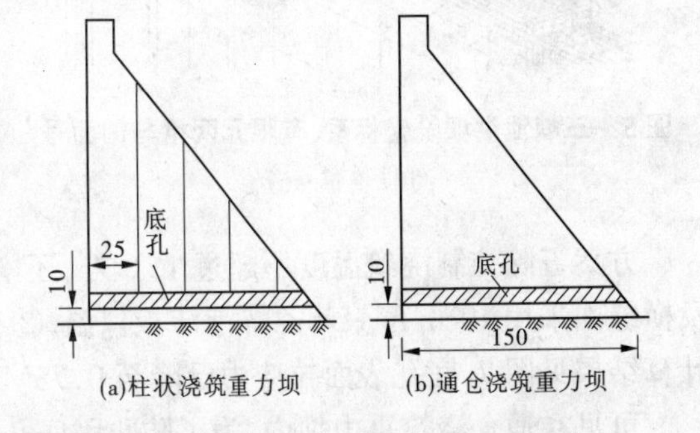

图4 柱状浇筑和通仓浇筑重力坝中的底孔(单位:m)

通仓浇筑，则整个底孔位于基础强约束区内。

(2)施工期间产生的底孔表面裂缝在通仓浇筑重力坝内容易扩展为大裂缝，施工期间底孔表面有时会产生一些表面裂缝；对于通仓浇筑重力坝，通水后，由于水温低于坝体内部温度，底孔又位于强约束区内，表面裂缝很容易扩展为大裂缝；对于柱状浇筑的重力坝，由于通水前已进行二期冷却，底孔表面与坝体内部的温差较小，基础对底孔的约束作用又较小，表面裂缝扩展为大裂缝的概率较小。当然，如果底孔底板离基岩很近，表面裂缝也可能扩展。

我们对三峡大坝通仓浇筑方案进行了研究，该坝泄洪坝段在高程 90.00～103.00m 设有泄洪深孔，在高程 50.00～70.00m 设置骑横缝的导流底孔，坝底岩面高程为 10～45m，当岩面高程为 45m 时，离底孔底部只有 5m，坝底长 105m，整个导流底孔处于基础强约束区，坝段宽 21m，由于对称，取半个坝段用三维有限元进行仿真计算，坐标系、有限元网格与剖面号见图 5。沿坝轴线($x$)方向取 4 个剖面号：1—1 剖面为对称面，2—2 剖面为泄洪深孔侧壁，3—3 剖面为导流底孔侧壁，4—4 剖面为横缝面；沿上下游($z$)方向取 5 个剖面号：A—A 剖面为上游面，E—E 剖面为下游面。互相垂直的两个剖面相交成“交线”，如 A1 交线为 A—A 剖面与 1—1 剖面的交线。共使用 8 节点空间等参单元 8 204 个，节点总数 10 708。

共计算了 5 个方案，其中方案一控制混凝土浇筑温度 $T_p$ 如下：当气温≥12℃时，$T_p=15$℃；当气温<12℃时，$T_p=3$℃+气温。

此外，不采取其他温控措施。计算结果为，在导流底孔侧壁上最大拉应力达到 2.3MPa，如图 6 所示，表明底孔可能产生裂缝。

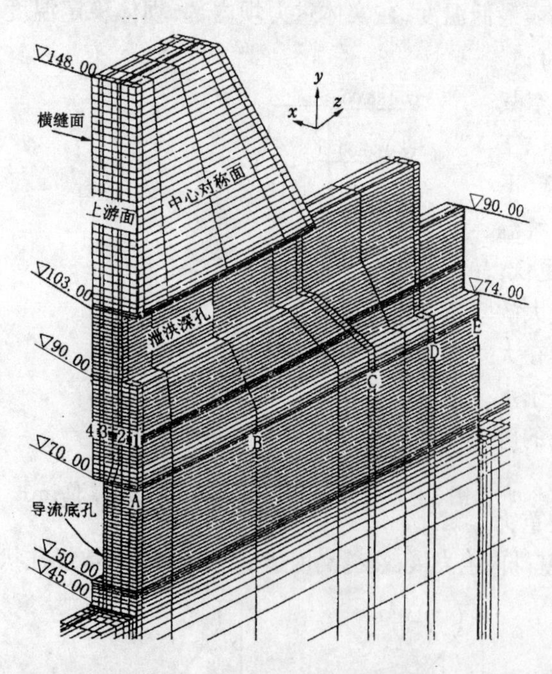


图 5　三峡泄洪坝段坐标系、有限元网格与剖面号

(高程单位：m)

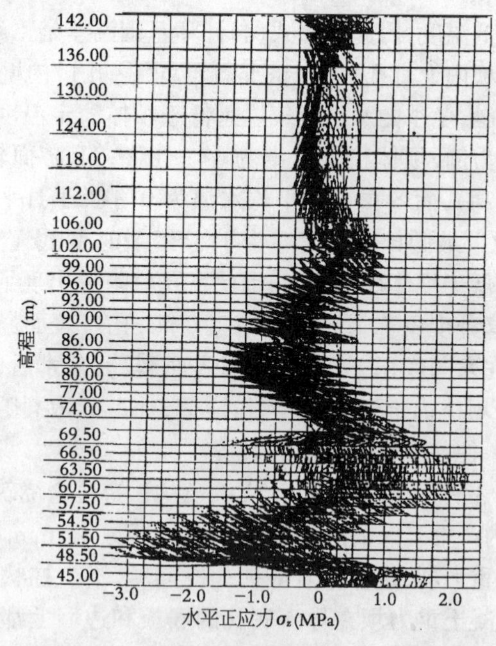


6　方案一 B3 交线不同时间的顺河向水平正应力 $\sigma_z$ 分布

(拉应力为正)

方案五除控制浇筑温度不超过 15℃外，还增加了如下温控措施：①在坝体上下游表面、孔口表面及横缝面采用 10cm 厚聚苯乙烯泡沫板保温；②在基础强约束区(高程 24.00m 以下)进行水管冷却。计算结果见图 7，底孔表面拉应力已降至 0.75MPa。

可见在通仓浇筑重力坝内，为了防止因底孔超冷而产生裂缝，必须采用比较严格的温控措施。

通过上述分析，不难发现，通仓浇筑常态混凝土重力坝和碾压混凝土重力坝，在劈头裂缝及底孔

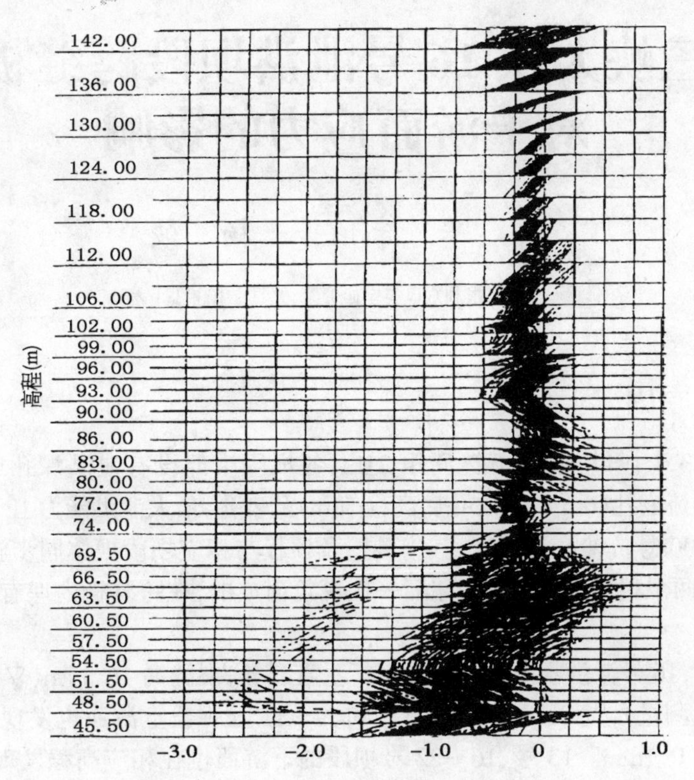


**图7 方案五 B3 交线不同时间的顺河向水平正应力 $\sigma_z$ 分布**

(拉应力为正)

超冷等方面,与分缝柱状浇筑重力坝都有重大差别。

总之,柱状浇筑重力坝很少出现劈头裂缝,通仓浇筑常态混凝土重力坝很容易出现劈头裂缝,这主要是由于坝内不设纵缝、不进行二期冷却所致。碾压混凝土重力坝目前坝高不大,尚未出现劈头裂缝,今后随着坝高的增加,应重视如何防止劈头裂缝的出现。在柱状浇筑重力坝内,也有由于底孔超冷而出现裂缝的,但在通仓浇筑的常态混凝土和碾压混凝土重力坝内,由于不设纵缝,基础约束范围大得多,底孔超冷所引起的温度应力更大,更容易出现裂缝。

## 参 考 文 献

[1] 朱伯芳等．水工混凝土结构的温度应力与温度控制．北京:水利水电出版社,1976

[2] W.J.Brunner,K.H.Wu.Cracking of the Revelstoke Concrete Gravity Dam Mass Concrete.15th International Congresson Large Dams,Vol Ⅱ,1985

[3] D.L.Houghton.Measures being Taken for Prevention of Cracks in Mass Concrete at Dworshak and Libby Dam.10th International Congress on Large Dame,1970,V3,Q39,R14

[4] Bofang Zhu,Ping Xu.Thermal Stresses in Roller Compacted Concrete Gravity Dams.Dam Engineering, Vol Ⅵ,Issue 3,1995

# 三峡大坝 16 号泄洪坝段跨缝板对上游面应力的影响

许 平 朱伯芳 杨 波

(中国水利水电科学研究院,北京 100038)

## 1 裂缝概况及原因

三峡大坝设有 23 个泄洪坝段,横缝间距 21m,各坝段中部设有泄洪深孔(7m×9m,孔底高程 90m),骑横缝设有导流底孔(6m×12m,孔底高程 56m)及表孔,最大泄洪能力 12.06 万 $m^3/s$。导流底孔周围是 1m 厚的 400 号抗冲磨混凝土,其中侧壁及顶板与相应坝段坝体同步施工,而底板(又称跨缝板,厚 1m)则是在两个相邻坝段横缝灌浆后一次浇筑而成的,在跨缝板内埋有纵、横向钢筋网与坝体相连。

2000 年 10 月底,16 号泄洪坝段上游面发现了垂直裂缝,裂缝高 16.17m(▽45.05~61.22m),深 52~60cm(斜孔压水测量),宽 0.2mm。12 月中旬,9~13 号坝段上游面也发现 7 条类似裂缝,缝高 3.3~10m,宽度小于 0.1mm。13 号、16~22 号坝段的下游面也在相应高程发现了 9 条裂缝(2 条水平,7 条垂直),水平缝长 7.2m、12.8m,宽 0.3mm,垂直缝高 1.2~5.5m,宽 0.1~0.3mm。截至 2002 年 1 月 27 日,泄洪坝段上游面共发现裂缝 39 条,最长 35.13m,最宽 1.25mm,最深 3.3m(声波测试),顶端最高▽80m,底端最低▽35.8m。

发生裂缝的部位与时间有以下特征:

部位。裂缝的平均高程正好在跨缝板处(▽55~56m)、两个相邻底孔之间的坝段对称面上,且发现裂缝的坝段两侧跨缝板均已浇筑,而未浇两侧跨缝板的坝段均未发现裂缝。

时间。在除跨缝板之外的大体积混凝土浇筑后,经过第一个(1999 年)冬季,一直到横纵缝灌浆(2000 年 1~4 月)后,均未发现裂缝,而在浇筑跨缝板(2000 年 3~10 月)之后才发现裂缝。

这些裂缝的发生,引起各方高度重视,潘家铮院士提出要“小题大做”,收集资料,弄清裂缝成因,进行专题研究。三峡总公司召集设计、监理、施工单位对此问题进行了多次讨论,各方专家分析了发生裂缝的部位与时间的规律后认为,裂缝主要是由以下三方面的原因引起的:①气温年变化的影响;②气温骤降(寒潮);③跨缝板及横缝灌浆的约束作用。而大体积混凝土浇筑过程对产生裂缝的影响可能较小。

### 1.1 气温年变化的影响

按设计单位的要求,每年入秋(9 月底)应将导流底孔等孔洞进出口处用泡沫塑料板封堵,在上游面等永久暴露面进行保温,以减小内外温差。但实际上,1999 年冬季上下游面是否进行了保温尚不得而知,2000 年冬季各坝段均未作保温。1999 年冬季 1~8 号坝段进行了底孔封堵,其他坝段可能未封。因此,在后期冷却、纵横缝灌浆时(2000 年 2~4 月)已降到稳定值的坝内温度(15~16℃),到秋冬季发现裂缝时,已经过一个高温季节,坝内温度有所回升,如 13 号坝段上中下坝块中心温度分别回升了 6℃、3℃、5℃,而此时因气温低,表面温度大幅度下降,导致较大的内外温差,产生拉应力。

---

本文系 2001 年中国水利水电科学研究院向中国三峡工程开发总公司提交的研究报告的节选。

### 1.2 气温骤降(寒潮)

2000年10～12月每个月都有寒潮,最大降温幅度达到14℃/3d,接近历史最高记录。虽然气象站发出降温预报,但未引起注意,未采取临时应急保温措施。

### 1.3 跨缝板及横缝灌浆的约束作用

此项影响各方意见不一。

正方认为:横缝灌浆后坝下部连成整体,再加上跨缝板及钢筋的存在,产生很大约束作用,而且跨缝板是在5～10月高温季节浇筑的,影响更大。此外,裂缝发生的部位及时间,均与跨缝板有紧密关系,证明此项作用的影响很大。

反方认为:横缝表面是光滑的老混凝土,灌浆后抗拉强度很小,约束作用有限;跨缝板厚度仅为1m,影响范围有限;许多跨缝板已经产生横向及纵向裂缝,约束作用进一步减小。

由于泄洪坝段顶部的泄洪表孔的结构与导流底孔相似,查清裂缝原因,对于表孔的施工及吸取经验教训提高温控设计、施工水平,都是十分必要的。我们受三峡总公司委托开展了此项研究。由于时间紧迫,本文只能作出比较粗略的初步分析。

本文以16号坝段上块为研究对象,并着重分析上游面坝轴线方向的应力。

## 2 基本资料

### 2.1 地温与气温

地温系根据《三峡水利枢纽混凝土工程温度控制手册》[1]提供的0～20cm地温分布,按半无限体受周期性第一类边界条件的准稳定温度场的解析解拟合而成。

气温采用三峡总公司提供的三峡坝址1999年1月20日～2000年底的实测日平均数据。

### 2.2 计算网格、材料分区与边界条件

由于16号泄洪坝段在结构上是完全对称的,边界条件也近似对称(17号坝段的浇筑高程总比16号坝段高,15号坝段与16号坝段的高程差小于10m,左右两个跨缝板的浇筑时间也相差无几),故取半个坝段计算。坐标系、计算网格、剖面号及材料分区见图1、图2。

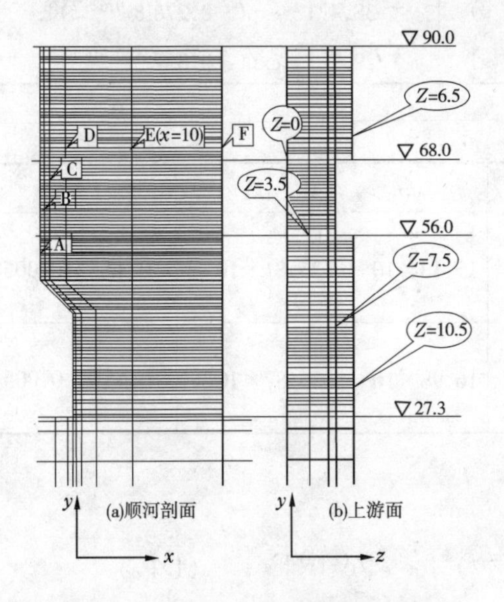


图1 坐标系、计算网格与剖面号

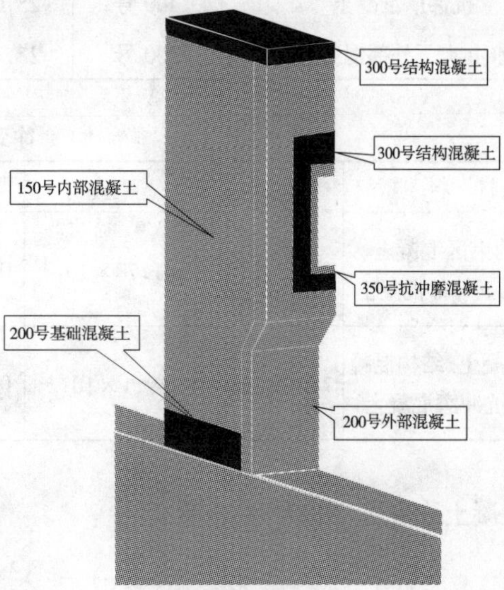

300号结构混凝土
300号结构混凝土
150号内部混凝土
350号抗冲磨混凝土
200号基础混凝土
200号外部混凝土

图2 材料分区

温度边界条件:基岩的四周及底面绝热,顶面与空气接触;坝体对称面、下游面、横缝面绝热,上游

[1] 三峡工程混凝土工程温控小组.三峡水利枢纽混凝土工程温度控制手册.1999年11月

面、底孔表面与空气接触。

应力边界条件:基岩的四周及底面法向位移为0,顶面自由;坝体对称面法向位移为0,上下游面及底孔表面均为自由,横缝面上除跨缝板处(高程55～56m)法向位移为0外,其余高程均为自由。

### 2.3　材料特性

基岩与混凝土材料的热学与力学特性见表1～表3。

表1　材料常数

| 材　　料 | 标号 | 容重 (kg/m³) | 泊松比 | 热胀系数 ($10^{-6}$/℃) | 导温系数 (m²/d) | 比热 [kJ/(kg·℃)] | 导热系数 [(kJ/(m·d·℃)] | 90天抗拉强度 (MPa) |
|---|---|---|---|---|---|---|---|---|
| 基　　岩 | | 2 700 | 0.200 | 8.5 | 0.083 3 | 0.959 | 216.0 | |
| 基础约束区混凝土 | 200号 | 2 450 | 0.167 | 8.5 | 0.083 3 | 0.959 | 216.0 | 2.48 |
| 坝内混凝土 | 150号 | 2 450 | 0.167 | 8.5 | 0.083 3 | 0.959 | 216.0 | 2.37 |
| 结构混凝土1 | 300号 | 2 450 | 0.167 | 8.5 | 0.083 3 | 0.959 | 216.0 | 2.85 |
| 抗冲磨混凝土 | 400号 | 2 460 | 0.200 | 8.7 | 0.072 4 | 0.903 | 212.2 | 4.00 |
| 水上水下外部混凝土 | 200号 | 2 450 | 0.167 | 8.5 | 0.083 3 | 0.959 | 216.0 | 2.48 |

表2　绝热温升与弹模

| 材　　料 | 标号 | 绝热温升(℃) | 弹模(GPa) |
|---|---|---|---|
| 基　岩 | | | 45 |
| 基础约束区混凝土 | 200号 | $23.3\tau/(2.5+\tau)$ | $29.1[1-\exp(-0.357\,3\tau^{0.616\,1})]$ |
| 坝内混凝土 | 150号 | $21.7\tau/(2.5+\tau)$ | $29.1[1-\exp(-0.307\,5\tau^{0.655\,7})]$ |
| 结构混凝土1 | 300号 | $24.8\tau/(2.5+\tau)$ | $30.2[1-\exp(-0.839\,7\tau^{0.346\,7})]$ |
| 抗冲磨混凝土 | 400号 | $25.0\tau/(2.5+\tau)$ | $38.4[1-\exp(-0.278\,8\tau^{0.628\,2})]$ |
| 水上水下外部混凝土 | 200号 | $23.3\tau/(2.5+\tau)$ | $29.1[1-\exp(-0.357\,3\tau^{0.616\,1})]$ |

表3　徐变度参数

| 材　料 | $f_1$ | $g_1$ | $p_1$ | $r_1$ | $f_2$ | $g_2$ | $p_2$ | $r_2$ |
|---|---|---|---|---|---|---|---|---|
| 基础约束区混凝土、水上水下外部混凝土 | $6.715\times10^{-12}$ | $61.78\times10^{-12}$ | 0.45 | 0.3 | $15.18\times10^{-12}$ | $25.81\times10^{-12}$ | 0.45 | 0.005 |
| 坝内混凝土、结构混凝土1、抗冲磨混凝土 | $7.511\times10^{-12}$ | $69.1\times10^{-12}$ | 0.45 | 0.3 | $16.98\times10^{-12}$ | $25.87\times10^{-12}$ | 0.45 | 0.005 |

混凝土徐变度公式为:

$$C(t,\tau)=\sum_{j=1}^{2}(f_j+g_j\tau^{-p_j})[1-e^{-r_j(t-\tau)}]\qquad(1/\mathrm{Pa})$$

### 2.4　施工进度与温控措施

我们共计算了5个工况,各工况的浇筑温度(表4)、施工进度(表5)、水管冷却等均相同,只是跨缝板浇筑时间及表面保温(表6、表7)不同。

表4 浇筑温度

| 起始高程(m) | 建基面 | 29.0 | 30.7 | 32.2 | 33.7 | 35.0 | 37.0 | 38.5 | 40.1 | 41.6 | 43.2 | 44.9 | 46.3 | 47.8 |
|---|---|---|---|---|---|---|---|---|---|---|---|---|---|---|
| 结束高程(m) | 29.0 | 30.7 | 32.2 | 33.7 | 35.0 | 37.0 | 38.5 | 40.1 | 41.6 | 43.2 | 44.9 | 46.3 | 47.8 | 49.3 |
| 浇筑温度(℃) | 11.7 | 15.0 | 12.0 | 14.8 | 13.5 | 10.5 | 15.3 | 17.0 | 17.0 | 17.0 | 17.0 | 17.0 | 17.0 | 17.0 |
| 起始高程(m) | 49.3 | 50.7 | 52.0 | 53.5 | 55.0 | 56.0 | 57.5 | 59.0 | 60.5 | 63.5 | 65.0 | 66.7 | 68.0 | 89.0 |
| 结束高程(m) | 50.7 | 52.0 | 53.5 | 55.0 | 56.0 | 57.5 | 59.0 | 60.5 | 63.5 | 65.0 | 66.7 | 68.0 | 89.0 | 90.0 |
| 浇筑温度(℃) | 17.0 | 17.0 | 17.0 | 16.5 | 14.5 | 17.1 | 12.4 | 16.1 | 13.6 | 14.8 | 15.4 | 14.4 | 13.5 | 12.5 |

表5 施工进度[1]

| 结束日期 | 坝顶高程(m) | 层高(m) | 间歇时间(d) | 结束日期 | 坝顶高程(m) | 层高(m) | 间歇时间(d) |
|---|---|---|---|---|---|---|---|
| 1999-01-20.0 | 27.3 | | | 1999-08-17.8 | 59.0 | 1.5 | 11.5 |
| 1999-01-27.6 | 29.0 | 1.7 | 7.6 | 1999-09-03.6 | 60.5 | 1.5 | 16.8 |
| 1999-02-02.3 | 30.7 | 1.7 | 5.7 | 1999-09-11.0 | 62.0 | 1.5 | 7.4 |
| 1999-02-10.2 | 32.2 | 1.5 | 7.9 | 1999-09-21.0 | 63.5 | 1.5 | 10.0 |
| 1999-03-14.9 | 33.7 | 1.5 | 32.7 | 1999-09-30.0 | 65.0 | 1.5 | 9.0 |
| 1999-03-21.5 | 35.0 | 1.3 | 6.6 | 1999-10-08.5 | 66.7 | 1.7 | 8.5 |
| 1999-03-26.7 | 37.0 | 2.0 | 5.2 | 1999-12-06.0 | 67.7 | 1.0 | 58.5 |
| 1999-04-01.3 | 38.5 | 1.5 | 5.5 | 1999-12-14.0 | 69.0 | 1.3 | 8.00 |
| 1999-04-08.9 | 40.1 | 1.6 | 7.7 | 1999-12-21.0 | 70.1 | 1.1 | 7.00 |
| 1999-04-15.5 | 41.6 | 1.5 | 6.6 | 1999-12-28.0 | 71.7 | 1.6 | 7.00 |
| 1999-04-23.0 | 43.2 | 1.6 | 7.5 | 2000-01-04.0 | 73.5 | 1.8 | 7.00 |
| 1999-04-30.5 | 44.9 | 1.7 | 7.5 | 2000-01-12.0 | 75.2 | 1.7 | 8.00 |
| 1999-05-16.5 | 46.3 | 1.4 | 16.0 | 2000-01-22.0 | 77.0 | 1.8 | 10.00 |
| 1999-05-25.8 | 47.8 | 1.5 | 9.3 | 2000-02-02.0 | 78.6 | 1.6 | 11.00 |
| 1999-06-02.4 | 49.3 | 1.5 | 7.6 | 2000-02-15.0 | 80.5 | 1.9 | 13.00 |
| 1999-06-12.8 | 50.7 | 1.4 | 10.4 | 2000-02-24.0 | 82.0 | 1.5 | 9.00 |
| 1999-06-24.5 | 52.0 | 1.3 | 11.8 | 2000-04-04.0 | 84.0 | 2.0 | 40.00 |
| 1999-07-06.9 | 53.5 | 1.5 | 12.3 | 2000-05-14.8 | 86.0 | 2.0 | 40.8 |
| 1999-07-17.0 | 55.0 | 1.5 | 10.1 | 2000-05-23.2 | 87.5 | 1.5 | 8.4 |
| 1999-07-26.4 | 56.0 | 1.0 | 9.4 | 2000-05-31.6 | 89.0 | 1.5 | 8.4 |
| 1999-08-06.3 | 57.5 | 1.5 | 10.9 | 2000-06-10.6 | 90.0 | 1.0 | 10 |

注:《三峡温控周报》给出了混凝土入仓温度与浇筑温度。为考虑混凝土浇筑过程中太阳辐射热的影响,我们在表4中取混凝土初温为浇筑温度,相应地,表5中每个浇筑层的结束日期为下一层的收仓时间。

[1] 《三峡温控周报》(从三峡局域网下载)。

表 6 跨缝板浇筑时间与温度

| 跨缝板位置 | 坝块 | 浇筑时间 | 浇筑温度(℃) | 跨缝板位置 | 坝块 | 浇筑时间 | 浇筑温度(℃) |
|---|---|---|---|---|---|---|---|
| 15~16号坝段间 | 1 | 2000-04-05~06 | 10 | 16~17号坝段间 | 2 | 2000-04-08~10 | 12.2 |
| | 2 | 2000-04-08~19 | 12.8 | | 3 | 2000-05-17~18 | 11.8 |
| | 3 | 2000-05-21~22 | 11.8 | | 4 | 2000-05-30~06-01 | 10.1 |

表 7 各工况跨缝板浇筑时间与表面保温

| 工况 | 跨缝板浇筑时间 | 上游面保温 | 层面保温 |
|---|---|---|---|
| 1 | 2000-04-04 | 无 | 无 |
| 2 | 无 | | |
| 3 | 无 | 永久<br>$\beta = 137.0 kJ/(m^2 \cdot d \cdot ℃)$ | 每年5月初~9月底<br>$\beta = 137.0 kJ/(m^2 \cdot d \cdot ℃)$ |
| 4 | 2000-04-04 | | |
| 5 | 2000-07-24 | | |

水管冷却:冷却水管采用金属水管,水管垂直间距×水平间距为 $3.0m^2$,水管长度为200m。

参照文献《三峡水利枢纽混凝土工程温度控制手册》的规定:

初期通水。全坝采用初期通水,水温8℃,通水时间13天,流量 $12.5m^3/d$(8.68L/min)。

中期通水。每年9月1日开始对当年5~8月浇筑的混凝土、10月1日开始对当年4月及9月浇筑的混凝土、11月1日开始对当年10月浇筑的混凝土用江水进行中期通水,通水时间60天,流量 $17.3m^3/d$(12L/min),当混凝土温度达到22℃时不再考虑水管冷却效果。

后期通水。由于缺少相应后期通水资料,这里采用估算数据:在灌浆前15天开始进行后期通水,水温10℃,流量 $17m^3/d$(11.8L/min)。灌浆进度及冷却温度见表8。

表 8 灌浆进度及冷却温度 $T_c$

| 灌浆时间 | 高程范围(m) | $T_c$ | 灌浆时间 | 高程范围(m) | $T_c$ | 灌浆时间 | 高程范围(m) | $T_c$ |
|---|---|---|---|---|---|---|---|---|
| 2000-01-10 | 基岩~36.5 | 12℃ | 2000-01-28 | 36.5~48.5 | 13℃ | 2000-03-22 | 48.5~55.0 | 12℃ |

# 3 计算结果与分析

由于实际施工时的温控数据不完备,如保温板的铺设时间与部位、底孔封堵的时间与部位、冷却水的实际水温、通水时间、水管长度等均不得而知,因此要准确地进行温控仿真计算是很难的。

为了对跨缝板对上游对称面的应力的影响有一基本估计,同时也为检验程序的正确性,用我们的仿真程序SimuDam与美国著名非线性有限元程序ANSYS分别计算了以下算例:几何形状与实际相同,两个程序的网格基本相同,只考虑基岩、坝内混凝土与抗冲磨混凝土3种材料,且不考虑混凝土的绝热温升、弹模的变化及徐变的影响。基岩与坝体初温为10℃,坝体降温10℃,基岩温度不变,边界条件与2.2节相同。

计算结果(见图3):坝体上游对称面最大 $\sigma_z$(位于55m高程附近)为1.075MPa (ANSYS)与1.05MPa (SimuDam),应力分布规律相同,跨缝板本身最大应力在跨缝板底面与横缝面的交线上及顶面与底孔侧壁的交线上。

采用SimuDam的仿真计算的各工况计算结果的比较见表9。

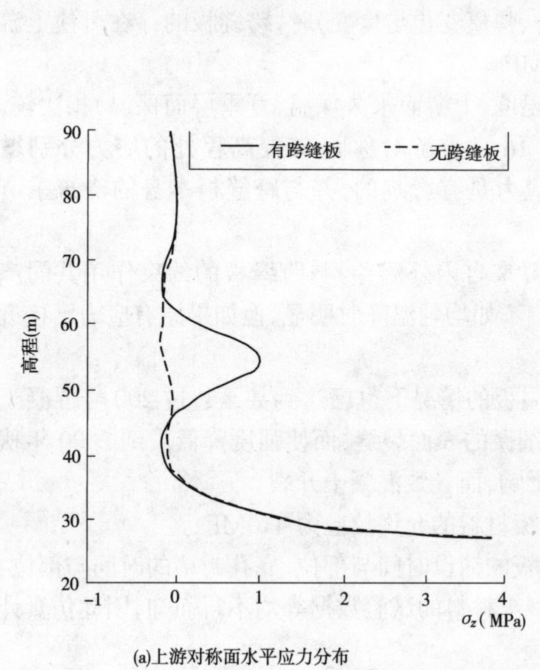


(a)上游对称面水平应力分布

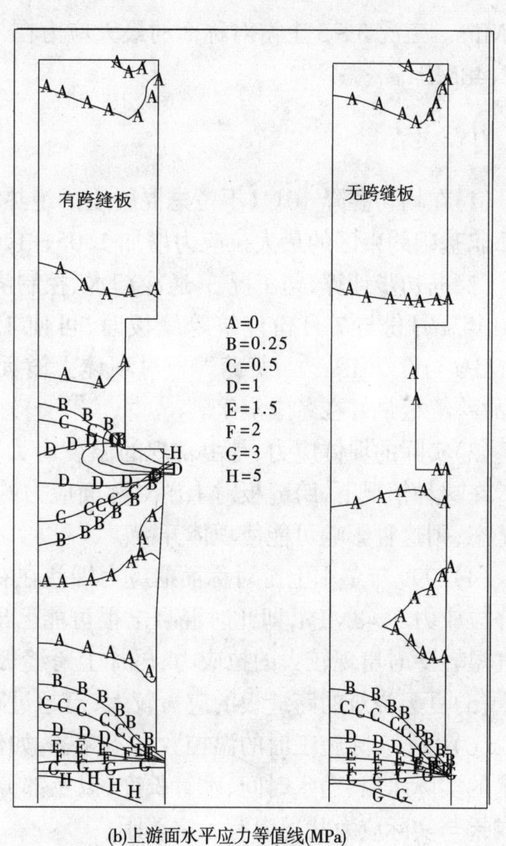


(b)上游面水平应力等值线(MPa)

**图3　均匀温降10℃**(ANSYS的计算结果)

**表9**　**各工况计算结果的比较**　(单位:温度℃,应力MPa)

| 最大值 | 位置 | 时间 | 工况1<br>跨缝板<br>4月浇筑<br>无保温 | 工况2<br>无跨缝板<br>无保温 | 工况3<br>无跨缝板<br>有保温 | 工况4<br>跨缝板<br>4月浇筑<br>有保温 | 工况5<br>跨缝板<br>7月浇筑<br>有保温 |
|---|---|---|---|---|---|---|---|
| 温度 | 对称面<br>$x=10$ | 1999年冬 | 39.8 | 39.8 | 43.2 | 43.2 | 43.2 |
| | | 2000年冬 | | 29.0 | 30.0 | 30.0 | |
| $\sigma_z$ | 上游对称面<br>$y=40\sim60$ | 1999年冬 | 2.9 | 2.9 | 2.5 | 2.5 | 2.48 |
| | | 2000年冬 | | 2.0 | 1.5 | 1.5 | 1.6 |
| | 上游对称面<br>$y=55$ | 2000年冬 | | | 0.82 | 0.95 | 1.26 |
| | | 2000-12-16 | | | 0.50 | 0.80 | 1.20 |
| | 上游对称面<br>$y=56$ | 2000年冬 | | | 1.00 | 1.15 | 1.37 |
| | | 2000-12-16 | | | 0.82 | 1.04 | 1.32 |
| $\sigma_x$ | $x=10$ | 2000年冬 | | | | 2.75 | 4.75 |
| $\sigma_z$ | 跨缝板表面 | 2000年冬 | | | | 2.9 | 6.70 |

从表9可见,据初步计算,相对于工况3,跨缝板的存在,可使上游对称面($y=55\sim56$m)的最大横河向应力在2000年冬季增加0.15MPa(4月浇筑)或0.44MPa(7月浇筑);在2000年12月16日(本日应力增量最大,但应力并非最大)增加0.3MPa(4月浇筑)或0.7MPa(7月浇筑)。夏天浇筑的跨缝板顶面的最大水平应力可达4.75MPa($\sigma_x$)与6.70MPa($\sigma_z$),已超过400号混凝土的允许拉应力

4.0MPa。工况 3～5 上游对称面的最大应力在 1999 年冬季已达到或超过 200 号混凝土的允许拉应力 2.48MPa。

## 4 小 结

(1)在均匀温降 10℃(不考虑混凝土的绝热温升、弹模变化与徐变)时,跨缝板的存在可使上游对称面非基础约束区的最大拉应力增加 1.05～1.075MPa。

(2)据初步计算,与工况 3(通冷却水、控制浇筑温度、上游面永久保温、夏季层面保温)相比较,在 2000 年 4 月份与 7 月份浇筑跨缝板时,可使 12 月 16 日上游对称面 55m 高程处的应力分别增加 0.3MPa 与 0.7MPa。可见跨缝板对坝体上游面的应力是有影响的,并与跨缝板本身的浇筑季节有关,故跨缝板最好在冬季浇筑。

(3)实际的坝体应力,是由常规的温度应力(主要来自内外温差)与跨缝板的约束作用共同产生的。在这种情况下,跨缝板对上游对称面应力的影响不如均匀温降时明显,但如果原有应力已接近临界状态,则这种影响可能使坝体开裂。

(4)1999 年冬季上游对称面的应力即使在有保温板的情况下也已达到甚至超过 200 号混凝土的允许拉应力 2.48MPa,即此时混凝土很可能已出现细微的表面裂缝,而使强度降低。到 2000 年秋冬季气温转冷时出现较大的拉应力,再加上跨缝板的影响,而导致混凝土开裂。

(5)夏天浇筑的跨缝板的应力较大,已超过跨缝板材料的允许拉应力 4.0MPa。

(6)由于实际施工时的温控数据不完备,如保温板的铺设时间与部位、底孔封堵的时间与部位、冷却水的实际水温、通水时间、水管长度,以及部分混凝土材料的试验数据等均不得而知,因此仿真计算的成果与实际应力状况尚有一定差距。

# 新安江水电站19～20号坝段伸缩缝上游面水下防渗处理

包银鸿[1]　谭建平[1]　周华文[2]

(1.国家电力公司华东勘测设计研究院科研所,杭州　310014;
2.浙江新安江水力发电厂,浙江建德　311608)

**摘　要:**本文介绍了由潜水员从迎水面在水下对大坝的伸缩缝进行防渗处理的材料和施工方法。从渗漏源头进行止水,比较符合前堵后排的原则,效果也较明显。水下材料包括水下快速密封剂、水下双组分LW灌浆材料、963水下黏合剂和水下SR防渗模块,通过对它们巧妙的组合,在水下对伸缩缝进行了止水处理,深度达水下38.2m。处理后经过高水位的考验,证明该伸缩缝止水效果良好。

新安江水电站是我国自行设计、自行施工的第一座大型水电站,是我国水电建设史上的里程碑。电站是一座以发电为主,兼具防洪、灌溉、航运、旅游的水利枢纽工程。大坝运行了40年,原坝段之间伸缩缝的沥青井阻水措施中,由于部分坝段横缝施工时存在局部缺陷,且沥青已年久老化、失效,防渗阻水效果差,而且该大坝的沥青井并非垂直,在80m高程处转折,在坝顶垂直钻孔很难达到要求。对于坝内、廊道内的渗漏现象,多年来曾经进行过多次防渗漏处理,但不能达到根治的目的。

对水电工程的渗漏,最根本的防治措施是前堵后排,即处理好迎水面混凝土的缺陷,从源头上封闭渗漏水途径,同时设置排水措施,以保证工程的安全运行。目前,对水上部位的混凝土伸缩缝、接缝、裂缝的渗漏处理,国内外已开发了许多止水材料和工艺技术,但对水下混凝土的渗漏及其他缺陷治理,仍没有简便、有效、经济的解决方案。少数工程采用沉柜法和水库放空法创造旱地条件进行施工,这不仅工艺复杂、成本高,而且影响工程的正常运行。积极研究水下修补材料和水下施工技术,突破在深水条件下对混凝土裂缝、伸缩缝和大面积防渗处理等技术难题,迫在眉睫。

本次新安江19～20号坝段伸缩缝防渗施工,采用了国家电力公司华东勘测设计研究院研制成功的双组分LW化学灌浆和SR防渗模块两套防渗止水材料,同时结合上海海上救捞局水下液压施工技术,直接在水下混凝土伸缩缝的上游面进行防渗施工,以探索一种止水可靠、施工简便、造价经济的水下防渗施工工法。根据目前调研的情况,实施这种水下处理方法和38.2m的水下伸缩缝施工深度都是国内首次。

新安江大坝19～20号坝段伸缩缝,据1990～2000年观测资料统计,其开度最大年变幅为0.7mm,施工前检查其迎水面缝面开度在5mm以内。错台严重(最大表面混凝土错台达15cm),垂直向缝面错位多变(由于筑坝时混凝土跑模,导致伸缩缝表面混凝土错台忽左忽右),缝面高低不平。从历年水工建筑物年度检查中有关宽缝的资料来看,19～20号坝段伸缩缝的渗漏水范围是44～58m和62～74m高程,其中1988～1990年连续三年在62～74m高程出现很大或大量渗水的记录,但近几年来,该缝渗漏量有所减少,这可能是与近几年的冬季气温较高有关。另外,灌浆廊道,▽61m廊道、▽85m廊道及宽缝上游缝面在19～20号伸缩缝处均有渗漏水。本次施工于2000年12月、2001年1月和2月,分三个阶段在19～20号伸缩缝上游面从水面上5m到水下38.2m缝段,进行了双组分

本文原载《广州化学》2002年(增刊)。

LW 化学灌浆和 SR 防渗模块粘贴施工,施工时气温: -4~7℃。

大坝水下防渗处理的技术难度很大,要获得成功,必须解决以下关键问题:

(1)要有合适的水下处理材料及施工工艺;

(2)要有水下施工的配套设备;

(3)要有水下施工的检测设备;

(4)要有一支熟悉水下施工的队伍;

(5)要有经济实力。

本次施工就水下伸缩缝处理的水下材料、水下施工工艺(包括机具和监测设备)进行了现场试验。

# 1 主要防渗材料

## 1.1 LW 水溶性聚氨酯化学灌浆材料

LW 是一种快速高效的防渗堵漏化学灌浆材料,对大流量涌水、漏水有独特的止水效果。该材料曾在龙羊峡、葛洲坝、丹江口、水口等上百个工程中得到过成功的应用。

本次新安江大坝上游面防渗灌浆是在水下进行的。为了减少水对浆材的稀释和发泡影响,我们选择了双组分型 LW 灌浆材料,以使灌浆后在伸缩缝人工切制的缝腔内形成密实的 LW 材料连续止水带。

双组分的 LW 化灌材料是由主剂 A 组分和固化剂 B 组分组成,A 组分和 B 组分的比例为 1:0.3~1:0.5,固化时间为数小时。它和气温有关,温度高则固化快。固化后可形成一种密实无泡孔的弹性体。该弹性体也具有遇水膨胀的功能,当 A:B 为 1:0.3 时,其体积增长在 3 小时后可达 27%,1 天达 50%,6 天可达最大值,体积增长 75%~79%。试验表明,该弹性体可反复干缩,反复膨胀,其最大膨胀率基本一致,见表 1。

**表 1** 双组分 LW 固结体的遇水膨胀率

| 项目 | 第一次 | 第二次 | 第三次 | 第四次 |
| --- | --- | --- | --- | --- |
| 最大膨胀率(%)(浸水 6 天) | 79.3 | 74.6 | 76.5 | 77.9 |

试验方法是将双组分 LW 固结体的试件浸入水中,定时测定其体积膨胀率,当达到最大值后取出,在室温下干燥收缩至最小值,这属一个循环。然后进行多次循环测定。

LW 固结体的遇水膨胀是它最独特的性能。选择 LW 对处理伸缩缝的漏水比较适合,有以水止水的性能。即当缝宽变大,又出现漏水时,它能自动地使自己体积吸水膨胀,来止住漏水。LW 的水膨胀倍数要按工程需要来选择,不是越大越好。单组分 LW 的水膨胀倍数可用掺加 HW 的量来控制,HW 越多,膨胀越小。而双组分 LW 可用 A、B 的比例来调节,B 组分增加,膨胀越小。

LW 的施工工艺与一般的灌浆材料有所不同,水膨胀性决定了它不能涂在缝面,否则会起皮掉落。必须灌入缝内,缝面止浆要结实,有侧限才能胀紧。灌浆时必须待出浆管出现棕红色浓浆时才能扎管。必须在有压力下灌浆和并浆,才能得到密实的固结体。

## 1.2 SXM 水下快速密封剂

水下快速密封剂具有水下不分散、固化快、与水下混凝土粘接力强、无毒、使用方便等特点,可用于水下混凝土灌浆封缝、埋灌浆管、止浆孔封孔,也可用于水下混凝土裂缝和孔洞的修补。其技术指标见表 2。

表2　　SXM水下快速密封剂技术指标

| 密封剂类型 | | SXM-1 | SXM-2 | SXM-3 |
|---|---|---|---|---|
| 外观 | A组分 | 灰色粉末 | 灰色粉末 | 灰色粉末 |
| | B组分 | 无色透明液体 | 无色透明液体 | 无色透明液体 |
| 凝结时间 | 初凝(min) | <8 | <20 | <30 |
| (20℃±2℃) | 终凝(min) | <12 | <30 | <60 |

SXM对温度很敏感,温度低则凝结时间明显延长,因此要根据施工时的温度、水深、水下操作的速度来选择SXM的类型(见表3)。

表3　　温度对SXM的影响

| 温度 | SXM-1 | | SXM-2 | |
|---|---|---|---|---|
| | 初凝(min) | 终凝(min) | 初凝(min) | 终凝(min) |
| 10℃±2℃ | 33 | 49 | 40 | 59 |
| 7℃±2℃ | 17 | 22 | 20 | 29 |

使用时将SXM的A组分倒在拌和容器中,加入B组分,迅速拌和,搓成条状,放在运输的容器中,投放到水下施工部位。由潜水员将其塞到裂缝或孔洞中,并进一步压紧,直到凝固变硬为止,同时将周边抹平。

SXM固化快,不需钻孔、立模板就可在水下对缝和孔穴实现快速封堵,使水下灌浆前的快速埋设灌浆管和对缝面进行快速止封成为可能,大大减少了水下工作量和施工成本,加快了水下灌浆的进度。

### 1.3　SR防渗模块

SR防渗模块是由SR塑性止水材料、SR混凝土防渗盖片、HK-963水下黏合剂等系列配套止水材料复合而成的、可以在水下混凝土迎水表面直接施工操作的柔性防渗材料。它具有施工简便、接缝变形适应性强、防渗效果好、检查维修方便、止水成本低等特性,其主要构成材料性能如下。

#### 1.3.1　SR塑性止水材料

SR塑性止水材料是专门为面板堆石坝混凝土接缝止水而研制的嵌缝、封缝止水材料,现已形成SR-1、SR-2、SR-3等适应不同面板坝和其他建筑工程混凝土接缝防渗的系列产品,具有独特的耐老化性、高塑性、温适性、延伸性、抗渗性、常温冷操作施工及与基面牢固粘接等特性(见表4),在SR防渗模块中起填充缝面缺陷、适应接缝变形的作用。

表4　　SR塑性止水材料产品主要性能指标

| 项　目 | 方　　法 | 单位 | SR-1 | SR-2 | SR-3 |
|---|---|---|---|---|---|
| 粘接伸长率 | 模拟缝砂浆粘接试件,-20~20℃断裂伸长率 | % | >500 | >800 | >1 000 |
| 耐寒性 | 模拟缝砂浆粘接试件,伸长率>200%,温度 | ℃ | -20 | -40 | -50 |
| 耐热性 | 45°倾角,80℃ 5h,淌值 | mm | <4 | <4 | <4 |
| 冻融循环 | 砂浆粘接试件,-20℃ 2h~20℃ 2h循环不脱不裂 | 次 | >100 | >100 | >100 |
| 耐介质浸泡 | 砂浆粘接试件,在各3%浓度的HCl、NaOH、NaCl和水中浸泡1周,拉伸,砂浆粘接面状况 | | 完好 | 完好 | 完好 |
| 抗渗性 | 5mm厚试样,48h透水砂浆不透水,水压 | MPa | >2.0 | >2.0 | >2.0 |
| 施工度 | 25℃锥入度值 | mm | 8~15 | 9~15 | 9~15 |
| 密度 | 称量法 | $g/cm^3$ | 1.5 | 1.5 | 1.5 |
| 适用性 | | | 南方气候 | 南方北方 | 北方高坝 |

### 1.3.2　SR 混凝土防渗保护盖片

SR 混凝土防渗保护盖片是由 SR 塑性止水材料和高强度聚酯毡、聚酯膜复合而成的片状防渗卷材，具有对混凝土防渗、防裂、防碳化和防冰冻作用。它既可单独进行防渗施工，又可与 SR 塑性止水材料联合使用，能够在常温下冷操作施工。SR 混凝土防渗保护盖片是 SR 防渗模块的基础材料，其性能见表 5。

表 5　　SR 防渗盖片主要性能

| 性　能 | 指　标 |
| --- | --- |
| 抗渗性 | ＞1.5MPa |
| 耐温性 | －40～80℃ |
| 宽度 | 30cm |
| 厚度 | 6mm |
| 抗拉强度(纵向) | ＞320N/5cm |
| 抗拉强度(横向) | ＞200N/5cm |
| 施工方式 | 常温冷粘贴 |

### 1.3.3　HK－963 水下黏合剂

SR 塑性止水材料有很高的伸长率，能适应伸缩缝的变形需要，但它是一种油性材料，不能在水中和混凝土黏结。因此，关键问题是需要一种界面剂，它既能在水下和混凝土结合，又能在水下和 SR 塑性止水材料黏结，这是一个难度很大的课题。

在水下混凝土上进行涂料施工和在水上涂装完全不同，这主要是水和空气的理化性能有很大的差别。水的密度比空气高 3 个数量级，黏度高 2 个数量级，水的表面张力和极性都很大。涂料可轻易地排出基材和它之间的空气，但难以排挤出基材和它之间的水膜。在有水条件下，涂料分子和基材分子的直接接触非常困难，因此涂料在水中难以附着于基面。

从涂料本身的成膜过程来分析，困难也很大。水性乳胶漆在水中会被水稀释分散；油性强的会因为油水分离，而无法黏附；靠溶剂挥发成膜的涂料因在水下，溶剂无法挥发而不能固化；靠氧化成膜的涂料由于水中缺氧而无法成膜；聚氨酯涂料则与水反应会发泡。太慢的涂膜固化速度会被水流带走，太快的固化速度则可能因水下施工不方便而来不及。因此，选择的余地很小。

经过分析，我们对水下涂料提出如下的要求：

(1)必须有亲水性；

(2)对基面有好的附着力，以能尽量排挤出基材和涂料间的水分；

(3)必须是双组分，依靠自身的固化体系交联、固化，实现成膜；

(4)必须是厚涂层，固分含量要高，争取一次成膜，以减少水下施工道数；

(5)减少溶剂或不用溶剂，但可选用活性稀释剂以参加反应；

(6)水下涂层的耐久性要好，成膜的基料不能被水解。

在进行了大量的试验后，制得了 HK－963 水下黏合剂，它可以在水下金属和混凝土面上进行涂刷，同时又能在水中和 SR 黏结，因此它可作为界面剂，使 SR 防渗模块在水中与混凝土基面有可靠的粘接和密封。其主要技术指标见表 6。

表6 HK－963 水下涂料的主要技术指标

| 项目 | | 指标 |
|---|---|---|
| 固化时间 | 表干 | 4～8h |
| | 实干 | 7d |
| 粘接强度(MPa) | 干燥 | ＞3.0 |
| | 饱和面干 | ＞2.5 |
| | 水下 | ＞2.0 |
| 附着力(级) | | 2 |
| 抗冲(kg/cm) | | 50 |
| 抗弯(mm) | | 2 |

## 2 水下施工的机具

本次采用的水下施工设备有:水下液压动力设备;水下切割机;水下潜孔钻;水下液压钢丝刷;水下液压钻;水下射钉紧固枪。

本次水下施工的监测设备有:水下电视;水下彩色录像设备。

## 3 水下防渗施工实施方案

### 3.1 施工示意图

有、无错台的伸缩缝防渗施工,如图1、图2所示。

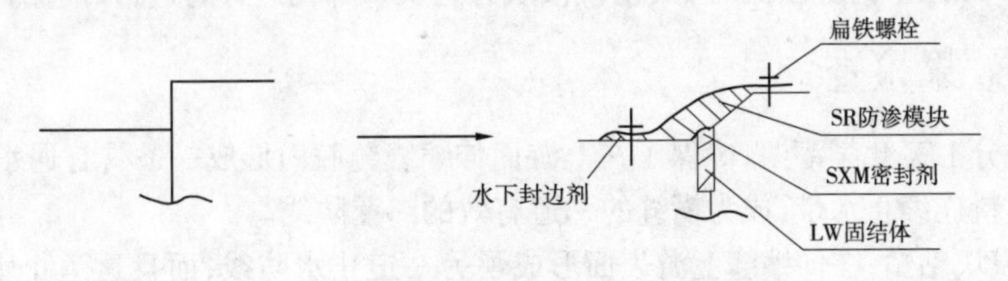


图1 混凝土错台伸缩缝防渗施工示意图

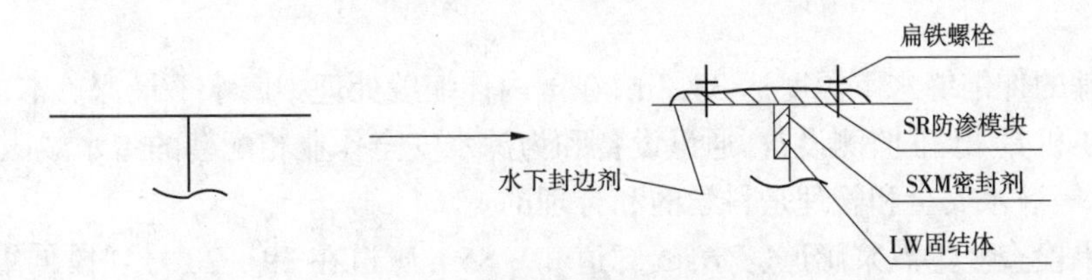


图2 无错台伸缩缝防渗施工示意图

### 3.2 LW化学灌浆

(1)找准伸缩缝。对缝面错台3cm以上的水下混凝土,用45°倾角水下金钢石刀片切割机切割出平滑表面;用金钢石刀片切割机沿伸缩缝垂直切割深100mm、宽8mm连续灌浆缝槽。

(2)打隔离孔。在伸缩缝灌浆缝槽底部垂直打一个$\phi$38mm、深不少于1 200mm的止浆孔。要进行压水试验来确准没有打穿止水铜片。最后用填孔机具将SXM水下快速密封剂封堵止浆孔,以对该伸缩缝实行上下隔离。

(3)埋灌浆管。在灌浆缝槽内按50～150cm间距钻$\phi$14～16mm的孔,插入$\phi$8～10mm的灌浆管，深5～8cm，用SXM水下快速密封剂埋灌浆管及封缝。将SXM揿入缝槽2～3cm深，控制SXM向缝槽两边封缝范围。

(4)试压。从最底下的灌浆管开始压水(加入蓝黑墨水)，同时封闭其他灌浆管。在0.3MPa压力下观察渗漏情况。对渗漏部位用SXM水下快速密封剂进一步封闭，再试压。全部合格后再进行灌浆。

(5)在潜水工作船上进行配浆，和采用手压泵压浆。灌浆管首先和最底下的灌浆嘴相连，然后LW灌浆由下往上进行，当上面灌浆管出现棕色的纯LW浆液后立即将该管扎闭，然后逐步往上，直至最上面灌浆管出现棕色的纯LW浆液后为止，在0.3～0.4MPa灌浆压力下屏浆5～10min，灌浆结束。

(6)灌浆结束后12h以上，剪除塑料灌浆管。

### 3.3 SR防渗模块粘贴

(1)用液压振动铲尽量铲掉缝槽两侧超范围的SXM密封剂，SR防渗模块粘贴面要求平整，最大高差不超过3cm。

(2)缝槽两侧各18cm范围内用钢丝刷清除浮尘和松动物。

(3)水下打孔安放$\phi$10～12mm膨胀螺栓，以准备作固定SR防渗模块用。

(4)缝槽两侧各16cm范围内均匀刷(刮)涂水下HK－963黏合剂。

(5)在岸上制作SR防渗模块。裁剪好宽30cm、长100～150cm的SR盖片，并按缝面错台的实际形状，在SR盖片上面粘贴SR材料找平层，厚度5～10cm，然后涂上HK－963水下涂料。

(6)在水下缝面由上至下粘贴由岸上制作的、适应错台要求的SR防渗模块。首先将SR防渗模块挂到预先安装的膨胀螺栓上，然后从模块中部向两侧赶水，使SR防渗模块与基面粘贴密实，SR防渗模块搭接长度为15cm；两侧用特制的加长$\phi$10～12mm膨胀螺栓、扁铁和水下射钉锚固。

(7)用HK－963水下封缝胶泥对SR防渗模块各边及螺杆孔进行封边，并确保封边密实。

## 4 防渗施工效果检查

(1)采用双组分LW化学灌浆，确保了在上游面伸缩缝缝腔内形成一条具有遇水膨胀性能的8～10cm深的LW材料连续止水带，成为横缝的一道有效的渗漏防线。

(2)SR防渗模块粘贴，在伸缩缝上游表面形成了另一道止水防线，而且这道止水防线是看得见、摸得着、可维护的。SR防渗模块可以在错台严重的不规则横缝表面施工，可以达到密封可靠、粘贴牢固的效果。

(3)本次处理的伸缩缝水下深度达38.2m，在国内伸缩缝处理中属水下最深。本次试验的成功说明，液压水下施工机具、水下监测设备、通讯设备和为深水安全作业相配套的潜水减压设备、潜水生命支持及医务保障等潜水安全和管理是科学的和合理的。

(4)止水效果检查。①灌浆廊道、▽61m廊道和▽85m廊道在19～20号坝段伸缩缝处均未发现渗漏水；②宽缝内在19～20号坝段伸缩缝上的相应处理部位未发现渗漏水；③经受住103m的高水位考验。2001年1～2月进行水下施工时，水位在95m高程左右，2002年7月，水位达到103.2m，对▽85m廊道、▽61m廊道、灌浆廊道和宽缝进行检查，19～20号伸缩缝部位没有出现渗水现象，说明本次止水处理的效果是好的。

## 5 结 语

(1)该科研项目由国电华东公司主持并组织专家验收组进行了验收，专家一致认为大坝19～20号坝段伸缩缝上游面水下防渗封堵处理，采用新材料在水下设置两道止水防线，实用可靠，满足预定要求，在国内外具有一定的先进性。

(2)伸缩缝止水失效、沥青井年久失修是大坝运行中的常见病和多发病,并随着坝龄的增加而日益严重。从坝内、坝后进行处理时,常不能达到根治的目的。从坝顶钻孔作灌浆处理时,对新安江这种不垂直、有斜坡的伸缩缝又不能奏效。从上游面进行止水处理。如果渗水源头目标明确,则会达到立竿见影的效果。水上部分的处理材料和工艺已比较成熟,但水下部分则难度较大。本项目从水下施工的材料、工艺、设备、潜水安全保障等多方面进行了试验,并取得了好的止水效果,这不仅是今后新安江的其他坝段伸缩缝漏水和水下混凝土缺陷处理技术方案的储备,也将给国内众多的类似的或相关的水下处理工程提供了借鉴。

(3)处理中的一个难点是坝面的淤积使水下施工不能到最低处。为了避免伸缩缝的连通作用,一般采用在施工部位的最低处打隔离孔。建议对为隔离底下伸缩缝而设置的隔离孔要加强骑缝监测,或在一定长度范围内打数个灌浆孔,进行水下LW灌浆,封闭上下通道,以确保上下隔离。

(4)建议电厂加强对在低温和高水位条件下的渗漏量检测。坚持长期的同等水位和同等气温下的渗漏量的比较测定,以检验其耐久性。

(5)深水条件下的防渗处理是一项新的综合技术,目前国内外对此进行系统的、深入研究的也很少。对这种牵涉面广、难度大,又是工程急需的技术,迫切需要管理、设计、科研、施工、监测等各部门的重视、协同和配合。相信水下处理技术会在实际应用中不断完善、提高和发展。

## 参考文献

[1] 房建国,郭士锋,单宇翥,胡连军.水下PBM聚合物混凝土材料在青铜峡大坝底板修补中的应用.大坝与安全,2001(3)

[2] 沈淑英,付建军.丹江口混凝土坝▽113m水平缝渗漏处理.见:防渗堵漏补强加固材料及施工技术研讨会论文集.1998年10月

[3] 包银鸿.水下修复用的聚合物混凝土.见:第八届化学灌浆会议学术交流论文集

[4] 谭建平.SR塑性止水材料及SR防渗体系研究.见:第八届化学灌浆会议学术交流论文集

# 水工大体积混凝土裂缝的预防与处理

许春云

(长江委三峡工程建设监理部，湖北宜昌　443133)

**摘　要**：水工建筑物体积大，所产生的裂缝大多为温度裂缝。为此，设计者往往提出温差控制标准和措施，以预防危害性裂缝的发生。但由于受边界环境等的影响较复杂，仍会产生危害程度不同的裂缝。对危害性裂缝必须认真处理，方可满足结构安全运行要求。文章简述裂缝产生的原因、预防、检查诊断方法及处理措施。

## 1　水工建筑物裂缝产生原因

水工建筑物多为大体积混凝土，内部水化热与外界气温热交换速度慢，故形成温差，当其温差所产生的应力超过混凝土的抗拉强度时即会产生裂缝。除此，还有因混凝土硬化后养护不当产生干缩裂缝，或因基础起伏差太大造成不均匀沉陷而产生裂缝等。

由于温度变化而产生的裂缝，大体可分为：①深层裂缝、贯穿裂缝；②表面缝或表面浅层裂缝。前者是由于内外差或基础温差过大而产生，后者是由于外界气温骤然下降，混凝土表面温度梯度过大而产生。所谓内外温差即混凝土内平均最高温度与外界平均气温之差；基础温差是指混凝土内部平均最高温度与基础温度之差。前者所产生的裂缝呈浅层或深层表面裂缝，其深度一般≤3m；后者所产生的裂缝往往是深层或贯穿性裂缝(裂缝贯穿整个坝块、侧面裂至基岩)，这种裂缝危害性较大；气温骤降产生的裂缝往往是浅表层的，其深度＜100cm，一般为 30～50cm。目前还有一个值得注意的问题，即使混凝土龄期已远超过设计龄期，混凝土内部温度也降至设计要求的温度，但在外界气温变化的影响下，仍然会发生表面浅层裂缝，这种裂缝若发生在非迎水面部位笔者认为并不可怕，但若发生在高水头作用下的迎水面，在日后高水头长期作用下会进一步发展，对建筑物安全运行不利。

## 2　防止产生危害性裂缝的措施

裂缝可以说是建筑常见的一种病害，有人说“无坝不裂缝”不无道理，因为受所处界质及施工等因素的影响原因较复杂，故仍难避免，但努力采取措施预防危害性裂缝发生乃是设计、承包单位的重要任务。预防裂缝产生，首先要优选混凝土材料及混凝土配比，以提高混凝土自身的抗裂能力；第二是做好温度控制和及时做好表面保护工作。

### 2.1　优选材料及混凝土配比

混凝土材料主要为水泥和骨料，其骨料应选择线膨胀系数小的，如灰岩类；水泥应选择发热量低的中热水泥，如 525 号中热水泥和矿硅大坝低热水泥。另外，为进一步降低混凝土温升，常采取掺加高效缓凝外加剂(减水率＞12%)和高品质粉煤灰(I 级灰；需水量比＜95%)，以减少水泥用量，从而减少混凝土内部温升。

三峡二期混凝土工程虽为花岗岩骨料，但由于采取掺加粉煤灰和高效减水剂，已将 $R_{90}$150 号 $D_{150}S_{10}$四级配混凝土每立方米用水量降至 89～90kg。混凝土配比设计，在满足设计强度等级的同时还要尽可能提高混凝土的极限拉伸值。极限拉伸值是混凝土抗裂能力的重要指标。一般要求 $\varepsilon_p>$

---

本文原载《广州化学》2002 年(增刊)。

$0.85 \times 10^{-4}$。

## 2.2 提出合理的温度控制要求

工程施工中所产生的裂缝多为温度裂缝,所在部位不同对结构危害性不同。因此,水工结构不论是大体积混凝土和墩墙结构都应提出合理的温度控制要求。这些要求包括温差及最高温度控制标准和相应应该采取的措施。

三峡工程坝体最高温度控制标准见表1、表2。

表1 泄洪坝段及左导墙坝段设计允许最高温度

| 部位 | 区域 | 设计允许最高温度(℃) | | | | |
|---|---|---|---|---|---|---|
| | | 12~2月 | 3、11月 | 4、10月 | 5、9月 | 6~8月 |
| 1~23号坝段第一仓<br>左导墙坝段第一仓 | 基础强约束区 | 23 | 26 | 30 | 33 | 34 |
| | 基础弱约束区 | 23 | 26 | 30 | 33 | 35 |
| | 脱离约束区 | 23 | 26 | 30 | 33 | 35~36 |
| 左导墙坝段第二仓<br>及其第三仓 | 基础强约束区 | 24 | 27 | 31 | 33 | 34 |
| | 基础弱约束区 | 24 | 27 | 31 | 33 | 36 |
| | 脱离约束区 | 24 | 27 | 31 | 34 | 36~37 |
| 8~23号坝段第二仓<br>左导墙坝段第四仓 | 基础强约束区 | 24 | 27 | 31 | 33 | 33 |
| | 基础弱约束区 | 24 | 27 | 31 | 33 | 35 |
| | 脱离约束区 | 24 | 27 | 31 | 34 | 36~37 |
| 1~7号坝段第二仓<br>17~23号坝段第三仓 | 基础强约束区 | 24 | 27 | 31 | 32 | 32 |
| | 基础弱约束区 | 24 | 27 | 31 | 33 | 34 |
| | 脱离约束区 | 24 | 27 | 31 | 34 | 36~37 |
| 1~16号坝段第三仓 | 基础强约束区 | 24 | 27 | 31 | 31 | 31 |
| | 基础弱约束区 | 24 | 27 | 31 | 33 | 33 |
| | 脱离约束区 | 24 | 27 | 31 | 34 | 36~37 |

注:导流底孔区域混凝土5~9月浇筑时提高1~2℃。

表2 厂房坝段设计允许最高温度

| 部位 | 区域 | 设计允许最高温度(℃) | | | | |
|---|---|---|---|---|---|---|
| | | 12~2月 | 3、11月 | 4、10月 | 5、9月 | 6~8月 |
| 11~14号钢管坝段<br>第一仓及第二仓<br>11~14号非钢管坝段<br>第一仓及第二仓 | 基础强约束区 | 24 | 27 | 31 | 34 | 32 |
| | 基础弱约束区 | 24 | 27 | 31 | 34 | 34 |
| | 脱离约束区 | 24 | 27 | 31 | 34 | 36~37 |
| 11~14号钢管坝段第三仓<br>11~14号非负管坝段第三仓 | 基础强约束区 | 24 | 27 | 31 | 31 | 31 |
| | 基础弱约束区 | 24 | 27 | 31 | 33 | 33 |
| | 脱离约束区 | 24 | 27 | 31 | 34 | 36~37 |

采取的温控措施包括:

(1)高温季节采用二次风冷骨料和加冰措施,使不同标号的四级、三级配混凝土出机口温度降为7℃,二级配混凝土出机口温度降为7~9℃,并相应提出浇筑温度要求(下层新浇混凝土覆盖层表面下14~15cm处的温度),如基础混凝土(≥200号)除12月~翌年2月为自然入仓外,其他月份浇筑温度≤14℃,非基础约束区11月~翌年3月为自然入仓,其他月份为16~18℃。

(2)埋设水管通水冷却,其作用除降低初期混凝土内部温升外,还可为气温较高时浇筑的大体积混凝土降温(升层高度2~3m)。在入秋前开始通水,使内外温差逐步降至允许范围内(一般使内部温度降至20~22℃)。三峡工程初期通水时间为10~15天,中期通水时间为2~2.5个月,水温视情况通河水或6~8℃冷水,通水量18L/min或25L/min。

(3)表面保温,它是防止内外温差过大的一种措施。保温方式:①永久保温;②临时性保温,即遇气温骤然下降前和入秋前将迎水面及各类洞口及重要结构部位进行保温。三峡工程5月份浇的混凝土,9月下旬开始保温,9月及以后冬季浇的混凝土及时保温。要求保温材料等效放热系数$\beta \leqslant 1.5 \sim 2$W/(m²·h·℃)。

# 3 裂缝的处理

对水工建筑物来讲,人们已提出如上述很多措施以预防裂缝的发生,但由于所处环境的复杂,加之混凝土本身属不均质材料等因素影响,仍未能如所愿。几乎所有大坝都有危害程度不同的裂缝。这些裂缝有的在施工过程中的仓面上发生,有的在长龄期的混凝土暴露面出现,有的工程运行若干年后发生(如中国柘溪大头坝、美国德沃夏克大坝)。这些裂缝所在部位不同,发生原因不同,对建筑运行安全的影响也不同。在仓面上发生的裂缝一般深度较浅,≤50cm,作表面凿除或适量布筋处理即可,处理后裂缝不会向下或向上发展。三峡工程右纵坝身段▽84.4m及三期RCC围堰基础▽32.5m仓面埋设的测缝计、钢筋计,4年来的观测资料表明都呈受压状态。但对发生在迎水面和重要结构部位的裂缝,不管是初期或中、后期发生的,都应认真进行处理。

## 3.1 裂缝处理分类

如上述水工混凝土既有大体积也有板、梁、墩墙等薄壁结构,应视裂缝所处部位及对结构运行安全影响程度进行研究和分类。为了对裂缝进行危害性评估和选择正确的处理方案,裂缝评判和处理程序应遵照裂缝调查(部位、产状、性状)→原因分析和分类评判→裂缝危害性评价→裂缝处理补强方案拟订→裂缝处理质量检查程序进行。裂缝分类评判标准拟视产生裂缝性质及对结构应力和安全影响的程度,按大体积混凝土和钢筋混凝土分类分别评判。

### 3.1.1 大体积裂缝分类及评判标准

(1)按大体积混凝土和钢筋混凝土所产生的裂缝性质及对结构应力和安全影响程度进行分类评判。

(2)大体积混凝土裂缝分类及评判标准如下:

Ⅰ类。一般缝宽$\delta<0.2$mm,缝深$h \leqslant 30$cm,形状表现为龟裂或呈细微规则性。多由于干缩、沉缩所产生,对结构应力、耐久性和安全基本无影响。

Ⅱ类。表面(浅层)裂缝,一般缝宽$0.2\text{mm} \leqslant \delta < 0.3\text{mm}$,缝深$30\text{cm} < h \leqslant 100\text{cm}$,平面缝长$3\text{m} < L < 5\text{m}$,呈规则状,多由于气温骤降期温度冲击且保温不善等形成。视裂缝所在部位对结构应力、耐久性和安全运行有一定程度影响。

Ⅲ类。表面深层裂缝,缝宽$0.3\text{mm} \leqslant \delta \leqslant 0.5\text{mm}$,缝深$100\text{cm} < h \leqslant 500\text{cm}$,缝长大于500cm,或平面大于、等于三分之一坝块宽度,侧面大于1~2个浇筑层厚度,呈规则状。多由于内外温差过大或较大的气温骤降冲击且保温不善等形成,对结构应力、稳定、耐久性和安全有较大影响。

Ⅳ类。缝宽$\delta > 0.5$mm,缝深大于500cm,侧(立)面长度$h > 500$cm,若从基础向上开裂,且平面上贯穿全仓,则称为基础贯穿裂缝,否则称为贯穿裂缝。这种裂缝主要由于基础温差超过设计标准,或在基础约束区受较大气温骤降冲击产生的裂缝在后期降温中继续发展等原因而形成,它使结构应力、耐久性和稳定安全系数降到临界值或其下。

3.1.2 钢筋混凝土裂缝分类及评判标准

Ⅰ类。表面缝宽 $\delta<0.20$mm,缝长 50cm$\leqslant L<$100cm,缝深 $h\leqslant$30cm。

Ⅱ类。表面裂缝宽 0.2mm$\leqslant\delta<$0.3mm,缝长 100cm$\leqslant L<$200cm,缝深 30cm$<h\leqslant$100cm,且不超过结构厚度 1/4。

Ⅲ类。表面缝宽 0.3mm$\leqslant\delta\leqslant$0.4mm,缝长 200cm$\leqslant L<$400cm,缝深 100cm$<h\leqslant$200cm,或大于结构厚度 1/2。

Ⅳ类。表面缝宽 $\delta>$0.4mm,缝长 $L\geqslant$ 400cm,缝深 $h\geqslant$200cm,或基本将结构裂穿(大于 2/3 机构厚度)。

钢筋混凝土板梁构件,施工期不允许出现裂缝。

裂缝深度、宽度、长度的调查确认,对判断裂缝类别、性质及处理方案是十分必要的。裂缝产状、性状调查一般以现场目测为主,用米尺、塞尺、读数放大镜进行表观描述并绘制成图。经分析研究后进行缝深检查,检查方法一般有:①沿缝凿槽法,进行目测;②打孔压水或压风法,即沿缝一侧或两侧打斜孔穿过缝面,通过压水或压风观察缝口是否渗水、漏风,从而确定缝深;③超声波法,经对波幅的对比变化,判断其缝深。

**3.2 裂缝处理补强措施**

3.2.1 裂缝处理补强标准

(1)大体积混凝土。Ⅰ类缝一般不处理;Ⅱ类缝视所在部位作浅层化灌和表面处理;Ⅲ、Ⅳ类缝必须进行处理。

(2)大坝迎水面裂缝。包括水平裂缝和竖直面裂缝可能导致结构坝体荷载的显著改变,在水压力作用下和结构受力后,裂缝会进一步恶化扩展。除进行化灌外,还需进行表面凿槽嵌缝并加防渗措施。必要时还应采取缝面减压措施。

(3)钢筋混凝土裂缝处理。Ⅰ类缝原则不作处理,Ⅱ、Ⅲ、Ⅳ类必须进行处理,以满足结构受力和耐久性要求。

3.2.2 混凝土裂缝补强处理措施

(1)Ⅰ、Ⅱ类缝表面处理措施。仓面上裂缝一般骑缝凿槽嵌堵、布骑缝钢筋,直径一般为 25~36mm。永久暴露面迎水面封口材料一般为环氧砂浆或环氧基液或预缩砂浆或粘贴、涂刷防渗堵漏材料。

(2)化灌处理。常用措施有水泥灌浆(湿磨或改性水泥)和化学灌浆,水泥灌浆适应于宽度$\geqslant$0.5mm,化学灌浆适应于缝宽$\geqslant$0.1mm,灌浆工艺流程:钻孔→洗缝→埋管→嵌缝→压气→灌浆→封孔→检查。

(3)结构加固处理措施。主要对重要结构受力部位的Ⅲ、Ⅳ类缝,采取处理措施为灌浆后加预应力锚索加固,锚固力一般为 3 000kN 或 2 000kN。

(4)爆破挖除处理。采取上述措施,认为仍不能满足建筑物安全运行要求,可采取部分或全部挖除处理。当采取这种措施时必须慎重。

3.2.3 裂缝处理后质量检查标准

检查方法有压水、声波和钻孔取芯。当采用压水时,缝面透水率$\leqslant$0.01Lu,当采用声波法,其波速值$\geqslant$4 500m/s 或波幅接近无裂缝同类混凝土。采取钻孔取芯法能直观观测裂缝面充填效果,并可作力学强度试验。当采用预应力锚束加固时,除过程加强工艺措施控制外,还应埋设监测仪器,将观测资料与设计计算成果对比分析判定安全度。

## 4 三峡工程裂缝处理方案简介

潘家铮院士在《中国三峡建设》2002 年第 4 期文章中说:“世界上任何一个大坝出了裂缝都是正常的。”三峡工程也不例外,施工期也出现了一些裂缝,这些裂缝是表面浅层的,多数发生在仓面上,部分发生在上、下游迎水面。出现在仓面上的裂缝大都采取凿槽用预缩砂浆嵌缝,并在其上铺设骑缝钢筋($\phi$25～36mm);出现在泄洪坝上、下游面的裂缝,经打孔检查最大缝深≤300cm,表面最大宽度≤0.186cm。鉴于上游水头高,处理十分慎重,处理基本方案为:表面贴嘴灌浆→凿槽嵌填止水材料(SR)→粘贴 60cm 宽、厚 0.3cm 的氯丁橡胶片→粘贴 800cm 宽 SR－2 防渗盖片→混凝土保护板。保护板两侧喷涂 KT1 水泥基防渗材料。下游面水头低,处理较上游面简化,即省去外侧氯丁橡胶片及防渗盖片和混凝土保护板。处理图示见图 1。

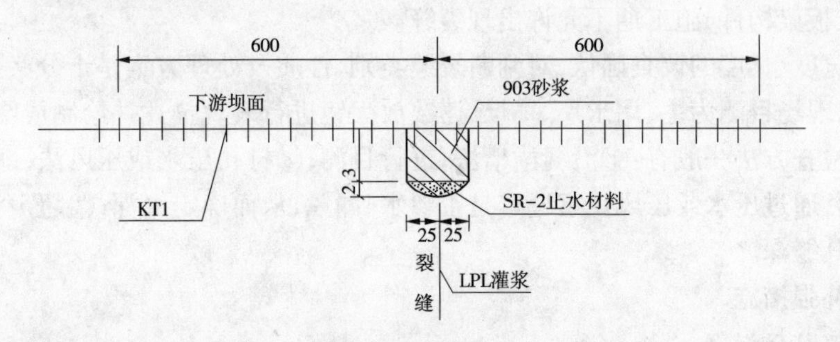


**图 1 裂缝处理示意图**(单位:cm)

## 5 关于处理中几个问题的探讨

### 5.1 灌浆材料

过去用于裂缝的灌浆材料多为环氧、丙凝或甲凝。这些材料现场配制成灌浆材料,工序多且一次配浆量少,目前除环氧砂浆配制已改成双组分外,丙凝、甲凝材料配制仍较复杂,拟研究改进。除此之外,还应研究灌入裂缝内的材料,既能与混凝土面有一定黏结强度,而又能适应变形的材料。

### 5.2 施工期仓面上裂缝处理

其缝深度一般较浅(＜50cm),宜在上层混凝土上升前进行处理,处理方法如前述。若需灌浆也应在上层混凝土上升前处理,不宜埋管留在后期灌浆。

### 5.3 灌浆压力

灌浆压力有两种观点:一种低压(≤2kg/cm$^2$)灌注,另一种高压(4～6kg/cm$^2$)灌注。笔者倾向高压灌注,单孔灌注时间≥30min,在较高压力灌注下可使浆液尽可能渗透至缝端,也可使黏结强度提高。

### 5.4 灌浆方法及机具

对浅层裂缝宜用表面贴嘴灌浆法,灌浆管直径 5mm 即可,这样既省工、又节约浆材。不管是浅层或打斜孔深层灌浆,不宜用压水办法洗缝,宜用压风方法。

灌浆机具过去都用手压泵灌浆,一次只能接灌一个孔(嘴),费时有耗浆,应研究双组分且在出浆口混合的灌浆泵,并可一泵多嘴灌注。

# CW 系化学灌浆材料的性能及工程应用

魏　涛　薛希亮　苏　杰

(长江科学院材料结构所,武汉　430010)

**摘　要**:介绍了 CW 系化学灌浆材料的性能、施工工艺及 CW 系化学灌浆材料在断层处理、帷幕防渗及混凝土裂缝处理中的工程实例。通过工程实例说明 CW 系化学灌浆材料是处理断层和混凝土裂缝较好的补强灌浆材料。

CW 系化学灌浆材料是在原环氧－糠醛－丙酮化学浆材的基础上,结合三峡工程的特点研制的系列灌浆材料。此浆材主要是由新型环氧树脂、稀释剂、表面活性剂、固化剂等所组成的双组分灌浆材料。实际应用时可以根据不同的处理对象,选择不同的配方。本文主要介绍 CW 系化学灌浆材料的性能、施工工艺及工程实例。

## 1　CW 系化学灌浆材料的主要性能

CW 系化学灌浆材料包括 A 液和 B 液,其中 A 液为基液,B 液为固化剂。其主要性能如表 1、表 2、表 3 所示。

**表 1　　CW 系化学灌浆材料 A 液的性能**

| 项　目 | 指　标 |
|---|---|
| 外观 | 浅黄～红棕色 |
| 黏度(cp) | ≤15 |
| 密度 | 1.05±0.05 |
| 贮存期 | 一年内无沉淀 |

**表 2　　CW 系化学灌浆材料 B 液的性能**

| 项　目 | 指　标 |
|---|---|
| 外观 | 红褐色 |
| 黏度(cp) | <8 000 |
| 胺值(mgKOH/g) | 400～500 |

**表 3　　CW 系化学灌浆材料的性能**

| 项　目 | 指　标 |
|---|---|
| 黏度(cp) | <20 |
| 密度 | 1.05±0.05 |
| 胶凝时间(h) | 8～100 |
| 砂浆“8”模粘接抗拉强度(MPa)(龄期 2 个月) | >3.0 |
| 纯聚合体的抗压强度(MPa)(龄期 1 个月) | >30 |
| 模拟灌浆 0.3mm 的混凝土裂缝的劈拉强度(MPa)(龄期 1 个月) | 湿缝>2.0,有水缝>2.0 |

本文原载《广州化学》2002 年(增刊)。

# 2　CW 系化学灌浆材料的施工工艺

## 2.1　CW 系化学灌浆材料用于断层处理的施工工艺

化学灌浆施工应待水泥灌浆施工完毕 72 小时后进行，采用孔内阻塞，自上而下分段灌浆的工艺施工。

(1)灌浆前应尽量吹干孔内的积水，以保证灌浆质量。如孔中积水无法排尽时，可采取以浆赶水的方式灌注。

(2)灌浆分段段长及灌浆压力要按设计文件执行。

(3)灌浆开始时应先打开孔口回浆阀，等孔内水气排出后，封闭回浆阀，进行填压式灌浆。灌浆压力逐步升至设计压力，在灌浆过程中，可根据需要，打开孔口回浆阀门，排水气，以利于灌注密实。

(4)灌浆结束标准。注入率小于 0.01L/min 时即可结束。结束后分两个阶段等凝，第一阶段有压待凝，即从灌浆结束时的压力开始屏浆，控制 24 小时内压力降至 1MPa；第二阶段为无压待凝，即拔出阻塞器，进行无压待凝。

(5)特殊情况处理。①在固结灌浆中对于相邻的钻孔进行观测，如发现有串浆现象，应及时采取并联灌浆等措施；②在灌浆过程中，如吸浆量较大，且长时间不减少，超过受灌区范围，可采取降低灌浆压力，缩短浆液凝固时间，增大浆液黏度，使用间歇灌浆或定量灌浆等方式处理；③灌浆过程中，如浆液温度过高，出现暴凝征兆，应立即调换新浆，必要时还应冲洗设备和管道，然后再继续灌浆。灌浆作业因故中断，应尽快恢复灌浆，恢复灌浆后，如吸浆量显著减少，应另行补孔灌浆。

## 2.2　CW 系化学灌浆材料处理混凝土裂缝的施工工艺

(1)表面清理。用水冲洗裂缝表面，将松散的表面泥沙、污垢等清洗干净。

(2)灌浆孔布置及钻孔。按设计要求进行施工。

(3)冲洗。用水和风轮换冲洗斜孔和骑缝孔以及缝面，将孔内粉尘冲洗干净。

(4)埋管与嵌缝。用快凝水泥或聚合物砂浆埋管(盒)，封堵缝面。

(5)压水、通风。逐孔进行风、水轮换冲洗，查明管道畅通、缝面外漏情况，若有外漏及时处理，灌浆前用气尽量吹净孔、缝内的积水。

(6)灌浆。顺序一般采用由里及表，由下而上，由一端至另一端，先灌斜孔后灌骑缝孔，以单孔或多孔并灌的进浆方式进行，灌浆压力不得超过设计压力，每一条缝灌至最后一个孔时，应灌至不吸浆为止。灌浆结束标准为基本不吸浆，屏浆 2 小时后，随即压力闭浆。

(7)补灌。对串通不良或其他原因暂时搁置的灌浆孔，在灌浆结束后，及时清除孔内浆、水、进行补灌。

(8)封孔。每一条缝灌浆结束，浆液初凝后，及时凿除灌浆管(盒)，回填水泥砂浆。

# 3　CW 系化学灌浆材料的现场应用实例

## 3.1　三峡 F215 断层破碎带固结灌浆现象试验

F215 断层破碎带宽 1～6m，构造岩胶结差，风化强烈，呈疏松－半疏松状。因做过 1 组以湿磨细水泥为浆体的固结灌浆试验，效果不理想，所以设计提出高喷冲洗、水泥化学复合灌浆的方案。经过复合灌浆后断层的性质发生了可喜的变化，为断层的处理提供了一种手段。目前这种方法在三峡永久船闸 F1096 断层实施。现场试验成果如表 4 所示。

## 3.2　CW 系化学灌浆材料在江垭大坝 7、8 坝段坝基防渗中的应用

江垭大坝 7、8 坝段坝基溶蚀带，历经普通水泥、超细水泥、改性灌浆水泥等多次水泥灌浆，透水率仍大于 1Lu，最大达到 5.1Lu，涌水压力一般有 0.2～0.3MPa，最大达到 0.5MPa，涌水流量最高达到 26L/min。为解决电站蓄水 90 余米、溶蚀带中存在压力涌水条件下的基础防渗问题，决定采用 CW

环氧浆材进行灌浆,共灌入 CW 浆材近 20t,灌后四个检查孔透水率全部小于 1Lu,分别为 0.616Lu、0.475Lu、0.336Lu、0.172Lu。CW 浆材有效灌入溶蚀带裂隙,浆材充填密实、饱满,符合设计要求。

表 4 CW 系化学灌浆材料在现场应用时所达到的性能指标

| 地点 | 抗压强度(MPa) | | 抗剪强度(MPa) | | 劈拉强度(MPa) | | 变形模量(GPa) | | 备注 |
|---|---|---|---|---|---|---|---|---|---|
| | 灌前 | 灌后 | 灌前 | 灌后 | 灌前 | 灌后 | 灌前 | 灌后 | |
| 三峡 F215 断层 | 呈疏松-半疏松状 | 25.9 | — | $C=0.6$ $f=1.2$ | — | 1.39 | — | 12.5 | J5 检查孔 |
| 三峡 F1096 断层(集水井底板) | 呈疏松-半疏松状 | — | — | $C=1.49$ $f=1.91$ | — | 2.11 | — | >8.91 | J2 检查孔 |

### 3.3 CW 系化学灌浆材料在混凝土裂缝中的应用

#### 3.3.1 三峡工程永久船闸地下输水隧洞混凝土层面缝渗水处理生产性试验

灌浆前层面缝渗水、析钙,且渗水有一定压力,部分部位水压达到 0.2MPa 左右,层面缝缝宽 0.06~0.3mm。水平层面缝的处理要求:帷幕线以上层面缝粘接强度为 0.3~0.5MPa;帷幕线以下为 0.7~1.0MPa,缝面抗渗指标达到 $S_8$ 设计要求。

CW 系化灌试验区选在北一延长段 NY5、NY8 北边墙,共灌入 CW 浆液 104.1L。灌浆试验完成后 28 天进行钻孔取芯检查和压水试验。所有芯样完整,缝面填充饱满,浆液扩散渗透到缝面两侧混凝土,缝宽为 0.06~0.2mm,浆材灌入深度>66cm。芯样劈拉强度分别为 1.61MPa、1.35MPa、1.07MPa。设计根据化灌试验成果,认为生产性试验获得较为满意的成果,确定 CW 系环氧灌浆材料及其配套施工工艺适用于永久船闸层间缝及温度缝灌浆,CW 系环氧灌浆材料在永久船闸裂缝灌浆中得以应用。

#### 3.3.2 三峡工程右纵▽96m 廊道 38 号混凝土裂缝化学灌浆试验

该缝长 3.28m,缝宽 0.1~0.2mm,灌浆压力不超过 0.6MPa,共灌入裂缝中环氧浆液 2 729g。灌浆后取芯,芯样完整,骨料分布均匀,裂缝贯穿整个芯样,有微细裂纹分支,缝内填充饱满,黏结良好,浆液扩散渗透到裂缝两侧混凝土,缝宽 0.1~0.2mm。

葛洲坝试验中心三峡实验室测试 CW 环氧灌浆灌后芯样四个劈裂抗拉强度分别为 3.59MPa、2.02MPa、1.98MPa、1.87MPa,达到了设计要求。

#### 3.3.3 湖北省江汉航线新城船闸下闸首裂缝处理

湖北省江汉航线新城船闸下闸首显露出 13 条贯穿性裂缝,裂缝总长约 236m,裂缝宽度 0.2~4mm,由于闸室底板处于地下水位以下,沿缝冒水量较大。经过 CW 系灌浆材料处理后,沿缝无水渗出。经现场钻孔取芯检查,浆材在裂缝中充填饱满,共取五个芯样,劈裂抗拉强度分别为 3.1MPa、2.5MPa、2.3MPa、2.1MPa、1.7MPa,平均抗拉强度(劈裂法)为 2.3MPa,达到设计要求。

## 4 结 语

CW 系化学灌浆材料开发研制成功后,已经历多次工程实例验证,具有较好的使用效果和经济效益,是处理断层和混凝土裂缝较好的补强灌浆材料。

## 参 考 文 献

[1] 魏涛,汪在芹,薛希亮,等 . CW 系化学灌浆材料的研制. 长江科学院院报,2000(6)
[2] 陈珙新,祝红,熊进,等 . 三峡工程 F215 断层复合灌浆处理试验研究. 长江科学院院报,2000(6)
[3] 廖国胜,黄良锐,魏涛 . 三峡工程永久船闸混凝土层面缝渗水处理. 长江科学院院报,2000(6)
[4] 魏涛,蔡胜华,王树清,等 . 新城船闸下闸首裂缝处理. 长江科学院院报,2000(6)

# 大坝水平裂缝端部防渗灌浆

袁世茂　宋明波　齐勇才

（辽宁省葠窝水库管理局）

**摘　要**：对大坝水平裂缝做表面涂贴、镶嵌防渗处理时，靠近坝段横缝之裂缝端部的防渗处理就成为防渗的关键。介绍了某工程采用灌浆法处理大坝水平裂缝端部防渗实践经验。

辽宁省某水库大坝为RCD法施工的碾压混凝土重力坝，该工程于1990年开工，1995年主体工程基本完成。当年遭遇特大洪水，水库投入拦洪蓄水。施工中发现的跨年施工裂缝被长期淹在水下，开裂未得到及时处理。在2001年，水库适逢低水位运行，是处理大坝水平裂缝的有利时机。经过调研与试验论证确认，该水平裂缝对大坝稳定无较大危害，可只做防渗处理，为此，对大坝水平裂缝确定采用镶嵌涂贴法处理，即在大坝迎水面沿裂缝首先镶贴一层 $T_1$ 橡胶，其表面再粘贴一层宽100cm三元乙丙橡胶，周边部分用不锈钢带膨胀螺栓紧固（此部分略）。靠近坝段伸缩缝（横缝）的水平缝端部采用浅孔水溶性聚氨酯灌浆处理。

## 1　水平裂缝端部防渗灌浆

上堵下排是水工建筑物防渗的通用原则。要做好大坝水平裂缝的防渗就要从源头上将渗透通道堵死。具体分析水平裂缝的渗水通道，主要有两方面：一是正面由库水直接入渗；二是由裂缝端部与横缝交会处库水侧向绕渗。因此，在对水平缝进行处理时，除正面进行镶嵌粘贴处理外，还必须对其渗部与横缝交会点同时进行防渗处理，方能取得全效。

### 1.1　浅层灌浆法处理水平缝端部防渗

水平缝端部防渗主要解决来自坝体横缝（伸缩缝）的渗透水源，而坝体横缝则是由基础开始向上沿全坝高布设的，在坝体横缝止水带前为无封闭开口型坝缝。水库蓄水后，基础部分再行全程封闭。不仅十分困难，也不合理。为解决水平缝端部防渗问题采用局部表面涂贴或镶嵌处理就力所不及，而采用局部浅层灌浆法则可解决这一难题。

在诸多化灌材料中，采用水溶聚氨酯浆材作为浆材，更显出独特优点。水溶聚氨酯浆材不仅遇水固化快，而且其固结体为弹性体可以适应横缝的变形，同时固结体浸水48小时后体积膨胀达原体3倍，失水后又干缩，可以重复变形，这样，对已被水污染的横缝界面在无需进行处理的条件下，通过很好的胀塞作用，解决水平缝与横缝交会处的防渗问题，这是用其他脆性或靠黏结作用进行防渗的材料所不及的。

### 1.2　水平缝端部灌浆封闭方案的确定

水平缝端部灌浆封闭主要为两部分，一是水平缝端部灌浆；二是邻近水平缝端部局部灌浆。原方案为水平缝端部50cm灌浆在距缝端50cm打1.0m深 $\phi50$ 骑缝止浆孔，孔内填塞特种砂浆，距缝端25cm打骑缝灌浆孔，对横缝灌浆封闭区长度为5cm，即在水平缝与横缝交会点上下各25cm打 $\phi50$ 骑缝止浆孔，深1.0m，孔内填塞特种砂浆。灌浆孔在裂缝与横缝交会点上隔缝钢板两侧切横缝钻进。在水平缝、横缝两止浆孔之间骑缝凿槽填塞特种砂浆做止浆处理。

---

本文原载《广州化学》2002年（增刊）。

按上述设计方案进行现场作业,钻孔中发现,用普通凿岩机(风钻)无法钻进中央埋有钢板的骑缝止浆孔,在隔缝钢板两侧贴靠钢板钻进灌浆孔时由于钢板侧面焊有角铁、钢筋等,不仅盲孔率高,也难以保证设计孔位顺直且能与横缝相切贯通。后重新拟订改进意见为:

(1)按照灌浆理论与实践,对于一定宽度的缝隙灌浆,只要控制合适的压力与进浆时间,其行浆范围可控,尤其采用水溶性聚氨酯灌浆,在库水位刚下降缝内尚存水情况下,浆液固化时间短,同时可以通过调整浆液配比(黏度),行浆半径更好控制,因此没有必要设置止浆孔;灌浆采用斜交孔,避开角铁、钢筋等,同时按斜交孔行浆特性,较之骑缝孔更为有利。

(2)原设计灌浆封闭区,按等效防渗原则,横缝防渗灌浆带宽 50cm (两止浆孔之间)有所不足,改为 100cm(与表层粘贴的三元乙丙橡胶同宽)。

(3)原设计灌浆只考虑第一道止水带之前,明显不足。按坝体止水结构,距大坝表面 1m 与 1.6m 有两道止水。按工程蓄水后运行情况,两道止水带之间,仍有渗透现象(基础廊道内横缝渗漏),因此将水平缝端封闭区深入至两道止水带之间,实属必要,为此增设两道止水带之间灌浆孔。对于水平面缝端部灌浆采用斜交孔,表面缝端 50cm 进行预缩砂浆嵌缝止浆即可满足要求。

这样,经过修改后,不仅增加了灌浆封闭区深度使之深入到两道止水带之间,而且取消了止浆孔,减少了钻孔数量,由原来 8 孔改为 6 孔,最后减至 4 孔,使用普通凿岩机(风钻)就可顺利钻孔,同时,采用斜交孔简化了表面嵌缝止浆难度。

## 2 灌浆质量控制与检验

灌浆工程同其他一样,应视工程质量为生命。要保证工程质量,就要从工程设计、施工两个方面做起,真正实现精心设计、精心施工。特别是化学灌浆多用于混凝土工程病害、缺陷处理,有其特殊性;一是病害或缺陷都是在主体工程完成后甚至投入运行后发生或发现的,此时才提出工程修补问题。一个部位缺陷得不到处理,将影响整个工程的正常运行,这就要求有很强的时间性。在施工条件方面,错过有利时机也往往会造成有利方案不能实施,或增加很多附属工程,造成重大经济损失。二是工程结构、缺陷危害程度、处理要求及施工作业条件等诸多方面,各个工程、各个部位不尽相同,这就要求设计施工有很强的针对性或应变性。只有把握好施工中各个环节的质量控制,才能保证最后的检验成功,质量控制是质量检验工作的一部分,质量检验是质量控制工作的集中和效果的总结。

### 2.1 施工中的质量控制

施工中的质量控制应贯彻于施工的全过程,对施工中各工序环节明确要求,认真执行。化学灌浆在某种意义上说,是个良心工程,对其中某些要求只是原则概念性的,还不能完全做到具体量化的指标。因此,要求施工人员具有良好的职业道德和思想素质,能认真履行职责,在此基础上才能保证质量控制的实施。

按照化学灌浆工程施工的一般程序,主要可分为造孔、埋管、嵌缝、压水检查、灌浆、屏浆等工序。

(1)造孔。包括定位、开孔角度、钻进深度、钻进情况等。定位桩号应以预交缝距离为准;开孔角度应按设计制作三角尺随时检查;钻进中要注意吹尘,并注意观察岩粉变化、钻进声音变化情况,以判断交缝或遇到钢筋、铁板、埋件等情况。达到预定深度后,反复吹风将钻孔内粉尘吹扫干净。终孔后由质检员复查合格,记录在案并签字做工序验收。造孔验收合格后用压力水洗孔,遇有裂缝渗水、岩粉成糊状时,应反复冲洗或用钢刷等刷洗,干净后将孔口临时封堵。

(2)埋管与嵌缝。水溶性聚氨酯在孔内少水或无水情况下,固化凝结时间长,机械式孔口阻塞器,难以做到即灌即拔,难以充分发挥优点。故多用一次性灌浆孔口管,采用在孔口埋设方式,先在孔口凿出直径大于孔径 10~20mm、深 40~50mm 圆形孔窝。埋管部分铁管长 150mm 左右,上部焊好灌浆嘴,并连接好 150mm 左右接管,铁管部分深入孔口混凝土面以下,铁管与孔之间用线麻或棉絮塞紧,上部用水泥预缩砂浆砸实抹平,经过 24 小时后压水检查。遇有孔口漏水量较大或压水未合格须重新修复时,可采用“水不漏”防水剂进行填塞,此时防水剂拌水后,不能等待时间过长,抹时应有一定压力。凿槽嵌缝可与埋管同时进行,凿槽尽量采用手持式岩石切割机切边,这样可以保证槽形规整,并呈外窄里宽的燕尾槽。镶嵌一般采用预缩水泥砂浆逐层砸实,外表基本与混凝土面齐平,注意保证砂浆的预缩时间。

(3)压水检查。化学灌浆中对灌浆孔压水检查主要目的是为了检查灌浆管埋设与嵌缝质量情况,参照水泥灌浆规范中有关条款执行。水压为灌浆压力的0.6～0.8倍灌浆压力。但与水泥灌浆又有所不同,当裂缝开度较大,比如横缝压进水流极易四处扩散,甚至逸出,常常达不到检查压力,此时应参考进水流量,不必单纯依靠检验水压做出判断。

(4)浆液配制与压浆。水溶性聚氨酯两种组分配比不同,其浆液黏度或物理力学性能也不尽相同,应视裂缝开度和变形特征来确定配比,因此浆液配制宜在现场进行。为便于配制和运输,可将两种浆液分别装在小型密闭容器中(如塑料壶)运至现场备用。配浆中应严防太阳暴晒和雨水淋湿。配液可采用称量法和容积法。

浆液倒入压浆泵时,应加滤网过筛,倒浆后立即盖紧泵盖,防止潮气进入引起浆液发泡。压浆开始前先慢压使附泵输浆管中充满浆液,而后与孔口灌浆接管相连。当管路系统接牢后开始正式压浆,遇有灌浆管往外沥水时,应采取措施,防止漏进输浆管。开始压浆时,应快速撳动手压泵,以使浆液尽速充满灌浆孔,以保证实现“以浆赶水”防止浆液在灌浆孔与水发生发泡固化等现象,待达到设计灌浆压力后,采取匀速压浆,不可采取间歇式压浆。待灌浆压力达到设计值稳定15分钟或封闭区嵌缝段外有纯浆液溢出时可以屏浆终止该孔灌浆。在压浆中要有专职记录员准确、翔实记录,并注意观察嵌缝段外端裂缝渗水、出浆情况,并记入备注。

### 2.2 质量检查

对灌浆效果的质量检查,通常有三种方法,即直观检查法、压水检查法、钻孔取样检查法。

(1)直观检查法。由于水溶性聚氨酯遇水后很快固化,浆液进入渗水裂隙后对止渗可起到立竿见影效果,用肉眼可直接观察判断。在局部灌浆中,当封闭区嵌缝止浆段外端溢出纯浆或终止渗流时,说明封闭区已充满浆液,达到设计要求。在该工程中,为了不影响下道工序进行,做到边观察边检查,由此派生了改型直观检查法,就是在设计灌浆区边缘部位钻检查孔,当灌浆中此孔排出纯浆或终止渗水,即可终止灌浆。此法直观、简捷,效果良好。

(2)压水检查法。就是在灌浆完成后,在封闭区钻孔,进行压水试验,当水压达到0.6MPa时,能稳压10～15min,说明灌浆达到设计防渗要求。对于采用局部封闭灌浆时,此法有一定局限性,因为压水检查必须在灌浆完成后,并且裂隙内浆液固化时进行,当进行多道工序作业时,等凝时间较长,有时在宽缝无水或少水浆液未完成固化情况下进行压水,可能破坏原有灌浆效果。在该工程施工中,对39/38坝段横缝检查中,就曾发现此种现象,在灌浆后第二天,用风钻对横缝灌浆区打检查孔,接下来压水检查中发现泵压始终上不来,这与灌浆中有充足的进浆量有很大的矛盾。经过认真分析发现,灌浆后库水位逐渐下降,横缝开度又较大,裂缝内已无水,浆液尚未完全固化,当用风钻钻孔时,夹缝铜板在钻头冲击下,对浆液形成很大的脉冲压力,使之扩散外逸原有灌浆区已脱落,所以在压水检查时,泵压上不去,后经复灌采用改性直观检查法取得良好效果。

(3)钻孔取样检查法。用混凝土取样钻或地勘钻机,提取灌浆区芯样,从芯样上可以对浆液在裂缝内充填情况进行观察,同时,用读数显微镜对裂缝宽度进行测量,结合单孔进浆量,可推算出行浆半径,得出定量成果。但此法对水平孔等较难施钻,同时钻孔须重新用混凝土填塞修复。在该工程施工中,主要采用了前两种灌浆质量检查办法,并结合单孔进浆量对比裂缝开度进行了最后质量评定。

## 3 结　语

在该水库大坝水平缝防渗处理工程中,由于各方各司其职,通力合作,确保工程进展顺利,而且不断优化了水平缝端部化灌防渗方案的实施,应对库水位急剧下降,施工条件日渐恶化的情况及时调整施工工艺及改进质量控制、质量检查方法,在保质保量基础上,提前圆满完成任务。该工程施工中,实际处理水平裂缝总长度达847.8m,涉及坝段42个,其中,除32个坝段为单层水平裂缝外,8个坝段为双层裂缝,2个坝段为三层水平裂缝。在质量监控与检查方面,做到了100%合格,在42个坝段(单元工程)中,37个坝段为优良工程,优良率为88.1%,整个单位工程为优良工程,该工程完成后,经过汛后蓄水,实现正常运行一年来,没有出现水平裂缝复渗现象,验证了防渗处理工程的良好质量。

# 三峡二期工程混凝土裂缝化灌材料及工艺研究

何小鹏　颜家军

(长江委三峡工程建设监理部, 湖北宜昌　443133)

**摘　要:** 三峡二期工程混凝土裂缝采用了缝内化学灌浆、缝口嵌填、表面覆盖的综合处理措施。经过材料比选与工艺性等试验,选定了化学灌浆材料及灌浆工艺。本文介绍了工程中实际采用的化学灌浆材料、灌浆工艺和实际检测的灌浆效果。

混凝土裂缝是影响水工建筑物耐久性的原因之一。坝体一旦产生裂缝,混凝土内的氧化钙就易随缝析出,继而内部钢筋锈蚀,表层混凝土老化,整体强度显著降低,严重的可导致结构破坏。三峡工程质量攸关,“千年大计,国运所系”,从大坝耐久性的角度出发,必须对已经出现的坝体裂缝进行周密的处理,做到不留隐患。

三峡坝址地处气候温和地区,属典型开阔河谷地带,同外部热交换条件好,冬夏、昼夜温差大是其基本特点。另据气象部门多年统计资料显示,该地区极端最高气温 42℃,极端最低气温 -5.6℃,多年平均 2~3 天气温降幅在 6~8℃及其以上者达 11 次之多,一次降温幅度最大可达 16.5℃。三峡工程既有大体积混凝土,同时兼有梁、板、墩、槽等薄壁结构,因气温及水泥水化热温升等各种因素影响,混凝土产生温度裂缝的可能性极大,因此三峡大坝施工期温控防裂与处理任务是极其艰巨的。

目前,水工大体积混凝土裂缝大致可按产生的成因、产状、部位、深度及其发展变化情况加以分类。而混凝土裂缝产生的本质如从应力或应变的角度来阐述,即混凝土受到的破坏应力或应变大于混凝土允许极限抗拉强度或极限拉伸值,这时将导致裂缝产生,反之则不会。这个破坏应力可以是混凝土内外温差产生的胀缩应力,也可以是钢筋锈蚀产物体积增大后产生的膨胀应力,还可以是建筑物超载产生的不利荷载应力,等等。对三峡工程而言,如何准确地对裂缝进行危害性评估和选择正确的处理方案,则必须对裂缝进行深入调查和分析归纳。

## 1　裂缝调查

### 1.1　裂缝检查

裂缝调查的目的是为裂缝分类、补强处理提供第一手基础资料。裂缝调查主要是从缝宽、缝深、缝长、产状、部位、渗漏性、渗出性、数量等方面入手,在三峡工程中常借助人工目测(借助于塞尺、米尺、读数放大镜)、槽探、钻孔、压水、超声波测试、孔内彩显等手段来帮助实现调查目的。

### 1.2　裂缝分类

三峡工程对坝体大体积混凝土裂缝的评判分类标准以裂缝性质对结构应力和安全影响程度为标准归纳为以下几类(见表 1)。

对于三峡工程我们并不孤立地看待裂缝分类法,通常裂缝对水工建筑物的危害与影响程度,不仅要考虑上述指标,更重要的是要用联系、发散、辩证的思维从深层次的角度去考虑这个问题。通常裂

本文原载《广州化学》2002 年(增刊)。

缝的性质不是一成不变的，在环境条件变化时，表面裂缝可以进一步发展为深层、甚至基础贯穿性裂缝，形成质的转化。而所谓“环境条件”则包含着坝体稳定温度场、约束条件、暴露条件、整体性、施工期与运行期坝体应力状况等方面因素。这就决定了三峡二期工程混凝土裂缝对水工建筑物的危害与影响程度是随“环境条件”的改变而变化的。而对裂缝的处理方案就是在此深刻认识的基础上拟订的。

**表1　　三峡工程对坝体混凝土裂缝的分类标准**

| 类别 | 评判指标 | 原因及危害程度 |
| --- | --- | --- |
| Ⅰ类<br>表面龟裂 | 缝宽 $\delta<0.2$mm<br>缝深 $h\leqslant30$cm | 多由于沉陷、干缩产生，对结构应力、耐久性及安全运行基本无影响 |
| Ⅱ类<br>浅层裂缝 | 缝宽 0.2mm$\leqslant\delta<$0.3mm<br>平面缝长 3m$<L<$5m<br>缝深 30cm$<h\leqslant$100cm | 与气温骤降且保温不善关系密切，对水工建筑物的危害与影响程度视裂缝发生的部位有一定影响 |
| Ⅲ类<br>深层裂缝 | 缝宽 0.3mm$\leqslant\delta\leqslant$0.5mm<br>平面缝长 $L>$5m<br>缝深 100cm$<h<$500cm | 与混凝土内外温差大或较强烈的气温骤降且保温不善相关，对结构应力、耐久性、稳定性及安全运行有较大影响 |
| Ⅳ类<br>贯穿裂缝 | 缝宽 $\delta>$0.5mm<br>平面缝长 $L>$500cm<br>竖向缝长 $L>$500cm<br>缝深 $h>$500cm，或贯穿基础、仓面 | 与基础温差超过设计标准，或在基础约束区受到强烈的气温骤降冲击相关，对坝体结构应力、耐久性、稳定性及安全运行的影响是破坏性的 |

# 2　裂缝处理步骤及修补材料

## 2.1　裂缝处理步骤

三峡工程大坝混凝土裂缝的处理，就发生在重要部位且危害性较大的典型裂缝而言，一般采取以下步骤：

裂缝内化学灌浆→裂缝表面凿“U”形槽→“U”形槽内嵌填柔性止水材料→找平后锚贴氯丁橡胶片→表面粘贴 SR－2 防渗盖片→浇混凝土保护面板或压贴 PVC 保护板→裂缝两侧坝面喷涂水泥基渗透结晶型防渗材料及喷聚丙烯纤维混凝土。

## 2.2　裂缝处理材料

裂缝处理材料选择的合理与否对处理效果至关重要。三峡工程在这个环节上严把质量关，所有参选材料必须通过室内材料性能检测与现场工艺操作及生产性试验，目前已确定为工程裂缝修补材料的基本性能特点如下。

### 2.2.1　LPL 与 CW 环氧树脂

LPL 与 CW 均属低黏度、亲水性、可注射式、双组分环氧树脂浆材，其特点：低黏度可通过注射式灌入裂缝达到恢复结构整体性的目的，适用于影响混凝土结构整体性与水致密性的细微裂缝及冷接缝等孔隙的灌浆处理；高弹性模量可有效吸收接缝界面处的不利应力；高热变性能可以使其在较高的环境温度下抗徐变；亲水性体现了适应潮湿环境的较好作业性能；可工作时间长使得更复杂裂缝的灌浆作业成为可能；比例预包装避免了配制称量误差，保障了浆材的各项力学性能指标的稳定性；固化后强度发展较快，可使修补区域较早发挥作用。

### 2.2.2　LW 与 HW 聚氨酯

LW 与 HW 均属水溶性聚氨酯化学灌浆材料，具有良好的亲水性，水既是稀释剂又是固化剂，浆液遇水后先分散乳化进而凝胶固结。LW 的固结物为弹性体,可遇水膨胀,具有弹性止水和以水止水的双重功效,适用于变形活缝的防水处理。HW 有较高的力学性能,适用于混凝土缝或基础的补强加固处理,可与 LW 水溶性弹性聚氨酯化学灌浆材料以任意比例混合使用,配制不同强度和不同水膨胀倍数的材料,进行补强处理以达到快速高效防渗堵漏的目的。

2.2.3 KT 型防渗材料

KT 系列防渗材料是高性能新型水泥基渗透结晶型防水材料,它通过自身含有的复合活性化学物与混凝土中的游离活性化学物、孔隙水发生化学反应,形成不溶于水的结晶体(纤维状 C-S-H 凝胶),在缝内生长、充填达到补强与修复的目的,与大坝母材适应性好,施工工艺较简易,操作方便。三峡工程坝体裂缝两侧各 4~5m 范围内喷涂此材料。

上述处理方法、步骤及材料,针对坝体不同部位的裂缝、冷缝、层间缝、新老混凝土间隙的处理而言,实际上可以分解和组合运用,皆有异曲同工之妙。

# 3 裂缝化灌设备

CD-15 型化灌设备是双组分环氧树脂化学灌浆的专用型设备,其系统工作原理是将 A、B 两种组分分别适量储于供浆罐中,树脂材料通过空气管道进入 CD-15 配比器内,A、B 两种组分在此完成定量定配比后,通过空气单向流动控制装置,经空气管道带压进入混和器,充分完成混合后的环氧树脂材料由输出端进入裂缝。

该套设备能自行完成定量定配比过程,以确保树脂材料均匀混合;能自行精确计量;工作性能安全稳定,压力传导平稳;易拆装,易清洗。其工作原理见图 1。

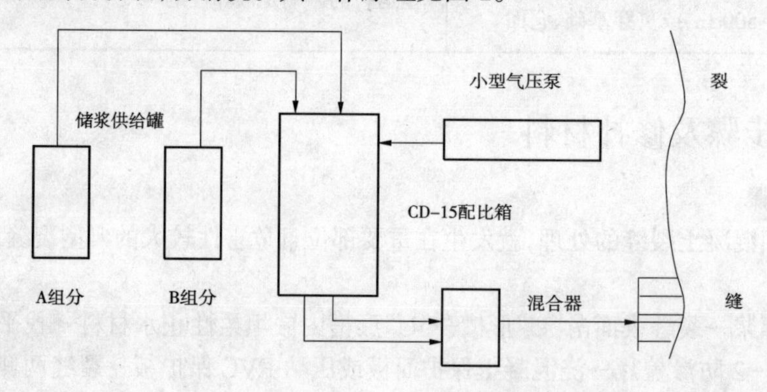


**图 1 CD-15 化灌设备工作原理示意图**

# 4 裂缝化灌处理工艺

裂缝化灌处理选择在低温季节(当年 12 月至次年 2 月)进行。处理工艺流程如下:

(1)表面处理。彻底清除裂缝两侧各 10cm 宽的混凝土表面浮渣及油污,灌浆嘴粘贴点采用棉丝蘸丙酮或甲苯擦洗。

(2)灌浆孔施工。缝宽 $\delta<0.3$mm 以及缝宽 $\delta\geqslant0.3$mm、缝深 $h<100$cm,布置骑缝灌浆孔;缝宽 $\delta\geqslant0.3$mm,缝深 $h\geqslant100$cm 布置骑缝和斜穿缝灌浆孔。骑缝灌浆孔采用 1438 号型双组分环氧胶泥骑缝粘贴灌浆嘴,间距 30cm 左右。斜孔按控制灌浆面积 0.5~1.0$m^2$/孔布置。

(3)封闭缝口。灌浆孔施工完成 3h 后,采用 1438 号双组分环氧胶泥进行缝口封闭处理。

(4)试气。封闭完成 24h 后进行试气,试气压力最大控制在 0.2~0.3MPa,如有漏气点需重新进行封闭,直至不漏。

(5)灌浆材料。缝宽 $\delta<0.5$mm 时,灌浆材料采用 LPL 低黏度、亲水性、可注射式、双组分环氧树脂浆材;缝宽 $\delta\geqslant0.5$mm 时,灌浆材料采用 80%LW+20%HW 水溶性聚氨酯化学灌浆材料混合液。

(6)灌浆。水平缝由一端向另一端逐孔灌注,竖直缝自下而上逐孔灌注。灌浆压力应先小后大,进浆宜缓戒急,最大压力控制在0.3~0.4MPa。

(7)灌浆结束标准。裂缝缝面停止吸浆,再继续灌注30min结束。

(8)辅助措施。为防止在灌浆压力作用下产生的不利应力对裂缝两侧混凝土产生有害变形,在灌浆过程中应布置千分表进行严密监测,控制裂缝增开度不大于100μm。

# 5 化灌工程实例及效果检测

## 5.1 LPL双组分环氧树脂现场工艺性化灌试验

对于三峡二期工程混凝土产生的裂缝,业主、设计、施工、监理各方倍加重视,并为此积极探索研究各种处理措施与方案,期间做了大量的材质性能、施工方案的工艺性、生产性的论证试验,为坝体裂缝处理积极酝酿、备战。但考虑到产生裂缝部位的重要性,裂缝化灌试验首先以不影响其最终的处理效果,而考虑在其他部位进行。

### 5.1.1 裂缝简况

试验缝位于导流底孔右边墙,竖向长度12m,缝宽0.2~0.4mm,缝深1~1.5m,垂直墙面纵深发展,缝内干燥基本无析出物,属典型温度裂缝。

### 5.1.2 化灌作业

灌前3天骑缝贴埋进浆嘴,布埋间距30cm。灌前一天进行压气试验,确认缝内与进浆嘴的畅通性及缝表的密封性。灌浆时将双组分LPL注射式树脂按A:B=1.14:0.86的比例适量配制,均匀混合倒入压力密闭容器中。选择底部第一个进浆嘴用软管套接进浆,其余管口敞开排气,向容器内加压,待紧邻的上方管口出浆时,将其并联进浆,依次类推,始终保证5根左右进浆嘴同时并联进浆,至最后一个进浆嘴出浆。压力稳定时缝面停止吸浆,灌浆结束。结束前带压扎死各管口,目的在于极大限度地让LPL向裂缝纵深均匀渗透充填。

### 5.1.3 取芯检验

灌后20天,沿缝自下而上等间距取芯5枚,芯长15~20cm,目测芯样结合完整呈柱状,缝面纵深浆材充填密实,放大镜测得充填物厚度由表及里在0.19~0.42mm不等。补强效果显著。

## 5.2 LPL与HW+LW现场生产性化灌试验

在进行LPL双组分环氧树脂工艺性试验并取得较好的化灌效果后,又在泄洪某坝段进行了LPL与HW+LW现场生产性化灌试验,灌后为了及时检查灌浆效果,布置了取芯孔和声波测试孔。

### 5.2.1 取芯检验

化学灌浆后取芯检验结果见表2。

**表2 化灌取芯检验结果**

| 检查孔号 | 裂缝宽度(mm) | 灌浆材料 | 芯样描述 |
|---|---|---|---|
| 1 | 0.85 | LW | 芯样完整,浆液充填良好 |
| 2 | 0.85 | LW | 芯样完整,浆液充填良好 |
| 3 | 0.80 | LW | 芯样完整,浆液充填良好 |
| 4 | 0.46 | LW+HW与LPL浆材交接 | 芯样完整,浆液充填良好 |
| 5 | 0.46 | LW+HW与LPL浆材交接 | 芯样完整,浆液充填良好 |
| 6 | 0.46 | LW+HW与LPL浆材交接 | 芯样完整,浆液充填良好 |
| 7* | 0.05 | / | 芯样刚取出时完整,移动过程裂开 |

注:带“*”者为进行对比,在另一裂缝端部对未灌浆的裂缝钻取了一枚芯样。

5.2.2 声波测试

利用声波在不同介质中的传播速度差异这一基本原理,以检测化灌效果。

灌前测得缝深2.3m。灌后测试,缝深0~1.8m,波速提高显著,灌浆效果良好;缝深1.8~2.3m,波速有所提高,灌浆效果一般。

**5.3 KT型防渗材料现场嵌涂试验**

5.3.1 嵌涂作业

裂缝嵌补凯顿百森KT型防渗材料的现场嵌涂试验:第一步处理外来水,裂缝处表面无流水;第二步以裂缝为中心开槽(宽1.0~2.5cm,深1.0~3.8cm),并用打磨机将缝两边混凝土约25cm范围内处理成毛面;第三步用自来水将槽内及打磨部位清洗干净,待混凝土表面无明水时,先将KT1∶水约为5∶2搅拌均匀,在槽内涂刷一层,然后用KB∶水为3.5∶1~4∶1搅拌均匀,填平小槽,待KB凝固后,用KT1在打磨机处理过的混凝土毛面涂刷一遍。因处理时间为冬季,由于保温要求致使养护不到位,对此材料渗透效果会有一定影响。

5.3.2 渗透结晶分析

对于凯顿百森材料渗透结晶情况,由凯顿百森高效防水材料有限公司取芯样两枚,委托同济大学混凝土材料国家重点实验室做电镜扫描观察,观察结果为:

(1)自端而起向内0.5~1cm左右可看见大量密集的纤维状C-S-H凝胶。

(2)1~5cm纤维状C-S-H凝胶呈逐渐减少之势,且大部分聚集在裂缝、孔洞等处。

(3)5cm以下较难找到纤维状C-S-H凝胶。

凯顿百森材料嵌缝修补后,可向缝隙内部渗透结晶,渗透深度5cm左右,对裂缝能起到一定的愈合效果。

# 6 结 语

在充分考虑了复杂“环境条件”下三峡二期工程混凝土裂缝对水工建筑物的危害与影响程度后,三峡工程建设者提出了上述多种化学材料配套组合应用的裂缝综合处理方案,在经过专家组的考察论证,以及三峡工程中周密的系统的材质性能、施工方案的工艺性、生产性论证试验且取得较好效果的前提下,已在工程实践中全面展开。

# 国 外 部 分

# 混凝土坝的裂缝——美国垦务局工程实例

[美国] H.L.鲍格斯

**摘 要**:本文讨论了美国垦务局一些大坝产生裂缝的实例,布费罗·比尔坝、楠布费尔坝和上静水坝因温度产生裂缝,格兰峡坝和胡佛坝因基础岩面异常产生裂缝,派克、弗里昂和野马坝因碱骨料反应引起裂缝。

以现行的或建议的设计施工技术为基础,讨论了防止裂缝产生的措施,其中包括收缩缝、周边缝的结构形式及采用扁千斤顶的顶撑系统等。应当通过实验室试验和研究确定混凝土使用的配比,以期能够最大限度地减小或消除过大的水化热或碱骨料反应。

在评估产生裂缝的结构分析方法方面,讨论了适用于新建坝的线弹性和非线弹性的数学计算机程序。在分析已建水坝时也可采用此类方法,但应符合它们在设计、施工和运行期间所采用的文件规定,并进行实地巡查,对混凝土芯样做室内试验,以及进行现场测量等。根据这些研究资料,可对受裂缝影响的水坝的安全度作出判断,必要时对是否维修给予鉴定。

## 1 引 言

混凝土坝出现裂缝,通常是由于坝体混凝土在外因作用下体积发生变化在其内部产生应力,或因坝体在较大动、静荷载作用下产生应力而在坝面上出现的一种反应。在施工期间,混凝土拱坝和混凝土重力坝常会由于浇筑块的温差变化而产生某种程度的开裂。对于大体积混凝土建筑物来说,混凝土水化热所造成的高温度梯度,在坝面附近一般能够较快消散,而在坝体内部的温度梯度值则将长期保持在一个较高的水平上。

此外,混凝土坝施工期间的一些结构裂缝,可能是浇筑块纵横方向划分方式不当,或坝体混凝土与基础岩石之间有不均匀沉陷,或坝肩开挖后基础岩面形态异常等所致。在坝体竣工后经历第一次蓄水和承受持续荷载作用的若干年,坝体和基础的重新调整也会导致一些结构裂缝的产生。至于裂缝的大小,则要看坝体类型、形状及建坝目标等情况来确定。

最后,在水坝运行期间,坝体材料的老化和损坏也会导致裂缝的产生。美国垦务局所属混凝土坝当前出现的最严重的损坏是碱骨料反应,这种反应足以穿透整个坝体结构,在适当的环境场合下,它甚至会导致坝体的严重损伤和破坏。

美国垦务局共有50多座不同规模、不同类别和不同形体的水坝,它们的目的包括发电、灌溉、防洪、旅游、渔业和野生养殖,以及城市供水和工业供水等。在这些水坝中,许多坝体内部都装有观测仪器设备,可以监测变形、温度、扬压力和排水状况等。大多数仪器为定期观测设备,用于日常维护及目测裂缝大小变化和渗流情况。本文讨论与温差变化、基础异常及化学反应有关的一些结构裂缝的工程实例。

## 2 工程实例调查

### 2.1 布费罗·比尔(Buffalo Bill)坝

在美国垦务局所属的混凝土坝中,有一些坝体产生结构裂缝的原因是由于坝址区环境温度条件所引起的。位于美国怀俄明州西北部的布费罗·比尔坝就是其中之一,在其下游坝面上发现过一些裂

本文原载《第15届国际大坝会议·主题57》,1958年。

缝,这些裂缝都是由于在设计施工过程中没有考虑存在极大温度梯度情况所导致的。该坝1910年建成,两坝肩之间的坝体采用0.3m厚的浇筑层连续往上浇,每天的浇筑高度估计为1.2m。每年浇筑的混凝土总量则取决于各年的季节洪水情况。该坝坝体下游面处在一条向北流的河流峡谷内(标高为2 347m),它所承受的月平均气温范围为-3~21℃。在这种情况下,沿垂直方向上出现一些长条裂缝是不足为奇的。对于这些位于中央部位的裂缝带,做了三维有限元分析,考虑了水压力、温度和自重荷载。分析认为该坝体的结构整体性并未受到破坏,日前该坝计划进行改建,将坝顶高度提高7.6m,以增加水库库容,同时也为了在出现可能最大洪水情况时允许洪水漫顶5.2m。

**2.2 楠布费尔(Nambe Fall)坝**

楠布费尔坝是一复合型混凝土薄拱坝。该坝左岸侧为一混凝土实体重力坝段,而右岸侧则为一土石坝,采取这种组合型结构的原因,是受峡谷地形的限制,右岸侧岩壁陡峭,水流经此直泻下游;左岸侧有一个小的岩石平台。从地质上看,整个坝址在混凝土坝段内被一组相互交错的石灰岩断层所分割,而在土石坝段处基础为土、砂和岩石。该拱坝沿坝高42m变厚度,厚度在坝顶处为1.5m,而底部为6m。据计算,在2 070m高程处的环境气温使坝体产生的拉应力超过了1 030kPa的垦务局标准。通过沿拱冠悬臂梁处设置12个扁千斤顶后,这些拉应力得到了消除。这种扁千斤顶由两块金属拉板组成,焊在拱缘上,当拱体受水压力作用膨胀时,可以对其产生单向推力。当大体积混凝土被冷却到4.4℃时,立即将千斤顶的压力增加到2 760kPa,以便使拱坝的两坝肩部位能在水库蓄水之前先得到一部分预应力。坝体建成后的实测结构性态数据确认,混凝土温度符合预期值,现在的拉应力完全处在允许的范围之内。

**2.3 上静水(Upper Stillwater)坝**

在上静水坝的设计过程中,作了大量的线性和非线性温度分析和弹性结构分析工作,用以确定温升增量和总发热量。分析结果表明,在最初一段施工期内,由于坝内和坝面之间的最大温度梯度达到了36℃,因而原为4.4℃的混凝土料入仓后其温度预计会升高21℃。这样巨大的温度梯度所造成的拉应力估计约为4 140kPa,在坝面上形成的裂缝深度为3m左右。第一个施工年后,水化热逐步消散,而在水库开始蓄水后预计会使上游坝面升温,使表面拉应力和内部压应力得到某些平衡,从而使裂缝向下游面伸展的趋势得到遏制。随着施工进展和气候条件的变化,一些水平向的裂缝可能相继显现,也可能产生一些与坝线正交的垂直裂缝,它们的间隔距离为15m左右。预计,这类裂缝不会在运行期间对大坝结构的整体性造成危害。

1984年,上静水坝正在美国犹他州盐湖城以东的尤尼塔山区内的洛基河上紧张施工。这座碾压混凝土坝的坝顶长度为840m。碾压混凝土筑坝的碾压主要是指施工方法,即在坝肩之间的施工区内按0.3m厚料层浇筑混凝土,每天浇一层或二层,用振动碾来回碾实使其胶结度、密实性和强度都达到预先规定的数值。单位体积($1m^3$)的水泥用量为77kg,火山灰171kg,水与胶结料之比0.43∶1,一年龄期的抗拉强度为1 240kPa,抗压强度为27 580kPa,这一混凝土配比是针对2 440m高程的气候条件设计的,主要要求强度达到最大值,水化热的效应最低。

**2.4 格兰峡(Glen Canyon)坝**

格兰峡坝是一混凝土拱坝,位于美国亚利桑那州的科罗拉多河上,坝高216m,坝顶长475m,宽7.6m。坝基为松软均质砂岩,从厚层到薄层层状分布,石质微胶结多孔隙,一般呈整体状,变形弹模约为4 137 000kPa。混凝土浇筑层厚度为1.5m,灌浆层的高度为18m,沿坝轴线的坝块宽度分别为12m、18 m或21m,A坝块和B坝块上下游侧的最大厚度为91m。

在施工过程中,坝块6和坝块18内曾经产生过对角线交叉形裂缝(见图1),位置是从上游坝面到基础廊道,在廊道内可见高压射水现象。图1所示为基础廊道内可见裂缝的位置,以及坝块6中裂缝的方位。从渗水中提取的砂样表明,这些水是从已部分蓄水的水库中渗过来的。从该廊道内打了一些钻眼来确定裂缝的大小程度,而后用水泥浆将缝全部封堵。据随后对施工程序和松软地基所作

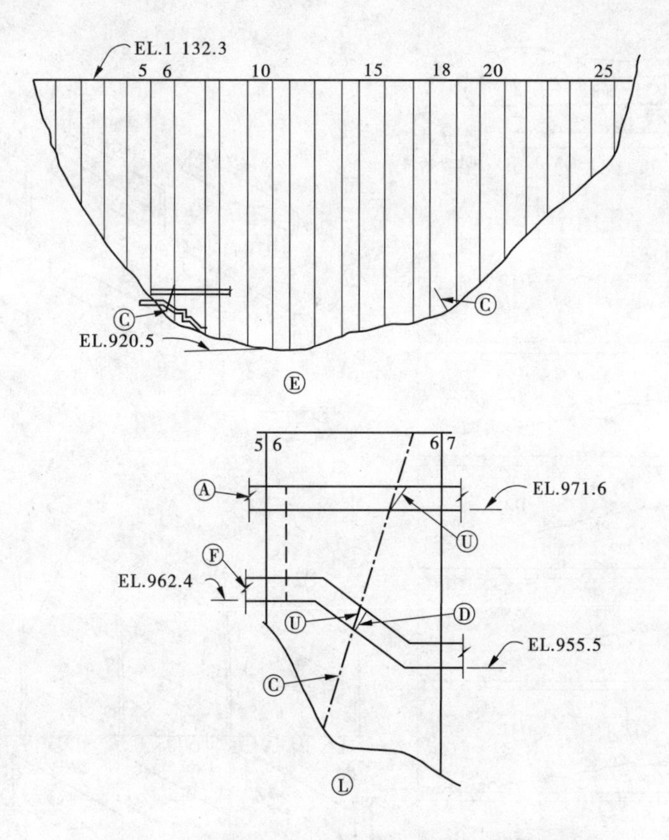


**图1　格兰峡坝第6坝块和第18坝块的裂缝位置图**

Ⓐ—过坝交通洞;Ⓒ—第6坝块和第18坝块的裂缝走向;
Ⓓ—从基础廊道下游侧观测到的裂缝;Ⓔ—坝体上游立面图;
Ⓕ—基础廊道;Ⓛ—基础廊道、交通洞和裂缝的具体位置;
Ⓤ—基础廊道和交通洞上游侧观测到的裂缝

模拟有限元分析表明,垂直的形状和A、B坝块的施工程序是产生基础非线性变形的主要原因,如图2、图3所示。当施工达到坝体中部高度时,垂直拱沿狭谷产生作用。这种拱作用,因坝块6和坝块18附近的开挖断面的陡度变化而加剧,致使6~18各坝块的下部浇筑层产生沉陷,导致大体积混凝土开裂。从图2所示的基础变形实测值可以确认上游坝面的裂缝深度,图3为基础变形计算值和实测值的比较图。从这一实例资料可以看出,不规则的异常岩面情况和松软地基对裂缝形成潜在的影响。

**2.5　胡佛(Hoover)坝**

美国胡佛坝是又一个例子,坝肩开挖后也有一个陡峭不规则剖面。该部位有一些约15m长的表面交叉裂缝,从下游坝面混凝土与岩石接触带附近的异常岩面凹角处向外呈辐射状分布。根据对下游坝面进行仔细目测观察,所有这些结构性裂缝非常紧密,没有深入坝体内部的迹象,这是最近一次对6 100多米廊道、竖井和支洞进行检查的结果。但胡佛坝采取了比较保守的设计,要求它在合理的裂缝或荷载情况下不致产生异常破坏。

本文讨论的化学侵蚀,仅指碱骨料反应。高碱性水泥与某些骨料起反应会生成一种硅性膨胀胶体,其压力会超过混凝土的抗拉强度。美国西部许多混凝土建筑物,特别是1940年以前建成的一些水坝,显然在越来越多地遭受到这种化学破坏。这种现象的最先警示,通常是在竣工后的两年期间内出现细微裂缝,很快即在坝顶上或在坝顶附近部位产生一些又长又宽的应力释放型裂缝。这种结构裂缝进一步发展的结果有时会导致要求部分或全部更换建筑物。

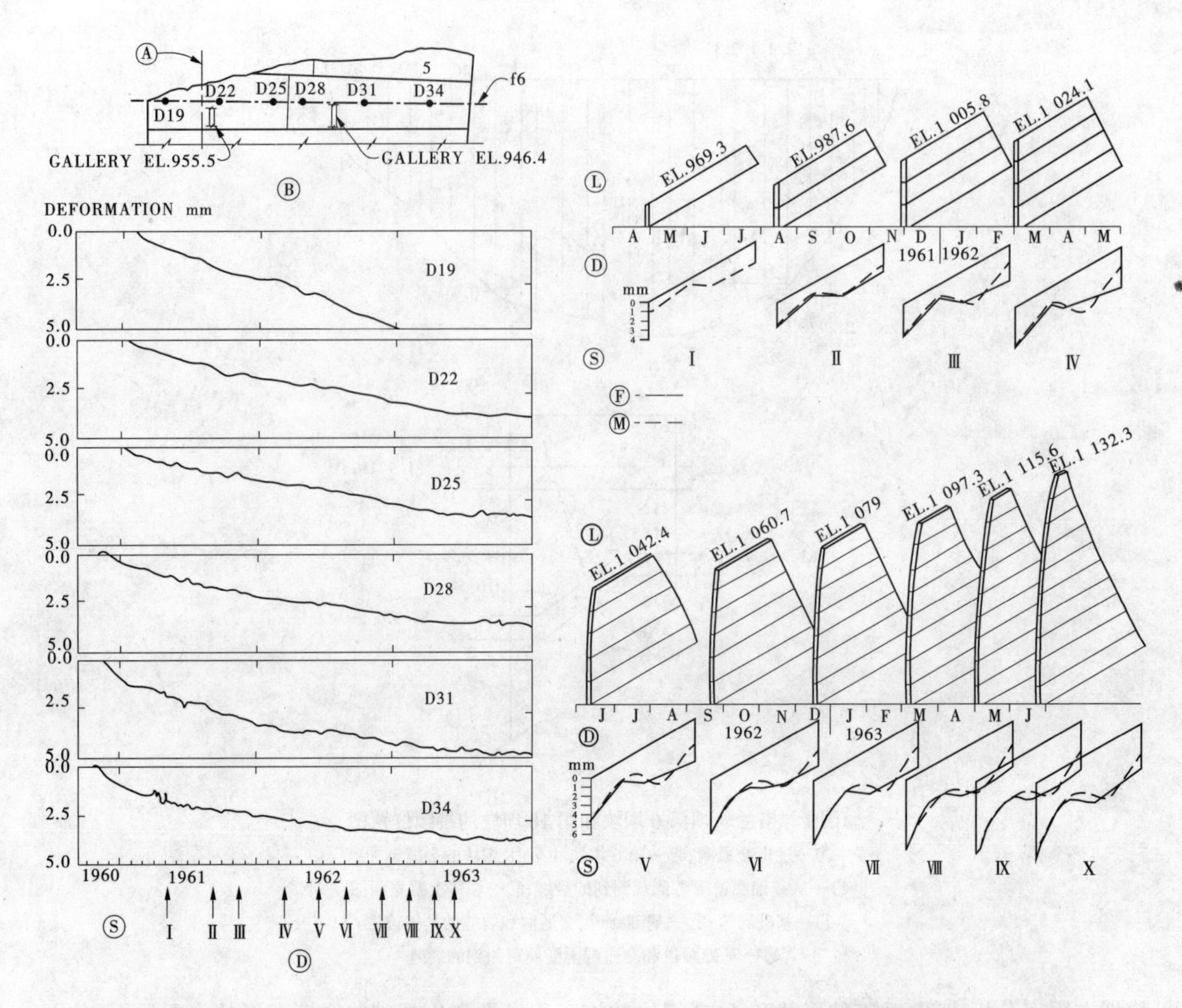


**图 2　格兰峡坝第 6 坝块施工期的基础变形情况**

Ⓐ—坝轴线；Ⓑ—坝块平面图及基础变形计的位置；

Ⓓ—各垂直变形曲线；Ⓢ—第 6 坝块分期施工进度

**图 3　格兰峡坝第 6 坝块施工期计算基础变形与实测基础变形的比较**

Ⓓ—基础变形曲线；Ⓕ—有限元分析计算的变形；

Ⓛ—有限元分析假定的施工浇筑层；Ⓜ—变形计的测量结果；

Ⓢ—分期施工编号

## 2.6　派克(Parker)坝

派克坝是一座 98m 高的混凝土拱坝，位于美国亚利桑那州菲尼克斯西北 320km 处的科罗拉多河上。在工程于 1938 年竣工后的一年内，坝体上部结构开始出现裂缝。通过大量的现场调查和实验室试验，查明许多细小表面裂缝的形成原因就是碱骨料反应。据鉴定，可以起这种有害反应的骨料有安山岩、流纹岩、硅质灰岩及燧石等。根据化学分析鉴定，填充在孔隙中的硅性胶体从混凝土的微孔中不断渗出，这是硅酸钠。化学分析还确定，不同标号水泥其含碱量可达 1.42%。根据多年以来对建材所作的调查和在实验室内进行强度和弹模试验表明，坝体内部混凝土状态的恶化已经停止，碱骨料反应所造成的裂缝正由于碳酸钙的作用而自行愈合。1980 年，作为结构和材料调查评估计划的一部分，从坝顶向基岩打了四个岩芯钻孔，提取混凝土芯样，孔径 150mm(参见图 4)。利用物探手段，通过剪力波和钻孔声波测量技术进行了测试，试验表明，混凝土内存在一些低波速区，这通常被认为是材料有不良的松散状态，但对混凝土芯样进行检查后并没有发现重大的破损。随后对低速区作出的解释是：低速区是一系列杂乱无章的开裂或微小劈裂层的一种综合反应，而不是混凝土质量差的问题。

如图4所示,从钻孔内由坝底向坝顶测速表明,速度值和密度值是逐步下降的。按混凝土芯样强度及随后所作的岩相调查确认,混凝土的损坏和老化是随高度而不同的。一种可能的解释是,这种情况是由于坝体和水库(哈瓦苏湖)的特定运行方式得出的。水库的蓄水通常是满蓄,即蓄水位只比坝顶低1.5m左右,而尾水位则比坝顶低了23m左右。因此,按最大坝高97.5m计,上游侧坝体通常有96m高的部分是处于水下的,而在下游侧也有约75m处于水面之下。派克坝的这种水环境条件,即坝体几乎全部位于水下,对减缓碱骨料反应的破坏作用是必然的。在这里:

(1)混凝土的温度几乎一直保持在10~15℃。

(2)此时拱的作用、自重,以及静水压力都对混凝土的膨胀起到了约束作用,从而使开裂可能减至最小。

从结构方面来说,派克坝的质量是好的,特别是溢洪道以下有拱作用的部位。而在溢洪道以上和闸门以外的坝顶部位,则出现了一些损坏(见图4),至今没有采取什么补强措施。

## 2.7　弗里昂(Friant)坝

弗里昂坝是一混凝土重力坝,最大断面坝高97m,坝顶长1 040m,如图5所示。

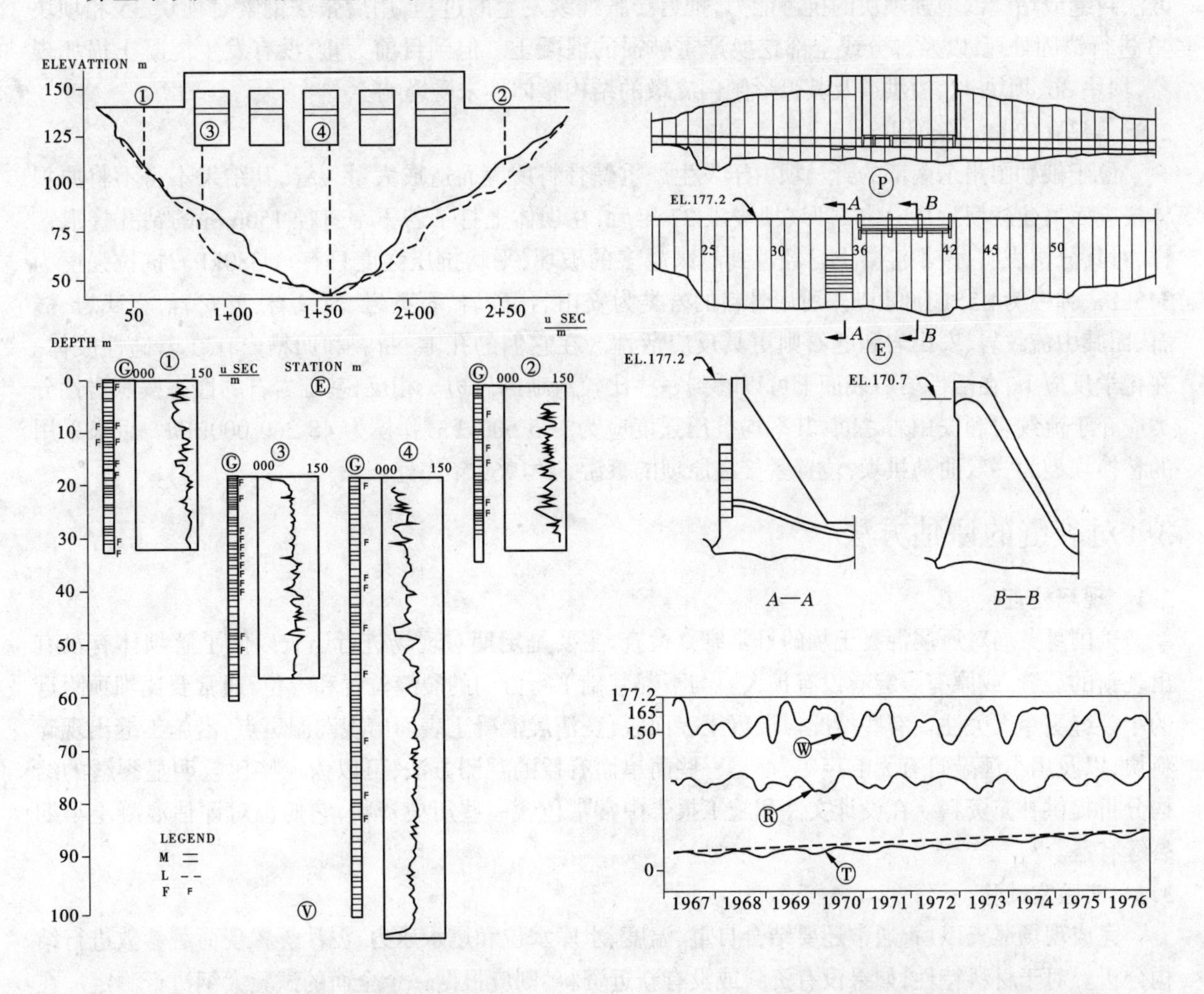


**图4　派克坝钻孔位置及声波速度测量记录**

Ⓔ—上游立面图;Ⓕ—破碎带;Ⓛ—浇筑线;

Ⓥ—浇筑块声波速度测量记录和地质记录

①—1号钻孔,34m深;②—2号钻孔,27m深;

③—3号钻孔,38m深;④—4号钻孔,81m深

**图5　弗里昂坝因水库荷载作用和长期碱骨料反应而产生的偏斜(垂线实测)**

Ⓔ—上游立面图;Ⓟ—大坝平面图;

Ⓡ—垂线测量的径向(上下游方向)偏斜曲线(随时间变化);

Ⓣ—垂线测量的切向(横河谷向)偏斜曲线(随时间变化);

Ⓦ—水库水面波动曲线块

水库工程 1942 年竣工,很快开始蓄水。据资料记载,混凝土中有很大百分比的骨料含有高碱水泥成分,有潜在的化学反应性。坝体内部混凝土拌和料中水泥与火山灰的重量比为4:1。溢洪道下游面和坝体上部 1.8m 高范围内的混凝土中未掺用火山灰。碱骨料反应通常是在施工完了后,以缓慢和均匀的速率发生,从 20 世纪 60 年代后期报道所谓"优质"混凝土开始,到今天在坝顶和附属设施上出现一些又长又宽的裂缝为止,裂缝发展的速度是在一步一步加快的。从对溢洪道旁边第 42 坝块进行垂线测量的结果来看,可以看到那里的混凝土有发生过膨胀的迹象,见图 5。1971 年发现了向溢洪道方向的渐趋性切向(纵向)偏斜,同时在坝坡处明显增大。在坝块 42 和坝块 43 之间的坝顶处有一条收缩缝张开了 23mm,高程增高 30mm 左右。据报告,坝块 42 的膨胀主要发生在与溢洪道相邻的坝体部分,其高度在溢洪道顶部以上,因为在溢洪道顶部高程以下的坝体膨胀时会在纵向方向上受到约束。位于溢洪道另一侧相邻的第 36 坝块,其膨胀特性也有类似情况。因此,上述两个坝块的膨胀情况,要求溢洪道的闸门两侧位置作出一些调整,以消除在运行操作中可能遇到的约束。

在当时,对第 36 坝块和 42 坝块可能采取的修补措施还包括先打钻孔取芯样做材料试验,用化学方法封缝或堵缝以增强坝块的抗渗能力,推迟膨胀继续发生的过程,用后张法钢索对坝块 35 和坝块 43 进行锚固处理,以及部分或全部挖换严重破损的混凝土。但到目前为止,没有发生混凝土损坏现象,坝块 36、坝块 42、溢洪道及其弧形闸门支墩的结构整体性未受影响。

### 2.8 野马(Wildhorse)坝

位于俄勒图州东南部的野马坝由于发生严重碱骨料反应而造成大量裂缝,其结果不得不将原坝体报废而另建新坝。1964 年,即该坝竣工 27 年后,在坝体上打了若干个直径 150mm 的钻孔提取芯样,对其分析表明,该坝混凝土已经遭到越来越多的破坏,平均抗压强度只有11 380kPa,抗拉强度为345kPa,弹模为4 551 000kPa。所用骨料的岩类为安山岩、砂岩、石英岩、流纹岩、英安岩、玄武岩、燧石,而其中流纹岩、安山岩和燧石则更具反应活性。在它们的孔隙、断裂和凹槽内存在着硅性胶体。在化学反应下,在活性岩石表面上可以看到一些比较清晰的岩边。相反,基础岩石的性态按照岩性分类应介于流纹岩和安山岩之间,其平均抗压强度应为 165 500kPa,弹模为 48 260 000kPa。后来采用的替换坝型为一双曲薄拱坝,位置紧接在原坝的下游,于 1969 年完建。

## 3 对裂缝的评估方法

### 3.1 现场检查

美国垦务局对所属混凝土坝的日常维修检查,主要是定期对现场进行巡查以便了解坝体有没有出现新的裂缝,或原有裂缝有没有扩大。与下部基础平行方向的裂缝位置和方位,通常要比坝顶附近的小裂缝更令人关注。有些情况像混凝土表面脱色、清晨混凝土表面出现潮湿斑点、沿施工缝出现碎料块,以及用小锤敲打有无响声等,都是一些简单而有益的观测方法,可以为一些比较明显裂缝的结构分析提供补充资料。在设计文件和施工报告中常常包含一些历史资料,它们也对评估混凝土早期裂缝有益。

### 3.2 实验室试验

完成现场巡查以后,通常还要结合自重、温度、水库水位和尾水压力、泥沙等频现荷载参数进行结构分析。对于材料特性,如果没有资料或没有新近资料,则应根据一个全面的试验大纲进行测定。在现场检查工作中要把需要钻孔取芯样的位置确定下来,并随初步结构分析对高应力区的位置确定而增加钻孔数量。在实验室内试验的混凝土芯样其直径通常为 150mm,通过对原状岩样的试验计算可以得出抗压强度、抗拉强度和抗剪强度值,以及沿尚未胶结浇筑层的摩擦系数值。借助岩性检测可以弄清楚材料破坏和断裂的微观原因。将这些资料与计算值对比后,可以确认初步分析结果的正确性和需要补充研究工作的内容。

### 3.3 现场试验

完整的结构评估应当包括对基础岩体的大量说明。对各组裂缝节理作出表面测图,这些对稳定分析中确定潜在破坏面的位置是必不可少的。测压管的测量记录、排水流量,以及沿坝肩岩缝的渗出水量等是扬压力可能有潜在不稳定情况的征兆。按混凝土钻探芯样确定的原状岩石特性数据,对确定岩体变形来说是必不可少的。所钻混凝土芯样的直径约为 50mm。

采用无损探伤法获取坝址处混凝土和基础岩石的补充资料,也是一种适当的评估方法。对钻孔内部或对表面采用声波、电磁或其他物探方法施测所得的数据,可与室内对原状芯样进行测试的结果进行比较,对材料特性作出完整的评估。至于坝面开裂造成的破坏,还可以采用相关数据比较法或差分计算法进行评估。

### 3.4 数学分析

只要算得的拉应力值超过了混凝土的抗拉强度,就存在产生裂缝的风险,裂缝的深度通常延伸到断面上应力值为零的位置。应计算混凝土开裂后坝体的静柔韧性变化,并重复进行分析,以便反映变化了的情况。在重力坝的坝体内,当垂直正应力超过规定的最小应力时,通常会产生水平向的裂缝,裂缝深度将会延伸到无扬压力的计算压应力与内部静水压力相等的部位。规定的最小应力一般是作用在上游面的垂直正应力,正常荷载条件下其为压应力。

目前垦务局在一些新坝的设计过程中,包括坝布置、分析、评估和改善等方面,通常采用线弹性数学分析方法。在对已建水坝的结构评估中,一般采用相同的分析工具。有的时候,按地震或洪水荷载计算的应力值超过了混凝土芯样或混凝土圆柱形试件的强度值,并且弹性分析不再有效时,就需要对坝体当前和今后的安全度作出判断。现在有一些计算机程序可以用来进行非线弹性计算,但这需要有大型高效计算机。而当计算应力值超过了混凝土的屈服强度时,要核定计算成果就显得更加困难了。一些简单的结构模型,它们是通向清晰解题的第一步,但就是这第一步也是一项昂贵而费时的工作,有时还会违背相似性关系。

目前已有一些设计技术、施工措施,或材料试验成果能够对混凝土坝产生裂缝起到一定的预防或减缓作用。其中一部分技术和措施已经或多或少地成为设计和施工方面的标准实践和做法,而另外一些则需要对更多裂缝情况进行调查以后方能得到确认。

### 3.5 裂缝控制设计

设计人员一般可利用一些大体积混凝土坝裂缝的几何模拟特性数据。应当将这些数据结合到坝体结构设计中去防范裂缝的产生。坝体施工和运行期间所形成的裂缝产生在什么部位,设计人员可以通过对拉应力过大部位分析作出预测。

最常采用的一种防止裂缝的技术就是设置收缩缝,利用收缩缝来消除通常是由于水化热和环境温度变化所造成的巨大温度梯度及拉应力。收缩缝常常是垂直方向,在沿河谷横断面方向上按照设计温度分析的要求每隔一定间距布置。在一些较厚的坝体内,有时要求布置纵缝。但即使采用了收缩缝有时仍会出现一些偶然性的裂缝,对于这类可能的裂缝可以对混凝土采用人工冷却方法予以减轻,即在大体积混凝土内设置循环冷却水管,通常是在每一个混凝土浇筑层的上部布置盘绕水管。在每一个浇注仓的内部,应监测水平和垂直方向的冷却速度。冷却以后,为了保证结构的连贯和整体性,应在施工缝内设置剪切键槽并对其进行灌浆。这一方法一直为垦务局采用,效果非常明显。

对于拱坝设计人员来说,还可设置一种成型裂缝,那就是周边缝。按照这一概念,从上游坝面到基础廊道这一范围形成了一个没有胶结的水平缝。此缝为荷载的重分配提供了可能,它将会使一些较大的垂直荷载转移由拱承受。这种设计思想最适合于 U 形河谷,因为在那里河谷沿水平方向的刚度要比 V 形河谷小一些。对亚利桑那州巴特(Buttes)坝址建议采用的就是这种形式的拱坝。设置周边缝是一种经济有效的方法,而且不需要以牺牲安全为代价。

最近,在垦务局新拟的 110m 高的罗斯福(Roosevelt)坝的替换坝设计中,为抗御地震作用采用了利用扁千斤顶系统来赢得结构抗力的被动方法。该坝水库上层12～18m的库容主要用来拦蓄季节性洪水。但在坝址5km范围内,随时都有发生里氏5.5级最大可信地震的可能。而设计这套千斤顶系统的目的,一方面是为了抗御最大可信地震,另一方面也是为了抗御洪水压力,它的具体做法是:将坝体上方18m内的两个结构缝划出来,从拱冠悬臂梁处起算间隔距离为61m左右,使用扁千斤顶支撑的情况与楠布费尔坝相似,见图6。因此,这些由液压千斤顶加固的“成型”裂缝可以起到防止或削弱因地震或过大静水压力可能造成的结构裂缝情况。

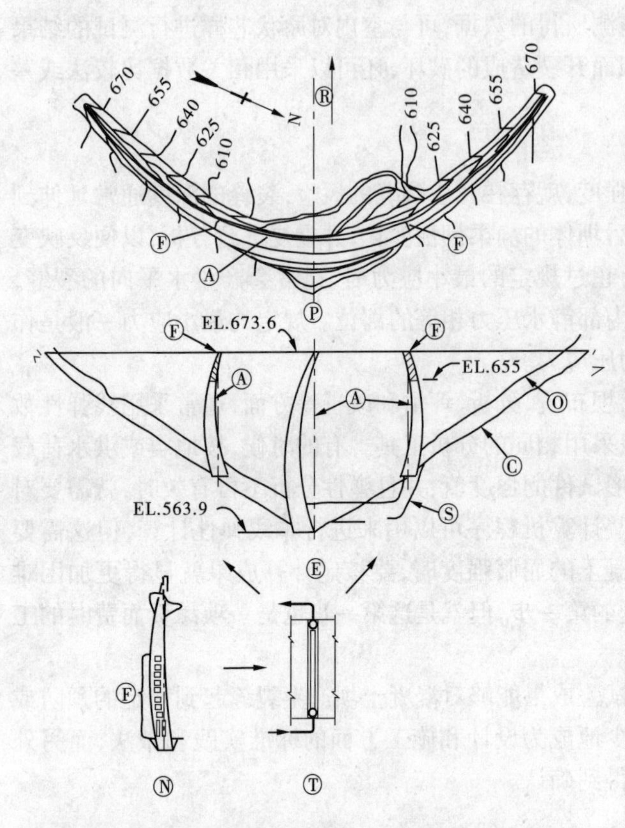


**图6　罗斯福坝采用静液压膨胀千斤顶防止出现裂缝**

Ⓐ—坝轴线;Ⓒ—混凝土与岩石接触范围;
Ⓔ—上游立面图;Ⓕ—扁千斤顶系统;
Ⓝ—楠布费尔坝拱冠悬臂梁和千斤顶;Ⓞ—原地面;
Ⓟ—拟建的罗斯福新坝平面图;Ⓡ—盐河;
Ⓢ—形成平滑剖面的成型混凝土;
Ⓣ—安设扁千斤顶系统的标准剖面

### 3.6　材料研究

在开工之前的建材调研阶段,可以先用一些室内试验方法来鉴别和探求一些可以减少开裂的材料。其中有两种常用方法与材料工程师和岩相地质师有关。

只要能够适当选择混凝土配比、水灰比、胶结材料用量,以及硅酸盐水泥和火山灰的使用比例数等,一个在实验室工作的材料工程师也可以在防止温度裂缝方面发挥作用。此外,可能途径还应包括限制最大粒径骨料使用量、在坝面区附近的混凝土中采用较大的水泥用量以增加耐久性、在坝内混凝土料中减少水泥用量以节约费用和减少水化热,或者采用其他一些专业方法等都能达到减弱开裂的目标。

对某些粗细骨料进行岩相分析,可以了解骨料是不是具有化学反应的可能,包括对燧石、蛋白石、钙质等。这类骨料在与高碱水泥拌和使用后在头两年一般会产生表面裂缝。但若胶结材料中含有火山灰,则混凝土料中裂缝就会大大减少,从而可以排除或推迟破坏性结构裂缝的产生。

### 3.7　施工

初期一些最明显的裂缝常出现在施工期,它们主要是由于养护不佳或材料成分不当所引起。这类初期性裂缝可能不会成为一个问题,只要这些坝面混凝土的部位在运行期间处于受压状态,并不处于冻融交替的环境和不受到静水压力作用即可。但所有这些条件在一般情况下是不存在的,因而总会有一些表面性破坏产生。为了减少表面裂缝,在坝体外部表面的混凝土材料中应有较多的胶结料、加气剂,或者对骨料选取更加小心。

在浇完混凝土不久还会由于过大温差变化而产生一些表面裂缝。巨大的温度梯度再加上新浇混凝土的抗拉强度低,可能会引起一些又宽又长的裂缝,这对坝体结构的整体性甚为不利。为了防止或减弱这种裂缝,可能需要减少胶结材料,降低水泥—火山灰比例,减少粗骨料最大的用量,降低浇筑温度,严格控制人工冷却温度,采用隔热措施,或采取其他可以控制拉应变量和拉应变速度的手段等。

# 美国陆军工程师团对所属混凝土大坝产生裂缝原因的再分析

[美国] C.D.诺曼[1] F.A.安德森[2]

(1.美国陆军工程师团水道实验站工程师;2.美国陆军工程师团总部工程师)

**摘 要**:本文以美国陆军工程师团于最近15年内建成的两座混凝土大坝的经验为基础,说明大体积混凝土建筑物裂缝问题至今仍是一个具有实际意义的重要问题。美国陆军工程师团从1984年10月份起即开始对这一问题进行全面的研究,并制定出关于防止出现严重裂缝的设计施工导则。本文内容主要是关于这项研究的第一年的部分工作成果。通过研究取得了可以比较灵活解决结构与热传导分析问题的通用有限元程序,有关大体积混凝土特定子程序问题也正在研究中,尤其是应用了一些有关模拟裂缝发生和发展过程的现代化方法。对一个隐约裂缝模型和一个断裂力学模型进行了比较,对三个模拟徐变的实用模型进行评估。关于材料特性输入数据的敏感性分析成果也正在研究中。分析结果将与实验室的试验成果及原型建筑物的实际情况结合起来。

## 1 序 言

在美国陆军工程师团近15年来完建的三座混凝土大坝中有两座产生了裂缝,需要进行昂贵的修补工作,其中一座裂缝造成了严重的渗水情况。这两座大坝一座是爱达荷州的德沃夏克(Dworshak)坝,另一座是乔治亚州和南卡罗莱纳州边界上的理查德·布·鲁塞尔(Richard B. Russell)坝,它们的裂缝情况一模一样。这两座大坝都是直线形的传统重力坝型。德沃夏克坝高219m,鲁塞尔坝高64m。从出现裂缝的位置来看,坝体上游面的裂缝主要分布在坝缝与坝缝之间的当中部分,其走向一般呈竖直方向,随着时间的进展,这些裂缝逐步向下游扩展,推进的方向通常大致与坝轴线的方向相垂直。不过,德沃夏克坝第35坝块的裂缝多少有些向右拐,延伸到坝顶处时切入了坝块接缝内。德沃夏克坝9个坝块和鲁塞尔坝3个坝块的裂缝都属于这种模式。

在鲁塞尔坝的一个坝块中,裂缝在整个坝高上从上、下游坝面都清晰可见,这说明这个坝块已经被这条裂缝分割为大体相等的两个半坝块,而裂缝的位置恰处于一个与坝轴线相垂直的平面内。德沃夏克坝的裂缝位于第35坝块内,最先是从上游面的下部发展起来的,是在1972年坝体竣工时发现的。坝体建成后不久,这条裂缝开始向下游延伸,切入上方一维修廊道和排水廊道。廊道内埋设的仪器观测到这条裂缝,记录了它的发育过程,另一方面定期派人用肉眼进行直观检查,在有些年份春季水库满蓄时,这条裂缝的开度并未发生很大的变化。但是到了1980年5月水库达到最高水位时,第35坝块中的这条裂缝的张开度达2.5mm,使廊道内的渗水流量达到$29m^3/min$。其他8个坝块中的裂缝仪器也观测到,但它们在同期变化量很小。至于鲁塞尔坝的三个坝块的裂缝,在确定其走向后已在水库蓄水前做了沥青填堵处理,迄今再没有发现渗漏,或显现出裂缝宽度有所扩张的迹象。

不论是德沃夏克坝的设计还是鲁塞尔坝的设计,都是以20世纪30年代美国胡佛坝设计中所采用的温度应力研究为基础的。早期研究工作和上述两坝设计所采用的技术,两者之间的最大差别在

本文原载《第15届国际大坝会议·主题57》,1985年。

于后者采用了有限元法。二维有限元计算机程序的开发始于德沃夏克坝,而后广泛使用于陆军工程师团随后的一些坝工设计中(如鲁塞尔坝)。第一个程序是由位于美国伯克利的加利福尼亚大学E.L. 韦尔森博士研发的(Wilson,1968),他利用有限元程序对大体积混凝土坝体内部的温度状况作了预测。第二个有限元程序也是在伯克利由桑德哈等人于1967年提出的,利用该程序计算了坝体内的温度应力和应变,计算中运用了施工增量模拟并引入徐变概念。这种分析基于线性概念,即当任一点的应变值超过了该材料的应变能量时,分析即得以取得结果。

采用上述两种程序的可能性和准确性,通过美国陆军工程师团水道研究站的一项有限研究(刘先生等,1979)予以评估,评估中将计算的预测结果与埋设在德沃夏克坝内的卡尔森仪所实测的数据进行了比较。经研究分析后得出结论,只要掌握了充分的温度和材料特性及环境数据,上述两坝设计中所采用的温度和温度应力的计算程序总的来说是可以接受的。

根据两坝的实践经验,应当提出这样一个问题,为什么采用业已经过检验的计算机程序,且所输入的数据又是陆军工程师团两个分区实验室用精心制定的方法所提供的数据进行设计的两座混凝土大坝,怎么会出现显著的裂缝呢?

刘先生等(1979年)提供了一个可能的解释。他们的意见指出,必须通过试验确定出混凝土的早期温度和力学特性,同时还应有一个徐变机理的简化数学表达式。

在对某些意见作一些必要的补充研究的同时,另一些要求以上述两坝历史实际为基础的基本计算方程式被提了出来。例如,虽然说一般都认为在一开始的时候,较大的裂缝(即上述发生在坝体上游面下部的早期裂缝)几乎肯定是由于温度应力太大所引起的,但裂逢进一步发展是否单纯是由于温度作用所引起,一般看法就不那么肯定了。有一些设想认为,德沃夏克坝所出现的一些较大的裂缝,至少部分原因是由于静水压力对裂缝边缘产生作用的结果。但是应当指出鲁塞尔坝的一些坝块是在蓄水前就开裂很长一段时间。由此可见,应当有预测大体积混凝土坝的初期裂缝形成和随后发展的情况的理论方法;应当采用一些确实有效的现代化计算方法来处理裂缝问题。还应当研发材料特性的试验方法,使其所得数据能够达到与计算机计算精度相匹配的水平。

在混凝土开裂问题上所进行的试验和分析研究都涉及到材料是否基本达到稳定状态的问题,因为材料的特性是随温度和时间变化的。但试验所用的试件尺寸通常很小,而且在实验室内进行试验时构件的荷载条件又是经过准确限定的。一般来说,大体积混凝土建筑物裂缝的初始形成阶段和随后的发展阶段可能包括多种作用因素,如温度效应、短期荷载、长期荷载(如徐变)、收缩作用等。更加复杂的是,由于建筑物的形状、材质特性及荷载状况在很长的分析研究时期内是处在不断变化的过程之中,因而对实际施工过程的变化也应有必要的模拟和反应(即需要有施工的增量)。

## 2 分析方法

过去,在分析大体积混凝土坝施工期在总荷载作用下的应力状态时,常常是以最大拉应力或拉应变准则的线性假定为前提,也就是说,如果结构内任一点达到了最大拉应力或拉应变的限度标准,分析工作将中止。而后作一些设计变更和调整,并继续进行计算分析,直到建筑物内没有超过最大拉应力标准的点为止。由于微小裂隙总是经常存在的,但它们在稳定发展阶段一般不至于造成对结构的破坏,如能提出一种更好的分析与设计方法,显然能够更准确地体现出裂缝的初始形成和后期发展的实际状况。有了比较满意的计算模型后,可以估算裂缝形成对不同参数的敏感性程度,提出防止产生裂缝的更好方法。

本文所采用的裂缝分析方法,主要是先选定一个通用的具有结构热传导分析功能的非线性有限元计算机程序,而后利用不同的公式系统地估算徐变、材料随温度变化的特性,以及裂缝情况等。估算是以上述两座混凝土坝的实际经验和一些简单的试验为基础进行的。通过由用户自已选定的子程序,使通用程序能够有效地应用于有关问题。

使用可兼容的大型有限元数据库,可以有效地解决大体积混凝土的裂缝问题。在材料模型方面,分析因素包括:各类参数的温度依存关系、徐变(黏塑性公式)、全各向异性弹性、塑性、全各向异性热导率,以及间隙的传导性和辐射性(裂隙传导性或辐射传导性随裂隙宽度而变化)。一些非耦合和序列耦合温度应力分析问题可以使用自动,或由用户界定的时间间隔来解决。在编制计算机程序时,应保证由用户确定的专用子程序能够比较方便地得到实施。为模拟和监测裂缝而设计的专用子程序将在下面与徐变模型方法一并进行讨论。

## 3 由用户界定的子程序:裂缝模型与徐变

### 3.1 概述

为了对混凝土裂缝的敏感性进行有效的模拟,需要为裂缝区和非裂缝区选用一个结构模型。选择这一模型时,应以坝体结构内一些临界点预期的负荷特性和应力状态为基础。例如:如果采用塑性增量模型就能够体现出负荷-非负荷应力周期所产生的滞后现象,则承受巨大周期性地震应力的混凝土就可能会得到最佳的模拟。另一方面,如果采用“帽子模型”能够控制非弹性的压实或膨胀,则结构物对高三轴压应力状态的反应程度就有可能得到最好的体现。大体积混凝土坝施工期和养护阶段内所产生的应力并不是动态的,就压缩破坏来说,影响一般不大。因此,假定无裂缝混凝土在上述阶段内是可以作为一种线性弹性裂缝材料模拟的。本文将为建立混凝土的裂缝模型提出两种不同的程序和方法。

### 3.2 隐约裂缝模型法

隐约裂缝模型法是假定构件中的裂缝是在最大主应力或最大主应变达到某一预先设定值时产生的(图1)。这些裂缝是直线状的,并与最大主应力或最大主应变的方向垂直。裂缝区的模型是裂缝按各向异性连续有效投影图示建立的。如图1所示,在出现与 $y$ 轴平行的初期裂隙时,平面应力的增量本构矩阵为:

$$\begin{Bmatrix} d\sigma'_x \\ d\sigma'_y \\ d\tau_{xy} \end{Bmatrix} = \begin{bmatrix} 0 & 0 & 0 \\ 0 & E & 0 \\ 0 & 0 & \beta G \end{bmatrix} \begin{Bmatrix} d\varepsilon'_y \\ d\varepsilon'_x \\ d\gamma'_{xy} \end{Bmatrix} \tag{1}$$

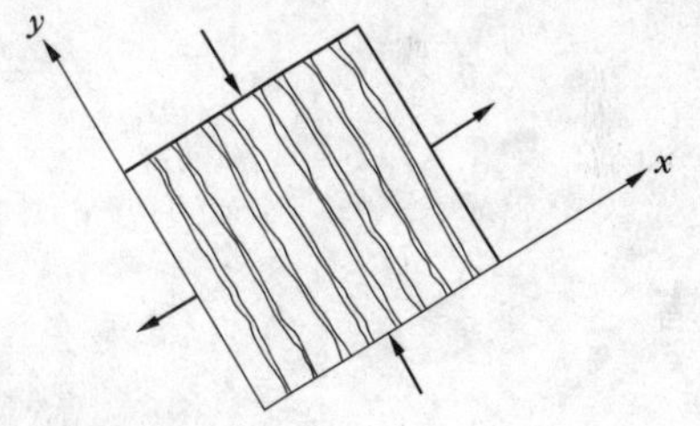

图1 连续隐约裂缝示意图

式中,$0<\beta\leqslant 1$。在上述本构方程中有一项 $\beta G$,该项参数可对剪应力的跨缝(或骨料结合部的)传递进行模拟。残留下的剪切值还可对随后可能出现的一些与初始裂缝呈非正交方向上的裂缝进行预测。从有限元刚度计算和裂缝出现后的分析来看,有必要将方程(1)中的正切弹性矩阵转化为以整体坐标轴为基准的弹性矩阵,而后换算出整体坐标系中裂缝混凝土的增量本构关系。根据 Chent、Suzuki 两位学者(1980)探索的方法,如图2所示混凝土开裂后部分增量本构方程式可以用下列矩阵式表示:

$$\{d\sigma\} = [D]_c\{d\varepsilon\}$$

式中,$[D]_c$ 为出现裂缝后材料的刚度矩阵,它可参照 $x-y$ 坐标系来定位。开裂过程中应力的全部变化幅度由下式给出:

$$\{\Delta\sigma\} = \{d\sigma\} - \{\sigma_0\} = [D]_c\{d\varepsilon\} - \{\sigma_0\} \tag{2}$$

式中,$\{\sigma_0\}$表示开裂过程中所释放的应力。假定两裂缝面之间的材料属于线弹性和横向同性材料(平面应力显示),则图3的释放应力值可以用 $x'-y'$坐标系来表示:

$$\{\sigma'_0\} = \{\sigma'\}_B - \{\sigma'\}_c = \begin{Bmatrix} \sigma'_x \\ \sigma'_y \\ \tau'_{xy} \end{Bmatrix} - \begin{Bmatrix} \sigma'_x \\ 0 \\ 0 \end{Bmatrix} = \begin{Bmatrix} 0 \\ \sigma'_y \\ \tau'_{xy} \end{Bmatrix}$$

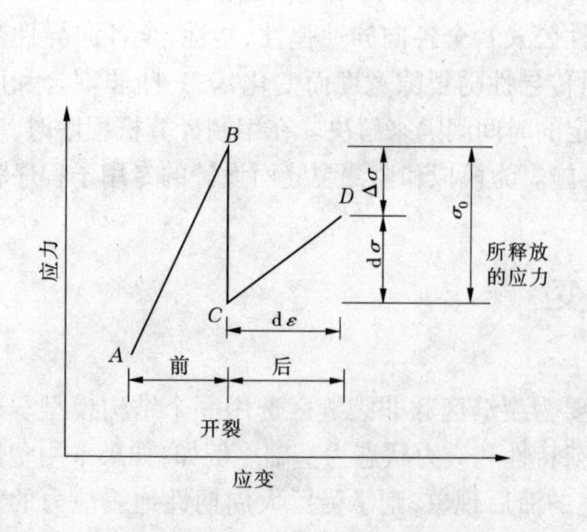


图 2　开裂前后应力—应变反应示意图

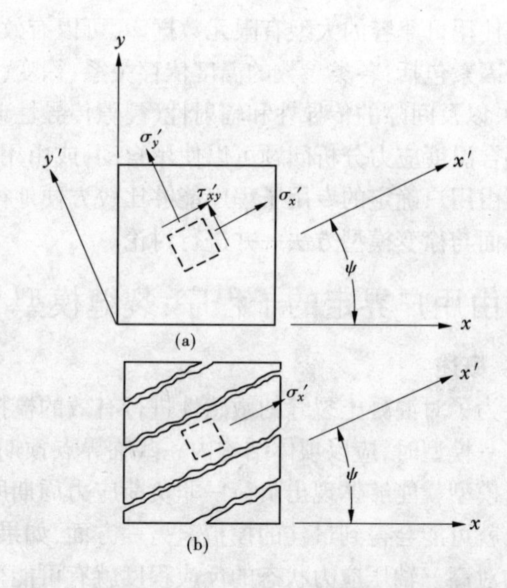


图 3　原始坐标系和非原始坐标系的隐约裂缝

应当指出，$\sigma'_y$ 和 $\tau'_{xy}$ 在混凝土裂开以后就会消失掉。为了进一步简化计算，假定 $\beta$ 为零。参照 $x-y$ 坐标系，开裂前后的应力值（通过适当的坐标转换可得）为：

$$\{\sigma\}_B = \begin{Bmatrix} \sigma_x \\ \sigma_y \\ \sigma_{xy} \end{Bmatrix} \quad \{\sigma\}_c = \begin{Bmatrix} \cos^2\psi \\ \sin^2\psi \\ \sin\psi\cos\psi \end{Bmatrix} \sigma'_x = \{b(\psi)\}\sigma'_x$$

式中

$$\sigma'_x = \{\cos^2\psi\sin^2\psi 2\sin\psi\cos\psi\} \begin{Bmatrix} \sigma_x \\ \sigma_y \\ \tau_{xy} \end{Bmatrix}$$

或者

$$\sigma'_x = \{b'(\psi)\}^{\mathrm{T}} \begin{Bmatrix} \sigma_x \\ \sigma_y \\ \tau_{xy} \end{Bmatrix}$$

因此，$x-y$ 坐标系的释放应力值为：

$$\{\sigma_0\} = [\{I\} - \{b(\psi)\}\{b'(\psi)\}^{\mathrm{T}}] \begin{Bmatrix} \sigma_x \\ \sigma_y \\ \tau_{xy} \end{Bmatrix}$$

式中，$\{I\}$ 为一识别矩阵。由于忽略了剪力的跨缝传递，裂缝间材料（当裂缝张开时）的应力—应变增量关系可用下式表示：

$$\mathrm{d}\sigma'_x = E\mathrm{d}\varepsilon'_x = E\{b(\psi)\}^{\mathrm{T}} \begin{Bmatrix} d\varepsilon_x \\ \mathrm{d}\varepsilon_y \\ \mathrm{d}\gamma_{xy} \end{Bmatrix}$$

或对于 $x-y$ 坐标系

$$\begin{Bmatrix} \mathrm{d}\sigma_x \\ \mathrm{d}\sigma_y \\ \mathrm{d}\tau_{xy} \end{Bmatrix} = \{b(\psi)\}\mathrm{d}\sigma'_x = E\{b(\psi)\}\{b(\psi)\}^{\mathrm{T}} \begin{Bmatrix} \mathrm{d}\varepsilon_x \\ \mathrm{d}\varepsilon_y \\ \mathrm{d}\gamma_{xy} \end{Bmatrix}$$

因此，在裂缝形成过程中，整个应力值的变化应为：

$$\begin{Bmatrix}\Delta\sigma_x\\\Delta\sigma_y\\\Delta\tau_{xy}\end{Bmatrix}=\begin{Bmatrix}\mathrm{d}\sigma_x\\\mathrm{d}\sigma_y\\\mathrm{d}\tau_{xy}\end{Bmatrix}-\begin{Bmatrix}\sigma_{x0}\\\sigma_{y0}\\\tau_{xy0}\end{Bmatrix}=[E\{b(\psi)\}\{b(\psi)^{\mathrm{T}}\}]\begin{Bmatrix}\mathrm{d}\varepsilon_x\\\mathrm{d}\varepsilon_y\\\mathrm{d}\gamma_{xy}\end{Bmatrix}$$

$$-\left[[I]-\{b(\psi)\}\{b'(\psi)\}^{\mathrm{T}}\right]\begin{Bmatrix}\sigma_x\\\sigma_y\\\tau_{xy}\end{Bmatrix}$$

式中,$\sigma_x$、$\sigma_y$ 和 $\tau_{xy}$ 为坝体混凝土中某点在即将形成裂缝前的应力值。规定可以沿与初始裂缝相垂直的方向上出现二次裂缝,这与前面所讨论过的方式相同。跨缝的法向应力大于引起裂缝的应力值,裂缝将张开。

这里所采用的对后期裂缝进行观测的程序,与 Zienkiewicz 等人在 1983 年时提出的方法基本一致。此法为:

(1)在整个时段,在各个集成点位上观测应力值和应变值。

(2)混凝土开始开裂的时间,就是该点的主应变达到了预定临界值 $\varepsilon$ 的时间。

(3)每一点自出现第一次裂缝起始,裂缝方位、张开裂逢和闭合裂缝的数量等都做记录,并持续进行补充。

(4)跨越张开裂缝的法向应力被减小到零。

(5)由于骨料的联系,跨越张开裂缝的剪应力的传递是以裂缝的宽度为基础的。在计算中,裂缝宽度的最大值是指跨缝剪应力不再传递时的宽度。

(6)跨闭合裂缝的法向应力是不会减小的,而剪应力的减小则取决于一项裂缝愈合参数,它的数值在 0~1 之间。

### 3.3 宽浅裂缝带的计算方法——断裂力学模型

宽浅裂缝带法可以在保持上述隐约裂缝法简单易行优点的同时,对裂缝的扩展情况进行模拟。隐约裂缝方法是以抗拉强度标准为基础进行计算的,一些有裂缝的单元是否会产生有效扩展,取决于与不开裂单元毗邻的开裂单元尺寸的大小。开裂单元的尺寸越小,引起裂缝扩展所需的荷载力也就越小。因此,这是一种无目标的计算方法。有一种方法可以避免出现这样的问题,那就是 Bazant 和 Cedolin 等人于 1979 年提出的隐约裂隙和断裂力学扩展判定准则相结合的方法。裂缝带扩展基本判定准则是以材料中出现裂缝面所需要释放的能量为基础来确定的。图 4 所示的二维实例为一个具有初始长度的隐约裂缝带向前延伸一个单元长度 $\Delta a$ 的情况。能量释放率 $G$ 是指裂缝带向前延伸单位长度时所释放出的能量值,可以用下式表示:

$$G\approx-\frac{\Delta U}{\Delta a}\tag{3}$$

式中,$\Delta U$ 为裂缝单元结构所释放出的能量值。Bazant 和 Cedolin 等人是以 Rice(1968)提出的连续介质中裂缝扩展公式为基础来确定 $\Delta U$ 值的,该公式是:

$$\Delta U=\Delta W_{\Delta V}+\Delta L$$

式中,$\Delta W_{\Delta V}$ 表示由于开裂单元的材质由均质弹性体转化为非均质隐约裂隙体后所产生的能量损耗;$\Delta L$ 为余下结构对 $\Delta V$ 中所包含材料所做的功。这种关系可以用下式来表达:

$$\Delta U=-\frac{1}{2}\int_{\Delta V}(\sigma_{ij}^{0}\varepsilon_{ij}^{0}-E'\varepsilon_{11}^{02})\mathrm{d}V+\frac{1}{2}\int_{\Delta s}\Delta T_i^0(u_i-u_i^0)\mathrm{d}S\tag{4}$$

$$(i,j=1,2)$$

式中,$\sigma_{ij}^0$ 和 $\varepsilon_{ij}^0$ 分别为 $\Delta V$ 中未开裂混凝土部分的应力和应变;$E$ 则是平面应力状态混凝土的弹性模量;$S$ 是 $\Delta V$ 体积的边界面积;$u_i^0$ 和 $u_i$ 则分别是裂缝扩张前后的变位;$\Delta T_i^0$ 为物体因裂缝扩展引起应力改变而产生抑制作用所需要的表面牵引力。

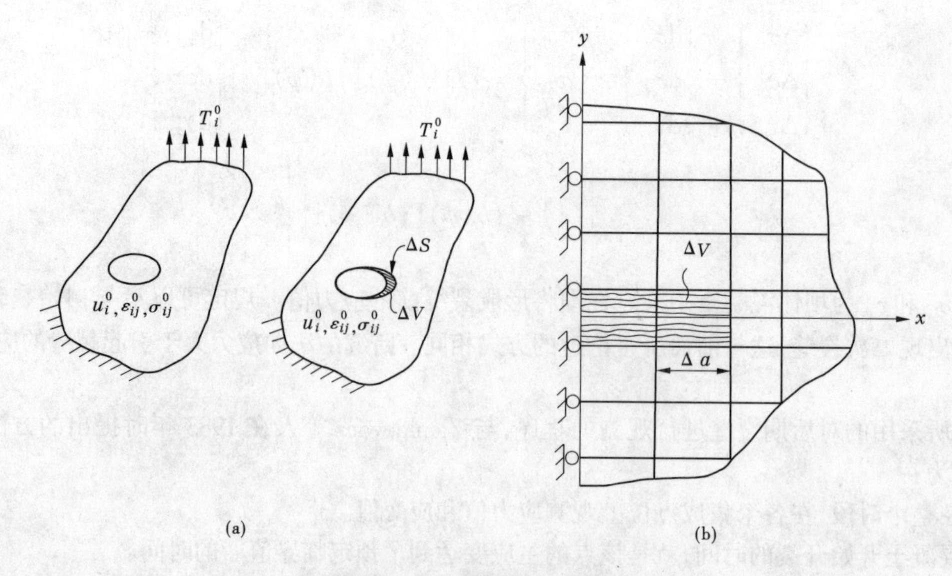


**图 4 原始坐标系和非原始坐标系的隐约裂缝**

在方程(4)的有限元公式中,积分值通常用节点上变量的有限和来近似。裂缝带扩展时的能量释放率为 $G_{CR}$。

## 4 徐变的模拟

关于徐变的作用可以黏塑性概念为基础,综合在上述有限元公式中加以解决。此时屈服应力减至零,这样就不存在纯弹性区域。在计算机程序中,通过提供由用户确定的子程序,即可输入一系列假定的徐变函数和收缩特征值,通常取决于温度、应力和时间等因素。采用这种研究方法,主要是为了评估现行的大体积混凝土坝体徐变和收缩特性的预测模型。对于这些模型,应根据早期应力的预测要求和现有的早期试验数据进行调整和修正。当前正在研究的混凝土徐变和收缩模型有美国混凝土学会(ACI)209 委员会的模型(ACI209,1971),欧洲国际混凝土委员会的 CEB-FIP 模型(CEB-FIP,1978),以及 Bazant 和 Panala(即 BP)模型(1979,1980)。ACI 模型是包含最终徐变系数在内的一个乘积形式柔度函数(Compliance funcation),而最终徐变系数应是负荷龄期、湿度、单元尺寸及其他一些参数的函数。CEB-FIP 模型包含了一个柔度函数,它可以分解为可逆的(延迟弹性)和不可逆的两种分量。代表这些分量的各项目通常都是湿度、单元尺寸、荷载时间、荷载时混凝土龄期的函数,而其他一些参数,其中多半是可以通过一组图表来加以确定的。BP 模型的突出特征则是按照扩散理论和活化能量理论为基础导出的。BP 模型还包括温度和周期性荷载的效应。BP 模型由于运用的范围较宽,因而使用起来要比其他模型更复杂。

## 5 当前的状况

有限元程序一直被用于对试验实例的预测。一些裂缝和徐变子程序正在被运用于该程序中。对鲁塞尔坝和德沃夏克坝的经验进行分析比较的工作已于 1984 年 9 月底完成,这标志着美国陆军工程师团混凝土裂缝长期研究的第一阶段工作已告完成。

# 因混凝土膨胀而引起的大坝裂缝

［法国］ J.C.米勒[1] D.瑞尼埃尔[1] B.哥格尔[2] G.米歇尔[3]

(1.法国电力公司水力发电部;2.柯因与贝利埃设计公司;3.普罗旺斯省渠道协会)

**摘　要**:大坝混凝土裂缝始终是人们关注的课题,其原因主要是裂缝原因难以查明。影响一些大坝混凝土的碱性骨料反应,其表现形式为混凝土的膨胀并由此引起的大坝坝体变形和内部应力等问题。

尚本坝、卡斯特尔诺坝、比蒙坝、莫利坝和堂泊尔坝所显现的这一问题表现在坝体的升高、坝体自上游向下游或自下游向上游方向的位移和一些典型裂缝的形成。这些裂缝的特点在于其生成过程的缓慢性、渐进性。

如果说大坝的安全并未受到威胁,但工程业主对了解建筑物状况的兴趣促使他们进行了几个方面的研究和努力:

——加强大坝观测仪器,包括布置正锤、反锤、变形测量仪、测压管、排水计、裂缝仪和倾斜测量仪等;

——对组成材料和水质进行实验室分析研究;

——进行原位试验和测量、测量应力、测量裂缝和测量渗水量。

利用三维有限元进行的数学模型研究,是对有关大坝所进行的各种基础性的研究和观测的有用补充。有限元计算方法的最新发展提供了 NOTEN 程序,可以用来模拟受拉混凝土的无抗拉强度状况,并可在计算中考虑对建筑物产生影响的裂隙。针对坝体混凝土膨胀现象所做的斗争目前尚仅限于一些缓解和权宜性的治标措施,而对绝对的治本措施仍在研究中。对法国大坝所采用和考虑过的技术措施主要是全面详细的仪器监测,辅以降低水库水位、对结构力的被动(无预应力)拉锚、沿坝上游设置止水防渗面板及加强沿坝上游的排水措施等。这些做法仅能起到近期的补救作用而并不能成为永久性的解决办法。

本文以具体实例论述由混凝土膨胀而导致的大坝裂缝现象。尽管对这一现象的诸多物理和化学方面已作了深入的研究,但这个现象至今仍未能得到很好的控制。

文中按前后顺序阐述了以下问题:混凝土膨胀作用的显现;对其化学过程的解释;对混凝土膨胀各种影响的理论研究方法;相应的各种补救措施。但这些措施中大多数是权宜性的缓解,而并非彻底的解决办法。

## 1 概　述

按照法国现有法规,对建筑物运行情况进行的观测、监控和测量,可以迅速有效地发现建筑中存在的潜在问题和已发生的异常位移。

法国为本论题提供的另一份报告论及除混凝土膨胀以外原因所引起的大坝异常。人们在一系列混凝土大坝上观测到一些不符合多年周期性变化的特殊变位现象,这些变位包括坝顶抬升和坝顶向上游、下游及两岸山体内侧的变形等。

坝体混凝土膨胀对大坝影响一般难以考察,因为这个现象的过程一般是渐进和滞后的。

变形实际上多是缓慢的,而且发生在混凝土收缩结束以后的坝段接缝灌浆之后,这些变形多以裂缝形式出现,它们与建筑的几何形状有明显关系。建筑物的裂缝一般缓慢且有规律地发展。

尚本坝左岸一个高 55m 的坝块的年升高量约为 3mm,其向下游侧的不可逆位移量为每年

---

本文原载《第 15 届国际大坝会议·主题 57》,1985 年。

3.5mm,而其由温度和静水压力共同作用而产生的可逆位移量为15mm。所测量的位移值一般均很小,对建筑物的安全不至于产生任何影响。

但是,面对一些大坝异常和无法解释的表现,对这些现象原因的详细研究提示了以下的探讨方向:

——加强观测仪器的设置,包括变形测量仪、正锤、反锤、测压管、排水计、裂缝计及倾斜测量仪等。

——对材料、水泥、骨料、混凝土、拌和水进行实验室研究和分析。

——原位试验和测量,包括:

• 取样芯;

• 应力测量;

• 裂缝测量;

• 漏水量测量。

只有在分析这些基础性研究所得的成果之后,才能决定是否可以将出现的问题归咎于混凝土膨胀。

## 2　五座大坝的裂缝情况

法国共有五座大坝发生了混凝土膨胀问题,它们是尚本坝、卡斯特尔诺坝、比蒙坝、莫利坝和堂泊尔坝。

这些大坝的技术指标和所测得的不可逆变形量列于表1内。

**表1　　五座大坝技术指标和不可逆变形量**

| 大坝名称 | 尚　本 | 卡斯特尔诺 | 比　蒙 | 莫　利 | 堂泊尔 |
|---|---|---|---|---|---|
| 蓄水年份 | 1935 | 1950 | 1952 | 1947 | 1951 |
| 坝型 | 重力坝 | 重力坝 | 拱坝 | 拱坝 | 活动坝 |
| 正常高水位标高 | 1 040 | 414 | 341* | 588.5 | 39 |
| 坝高(m) | 137 | 60 | 87.5 | 72 | 23.7 |
| 坝顶长(m) | 294 | 182 | 180 | 185 | 373 |
| 坝基岩性 | 结晶片麻岩和白云质石灰岩 | 片麻岩和云母岩 | 石灰岩 | 粗晶花岗岩 | 石灰岩 |
| 水泥种类 | VIF生产的CPAVICAT | LEXOS生产的CPA | VALDONNE生产的CPA | CPA | LAFARGE生产的CPB |
| 水泥用量(kg/m³) | 150～250 | 250～300 | 275～300 | 250～300 | 250～300 |
| 骨料特性 | 片麻岩 | 片麻岩和云母岩 | 石灰岩 | 花岗岩 | 石英岩、玄武岩、片麻岩、石灰岩 |
| 不可逆变形 | | | | | |
| • 所测量坝块的高度(m) | 55 | 35 | 41 | 20 | 20 |
| • 坝顶升高(mm/a) | 3.5 | 2 | 1.2 | 2 | 1 |
| • 水平位移量(mm/a) | 3.0 | 0.7 | 0.8 | 0.2 | 0.8 |

注:* 大坝实际上按正常高水位330m运行。

### 2.1　尚本(Chambon)坝

对尚本坝的运行情况已经分别在1970年蒙特利尔大坝会议(问题38之报告33)和1979年的新德里大坝会议(问题49之报告23)作了论述。

尚本坝于1935年建成蓄水,最大坝高137m,其顶长的2/3为直线形,然后在左岸采取一个大的弧线,以便布置溢洪道。

坝体于1950年开始发现变形(见图1),自1952年起在坝内逐渐完善了大坝观测系统。最初采用的光学测量仪器以后由正、反测锤代替。由测锤所测得的非可逆变位的各分量(见图2)大值分别为:

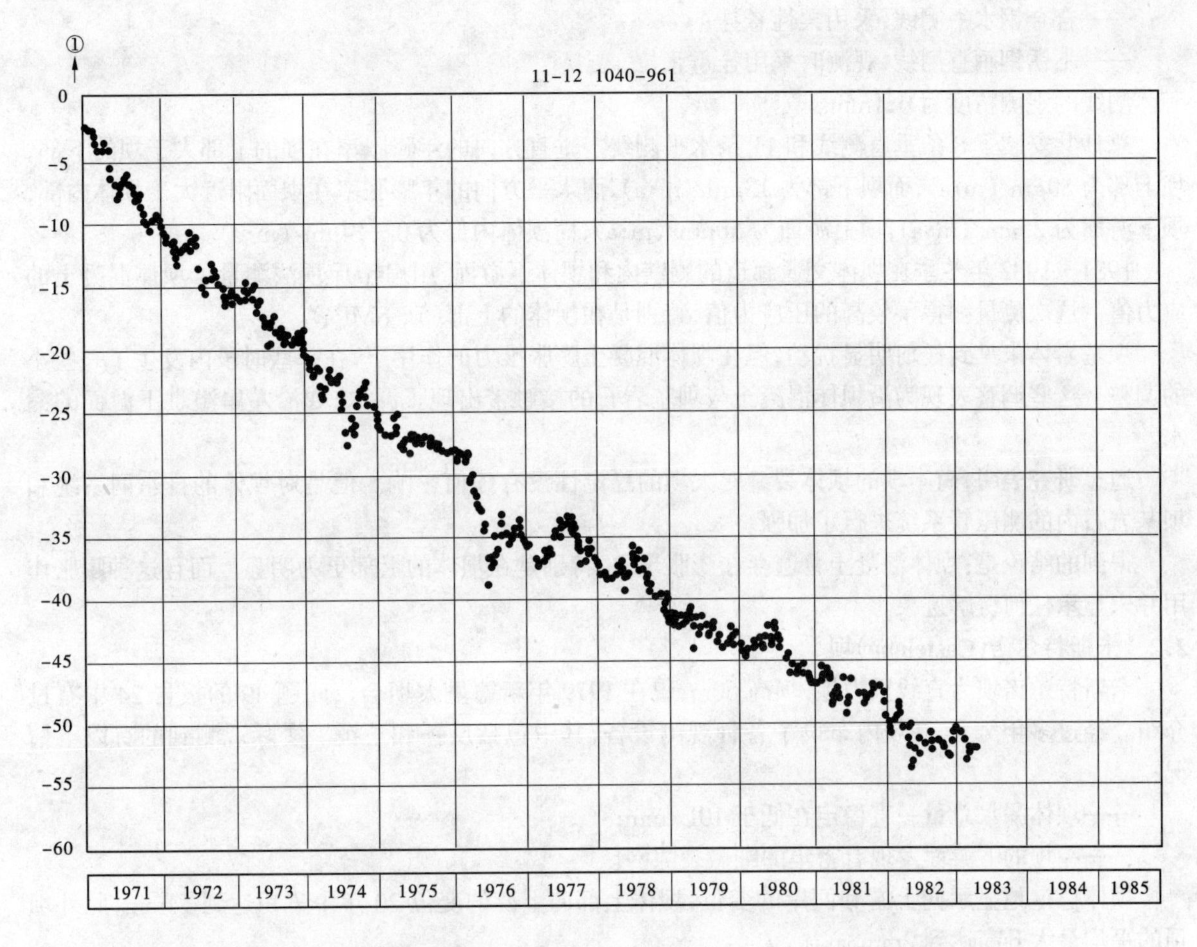


**图1 尚本坝于相同水压力和温度条件下测得的上一下游方向的变位记录**

①—下游侧,mm

——大坝坝顶的年升高位移为2.6~4.0mm;

——右岸坝体向下游侧的年位移量为0.6~0.7mm,而坝体向右岸山体内的年位移量为3.0mm;

——左岸坝体向上游侧的年位移量为3.3mm,而坝体向左岸山体内的年位移量为1.0mm。

坝体的最大变形位移发生在左岸的曲线段,坝顶位移向着上游方向。坝体的变形伴随有近于水平的裂缝,裂缝出现在坝体下游面的下部,特别是1958年在溢洪道的底部出现了一条大的裂隙。

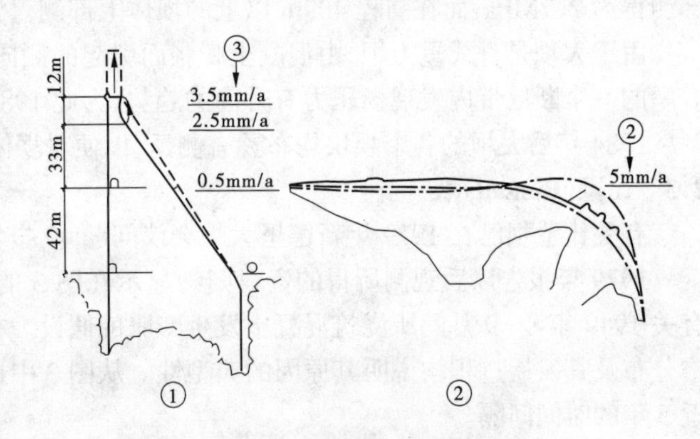


**图2 尚本坝坝体变形量分布示意图**

①—剖面图;②—平面图;③—年变形量(mm/a)

在大坝坝面未作喷浆保护的部分出现了钙质析出物。

1978 年在大坝的廊道内和观测井内布置了一个观测系统，以便了解坝体混凝土膨胀的分布情况。这个系统中共采用了三种类型的变形观测设备：

——水平殷钢测线，测尺安装在滚轮上，并用金属托架固定；

——合金钢水平测线，采用柔性悬挂；

——不锈钢垂直测线，观测时采用挂重张拉。

测线的观测精度为 0.1mm。

总计共安装了 8 条垂直测线和 11 条水平测线。垂直方向的年膨胀率在坝的上部大于坝的下部，坝上部为 80μm/(m·a)，而坝下部为 13μm/(m·a)，而水平方向的年膨胀率在坝面附近大于坝体内部，坝下游面为 25μm/(m·a)，坝上游面为 50μm/(m·a)，而坝体内部为 0～14μm/(m·a)。

1981～1982 年冬季在坝体交通廊道的侧壁内和坝体下游面，用扁千斤顶法测量了坝体混凝土的应力值。这次测量测得了较高的压应力值，特别是在坝体的上部(5～8MPa)。

坝基岩体未见到任何明显扰动，但在坝体混凝土膨胀推力的作用下，在一些时段内发生了一些小的调整。这些调整表现为沿坝体混凝土与坝基岩石的接触带出现了漏水，如沿左岸溢洪下游面的漏水。

通过研究表明，尚本坝的坝体裂缝对大坝的稳定性没有任何影响。但是对坝体的排水网系统和坝基岩石内的测压管系统进行了加强。

得到的结论是：坝体混凝土普遍存在膨胀现象，特别是在坝体的上部更为明显。而且这种膨胀作用并未显示任何缓解迹象。

### 2.2 卡斯特尔诺(Castelnau)坝

卡斯特尔诺坝为直线重力坝，坝高 60m，曾在 1979 年新德里大坝会议问题 49 的报告 24 中有过介绍。经过多年努力，在坝内布设了各种观测设备，其中包括反锤和正锤。实际观测到的有以下情况：

——坝体漏水总量一直稳定在低于 10L/mm；

——在坝的下游面发现有密集的细微裂隙网。

坝体稳定地显示向上游和两岸的变位，坝体上部向上游的变位 20 年中累积达到 14mm，此外坝顶的平均最大升高达到 2mm/a。

1977 年采用扁千斤顶法测定了坝体下游面的压应力，所测得的应力范围为 3～4MPa，在坝体下部测得为 2.7MPa，而在高程 409m 以上的坝体上部测得为 3.3～4.1MPa。

由于大坝是直线重力坝，由混凝土膨胀而引起的侧向约束实际上有利于大坝的总体稳定。但在右岸的一个断层带内发现扬压力有升高的趋势，为此 1983 年曾补充布置了新的测压管。

1984 年后大坝的各个坝块均布置有测锤，以便对坝体变形进行更为准确和全面的观测。

### 2.3 比蒙(Bimont)坝

有关比蒙坝已在 1979 年新德里大坝会议问题 49 报告 24 中作了详细的介绍。

1979 年报告以后观测所得的资料归纳显示在图 3 的坝体裂隙分布示意图中。这些资料证实了有关 1949 年 8～9 月间所浇筑混凝土发生膨胀的假设。在这些混凝土浇筑块中所见到裂隙的正交网格分布及其发展过程均说明其原因的典型性。从图 3 中还可以看出，在上、下游面的裂隙形成中有将近 5 年的时间间隔。

### 2.4 莫利(Maury)坝

莫利坝的裂缝出现在 1961 年，主要受影响的有右岸的一个坝块和位于右岸的一个重力墩。

右岸的 AB 坝块的伸长量沿不同方向有所差异，其小值为 25μm/m，其大值为 70μm/m，变形看来已于 1980 年停止。对于这一高度为 20m 的坝块，坝顶升高率约为 2mm/a。下游面上的水平和垂直裂隙均为渐进性的。

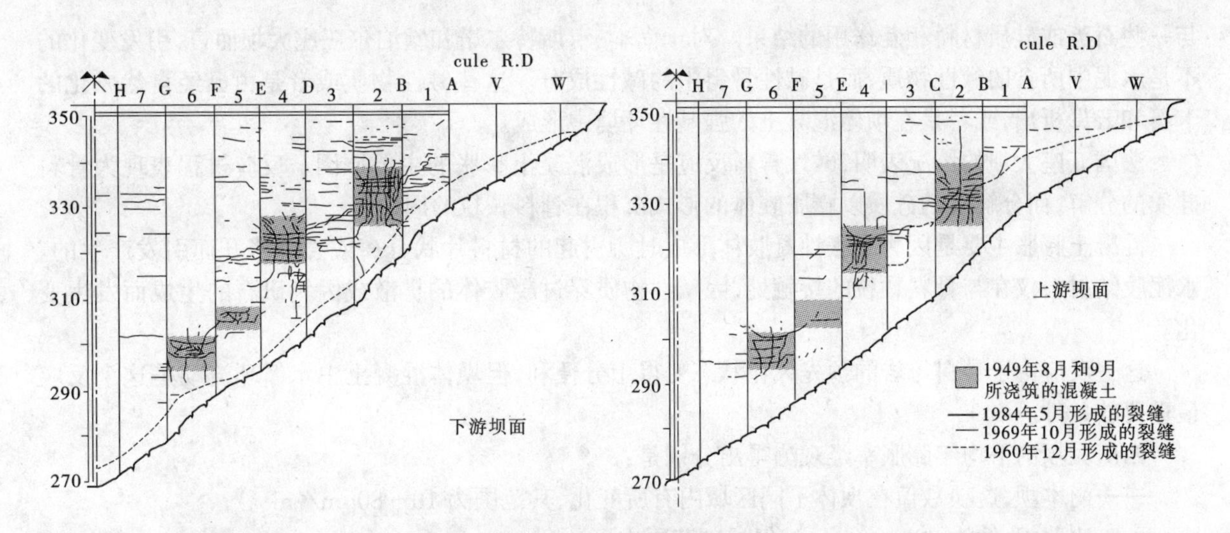


**图3 比蒙坝的裂缝分布**

右岸重力墩的裂缝出现在下游面,裂缝按矩形网格分布,系典型的膨胀型裂缝。所测得的变位是向下游侧并偏向右岸山体,在重力墩顶部测得的变位量为0.25mm/a,其基础处为0.15mm/a。

**2.5 堂泊尔(Temple)坝**

1964年水库放空时,亦即在大坝蓄水运行13年后,在大坝的几个中央支墩的下游侧发现了严重的裂缝现象。此后裂缝还在继续发展,坝体变形继续加重,以至于底孔闸门的启闭也出现困难。

通过水准点观测、裂缝开度的三维测量及钻孔取芯发现,膨胀主要发生在未布钢筋的大体积素混凝土中,这些区域内的混凝土经受了周期性的干湿作用,使高度为20m的支墩产生了垂向升高,其变位率为1~3mm/a。

## 3 混凝土膨胀反应的理化性质

混凝土膨胀原因并不很清楚。一些工程的混凝土膨胀的理化过程是通过专门试验的深入研究才得以阐明的。

尚本坝和卡斯特尔诺坝的研究系由法国中央路桥实验室进行的。土鲁兹大学的矿物学实验室和拉弗拉什水泥研究实验室也分别为尚本坝和堂泊尔坝完成了相应的研究工作。

研究工作的对象包括混凝土骨料、水泥、混凝土和渗透水。每次研究中均对水库中的水进行了分析,通常库水均具有弱侵蚀性。

尚本坝修建在罗芒什河上,而卡斯特尔诺坝和堂泊尔坝则修建在洛特河上,河水均属于重碳酸钙水,其pH值分别为8.2和7.3,而比蒙水库水的pH值为8。相对库水而言,坝体混凝土中水的pH值却更高,在尚本坝为12.1,而在卡斯特尔诺坝则为12.5。

对三座大坝施工所用水泥进行的化学分析和力学研究均未显示任何异常,堂泊尔坝和比蒙坝的碱值均极低,尚本坝稍高也仅为0.6%~0.8%。

为了对石料和混凝土进行研究,曾在开采骨料的采石场和坝体混凝土内取样。对尚本坝的研究使用了300个以上的混凝土芯样。对所取的岩石试样和混凝土芯样主要进行了两个方面的研究:一项是利用偏光显微镜做岩石学薄片鉴定,必要时辅以电子扫描显微镜研究;另一项是矿物学定量分析,包括化学分析、光学显微镜鉴定及X光衍射观测等。

通过衍射仪研究,在尚本坝和卡斯特尔诺坝的石料场岩石中及所使用的骨料中,均发现了风化黏土成分的存在,其中包括高岭土、绿泥石、水合黑云母等。这说明岩石本身已经受了风化作用。

法国许多大坝的资料及国外文献均表明,矿物蚀变风化在大多数情况下是由水泥中的碱性物质与一些石英或硅质材料相互作用的结果。对于尚本、卡斯特尔诺和堂泊尔三座大坝而言，引发变化的不是水泥中所含的碱性物质，而是碱性骨料中的碱性成分。这些碱性物质或者是由已经自然风化的卡石和云母析出，或者是在坝体混凝土的强基性环境中形成。

法国五座大坝的情况表明，碱性骨料反应是形成混凝土膨胀的主要原因。反应过程表现为骨料硅质的分解，而分解后的硅质以膨胀胶体的形式沉积在骨料颗粒的周边。

混凝土膨胀主要是因为膨胀性凝胶体形成时所引起的材料片状分离或裂缝张开而引发产生的。水泥胶结材料仅在与骨料颗粒的接触处，因碱性物质穿过凝胶体的扩散或因钙矾石的生成而发生变化。

这一反应由于骨料母岩的预先风化状态变得十分便利，但坝体混凝土中水循环流动是这个反应最重要的条件。

四座大坝的平均年膨胀率经观测得出分别是：

——尚本坝，这项数值在坝体不同区域内有所变化，其范围为 10～80$\mu$m/(m·a)；

——比蒙坝，约为 20$\mu$m/(m·a)，但局部范围内可达到 200$\mu$m/(m·a)；

——卡斯特尔诺坝，57$\mu$m/(m·a)；

——堂泊尔坝，50$\mu$m/(m·a)。

在研究中曾经发现，尚本坝的混凝土试件的膨胀现象在试件失水干燥后即自行停止，但是一旦试件重新饱水这个现象便被激活，而经过 6 个月的时间间隔后，所测得的膨胀率与试件干燥前相同。

尚本坝的研究结果表明，在坝体不同区域内，膨胀反应的速度有所不同，这可能是由骨料颗粒大小不同以及有关外界条件(如水循环、混凝土应力等)的差异所引起的。膨胀反应过程十分缓慢，而且似乎无法加快或减慢。

对取自尚本、卡斯特尔诺和比蒙三座大坝的混凝土样芯进行了声波测量，测量结果表明有些样芯的波速低于 3 500m/s。尚本坝的 197 个样芯中有 28 个样芯低于这一波速，而另两座大坝的 33 个样芯中有 12 个样芯低于这一波速。

混凝土的低波速可能与混凝土的较高透水性相对应，但是混凝土实验室中所进行的强度试验未显示出其强度有任何变化。

此外，在实验室的条件下对用于提高混凝土防渗性的防水材料也进行了研究。这些材料在使用的初期效果相对较好，但是它们无法使混凝土完全脱水干燥，其防水性能也并不稳定，随着时间的增加它们显示了向混凝土外部转移的趋势，而且它们用在大体积混凝土的涂抹施工也甚为困难。

## 4 采用数学模型进行的理论研究

利用数学模型研究坝体膨胀现象，可以有效地补充为此而进行的各项基本研究以及对病害大坝所作的观测。有限元计算方法近年来的进展以及 NOTEN 方法的使用，足以对受拉混凝土的无抗拉能力进行模拟，并可用以分析裂缝对建筑物的影响(参考法国大坝委员会为大会提供的另一项报告——《膨胀作用原因以外的混凝土坝裂缝》)。

尚本坝的平面布置见图 4。1981 年为尚本坝设计了专门的三维有限元模型。计算网络采用有 20 个节点组成的等参数六面体计算单元，考虑了大坝和坝基的复杂几何外形。模型中坝体混凝土共设有 269 个单元，在坝体的厚度方向每层有 2 到 3 个单元，其高度方向最多设 7 个单元。模型中坝基岩石部分共设有 204 个单元，右岸和中部坝基设 2 层，左岸坝基考虑到溢洪道的底脚分布设 3 层，总计共有 2 514 个节点(见图 5)。

有限元计算中对坝体混凝土和坝基岩石采用相同的弹性模量，计算所得的变形量与年内不同时期大坝静水压力所形成的变形量相当吻合。而由混凝土膨胀所造成的不可逆变形量也通过模型进行了校核。模型研究中混凝土膨胀简单地用分区加热方法加以模拟，模拟中也考虑了坝体最上部的

25m 混凝土膨胀伸长速度要大于坝体下部的实际情况。

在左岸坝体下游面上自1958年开始出现的张开裂隙带内,模型研究显示出大的垂向拉力值。但是,弹性计算未能与坝体的总体变形情况相接近。尽管对模型加热作了种种调试,研究中未能协调坝顶的升高与坝体水平位移,它们之间的相差倍数为2。

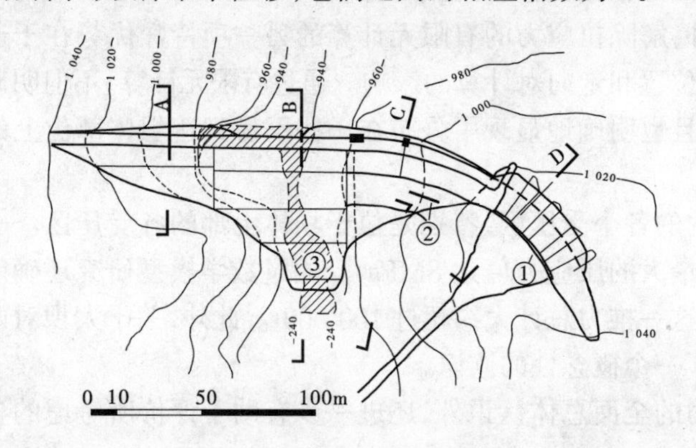

图4 尚本坝的平面布置图

①—溢洪道末端的张开裂缝;②—坝下游面裂缝;③—深切河槽

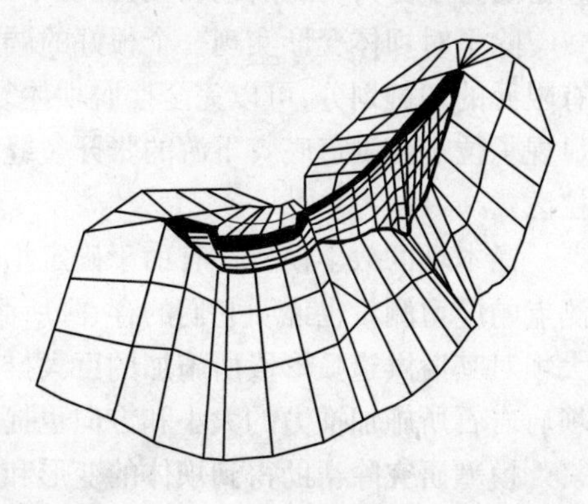

图5 尚本坝有限元计算网络上游立视图

计算中为了模拟受拉混凝土无抗拉强度这一情况,模型计算中解除了拉应力,这便使得左岸坝顶向上游方向的侧倾得以成立并使所观测到的坝体变形得到解释,从而肯定了模型试验所采用的加热模拟法的合理性(见图6和图7)。

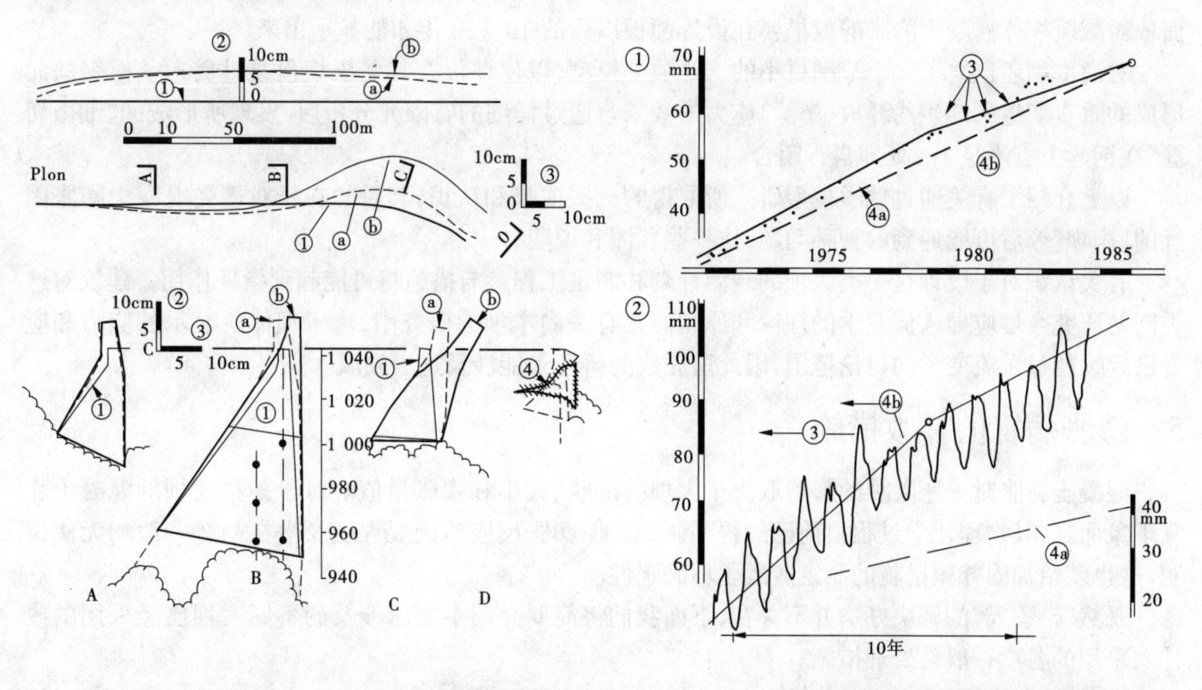

图6 尚本坝运行25年后的坝体变形

①—原始位移;②—坝顶升高及比例尺;

③—坝顶水平变位及比例尺;

④—溢洪道底脚处的张开裂缝 A,B,C,D 分别为右岸坝体、中央坝体、左岸坝体和溢洪道地段的剖面图

图7 尚本坝左岸坝体(剖面C)的变形

①—1960年以后的坝顶升高;②—1960年以后的向上游侧的变形;

③—实测位移量;④—COBEF3 模型的研究结果:

a—弹性分析;b—无拉应力分析

模型的非线性条件通过分析段的逐步加载并通过从重复每一荷载增量以达到平衡状态的安排加以实现。尚本坝的近25年正好是这座大坝蓄水运行期限的一半,而这25年中坝体的变形发展情况

由于坝内所设置的观测仪器的不断完善已为人们所了解。模型研究加热模拟温度对坝体不同部位实际采用如下:坝体的上部 25m 部分为 148°,上游面的后侧为 90°,坝体的其他部位为 30°。

通过有限元研究,首先更好地了解了影响大坝运行的推进性变形和开裂的过程。这项研究结合严密的力学分析,在综合所有观测成果的基础上,对所研究的现象提出了一个全面的认识。

除了对坝体变形实现一个很好的调整外,解除拉应力的有限元计算的另一项特殊优势在于通过有限元的切割划分,可以完全摆脱坝体裂缝位置和走向对计算的影响。通过有限元计算,不但明确地显现了位于溢洪道底脚下游的张开裂缝,而且也明确地显现了分布在一些不易到达坝体部位上的受拉区。

尚本坝的数学模型还有助于确定坝体内的各个受压区,特别是位于坝体上部的各受压区。一些测点的应力测量也说明它们的存在(所测得最大的压应力值达 8MPa)。通过数学模型研究还确定了大坝对其溢洪道弧形段所施加的巨大推力,这一推力总计大约超过 100 000t。此外,关于大坝对两岸坝肩岩石所施加推力的大小和方向也提供了一个概念性的认识。

模型研究除帮助得到坝体的变形和应力的全面总体认识外,还进一步有助于评价所考虑的各项不同工程措施的效果。

——对于尚本坝考虑了在坝体上部设置几处切口以解除和降低其顶部坝体的压应力。模型曾用来测定这项措施的效果。通过模型研究发现切口(切槽)影响的范围大约相当于切口深度的 1.5 倍,在此范围以外,切口对坝体应力即没有影响。此外,模型研究还显示出靠近切口的混凝土受到了一定程度的损伤。

——模型研究对沿坝体上游面设置防渗面板所可能承受的相对运动也提供了帮助,并确定防渗面板对减缓坝体混凝土膨胀的效果要在设置面板以后的 10~20 年才能显示出来。

对尚本坝还建立了一个范围更小的二维数学模型,以便评价在其受压坝顶通过贯入一根钢丝而形成的垂直切缝所产生的释放(解除)应力的效果。通过详细的有限元分析后,发现所形成的“细微切缝”在钢丝上方不足 1m 处即自行闭合。

以上介绍了有关通过数学模型研究所取得的一些成果和认识,其目的在于对遭受混凝土膨胀困扰的“病坝”今后可能遇到的种种问题,作一些预测和说明。

有关认识对于设计这一类大坝的观测计划和制定工程参与措施将可能起到指导作用。建议对这类问题研究今后应导入流变学的理论和原则。在有关尚本坝的研究中,由于坝体所显示的应力和应变已远远超过了流变学的讨论范围,因此所完成的研究未能涉及这一领域。

# 5 膨胀病害的补救措施

混凝土膨胀对一座大坝的影响取决于大坝的形状、大小和膨胀量值。对于多数大坝的混凝土膨胀现象而言,其物理化学过程目前已经得到认识。但膨胀反应的进展程度及潜在趋势一般均无法说明,这也就给加固补救措施的制定造成了不确定性。

既然“奇迹式”的解决办法并不存在,下面我们将简要介绍本文所涉及的不同大坝已经采用的或计划采用的各项一般性处理措施。

## 5.1 卡斯特尔诺坝

本重力坝的直线几何形状不可能受到由坝体变形所造成有害效果的损害。此外两岸对坝体的约束压力也是抑制坝体变形有害后果的一项因素。对于卡斯特尔诺坝而言,两岸对坝体混凝土所施加的压力实际上起着抗拒沿左右岸轴线发生膨胀的作用。

对该坝所作出的决定是集中力量对坝体变形进行观测,以便大坝业主可随时对这一现象的发展和大坝的安全情况能有充分的认识。目前坝体的变形是缓慢而且微弱的,不存在变形的加速,而且坝体可令人担心的不可逆变形的发展也能够尽早发现,使业主有作出反应的时间。

### 5.2 比蒙坝

比蒙坝于1970年观测到坝体混凝土的膨胀现象,当时曾有人认为这一现象影响了坝体,为此对受影响坝块的上游面作了补充防渗处理,采用环氧树脂涂料设置了多层防渗涂层,但以后发现这项措施未能起到预防作用。

此后,为了保证拱体的连续性并防止与坝肩平行的裂隙延伸到坝顶,原先曾考虑沿垂直方向采用预应力法加固坝块1和右岸的重力墩。但是,这条裂缝并未按原先预计的方向发展,而是延伸到坝肩的岩体内,因此实施预应力加固处理看来不再有必要。考虑到大坝的稳定性完全有保证,决定延缓所有加固工程的实施,而仅限于对大坝进行详细的观测。

目前,比蒙坝的水库蓄水位由于运行方面的原因限定在原定蓄水位的11m以下,因此大坝的稳定性又进一步得到保证,今后也不再计划进行任何加固措施。

### 5.3 堂泊尔坝

在坝体混凝土膨胀不可逆进展和开裂发生之前,1983~1984年,堂泊尔坝已经进行过一次加固。加固工程包括两个方面:

——采用强膨胀性的聚氨基甲酸酯浆液,对所有支墩沿其四个表面的内侧进行全支墩高度的周边防渗灌浆,灌浆压力为3个大气压;

——在周边防渗幕的保护下,在支墩的中部设置直径25mm钢质加固拉杆,拉杆的末端2m锚固在坝基岩石内。

这类加固措施适用于类似支墩的结构物,是用来改善结构物现状并延缓膨胀和裂缝的进一步发展。

### 5.4 尚本坝

尚本坝的情况是“有病无险”。所有的观测表明,膨胀过程一直不可阻挡地继续发展,从未显示出有可察觉的减缓趋势。因此,关于变形继续发展并不断引发事故的想法应该是符合逻辑的。但是大坝下游的安全已不再受到威胁并得到了保证。其原因是:

——大坝装备了完善的观测设备系统,包括15个正锤和反锤,19个形变计、多组应力计、测压管和渗水测量装置等;

——膨胀现象发展速率非常缓慢;

——大坝系大体积结构物并且是超稳定的。

但是大坝的病情仍然存在。人们害怕的是坝体混凝土的继续膨胀会引起坝体应力的增加,为了应对这一担心,考虑了两项措施。

——设置一个上游止水面板,使坝体混凝土干燥脱水,从而停止其膨胀过程;

——在坝体内设置一些切槽,取出部分坝体材料以减小坝体应力。

#### 5.4.1 上游止水板

上游止水板采用“列维”型钢筋混凝土板,阻水后使坝体混凝土干燥脱水。但这个干燥过程将十分缓慢,需要10~20年的时间。面板应能沿现有上游坝面滑动,以便吸收由水库蓄水、放空和温度变化所引起的经常性坝体位移,而且在前20年内上游坝面还将继续膨胀。面板将由垂直的、密合拼接的部件组成,部件之间不采用固定式的机械连接。所采用的构件为一些跨度为7m的圆拱(见图8),拱体通过摩擦系数很低的底座贴靠在坝体上游面上。圆拱的厚度由1.0m渐变到0.75m,其间的止水依靠止水板实现。

为修建上游止水板总共需浇筑混凝土20 000$m^3$,与此同时还要更新灌浆帷幕和排水系统。这些工程措施预计将改善坝体测压管的水位状况,使人可预见饱水混凝土脱水干燥以后其膨胀变形将得到缓解的希望。

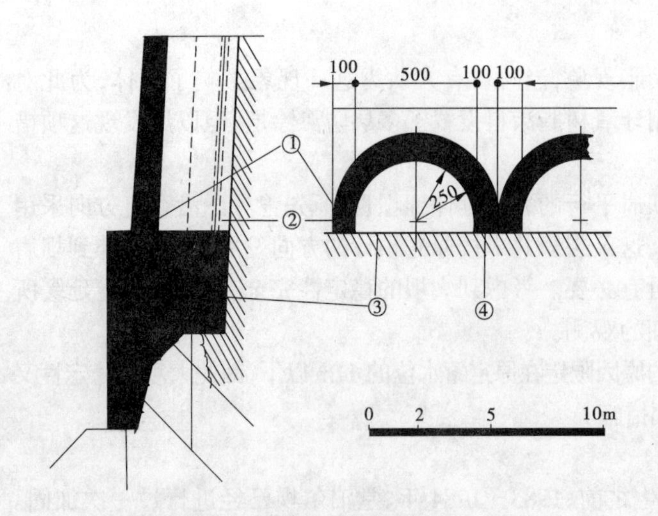


**图 8　尚本坝上游防渗止水面板结构示意图**(单位:cm)

①—止水板;②—排水孔;③—滑动式的面板底座;④—现在的上游坝面

5.4.2　切槽

从技术角度看,取出坝体材料以减小压应力的做法仅在坝体上部的 30m 可以考虑。而这一区域实际上是最大应力的发生地,因此这一处理措施是有意义的。为此可以采取两种做法。

一种做法是设置一个或数个宽度为数分米的切槽,这是美国田纳西州方达纳坝所采用的切槽或加拿大魁北克省的波哈努阿坝所采用的切槽。应力解除是完全的,但却是局部的。这个方法将引起混凝土因变形积累而造成的损伤并在切槽底部的临近造成应力集中。

另一种做法是沿压应力线布置一系列的微切槽,切槽的两个侧壁靠近压应力线。这个方案得到了运行人员的好评,其优点是切槽是分散的且可以调整,而且压应力解除是部分的。在保持坝体一定应力水平的条件下,可以保持其整体性和坝体的拱效应。1983 年在大坝现场的试验表明了这项措施的可行性。

目前尚本坝的加固方案已经可以认为是最终确定的。这个方案建立在一个根本的假设上,即所考虑的措施可以将混凝土中的水分排出,而水的存在是混凝土理化反应的一个不可或缺的原因。所提出解决方案的美中不足是在未得到相应研究支持的条件下,便要承担保证大坝安全的风险。

但是,由于尚本坝是修建在阿尔卑斯山区中心地带,而其目前的水库蓄水量不能满足充分开发罗芒什河全部水能资源的要求,为此法国电力公司可能作出修建一座新的、更高的尚本坝的决定,以作为最终彻底解决尚本坝存在问题的补救方法。在现有尚本坝下游不远处人们已找到了一个有利的坝址。

除了以最好的方法解决现有尚本坝存在的问题外,新的大坝将使水库蓄水量增加一倍,这在目前罗芒什河发电装机量偏小的情况下显得很有诱惑力。

# 6　结　论

混凝土坝开裂表明坝体对一些始料未及条件的结构调整。混凝土膨胀是其中的一项,并以其后期的发展引发坝体缓慢裂缝的过程。

法国的几座大坝已遇到了这一情况。这是通过长期的观测和研究才得以确定的。这一过程中大坝的观测仪器逐渐得到了加强。

这种情况下的大坝安全是通过对“有病”大坝的仔细监测和这一现象本身发展的缓慢性得以保证的。对此目前不存在绝对的补救办法,但可以通过一些权宜性的缓解措施进行干预。

# 膨胀作用原因以外的混凝土坝裂缝

［法国］ A.卡列尔等

(柯因与贝利埃设计公司)

**摘 要**:许多新老大坝都出现过裂缝现象。本文的第一部分介绍了一些大坝在首次蓄水前出现裂缝的情况,并描述了这些大坝的混凝土组成、施工方法和施工条件等。这类裂缝的宽度一般均小于1mm,多出现在混凝土浇筑块的表面,其原因可能是新浇混凝土的水化热温差和混凝土收缩引起的。尽管在施工过程中,人们对混凝土裂缝已经十分注意,并设法排除它们的产生,但一些大坝还是产生了裂缝。对这些大坝近20年来的仔细观测表明,这些裂缝的存在未给大坝的运行人员造成实质性的问题。

另一类裂缝出现在水库蓄水以后,是大坝坝体和坝基对所承受的各种变化性荷载进行相应调整的结果。这类裂缝的进一步发展应该是严格监测的对象,以便通过监测对大坝的安全性和永久性进行判断。对坝体和坝基裂缝带的新的计算方法,可以帮助设计人员在设计阶段更好地了解所设计大坝的应力状态,而对已建成大坝则可用来保证大坝的安全。

混凝土坝裂缝常常有大坝本身一样长久的历史。无论是在大坝建设期间出现或是在大坝首次蓄水时被观测到,裂缝都是结构物遭受不同应力情况而加以适应的结果。这种现象一直是工程师、大坝设计师和大坝运行人员所关注的对象,而这种关注因事态发展的严重性而往往是必要的。本文试图通过一些实例对法国在这一领域的经验作一总结性介绍。

表1中列出了本文所介绍大坝的主要技术参数,由这些参数可以看出,坝体裂缝影响了各种不同类型和不同规模的坝。表中一些坝的问题已在过去历届大坝会议的有关报告中得以论述,表中也就此作了标注。

由混凝土膨胀引发的坝体裂缝多出现在大坝蓄水之后的数年内,这类坝体裂缝问题已在法国大坝委员会所提供的另一报告中论述(问题57的报告35),本文不再重复。

## 1 蓄水前坝体裂缝实例

### 1.1 拉帕朗(Lapalan)坝(图1)

#### 1.1.1 大坝建设条件

坝址区为典型冰川地貌,海拔高程约1 500m,坝址为均质片麻岩组成的岩石峡谷,地面岩石风化较弱,大坝为双曲拱坝。

坝体混凝土浇筑于1983年6月开始,冬季因气候原因工地每年停工3~4个月。

##### 1.1.1.1 混凝土组成

混凝土所用骨料采自水库区的一个片麻岩料场,石料在采石场就地破碎筛分。

混凝土拌和楼设有冷冻和加热设备,为拌和用水降温或加热。

混凝土每立方米的干料组合见表2。

拌和料的和易性用高80mm的试件在实验室内用坍落度仪控制在25~45s之间,以便在拌和以后的90min内保持拌和料的和易性。

---

本文原载《第19届国际大坝会议·主题75》。

**表 1**　　　　**各大坝主要技术参数**

| 大坝名称 | 坝型 | 最大坝高(m) | 坝顶长度(m) | 水库正常蓄水位(m) | 蓄水年份 | 可参考的报告编号 | 坝体裂缝时间 | |
|---|---|---|---|---|---|---|---|---|
| | | | | | | | 水库蓄水前和蓄水期间 | 水库蓄水后 |
| 昂沙热 | 拱坝 | 68.5 | 230 | 432 | 1951 | | | X |
| 卡什 1 | 拱坝 | 41 | 153 | 1 010 | 1954 | Q.49－R.37 | | X |
| 利波磨坊 | 拱坝 | 16.2 | 160 | 86.5 | 1961 | Q.26－R.10 | | X |
| 奥特法什 | 拱坝 | 61 | 300 | 246.5 | 1958 | Q.49－R.37 | | X |
| 鲁阿桥 | 拱坝 | 28 | 196 | 423 | 1959 | | | X |
| 托拉 1 | 拱坝 | 90 | 125 | 560 | 1960 | Q.49－R.37 | | X |
| 蒙泰纳尔 | 拱坝 | 153 | 230 | 490 | 1962 | Q.39－R.3 | X | |
| 伍格郎 | 拱坝 | 130 | 425 | 429 | 1969 | | | X |
| 拉帕朗 | 拱坝 | 106 | 280 | 1 539 | | | X | |
| 拉吉罗特 | 连拱坝 | 48 | 510 | 1 753.5 | 1950 | Q.34－R.19 | X | X |
| 格郎德瓦尔 | 连拱坝 | 88 | 400 | 742 | 1959 | Q.49－R.37 | | X |
| 罗兹朗 | 连拱坝 | 150 | 806 | 1 557 | 1961 | Q.49－R.3 | X | X |
| 弗勒克斯 | 平板支墩坝 | 17 | 110 | 338.5 | 1961 | | | X |
| 卡拉库克西亚 | 连拱坝 | 74 | 265 | 792 | 1968 | | | X |
| 温萨 | 重力坝 | 62 | 200 | 244 | 1977 | | X | |
| 维列勒斯特 | 拱形重力坝 | 60 | 470 | 316 | 1983 | Q.50－R.35 | X | X |

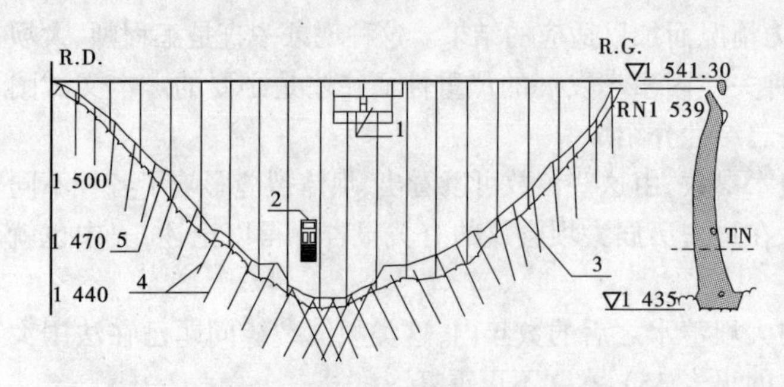


**图 1　拉帕朗坝下游立视图**

1—溢洪道孔口;2—放空底孔;3—坝基开挖线;
4—灌浆帷幕;5—天然地面线

拌和的水灰比采用 0.5∶1,但拌和水量往往难以控制,原因是碎石和砂料自身的含水量经常是未知量,而细砂的含水量可高达 12%～15%。为此,后来采用了拌和水用量的自动校正装置,根据拌和料含水量探头所测的含水量,更为精确地控制拌和水量。此外,根据拌和料搅拌所用的动力也可得到其和易性的参照值。混凝土搅拌一般约持续 45s。

1983 年人工骨料中粒径小于 80μm 的细砂含水量约为 5%,相当于砂料含水量的 80%～85%。1984 年采用水力分级机之后这一含水量下降为 2%～3%。

**表 2**　　　　**每立方米混凝土干料组合**　　　　(单位:$kg/m^3$)

| CL45 号水泥 | 不同粒径组的砂与碎石(mm) | | | | | |
|---|---|---|---|---|---|---|
| | 0.08/0.63 | 0.63/5 | 5/16 | 16/31.5 | 31.5/63 | 63/120 |
| 250 | 200 | 250 | 310 | 310 | 480 | 550 |

**注:**拌和时加用了塑性缓凝剂(水泥用量的 0.5%)和加气剂(水泥用量的 0.046%)。

采用加气剂以后的混凝土包气量为 3.8%～4.0%。

水泥为 45 号 CLK 水泥,其主要技术参数为:

——布莱恩表面积系数为 4 100～4 400$cm^2/g$;

——CL 百分比为 0.4%～0.6%;

——28d 龄期抗压强度大于 45MPa;

——5d 水化热约为 210J/g,而初期所供给水泥曾经达到 260J/g。

1.1.1.2 混凝土设施

大坝分为 19 个坝块,坝块宽 15m,厚 3.80~16.50m。浇筑块高 2.5m,但坝体与基岩接触面浇筑块的高度和冬季停工后第一个浇筑块的高度仅为1.25m。

各浇筑块的平均体积为 500~600$m^3$,采用不间断连续浇捣。1983 年的混凝土浇筑速度为 70$m^3$/h。浇筑块采用的木模板宽度为 3m。上复浇筑块的浇筑间隔时间至少为 72h。

浇筑块之间的结合面在浇筑混凝土以前用高压水和高压空气冲洗,并用一层 5cm 厚的富水泥浆覆盖。寒冷季节内新浇混凝土表面用篷布遮盖保护。原先还考虑在篷布下通热气加温,但以后并未实施,仅对骨料和拌和水加热。对已浇混凝土表面进行洒水养护,但因坝体有人工作,有时也有过未曾及时洒水情况。在坝面的一些区域内,在混凝面表面上采用了防干燥涂层。除止水板井的四周布设钢筋外,坝体内部的混凝土未加设钢筋。闭缝灌浆管埋设在奇数坝块内靠近坝块的接缝处。

1.1.1.3 混凝土控制

1983 年共浇筑混凝土 65 000$m^3$。混凝土试件 7d 龄期的抗压强度为 22MPa,28d 为 30MPa,90d 为 31.5MPa,试件 28d 龄期的抗拉强度超过 3.0MPa。

1.1.2 混凝土裂缝

1.1.2.1 裂缝描述

自 2.5m 浇筑块开始,各浇筑块均出现了系统性的裂缝现象。

这些缝出现在浇筑块的 4 个面上,所有裂缝近于垂直,裂缝宽度大小不等,最宽达 1mm。浇筑块上部的裂缝较下部更为张开。从一些裂缝方向近于正交的钻孔的钻进资料及对钻孔冲洗液和注入水的观测判断,裂缝的深度可达到 3m。裂缝在浇筑块的水平面上也可见到。

在编号为奇数浇筑块内,裂缝多分布在预埋灌浆管的四周,靠近大坝坝面,常常自一个浇筑块延伸到另一浇筑块内。而在坝体上、下游面上,裂缝常有规律地等距离分布,一个浇筑块内最多有 5 条裂缝,裂缝仅在一浇筑块内,并不延伸到另一浇筑块内。

1983 年 12 月 1 日,也即是第一个施工季节结束的前几天,75%的浇筑块均在其表面或接缝处至少见有一条裂缝。

裂缝出现的时间并不确定,因为即使在拆模以后,坝面上也难以进行观测。有些裂缝是在混凝土浇筑 7d 以后才出现的。需要说明的是,裂缝可以出现在任何季节,即任何外界温度梯度的条件下。

坝内安装了几台伸长仪和裂缝仪,但在最初几个星期中并未观测到裂缝的任何发展。

1.1.2.2 采取措施

引起在大坝施工期内产生裂缝的各种因素中,除了机械应力外,对于早龄混凝土而言,温度和水是两项主要因素。

为了更好地了解温度因素的作用,对一些浇筑坝块采用热敏元件测量其内部的温度。测量结果表明,在混凝土浇筑两天后其温度升高一般为 20~25℃,而其浇筑温度平均为 15℃。图 2 所示为一个浇筑块的温度测量成果。在新浇混凝土中,最高温度值一般出现在离表面 1m 的深度上。

自 1983 年开始采取了以下措施,以便减少混凝土裂缝并尽可能帮助查明裂缝发生的原因。

——首先是与水泥供货商联系,要求降低所供应水泥的水化热值,使以后使用的水泥满足了上述水化热要求(参见上文);

——在混凝土浇筑后 24 个小时拆除模板,以减少拆模时的温度差;

——在浇筑块的上部边缘处和下部浇筑块裂缝的延伸处布设加强钢筋;

——更系统地浇水养护已浇筑混凝土,并在已浇混凝土表面覆盖上潮湿的草席,以保持混凝土始终潮湿;

——试浇了一些低高度 1.25~2m 的浇筑块。

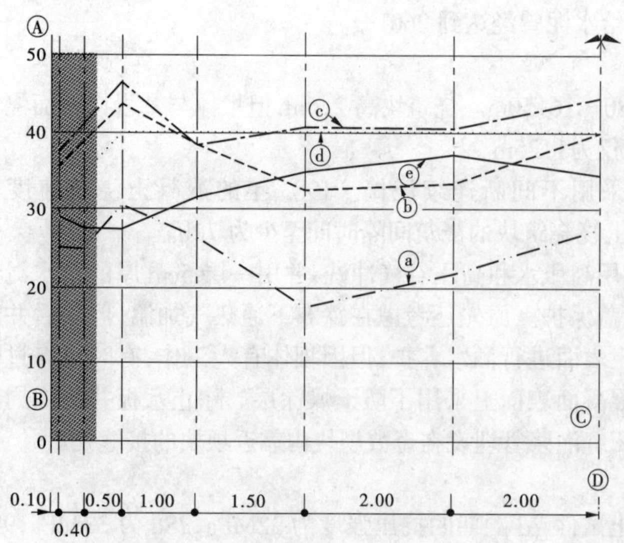


**图 2 拉帕朗坝零号坝块混凝土温度变化曲线**

零号坝块的高程为 1 541～1 543.5m，混凝土于 1983 年 7 月 11 日浇筑

ⓐ—7h 龄期；ⓑ—24h 龄期；ⓒ—2d 龄期；ⓓ—7d 龄期；ⓔ—28d 龄期；

Ⓐ—温度(℃)；Ⓑ—坝面；Ⓒ—坝块轴线；Ⓓ—温度探头间的间距

但以上这些措施均未能缓解裂缝的产生，为此，在 1984 年施工季节开始时拟定了另外一些补充措施：

——减小细砂本身的含水量(参见上文)；

——在一些浇筑块上试用钢模板，进一步减小混凝土拆模时的温差；

——改变混凝土的包气量；

——减少水泥用量，每立方米混凝土少用水泥 25kg；

——试用另一水泥生产厂家的 CLK 水泥。

与此同时，还进行相关的实验室研究，以便了解幼龄期混凝土的性质。这些研究主要包括三个方面：混凝土强度和变形性能的研究；混凝土干燥收缩和温度收缩的研究及混凝土裂缝性能的研究。混凝土干燥收缩研究主要是测定其线膨胀系数的变化，而其温度收缩特性的研究主要是包括测定其水化热值和有关变化。对混凝土裂缝性能的研究采用了一台裂缝仪。裂缝仪的一端为一个固定的钢卡架，另一端为一个与千斤顶连接的活动锚头，而用来进行裂缝研究的混凝土试块即固定在钢卡架和活动锚头之间。在整个试验过程中，通过调整千斤顶的位置将混凝土试件的长度保持固定不变，直到试件断裂。

进行这些研究时，不断对拌和细砂的用量、水泥用量($225\sim250kg/m^3$)、CLK 水泥种类、缓凝剂和加气剂的种类等进行了调整。研究的目的是试图确定在第一施工季内诱发混凝土裂缝的各种因素，以便在以后的施工中加以验证。

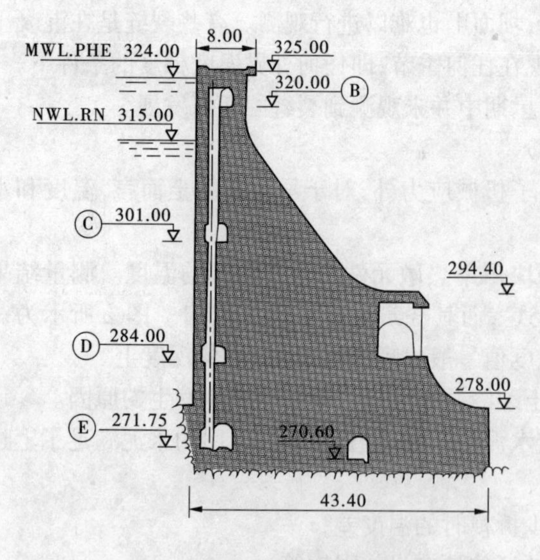


**图 3 维列勒斯特坝垂直剖面图**

Ⓑ,Ⓒ,Ⓓ,Ⓔ为坝内检查廊道

## 1.2 维列勒斯特(Villerest)坝

### 1.2.1 大坝建设条件

1979 年新德里大坝会议问题 50 报告 35 已对维列勒斯特坝作了介绍。图 3 所示为这座拱形重力坝的横剖面图。

坝体内布置有多条检查廊道，组成检查网络。位于上游坝面和这些检查廊道之间的混凝土的厚度为 3m，其内布置有结构钢筋，以限制混凝土裂缝。

维列勒斯特坝浇筑采用 CLK45R 水泥，混凝土水泥用量 $225kg/m^3$，最大骨料粒径 100mm。骨料为人工骨料，系由邻近采石场所采结晶岩破碎而成。水泥采用拉帕朗坝施工同一生产厂家提供的水泥。模板采用木质模板。

大坝施工自 1978 年 7 月～1982 年 12 月进行，由于卢阿河施工导流的原因，大坝施工分两期完成。第一期浇筑右岸坝块，18 个月后再浇左岸坝块。

混凝土按 2m 高的坝块浇筑,最初未考虑对混凝土作特殊养护,仅限于夏季最热的几天内用水浇洒浇筑块的表面。混凝土生产和浇筑未曾遇到任何困难。

1.2.2 混凝土裂缝

(1)混凝土施工时已出现了一些裂缝,它们发生在混凝土浇筑几天以后,其中包括:

——检查廊道顶拱内的系统裂缝;

——起重机底架处的裂缝,但当底架用强膨胀性的聚苯乙烯材料包裹处理后,这一类裂缝不再出现;

——浇筑块薄弱带内的裂缝。

后两类裂缝可清楚地在混凝土浇筑面上见到,其深度可在混凝土浇筑块内延伸数米。

施工后期人们在下游坝面上及上游坝面溢洪道的底槛以下观测到了几条垂直裂缝,它们准确的发生时间不得而知,它们的分布也不规律。裂缝仅限于少数浇筑块,而大多数浇筑块并未开裂。一个浇筑块内最多有 4 条裂缝,其总长不超过浇筑块的高度(2m),并不延伸到另一个浇筑块内。

(2)1983 年夏季,水库水位保持在 285m 高程。由于坝体温度升高,坝体微微倾向上游,坝顶位移约 4mm,9 月初当温度降低后,坝体发生了逆向变位。

水库于 1983 年 9 月 16 日正式蓄水,水位超过了 285m 高程。同年 12 月初库水位达到 302m 高程。水压力开始显示其作用并与温度因素相叠加,使坝体产生了向下游方向的变位。当 1984 年 2 月底库水位达到最高的 319m 高程时,位移达到 10mm。这样坝顶的位移幅度达到了 14mm。

(3)水库蓄水初期时检查廊道内只见到了很少数的裂缝,但当库水位上升到高程 295m 时,除廊道拱顶处的裂隙外,还发现了以下情况:

——在廊道Ⓑ内发现了一条垂直于廊道轴线的裂缝,该裂隙横切整个廊道;

——在廊道Ⓒ内观察到 3~4 条同样类型的裂缝;

——但在廊道Ⓓ和Ⓔ内未发现任何裂缝。

在水库后一个蓄水期中,当库水位上升到Ⓒ廊道的高程时,在该廊道内发现了一条宽度更大的裂缝。受裂缝影响的大多数坝块为位于坝体中部的中央坝块,其中最大宽度为 22m。每个坝块的裂缝条数为 2~4 条,坝块 1 内为 5 条。当向这些裂缝施加 1m 水头的水压力时,大多数裂缝均出现渗水现象。0 号坝块内的一条裂缝的渗水量曾测得为 1L/min。

当库水位继续升高时,Ⓒ廊道中的裂缝情况继续有所发展。Ⓑ廊道的裂缝情况与Ⓒ廊道完全相似,但情况略为缓和。

这些裂缝的开度总的均小于 1mm,其长度范围为 1m 到廊道的全周边。裂缝的产生时间与施工期看来有相关关系。裂缝条数达到 4~5 条的坝块全部是在一期导流施工期内浇筑的。

(4)坝体混凝土裂缝的出现与水库水位升高相伴随而产生。但裂缝发展的程度远不至于影响大坝的安全。这也就是对它们没有进行任何研究的原因。此外,大坝施工时检查廊道内也安装有模板,使得对这些宽度不大的细微裂隙的观测受到限制。

现有的这些开度极小的裂缝有可能大部分在水库蓄水之前已经产生了,因为很难相信即使是采用了低热水泥,宽度达到 22m 的混凝土浇筑块施工可以做到不发生裂缝。施工后期对坝体下游面上裂缝的观测看来也证实了这一假设。

大坝蓄水期间观测到检测廊道内的裂缝在以下因素的作用下加宽了,这些因素包括:

——坝体混凝土不均匀收缩;

——温度变化的影响,坝体在水库蓄水期间进一步冷却,温度下降;

——荷载作用,包括静水压力、坝体在蓄水初期发生向上游侧的变形以及随后的向下游变形。

关于裂缝产生时间与施工阶段相关联的情况无法加以解释,水泥质量的细小差别实际上并不能成为这个现象的原因。

### 1.3　罗兹朗(Roselend)坝和蒙泰纳尔(Monteynard)坝

拉帕朗坝和维列勒斯特坝的上述裂缝情况、原因分析和可能的补救措施，在罗兹朗坝和蒙泰纳尔坝的施工中已得到关注和考虑。为了避免所述现象而采取的措施，已在1964年爱丁堡大坝会议问题30报告3作了描述。

应该强调的是，几乎所有的裂缝都是微细而垂直的，深度也不大，并产生于混凝土的幼龄期。罗兹朗坝和蒙泰纳尔坝施工期内所采取的措施已消除了这些问题。坝体内从最初几个浇筑块即已出现的裂缝现象在过去的20年中丝毫未引起大坝业主的不安。大坝业主所做的工作仅是十分细心地观测他们的大坝。

### 1.4　温萨大坝导流底孔的裂缝

本文大坝混凝土裂缝的最后一个实例产生于与机电设备安装有联系的二期连接混凝土中。

温萨坝内设有两个导流底孔，在大坝全水头46m的作用下可泄放流量500m$^3$/s。导流底孔由弧形门控制，其上游侧另设叠梁门保护。弧形门和叠梁门之间底孔段的底板和两侧边墙用钢板衬砌保护。钢板衬砌分别超出叠梁门上游侧和弧形门下游侧一个边墙的高度。

尽管采取了相应措施以便改进堵孔混凝土塞处一、二期混凝土的结合，在二期混凝土塞的上部仍出现了裂缝。这些措施包括在一期混凝土内布设结合钢筋、将底孔一期混凝土底板浇筑为1.25:1的斜面及对所浇筑的二期混凝土加强振捣等。这种裂缝应该是二期混凝土的收缩裂缝。

裂缝的宽度为0.5~1.0mm，由专业公司采用环氧树脂灌浆，作了以下四个环节的处理：

——用凿子沿裂缝凿出一条25mm×25mm的浅槽；

——沿浅槽布置钢质灌浆盒并用环氧树脂密封固定；

——用低压灌浆筒将环氧树脂浆注入灌浆盒内；

——分段取下灌浆盒并用环氧混凝土将浅槽补平。

进行上述处理后，在大坝46m工作水头的运行条件下，未观测到任何异常情况。

对于用来封堵坝内机电设备的二期混凝土而言，完全避免由于混凝土沉陷而在其上部出现的沉陷裂缝实际上是不可能的。但可以考虑采取两方面的处理措施，一是改善浇筑模板的结构，另一是对出现的裂缝采用树脂浆液进行灌浆处理。

## 2　大坝蓄水期间及蓄水以后的裂缝实例

一些在蓄水期间或蓄水以后所观测到的大坝裂缝，可能在此次以前已经存在而只是未被发现(参见上文1.2.2节)。但是大部分下面将要介绍的实例，却是坝体在投入运行以后对坝基或所承受荷载进行调整适应的结果。

### 2.1　拱坝裂缝

拱坝坝体内的第一类裂缝发生在下游面坝脚处，其方向垂直于拱坝坝肩。这组裂缝是由于平行河流方向的巨大拉应力所引起的，起因还包括坝基岩石的各向异性和岩石的流变。

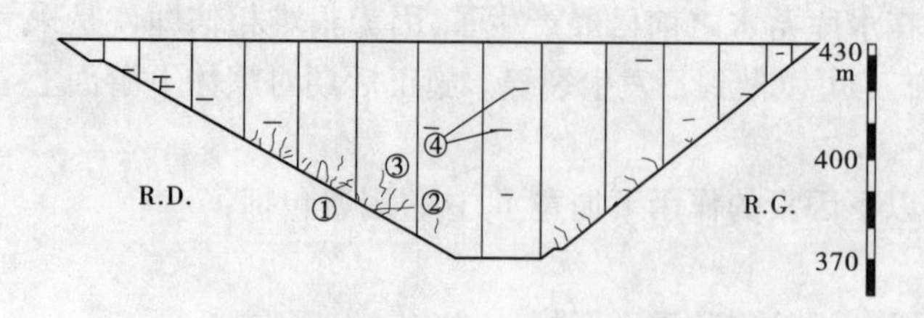


**图4　昂沙热拱坝下游坝面裂缝分布图**

①—1962年裂缝；②—1972年裂缝；
③—1983年裂缝；④—有缺陷的水平结合面

1979年新德里大坝会议问题49报告37对奥特法什坝的这一类裂缝作了描述和分析。此后这些裂缝未见有明显的变化。建于中央山脉地区的昂沙热坝也见到有同样的裂缝(见图4)。这些裂缝发生在大坝(1951年建成)蓄水后的十年中，裂缝的发展速度十分缓慢，其开度和深度均不大。裂缝附近布设的观测仪器(最小距离裂缝仅50cm)未发现任何异常。

另一裂缝则平行于河流分布或水平分布

在上、下游坝面上。它们仍属于张拉性裂缝,其形成原因可能是大的温度变化,而更多的是由于垂直悬臂梁的相对刚度。这类裂缝曾发生于卡什 1 坝和托拉坝,有关其论述请参阅 1979 年新德里大坝会议问题 49 报告 24 和报告 37 及问题 49 报告 37 和报告 45。

伍格朗坝(建于汝拉山区)7 号坝块下部 1977 年 2 月出现的一条裂缝可能属于这一类,1977 年水库水位迅速上升后,接着有过一段很长的低温天气,使得悬臂梁的底脚发生转动,混凝土应力突然升高,导致裂缝产生,并伴随有水渗入坝下部的廊道内。开裂原因可能还包括 7 号坝块的挠曲变形受到了下游围堰基础内所建混凝土防渗墙的阻抗。但是大坝观测并未显示任何异常。拱坝坝顶随库水位上升虽有移位,但这一变位是可逆性的。坝顶向下游方向的位移引起悬臂梁的倒转,使其底脚抬升(水位每升高 10m 底脚抬升22mm)。此外,坝体混凝土收缩也引起坝体的缩小,这一变形量在拱冠处 $(2\sim3)\times10^{-6}$/a(分析是无单位相对量),从而引起上游坝踵发生非可逆性抬升,其最大抬升量为 0.33mm(3 年内抬升 1mm)。

修建在宽阔河谷中的拱坝,其宽高比常常超过 5,这些拱坝产生的裂缝也常属于这一类型。这样的几何外形条件使拱效应受到悬臂梁相对刚度的限制,因为它们承受了一大部分的水推力。

建于绍莱市附近的利波磨坊坝的宽高比达到 10,为此设计人员在拱坝坝体内设置了两道水平的铰支连接缝,一道沿坝基布置,另一道布置在坝高的三分之一处。铰支连接的结构比较复杂,有关介绍参见 1961 年罗马七届大坝会议问题 26 报告 10。大坝运行 25 年的情况与设计预测基本一致。坝体变形沿两道铰支连接均发生明显变化。可以观测到的上铰支连接仍密封不透水,且因裂缝而有所拉长,但未引起任何后果。

1959 年竣工的鲁阿桥坝修建在昂当市附近,其宽高比为 6。设计计算已预计在坝体中部极有可能会出现水平裂缝。考虑到水库属弱侵蚀性,为节省工程开支,拱坝坝内未设置结构复杂而且费钱的铰支连接。在大坝初期蓄水后果然产生了一条沿浇筑块混凝土结合面分布的水平裂缝(见图 5),其伸延长度涉及到多个中央坝块,位置在坝块的半高上。沿裂缝有少量渗水。根据变形观测显示,这条裂缝竟然还是活动的,起着天然的铰支连接的作用。但是沿裂缝未见到相对的水平位移。裂缝的宽度在数年内一直保持不变,其两侧混凝土的风化甚微。因此,对于大坝的安全和永久性而言,这条裂缝均认为是可以完全接受的。

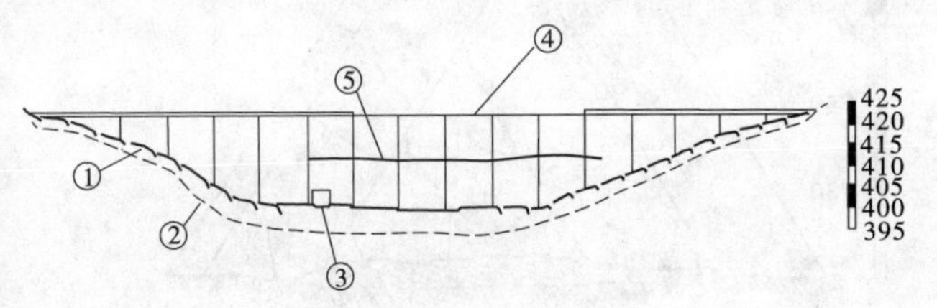


**图 5 鲁阿桥大坝的下游立视图**(单位:m)

①—天然地面线;②—坝基开挖线;③—底孔;
④—无闸门控制的自由式坝顶溢洪道;
⑤—大坝蓄水后在下游坝面出现的水平裂缝

## 2.2 连拱坝的裂缝

一些影响到连拱坝拱体的裂缝也属于上面已经论述过的两个裂缝类型。

萨瓦地区拉吉罗特连拱坝的各个拱圈均设计倾向下游,以改善其整体稳定性。这些拱圈的形状相当复杂,自上而下分别为环形曲面、倾向下游的圆柱面和圆球面。高度最大的几个拱圈还采用了垂直的圆柱面。大坝施工结束后坝体内即出现了裂缝,而裂缝现象在大坝蓄水后进一步加剧。裂缝共有三类:位于拱冠处的垂直裂缝、位于圆柱面与环形曲面及圆柱面与圆球面接触处的水平裂缝和垂直于坝肩的裂缝。造成这些裂缝的原因包括混凝土的不均匀收缩、支墩和圆拱的过分大的刚性和坝基对坝体各个部分的约束作用。

科西嘉岛上的卡拉库克西亚坝(图 6)在投入运行的最初几年内即发生了裂缝。影响到拱圈的裂缝可能是由几种因素叠加而成:首次蓄水之前拱圈混凝土的收缩、支墩混凝土进一步收缩、拱圈下部的扭转(由于拱圈一方面受到支墩的约束,而同时另一方面又受到坝基岩石的约束)以及坝基对坝体

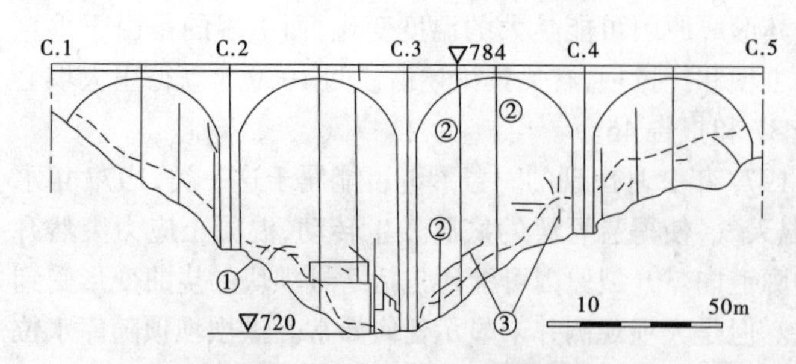


图 6　卡拉库克西亚坝的下游立视图和拱圈裂缝

①—坝基开挖线；②—连接缝；③—裂缝

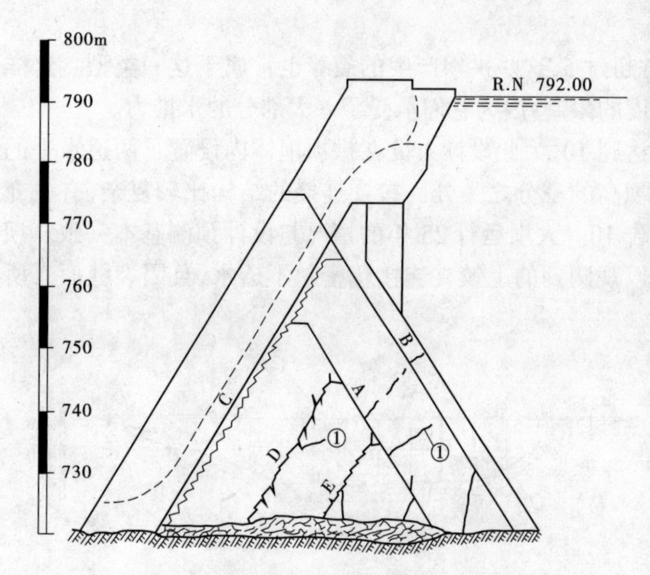


图 7　卡拉库克西亚坝 3 号支墩剖面图和裂缝的分布情况

A,B,C,D,E—坝体接缝；①—裂缝

的约束等。但是裂缝均很小，其中最大的一条位于 2、3 号拱圈中，缝内有钙质沉积物。

格朗德瓦尔坝的几个中央支墩也曾产生裂缝并经过加固。有关介绍请参见 1970 年蒙特利尔大坝会议问题 38 报告 33 和问题 39 报告 15 及 1979 年新德里大坝会议问题 49 报告 37。在采取加固措施以后，支墩的裂缝情况没有进一步发展。

卡拉库克西亚坝的支墩基脚要比格朗德瓦尔坝更为坚固，因此未见有任何张开的贯穿裂缝。但在大坝坝体内也见到有裂缝。裂缝产生在拱圈的上游顶脚和圈顶处(见图 7)，可能是由于不同施工期内所浇筑混凝土的差异性收缩而引起的。此外接缝内的齿条也被剪断，D 和 E 接缝也产生张开。大坝蓄水后最初几年内逐年进行的伸长仪观测成果表明裂缝有所发展，其原因包括：

(1)由于混凝土收缩的影响，坝体接缝逐渐张开，而由坝块自重和水库水压力对接缝施加的重力压应力不足以保证接缝的闭合。

(2)接缝内的纵向剪切分量难以靠接缝两壁的摩擦作用由裂缝的上游侧传递到裂缝的下游侧。

(3)用来增加沿接缝纵向剪切分量的齿条被剪断。这便使各个坝块只能独立地承受荷载，从而使主压应力的方向逐渐变成为平行于各个坝块的接缝。大约在 1977 年后，伸长仪所观测到的变位逐渐减小，使人联想到各个坝块找到了新的支撑。定期而有系统地测量裂缝的状况，从此便成为了解大坝坝体可能的残余变位的有效手段。

罗兹朗坝支墩内的裂缝可能也是坝体各个部分在不断变化的应力条件下各自适应其地基的结果。

# 3　大坝裂缝计算

## 3.1　设计阶段中的大坝裂缝计算

混凝土大坝设计阶段内的所有数学模型研究，均建立在坝基、坝体及其结合面的弹性假设和连续性假设的基础上。对设计建立信心一般依靠两个方法：一个方法是所计算得出的应力值表明不存在有坝体裂缝的风险，另一方法是计算得到了相反结果，坝体将产生裂缝，但计算表明所产生的裂缝是在已建成并已受过考验大坝的裂缝范围之内。这是拱坝的设计原则，根据这样的原则，设计中允许拱坝上游坝踵处的拉应力在一定程度上超过极限值。

如果设计人员面对的是上述两种情况以外的情况，则在以后的设计阶段内要对将产生的裂缝加以专门的考虑，在前一个计算模型上出现一条裂缝意味着产生了一个过量的拉应力，或按 Mohr-Caquot 准则，极限强度的包络圆产生了破坏。

当验证潜在的开裂断面所传递的作用力是否将导致结构物的屈服(即结构物平移或转动使裂缝张开)时,要对模型进行修改。

在采用有限元法分析结构物的各个方法中,首先是在体积变形构件或接缝构件这一级水平上用模型来模拟和研究裂缝,但是在每个步骤中都要调整有限元网格,这就只能将研究限制于小的二维模型。对于能代表拱体的大型三维模型,由 Zienkiewicz 提出了新的"原始应力"法。这个方法的独创性在于应用了结构物数值模型的惟一性,也即是系统刚度矩阵的惟一性,这便可以大大地减少计算时间和降低计算费用。

图 8A 示意性地表示的材料应力—应变特性定理可归纳如下:各条裂缝的出现使所有主拉应力均被解除,所有裂缝均与主应力方向正交,且每个点的三个主应力中只有一个拉应力。实际应用这个原理的步骤如下:

——第一个计算是纯弹性的,用来计算确定一个$\sum 0$计算场(应力场)内每个单元的各主应力值;

——解除$\sum 0$场的所有拉应力从而构成$\sum 0'$场;

——逐个单元地计算所有节点上平衡所有解除拉应力所需的作用力,这样便可得出一个作用力系统 F1;

——将 F1 作用力系统施加在未作变更的同一个结构物上进行第二个计算,由此得出$\Delta\sum 1$附加应力场,将$\Delta\sum 1$叠加于$\sum 0'$,即得出$\sum 1$场。$\Delta\sum 1$即是结构的反作用,也即是应力的重新分布。$\sum 1$场上可显示出所有计算单元内的拉应力分布,包括第一阶段内应力的分布。

——重复以上程序,即可得出$\sum 1'$,F2,$\Delta\sum 2$,$\sum 2'$等。

拉应力解除消失的速度决定于有限元网格的超静定程度。拉应力的全部解除要求做无限次数的迭代。但实际上做十次迭代即可判断出结构物反作用的类型。为了保证安全,需要满足以下条件:

——同一单元内部的拉应力水平趋向于零;

——各单元的拉应力区的范围应是有限制的;

——所得到的最大拉应力值趋向于零;

——所计算得出的变位量应趋向于无限小值;

——因拉应力重新分布得出的压应力值是可以接受的。

这一计算方法首次用在研究拉帕朗坝中区下部应力的变化情况。坝体和坝基模型采用了较密的单元网格,拱圈下部沿坝的厚度方向用了三个单元。大坝应力由自重和最高水位的水压力叠加而来,而且采用了一种方法(本文不拟作详细介绍)导入由大坝分期施工和坝体开缝所造成的实际原始应力状态。计算最初使用当时已采用 10 年的 COBEF3 程序,然后在其基础上采用了 NOTEN3 程序,以导入修正的内部作用力和进行迭代运算。图 8B 所示为拉帕朗坝拱冠悬臂梁坝基部分的应力图,这是通过 10 次迭代解除坝基拉应力的结果。

从图上可以看出,在大大地减少上游拉应力之后,应力已接近于线性分布。坝基拉应力的减小已为其他大坝所进行的观测所证实,而且岩石的抗拉强度也确实明显地低于混凝土抗拉强度。

同时也尝试计算解除混凝土拉应力后的情况。总的说来,解除坝体拉应力的做法对原有作用力系统的影响不大。这一情况从比较拱冠悬臂梁解除拉应力前后的变形值即可得到证实,为此请参阅图 9。除坝基上游侧的变形量相差一倍外,不同计算得出的拱冠悬臂梁的变形值相差并不大。

计算研究还证明了大坝原设计是十分正确的,否则有限元计算可以很容易地揭示出在一些区域内会出现不可容许的横向裂缝。总的说来,这一计算方法可以用来解决拱坝上游坝踵处的拉应力问题,并揭示了拱坝与坝基接触带处有关问题的处理办法。

### 3.2 运行大坝的计算

当已投入运行的大坝出现小的麻烦以及设计中未曾预料的裂缝时,人们将提出两个问题:

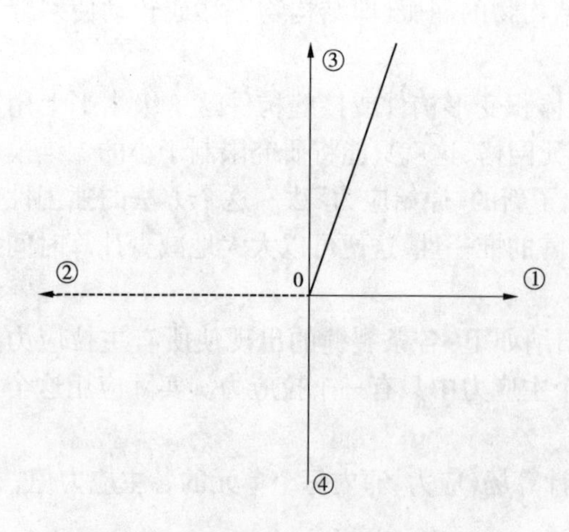


图 8A　材料应力—应变特性示意图

①—拉应变；②—压应变；③—压应力；④—拉应力

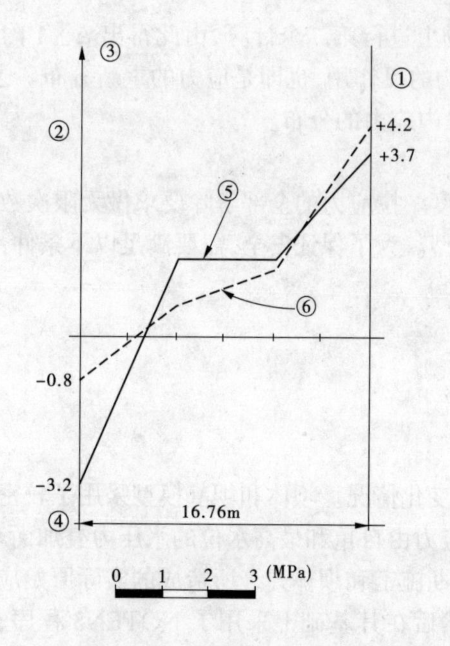


图 8B　拉帕朗坝拱冠悬臂梁应力图

①—下游；②—上游；③—压应力；④—拉应力；
⑤—COBEF3 弹性计算；⑥—COBEF3 与 NOTEN3 结合计算

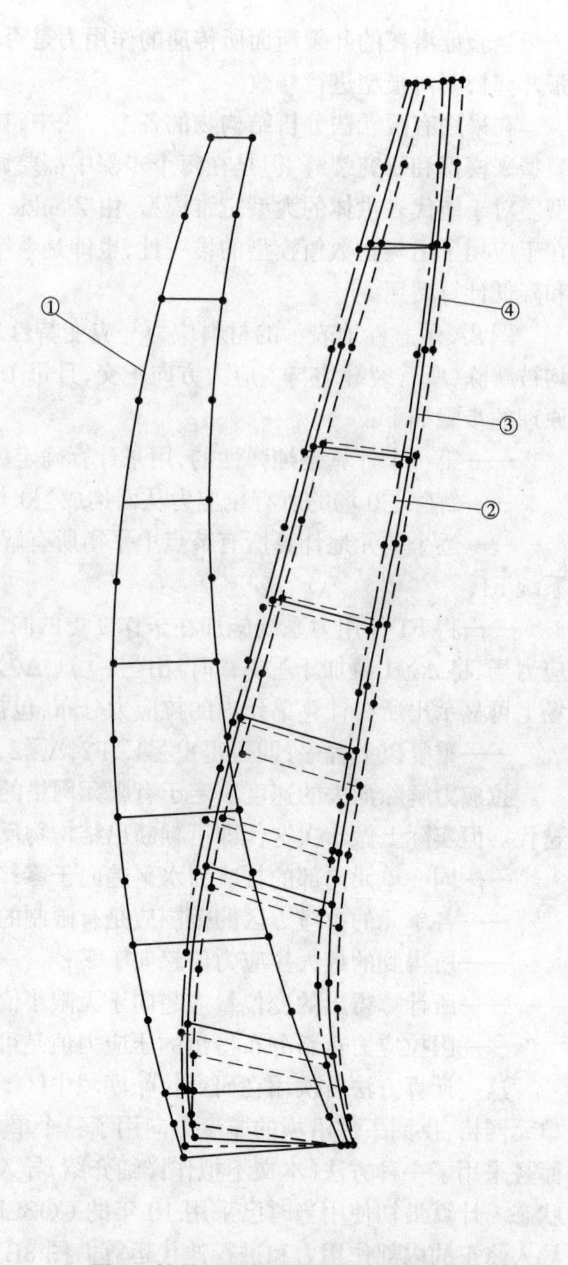


图 9　拉帕朗坝拱冠悬臂梁的变形量

①—大坝起始位置；②—COBEF3 弹性计算；
③—CDBEF3 与 NOTEN3 联合计算；
④—COBEF3 原拱计算

——当前状态下大坝的安全程度如何？

——今后大坝的状况会有怎样的变化，其运行寿命会有多长？

对这一问题的答案通常是简单的。但在一定程度上取决于大坝的几何外形和建立模型的难易程度。一般可以建立一个有限元网格，对各种特殊条件包括裂缝等加以考虑，然后通过计算对原设计进行校核。

对于大坝状况的进一步变化，则需要确定引起大坝裂缝的原因。如果可以确认大坝设计没有错误，其主要荷载的考虑也正确无误，则大坝裂缝原因可从以下因素加以分析：

——坝体变形(混凝土的收缩和膨胀)引起的差异性应力；

——因大坝分期施工而产生的初始应力,这是连拱坝和重力坝经常遇到的情况;

——坝基的实际反应与原设计假定不相符合。

确认有关的影响因素后,便需要:

——建立结构物原始状态的模型,对结构物迄今为止所承受的各种荷载的历史情况进行模拟;

——视需要与否在模型中导入裂缝,试图了解结构物内部应力的水平;

——将模型结果与结构物的实际状况进行比较,调整模型的应力量级水平以真实反映现实情况;

——对今后给定期限内结构物的裂缝发展前景进行定量分析;

——将裂缝发展应力与坝体目前应力条件叠加,进行预案性计算以便对所提出的问题得出相应的答案。

有关以上所介绍的研究方法,在尚本坝的混凝土膨胀研究中,借用在拉帕朗坝计算中曾采用过的 COBEF3 和 NOTEN3 程序,进行了实际应用。有关这项计算的详细内容,在呈交本次大坝会议的报告 57 中已有全面介绍。

## 4 结 论

本文以上所论述和介绍的法国大坝的裂缝实例表明,坝体裂缝的出现时间,可以在大坝施工期内,可以在大坝初次蓄水期间,也可以在大坝蓄水以后。在几个特殊工程中,如卡什坝、托拉坝和格朗德瓦尔坝,坝体裂缝是大坝和坝基在承受各种荷载后所进行精巧调整的结果。对裂缝现象及其进一步发展的分析曾导致相当规模的补救工作。

如果裂缝中有水的循环流动,特别是沿有缺陷的混凝土浇筑结合面有水循环流动,水的冻害作用不可轻视,裂缝四周的混凝土的损害也会随时间推移而逐渐加重。在这种情况下要在坝的上游侧考虑防渗止水措施。吉罗特坝这方面的经验是取得成功的实例,其具体做法是对上游面混凝土表面进行风砂打磨后,涂施了两层聚氨基甲酸酯防渗涂层。

更多的情况下已出现的裂缝是老缝,而且发展十分缓慢。有些裂缝则是大坝原设计中已预先考虑到的,如鲁阿桥坝等。对这些裂缝不需要马上采取任何加固措施或防渗措施。更适宜和更重要的做法是密切关注裂缝的进一步发展。为此,根据裂缝的类型和是否易于接近,可以采用不同的观测方法,如裂缝测量、照相、裂缝仪观测等。对于一座新坝,要在施工结束时和水库蓄水前完成第一次裂缝测量,并在蓄水过程中重复进行多次。当大坝正常运行后,检查可定期进行,原则上一年检查一次,以便既快速又简单地判断大坝运行状况的变化。

# 避免大体积混凝土温度变化产生裂缝的预防措施

［巴西］ V.A.保伦等

**摘　要**：本文旨在说明在温暖气候地区大体积混凝土施工中的温度裂缝问题，如何估计温度应力，以及防止和控制裂缝所采取的措施。

文中也阐明了在大体积混凝土中温度应力引起裂缝的机理，讨论了影响混凝土温度特性的材料性能。

本文还显示了在巴西一些大坝施工中获得的有关混凝土特性的成果；这些成果表明，混凝土的一些特性主要取决于所用骨料。

文中阐明了气温的影响，它表明混凝土浇筑的月份与裂缝产生有关。本文的要点之一，是提出在巴西大体积混凝土施工中，防止温度裂缝所采取的措施，包括考虑材料特点、浇筑温度、混凝土拌和物和当地施工实践。

## 1　引　言

近20年间，巴西建造了许多大坝，其中一些是世界上最大的大坝，例如伊泰普(12 600MW)、图库鲁伊(8 000MW)和伊拉索尔台拉(3 200MW)。

在巴西的气候条件下，如果在适当的时间不采取正确的预防措施，大体积混凝土必然会产生很大的温度应力值，使混凝土出现严重的裂缝。这些措施包括，在容许的范围内，选择能减少温度应力的混凝土材料和施工方法等。

本文旨在指出在高气温条件下大体积混凝土施工中的温度裂缝问题，并说明巴西大坝施工中为了避免产生裂缝采取的预防措施。

## 2　大体积结构的温度变化

刚性基础上，混凝土坝段中任意一点的温度应力如下式：

$$\sigma = \frac{K_r \cdot E_{ef} \cdot \alpha \cdot \Delta T}{1 - \mu}$$

如果温度应力($\sigma$)低于混凝土的抗拉强度($f_c$)，将不产生温度裂缝；如果温度应力大于或等于抗拉强度，混凝土将产生裂缝。

$K_r$ 表示约束度。混凝土的体积变化受地基或硬化混凝土的约束，这一约束引起应力。

$E_{ef}$代表混凝土的有效弹性模量，它考虑了岩石地基的影响和松弛作用导致的应力减少。有效弹性模量由下式求得：

$$E_{ef} = \frac{E_\alpha}{\dfrac{1 + 0.4(E_\alpha)}{(E_f)}}$$

上二式中：$E_f$——岩石地基的弹性模量，$E_\alpha$ 是持久弹性模量；

$\alpha$——混凝土热膨胀系数；

本文原载《第15届国际大坝会议·主题57》，1985年。

$\mu$——泊松比,一般取0.2;

$\Delta T$——温降,混凝土最高温度与周围气温间的差值。

## 3 影响混凝土开裂可能性的特性

影响混凝土开裂可能性的主要特性是:热膨胀系数、抗拉强度、弹性模量、散热系数和水化热。

巴西混凝土研究所(Ibracon)精心编写了一本书,详细说明了巴西各类大坝混凝土的特性。本文提出的资料就是依据这本书。

### 3.1 热膨胀系数

热膨胀系数主要取决于混凝土骨料的种类。除非更换骨料,否则没有办法改变混凝土拌和物的热膨胀系数值。图1是与巴西一些大坝中使用的骨料相关的热膨胀系数值。

| 平均值($\times 10^{-6}$/℃) | 大　坝 | 骨料种类 |
|---|---|---|
| 12.48 | 伊图比阿腊 | 石英砂 |
| 12.28 | 波多布里马维拉 | 石英岩砾石 |
| 12.08 | 伊图北阿腊 | 蛭石 |
| 11.99 | 巴尔萨斯米内罗 | 石英岩砾石 |
| 11.90 | 安格拉多思雷斯 | 钢纤维 |
| 10.70 | 图库鲁伊Ⅰ | 准杂砂岩 |
| 10.83 | 伊泰普 | 石英和玄武岩砂 |
| 10.57 | 安格拉多思雷斯 | 片麻岩 |
| 10.27 | 伊图比阿腊 | 片麻岩 |
| 10.23 | 伊泰普 | 石英和玄武岩砂 |
| 9.77 | 图库鲁伊 | 玄武岩 |
| 9.06 | 安格拉多思雷斯 | 赤铁矿 |
| 9.05 | 伊图北阿腊 | 玄武岩 |
| 8.75 | 塔瓜鲁库 | 玄武岩 |
| 8.61 | 伊拉格兰德 | 玄武岩 |
| 8.42 | 伊泰普 | 玄武岩 |
| 8.05 | 特雷斯伊尔毛斯 | 玄武岩 |
| 7.68 | 诺瓦阿维亨达瓦 | 玄武岩 |

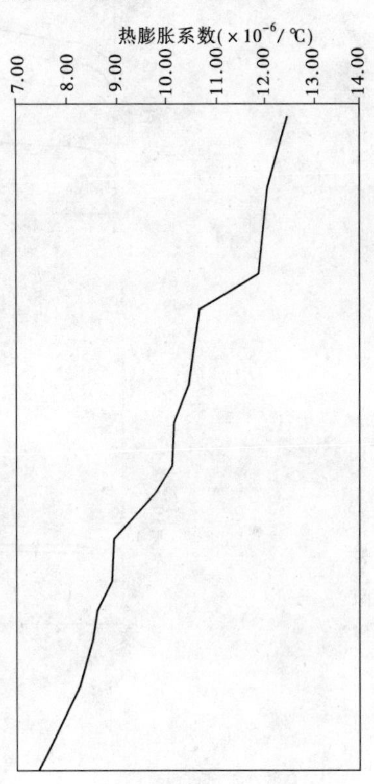


**图1　各种骨料的热膨胀系数**

### 3.2 抗拉强度

在传统的钢筋混凝土设计中,假定混凝土没有抗拉强度,但在大体积混凝土裂缝控制中这是不能接受的。实际上,抗拉强度是大体积混凝土裂缝控制考虑的最重要问题之一,且应加以确定。确定抗拉强度最常用的试验是劈裂抗拉试验(参见美国材料试验协会的ASTM C-496)。该试验获得值的85%被推荐为抗拉强度值。

### 3.3 弹性模量

混凝土不是一种真正的弹性材料。然而,实际上,在大体积混凝土承受的应力范围内,它是作为弹性材料来考虑的。

一般认为,弹性模量取决于骨料的种类、水灰比($W/C$)、龄期和拌和物的水泥含量。表1表示不同种类骨料拌制的拌和物的弹性模量。

**表1　不同种类骨料拌制的混凝土的弹性模量**

| 骨　料 | 弹性模量(MPa) |
|---|---|
| 石英岩砾石 | 42.0 |
| 玄武岩 | 35.9 |
| 准杂砂岩 | 29.0 |

## 3.4　蠕变

蠕变与持久弹性模量有密切的相关关系，蠕变越大，弹性模量越低。一般说，蠕变试验旨在确定蠕变是如何受混凝土特性的影响的。如果不改变混凝土拌和物的另一个特性，要改变其一个指定的特性是不可能的，这个事实使得很难解释蠕变试验的成果。同时，我们可以说蠕变受水泥浆、骨料种类、温度、水灰比、龄期、强度等因素的影响。

图 2 表示具有相同的材料比例、不同种类骨料的混凝土拌和物的蠕变曲线。图 2 中公式为美国垦务局所建议。

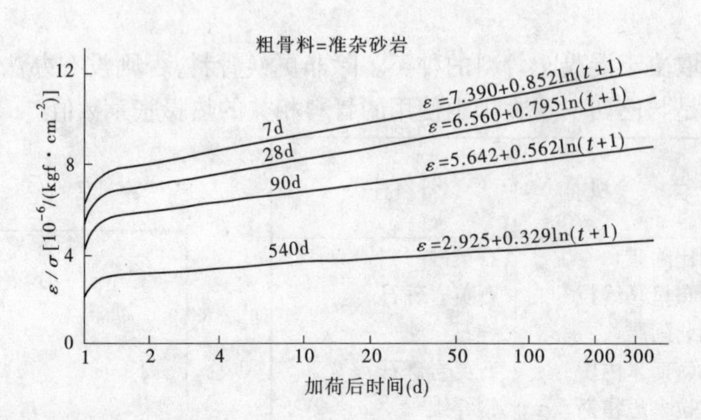


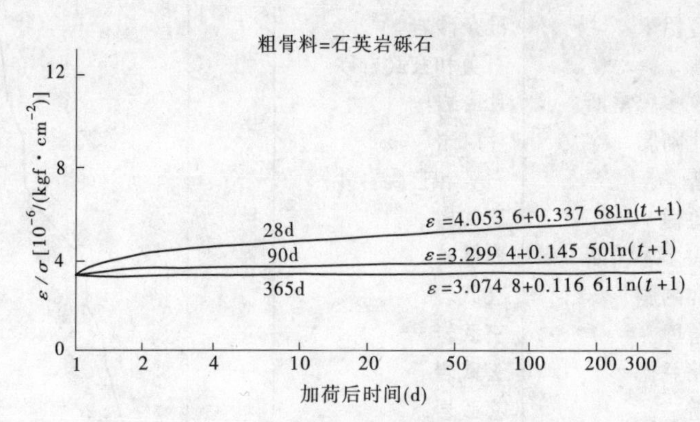


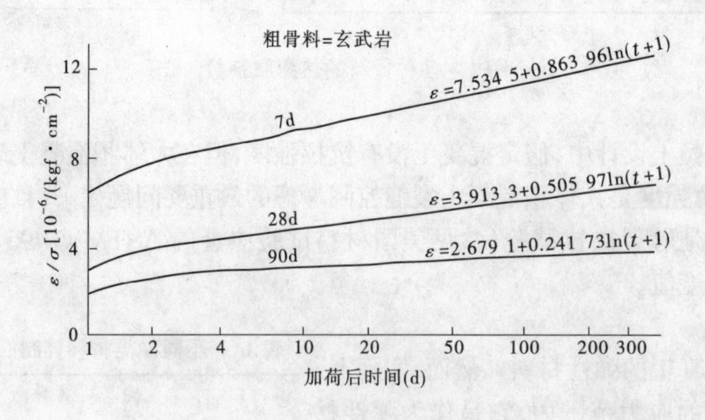


**图 2　不同骨料拌制的混凝土的蠕变**

## 3.5　散热系数

散热系数对混凝土因湿度变化而产生的体积变化有相关的影响。散热系数主要取决于骨料的种类，要改变散热性，就要求更换骨料。图 3 是巴西各类大坝不同混凝土的散热系数。

| 平均值 ($m^2/d$) | 大　坝 | 骨料种类 |
|---|---|---|
| 0.189 | 埃斯特雷托 | 石英岩砾石 |
| 0.180 | 巴尔萨斯米内罗 | 石英砾石 |
| 0.172 | 圣弗列克斯 | 石英砾石 |
| 0.146 | 伊拉格兰德 | 英石岩 |
| 0.144 | 安格拉多思雷斯 | 赤铁矿 |
| 0.129 | 波多布里马维拉 | 石英岩砾石 |
| 0.127 | 萨贝斯特伊塔贝拉 | 石灰岩 |
| 0.119 | 布依斯皮伦萨 | 片麻岩 |
| 0.118 | 图库鲁伊 | 准杂砂岩 |
| 0.114 | 伊图比阿腊 | 石英岩 |
| 0.112 | 伊图比阿腊 | 片麻岩 |
| 0.112 | 恩博尔卡萨 | 钢纤维 |
| 0.093 | 图库鲁伊 | 玄武岩 |
| 0.089 | 伊图比阿腊 | 石英砂 |
| 0.088 | 伊拉格兰德 | 玄武岩 |
| 0.085 | 安格拉多思雷斯 | 片麻岩 |
| 0.077 | 乌萨特本乌拉尼克 | 响岩 |
| 0.075 | 塔瓜鲁库 | 玄武岩 |
| 0.072 | 伊图比阿腊 | 石英砂 |
| 0.069 | 诺瓦阿维亨达瓦 | 玄武岩 |
| 0.068 | 伊泰普 | 玄武岩 |
| 0.067 | 伊图比阿腊 | 玄武岩 |
| 0.065 | 伊图比阿腊 | 片麻岩 |
| 0.063 | 特雷斯伊尔毛斯 | 玄武岩 |
| 0.053 | 伊图比阿腊 | 膨胀黏土 |
| 0.043 | 伊图比阿腊 | 玄武岩砂 |
| 0.032 | 伊图比阿腊 | 水泥浆 |
| 0.023 | 伊图比阿腊 | 蛭石 |

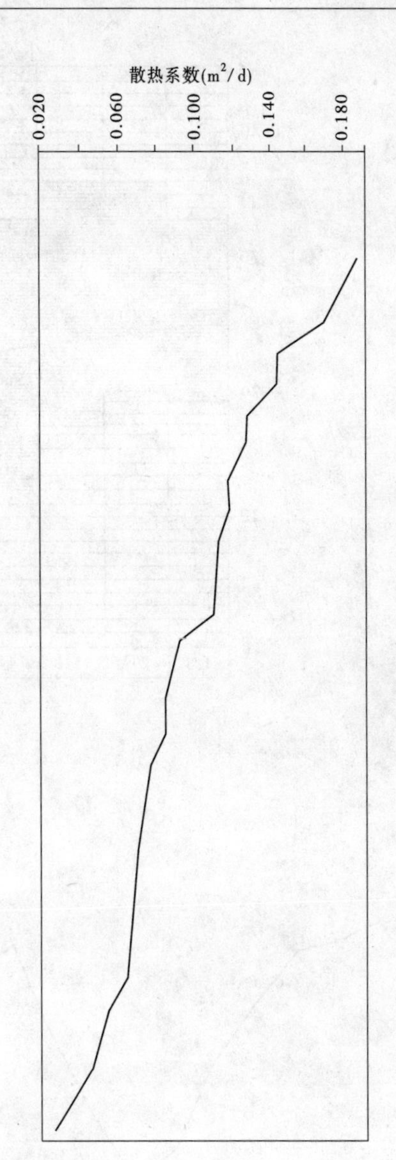


图3　不同骨料拌制的混凝土的温度扩散性

## 4　周围气温的影响

混凝土的环境温度能够影响混凝土温度,在温暖的天气,它能使温度应力显著提高。下面的例子是关于诺瓦阿维亨达瓦大坝混凝土温度的研究。图4显示该工程坝址处气温的最小、平均和最大值。

新浇混凝土的温度是15℃。图5表示气温的平均值与新浇混凝土温度间的温差。

坝址处年平均气温值为22.5℃,大体积混凝土冷却到这个温度值的逐月情况见图6。

图6表明,在12月、1月、2月、3月和4月,混凝土开裂的可能性更高,因为这期间温降明显高于其他月份。

## 5　预防温度裂缝的措施

$$\sigma = \frac{K_r \cdot E_{ef} \cdot \alpha \cdot \Delta T}{1 - \mu} < f_c$$

考察上述表达式,可阐明避免温度裂缝所采取的预防措施,这时取 $\mu = 0.2$,且不考虑提高抗拉强度($f_c$),因为,它要求使用更多的水泥,且随后将增加水化热。

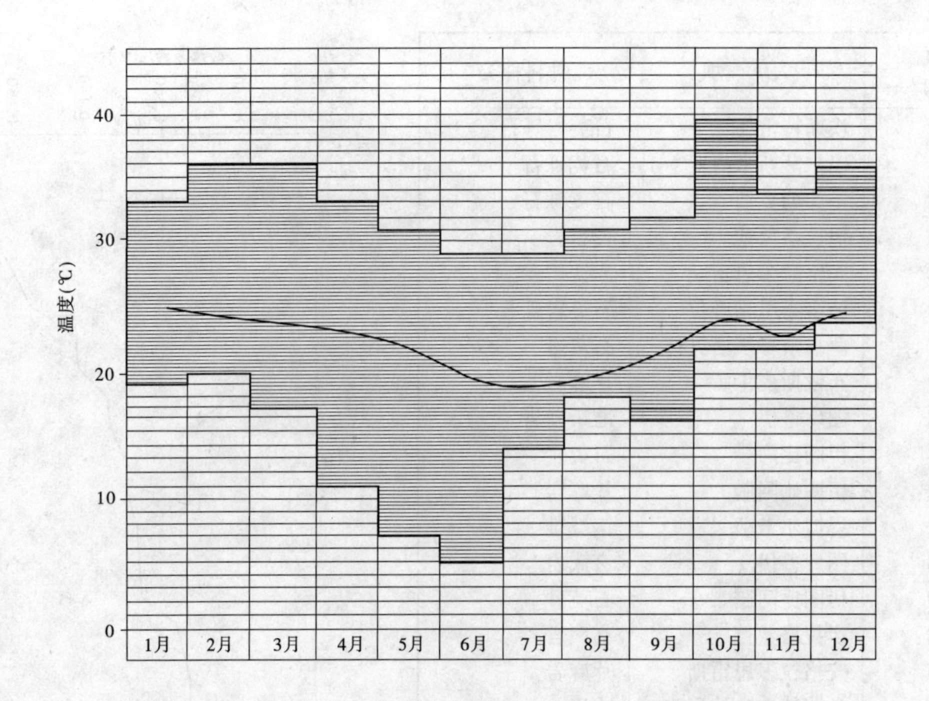


**图4　气温资料**

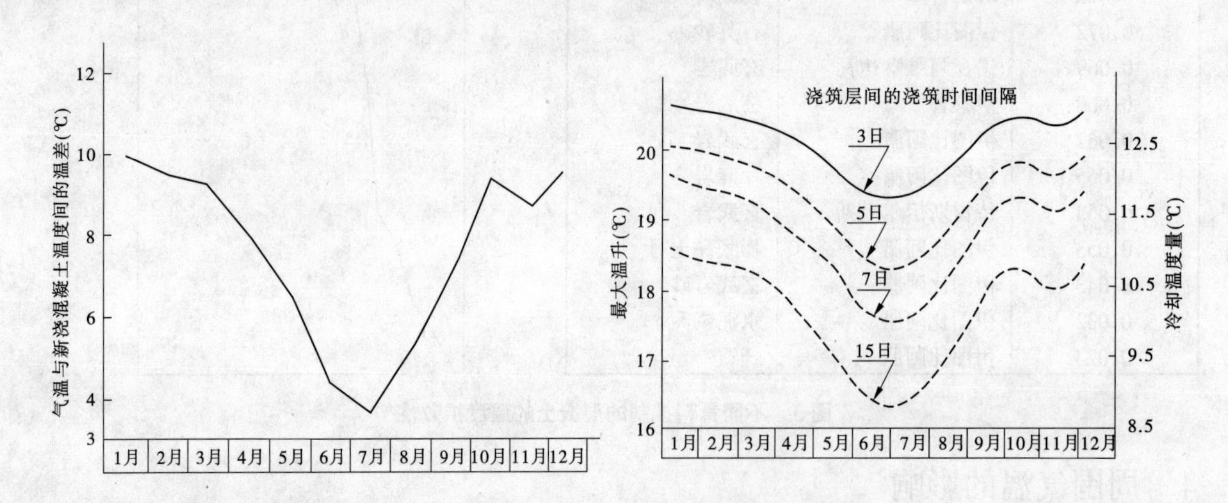


**图5　全年各月气温与新浇混凝土温度间的温差**　　**图6　各月温降至年平均气温的情况**

## 5.1　高约束部位适宜的混凝土拌和物的选择

约束度 $K_r$ 取决于坝块的尺寸 $L$ 和 $H$(见图7),其值可由美国混凝土学会(ACI)推荐的图解法求得。

基岩的约束度最高,已硬化的混凝土的约束度较低。为了减少约束的影响,我们采用有较高应变量的混凝土。浇筑在岩基上,或者覆盖在龄期超过20天的混凝土上的第一个浇筑层,应具有较高的应变量。这么做的目的是防止因高约束产生裂缝,使约束分布在其他混凝土浇筑层。图8和表2是这种预防措施的例子。应变量的增加,大大地弥补了因采用76mm最大粒径骨料使水泥含量的增加。

**表2　　混凝土应变量**

| 骨料最大粒径(mm) | 水灰比 $W/C$ | 应变量($10^{-6}$) | | | |
|---|---|---|---|---|---|
| | | 3d | 7d | 28d | 90d |
| 76 | 0.885 | 42 | 46 | 56 | 80 |
| 152 | 0.885 | 32 | 44 | 54 | 60 |

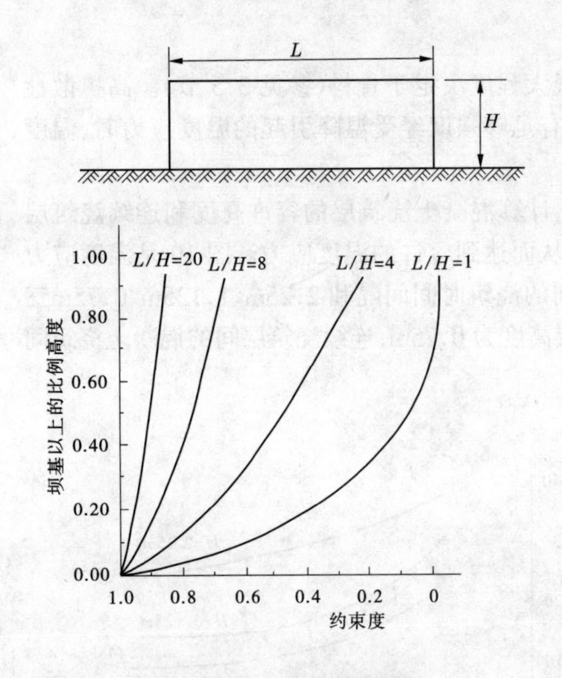


图7　坝块中间点的约束度

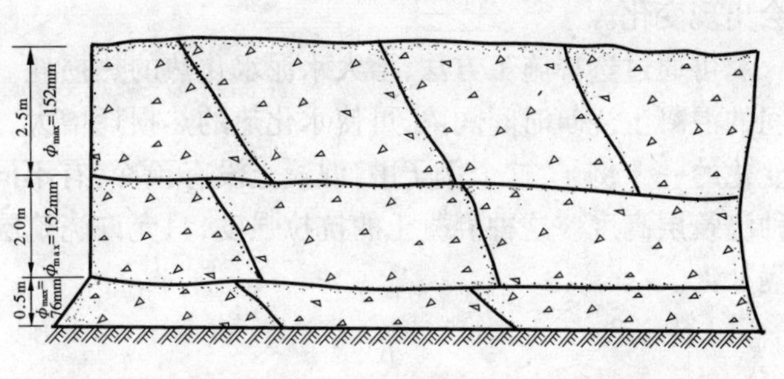


图8　混凝土浇筑层

## 5.2　弹性模量

混凝土的弹性模量随粗骨料种类有大的变化。阿瓜凡梅拉(AguaVermelha)大坝施工中使用石英岩砾石，其弹性模量很高。而如果要使混凝土的弹性模量较低，可在石英岩砾石中掺入轧碎的玄武岩。然而，要自由地选择骨料去拌制具有理想的温度和弹性特点的混凝土，是十分困难的。

考虑到蠕变的影响，我们使用有效模量，它是混凝土坝瞬时模量的2/3。巴西的试验表明，这个推荐的模量，对于一年时间内的蠕变是有效的。因蠕变作用使弹性模量的减少，对计算温度应力是十分重要的。

## 5.3　热膨胀系数

它也是取决于骨料的种类(参见3.1节)。在阿瓜凡梅拉大坝，掺有轧碎的玄武岩的石英岩砾石拌制的拌和物，降低了弹性模量，而且热膨胀系数也得到减少。

## 5.4　温降

温降($\Delta T$)的定义如下：

$$\Delta T = \text{混凝土浇筑温度} + \text{绝热温升} - \text{年气温平均值} - \text{水化热的热损耗}$$

我们将说明测得的温度应力下降的量值，应力的下降是通过控制混凝土浇筑温度、绝热温升和水化热损耗等实现的。

### 5.4.1　降低浇筑温度

当水泥开始水化时，温度升高。如果混凝土的绝热温升是20℃，浇筑温度是13℃，则混凝土的最终温度是33℃；如果浇筑温度是25℃(在巴西常见)，最终温度是45℃(见图9)。

几乎所有的巴西大坝施工都采用预冷混凝土，以降低浇筑温度。预冷的方法包括：

(1)在皮带输送机上的粗骨料上喷洒冷水。在此工序后，温度约为5℃。

(2)将2℃的冷水和冰屑作为拌和水。冰的用量占拌和水总量的最大比例约为70%。

(3)在粗骨料料仓中吹入冷气。

采用这种预冷方法，混凝土从拌和厂的出料温度在5～10℃之间。从拌和厂到浇筑现场的温度损失约2℃。

预冷可显著地降低温度应力，减少拌和水数量，延迟水泥的水化和改善浇筑层间的结合。

5.4.2 增大水化热的热损耗

混凝土的热消散取决于混凝土的扩散性,扩散性很大程度决定于骨料(参见 3.5 节)。高扩散性混凝土不适用于大体积混凝土施工,因为,当混凝土没有足够强度经受温降引起的温度应力时,温度会出现变化。

可通过选择施工方法,增大水泥水化热的热损耗。计算混凝土浇筑层的容许高度和连续浇筑层间的混凝土浇筑时间间隔,可使水化热的热损耗增大,从而达到容许的温度应力。图 10 是温度应力变化的一个例子,这个例子中,混凝土没有预冷,有不同的浇筑时间间隔和 2.25m、1.125m、0.75m三种浇筑层高度。这种混凝土的抗拉强度,只允许浇筑层高度为 0.75m,连续浇筑层间的混凝土浇筑间隔 8 天。

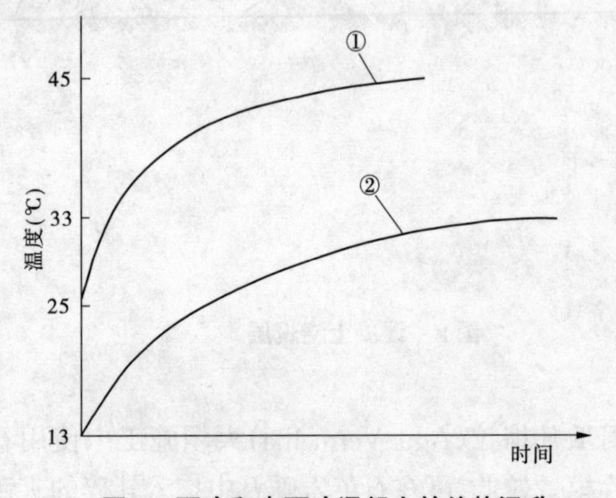


**图 9 预冷和未预冷混凝土的绝热温升**

①—未预冷混凝土;②—预冷混凝土

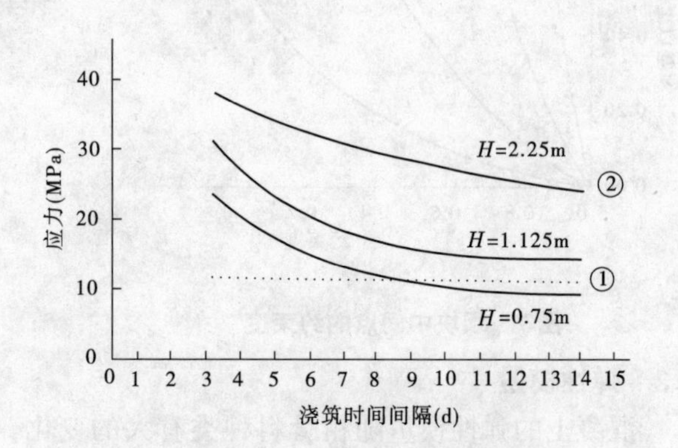


**图 10 混凝土的最大温度应力**

①—混凝土的抗拉强度;②—H 为浇筑层高度

5.4.3 减少绝热温升

用火山灰替代一定数量的水泥,或者使用Ⅱ型或Ⅳ型水泥(美国材料试验协会),都能减少绝热温升。

巴西一些大坝施工中,采用Ⅰ型改性水泥和火山灰替代水泥。Ⅰ型改性水泥的水化热适中(大约 314J/g)。尽管在一般工地火山灰替代水泥不超过体积的 35%,但采用高性能火山灰替代水泥可达 50%。图 11 和图 12 表明,采用适当的火山灰替代 50%水泥拌制的混凝土,其强度要高于替代比例为 0%或 30%的混凝土强度,且绝热温升可减少 7.2℃。

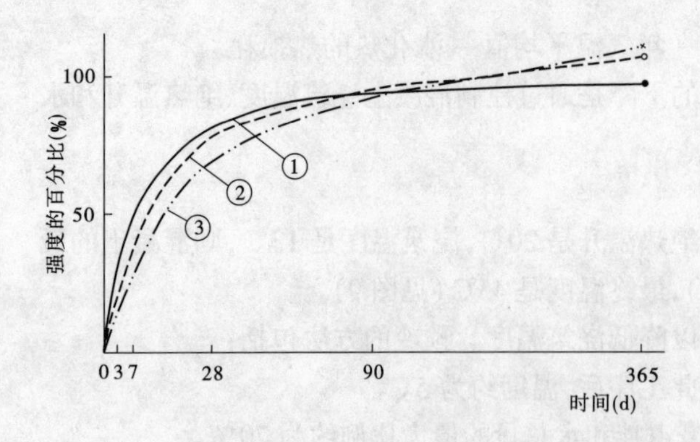


**图 11 强度的变化**

①—不掺火山灰;②—掺 30%火山灰;③—掺 50%火山灰

(图中不掺火山灰的 365d 混凝土强度为 100%)

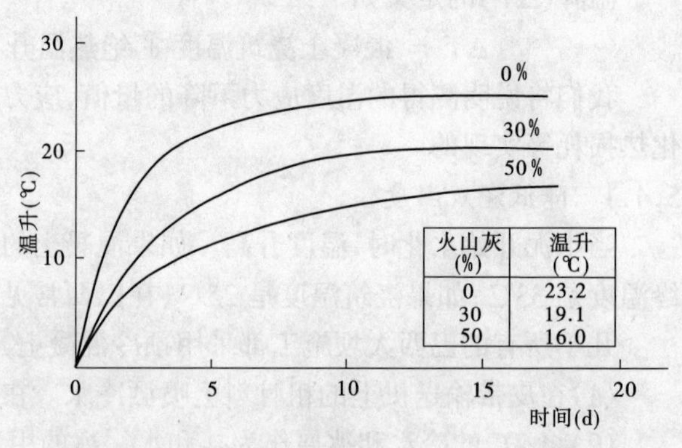


| 火山灰(%) | 温升(℃) |
|---|---|
| 0 | 23.2 |
| 30 | 19.1 |
| 50 | 16.0 |

**图 12 用 0%、30%和 50%的火山灰替代水泥拌制的混凝土的绝热温升**

## 6 结 论

巴西许多特殊气候条件地区的经验说明,为了防止在大体积混凝土中产生裂缝,对水化热引起的温度问题要给予特别的注意。

一些具有积极效果的措施是,混凝土的预冷,选择与拟定温度应力相匹配的浇筑层高度和连续浇筑层间的浇筑时间间隔,以及使用特种水泥和用适当的火山灰替代水泥减少水化热的产生。这些措施总体上得到采用,混凝土大坝施工的浇筑层高度为2.5m,连续浇筑层间的浇筑时间间隔为72h,裂缝防止取得了极好的效果。

经验还说明,应对某些种类骨料(例如石英岩砾石)拌制的混凝土加以注意,因为它们会产生大的温度应力。

# 弗卢门多萨拱坝的修补工程

［意大利］ R.西尔瓦诺等

**摘　要**：存在大范围裂缝的弗卢门多萨双曲拱坝得到了修复。一项重要的环氧树脂灌浆计划已经实施。裂缝是在倾向下游巨大的悬垂部分发现的。这个情况要求在混凝土完全冷却前进行收缩缝灌浆。后来大坝冷却引起裂缝。

采用适当的计算程序模拟温度和结构状态，使这个问题得以十分清楚。同样，可以选择最佳的灌浆程序处理裂缝。灌浆时的荷载和温度条件，对于大坝的运行效果是决定因素。修复工程工期只有一年，灌浆本身耗时三个月。在水库低水位运行40年后，大坝的修复使水库蓄满了水。

## 1　引　言

弗卢门多萨(Flumendosa)双曲拱坝，高115m，于1957年建成，工期5年。大坝是卡利亚里(Cagliari)市大范围饮水和灌溉系统的主要部分，有效库容将近3亿$m^3$。早在施工后期，并在竣工后，在大坝上游面上部很快出现许多裂缝。结果将近40年水库仅部分蓄水，最高蓄水位低于设计工作水位31m，库容损失三分之二。

为了满足对水的不断增长的需求，业主在几年前开始一项修复项目，旨在消除裂缝对水库运行的限制。

本文论述有关导致大范围裂缝原因的研究，提出大坝修复方案，以及着重于灌浆程序的详述。

修补工程在1995年夏天开始于灌浆试验，整个工程预定一年后完成。

## 2　大坝的主要特性

弗卢门多萨双曲拱坝坐落在具有十分满意的地质力学特性、完整的斑状片麻岩上。大坝及其附属建筑总体布置图见图1。坝的主要特性概括如下：

——最大坝高：115m；

——坝顶总长：300m；

——坝顶厚度：3.77～6.90m；

——坝底厚度：29m；

——坝顶高程：海拔270.00m；

——工作水位(OWL)：海拔267.00m(原设计)；

——OWL下的有效库容：2.99亿$m^3$。

坝的几何特征总的情况如下：

——坝顶长度与最大坝高之比为2.6，对于拱坝这是较有利的；

——拱体形成的总表面积$S$约为18 950$m^2$，混凝土体积$V$为31万$m^3$，长细比系数$C$定义为$C=S^2/(V\times H)$，式中$H$是最大坝高，代入公式$C$等于10.1。与其他类似条件的拱坝相比，这个长细比系数是相当保守的。

关于附属建筑物，弗卢门多萨坝设置了以下泄水建筑物：

---

本文原载《第19届国际大坝会议·主题75》。

——一个无控溢洪道,顶部呈直线形;

——二个闸控溢洪道,装有双叶垂直闸门;

——一个中间高程泄水孔;

——二个泄水底孔。

坝的几何形状由三心圆拱确定,其厚度自拱冠至拱座逐渐增加。接近对称的大坝分 24 个坝段浇筑,每段约宽 12m。此外,根据自 1940 年以来意大利设计的常规做法,大坝设置一个周边接缝和一个“枕垫”,如图 2 所示。另外,在坝体内设有三个检查洞,它们由斜井连接。排水廊道沿着周边接缝设置。

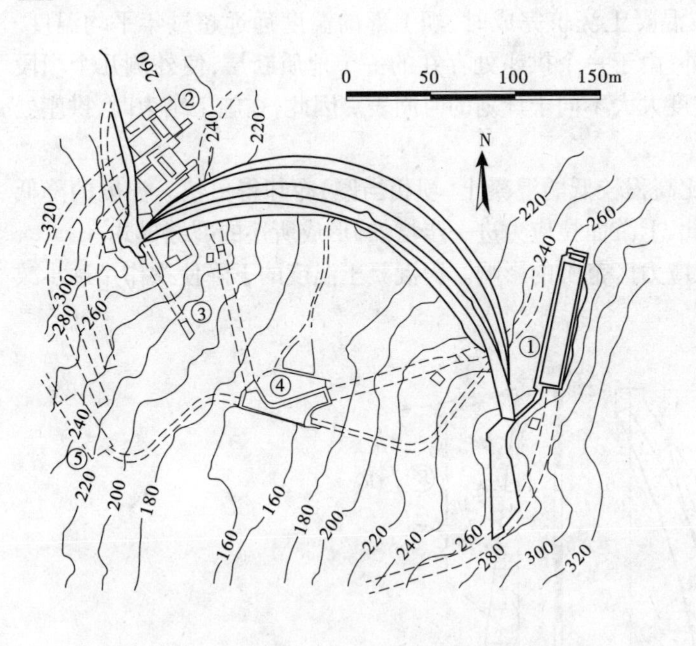


**图 1 弗卢门多萨双曲拱坝及附属建筑总体布置图**

①—无控溢洪道;②—闸控溢洪道;

③—中间泄水孔;④—泄水底孔;⑤—泵站

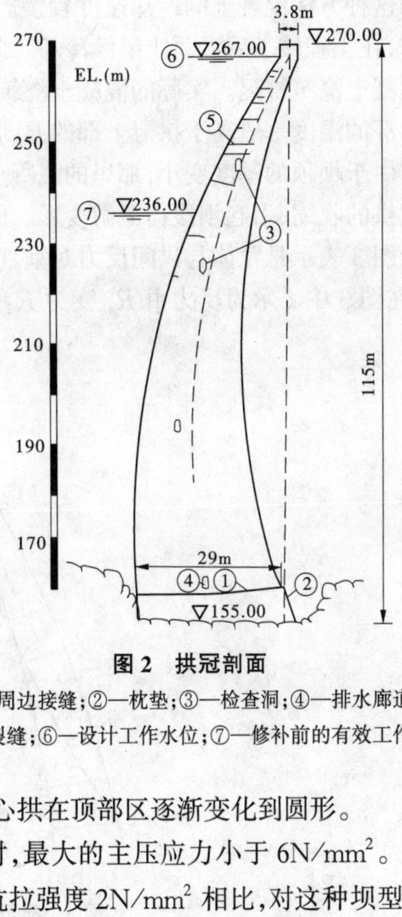

**图 2 拱冠剖面**

①—周边接缝;②—枕垫;③—检查洞;④—排水廊道;

⑤—主裂缝;⑥—设计工作水位;⑦—修补前的有效工作水位

图 2 清楚地显示了坝段向下游明显悬垂。还应注意,多心拱在顶部区逐渐变化到圆形。

根据典型的结构分析,当主拉应力不大于 0.4N/mm$^2$ 时,最大的主压应力小于 6N/mm$^2$。这个结果与混凝土试样 90 天平均抗压强度 34N/mm$^2$ 和相应的抗拉强度 2N/mm$^2$ 相比,对这种坝型和尺寸,其混凝土的应力水平是相当低的。另外,周边接缝实际上阻断了坝体沿整个基线的拉应力。

尽管分析结果的应力相对较低,但主要在上游面上部层间接缝处还出现了许多裂缝(见图 2)。在运行的第一年,裂缝进一步发展,已有的裂缝扩展,还产生了新的裂缝。后来这些现象逐步减缓,从 1971 年开始就没有发现新的裂缝。

取芯钻进表明,在靠近坝顶和海拔 220m 以下,裂缝的深度受到限制。而在这二者之间,裂缝深度可达坝厚的 60%。

由于坝上部大范围的裂缝,经国家监督管理局同意,根据设计,业主决定水库水位保持在海拔 236.00m 高程以下,而不是海拔 267.00m。限制运行条件的主要原因是裂缝处的扬压力能对坝上部的结构特性产生负面影响。

过去曾经企图使用双组填缝剂对上游坝面裂缝进行封堵。然而,要达到这个目的并使大坝运行具有可靠性是困难的,以至于在很长时期内放弃了修补大坝的任何试验。

## 3 裂缝的原因

在确定修补方案前，必须查清坝面开裂的原因。只要找到大坝破坏的原因，就可提出一个恰当的修复方案。上游坝面总的状况表明，层间接缝大范围张开。长度有一个坝段长的裂缝，共查出了176条。

下游侧悬垂部分是十分重要的问题，因为一个独立悬臂的上部(在收缩缝灌浆前)在自重作用下是不稳定的。因此，只有通过收缩缝的灌浆才能得到稳定，使所有的拱尽快地起作用。但是，由于混凝土浇筑进度快，灌浆必须在水化热完全消散之前进行。值得注意的是，未能采用预埋管人工冷却，因为这种方法混凝土的冷却速度较慢。在混凝土浇筑完成时，坝上部的温度远远超过年平均温度。随后，在工程竣工后混凝土继续冷却。此外，由于一个拱座处存在的一个地质断层，使外侧几个坝段的混凝土浇筑推迟。实际的混凝土浇筑进度大大不同于计划的时间表。因此，在施工结束时，拱座处坝上部的温度一般高于拱冠上部的温度。

由于坝顶的厚度变小，那里的混凝土比高程较低的混凝土(坝相当厚)冷却得更快。温度的降低导致拱的收缩，引起坝段向下游变形。因此，上游面拉应力进一步增加，形成所述的裂缝模式。

图3表示悬臂体与拱间反力对垂直拉应力区范围的影响。因混凝土温度的下降使拱作用逐步减弱，在图3中表示为反力由 $R_1$ 变为 $R_3$。

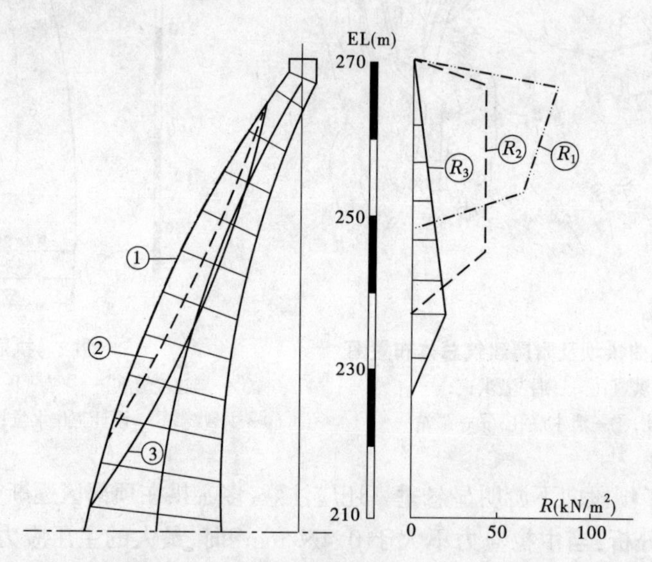


**图3 拱反力对拱冠悬臂拉应力区范围的影响**

①—接缝灌浆后受拉区的假定范围；②—局部冷却时受拉区的范围；③—完全冷却时受拉区的范围；

$R_1$—初始拱反力；$R_2$—中间状态的拱反力；$R_3$—最终的拱反力

虽然上面的探讨可以定性地解释观测到的情况，但修复项目要求以定量分析作为基础。因此，进行了施工阶段详细的温度分析，分析中使用隆巴迪(Lombardi)工程有限责任公司的程序系统。

根据模拟试验可以了解大坝在施工期间和施工后的温度状况。图4概括了一些成果。

图4所示是1957年末的情况，当平均温度约为26℃时，海拔254m的接缝进行灌浆。

同样，海拔270m的拱于1957年8月中旬竣工，其平均温度约为24℃。约6个月后，海拔254m处拱的平均温度大幅度下降至13℃，坝顶降至9℃。在相同时期内，位于较低高程拱的温度仅下降3~5℃。

接缝灌浆后发生的冷却，导致坝顶向下游变形34mm，使悬臂部分产生弯曲。它从总体上解释了在坝体中产生广泛的拉应力区，以及上游坝面大范围裂缝的原因。

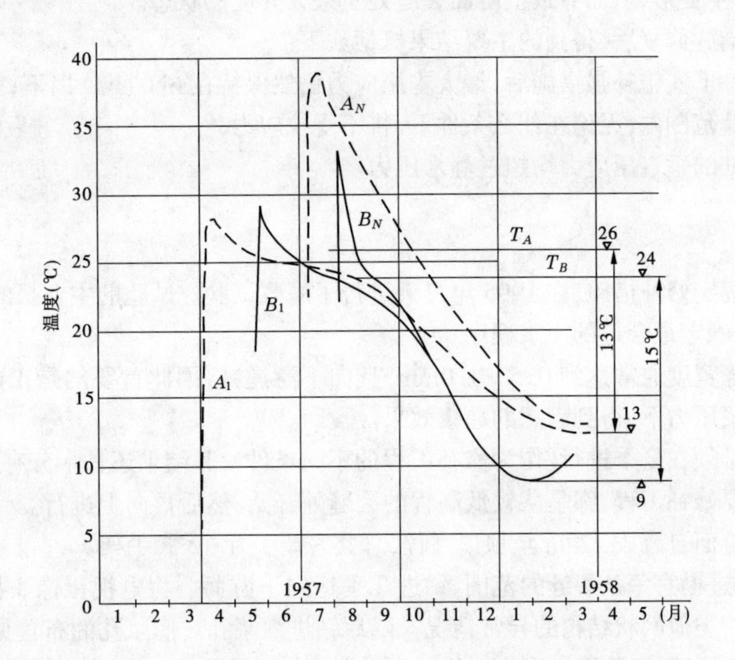


**图4 海拔254m和270m的拱温度分析成果**

$A_1$—海拔254m第一个混凝土坝段的温度;

$A_N$—海拔254m最后一个混凝土坝段的温度;

$B_1$—海拔270m(坝顶)第一个混凝土坝段的温度;

$B_N$—海拔270m最后一个混凝土坝段的温度;

$T_A$—收缩缝灌浆时海拔254m所有坝段的平均温度;

$T_B$—收缩缝灌浆时海拔270m所有坝段的平均温度

## 4 修补方案

修复工程主要是用环氧树脂对已有裂缝进行灌浆。修补工程的目的是,通过封堵层间接缝,恢复结构的整体性,避免在坝内产生结构间隙压力。

修补工程完成后,应力分布主要取决于灌浆期间坝的实际情况,即取决于蓄水水位和混凝土温度。

裂缝灌浆后,大坝被看做一个整体,尽管灌浆前后作用在结构内的应力必须分开考虑,不能线性叠加。

作为一个例子,图5表示在夏天水库放空和满库情况下,灌浆完成后拱冠悬臂部分的应力分布。

修复大坝的结构分析方法是"冻结"灌浆前的应力状态,然后将其叠加到后来由于整体结构受力而产生的应力上进行分析。结构分析结果表明,整个大坝的应力是非线性的。

裂缝灌浆必须在冬季水位下降时(1~3月)进行。实际上,这个季节混凝土的温度较

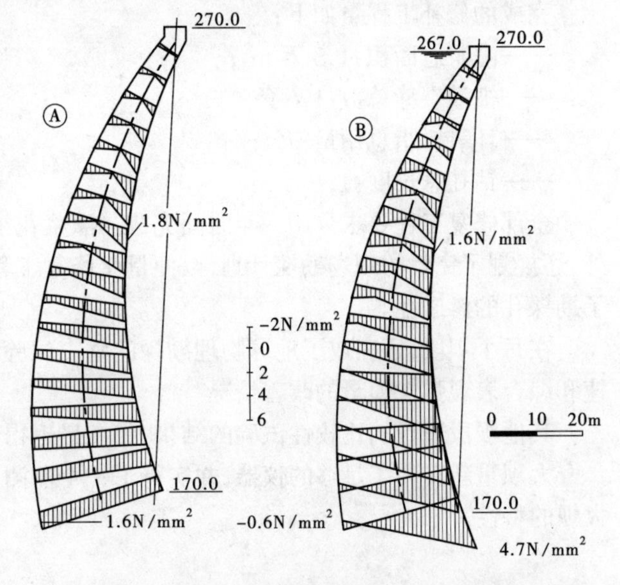


**图5 裂缝灌浆后拱冠悬垂部分的应力分布**

Ⓐ—夏季,水库放空;Ⓑ—夏季,库水位为设计工作水位

低,会使坝向下游产生变形,从而导致上游面裂缝处于最大开度的状态。

大坝采取补强措施修复后,得到的主要结果概括如下:

——在上述条件下实施补强措施后,最大主压应力仍然保持在 $6N/mm^2$ 以下;

——原先的裂缝范围内,无论在什么条件下,将不受拉应力;

——上游面各处的垂直压应力均超过静水压力。

## 5 修补工程

为了更详细地确定修补措施,在1995年夏天进行了灌浆试验。试验的主要目的是选择使用的环氧树脂的类型,以及确定最合适的灌浆程序。

考虑到坝面裂缝宽度通常达到0.5~1.0mm,且向下游递减,因此首要的是正确地选择树脂,以便在避免过高的灌浆压力下,得到满意的灌浆效果。

尽管灌浆试验必须在夏季进行(作为修补工程的不同条件),其结果还是十分有用的。

灌浆试验和主要修补工程,都是从较低高程的裂缝处开始,然后再向上进行。

第一阶段在上游面自海拔220m至坝顶高程,总共安装1万 $m^2$ 脚手架。

然后,用取芯钻进勘察每条裂缝的范围,钻进几乎达到下游面。将电视摄像头插入钻孔,用来探测裂缝及频繁出现的类似网状结构的异常情况。随后钻进灌浆孔。灌浆孔的布置见图6。

钻孔完成后冲洗裂缝,并将孔内剩余水和细颗粒抽出,以便混凝土尽可能干燥。事实上,混凝土表面越干净、干燥,树脂和混凝土之间的粘接力就越好。灌浆前用合成砂浆封堵上游坝面,在砂浆内插入塑料管,用来检查和通气。然后进行灌浆,从最里面的孔开始,向上游面逐孔继续进行,一次完成。

可通过观察邻近灌浆孔及上面提到的检查和通气管,控制浆液的扩散。当管内流出纯净的树脂时,或者在下游面明显可见树脂时,立即停止灌浆。

灌浆压力的变化范围,在较低高程的最大压力为6.0MPa,接近坝顶的最小压力为1.0MPa。灌浆时尽可能地保持高的压力,以确保灌入足够的树脂;但是压力又不能太高,以免损坏大坝结构。过高的灌浆压力会引起裂缝额外的延伸。由于混凝土中存在空隙和网状结构,因此要对灌浆量做出评估是十分困难的,大多数灌入的树脂充填空隙比充填裂缝更为必要。

完成的修补工程量如下:

——灌浆总面积:1.3万 $m^2$;

——被灌裂缝总数:176条;

——环氧树脂总用量:75t;

——钻孔总长度:1.1万m。

全部修复工程要求只用一年时间完成。灌浆花了三个月时间。除了进行大量的树脂实验室试验外,还规划了完整的现场勘探计划,以便量化修复工程的成果。混凝土试样将在实验室进行,也测定了勘探孔的渗透性。

在每个坝段,还完成了地球物理勘探的垂直试验线。图7为17号试验坝段裂缝灌浆中测得的波速和综合表观弹性模量的改善情况。

其他坝段进行的比较性试验的结果,将在最近得到。

大坝重新安装了足够的仪器,并实行了一个监测计划,这显然是为了在将来的运行中精确地跟踪大坝的特性。

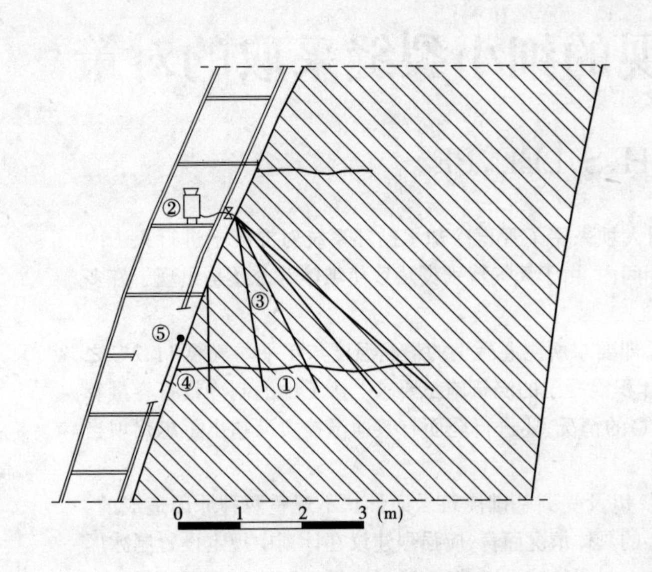


**图6 钻孔和设备布置示意图**

①—待灌裂缝;②—灌浆设备;③—灌浆孔;
④—上游面封堵;⑤—测微计

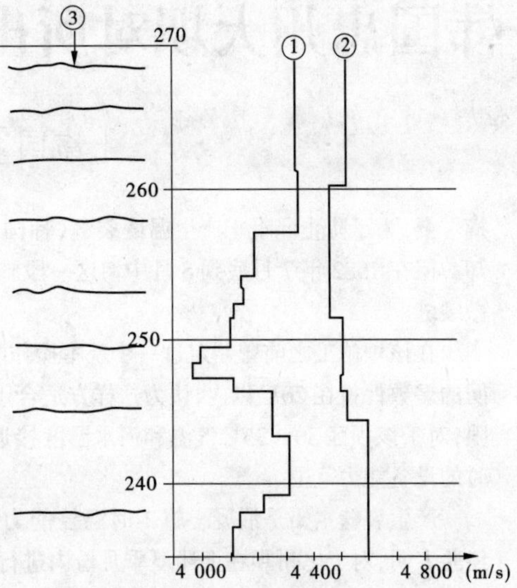

**图7 17号试验坝段地球物理勘探**

①—灌浆前地震速度;②—灌浆后地震速度;③—裂缝及其高程

# 6 结 论

由于收缩缝灌浆时混凝土坝块温度过高,使弗卢门多萨坝的上游坝面出现了大范围裂缝。随后混凝土的冷却引起坝下游面相关的变形,导致上游面大范围裂缝。多数裂缝出现在层面接缝上,这些接缝的抗拉强度特别低。

除了恰当地选择环氧树脂和最佳的灌浆程序外,周围条件起着重要的作用。必须正确选择拱坝的荷载条件,以便在最佳的裂缝开度实施灌浆。最后,已有经验表明,即使大坝有大范围裂缝,都可以采用环氧树脂灌浆,恢复结构的整体性,从而使大坝得到修复。

# 韩国忠州大坝对所出现的细小裂缝采取的对策

［韩国］ H.S.LEE,PE

**摘　要**:为了防止混凝土产生温度裂缝,韩国忠州大坝采用了管道冷却水循环系统对混凝土进行人工冷却。但在1982年7月底到8月中旬这一段施工期间内,由于天气特别炎热致使坝体部分还是出现了许多微裂缝。

在该坝施工之前曾制定过一个基本操作准则,即要求所浇混凝土的最高温度与年平均气温11.2℃之间的差数保持在20℃以内,认为这样方适合于大体积混凝土的浇筑施工要求。该工地的制冷设备容量有限,对于该坝区30～35℃气温和河水温度接近30℃的情况,要进行全面有效地温控实已超出了忠州坝当时的设备能力范围。

产生裂缝主要是混凝土施工时温控能力不足,以及受到基础浇筑岩面形状不规整两种原因造成的。经验表明,对于忠州坝在上述夏季月份内进行施工的具体情况而言,应强烈建议在计划中规定设置制冰厂来满足全面温控的要求;同时还应在基础面上方第一料层处铺设钢筋网。当然,设置制冰厂也可能是一个问题,因为该冰厂在温带地区内的利用时间将不会超过一个月。

## 1　引　言

忠州坝是韩国最大的一座混凝土重力坝,这座具有综合效益的大坝于1985年建成。该坝高度97.5m,顶长464m,混凝土方量96.7万$m^3$。

水库总库容27.5亿$m^3$,装机容量40万kW。为防止坝体混凝土因温升产生裂缝,在施工年份5～9月最炎热的季节,采用冷却水管系统对坝体混凝土进行人工冷却。大坝开始浇筑混凝土的时间是1982年4月2日。由于该年7月底到8月中旬这段时间混凝土施工是在异常干热的气候条件下进行的,因而在当年7～10月发现大量裂缝。本文介绍该坝产生裂缝的原因及其所采取的对策。

## 2　炎热气候条件下坝体的温度控制

根据对自然冷却作用的研究,认为有必要在5～9月期间,对该坝的混凝土浇筑采取一些人工冷却措施,此决定是按照普遍采用的温差判定准则作出的,即要求浇筑混凝土时的最高温度与年平均气温11.2℃之间的差值保持在20℃以下的范围之内,以防止大体积混凝土产生裂缝。

对设置人工管道冷却系统的必要性进行了分析研究,假定坝体混凝土的浇筑温度与该月的月平均气温相一致。对冷却水管系统的具体作用,结合管道之间的间距和所用冷却水的温度等的不同因素组合分别进行计算。表1～表3介绍了三种标准冷却管道系统的冷却效应的计算成果。

从这些表格所列出的数据可以看出,冷却水管效应研究有如下结论:

(1)在5月和9月期间,冷却水管的水温比气温低5℃,而管道间距1.5m已经足够。

(2)6月份,冷却水温比气温低5℃,而管道的间距为1.0m,混凝土浇筑的时间间隔为3天。

(3)到7月、8月期间,水温比气温低10℃,管道间距为1.0m,混凝土浇筑时间间隔为5天以上。

以上是大坝施工现场温控检查的最基本指标和标准。

管道冷却所需制冷设备的容量应按7、8月份所需的容量考虑,这一容量是按下式450RT算出的:

本文原载《水利水电快报》1988年19卷第12期。

$$R = \frac{W_w \cdot S_w \cdot (T_{w_0} - T_{w_1}) \cdot M_w}{3.300}$$

式中:$R$——需求容量(RT);

$W_w$——水的容重,1 000kg/m$^3$;

$S_w$——水的比热,kJ/(kg·℃)

$T_w$——河水初始温度,℃;

$T_{w_1}$——冷却后水温,℃;

$M_w$——水量,3m$^3$/min 或 180m$^3$/h。

但实际上,制冷容量在设备安装时改为600RT,其分为3组,每组200RT。

表1　水管冷却效应(1)

| 月份 | 混凝土浇筑温度(℃)(A) | 料层高度(m) | 混凝土温升(℃) | | 年均气温(℃)(D) | 温差值(℃) | |
|---|---|---|---|---|---|---|---|
| | | | 浇筑时间间隔 3日(B) | 浇筑时间间隔 5日(C) | | 浇筑间隔3日 (A)+(B)-(D) | 浇筑间隔5日 (A)+(C)-(D) |
| 5月 | 16.7 | $H$=0.75<br>$H$=1.50 | 7.2<br>10.5 | 5.3<br>9.0 | 11.2<br>11.2 | 12.7<br>16.0 | 10.8<br>14.5 |
| 6月 | 21.3 | $H$=0.75<br>$H$=1.50 | 7.2<br>10.5 | 5.3<br>9.0 | 11.2<br>11.2 | 17.3<br>20.6 | 15.4<br>19.1 |
| 7月 | 24.9 | $H$=0.75<br>$H$=1.50 | 7.2<br>10.5 | 5.3<br>9.0 | 11.2<br>11.2 | 20.9<br>24.2 | 19.0<br>22.7 |
| 8月 | 24.6 | $H$=0.75<br>$H$=1.50 | 7.2<br>10.5 | 5.3<br>9.0 | 11.2<br>11.2 | 20.8<br>24.1 | 18.9<br>22.6 |
| 9月 | 19.0 | $H$=0.75<br>$H$=1.50 | 7.2<br>10.5 | 5.3<br>9.0 | 11.2<br>11.2 | 15.0<br>18.3 | 13.1<br>16.8 |

条件:气温-5℃=冷却水温;水管间距:1.5m。

表2　水管冷却效应(2)

| 月份 | 混凝土浇筑温度(℃)(A) | 料层高度(m) | 混凝土温升(℃) | | 年均气温(℃)(D) | 温差值(℃) | |
|---|---|---|---|---|---|---|---|
| | | | 浇筑时间间隔 3日(B) | 浇筑时间间隔 5日(C) | | 浇筑时间间隔3日 (A)+(B)-(D) | 浇筑时间间隔5日 (A)+(C)-(D) |
| 6月 | 21.3 | H=0.75<br>H=1.50 | 6.5<br>9.5 | 4.75<br>8.20 | 11.2<br>11.2 | 16.6<br>19.6 | 14.85<br>18.30 |
| 7月 | 24.9 | $H$=0.75<br>$H$=1.50 | 6.5<br>9.5 | 4.75<br>8.20 | 11.2<br>11.2 | 20.2<br>23.2 | 18.40<br>21.90 |
| 8月 | 24.8 | $H$=0.75<br>$H$=1.50 | 6.5<br>9.5 | 4.75<br>8.20 | 11.2<br>11.2 | 20.1<br>23.1 | 18.35<br>21.80 |

条件:气温-5℃=冷却水温;水管间距:1.0m。

**表 3**　　水管冷却效应(3)

| 月份 | 混凝土浇筑温度(℃)(A) | 料层高度(m) | 混凝土温升(℃) 浇筑时间间隔 3日(B) | 浇筑时间间隔 5日(C) | 年均气温(℃)(D) | 温差值(℃) 浇筑时间间隔3日 (A)+(B)-(D) | 浇筑时间间隔5日 (A)+(C)-(D) |
|---|---|---|---|---|---|---|---|
| 7月 | 24.9 | $H=0.75$<br>$H=1.50$ | 5.46<br>7.98 | 4.00<br>6.83 | 11.2<br>11.2 | 19.16<br>21.68 | 17.7<br>20.5≈20 |
| 8月 | 24.8 | $H=0.75$<br>$H=1.50$ | 5.46<br>7.98 | 4.00<br>6.83 | 11.2<br>11.2 | 19.06<br>21.58 | 17.7<br>20.4≈20 |

条件:气温－5℃＝冷却水温;水管间距:1.5m。

## 3　已浇混凝土的裂缝及其原因分析

裂缝数据摘要如下,其中绝大部分为发丝型裂缝,其方向与坝轴线平行,如表 4 所示。

**表 4**　　实测裂缝数据

| 坝块号 | 第一次浇筑时间 | 下一次浇筑时间 | 混凝土浇筑温度(℃) | 裂缝状况 |
|---|---|---|---|---|
| 6 | 6月30日 | 7月14日 | NA(23) | Shape-1,5PCR |
| 6 | 8月6日 | 9月7日 | 28(25) | Shape-1,1PCR |
| 7 | 7月7日 | 7月20日 | NA(24) | Shape-1,1PCR |
| 7 | 7月20日 | 9月16日 | 28(24) | Shape-1,1PCR |
| 8 | 6月20日 | 7月15日 | NA(25) | NRLS,1PCR |
| 11 | 8月9日 | 8月18日 | 29(20) | NRLS,1PCR |
| 11 | 8月12日 | 9月24日 | 29(27) | NRLS,2CRS |
| 12 | 8月26日 | 9月19日 | 26(19) | NRLS,3CRC |
| 14 | 7月6日 | 7月19日 | NA(24) | Shape-1,1PCR |
| 15 | 6月27日 | 7月13日 | NA(25) | NRLS,1PCR |
| 16 | 6月23日 | 7月9日 | NA(25) | Shape-1,2PCR |
| 16 | 7月9日 | 7月24日 | NA(25) | Shape-1,2PCR |
| 16 | 8月13日 | 10月13日 | 29(25) | NRLS,3PCR |
| 8 | 8月12日 | 9月14日 | 29(27) | Shape-1,1PCR |
| 12 | 7月2日 | 7月13日 | NA(24) | Shape-1,4PCR |
| 12 | 7月13日 | 7月31日 | NA(25) | NRLS,1PCR |
| 17 | 7月22日 | 10月22日 | 28(25) | Shape-1,2PCR |

注:NA——没有资料;
Shape-1——混凝土浇筑块位于岩石基础上,形状不规则,容易造成应力集中;
2PCR——两条平行于坝址线的裂缝;
NRLS——料层表面为矩形;
CRS——明显是由应力集中造成的裂缝;
CRC——原因复杂的随机裂缝。

对形成裂缝的多种原因都作了分析研究。例如,下面所述的各项因素都有可能影响到裂缝的形成:

(1)混凝土浇筑块形状不规则,常近似于长条形,而位置接近于基础岩面,其变形易受基础岩石的约束而产生裂缝。

(2)混凝土的浇筑温度过高。

(3)对已浇入仓内的混凝土保护不够,未能阻止日光的直接照射,昼夜温差变化大等。

(4)入仓大体积混凝土浇筑块在边角处有应力集中情况。

(5)受浇的前一料层表面曾长时间被暴露在大气中。

(6)在上述原因中,常常不是由于某一种原因而导致形成裂缝的,大都是由于多种因素综合作用的结果。而温控措施不力,则可能是产生裂缝的主要原因。

1982年6~8月期间,坝区天气持续炎热。在大坝温控上,总的来说是按照本文第2节中所提出的设计标准手册要求进行控制的。但要将坝体温度控制在25℃以下(即7、8月的平均气温),尤其是在1982年的7月底、8月中旬进行这样的温控是极为困难的。当时白天的气温高达30~35℃。而河水的温度为30℃。由于制冷容量太小,很难得到足够数量的冷水来满足水管冷却系统和混凝土拌和设备使用冷水的需求。而且,虽然有关方面作出了很大努力,混凝土浇筑的最高温度在有些坝块内仍不可避免地达到了40℃左右,这样一来就超过了原定的最高温度32℃的目标和要求(它比11.2℃的年平均温度高出达20℃)。

此外,在接近基础岩面部分所浇混凝土体的形状很不规整,据信这是有些混凝土浇筑面产生裂缝的重要原因。另外,从表4数据可以看出,大多数出现裂缝的混凝土浇筑料层都曾在大气中被暴露达半个月以上。根据这种情形可以解释为,裂缝的产生是由于长期受到温度变化影响而又没有得到任何保护的结果,据认为,由于这种原因产生裂缝的可能性更高。

## 4 对坝体裂缝部分采取的补救措施

根据施工的具体情况,在有裂缝部位的上面扩大铺设一层钢筋网,钢筋直径2.5mm,间隔30cm,然后再相应接浇上方料层混凝土,这样可以遏制住裂缝向上发展和蔓延的可能性。这种处理方法十分成功,处理之后再未发现较严重的开裂情况了。此外,加强机械和人工喷水,而后加铺足够的覆盖材料,以防止由于巨大温差和太阳直接照射所产生的影响,也是很重要的。

这是一些暂时性的快速处理裂缝的方法。为此,工程建设单位曾经研究过在炎热气候条件下对混凝土施工进行最高温控的改进和对策,还出版过一本操作手册。

改进版的该手册是在1982年9月底在总结了当年夏季实施温控的宝贵经验的基础上编写的,手册还着重谈到了一些冷却设备方面的问题。

冷却设备的管理改进如下:

(1)重点放在如何降低混凝土的浇筑温度上,尤其是预冷上。

(2)为此,首先将三台设备(各200RT)中的一台专用来为拌和设备提供拌和用冷水。接着,在每一个工序步骤上,检查该混凝土的最高温度控制在32°C以内的做法是否已经达标。在每一个工艺步骤上都要求这样做,例如在检查工艺流程上要求在下述工艺流程中要一步一步地检查。

第一,所浇混凝土料温度是不是低于15℃?此时须采取的行动是:①如混凝土料温度低于15℃,则可将温度高于5℃的冷却水注入管系内10天(除非主管工程师另有指示可以不这样做)。但若自然河水温度低于5℃,则无须注入人工冷却水。②如混凝土料温度不低于15℃,则须做下一步检查。

第二,所浇混凝土温度是不是低于20℃?此时须采取的行动是:①如属低于20℃,则注入10~15℃的冷却水15天(除非主管工程师另有指示可以不这样做)。②如属不低于20℃,则继续往下检查。

第三,所浇混凝土温度是不是低于25℃?此时须采取的行动是:

如属低于25℃,则须采取如下步骤:

——注入温度低于20℃的冷却水20天,除非主管工程师另有指示;

——用冷却水进行混凝土拌和。

如属不低于25℃,则应采取如下措施:

——用三台冷却设备中的一台来提供混凝土拌和用水,要使温度尽量达到最低以削降所浇混凝土的温度;

——对粗骨料喷水冷却;

——对粗骨料储料斗以及皮带运输机要加以遮盖,以防骨料直接受阳光照射;

——只在夜间工作。

(3)如果采取了上述各项对策后还不能将浇筑的混凝土料的温度降至25℃以下,则混凝土的浇筑工作此时应立即停止。

为使温度控制措施有效,还收集了以下各项资料:①蓄水设施的水温资料;②冷却设备中的冷却水温;③刚搅拌完的混凝土料温度;④浇筑地点的混凝土料温度;⑤冷却水管进口处的水温;⑥冷却水管出口处的水温。

此外,还应当安装一些温度计对已浇完的混凝土的温度进行记录。

## 5 结　论

1982年夏季各月混凝土所以会产生裂缝,是因为混凝土体积改变时受到了限制,因而在其内部产生了拉应力的结果。出现拉应力的原因是:

(1)长条形坝块与基础有较长的接触面,而基础面的形状又不规整,且各部分的成分各异,因而出现了大量应力集中的情况。

(2)这些长条坝块长时间暴露于大气状态下,其表面附近又有极大的温度梯度存在。

(3)虽然采取预埋水管办法对混凝土进行了人工冷却,但仍不可能使混凝土的浇筑温度达到合适的水平。

经验表明,就韩国忠州坝1982年夏季的具体情况来说,重点应建议设置一座制冰厂以供全面进行温控之需,同时建议在基础面第一料层的上方浇筑钢筋混凝土。

在一些热带和亚热带地区,设置制冰厂将会有利于混凝土的温控作业。但是在一些温带地区,设置制冰厂有时可能会涉及到经济问题和施工时间问题。若只从技术角度来考虑,尽管制冰厂运行时间尚不足一个月,但是对于超过30℃的气温和接近30℃的水温的大体积混凝土来说,设置制冰厂仍是必要的。因为采用其他制冷设备对忠州水坝工程来说将会超出它所能负担的能力范围。

# 巴伊纳巴什塔坝左坝肩裂缝分析与修补

[南斯拉夫] V. 利迪卡

**摘 要**:由于空腹重力坝的支墩墙上产生大量裂缝,所以进行了一项定性的数值分析。此项分析主要根据相关荷载计算的数值模型进行。将数值分析成果与大坝的实际情况和测量结果加以比较,可以排除一些产生裂缝的潜在原因,同时验证了产生裂缝的其他可能原因。大坝的处理,确保了今后这种坝型的结构稳定性。

## 1 引 言

巴伊纳巴什塔坝(Bajina Basta)是一座空腹重力坝,于 1966 年建成。坝高 89.8m,坝顶长 461.00m。电厂位于右岸,邻近坝体,电厂装有 4 台发电机组,总装机容量为 340MW。溢洪道位于坝顶,共设 5 个溢口,它由弧形闸门控制,闸门半径 15.5m,宽 14.5m。在溢洪道坝段的空腹重力坝体内,设有 4 个泄水底孔。大坝被伸缩缝分成宽 21m 的 24 个坝段(21 号坝段为 10m 宽)。除 21 号坝段为单支墩外,其余所有坝段都有 2 个支墩墙。大坝结构件混凝土等级为 30MPa。1978 年可逆式发电厂施工期间,水库曾放空,该电厂位于大坝右岸下游不远处。大坝的主要部分坐落在古生代泥质页岩和砂岩上。左坝肩为暗斑火山岩(见图 1)。古生代岩石形成的背斜倾入两坝肩。右岸腹地被塔拉山(Tara mountain)所覆盖,高山绵延,左岸地势较缓,稍有起伏。

本文主要提出巴伊纳巴什塔坝左坝肩裂缝的分析与修补。

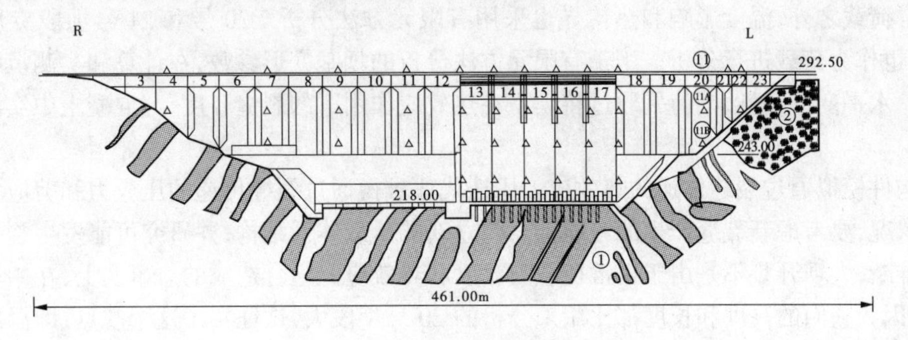


**图 1 大坝下游立面及地质剖面图**

①—泥质页岩;②—暗斑火山岩

## 2 分 析

1987 年间,在左坝肩 20 号和 21 号坝段的支墩墙上观测到裂缝。21 号坝段是最后一个空腹坝段,该坝段坝基区主要的裂缝开度最大,裂缝沿最大拉应力方向开展。裂缝延伸穿过整个坝段面。20 号坝段的裂缝在 2 个支墩墙上(见图 2)。

1990 年决定对产生裂缝的现象进行分析,并提出修补方法。依据基本假定对已有资料进行分析,基本假定用数值计算法进行了验证。

---

本文原载《第 15 届国际大坝会议·主题 57》,1985 年。

通过对设置的标志点的三角测量,观测到坝基向左岸的位移。位移过程是准线性的,估计 25 年内约 50mm。由于大坝的作用,坝基地层主要位移受到制约,这时的大坝好像是支撑。左坝肩被古生代岩和暗斑火山岩接触带的变质区支撑,相对坝轴线它在不对称的位置,处于不利的情况。因为左坝肩的坝段与钢筋混凝土桩相连,因此可能在它们之间传递荷载。

所有相应的加载,均采用自由状态与受约束状态的二维和三维模型有限元法(FEM)分析。两种模型的最典型成果(见图 3)如下。

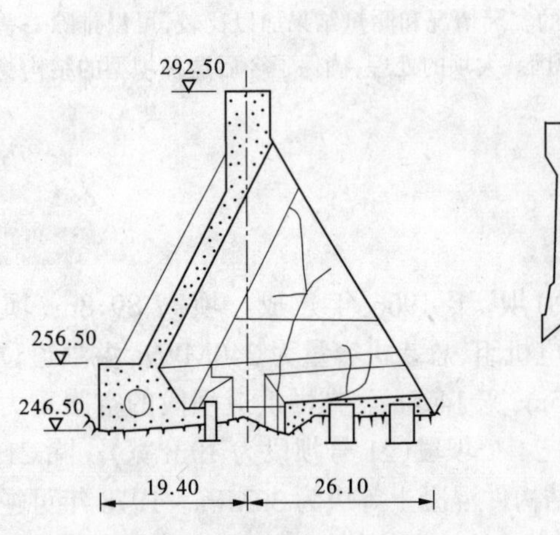


图 2　20 号坝段主要裂缝示意图(单位:m)

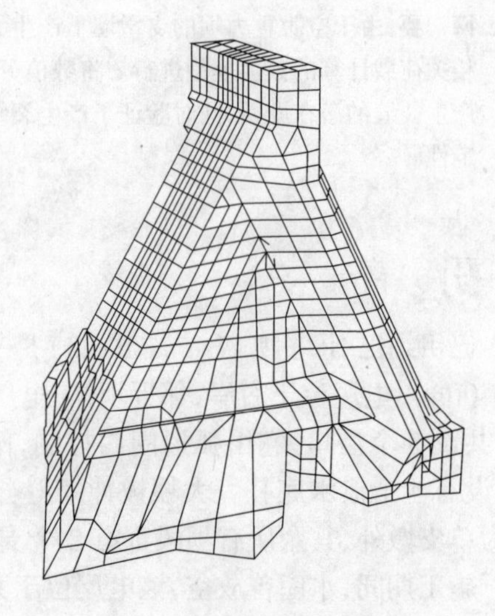

图 3　20 号坝段的三维模型

二维模型选择在接近于大坝和受约束的坝基区,及其实际物理条件。应力和变形采用 FEM 分析。除正常荷载之外,温度影响和热传导也采用有限元方法分析。20 号和 21 号坝段专用目标点的相对位移,也作为荷载进行分析。用于有限元方法分析的坝基变形参数,在计算和实测沉降的基础上迭代而得。水平变形特性,则特别通过将模型在热效应作用下的裂缝开度,与混凝土中实测值加以比较而确定。

用梁构件模拟通过裂缝传递的热效应。用迭代法求得通过裂缝传递的压应力和剪应力。为了评估现有的状况,要考虑新裂缝产生的可能性。建立新的承载体系结构,并研究可能发生裂缝的机理。

可以推断,大坝开裂不是由于正常荷载与温度和热效应的组合造成的。事实上,在中央坝段没有产生裂缝,因为它们的高度和长度都比用来分析的 20 号坝段大,这证实了这个观点,即温度变化不是裂缝的主要原因。

然而,进一步分析的结论是,带裂缝的模型经受了侧向弯曲,出现了临界状况。

也进行了侧向地震作用的计算,该地震作用是采用一个由地震记录合成的假想地震产生的。分析表明,地震作用不是裂缝的主要原因。

为了准确地找到裂缝,用数量表示对某一范围的作用强度,在第 20 号坝段采用了三维数学模型进行估算。在该坝段 3 个测点测得 2 个水平方向位移,以及在坝段较低区域测得的垂直位移,它们均被作为边界条件引入模型分析。用 2 202 个三维单元 3 个自由度模拟施工情况。

所获得的成果分析表明,最大的拉应力与坝段中实际裂缝位置是相符的。根据计算,最大拉应力总计达 $400N/cm^2$,它高于极限拉应力。此外,这证明 20 号坝段的抗滑系数小于 21 号坝段。

## 3　结　论

下面是综合分析的结论。岩石位移从侧向传递给大坝。在整个观测期,位移不仅没有停止的趋势,而且还有一个准连续的增加;观测表明,位移在左岸得到终止。侧向位移传递到整个坝基,位移的最大的阻力也就是支撑,发生在左岸。左坝肩建在暗斑火山岩上,它的刚性优于下伏页岩。碰巧暗斑火山岩对于坝轴线是偏心的。很清楚,这种条件下,这些位移一定会导致坝段的侧向弯曲。

三个外侧坝段在下游端连接,在水平位移时,其接缝作用也会引起坝段的弯曲。在全部静水压力和可能的地震荷载下,稳定分析的结果表明,稳定系数存在很大的差别。很清楚,这种情况下,由于不同的坝段位移,可能产生力的传递。通过分析大坝内裂缝进一步扩展的可能性,弄清了岩层活动存在偶然性,其位移能危及左坝肩坝段的稳定性,从而也危及大坝的稳定性。

一种解决办法已被采用,它允许并将裂缝作用减少至最小。其办法是,在坝段底部填充大体积混凝土。新混凝土与老混凝土结合形成刚性梁。这个组合梁用预应力钢索建成,并在老混凝土和新混凝土之间的接缝中进行灌浆。形成的均质梁承受将来的位移作用,这一位移为迄今观测到的最大值。在设计中,采用了混凝土和钢筋的总承载力。

连续浇筑的大体积混凝土,减少了坝段间相互的偏心作用。每个坝段的弯曲由形成的组合梁承受。结果是,相邻坝段间相对位移的可能性减少。

第一阶段修补工程现在正进行。

# 雷维尔斯托克重力坝大体积混凝土的开裂

［加拿大］ W.J. 布鲁尼尔等

**摘　要**：雷维尔斯托克坝包括哥伦比亚河主河槽上高 175m 的混凝土重力坝和右岸阶地上高 122m 的土坝。大坝位于加拿大不列颠哥伦比亚省中东部的雷维尔斯托克市上游 5km。1983 年水库开始蓄水。重力坝共浇筑 $2\times10^6m^3$ 混凝土。

采取了许多措施，用以减少因大体积混凝土表面迅速冷却或长期冷却产生的裂缝。它们包括混凝土拌和物的预冷，后期冷却，设计混凝土配比以减少绝热温升，以及冬季混凝土面的保温。

施工期间产生了大量裂缝。采取了各种修复措施；上游面的裂缝被封堵，在大坝中间出现的裂缝采取加筋措施。

水库蓄水期间，坝块 P3 的上游面的一条垂直裂缝突然张开。为了减少进入上游排水廊道的渗漏水，从廊道内钻减压孔与靠近上游面的裂缝相交。结果裂缝闭合，通过裂缝的渗漏水减少到极少量。

## 1 引　言

雷维尔斯托克坝位于加拿大不列颠哥伦比亚省东南角的哥伦比亚河上。雷维尔斯托克工程包括哥伦比亚河主河槽上高 175m 的混凝土重力坝，右岸阶地上高 122m 的土坝，以及主河槽紧靠重力坝下游的发电厂。电厂首期安装 4 台 450MW 机组，在将来再安装 2 台机组。混凝土坝和土坝的坝顶长度分别为 472m 和 1 160m。

混凝土重力坝的坝顶高程为 577.6m，比正常蓄水位 573.0m 超高 4.6m，在可能最大洪水位 574.2m 以上 3.4m。图 1 显示了混凝土重力坝的 5 个部分，即左岸重力坝、电厂进水口、右岸重力坝、溢洪道和过渡段。图 2 是通过电厂进水口最大坝块 P3 的剖面。该坝块在高程 563.0m 的厚度为 11.1m。此高程以下，坝块的下游坡度为 0.76:1.0（水平比垂直）。上游面高程 510.5m 以上是垂直

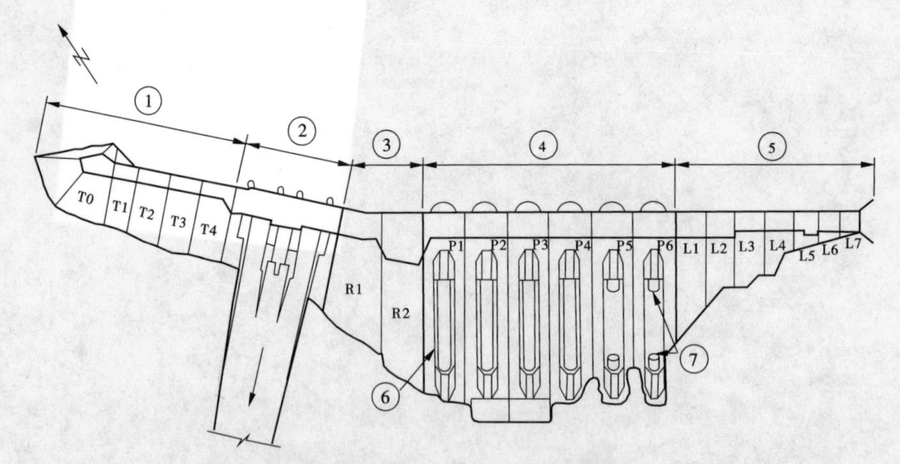


**图 1　雷维尔斯托克混凝土坝平面图**

①—过渡段；②—溢洪道；③—右岸重力坝段；④—电厂进水口段；

⑤—左岸重力坝段；⑥—压力钢管；⑦—压力钢管短管

本文原载《第 15 届国际大坝会议·主题 57》，1985 年。

的,在此高程以下,其坡度为0.06:1.0(水平比垂直)。电厂进水口所有坝块的宽度为26.5m;横向接缝的间距受电厂机组间距的制约。坝块间的收缩缝没有被灌浆。除特殊要求,例如溢洪坝段,坝块形状稍有不同外,其他段的坝块都有着相同的剖面。

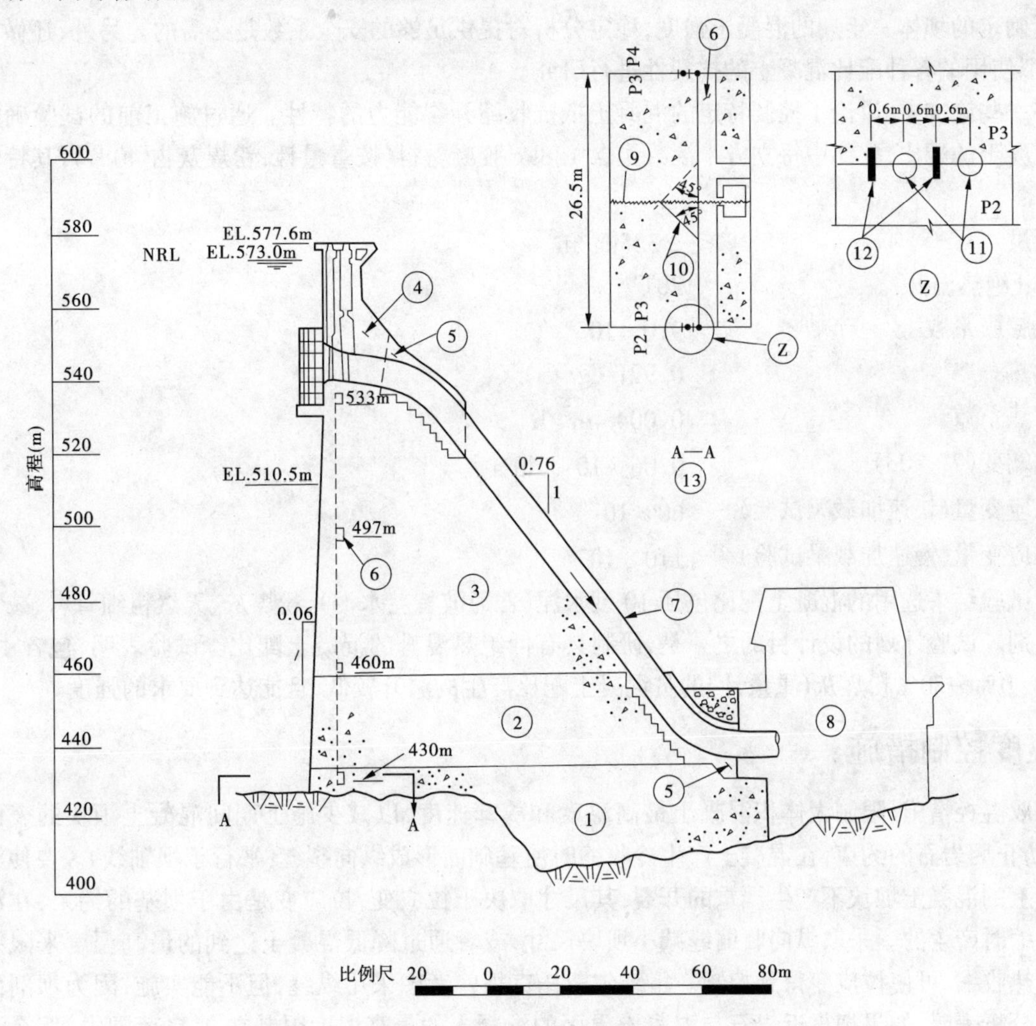


**图2 电厂进水口坝块P3的剖面**

①—23MPa混凝土;②—17MPa混凝土;③—14MPa混凝土;④—28MPa混凝土;
⑤—压力钢管壳体混凝土;⑥—排水廊道;⑦—压力钢管;⑧—电厂;⑨—垂直裂缝;
⑩—排水孔,直径38mm;⑪—排水孔,直径200mm;⑫—305mm止水片;⑬—剖面A,未按比例

坝体工程于1977年开始施工,开挖直径为13.1m的混凝土衬砌导流洞。1980年7月末开始浇筑重力坝的混凝土,1983年12月末大致完成大坝的大体积混凝土浇筑。1983年10月水库开始蓄水,到1984年4月1日库水位上升到565.0m高程。

雷维尔斯托克坝址附近的平均气温为7℃。平均月气温的范围从1月较低的-5℃到7月的20℃。记录到的最高温度发生在7月份,为41℃,最低温度发生在1月,为-34℃。春天和秋天的日气温的变化范围最大至20℃。

由于相对恶劣的气候和大尺寸混凝土坝块,在雷维尔斯托克坝施工期间采取了许多减少裂缝的措施。它们包括限制混凝土温度升高和放慢冷却速度等措施。本文旨在概述所实施的温度控制措施,在混凝土表面发现的裂缝,以及采取的修补措施。

## 2 大体积混凝土的特性

为了确定达到要求强度的混凝土配比,在1977年开始做了一项实验室试验。图2表示了通过稳定分析确定的坝体一年期的混凝土强度,稳定分析对提供足够的安全系数是必需的。另外,还做了试验,对拟使用的各种配比混凝土的抗裂性进行研究。

在一些论文中,讨论了控制特定的混凝土抵抗收缩开裂能力的特性。通过施工前的试验确定大体积混凝土的配比,配比中每立方米混凝土含138kg胶凝材料(按重量计,粉煤灰占40%),其特性概括如下:

| | |
|---|---|
| 密度 | 2 335kg/m$^3$ |
| 28d绝热温升 | 20℃ |
| 线膨胀系数 | $9.0\times10^{-6}$/℃ |
| 比热 | 0.92J/(g·℃) |
| 散热系数 | 0.004 4m$^2$/h |
| 比蠕变(7~90d) | $0.06\times10^{-6}$/kPa |
| 拉应变量(快速加载梁试验) | $60\times10^{-6}$ |
| 拉应变量(慢速加载梁试验) | $110\times10^{-6}$ |

由试验结果选用的混凝土配比包括10型水泥(普通波特兰水泥)、粉煤灰、天然粗细骨料、减水剂和加气剂。试验计划的设计目的之一是,研制具有低绝热温升的混凝土配比。试验表明,包含10型水泥和40%~50%粉煤灰(重量计)的贫混凝土配比产生的温升较低,且能达到要求的强度。

## 3 温度控制措施

采取温控措施,限制大体积混凝土最高温度和冷却速度,以减少施工期间混凝土坝块的表面裂缝,和防止因岩石的约束,在混凝土产生冷收缩时使基础面形成纵向裂缝(平行于坝轴线)。要使浇筑在岩基上的混凝土坝块不产生严重的开裂,其尺寸取决于拉应变,拉应变是由于坝基的约束,在混凝土热收缩时产生的。采取纵向收缩缝减小坝块尺寸,或者通过降低混凝土达到的最高温度来限制混凝土的热收缩,可使拉应变得到控制。雷维尔斯托克坝曾考虑采用纵缝,但不能实施,因为坝剖面的有限元分析表明,如果把靠近岩石与混凝土界面的混凝土的最高温度限制在21℃范围内,那么混凝土冷却产生的拉应变不足以形成纵向裂缝。

使用有限元程序进行温度分析,来研究浇筑层高度、浇筑时间间隔、环境温度和混凝土配比等对混凝土温度的影响。还研究了埋管冷却,用水喷洒或浸水使表面冷却,混凝土拌和物的保温和预冷。在预计的环境温度和浇筑层高度2.3m的条件下,规定要采取混凝土拌和物预冷,埋管后冷却,和大体积贫混凝土配比等措施,将平均最高温度限制在21℃左右。采取的温控措施如下。

### 3.1 预冷

当周围气温为0℃以上时,大体积混凝土在浇筑时的最高温度限制为7℃;当周围气温为0℃以下时,最高温度限制为10℃。在湿皮带机上的粗骨料上喷洒冷却水,使用冷却拌和水,以及加入部分薄片冰作为拌和水,这些措施可使混凝土达到要求的浇筑温度。

### 3.2 后期冷却

有限元分析表明,坝基约束随距坝基的距离而减少,因此混凝土的后期冷却只在基岩以上20~30m内进行。后期冷却实施时,在浇筑层表面设置直径为25mm的聚乙烯盘曲管,管中是循环的冷河水。据作者所知,在大坝施工中采用聚乙烯管进行后期冷却,在北美是第一次;过去用的是薄壁铝管或钢管。使用聚乙烯管没有遇到什么问题,达到了要求控制的温度。

相邻管子的水平间距为1.5m。通过盘曲管泵入的介质通常是从河中抽取的未经冷却的水。在坝块R2、P1、P2和P3的较低部位,因为预计的应力较高,因此水泥的含量高于其他部位浇筑的大体积混凝土。为了达到满意的温度控制,在这些区域内,混凝土的浇筑层为1.5m,而不是通常的2.3m;最初14d内,后期冷却的进水温度为5℃。在温暖的月份,要求河水在泵入盘曲管前要被冷却。

后期冷却的程序与其他工程采用的程序相同。混凝土开始浇筑前,在浇筑层位置安装制冷的盘曲管,并将水在管内循环,确保它不堵塞和不渗漏。管内水流每隔12h自动回流,各个浇筑层的盘曲管大致保持相同的长度,以便尽可能均匀地冷却混凝土。各个浇筑层盘曲管的长度限制在366m内。

一旦混凝土温度下降,水泥进一步水化将使靠近坝基的混凝土的温度上升不超过最初的最高温度,此时停止后期冷却,并在管子内充填浆液。在夏天,一般要求冷却30～60d。在坝块R2、P1、P2和P3较低部位的混凝土,后期冷却的时间为60d,因为那里的混凝土胶凝材料含量较高,且接近坝基。

### 3.3 保温

在冬天(11月1日～翌年4月1日)期间,先施工坝块的所有顶面和暴露的接缝面均要保温。此外,在11月1日后施工的所有浇筑层,其上下游面均要保温。规定的保温材料的最大导热率为1.4W/($m^2$·℃)。如果坝块间的高度差超过4.6m,超前坝块规定的最大导热率减少到0.7W/($m^2$·℃)。由于超前坝块暴露在低温下的表面更大,冷却得快,所以要更好地保温。同样道理,在坝块表面相交形成的棱边处热损失增加,因此要求至少在距棱边1.5m范围内采取双倍保温加以防护。

设计计算表明,采取以上保温措施后,冬天坝块中间混凝土表面380mm以下,最大的冷却速率约为0.3℃/d。整个冬天在同一部位,预计混凝土最大温降约为17℃。由于混凝土表面如此大的温降,可以预料将产生表面裂缝。用更多的保温可使整个冬天混凝土的冷却速率和总温降减小;然而,可以预料,冬天后,在早春寒冷的天气中重新开始施工,增加保温将导致在保温拆除后加大混凝土表面与气温间的温差。鉴于它能增加因温度冲击形成受拉裂缝的可能性,因此不规定使用更多的保温。

## 4 混凝土温度

1980年7月末开始大坝混凝土的浇筑。最早使用的混凝土配比是以施工前试验为基础的,其中包括10型水泥和粉煤灰,两者重量比例相等,以降低混凝土温度。出于进度目的,承包商申请在浇筑层顶部和沿浇筑层侧面使用特殊的配比,减少粉煤灰和增加水泥用量。这个配比同意在秋季使用,因为较低的气温可抵消混凝土产生的温升,仍然可达到满意的温度。

图3表示1980年秋季和1981年春季,在坝块P3每个浇筑层内部测得的混凝土温度。在1980年期间和1981年早期,每个浇筑层的最高温度保持在21℃以下,仅少数例外,其原因是,混凝土浇筑时的温度在7℃以上。图3显示的温度与其他坝块测得的温度是类似的。到1981年6月,由于周围气温较高,在后期冷却区浇筑层内的最高温度开始超过21℃。1981年6月、7月和8月期间浇筑的混凝土平均最高温度为23℃。这些较高的温度值被认为是可以接受的,因为较高温度的混凝土位于靠近后期冷却区的顶部,在那里受坝基的约束影响较小。

在1981年末混凝土浇筑期,承包商得到批准,在较冷的天气下,整个浇筑层可使用粉煤灰含量小于50%的混凝土浇筑,用以替代1980年末和1981年早期在浇筑层顶部和侧面使用的配比。在1981年秋季,周围温度逐渐下降,混凝土配比中的粉煤灰的比例由50%减少到30%。在1982年春季和秋季也同样采用这个方法。

图4是根据1984年2月23日记录的坝块P3的温度绘制的等温线。从等温线可见,受上方温度较高混凝土的影响,使靠近后期冷却区的混凝土的温度上升,高于后期冷却期间达到的初期最高温度;但这是可以被接受的,因为离坝基约束较远。

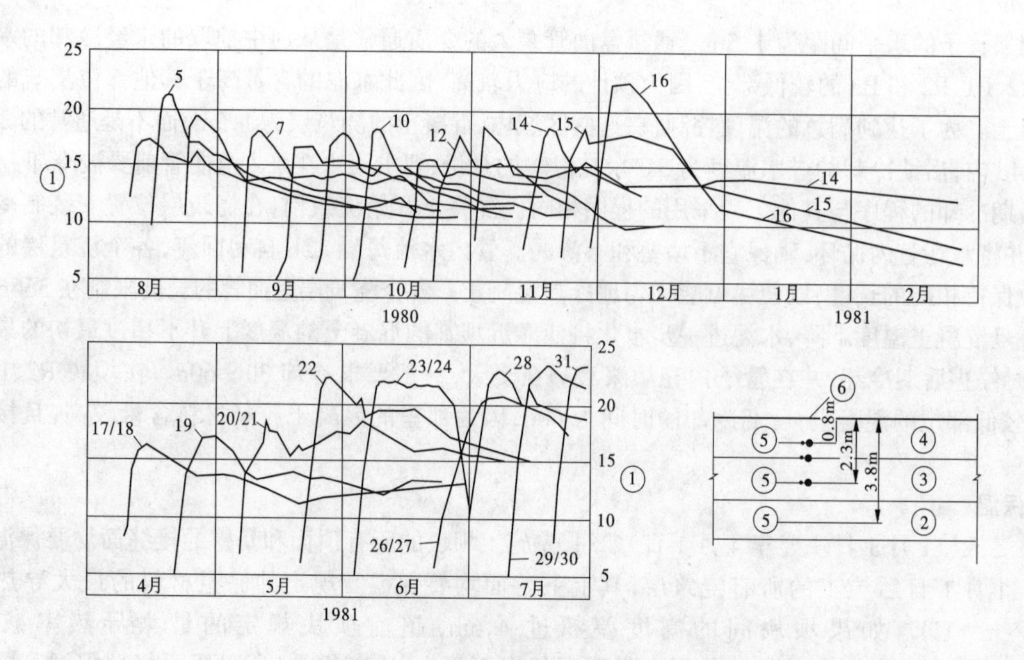

图 3　坝块 P3 后期冷却区的实测温度

①—温度(℃);②—14 号浇筑层;③—15 号浇筑层;

④—16 号浇筑层;⑤—电阻温度计;⑥—混凝土表面保温

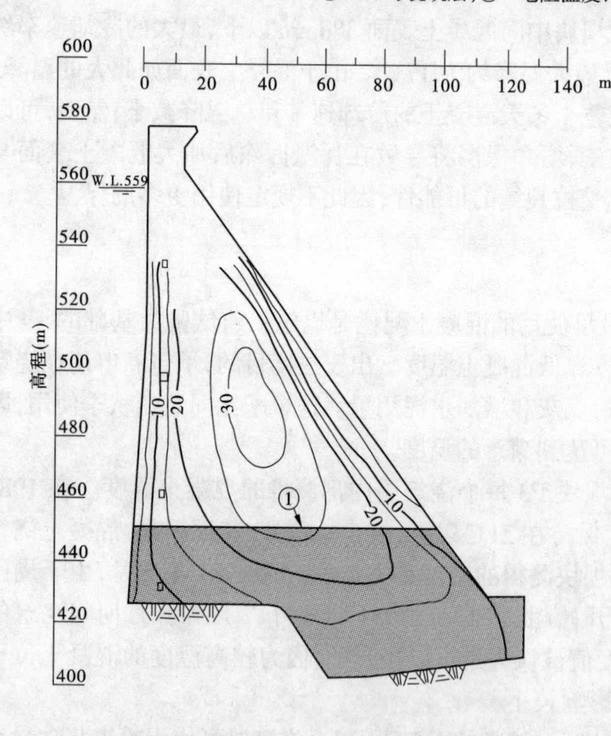

图 4　1984 年 2 月 23 日坝块 P3 的等温线

①—后期冷却区顶部

# 5 裂缝及修补措施

## 5.1　浇筑层顶面和侧面

当 1981 年 3 月和 4 月拆除保温材料开始二期施工时,对暴露的混凝土表面进行了详细的检查。图 5 表示了混凝土表面发现的裂缝位置。裂缝宽度一般从发丝到 1.6mm 不等。图 5 中,除了坝块 P1 和坝块 P2 上游较薄的突出部分的裂缝外,其他裂缝都没有深深地贯入坝块。有些裂缝在保温材料拆除几天后才被发现。这说明,为浇筑新的混凝土做必要的准备时,混凝土表面暴露于冷空气中,使其迅速冷却,引起温度裂缝。在 3 月份,平均日气温从 -1℃ 到 7℃。

1980~1981 年冬季停工时测得坝块 P3 的 14 号、15 号和 16 号浇筑层的温度,连同其他资料见图 3。在 1980 年 12 月 5 日,16 号浇筑层表面 0.8m 以下的温度约为 22℃,3.8m 以下的温度为 14℃。在 1981 年 3 月 1 日(85 天后),上述表面 0.8m 以下的温度为 6℃,3.8m 以下的温度为 12℃。因此,16 号浇筑层表面 0.8m 以下的温度下降 16℃,而表面 3.8m 以下的温度仅下降 2℃。因冬季冷却产生大的温度变化局限在表层混凝土,因此可出断定,在混凝土表面看得见的裂缝也许贯入坝块不足几米。

这个结论被下述事实所证实,即坝块 P3 表面的裂缝没有贯穿到裂缝面以下 4.5m 的横向排水廊道。

除了坝块 T0 和坝块 T2 的浇筑顶层外,1980 年浇筑的混凝土都经后期冷却。1980 年浇筑的顶层进行了后期冷却,加上经受了 1980~1981 年冬季周围环境的低温,导致在顶部浇筑层的中间两周内最大冷却速率达 0.2~0.6℃/d。坝块 P3 的顶层(16 号浇筑层)混凝土达到所有浇筑层最高温度(22℃)和最高的冷却速率(0.6℃/d),其裂缝发生率也最高。凡是没有或者只有较少裂缝的坝块,浇筑顶层的最高温度约为 18℃或者更低,最大冷却速率约为 0.2℃/d。

在裂缝上面的 3 个连续的浇筑层中安设了钢筋(直径 35mm,间距 300mm),以避免裂缝向上延伸进入 1981 年新浇的浇筑层。测缝计显示,迄今为止裂缝没有变动;测缝计埋在坝块 P3 最大的纵向裂缝上面,用来监测裂缝的活动情况。

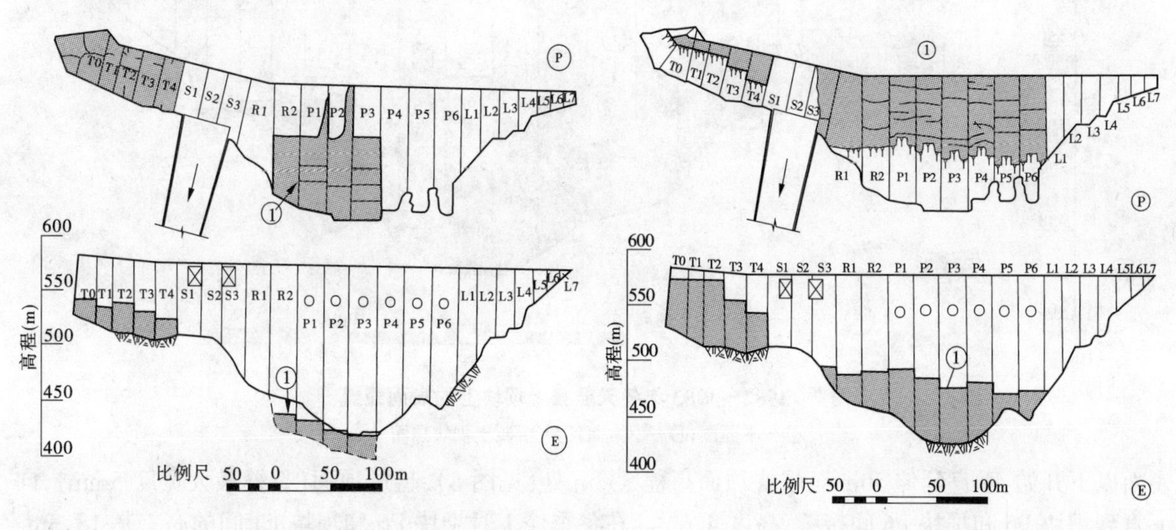


**图 5 1980~1981 年冬天混凝土坝块上的表面裂缝**

Ⓟ—平面图;Ⓔ—下游面;①—混凝土坝块顶面

**图 6 1981~1982 年冬天混凝土坝块上的表面裂缝**

Ⓟ—平面图;Ⓔ—下游面;①—混凝土坝块顶面

1982 年春天,当拆除保温材料,准备开始第三期混凝土浇筑时,在 1981 年浇筑的混凝土表面发现裂缝。图 6 表示坝块顶部的裂缝情况。裂缝宽度从发丝到 3mm。如 1981 年那样,在坝块顶部裂缝上面安设了钢筋。在那些靠近坝基的坝块顶面,钢筋数量与 1981 年使用的相同。在那些与坝基相隔较远的坝块顶面,受热收缩的约束较小,钢筋的直径减为 25mm,而且只在裂缝上面的一个浇筑层内安设钢筋。在接近 1981 年浇筑期结束时,坝块 R2、P1、P2、P3 和 P4 浇筑的混凝土高于后期冷却区。这些坝块的浇筑顶层的最高温度的变化范围,从坝块 R2 的 28℃到坝块 P3 的 21℃。在浇筑顶层中点记录到的最大冷却速率为 0.1℃/d。坝块 S3、R1、P5 和 P6 的浇筑顶层在后期冷却范围内,这些坝块记录到的最高温度为 19℃。当它们后期冷却时,它们的最大冷却速率约为 0.3℃/d。

在 1982~1983 年冬天发生的裂缝见图 7。除了坝块 L2 外,在 1982 年末浇筑混凝土的所有坝块,都在后期冷却区之上。浇筑顶层中心的最高温度的变化范围从 21℃到 30℃。裂缝的数量少于 1981 年,主要是由于浇筑层表面的尺寸较小。多数裂缝相对较浅,有些裂缝较短且在坝块接缝间不连续。顶面裂缝与上一年一样加钢筋进行处理。

雷维尔斯托克坝产生的裂缝证实了其他工程关于坝块高差的经验,即超前坝块更易产生表面裂缝,因为,它在冬季月份中有更多的表面冷却。1981~1982 年冬天和 1982~1983 年冬天停工后,超前坝块呈现高的裂缝发生率,特别在有较大高差、暴露在外的坝块接缝处。最大的裂缝(宽 5mm)发生在坝块 P6,面对坝块 L1 暴露的接缝上。在坝块 L1 继续浇混凝土和设置保温材料前,于 10 月末首次记录到这个接缝上的裂缝。那时的气温下降到 0℃以下。1982~1983 年停工后,裂缝从坝块 L1

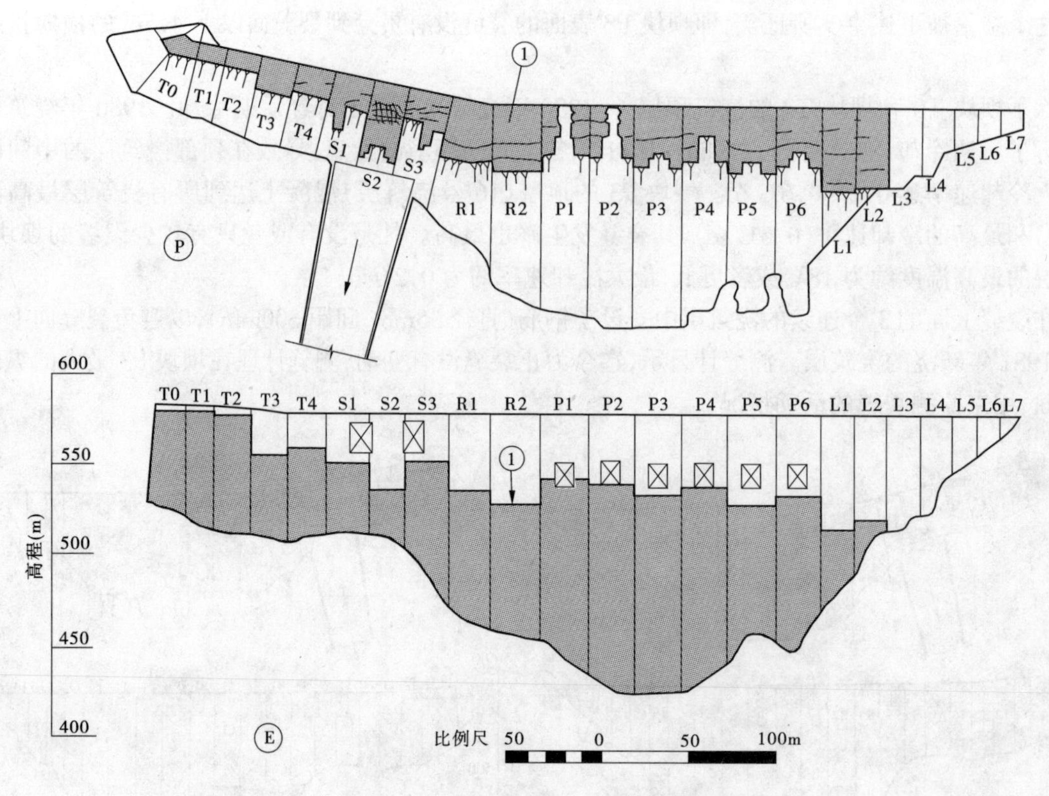


**图 7　1982～1983 年冬天混凝土坝块上的表面裂缝**

Ⓟ—平面图；Ⓔ—下游面；①—混凝土坝块顶面

表面以下开始，垂直延伸 30m 至坝块顶面高程 533m 处(见图 8)，越过顶面(裂缝最大宽度 5mm)，向下直到坝块 P5 和坝块 P6 间接缝，高度 4.6m。在冬季停工时坝块 P6 和坝块 L1 间的高差是 18.3m。

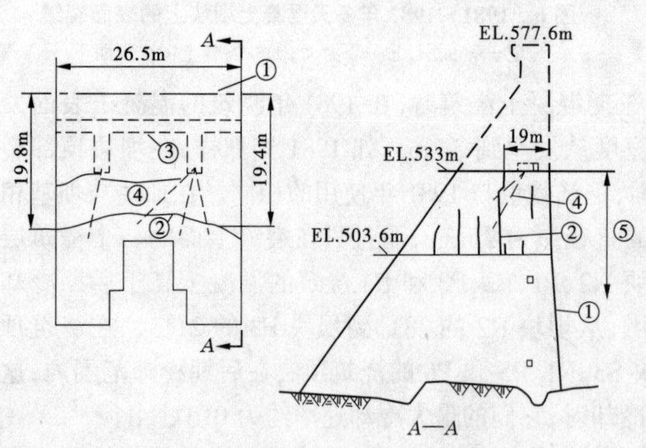


**图 8　1982～1983 年冬季坝块 P6 纵向裂缝**

①—上游面；②—纵向主裂缝；③—排水廊道，高程 533m；④—钻孔，直径 76mm；⑤—在 1982～1983 年冬季前浇筑的混凝土

对坝块 P6 做了有限元分析，研究裂缝的影响，并假定裂缝穿过块体，观察到的裂缝高度 30m。分析表明，在静水荷载和预计的长期温度变化作用下，坝块将是稳定的，其应力分布是可以接受的。另外，在裂缝的上下将产生压应力，它可防止裂缝扩展。测缝计安设在穿过裂缝的 76mm 孔径的钻孔内，用以监测裂缝的变化情况。

## 5.2　上游面裂缝

图 9 为大坝上游面发现的裂缝。每次冬季停工后，在上年浇筑的混凝土中都发现有裂缝。在新浇混凝土经受冬季温度前，这些裂缝没有从老混凝土扩展到新浇的上覆混凝土中。最初没有任何裂缝延伸到上游廊道。在高程 533m，廊道距上游面 4.1m；在高程 430m，廊道距上游面最大，为 9.0m(见图 2)。然而，上游面暴露两个冬季后，在坝块 P3、T2 和 T3 最低廊道的上游面，大致在每个坝块的中心线上，发现细微发缝。其他大坝(坝块收缩缝未灌浆)的经验表明，如果水库的凉水能进入上游面裂缝，则裂缝中形成的水压力，加上大体积混凝土中急剧的温度梯度，会扩展和加宽裂缝。虽然它们不会威胁到大坝的稳定性，但会导致大量渗流进入上游廊道，并很难处理。雷维尔斯托克坝努力防止这种现象发生，在横缝中安设的止

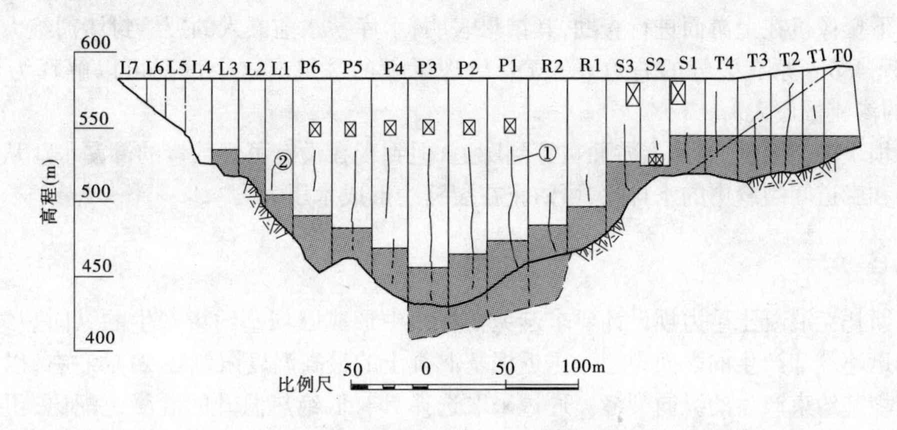


**图 9 混凝土大坝上游面的裂缝**

①—横向裂缝;②—后期冷却区的顶部

水片尽可能按实际情况远离上游面。这个工作完成后,在坝块接缝上的水压力可能与任何裂缝中的水压力平衡,并可防止裂缝扩展。坝块接缝的详细结构包括两个垂直于接缝的止水片和两个直径为200mm的排水孔(见图2)。由于上游面的坡度为0.06:1.0(水平:垂直),因而上游止水片距上游面的距离为2.4~7.3m。

为了减少渗漏水进入靠近上游面的上游廊道,作为一个补充措施,在蓄水前将发现的裂缝都加以封堵。大坝上游面裂缝处理的首选方法包括使用聚氨酯弹性涂料作为封堵剂。在1981~1982年,过渡段坝块的裂缝封堵采用了这种方法。

其他坝块上游面裂缝处理必须在1983年内施工,并在当年10月份以前完成,水库按计划开始蓄水。在处理期间,由于浇筑顶层喷水养护,坝面或多或少被弄成连续的潮湿面。可以预料,为了正确地使用弹性涂料,要清洗和干燥裂缝面是不易的,因此裂缝处理的方案要经过试验。

所选用的材料是一种组分聚氨酯封堵剂,沿裂缝在混凝土中凿一条宽12mm、深6mm的槽,将封堵剂嵌入槽内。除过渡段坝块以外,在1983年夏天和秋天,上游面高程531m以下的所有裂缝都采用这种材料封堵。

## 6 上游横向裂缝的扩展

1983年10月水库开始蓄水。1984年3月12日水库蓄水至高程559m时,靠近坝块P3中间一条垂直的横向裂缝突然张开,并贯穿到高程430m、460m和497m的排水廊道。裂缝没有延伸到高程533m的排水廊道。随后很快测到进入排水廊道的渗漏水量为76L/s。进入高程460m廊道的渗水量最大。3月15日,当裂缝宽度增加到最大值6mm时,渗漏水不间断地增加到174L/s。在高程453m离大坝上游面2.4m处埋设一根长6m的测缝计,用来测量裂缝的宽度。根据埋入坝块中间的仪器记录到的温度变化,可估计裂缝由上游面已伸入坝块约30m。

为了降低裂缝中的水压力,从而减少进入廊道的渗漏水,从廊道内按一定角度打一个直径为38mm的钻孔与上游裂缝面相交(见图2中剖面A)。3月14日开始钻进。到3月18日,钻孔使渗漏水达到最高值280L/s;然而测缝计表明,当位于坝块任一侧的止水片上游坝块间的收缩缝处在张开状态时,裂缝逐渐闭合。渗漏水量逐渐减少,每天平均减少的速率为17L/s,到3月28日减少到114L/s。3月29日,渗漏水陡降至8L/s,测缝计显示的裂缝宽度从4mm减少到2mm。

其他混凝土重力坝的经验表明,减压钻进可减少通过裂缝的渗流水,但没有达到在雷维尔斯托克坝的这种程度。这表明,经过在设计和施工期间采取的措施,使进入上游廊道的渗漏水减至最小;也就是说,将收缩缝中的止水片进一步向下游移,在上游面封堵发现的裂缝,减压孔的钻进,上述多方面的努力,使裂缝处理获得成功。

使用水下摄像机在上游面进行查勘,其结果表明,水库蓄水前嵌入的裂缝封堵剂绝大多数完整无损,但在高程 480m 原有裂缝的右边 0.5m 处出现了新的裂缝。这个情况可以解释为什么在高程 460m 廊道的渗流量最大。

在许多坝块中,裂缝已经从上游面贯穿到廊道,但到现在没有可观数量的渗漏水。从廊道中打钻孔将上游面和廊道间裂缝中的水排除,可防止在裂缝中形成水压力。

## 7 结 论

雷维尔斯托克混凝土重力坝设计要求避免在坝块中形成因坝基约束产生的纵向裂缝,要求减少由于在冬季迅速冷却产生的表面裂缝。靠近坝基混凝土的最高温度限制在 21℃左右,以防止在混凝土中形成因坝基约束产生的纵向裂缝。通过采取选择具有低绝热温升的混凝土配比,预冷混凝土和埋管后期冷却等措施,来达到设计要求。这些措施可有效地将最高温度控制在希望的水平。

虽然在冬季采用了保温措施,但在每个冬季停工期后,都发现了裂缝。裂缝是由于坝块表层冷却而产生的。在浇筑层顶部裂缝上面安设钢筋,防止裂缝向上扩展。可以断定,多数裂缝是在表面的,对大坝的稳定性没有任何影响。

为了减少通过上游面裂缝的渗漏水,设计中采取了措施,它们包括尽可能地靠近下游设置止水片以最大限度限制坝块接缝的水压力,以及在水库蓄水前封堵所有发现的裂缝。这些措施不能阻止因急剧的温度梯度和水压力的组合,使坝块 P3 的横向裂缝扩展;但是,从廊道中钻减压孔再加上面的措施,可成功地减少裂缝的静水压力,从而使裂缝闭合,有效地消除渗漏水。

# 萨彦舒申斯克大坝上游面渗漏裂缝灌浆处理的经验

［俄］ B.H. 布雷兹加洛夫等

**摘　要**:萨彦舒申斯克水库蓄水后,大坝河床部位的20多个坝段上游承压面混凝土产生裂缝,坝基接触处也出现拉裂现象。1991～1994年曾用传统的水泥灌浆法进行裂缝处理,但效果并不理想。1995年对受拉开裂区和裂缝又重新进行了修复处理。详细介绍修复工程分阶段施工的全过程、施工使用的钻机、灌浆泵、测缝计及其技术特性。受拉区一期工程完工后,渗流量降低了92%,二期工程完成后又降低7%,而裂缝处理后渗流量降低99%。

萨彦舒申斯克水电站重力拱坝(坝高242m,坝顶长1 074m)建于1972～1989年(见图1、图2)。为使首台机组早日投运,1978年大坝首次处于60m水头下,以后水头逐年增加,并在1990年坝体修建到设计高程时,水库蓄水到正常高水位540m。

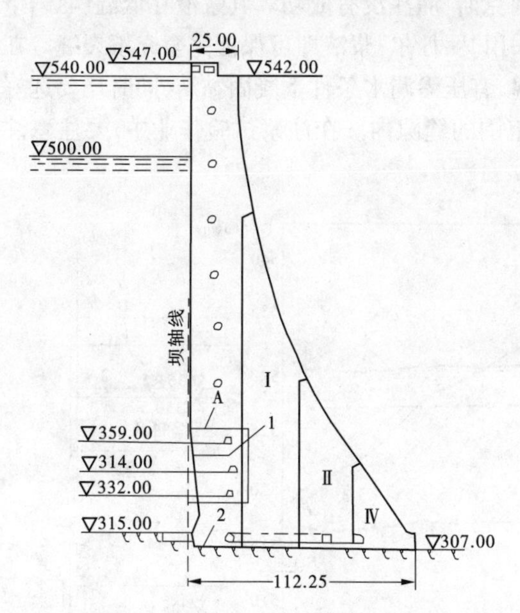


**图1　河床部位坝体断面**(单位:m)

A—裂缝形成区;1—混凝土内裂缝;

2—接触部位开裂;Ⅱ—柱状坝块编号

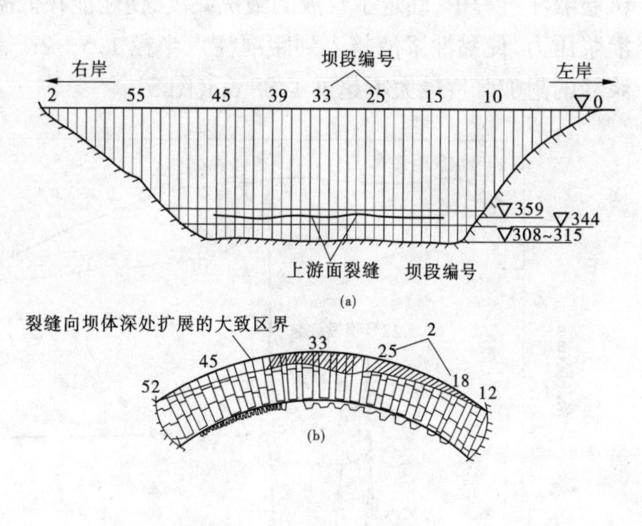


**图2　上游面裂缝位置**

(a)—坝体上游面立视图;(b)350m高程处坝体平面图

在设计阶段,预计上游面接触区因悬臂作用引起的拉应力将达1.5MPa。拟定了相应的限制受拉区扩大的结构措施,包括受拉区内局部加筋,做防水层,设置键槽(看来无效)等。

测量仪器记录揭示,在库水位升到设计水头80%之后的1985年,上游面354m高程附近混凝土内出现首批裂缝。当时,在344m高程处廊道内,渗水有显著增大迹象,以后裂缝开裂加深,直至水库蓄水升到设计正常高水位之后,达到最大值。1996年之前,在344～359m高程之间,上游面受拉区的渗流量增至458L/s。

对上游面受拉区,从发现强渗开始,就作了多次计算和现场调查。1991年通过打探孔,用孔内摄像机观察孔壁,查明大体积混凝土内裂缝在发展,使高1.5～5.6m的区带内整体混凝土产生大量微细的断裂裂缝。

为了消除涌水现象,采用传统的水泥灌浆法对裂缝进行处理,从 1991 年 2 月开始一直延续到 1994 年。在压浆作业过程中,发现裂缝系统很快与水平式排水设施连通,直通检查井,由此导致注压区浆液流失,注压效果不好,时效短,而且渗流量仍在继续增加。

1992 年底,专门制定了抑制渗水量增大的措施,包括通过预埋系统对第Ⅰ柱状块坝段接缝进行再次灌浆;每一坝段设 5 个垂直排水孔;先注入水泥浆,后用聚合物封漏。

注入聚合物后,这些坝段的渗水量暂时降到0.3～0.5L/s,但往后却超过了灌注聚合物前,已注入的聚合物浆液反被有压渗水挤出缝外。后来决定用水泥浆封堵水平排水孔,但并未获得成功。

渗流集中在 27～31 号 5 个坝段区内,占 344～359m 高程间固结破坏区总渗水量的 54%。30 号坝段最大渗水量达 90L/s,而毗连高速水流区混凝土破坏过程已大大加快。对此迫切需要寻找非传统的新方法,制止长 300m 的大坝前沿受拉区混凝土遭到破坏。

1993 年萨彦舒申斯克水电站股份公司与法国索列塔什公司达成协议,采用其混凝土止渗技术。据称该项技术近 20 年来已在大坝修复工程中得到成功应用。

1995 年秋,上游水位接近正常高水位时,采用了两种较之水泥浆更富有弹性的聚合材料(即变形模数 50MPa 的“罗弗列克斯”和变形模数为 3 500～5 000MPa的“罗杜尔”),对 23、24 号坝段受拉区混凝土进行了试验性修补。23 号坝段勘探孔查明:在 350.5m 高程处有 1 条裂缝,而在 24 号坝段 350.3～351.8m 高程有 2～5 条裂缝。首次采用“罗弗列克斯”灌注没有成功。其浆液在低温(4℃)下黏性过大,因此不能完全充填裂缝。而在同样条件下,采用“罗杜尔”浆液即可保证完全充填裂缝。在试验灌注过程中,确定了浆液的最优黏度,使之能在低温、有压渗漏水条件下凝固黏结,同时还要选好灌浆压力,使黏性浆液挤入到距灌注点半径 1.5～2m 范围的缝隙内。在注浆试验作业中,要注意注浆缝的附加张度最大不超过 1.88mm(图 3)。

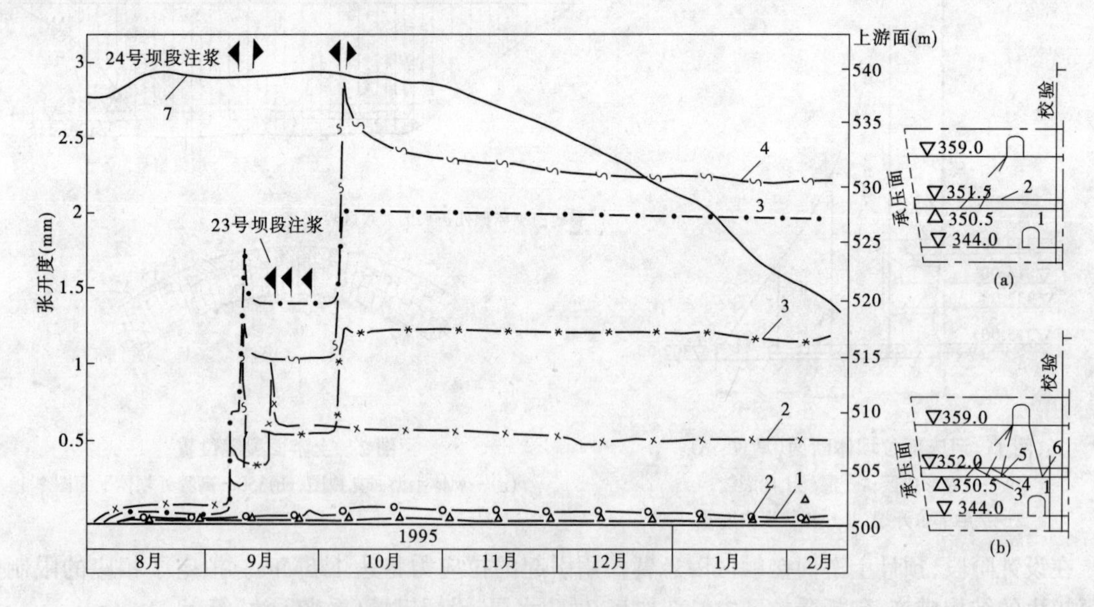


**图 3　23、24 号坝段受拉区混凝土变形曲线**

(a)—23 号坝段测缝仪布置图;(b)—24 号坝段测缝仪布置图;1—$23_{BK}-1$ 应变计;2—$23_{BK}-2$ 伸长计;3—$24_{BK}-1$ 应变计;4—$24_{BK}-2$ 应变计;5—$24_{BK}-3$ 伸长计;6—$24_{BK}-4$ 应变计;7—上游水位

上述两种浆材中,“罗杜尔”环氧树脂浆液更好,其黏性强,可穿透性好,表面张力小,对水有惰性,低温下凝固快,虽然凝固后的硬度比较高,但在有压渗透水条件下堵漏效果比较显著。正是由于具有这些特征,该材料成为这种条件下惟一适于以压注法充填强渗水裂缝的浆材。

23、24号坝段的裂缝灌浆完全止住了渗透。岩芯取样显示,断裂处的混凝土面与灌注材料黏结得很好,惟独其结构因受渗流冲刷而破坏的区段除外。通过1995～1996年水库蓄水、放水长期观察,查明注浆试验区的渗水状况没有发生变化。根据试验性灌浆的观测结果,决定对大坝其他已破坏区(包括344～359m高程间19、21～46号坝段在内的前沿长达300m的区域)采用同一施工工艺进行修理。

正式止渗工作分成若干个特定阶段进行。第1阶段,在水库蓄水过程中,要在1个坝段上打6个探查孔,同时完成孔内压水试验,以查明裂隙所在空间位置并整理有关资料。水压的剧变(升压或降压)证实有裂缝存在。用栓塞把探孔分隔成多段(段距1.5m),沿整个10～16m的孔深探测裂缝距孔口的深度。一经发现某一1.5m长的孔段有裂缝存在的迹象,就当即缩短置放栓塞的间距,再分小段进行探测。这种探缝方法能准确地查明裂缝所在的空间位置。

根据探查结果,要进行裂缝注浆处理的有40个区,但是由于受工期和资金的限制,并考虑到上下处理区间裂缝压封效果较好,最后定为24个注浆区。

第2阶段打注浆孔,一个坝段平均设28孔。从359m高程处检查廊道内施钻。钻孔作业和探缝工作是在大坝承受非全静水压力荷载作用下进行的,而第3阶段裂缝注浆处理作业则是在大坝承受全静水压力荷载作用、裂缝开裂度相应最大情况下进行的。

第3阶段可再分为两期。第1期先注浆处置24个坝段的裂缝,当时填塞了主要裂缝,再借助裂缝边界的压力,使非主要裂缝闭合。第2期注浆可消除10个坝段剩余的涌水现象。

注缝用的"罗杜尔"基料,由承包商调制成浆液,装入标准容器内(每桶28L)分桶提供,能确保注缝浆体成功聚合的配料也以桶装方式提供。为了调制好注缝用混合料,环氧树脂的数量比及其类型("罗杜尔624"、"罗杜尔626"、"罗杜尔1277")可在较大范围内变化,以便用户能依据裂缝特征及其渗流量来选择所需的混合料稠度。

向缝内注浆主要是用4台泵通过2个钻孔进行,这样做较通过一个钻孔注浆劳动生产率提高1倍,因而大大缩短大坝在冬季承受全静水压力荷载作用的历时。泵出口处浆液压力为25～40MPa,随浆液沿15～20m长灌浆管流动而急速下降,到裂缝缝口处变成6～8MPa,只要选配好浆液稠度,这样的浆体压力足以保证浆液高质量地连续填缝(甚至开度小的缝)。

为了检查注浆压力对大坝－基础系统应力应变状态的影响,特别是检查受拉区混凝土变化状况,曾组织多项专门观测。检查项目包括由于下述原因可能诱发的第二次涌水现象。这些原因有:裂缝开度值大于压浆前的开度值;344m高程处Ⅰ号柱状块接缝开裂;Ⅱ号柱状块中裂缝有可能扩展;接触区发生形变和沉陷;固结破坏区以下Ⅰ号柱状块体转动;相邻坝段注浆时已灌注好了的裂缝再度开裂等。

在注浆作业过程中,对正在注浆坝段、相邻坝段和径向接缝井等处的渗漏变化状况,专门组织定期观测。为便于观测,根据裂缝数量及其所在位置,在每个坝段内布设2～4个基线为2 000mm的应变计(测缝计技术特性同前)(见图4)。测缝计是一种监控灌浆作业的主要仪器,在打注浆孔阶段布设好。在3个(22、33、46号)坝段Ⅱ号柱状块始端,也布置测缝计,以监控裂缝是否扩展及其经柱块缝转移的可能性。有关注浆时裂缝开度的信息,每隔15min向施工负责人报告1次。

在试验阶段,裂缝附加开度限定为1.5mm。在生产性注浆最初阶段,已记录到正在注浆的裂缝开度大于1.5mm,同时还发现相邻尚未注浆的坝段,其裂缝开度颇大。根据实测结果,将裂缝附加开度值限制在2.5mm以内。因为以后分析表明,在注浆过程中,邻近的裂隙块体处于受挤压状态。这点已为正在检测注浆区和受压区变形的仪器记录所证实。

在后续相邻的坝段注浆时,由于大体积混凝土受到强力挤压,注浆的裂缝,一般不会再度裂开,而已发生开裂的裂缝,在进行二期注浆工程时,会受到附加挤压。

索列塔什灌浆工程公司在其他工程中取得的实践经验证实,在进行上述灌浆作业时,混凝土弹性变形量不会超过1mm。

在决定调整灌浆作业法时,要掌握全部作业的信息,既要有正在灌浆的块体和相邻坝段渗流量资料,又要有沉陷量、倾度、变形量等数据。

灌浆作业一般从靠近上游面或下游面边缘的一排孔开始(图5)。图上箭头表示泵站与钻孔接通的位移方向和向每个孔注浆开始的时间。注浆孔孔序是以打开设于注浆孔孔口处的阀门后,来自正在灌浆的孔从相邻钻孔流出的水量或浆量为最小的标准来排定的。在注浆开始之前,仅打开正在注浆钻孔附近钻孔的阀门,等待浆液流出。以后,就无需对浆液沿裂缝分布情况进行检查。为了节省聚合物用量,用细软绳放入孔内探查,以查明孔内有无聚合物流出。

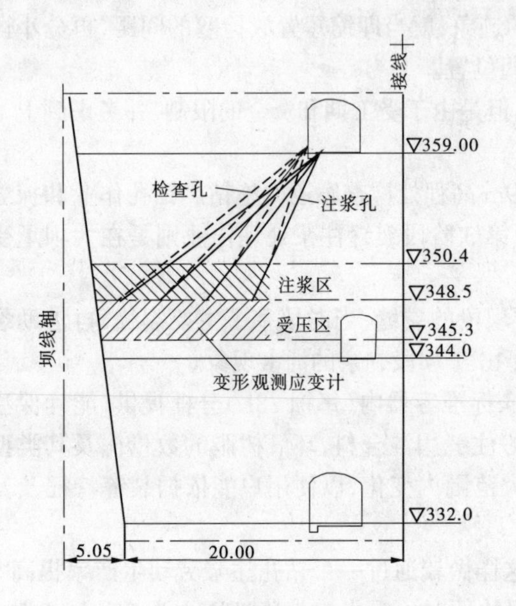


图4 在26号坝段待注浆区内注浆孔及测量仪器布置图

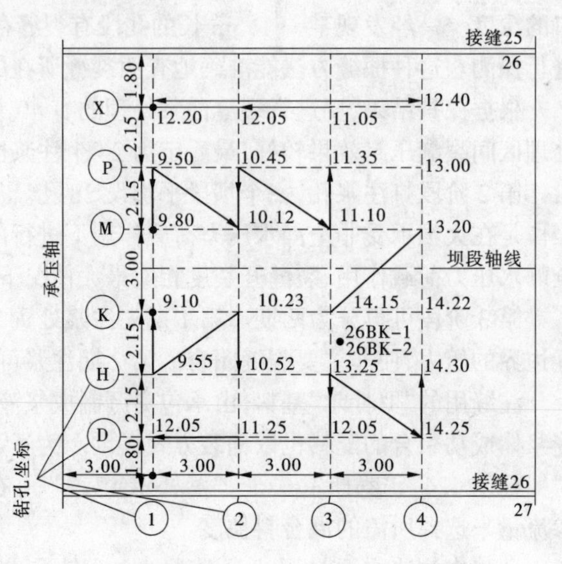


图5 349.7m高程处26号坝段灌浆孔网的灌浆次序

在注浆过程中出现一些特殊现象(见图6,表1):

表1 某些坝段坝体混凝土灌浆区抑制渗水量的成果

| 正在注浆的坝段 | | 灌浆日期 | 总耗料量(桶) | 注浆坝段内裂缝最大附加开度(mm) | 注浆坝段内裂缝最大剩存开度(mm) | 注浆坝段总渗水量变化(L/s) |
|---|---|---|---|---|---|---|
| 第1期 | 30 | 1996-08-12 | 116.5 | 0.08 | 0.08 | 64.5~4.00 |
| | 31 | 1996-08-16 | 111.5 | 0.77 | 0.48 | 16.8~0.40 |
| | 27 | 1996-08-24 | 120.0 | 0.46 | 0.09 | 37.1~0.10 |
| | 26 | 1996-08-26 | 80.0 | 2.48 | 1.62 | 6.7~6.10 |
| | 22 | 1996-08-24 | 97.0 | 2.18 | 2.07 | 7.6~0.45 |
| | 40 | 1996-09-17 | 98.0 | 1.58 | 1.32 | 23.7~0.80 |
| | 46 | 1996-09-23 | 113.0 | 0.57 | 0.48 | 11.45~0 |
| 第2期 | 30 | 1996-10-11 | 43.5 | 0.93 | 0.74 | 1.27~0.20 |
| | 31 | 1996-10-11 | 29.0 | 1.09 | 0.83 | 2.84~0.05 |
| | 27 | 1996-10-12 | 51.0 | 1.17 | 1.06 | 0.35~0.02 |
| | 46 | 1996-10-15 | 75.75 | 1.66 | 1.32 | 1.0~0 |

(1)灌浆作业的影响区相当广阔。向裂缝灌浆时施加的压力,沿大坝前缘在5~6个坝段(包括一个正在注浆的坝段)的范围内部有反应。一般来说左右两边2~3个相邻坝段的范围内渗流量都有所变化,还见到检查井和排水孔流出泡沫。当进行第1期注浆作业时,在尚未注浆的坝段一侧,出现渗水量重新分配的现象,而在第2期注浆作业时,在相邻的已注浆的坝段记录到了渗水量增大的情况。

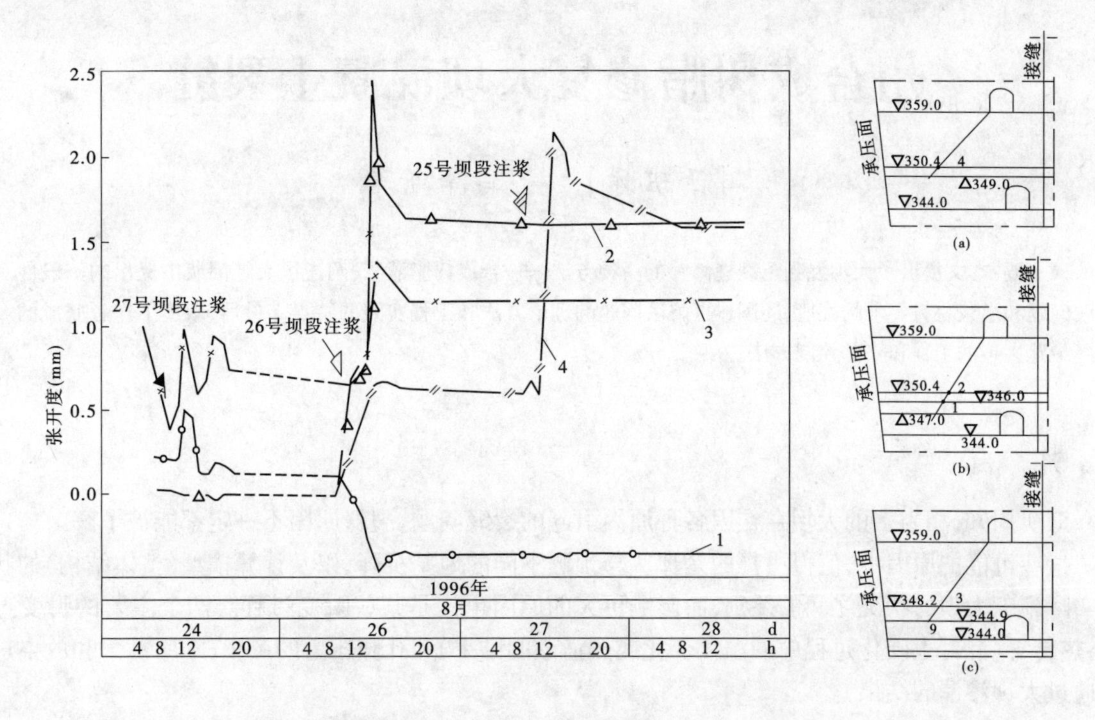


**图 6 在注浆期内 25、26、27 号坝段受拉区混凝土变形情况**

(a)—25 号坝段测缝计布置图;(b)—26 号坝段测缝计布置图;(c)—27 号坝段测缝计布置图;

1—$26_{BK}$ - 2 应变计;2—$26_{BK}$ - 1 应变计;3—$27_{BK}$ - 1 应变计;4—$25_{BK}$ - 2 应变计

(2)渗流量几乎完全被截止(98%以上)。

(3)在受拉区,正在注浆的裂缝裂开,与此同时与之相邻又处于上下层的裂缝却呈闭合状。在许多情况下,裂缝停止渗漏,因为固结破坏部位被挤压。

(4)相邻坝段内裂缝张开,使渗透量增大。

(5)在注浆后 1h 内裂缝附加开度有所缩小。一期注浆结束后,裂缝开度平均缩小 18%,而二期结束后为 13%。

(6)在Ⅰ号柱状块接缝附近检查孔出现渗漏,而在Ⅱ号柱状块始端记录到裂缝附加张度 0.02mm。上述两种现象证实裂缝在向第Ⅱ柱状块扩展。

看来,消除混凝土受拉区涌水现象的任务已经完成。在第 1 期注浆结束后,渗流量下降 92%(从 458L/s 降到 37L/s),而第 2 期注浆结束后,渗流量再下降 7%(降到 5L/s)。对大坝裂缝进行灌浆处理,共耗用环氧树脂浆液 102.4t,结果渗流量下降 99%。

现在,萨彦舒申斯克水电站的专家们正在研究抑制渗流灌浆对大坝 - 基础系统应力应变状态的可能影响问题。

结 语:

(1)在高水头混凝土坝结构物中,应考虑相应措施以排除混凝土浇筑块发生强渗的可能性。

(2)萨彦舒申斯克水电站大坝前沿,有很长一段混凝土出现高压集中渗流,只有采用非传统灌浆法和浆材,才能抑制。

(3)科研设计单位应与萨彦舒申斯克水电站通力合作,共同研究大坝检修作业对坝体应力应变状态的影响。

# 用合成树脂修复大坝混凝土裂缝

[西班牙] F.马泽斯等

**摘　要**:本文提出了大坝混凝土裂缝修补的一种方法——合成树脂灌浆,阐述了裂缝灌浆中提出的一般性问题和灌浆材料要求的性能,还阐述了解决问题的理论方法和工程实践的特点。最后,叙述了作者完成的最感兴趣的工程和一些控制方法。

## 1 引　言

众所周知,相当多的大坝存在因各种原因引起的裂缝问题,裂缝原因不一定都能被了解。

这些可能的原因中,值得一提的是那些与预测不同的地基沉降,以及计算模型(整体结构)的状况与实际施工大坝的状况之间的差别,而影响更大的原因也许是某些瞬变过程。两个主要的瞬变过程是,热传导(混凝土硬化过程中的温度变化或热消散的结果)和孔隙压力的产生(水库蓄水和放空过程中通过大坝渗漏的结果)。

结构设计通常不考虑这两个瞬变过程,只在建立某些简化的假定时,对温度变化和存在的孔隙压力进行研究。

事实上混凝土大坝常常出现裂缝。这意味着已经出现了拉应力,其值高于混凝土的强度值。这些裂缝在大坝内部形成不连续的接缝,也改变了水压力作用在大坝上的方式。

到目前为止,裂缝的修补是在其中(当裂缝有一定的宽度时)灌注水泥浆或其他经典的拌和物,以便将它们填满。由于在灌浆工程中遇到许多难点,例如:①裂缝中的流动水;②浆液的离析;③不规则裂缝宽度灌浆时浆液的颗粒粒径;④由于使用缓慢硬化浆液,为了避免处于大面积压力下的危险,不可能使用高的灌浆压力等。因此,裂缝处理的结果一般是不可确定的。

近年来,我们参与了采用合成树脂灌浆修补有严重裂缝的各种混凝土坝。这些工程已经取得了满意的结果,这也许是因为灌注的材料能更好地适应裂缝处理的情况,以及采用了适当的灌注方法。

## 2　裂缝灌浆中的一般性问题

为了正确地计划裂缝的灌浆处理,首先必须了解引起裂缝的原因。

下面几个方面的经验可供决策时考虑:①灌注裂缝是否方便;②灌浆材料硬化后期望的特性;③是否希望使裂缝表面粘接;④是否便于加压将浆液灌入裂缝,以张开裂缝,从而形成附加的压应力,它可抵消能引起裂缝的拉应力。

要清楚地了解裂缝的原因通常是不容易的。有些情况下,考虑到作用在大坝上的荷载的所有组合,要消除拉应力可能是困难的。因此,有时刚刚完成处理,新的裂缝又出现在靠近已处理的地方(如果裂缝的原因没有被消除),或者出现在其他方向或位置(在充填裂缝后,荷载的另一种状态使新的拉应力出现)。

接下来首要的是确定适合于灌入裂缝的材料的体积。灌浆材料的变形性和强度特性也很重要,但在给定的裂缝宽度与大坝尺寸间的比例关系下,材料的变形性能可被忽视。

---

本文原载《第15届国际大坝会议·主题57》,1985年。

另一方面,裂缝灌浆提出了一系列技术问题,这些技术问题是基于下述事实,即裂缝灌浆通常涉及未闭合区域的灌浆(与大坝接缝灌浆不同),这些区域裂缝宽度小,经常有水存在,且往往是连通的。

考虑到这些工程条件,必须用一种材料通过较密的孔对裂缝进行灌浆处理,可能的话,这些材料应具有下列性能:

(1)它必须是液体,没有固体颗粒悬浮其中,以便在理论上对裂缝具有最好的充填性能,即使在通过不规则和宽度小的裂缝面时,也有好的充填性能。

(2)它不必加水拌和。

(3)在灌入后它必须尽快硬化,以确保在钻孔附近的浆液凝固。

(4)根据灌注条件的不同情况,只要方便施工,黏滞性可低可高,但硬化前黏滞性必须尽可能不变。

(5)可能的话,要没有收缩。

(6)良好的耐久性。

(7)容易处理,毒性小,危险少。

当选定灌浆材料后,必须确定灌浆钻孔的位置。灌浆孔的孔距与灌浆材料的特性、能够达到的作用半径和实施工程必要的灌浆压力等因素有关。灌浆压力主要取决于裂缝的宽度、灌浆材料的黏滞性和灌浆的速率。

最后,还有灌浆工程的控制问题和得到的灌浆结果的质量问题。

## 3 灌浆材料

直到目前我们实施的工程中,各种环氧树脂已经用做灌浆材料。这些树脂能满足上面列出的许多特性。

根据它们的配方,环氧树脂实际上几乎都保持黏性状态不变,直到经过一段时间突然聚合为止,环氧树脂也能分级。

图1为四种用于工程的环氧树脂的黏滞性,它随温度而变化。

要选择某一种树脂,取决于每一个特殊事例的情况,确切地说决定于灌浆孔到待灌张开裂缝末端的距离,以避免树脂不必要的损失。

## 4 裂缝灌浆的理论研究

将黏性浆液注入圆形垂直孔(见图2),经过宽度不变的水平裂缝的黏性浆液流,等同于通过多孔介质的径向离心环流,假设多孔介质的渗透系数为:

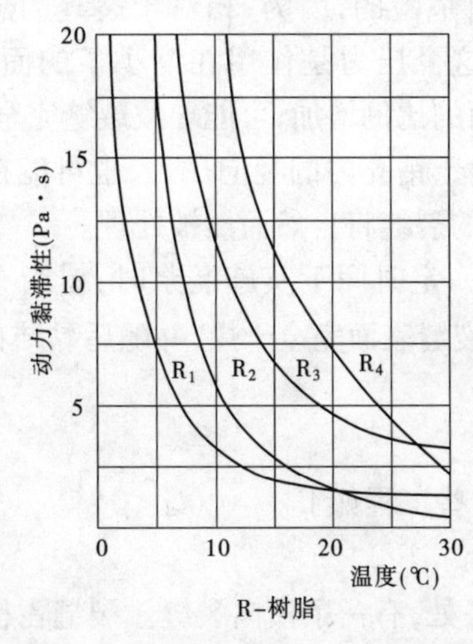


**图1 四种使用的树脂动力黏滞性与温度的关系曲线**

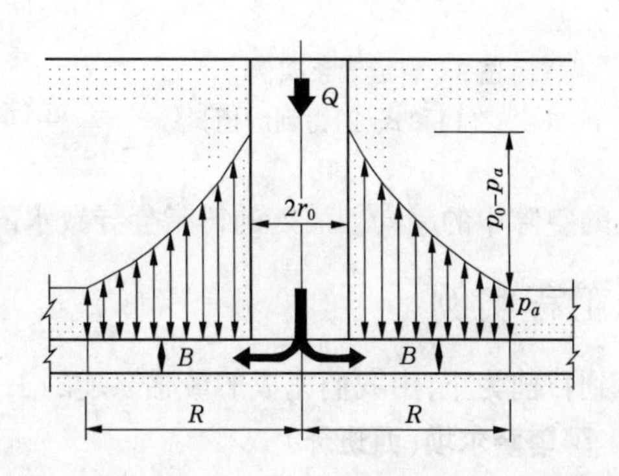


**图2 裂缝灌浆 $t$ 时刻树脂和压力分布的情况**

$$K = \frac{B^2 \cdot \gamma}{12\mu}$$

式中：$B$——裂缝的宽度；

$\gamma$——树脂的密度；

$\mu$——树脂的动力黏滞性。

灌浆期间裂缝的宽度不变时，问题的理论表述可以简化，这种情况下，压力沿距离按对数规律分布，它随时间而变化。

与具有一定尺寸灌浆孔相应的灌浆压力的最大值为：

$$p_0 = p_a + \frac{6\mu Q}{\pi B^3}\ln\frac{R}{r_0} \tag{1}$$

式中：$p_a$——裂缝内水压力。水的黏滞性远低于树脂，因此可假定这个压力为常数，因为随着压力的少量增加，水将被排出；

$Q$——灌注流量；

$\gamma_0$——灌浆孔的半径；

$B$——裂缝宽度；

$\mu$——树脂的动力黏滞度；

$R$——灌入树脂的作用半径。

$R$ 值由下式给出：

$$R = r_0\sqrt{\frac{Q \cdot t}{\pi \cdot B \cdot {r_0}^2} + 1} \tag{2}$$

式中：$t$——从灌浆开始所经过的时间（当 $t=0$ 时，$R=r_0$）。

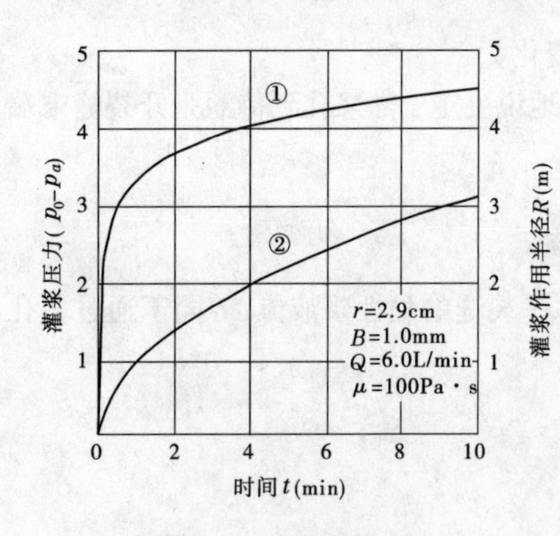


**图3 裂缝灌浆实例**
（由式(1)和式(2)得到的值）

例如，在图3中表示了式(1)和式(2)的结果，相应的参数如图中所示。

假设施加的压力通过树脂作用于裂缝表面，使裂缝张开，假想的多孔介质的储水系数不等于零，则可得到理论的解答。在这个前提下，压力值和树脂的作用半径值，均小于由式(1)和式(2)得到的值。

总之，可以证明要实施灌浆，有必要达到高的压力。一般说，高压力是没有危险的，因为，相对于裂缝的总面积或大坝的质量来说，这个压力是作用在缩小了的面积上的。然而，当被处理表面的比例增加，可能导致裂缝完全张开。

在灌浆期间，由于钻孔内的径向压力，也可能在孔内引起径向裂缝。这样的裂缝将自然而然被处理。

在保持高压力一定时间下实施灌浆时，树脂有贯入混凝土的空隙中的趋向。灌入的树脂会导致水的排出，从而使裂缝表面完全干燥，并随后黏结在一起。

## 5 工程实例

到目前为止，由我们完成的最感兴趣的工程都是拱坝，这些工程如下。

### 5.1 阿塔萨尔坝（西班牙）

阿塔萨尔坝是一座高134m的拱坝，在下部三分之一坝高处，有一条横向裂缝。裂缝占横截面的60%，平均宽度3.5mm，需处理的表面约3 000m$^2$，裂缝处水柱高90～95m，且有流动水经过裂缝。

**5.2 泽济埃坝(瑞士)**

泽济埃坝是一座高156m的拱坝,由于未预料的坝基位移的影响产生了裂缝。成簇裂缝和细微裂缝有规则地排列,平均宽度为0.5mm。

**5.3 卡布里尔坝(葡萄牙)**

卡布里尔坝是一座高130m的拱坝。在大坝下游面上部三分之一的中心区,混凝土水平施工缝张开。

类似的工程也已在奥地利科尔布赖恩(Kolnbrein)坝开工,在葡萄牙帕拉德拉(Paradela)坝的廊道内实施了裂缝处理。

这些工程的钻孔间距为2~3m,相当于灌浆最大作用半径约为1.7m。

灌浆压力最大至12MPa。

一般说,修补工程计划从裂缝的里面到外面进行灌注,这便于在各种特殊情况下,对决策进行分析。

有时将灌浆塞设在孔内的裂缝附近,但更多的是设在孔口。后一种方法便于灌浆作业,但这意味着要消耗更多的树脂。

随所用树脂的黏滞性的不同,灌注流量在2~10L/min之间摆动。

有时,在灌浆孔之间钻中间控制孔,并安装压力盒,以便检测灌入的树脂是否到达。灌浆作业一直进行到某个压力为止。

关于裂缝处理最终质量控制,有时包括测量坝块的位移,确切地说是测量增加的裂缝开度。为此安装了合适的测量设备。

## 6 结 论

从上面提及的工程中获得的经验可得出结论,合成树脂灌浆是现今可采用的修复大坝混凝土裂缝最适宜的方法;这些经验也提供了工程中采用的技术和特有的控制方法。

# 混凝土坝温度应力裂缝的成因与控制

[日本] Tadahiko Fujisawa 等

**摘　要**:应防止在混凝土坝中因温度应力引起裂缝,因为它们能对混凝土坝的结构稳定性、不透水性和外观产生负面影响。裂缝的成因是温度变化,它已经被研究多年,温度控制也已应用于许多大坝。然而,体积变化的约束没有得到综合的研究,在将来的研究工作中应给予关注。

体积变化约束包括外约束和内约束。大体积混凝土中的裂缝,大多数是由内约束引起的,虽然有人认为裂缝是由外约束引起的。外约束值由浇筑的混凝土的高度与长度之比确定。因此,混凝土大坝施工不设纵向收缩缝是可能的,尽管是长的混凝土层也无妨。在混凝土浇筑长时间中断情况下,内约束是显著的。内约束值直接受混凝土层的长度的影响,尤其在大坝中应得到仔细的研究。间歇浇筑混凝土对防止因外约束和内约束引起裂缝都是必要的。

## 1 引　言

混凝土硬化过程中会产生大量水化热。水化热使大体积混凝土结构,例如大坝的温度大幅度升高。因此,在混凝土冷却时,可能会引起大的拉应力和裂缝。当然,应避免在混凝土坝中产生裂缝,因为它不仅使外观变差,更使结构的稳定性和防渗性减弱。所以,在混凝土坝的施工中,重要的是要采取温度控制措施以防止因温度应力产生裂缝。

温度控制可分三种方法。第一种是减少在混凝土中积聚热量,它包括限制水泥的种类和数量,限制浇筑层高度和混凝土浇筑时间间隔,埋管冷却(初始冷却)和预冷。第二种是在预定的部位人为设置分缝并进行处理。它包括为大坝结构的稳定设纵向收缩缝和接缝灌浆,为大坝的防渗设横向收缩缝和止水片。第三种是减少因温度变化产生温度应力的速率。它包括混凝土蠕变的利用,适当的混凝土浇筑和温度处理,它们能减少体积变化的约束。这种方法不完全有效。三种方法可单独或组合使用。

只要对温度应力裂缝的机理和温度变化引起温度应力的计算方法有足够的了解,就可获得好的温度控制效果。本文说明温度应力的原因及其计算方法。

## 2 符　号

本文的符号如下:

$C$:比热;

$E_C$:混凝土弹性模量;

$E_R$:基岩弹性模量;

$H$:坝高,坝块高度,或混凝土中温降的深度;

$h$:浇筑层的高度;

$h_2$:热扩散率;

$k$:热导率;

$L$:坝块长度;

---

本文原载《第15届国际大坝会议·主题57》,1985年。

$P$:温度正弦变化周期;

$R$:温度变化控制的体积变化约束度;

$t$:时间;

$\Delta t$:混凝土浇筑时间间隔;

$\alpha$:表面辐射系数;

$\beta$:热膨胀系数;

$\mu_C$:混凝土泊松比;

$\mu_R$:基岩泊松比;

$\rho$:密度;

$\sigma$:温度应力;

$\Phi$:混凝土的绝热温升;

$\Delta\Phi$:温度变化。

## 3 以往和现今的温度控制问题

在20世纪20年代发现了水泥的水化热会引起大体积混凝土中出现裂缝。美国垦务局(USBR)在胡佛(Hoover)坝(1936,$H=221$m)首先采用了防止裂缝的施工方法。这种方法是按坝块进行施工,坝块间设收缩缝,并对接缝进行灌浆。它也要求预埋盘曲管对混凝土进行冷却,因为在接缝灌浆前收缩缝必须完全张开。美国陆军工程师团研究了不设纵缝的预冷和分层施工法,并首先在诺福克(Norfork)坝(1943,$H=71$m)采用。这两种方法的理论依据完全不同。前者是在预定的部位人为地设置分缝,然后再进行灌浆处理。后者完全是利用预冷防止裂缝。目前,两种方法仍起主导作用。在希瓦西坝(1940,$H=93$m),首先发现限制水泥的含量对防止裂缝是有效的。由经验估计法确定的水泥含量是223kg/m$^3$,在希瓦西坝这个值被减为168kg/m$^3$。减少水泥含量也是防止裂缝的一种方法。

在日本研究大体积混凝土的温度也有很长时间,混凝土坝温度控制方法已经有了进展。Ishii发表了第一篇关于大体积混凝土(小牧(Komaki)坝,1935,$H=79$m)温度应力的论文。此后,在大坝中一般都设置横向收缩缝,而纵向收缩缝还不常用,因为要利用接缝灌浆确保大坝的整体性是有困难的。因此,在一层中浇筑混凝土,不设纵缝。然而,在二战后日本建设了许多大坝,人工冷却成为一项通用的技术。在日本第一批采用预冷的混凝土大坝有丸山(Maruyama)坝(1954,$H=98$m)、糠平(Nukabira)坝(1956,$H=76$m)和长狭(Nagase)坝(1957,$H=87$m);第一批采用埋管冷却的混凝土大坝有上椎叶(Kamishiiba)坝(1955,$H=110$m)、佐久间(Sakuma)坝(1956,$H=156$m)、小河内(Ogouchi)坝(1957,$H=149$m)和伊唐(Ikari)坝(1957,$H=112$m)坝。埋管冷却的效果得到较高的评价,此后,在日本大坝多数是采用按纵向收缩缝分块施工和埋管冷却方法。

另一种温度控制方法是被大坝的一种新施工方法——碾压混凝土(RCC)促成的,在岛地川(Shimajigawa)坝(1981,$H=89$m)和玉川(Tamagawa)坝($H=100$m)建设中使用了这种温控方法。因为混凝土的浇筑程序与常规混凝土不一样,所以在新的大坝施工方法中,埋设制冷盘曲管是困难的。因此,要求采用不设纵向收缩缝的分层施工方法。对于工程施工,这也是可取的。由此研究开发适应这种大坝施工方法的温控方法。这些研究包括:

(1)混凝土拌和物设计和独特的混凝土浇筑,以减少混凝土温升;

(2)温度应力的机理分析,以及混凝土浇筑程序和温控方法的研究,以防止混凝土裂缝;

(3)与上述要求适应的工程实践。

第二个研究项目对于长的混凝土浇筑层不产生裂缝最为重要,因此将在本文阐述。

## 4 外约束和内约束

当材料的温度变化时,其体积也发生变化,因此体积变化的约束产生温度应力。因混凝土硬化过程中发热造成的混凝土膨胀，即使在受到约束的情况下，也不会总是产生温度应力，因为混凝土的蠕变抵消了它。另一方面，因体积变化的约束，使温降造成的混凝土收缩变成拉应力，因为混凝土具有足够的弹性，因此在积聚了大量水化热的大体积混凝土中，温度应力是显著的。

温度应力的成因是温度变化和体积变化的约束。在此将说明体积变化的约束。

体积变化有两种约束，即外约束和内约束。外约束有时称为“基岩约束”。体积变化的这种约束，是由基岩或新浇混凝土下面的已硬化混凝土引起的。当混凝土温度从最高温度下降到最终的稳定温度时，混凝土产生温度拉应力。

内约束引起的温度应力有点复杂。当混凝土不同区域有不同的温度变化，并因此而造成不同的体积变化时，产生内约束。在许多阶段，都会引起内约束温度应力。例如在水化过程中，新浇混凝土的表面和内部受到不同温升时，会引起内约束温度应力。由于浇筑层与周围制冷盘曲管间不同的温度变化，以及当混凝土表面被周围温度冷却时，也会引起内约束温度应力。内约束温度应力不由考察点的温度变化确定，而是由相关的周围温度变化确定，即当周围温升幅度更大时，即使混凝土温度不下降或甚至上升，混凝土中也会产生温度拉应力。

体积变化的约束一般分成外约束和内约束，但两种约束的机理是基本相同的。惟一的差别是它们的表现形态。例如，混凝土表面体积变化的约束通常归类于内约束，但是，当混凝土表面被看做是受到其下面混凝土的约束时，这个约束也可归类于外约束。再如，当整个混凝土和基岩系统中，混凝土只受到温度变化时，基岩造成的混凝土外约束可归类于内约束。这些概念在本文以后的说明中十分重要。

## 5　外约束引起的温度应力

体积变化的外约束是基岩或已硬化的混凝土的约束。如果外约束严格区别于内约束，则混凝土的温度变化可看做是均匀的，所以在这里假定温度变化是均匀的。

外约束的数值用约束度表示。它被定义为实际约束温度应力对全部约束温度应力之比。泊松比的影响包括在全部约束的实际状态中，但为了方便起见，在计算约束度时一般假定为一维全部约束。因此，泊松比的影响包括在约束度内。约束度 $R$ 由下式计算：

$$R = \frac{\Delta\sigma}{E_C\beta\Delta\Phi} \tag{1}$$

若已知约束度，则温度应力按下式计算：

$$\sigma = \int RE_C\beta \mathrm{d}\Phi = \int RE_C\beta \frac{\mathrm{d}\Phi}{\mathrm{d}t}\mathrm{d}t \tag{2}$$

因为混凝土具有低弹性和大蠕变，在计算大体积混凝土温度应力时，混凝土硬化期间的温升引起的压应力可忽略不计。因此，公式(2)可用于混凝土自最高温度后的温降情况。

事实上，大体积混凝土按 15m 间距用收缩缝分块后，不采取特殊的温度控制措施，也很少观测到裂缝。因此，有一定长度浇筑层的大体积混凝土的容许温降，可由 15m 长浇筑层大体积混凝土的容许温降来确定，容许温降与浇筑层长度成反比。这个方法中，15m 长浇筑层大体积混凝土的容许温降，可用曾格(Zanger)给出的约束度计算。曾格的公式如下：

$$R = \frac{1}{1 + 0.4(E_C/E_R)} \tag{3}$$

然而，从严格的力学观点说，外约束与浇筑层长度没有直接的关系。图 1 表示基岩界面上大体积混凝土的约束度，它由有限元法分析导出。外约束由混凝土与基岩的弹性模量比($E_C/E_R$)，和已浇混凝土的高度与长度比($H/L$)确定。当大体积混凝土的高度不变时，长浇筑层大体积混凝土在温度应力方面是不利的。只要保持几何相似，长浇筑层的外约束等于短浇筑层的外约束。

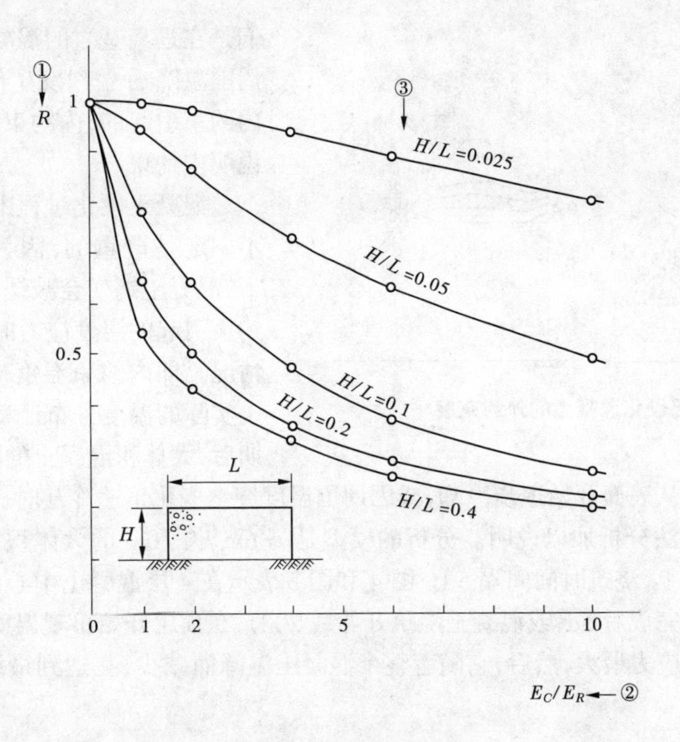


**图 1 混凝土底部的外约束度值**

①—外约束度;②—混凝土与基岩的弹性模量比;③—混凝土的高度与长度比

这个结论提出了一种长浇筑层大体积混凝土的温度控制方法。埋管法速冷会使长浇筑层大体积混凝土产生裂缝。$H/L$ 比值大时外约束减小,单位温降的温度应力变小,因此温度控制应考虑浇筑混凝土的高度。

所以,已竣工的大坝外约束是最小的(见图 2)。在大坝下部,即坝高的 1/3～1/4 处受到外约束的限制。大坝上部温降使大坝体积可任意变化,成为无约束。因此,相对于基岩界面,坝上部的外约束允许更大的温降。外约束不会对高出约束面 0.4 倍浇筑层长度以上的混凝土有影响。相反,高度在 0.1 倍浇筑层长度之内的混凝土,外约束几乎不变。

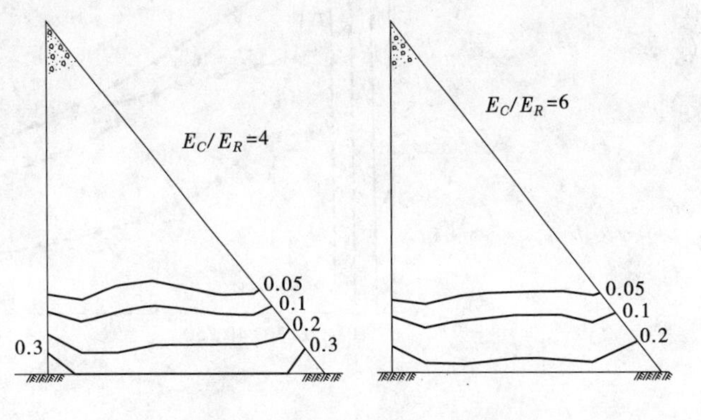


**图 2 已竣工大坝的外约束度**

要避免混凝土浇筑长时间的中断,因为,较小的 $H/L$ 比值其外约束较大(见图 1)。而且对其上面的混凝土是不可取的。图 3 表示浇筑在已硬化混凝土上面的混凝土的外约束。这种约束通常大于基岩的约束。可能情况下一定要防止长时间中断混凝土浇筑。

## 6 内约束引起的温度应力

不同区域混凝土有不同温度变化时,其不同体积变化而引起的相互约束即为内约束。温度变化是不均匀的,因此对于任何的温度变化总是存在内约束。

一般认为,内约束对混凝土坝结构的稳定性和防渗性没有影响(外约束引起的裂缝除外),因为内约束产生的温度应力是局部的。在大体积混凝土中观测到内约束引起的裂缝是可以理解的,因为,它

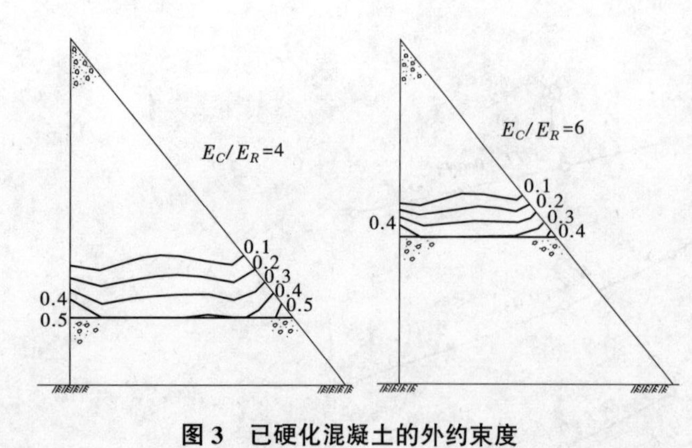


**图 3　已硬化混凝土的外约束度**

们是在远离基岩的混凝土中发生的，或是在周围温降后立刻发生的。这些裂缝是由于内约束引起的，内约束应得到控制。下面将说明内约束。

混凝土硬化过程中，温升引起的内约束不一定是严重的，因为在有外约束的情况下，混凝土蠕变会减缓温度应力。在计算内约束引起的温度应力时，应该考虑这个实际情况。即内约束温度应力不由大体积混凝土实际的温度分布计算，而由一定的基本龄期后，大体积混凝土的温度变化分布计算。

当大体积混凝土从表面开始逐步冷却，或因周围温度突然变化迅速冷却时，内约束温度应力最为显著。它可由有限元法分析加以说明。分析的模型是高 6m、长 30m 的大体积混凝土，它分 4 层(每层 1.5m)浇筑在基岩上，浇筑时间间隔 5d。图 4 和图 5 表示在 4 层混凝土中心的温度和应力随时间的变化。混凝土浇筑完成后 5d(或混凝土浇筑开始后 20d)，在顶层开始出现温度拉应力，到混凝土浇筑完成后 30d 温度拉应力最大，然后，它随着整个混凝土温降而减少，在达到最终稳定温度时终止在压应力状态。

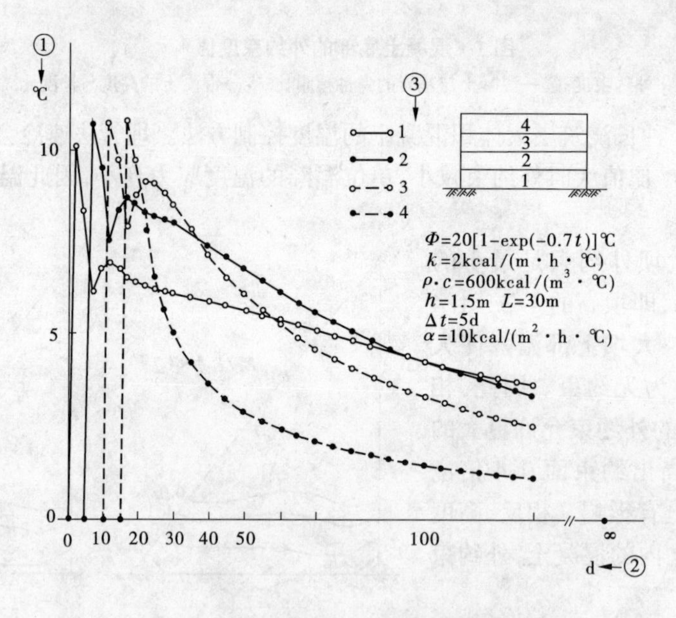


**图 4　每层混凝土中心温度随时间的变化**

①—温升；②—天；③—浇筑层序号

图 6 和图 7 表示混凝土浇筑完成后 2.5d 和 45d 之间的温降情况，和混凝土浇筑完成后 45d 时的应力分布。这些数字说明了下述两个观点：拉应力不是由外约束引起的，因为在靠近基岩的混凝土中几乎没有温降；在温降分布和温度拉应力分布之间有相似性。

如前所述，可用不同的观点说明内约束与外约束的差别。因此，上面的内约束也可由外约束说明，即由下层对上层体积变化的约束。可以断定，内约束度能如外约束度那样绘制成曲线(见图 1)。图 8为绘制的混凝土表面的内约束度。

温降高度 $H$ 是周围温度和时间的函数，它与浇筑层长度 $L$ 无关。因此，从图 8 可见长的混凝土浇筑层其内约束更大，这就是为什么在长的混凝土浇筑层中观测到更多裂缝的原因。这些裂缝也许

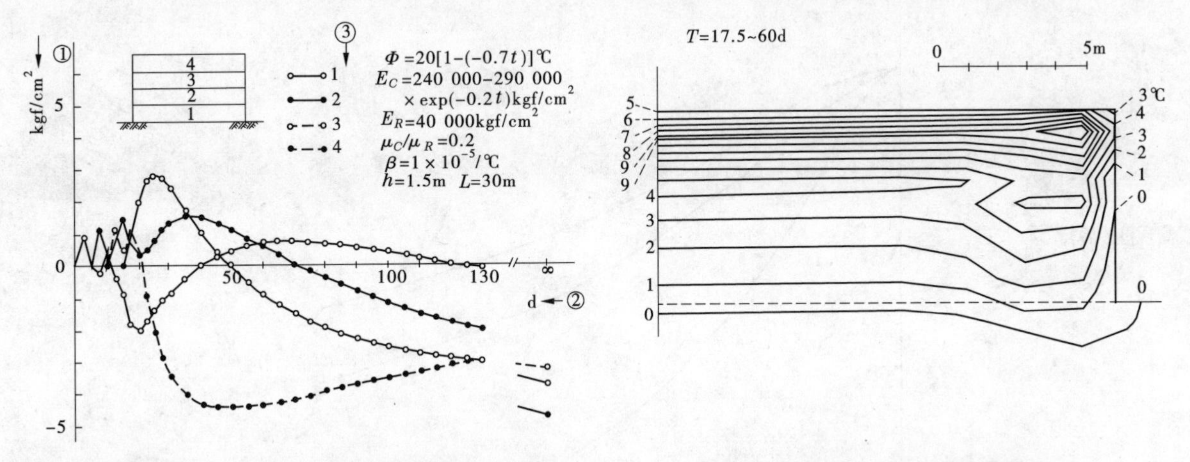


**图 5 每层混凝土中心温度应力随时间的变化**(水平应力)

①—温度应力(正向为压应力);②—天;③—浇筑层序号

**图 6 顶层在最高温度后的温降分布**

是由内约束引起的。

只有当混凝土浇筑长时间中断时才能产生这样的内约束。只要混凝土间歇浇筑是连续的,内约束的影响是很小的。混凝土间歇浇筑对外约束和内约束是可取的。

## 7 温控措施

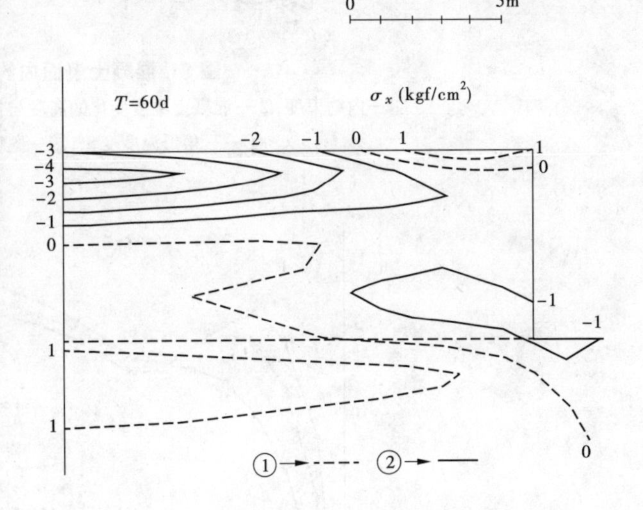


**图 7 第 60d(混凝土浇筑完成后 45d)水平温度应力的分布**

①—压应力;②—拉应力

裂缝的成因是温度变化和对体积变化的约束。这两个因素必须得到控制,以防止温度应力引起裂缝。增加水泥含量、改善拉应力并没有解决问题,因为附加温升和弹性模量的提高会起抵消作用,甚至增加裂缝的可能性。可用减少水泥含量和采用低水化热水泥限制温升。但水化速率比混凝土浇筑速率低时,会带来大的温升(见图 9),因为上层混凝土阻止了热扩散。所以,对水化速率应小心对待。

还可以通过限制浇筑层高度和混凝土浇筑时间间隔,以及采用人工冷却等来减少温升。但是,只要温升的速率不变,浇筑层高度只产生很小的影响(见图 10)。

埋管冷却和预冷是人工冷却的主要类型,但在长浇筑层的大体积混凝土中,埋管冷却不一定有效。在长浇筑层的大体积混凝土中,应避免从最高温度快速冷却,因为温度的慢速下降会减少温度应力(见本文 5 的叙述)。预冷和表面冷却可控制最高温度。图 11 表示了预冷的作用。预冷对大体积混凝土温降的效率约 60%,剩余的被大气的热流消除。预冷对厚浇筑层有效。另外,表面冷却对大体积混凝土温降的效率约 40%,它对薄浇筑层有效。是采取预冷还是表面冷却应根据施工情况选择。下一个要考虑体积变化约束。外约束度值不由混凝土浇筑层的长度确定,而由混凝土的高度和长度之比确定。如果满足这个条件,则长短浇筑层的温度控制没有什么区别。图 12 表示大坝(无纵向收缩缝)实测温度随时间的变化。预期的外约束足够小,因为混凝土浇筑完成后温降较慢。事实上,在大坝中没有观测到因外约束引起的裂缝。对长浇筑层的大体积混凝土,在混凝土浇筑初期,应仔细控制其温降。为此,混凝土要采用间歇浇筑法。

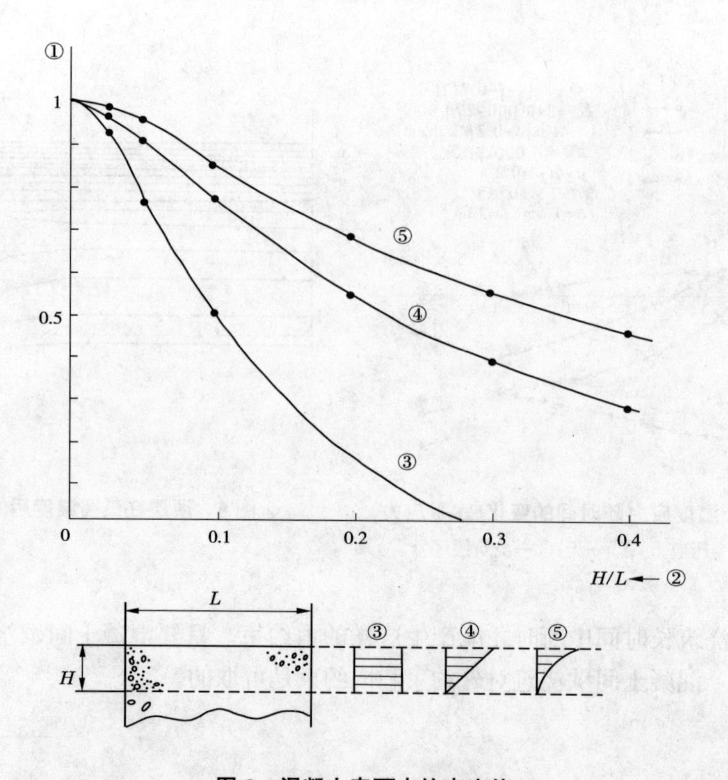


**图 8　混凝土表面内约束度值**

①—内约束度；②—混凝土温度变化的高度与长度之比；③—矩形温度变化；④—三角形温度变化；⑤—抛物线温度变化

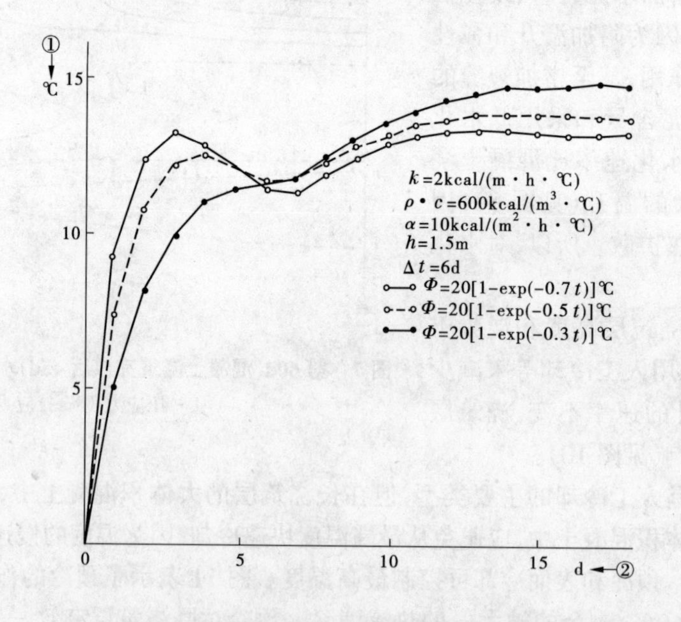


**图 9　水化速率对浇筑层平均温度的影响**

①—温升；②—天

在混凝土浇筑长时间中断期间，混凝土表面被冷却时，内约束的影响最显著。图 13 表示浇筑在基岩上的混凝土的实测温降。靠近混凝土的表面温降最大，靠近基岩温降较小。这种混凝土中的裂缝通常被认为是由外约束引起的，但实际上是由内约束引起的。

采取间歇浇筑混凝土，可避免在靠近混凝土的表面产生温降内约束。这对于外约束也是可取的。

如果混凝土浇筑不可避免地长时间地中断,应尽可能防止混凝土表面的热扩散。图 14 为混凝土浇筑长时间中断期间混凝土表面的热扩散。靠近表面的温降是显著的,尤其在第一个月。采取表面隔热措施可减少表面热扩散。图 15 表示一年周期内,起伏的环境温度变化下表面隔热的作用。例如,传导系数为 1kcal/($m^2$·h·℃)的隔热材料,可将表面混凝土的温度变化减少到环境温度变化的 50%。图 16也表示了突然温降下表面隔热的作用。同样等级的隔热材料,也可将长期影响减少到 50%。图 17 为混凝土浇筑长时间中断时,各种温度控制的有效性。这些控制包括预冷、表面隔离和薄层混凝土浇筑层等。按图 8 可达到温度控制的要求,但传导系数为 1kcal($m^2$·h·℃)的隔热材料一般就足够了。

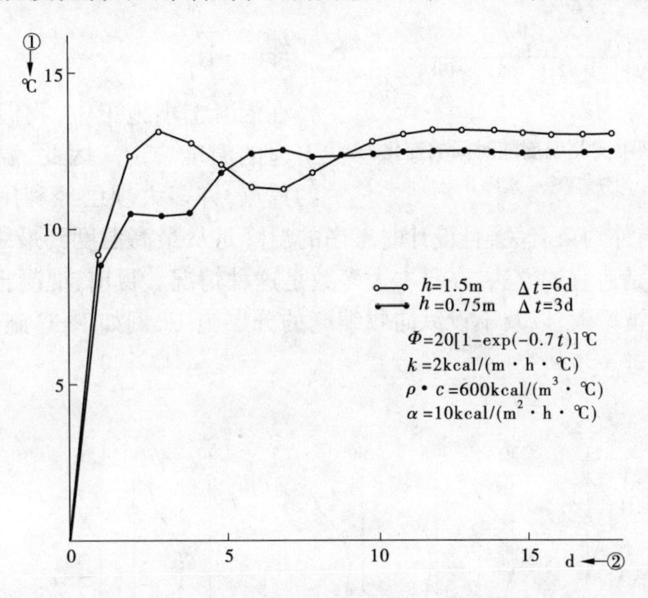


**图 10 相同的混凝土上升速率条件下浇筑层高度对其平均温度的影响**

①—温升;②—天

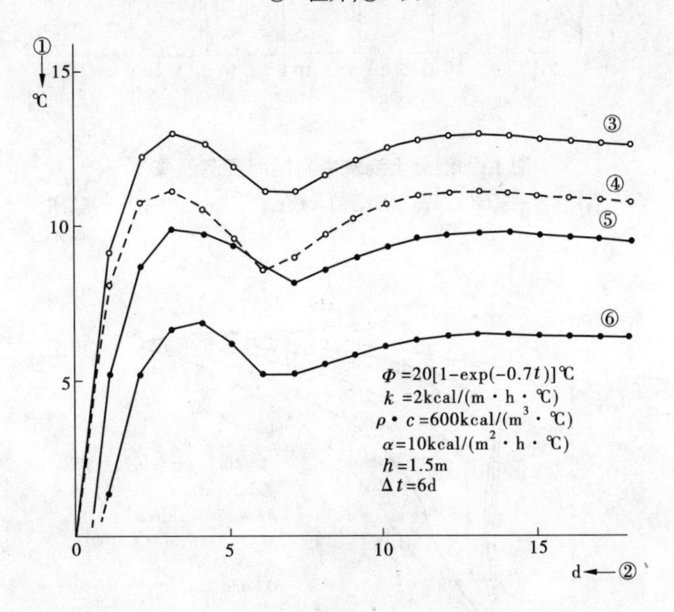


**图 11 冷却对浇筑层平均温度的影响**

①—温升;②—天;③—无冷却;④—表面冷却(-5℃);

⑤—预冷(-5℃);⑥—预冷(-10℃)

当混凝土连续地采用间歇浇筑法,则可避免混凝土表面的内约束,但是,不能避免混凝土上下游

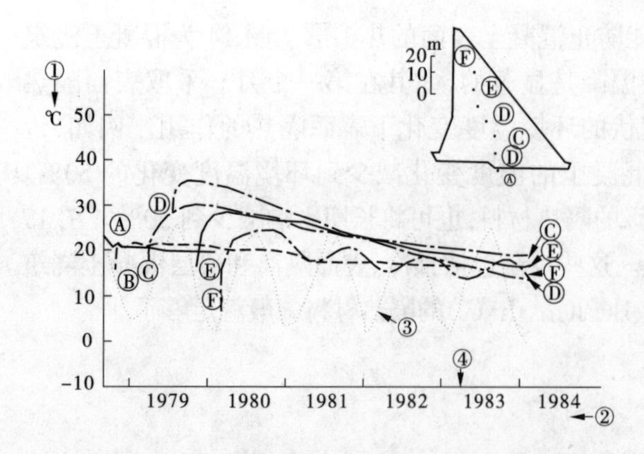


**图 12　无人工冷却的大坝中实测温度随时间的变化**

①—温度；②—时间；③—平均气温；④—水库开始蓄水

面的内约束，因为这两个面是连续地暴露在大气中的。因此，在省去纵向收缩缝的坝，要设置横向收缩缝。在设置横向收缩缝时，只在剧烈的气候条件下，温度变化才产生裂缝。图 18 表示了起伏的温度变化的影响。因为混凝土表面的热散发作用，日温度变化的影响相对较小，但是年温度变化的影响是很大的。

# 8　结　论

在混凝土坝施工中，我们不可能消除由水化热引起的温度应力。因此，温度控制已经成为研究的焦点，许多大坝已经利用了这些温控研究成果。这些温度控制主要与外约束有关，且设计时考虑的温降是从最高温度到最终稳定温度。对具有收缩缝的坝块施工，它们是适宜的方法，在日本大多数是这种情况。目前，混凝土大坝要求更经济地施工，纵向收缩缝的间距被增大，以及不设纵向收缩缝的分层施工，例如 RCC 施工方法已经开发，因此，有必要对温度控制做进一步研究。

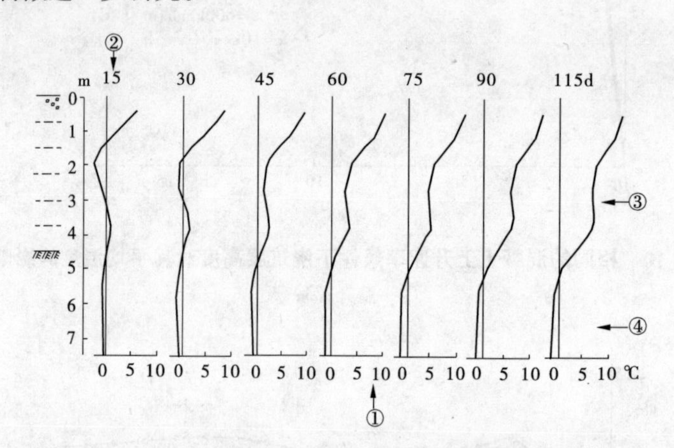


**图 13　混凝土浇筑中断期间实测温降**

①—温降；②—顶层在最高温度后的天数；③—混凝土中；④—基岩中

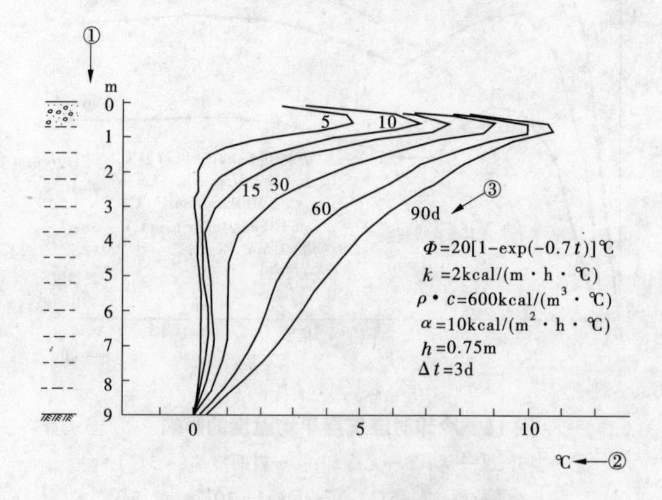


**图 14　混凝土浇筑中断期间的温降**

①—自表面起的深度；②—温降；③—顶层在最高温度后的天数

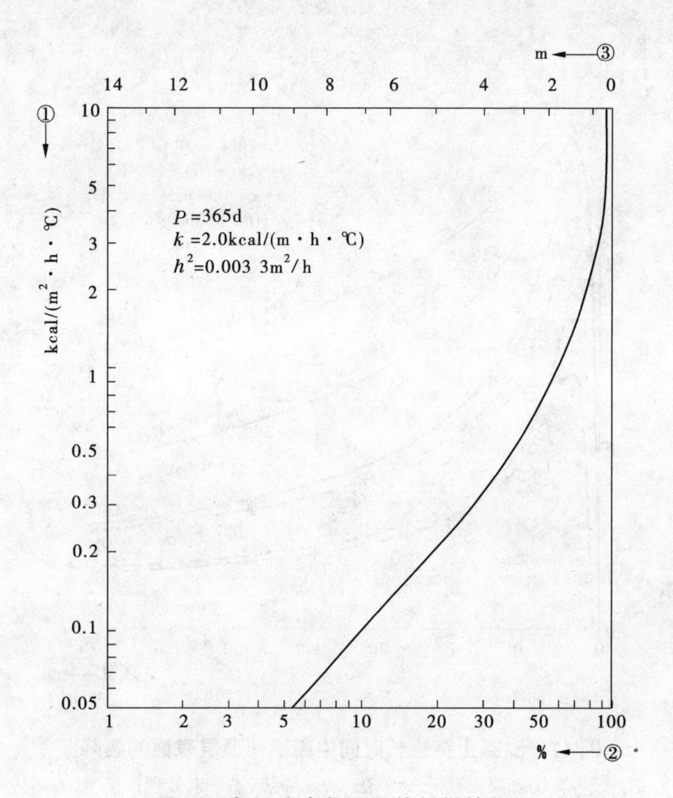


**图 15　年温度变化下隔热材料的作用**

①—热传导系数;②—周围温度的影响;③—混凝土的等效厚度

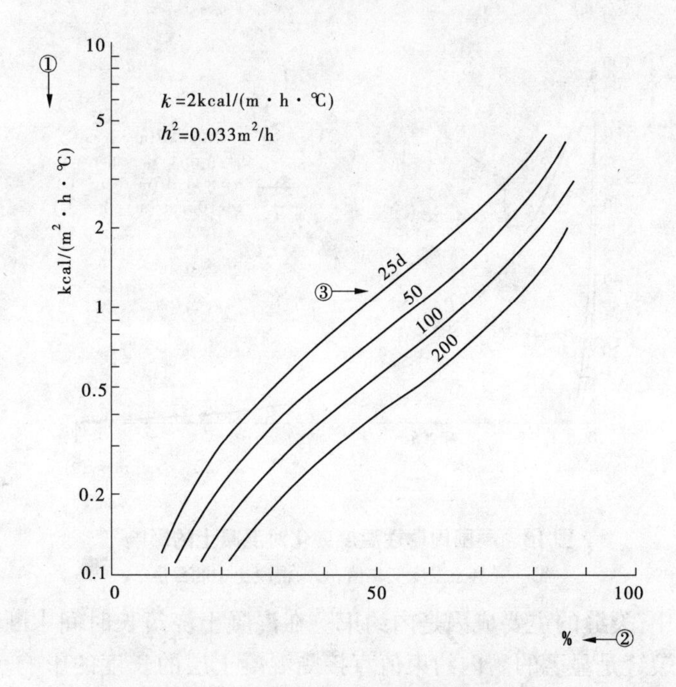


**图 16　周围突然温降下隔热材料的作用**

①—热传导系数;②—温降的影响;③—周围突然温降后的天数

出于这个目的,不仅要考虑温降,而且也要考虑温降速率。本文的结论包括:

(1)外约束值不由混凝土浇筑层的长度确定,而由混凝土浇筑的高度与长度之比确定。因此,不设纵向收缩缝的混凝土大坝施工是可能的,只要其断面类似于小坝的断面。

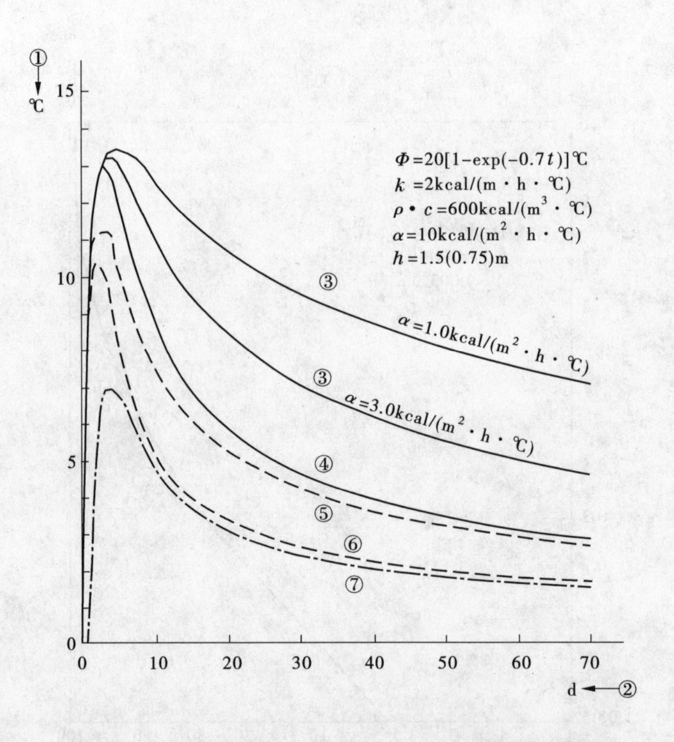


**图 17　混凝土浇筑长时间中断期间顶层表面的温降**

①—温度;②—天;③—表面隔热;④—未处理;
⑤—半浇筑层(顶部两个浇筑层的平均数);
⑥—半浇筑层(顶浇筑层);⑦—预冷

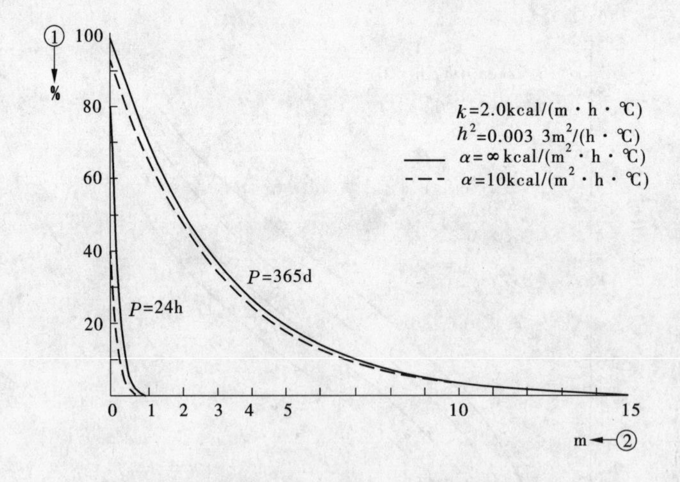


**图 18　周围周期性温度变化对混凝土的影响**

①—混凝土温度变化值;②—混凝土中的深度

(2)大体积混凝土中,裂缝的主要成因是内约束。在混凝土浇筑长时间中断,以及混凝土表面暴露在大气中的情况下,裂缝是显著的。内约束值直接受混凝土层的长度的影响。对于长浇筑层大体积混凝土,应避免混凝土浇筑长时间的中断。

(3)在混凝土浇筑不可避免地出现中断时,表面隔热可避免裂缝,因为靠近表面的混凝土温降可受到限制。

(4)采取适当的温控措施可省略纵向收缩缝,而横向收缩缝不能省略。

# 如何避免大体积混凝土的温度裂缝

［奥地利］ R.威德曼

**摘　要**:大体积结构物混凝土的发热对评估产生裂缝的风险十分重要。一方面,早期混凝土的表面附近,可能由于温度梯度原因而产生裂缝,特别当气温骤降时;另一方面,浇筑一年后坝基附近温度变化引起的约束变形,也可能产生裂缝。对胶结材料进行了研究,目的在于提出混凝土发热与强度变化之间最有利的相关关系,并得出,温度变化引起的应变离最终应变量有最大的裕度。通过采取拌和料中加冰、浇筑层高度从通常的3m减小到1.5m和内部设置冷却水管等措施,使坝基附近区域,混凝土块的最高温度降到24℃。对坝基附近的混凝土温度和纵向变形进行了资料观测,通过钻孔检查,证实所采取的措施是适宜的。

## 1　前　言

大体积结构混凝土的技术规范与细长结构混凝土的技术规范在一个重要方面是不同的,即混凝土发热和随之产生的温度应力比初始强度高更有决定意义。在通常的气候条件下,混凝土凝固时的最高温度特别取决于胶结材料的比热和它的成分,以及混凝土的预冷和后期冷却。胶结材料的发热与其化学成分有关,而胶结材料的化学成分又取决于现存的熟料沉积物,在合理的经济限度内仅允许有很小的变化裕度。因此,使用水凝性骨料,如高炉矿渣和粉煤灰,往往是惟一的可能。这些骨料对熟料硬化具有滞后效应,这样,一方面减少混凝土发热量,另一方面使混凝土强度提高得慢一些,而最终强度大致不变。对变形特性,也观测到有类似的趋势。

现在,设计大体积混凝土时需要做的事情是,生产一种能保证气候和原料对熟料具有优化的显著相关关系的胶结材料。混凝土所要求的最终强度,应作为其承受的最大应力和应变的函数预先给出。但是,应该研究混凝土的温度和强度随时间的发展变化,并与由于自由变形能力的降低和混凝土块体表面与内部的温差而产生的约束相对比。这一对比,为选择所使用的胶结材料提供了准则。到目前为止,混凝土的最高温度仍然是惟一考虑的准则,而不考虑由于温度变化引起的应力(温度变化是因变形特性产生的),也不考虑随时间变化的强度,特别是抗拉强度。应对下列不同的开裂形式分别进行研究:

——混凝土表面附近的开裂,这是由于混凝土内的温度梯度引起的。例如,在混凝土浇筑后的头几个周,由于气温的突然下降引起的梯度增大具有决定意义;

——混凝土内部的开裂,混凝土从最高温度冷却到年平均温度期间会产生拉应力,达到年平均温度的时间可以自混凝土浇筑后几个月乃至几年。

水库运行后,在巨大水压力作用下,一旦发生渗水,裂缝问题尤为重要。

希莱盖斯(Schlegeis)拱坝,混凝土方量100万$m^3$,科尔布赖恩(Koelnbrein)拱坝,混凝土方量160万$m^3$,对这两座坝早期混凝土表面附近产生的裂缝问题进行了研究。对混凝土方量为130万$m^3$的齐勒格伦德尔(Zillergründl)拱坝也进行了研究和试验,包括该坝晚些时候发生裂缝的可能性。

## 2　理论研究

### 2.1　原理

一般是应用以热消散理论为基础的标准方法确定水化热,将其作为胶结材料发热的参考值。但

---

本文原载《第15届国际大坝会议·主题57》,1985年。

是,对含有高炉矿渣或粉煤灰的胶结材料,应采用其他方法,因为热消散的等温规定没有充分考虑这些掺合料的特性。所以,对这类胶结材料应进行绝热试验或准绝热试验,以直接确定理想条件下温度随时间的变化。

可以利用实际应力与同时产生的强度之间的关系来评估抗裂的安全度。但是,由于应力不仅是由于外部荷载的作用,也是由于变形,或者说是由于约束引起的,因此将最终应变量作为参考值似乎是合理的。为此,要根据混凝土的龄期和它的形变速率进行一系列试验,以确定最终应变量(混凝土凝固时的应变量)。由于试验费时、费钱,多数情况下只确定少数特征值,这对于推导整个研究期的数值是足够的。

**2.2 混凝土表面附近产生的裂缝**

在任何自由表面,早期混凝土表面附近产生的裂缝是外观性的,因为这些裂缝主要是由于混凝土块内部的高温与自由表面低气温之间的温差引起的。可根据下列准则,对抗裂安全度,或者说离达到最终应变量有多远进行理论评估:

——混凝土浇筑期间日气温正常值、最大值和最小值的变化曲线;

——胶结材料发热随时间的发展变化,以确定混凝土的温度随时间的变化;

——慢过程变形条件下,变形和应变特性随时间的发展变化。

为分析计算,编制一个有限差分法的计算机程序,程序分为以下两部分:

——确定混凝土内温度场随时间的变化;

——计算相应于上述温度场的应力。

混凝土内温度场的发展变化由基本热传导方程得出:

$$\alpha \cdot \Delta\theta_t - \frac{\partial \theta}{\partial t} + W_{n,t} = 0$$

式中:$\alpha$——混凝土的温度传导率,$m^2/h$;

$t$——时间变量,h;

$W_{n,t}$——在 $n$ 点 $t$ 时间的发热量或冷却量。

温度场为:

$$\Delta\theta_t = \left(\frac{\partial^2 \theta_t}{\partial x^2} + \frac{\partial^2 \theta_t}{\partial y^2} + \frac{\partial^2 \theta_t}{\partial z^2}\right)_{n,t}$$

它是在 $t$ 时间的位置的函数,对不同的方法,可以容易地转换,例如:

$$\left(\frac{\partial^2 \theta_t}{\partial x^2}\right)_{n,t} = \frac{1}{\Delta x^2}\left(T_{x-\Delta x,y,z,t} - 2T_{x,y,z,t} + T_{x+\Delta x,y,z,t}\right)$$

温度 $T$ 在 $t+\Delta t$ 时刻,在 $n$ 点随时间的变化值可以用温度 $T$、$T-\Delta T$ 和 $T-2\Delta T$ 的一个调整抛物线外推求得,以使这种方法更好收敛:

$$T_{n,t}T_{n+\Delta t} = b_0 + b_1(\alpha\Delta t) + b_2(\alpha^2\Delta t^2)$$

$$\overline{T_n} = b_1 + 2b_2(\alpha\Delta t) = \left(\frac{\partial\theta}{\partial t}\right)$$

根据调整计算和几次转换,温度 $T$ 在 $n$ 点,$t+\Delta t$ 时刻的热传导差分方程可以由下式导出:

$$T_{n,t+\Delta t} = \frac{20\Delta T}{11}(\alpha \cdot \Delta\theta_t + W_{t,n}) + \frac{1}{11}(T_{n,t-2\Delta t} + 7T_{n,t-\Delta t} + 3T_{n,t})$$

在表面的边界条件,可以通过假定一个具有通常的气温和适当的温度传导率的理论上的外部点来满足。这个方法的特点是具有高度适应性,如在确定系统内任何一点混凝土温度随时间的发展变化时,可能考虑到下列情况:

——所研究的混凝土块和相邻混凝土块的浇筑时间的发展变化;

——模板拆除的时间;

——冷却系统开始使用和停止使用等。

为了确定相应于上述温度场的应力,这些点可以在各个二维断面或三维系统确定一个有限元网格。该网格可以从一定时间段产生的温度变量,形成应力,并考虑混凝土的随时间变化的变形、蠕变和松弛特性,最后叠加求得任何时间确定的应力场。如果以这种方式确定最大拉应力与同时产生的抗拉强度作比较,则可求得抗裂安全度随时间的发展变化。

如果对早期混凝土的具体规律比目前有更好的了解,则可以由本方法获得更确定的成果。

为校核科尔布赖恩拱坝的计算成果,编制了量测程序,在量测过程中,在一个浇筑层的几个点测得混凝土温度和应变随时间的发展变化。温度量测成果与计算值相当一致。对应变测量的评估表明,先浇混凝土的浇筑层对所研究浇筑层的伸长性态有决定性影响。尽管由应变测量获得的应力与各计算值大致相等,但应力产生比预期的迟得多,这说明混凝土强度更高,结构的抗裂安全度更高。实际上,在希莱盖斯拱坝和科尔布赖恩拱坝混凝土施工期间,在混凝土表面附近都没有出现裂缝。

## 2.3 混凝土块内部产生的裂缝

混凝土凝固后,裂缝特别可能在混凝土块表面附近出现,由于此处混凝土浇筑后几天内,温度从最高温度降落,其变形受到坝基的约束。因此,混凝土的变形与时间的函数关系也具有重要意义。温度急剧上升,引起约束增加(产生压应力),而在达到年平均温度之前的缓慢冷却阶段,又转变为约束减小(产生拉应力)。

由于温度变化引起的自由变形不会产生任何应力,裂缝产生的条件应如下式:

$$\varepsilon' - \alpha \cdot \Delta T < \varepsilon_{kr}$$

式中:$\varepsilon'$——测量的应变值;

$\alpha$——混凝土的热膨胀系数;

$\Delta T$——混凝土的温度变化;

$\varepsilon_{kr}$——临界应变量。

应变测量不仅包括弹性变形,还包括永久变形和蠕变变形。

确定抗裂安全度的第一步,应从渐变纵向变形求得混凝土的应变量。应变量主要与使用的骨料有关,很少受混凝土工艺方面的测量影响。

为了确定长期荷载作用下的应变量,对齐勒格伦德尔拱坝的内部混凝土,在其尺寸为30cm×30cm×160cm的梁试件上做弯曲试验。试验中采用的加载率是,每周使弯曲应力增加量分别为0.176N/mm$^2$和0.493N/mm$^2$(每次加载做两次试验),则大约分别至100天和26天,试件破坏。在所有情况下,应变量约为0.22mm/m,而从抗弯强度快速试验和抗拉强度快速试验得到的试验值,则随混凝土试验时的龄期而变化,有时试验值很低(见图1)。

坝基处实际的纵向变形很小,随着距离增加接近于自由纵向变形$\alpha \cdot \Delta T$。混凝土与岩石的弹性模量之比,在给定约束条件下也是定值。为了评估这些影响,采用有限元法(FEM)对长42m的坝块进行二维断面分析。对两个有简化条件假定的方案进行了研究(见图2):

——方案1:整个混凝土坝块均匀而同时冷却,冷却温度25℃;

——方案2:混凝土浇筑层高3m,同一时间,上浇筑层的最高温度高于下浇筑层约5℃。这一温差直到下浇筑层冷却完成才得以抵消。

根据早些时候的分析,这些假定导致在距离岩石表面约1/2坝块长度处,约束纵向变形大大减小。在方案2,超过这一距离所受到的约束相应于温差为5℃的情况。

如果岩石变形模量从5倍于混凝土变形模量减小到1/5,则混凝土与岩石变形模量(弹性模量)之比的影响,在坝基处约减小30%。因此,在岩石表面附近,坝块长度对混凝土纵向变形产生的约束没有任何影响,对这一事实应特别予以注意。

上述考虑意味着,必须采取补充技术措施,特别在坝基附近区域,使混凝土最高温度保持在最低

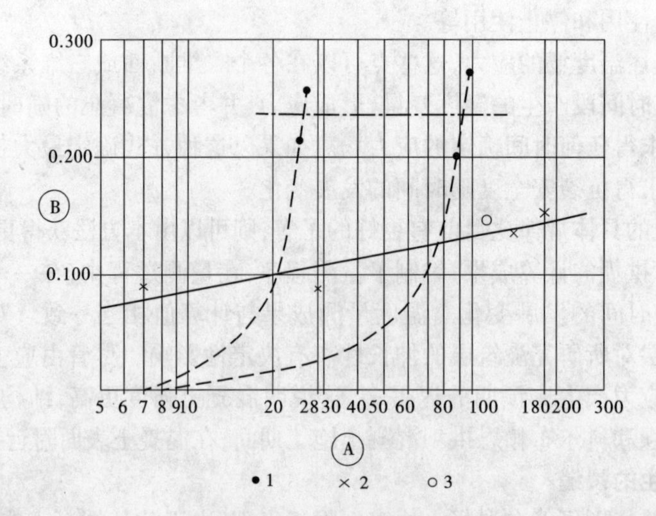


**图 1 拉应力引起的最终伸长**

Ⓐ—混凝土龄期(d);Ⓑ—应变(mm/m);

1—从长期抗弯强度试验得到的最终伸长值;

2—从标准抗弯强度试验得到的最终伸长值;

3—从标准抗拉强度试验得到的最终伸长值

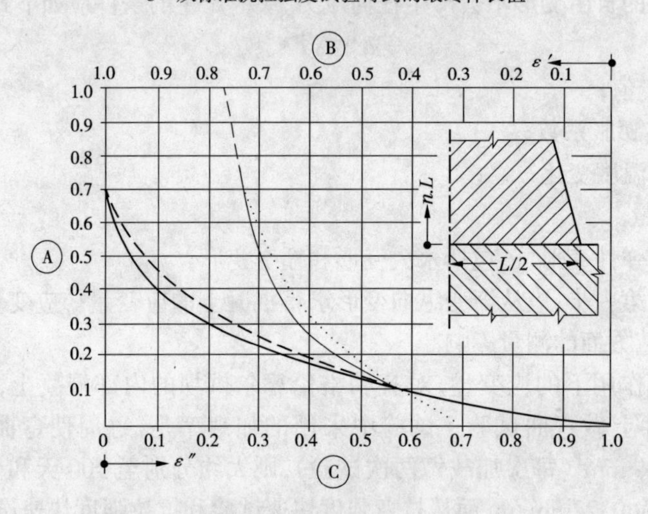


**图 2 坝基附近温度引起的约束纵向变形**

Ⓐ—至坝基的距离(以坝块长度表示);Ⓑ—实际纵向变形 ε′,无拉应力;

Ⓒ—约束纵向变形 ε″,有拉应力

| $E_C:E_R$ | 1:5 | 5:1 |
|---|---|---|
| 方案 1 | ———— | – – – – |
| 方案 2 | ———— | ………… |

水平。因此,假定岩石为刚性,在坝基处混凝土容许最高温度可以由下式求得:

$$\alpha_T \Delta T_{perm} = \frac{\varepsilon_{kr}}{S}$$

对齐勒格伦德尔拱坝坝基处的内部混凝土,容许最高温度由下式得出:

$$T_{\max perm} = T_m + \frac{\varepsilon_{kr}}{S \cdot \alpha_T}$$

当安全系数为 1 时,容许最高温度为 35℃;当安全系数为 1.5 时,容许最高温度为 25℃。假定条

件为:

——年平均温度为5℃,这是从希莱盖斯拱坝和科尔布赖恩拱坝取得的经验得出的,两坝址处通常的气候条件就是这样的情况;

——长期试验获得的混凝土应变量为0.2mm/m;

——热膨胀系数为$0.8\times10^{-6}$/℃。

这一假定没有考虑混凝土温度升高时,由于约束纵向变形而产生的预应力效应这一有利情况。

# 3 齐勒格伦德尔拱坝的混凝土

## 3.1 混凝土设计

### 3.1.1 胶结材料

奥地利不容许用天然熟料沉积物生产低水化热(约250J/g)水泥。因此,应该采用水凝性掺合料以减少胶结材料的发热量。选择掺合料用量的优化方法是以混凝土浇筑后头两周的发热量(或产生的应力)与同时存在的强度之间最有利的比率为基础。对希莱盖斯拱坝,曲线的最优值是(该曲线尽管平缓,仍是清晰的),胶结材料中高炉矿渣的最高含量为50%;而科尔布赖恩拱坝和齐勒格伦德尔拱坝胶结材料中粉煤灰的含量分别为30%和33%(图3)。

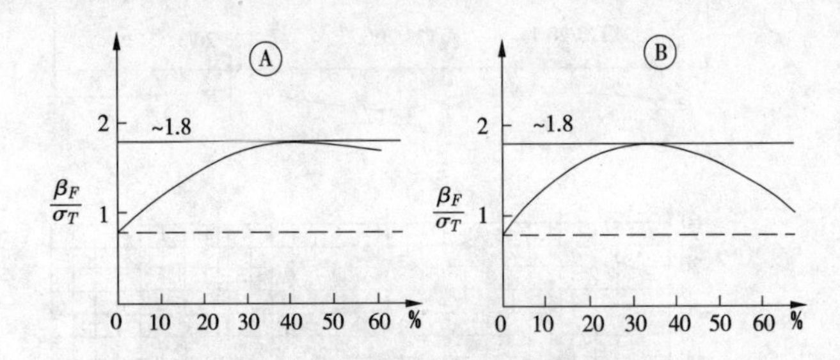


**图3 水泥中高炉矿渣含量Ⓐ和粉煤灰含量Ⓑ的优化**

$\sigma_T$—混凝土中温度产生的拉应力;$\beta_F$—混凝土的抗弯强度

### 3.1.2 混凝土

在坝址处河谷底部,有片麻岩可供利用。由于它的云母含量高,用做骨料,可生产弹性模量较低的混凝土,约20kN/mm²。水泥含量为170kg/m³,对于达到抗压强度24N/mm²(30cm立方体180天强度的10%)是必要的,以保证内部混凝土的安全度。对于面层混凝土,只用在上游面,胶结材料的含量选择为240kg/m³,以保证承受约200m水压力所要求的防渗性。但是,如试验所表明的,内部混凝土也要满足抗渗性和抗冻性的要求。

利用2.2节阐述的方法进行的计算意味着,在给定的内部冷却管的条件下,浇筑层高度为1.5m和3.0m,混凝土的温度与浇筑时的温度相比较,将分别升高约14℃和20℃。对希莱盖斯拱坝和科尔布赖恩拱坝,两坝处于相似气候条件,混凝土浇筑时的气温变化范围在9~17℃之间,则浇筑层高度为1.5m和3.0m时,预期混凝土最大温升范围分别在23~31℃之间和29~37℃之间。

根据有关文献所给出的经验值,大坝厚度超过37m,相对于年平均温度5℃的温差19℃,其容许温度值为24℃。根据上述分析,考虑混凝土的最终应变量,这一值相应于抗裂安全系数约为1.5。因此,对1.5m高的浇筑层,为遵守上述限度,混凝土的浇筑温度不应超过10℃。

## 3.2 1982年混凝土施工时获得的经验

为了试验混凝土设备,1982年秋天,在左岸几个坝块浇筑混凝土约20 000m³。坝块最大长度25m,位于检查廊道的下游。没有专门采取冷却措施,因为这个季节根据经验所知,混凝土的浇筑温度几乎从不超过10℃。

为了校核理论分析,完成了一项大范围的测量计划。在坝基附近浇筑层高分别为1.5m和3m的两个坝块,布置了一个测量断面。这个测量断面不仅用于测量混凝土温度,还用于测量纵向变形,每延米的精度为2μm。在高1.5m和3m的浇筑层,测得混凝土最高温度分别为28℃和31℃,与预期值一致。应考虑到以下事实:没有采取冷却措施,直接浇筑至岩基面的混凝土中胶结材料含量高,以便在该部位尽可能获得最大的强度,测量断面靠近这一混凝土浇筑层。

在头15个月观测到的纵向变形值如图4和图5所示。图4显示纵向变形沿测量断面的发展变化,图5显示对给定的测值,纵向变形随时间的发展变化。混凝土浇筑一年后,混凝土温度约为7℃,再以后,温度变化很小。混凝土发热期间测量断面上的伸长测值,100天后才下降至随温度变化的纵向变形的理论值,这些值与混凝土浇筑后2天开始测量有关。因此,在此期间,会产生预压应力,然后,至少3个月以后,转变为拉应力。纵向变形观测值与计算值之间的差值远小于最终应变试验获得的值,因此不会发生裂缝。除了两个测量断面外,还进行了取芯钻探和用荧光素钠显色水的水压试验。未观测到吸水现象。用水泥等回填钻孔后,再在原孔位置钻一个直径更大的孔。取芯表明混凝土结构良好,未观察到荧光素钠显色水的渗透现象。由此证实,在给定温度条件下,混凝土没有产生裂缝。

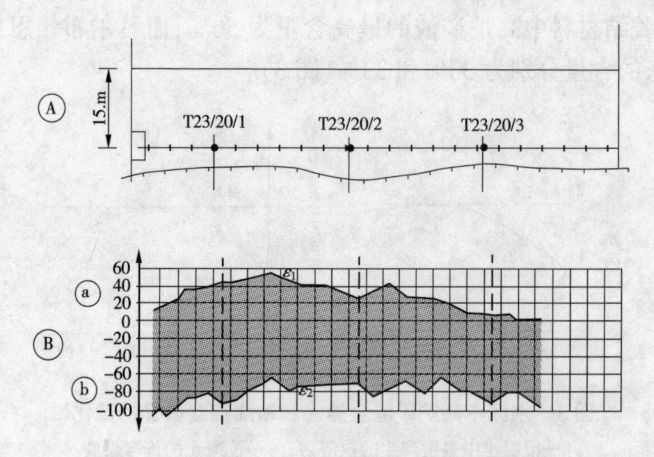


**图4 齐勒格伦德尔拱坝滑动测微计测量断面布置Ⓐ和获得的数据Ⓑ**

$\varepsilon_1$—混凝土浇筑3周后的伸长值(最大值);$\varepsilon_2$—混凝土浇筑1年后的收缩值(最大值);

ⓐ—伸长值(μ/m);ⓑ—收缩值(μ/m)

### 3.3 1983年的混凝土施工

1982年的观测资料证实,必须限制混凝土的最高温度。因此,要求在坝址处采取下列措施。

#### 3.3.1 降低混凝土浇筑温度

——对加工好的骨料锥形堆体进行表面喷水,使太阳照射产生的热量减至最小。根据经验,可以降低浇筑温度1~2℃;

——每立方米预拌料,用冰代替最多至50kg拌和水。每立方米混凝土,每加20kg冰,浇筑温度预期可降低2℃。

#### 3.3.2 减少坝基附近混凝土硬化时的温升

——混凝土浇筑层最大层高为1.5m(而通常采用3m层高)。前期浇筑混凝土的经验表明,这种施工方法在气温为5℃条件下,可降低混凝土最高温升6℃,而在气温15℃时,降低温升仅2℃左右;

——设置内部冷却管,可降低混凝土最高温度约2℃,更早达到年平均温度。

1983年,在约100天时间,浇筑了260 000$m^3$混凝土,其中内部混凝土220 000$m^3$,面层混凝土40 000$m^3$。对浇筑温度进行连续检查,即使在夏季几个月里,浇筑温度在6~9℃范围,与预期一样。在混凝土硬化期间,在几个层高1.5m的检查坝块,测得混凝土最高温度平均为24℃。从坝基以上高15m起,浇筑层高调整为3m,以加快施工进度,混凝土最高温度平均为27℃。由于离坝基的这一距离,温度变化引起的纵向变形,仅50%受到约束,混凝土最高容许温度值是相当高的。

在混凝土施工的第一年中,所有其他混凝土规范均予执行,但本项研究中未作详细阐述。

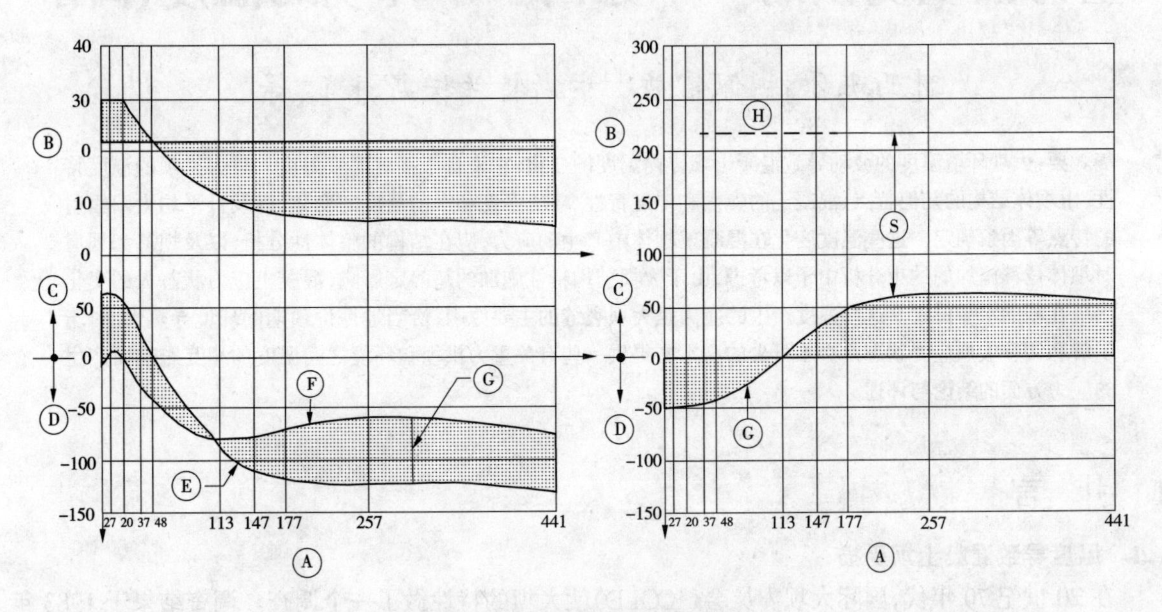


**图5 对发生裂缝风险的测量校核**

Ⓐ—混凝土龄期(天数);Ⓑ—混凝土温度(℃);Ⓒ—伸长值(μ/m);Ⓓ—收缩值(μ/m);

Ⓔ—理论纵向变形;Ⓕ—实测纵向变形;Ⓖ—约束纵向变形;Ⓗ—长期最终变形;Ⓢ—安全裕度

# 重力拱坝受损的一个原因——环境的温度作用

[西班牙] 佩雷兹 卡斯特兰诺斯,J.L.等

**摘 要**:大坝环境温度的波动导致混凝土坝体内温度的变化,它来自于接缝灌浆温度。重力拱坝的温度特性,由坝体结构的几何特点、混凝土的弹性和温度特性、环境温度和水的温度的变化,以及日平均太阳辐射的特点等因素确定。这些温度变化在混凝土坝体中产生的应力,应在结构的整体性分析,以及坝基和坝肩对坝体位移施加的约束分析中予以考虑,由于大坝结构特性施加的超静定影响,混凝土应力状态大的变化出现在坝的水平位置。这些温度产生的应力是大坝裂缝的主要原因,恰当地评价预期的环境导热性,对于了解和调整大坝应力状态是必不可少的。本文提供一些有关重力拱坝和环境之间温度的相互影响而产生的应力方面的结论与评述。

## 1 引 言

### 1.1 温度导致混凝土坝受损

在20世纪70年代,国际大坝委员会(ICOLD)就大坝的特性做了一个调查。调查结果于1983年公布,这个结果仍然是关于结构数据和国际公认分类惟一的资料来源。按影响大坝的事件的重要程度,国际大坝委员会的报告给出三种类型,依次为:受损、故障和破坏。

根据国际大坝委员会的报告,混凝土坝承受234种事件,其中76种可归类于“由于意外作用或特别巨大作用引起的损坏”,它们当中30种是起因于“外部温度的变化”。从得到的所有关于混凝土坝损坏的资料看,最多的组别是由于“意外或特别巨大”的温度作用引起的损坏。

### 1.2 环境对大坝的温度作用

环境对大坝的温度作用来自空气、水的温度变化和太阳辐射,太阳的辐射可以是直射、散射或反射。

气温——气温按年和日的规律变化。为了分析,坝址的月平均最高气温和最低气温给定为28℃和-2℃。气温的年变化相当多地深入混凝土坝体内;而日气温的变化则局限于坝面的浅表层(2cm)。

水温——在温度分层的水库中,表面水温保持与周围气温相同,库底水温变化很小。表面和底部之间,水温的变化大致呈指数规律。在不按温度分层的水库中,水温随深度是不变的。两种情况水温变化都深入大坝,因为水的冬季温暖效应和夏季冷却效应都会被坝体感知。为了进行研究,假定深处水温的变化呈指数规律,夏季底部水温为10℃,冬季为8℃。

太阳辐射——混凝土坝面吸收大量的热辐射 $R$,使其表面变热,超过气温。太阳的辐射随季节、坝的地理位置和方向而变化,它将因混凝土的反射能力和阴影区的存在等因素被减弱。最后,吸收的辐射使气温提高,用式 $R/h$ 表示,$h$ 为表面传递系数。辐射引起的温度升高可由辐射量计算,阴影区和大坝方位等因素将会使辐射减少。用于计算的数值见表1。

**表1 太阳辐射引起的温度升高** (单位:℃)

| 风速 | 下游坝面坡度0.4 | | 下游坝面坡度0.6 | |
|---|---|---|---|---|
| | 最大值 | 最小值 | 最大值 | 最小值 |
| 静止 | 7.6 | 5.6 | 8.2 | 5.8 |
| 阵风 | 2.8 | 2.1 | 3.1 | 2.2 |

本文原载《第19届国际大坝会议·主题75》。

这些值是坝址方向30～40°N之间,高度600～1 000m之间的平均值。对于极端情况,或者预计结构有特殊反应时,应采用坝址的特定值。

# 2　结构的应力状态

## 2.1　分析的方法

为了确定因温度荷载和结构超静定性在混凝土中产生的应力,采用一个包括大坝、坝基和坝肩在内的三维有限元模型。模型的几何形状是抛物线断面的对称重力拱坝,下游面坡度为0.4～0.6,上游面垂直,高度范围20～200m,半径范围为70～370m,坝顶长度范围为80～600m。这些参数的变化区间是对重力拱坝进行总体统计而得,并取消了不实际的组合。地基土的变形模量,其相对于混凝土弹性模量的变化范围为1/8～1。

温度作用(混凝土实际温度和接缝灌浆温度之差)由假想的分布规律确定,该分布规律由拱的每个断面的一个等效温度梯度构成。在下游面,它们因太阳辐射产生较高温度而增加。假想的梯形分布律与接缝灌浆温度有关,假定的变化范围为5～14℃。

在将气温和水温变化,以及太阳辐射温度升高叠加时,不同时考虑这些分布律的最大值。混凝土的温度分布律也与接缝灌浆有关。为了进行计算,实际的温度分布律用等效温度梯度代替,这意味着忽略不计实际和假想的温度分布律间的温差引起的局部应力影响。在接近坝面的范围内,这个温差是很大的,它可使局部应力增高,并随时间而变化,它必须叠加在因结构整体超静定性产生的应力上。为了估计这些局部应力,采用适当的数值计算法,确定混凝土温度范围随时间的变化,用一维模型计算局部应力增量。

在一维模型和三维模型中,考虑了水库放空和满库的双重情况,以及夏季和冬季相应的温度情况。

## 2.2　年周期的温度波动

### 2.2.1　整体超静定性

大坝经受一个大的应力增加,它是因与外部强制力有关的结构超静定性引起的。

(1)上游坝趾的垂直应力。当接缝灌浆温度高时,计算出现拉应力;反之出现压应力。例如,作为极限值,当接缝灌浆温度为14℃,坝顶长度与坝高比为1时,拉应力约为0.9MPa。无论满库或空库,对垂直应力影响最大的变量是地基的变形模量和坝顶长与坝高比。

(2)上游坝顶的环向应力。在冬季,上游和下游的环向应力是一个拉应力,在接缝灌浆温度高,或变形模量大,或坝顶长与坝高比大时它出现最高值。在夏季,无论满库或空库,它是一个压应力。例如,作为极限值,接缝灌浆温度为14℃,坝顶长与坝高比为7时,环向应力约为1.5MPa。

### 2.2.2　局部应力

很明显,在冬季局部应力是拉应力,在夏季是压应力。作为极限值,冬天水库放空时,由计算得到的坝面应力,5m宽一段的约为1.3MPa,30m宽一段的约为3.5MPa。水库充满时,这些应力值将因水的“温暖效应”而减少。局部应力随着与坝面的距离增加而迅速下降,距坝面为1.5m时,应力值减小一半。

## 2.3　日周期的温度波动

用于计算的日周期气温的变化范围,其最大值为年平均值加上月最大值与最小值的最小差值的一半,其最小值为年平均值减去月最大值与最小值的最小差值的一半。假定水的表面温度与气温相等,日间变化没有足够深地深入坝面,温度随水深的变化与年周期的分析一致。太阳辐射用其极端情况:无辐射和按日光小时变化的辐射,其最大值是冬天和夏天的最大值。

温度日波动深入坝面仅2cm。随年周期温度波动的影响,其同时发生的混凝土温度波动的影响,不能改变假想分布律的数值,这个分布律是用于估算整体超静定应力的。

然而，由混凝土位移引起的应力的计算表明，混凝土表面裂缝是不可避免的。温度的日变化没有使混凝土表面出现明显的开裂，在纯拉伸和纯弯曲的试验中，这一现象得到了合理的解释，试验表明，纯弯曲的抗力大于纯拉伸的抗力。也许是因为拉伸区较小，所以弯曲破损较小。

## 3 结　论

环境温度的波动，能引起运行中重力拱坝的不良拉应力。对一些坝址，这种周期性应力的计算，对于判断一座大坝的破坏风险是决定性因素。

坝体因温度原因增加的拉应力，是由于环境温度的年变化所致。仅用等效梯形分布律的三维分析，不能确定这些超静定应力。实际与假想分布律间的温差，使应力水平有大的提高，它必须加到因结构整体超静定性产生的应力上。

温度的日变化能产生大得多的局部影响，日变化的局部影响在很大程度上取决于坝的几何形状、位置、方向、阴影遮盖程度等。这些局部影响的研究，要求更详细地了解坝址的温度特点，还要考虑坝址小气候的影响。接缝灌浆温度是极大影响大坝温度应力值增加的参数之一。例如，接缝灌浆温度从14℃变为5℃，通常意味着理论计算的应力水平减少。

为了在大坝设计中考虑这些实际情况，必须采取以下步骤：

(1)在工程规划阶段，要详细估算环境温度、水温度，以及太阳辐射引起温度增加的规律。

(2)采用三维模型计算混凝土中因接缝灌浆产生的温度变化而引起的应力增加值。

(3)计算超静定局部应力增加值。

(4)在给定的大坝区域内，对日环境温度应力的局部影响进行补充分析。

为了更加准确地了解和控制大坝的温度特性，在大坝的核心区，尤其在那些经计算可能有大的应力增量的区域，应布设足够的控制仪器网。

# 大体积混凝土坝温度裂缝形成的准则和预防措施

[苏联] N.S.罗沙诺夫等

**摘　要**:本文分析了大体积混凝土抗温度裂缝和温度裂缝扩展的一些准则。根据裂缝的力学原理,阐述了一种温度裂缝形成和扩展的新模型。举例说明了设计程序,对计算成果与现场观测资料进行了比较。

混凝土坝施工中,抗裂性和裂缝试验的研究,导致了控制温度裂缝方面的施工设计,这些措施在工程中已实施,它们可完全防止温度裂缝,或者可把它减少到最小的程度。

大坝混凝土分层浇筑,并采用表面冷却,已成为高效率施工的一个明显实例。这个综合了最先进科学和工程技术的施工工艺,已经用于托克托古尔坝、库尔普萨坝、安迪泽昂斯克坝及其他一些坝的施工。当混凝土采取机械化大面积分层浇筑时,该工艺可避免在混凝土浇筑工程中采用消耗大量劳动力和费钱的作业,尤其对混凝土拌和物的冷却和水管冷却更是如此。按这种工艺施工的结构中,实际上没有裂缝。

目前,研究还在继续,以改进在极其恶劣气候地区混凝土坝的施工工艺。

因温度变化在混凝土坝中产生裂缝是常见的现象,尤其在严冬条件的地区进行施工更是如此。

苏联规范研究了下面关于混凝土抗温度裂缝的判别式:

$$k_n n_c \sigma(\tau) \leqslant \varepsilon_{cr}(\tau) E(\tau) \tag{1}$$

式中:$\sigma(\tau)$——允许蠕变的混凝土正应力;

$E(\tau)$——弹性瞬时应变模量;

$\varepsilon_{cr}(\tau)$——混凝土极限抗拉强度;

$k_n$——可靠性指数;

$n_c$——综合效应系数。

混凝土产生大裂缝前,先形成了密集微细裂缝带;裂缝的扩展则与密集微细裂缝带的形成同时发生,密集微细裂缝带即先裂带。假定先裂带与裂缝和结构尺寸相比是小的,假定张开型裂缝扩展的材料抗力,受平面应变断裂韧度 $K_{IC}$ 这个参数的控制,由格里菲思(Griffith)、欧文(Irwin)等推荐的准脆性破坏模型就是在上述假定基础上建立的,该模型得到最广泛的应用。

1961年,格里菲思－欧文理论首先用来研究混凝土的破坏,后来,从1967年开始,包括苏联在内的各个国家,着手对这个问题进行大量的试验和理论研究。研究表明,参数 $K_{IC}$ 常常是不稳定的,它随裂缝长度、试样类型、应力状态、应力梯度、加载历时等变化。此外,格里菲思－欧文理论涉及已有的裂缝,不考虑开裂问题。

根据试验结果和断裂机理,有些论文提出了考虑混凝土蠕变和结构性能的两参数受拉断裂模型。目前在苏联,这个模型被应用于大体积混凝土水工结构的温度抗裂性分析。造成先裂带的原因是垂直于裂缝面的拉应力功 $\sigma_{\alpha\alpha}(\tau)$,同时也与总应变 $\varepsilon_{\alpha\alpha}(\tau)$ 与诱发应变 $\varepsilon^{o}{}_{\alpha\alpha}(\tau)$ 间的差值有关。拉应力功的极值 $A^{(\alpha)}{}_{o}(\tau)$ 由下式规定:

$$A_{o}^{(\alpha)}(\tau) = \int_{\tau o}^{\tau} \sigma_{\alpha\alpha}^{+}(\xi) \frac{\delta[\varepsilon_{\alpha\alpha}(\xi) - \varepsilon^{o}{}_{\alpha\alpha}(\xi)]}{\delta\xi} d\xi \tag{2}$$

本文原载《第15届国际大坝会议·主题57》,1985年。

它是模型参数之一，对已选定龄期的混凝土，假设是一个常量。式中 $\tau_o$ 是混凝土凝结时刻；若 $\sigma_{\alpha\alpha}(\tau)\geqslant 0$，则 $\sigma^{+}{}_{\alpha\alpha}(\tau)=\sigma_{\alpha\alpha}(\tau)$；当 $\sigma_{\alpha\alpha}(\tau)\leqslant 0$ 时 $\sigma^{+}{}_{\alpha\alpha}(\tau)=0$。对于受到温度变化的大体积混凝土结构，$\varepsilon_{\alpha\alpha}(\tau)$ 与 $\sigma_{\alpha\alpha}(\tau)$ 间的关系可假定为线性的。

材料的第二个常量是与骨料最大粒径等级有关的结构参数 $m_0$。当先裂带的长度 $m$ 达到极值 $m_0$ 时，形成初始裂缝，此外，靠近初始裂缝末端，先裂带的长度也不小于 $m_0$。在满足不等式 $m\geqslant m_0$ 时，发生裂缝扩展。

先裂带混凝土应力和应变的近似值问题是最重要的。众所周知，在裂缝末端附近，按材料假定的线性关系确定的应力和应变十分高，事实上在这种情况下，混凝土显示了它的"假塑性体"的特性。将分析的成果和试验成果加以比较，结果表明"假塑性体"应变区只发生在部分先裂带，而且相对较小，因此，至少在先裂带附近，应力和应变对求解弹性和蠕变理论的线性问题是必须的。最后的假设使计算大大简化，由于与混凝土坝块尺寸相比，骨料最大粒径相对是小的，因而这个假设通常对大体积混凝土是能成立的。考虑这些假设，裂缝的形成和扩展可以用两个参数 $A_o^{(\alpha)}(\tau)$ 和 $m_0$ 来描述。

拉应力功的极值 $A_o^{(\alpha)}(\tau)$，可用短期轴向抗拉试验结果十分简单地确定，因为，对于已选定龄期的混凝土，假定这个值是常量，这意味着它与先前的应变无关。假设在短期荷载作用下断裂点的应变定律是线性的，那么

$$A_o{}^{(\alpha)}(\tau)=\frac{R^2{}_t(\tau)}{2E(\tau)} \tag{3}$$

式中：$R_t(\tau)$ 是试件在时间 $\tau$ 的短期强度。

试验表明，对于相同的骨料，参数 $m_0$ 与骨料的最大粒径 $d_{\max}$ 差不多成线性关系：

$$m_0 = kd_{\max} \tag{4}$$

式中系数 $k$ 一般大于 1，例如，对萨扬舒申斯克(Sayano-Shushenskaya)坝施工中用的骨料，系数 $k$ 为 1.3。

现在考虑由断裂模型得到的某些关系，它们是用来估算混凝土对温度裂缝的抗力，以及解决温度裂缝的扩展问题。

若先裂带的长度达不到极限值，假设可获得混凝土对温度裂缝的抗力。取垂直于轴线 $X_\alpha$ 方向的先裂带长度 $m$ 为时间 $\tau$ 的函数。若

$$\sigma_{\alpha\alpha}(\tau)\leqslant 0 \tag{5}$$

或者

$$\sigma_{\alpha\alpha}(\tau)>0,m(\tau)<m_0 \tag{6}$$

则可得到裂缝抗力。

除了与高应力梯度条件下的表面裂缝有关的情况外，对大体积混凝土结构，上面叙述的条件几乎与更单纯的条件相同，即与不形成先裂带的条件一样。考虑这一点，第二个不等式(6)用下面的表达式代替：

$$A^{(\alpha)}(\tau)\leqslant\frac{R^2{}_t(\tau)}{2E(\tau)} \tag{7}$$

对于扩展的裂缝(从末端起的扩展距离 $m_0$)，应满足下面的不等式：

$$A^{(\alpha)}(\tau)\geqslant\frac{R^2{}_t(\tau)}{2E(\tau)} \tag{8}$$

对于闭合的裂缝(接缝)，接触面的边缘应满足条件(5)。因此，假定正常的张开型裂缝的闭合分析，可以用具有理想的单向约束的系统理论来完成。

一维应力状态的拉应力功值 $A^{(\alpha)}(\tau)$ 是正的。对于二维和三维应力状态，这个值可能是负的。

通过引入下面的表达式：

$$\sigma^{P}{}_{\alpha\alpha}(\tau)=\sqrt{2E(\tau)A^{(\alpha)}(\tau)} \tag{9}$$

式中：$A^{(\alpha)}(\tau)\geqslant 0$。将不等式(7)简化为下面的表达式：

$$\sigma^{P}{}_{\alpha\alpha}(\tau)\leqslant R_{t}(\tau) \tag{10}$$

式中：$\sigma^{P}{}_{\alpha\alpha}(\tau)$可被认为是表观应力。通常它们不小于实际应力 $\sigma_{\alpha\alpha}(\tau)$。在长期荷载下，拉应力功 $A^{(\alpha)}(\tau)$包括一个不能恢复的损耗。因此，循环荷载下，由于微细裂缝的逐次积累，断裂会类似疲劳破坏。

设

$$\frac{\sigma_{\alpha\alpha}(\tau)}{\sigma^{P}{}_{\alpha\alpha}(\tau)}=\beta(\tau)$$

然后代替式(10)得：

$$\sigma_{\alpha\alpha}(\tau)\leqslant R_{lt}(\tau) \tag{11}$$

式中，混凝土长期强度

$$R_{lt}(\tau)=\beta(\tau)R_{t}(\tau)$$

取决于材料的龄期和蠕变性能，以及先前的应力状态。因此，裂缝抗力可被认为是不超过有效应力 $\sigma_{\alpha\alpha}(\tau)$的长期强度。

图1给出计算结果与现场观测资料的比较。对布拉茨克(Bratskaya)坝的大体积高坝块进行了研究。在坝块内安装了各种仪器，由此可确定坝块的温度场和测量轴线上裂缝的深度。采用现场温度观测资料对裂逢深度进行计算。如图1所示，计算结果与应变计测量裂缝深度得到的资料相当一致。

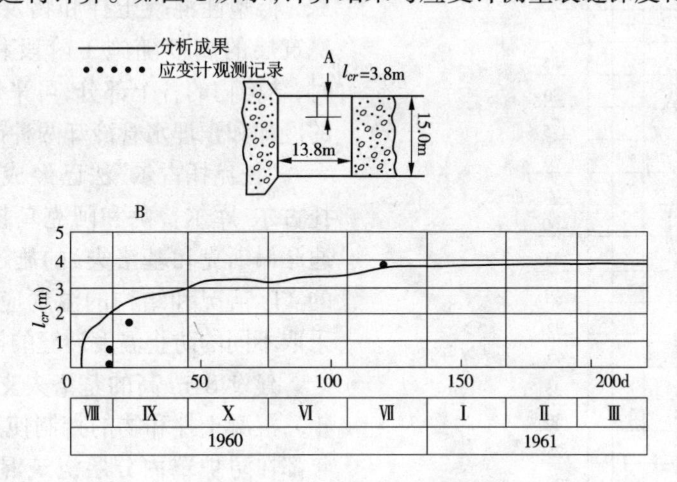


**图1　布拉茨克坝柱状坝块中裂缝扩展深度分析成果观测资料的比较**

A—坝块和裂缝位置图；B—裂缝深度

苏联大坝施工方面的专门研究和试验，促进了有些技术的开发和实际应用，研究和试验结合了混凝土浇筑期间采用的控制裂缝的有效措施进行，这些措施可完全防止温度裂缝，或者可把它减少到最小的程度。

最适当的设计工艺之一是，大坝混凝土分层浇筑法，及同时采取拌和料强冷却。根据开发和首先应用的地点，这个方法被命名为“托克托古尔(toktogulsky)”法。它已用于托克托古尔、库尔普萨(Kurpsaiskaya)、基洛夫(Kirovskaya)、安迪泽昂斯克(Andizhanskaya)和阿克乌扬斯克(Akhuryanskaya)等大坝。与混凝土大面积(在托克托古尔坝，浇筑面积的平面尺寸为 32m×120m)分层浇筑全部机械化相配合，这个方法使得在不采用混凝土拌和物强冷却，和已浇筑混凝土的预埋管冷却的情况下，防止温度裂缝成为可能。

根据托克托古尔的混凝土浇筑法，温度控制的基本方法是浇筑层的表面冷却，和大坝均匀地上升。

由于一个浇筑层的高度较小(0.5～1.0m)和浇筑层面积较大，因此表面冷却的效率就较高。在夏季月份表面连续浇水，春季和秋季将表面弄湿。随着表面冷却，在下一层浇筑开始前(3～7d)，混凝土凝结的头几天，大部分温升(70%～80%)可迅速得到抑制，避免混凝土在大范围内发热，因此也可避免为对付发热带来的后果所作出的艰难且费钱的努力。温升值不超过4～8℃。

用轻型自动卷扬护罩对大坝的水平表面防护，在温暖天气可大大减少用于表面冷却的水量，在冬天也能不降低混凝土浇筑的速率。

结构物建造时均匀地上升，在其各部分浇筑混凝土时没有超前(或滞后)，这样可为已浇混凝土中保持均匀的温度条件，防止侧面冷却下来和产生高的温度梯度。事实上，环境条件只影响侧面，即大坝开敞的上游面和下游面。它们的面积较小，可用隔热模板或永久性隔热材料加以防护，后者在整个施工期内保留不动。

没有高的温度梯度，没有大的温升，有规律地在短暂的时间间隔内分层浇筑混凝土，这些使已浇混凝土处于均匀且有利的温度条件下(见图2)，以及较低水平的最大拉应力(浇筑层长度60～120m时，拉应力为1.0～1.4MPa)。温度控制包括，大面积分层浇筑混凝土，所有混凝土浇筑工程全部机械化，节省大量劳动力消耗和昂贵的模板及灌浆作业等。

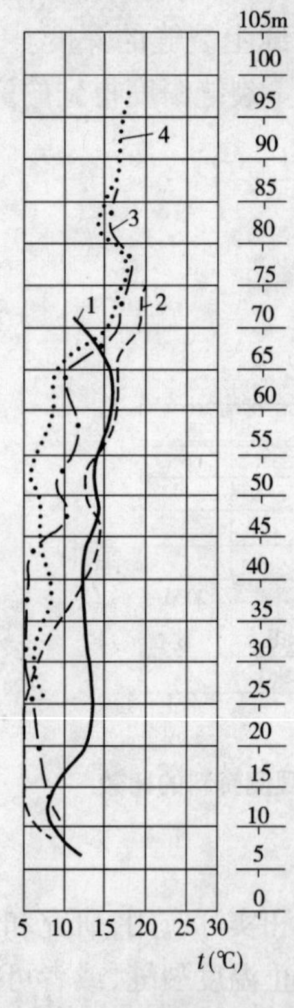


**图2　托克托古尔混凝土坝整个高度上的温度分布**

1—1972年2月20日的温度；2—1972年8月22日的温度；3—1973年1月25日的温度；4—1973年4月25日的温度

应用"托克托古尔"法对已浇混凝土进行温度控制措施还包括混凝土分区，应用坍落度为1～3cm低塑性混凝土拌和物及减少水泥用量，以及浇筑层的高度随施工阶段和季节的变化。必要时，结构物的各个部分，可采用部分混凝土拌和物的冷却和预埋水管冷却两种措施。

"托克托古尔"法已经成功地在重力坝(托克托古尔、库尔普萨和阿克乌扬斯克)和支墩坝(安迪泽昂斯克和基洛夫)的施工中应用。根据施工的实际情况和结构的温度应力状态分析结果，可采取不同的防止温度裂缝的措施。

建设84m高的基洛夫支墩坝时(1972～1975年)，混凝土拌和物的拌制使用冷却水和干冰。全年都在防护罩内分层浇筑混凝土，浇筑层高度是0.5m、0.75m和1.0m。在冬季，即使气温为-30℃，防护罩内的环境温度不会低于3～5℃。在夏季，这个地区的气温通常达到42℃，采用强力冲水。

第一阶段，大坝施工完全不按"托克托古尔"法进行：不设防护罩，相邻层浇筑时间间隔长，以及不在混凝土表面频繁地浇水。结果在几个部分的接触区发现裂缝。这促使改进混凝土浇筑工程的程序。

在严格按温度控制要求的措施应用后，裂缝中止。

建设高115.5m、体积为370万$m^3$的安迪泽昂斯克支墩坝时(1971～1978年)，混凝土拌和物的拌制使用冷却水和冷却的粗骨料。夏季不设永久防护罩。混凝土拌和物的浇筑层高度，夏季为

0.5m、0.75m 和 1.0m,并强力冲水;冬季在防护罩内浇筑混凝土时,为 1.0m 和 1.5m。该大坝建设地区的气温变化范围,从夏季的 45℃到冬季的 -25℃。在坝体结构中没有观测到温度裂缝,水库蓄水后也没有渗漏。

"托克托古尔"法得到了一个很好的机会,它在 1978~1982 年库尔普萨大坝施工期间被充分地展现。库尔普萨坝位于天山纳伦河上,在托克托古尔坝下游约 45km 处。那里的气候是最典型的大陆性气候。气温变化从 -31℃ 到 42℃。7 月份的月平均温度为 27.1℃,1 月份的月平均温度为 -6.6℃。按 12 度等级划分,该地区的地震烈度为 9 度。

库尔普萨混凝土重力坝高 113m,体积76 万 $m^3$,它分为 13 个坝段,每个坝段最大宽度为 30m;在上游和下游面,有 4m 深的专用垂直凹槽。该坝要面对混凝土的分区问题。

根据设计方案,库尔普萨坝施工要利用托克托古尔水电站的混凝土拌制设备。混凝土拌和物要连续运输 40km 的距离。显然,这种情况下,拌和物预冷却的效率是低的。因此,只能用冷却水拌制混凝土拌和物。计算表明,只要足够的表面冷却,以及混凝土均匀地分层浇筑,浇筑时间间隔不超过 10 天,即使浇筑的拌和物温度为 25℃,大坝结构也可达到对温度裂缝的抗力。实践已证实了那些预计。

按照设计计划,混凝土开始浇筑是在有利的气候季节,即 1979 年 3 月。混凝土采取分层浇筑,在温暖季节表面采用强力冷却,浇筑层高度为 1.0m。在夏天和冬天,混凝土在防护罩内浇筑。坝的下游面,在夏天用水膜覆盖,在冬天使用临时的防护隔热材料,材料的热传导系数的范围为 1.7~5.8W/($m^2$·K)。

大坝在整个长度上均匀地上升。混凝土内部的最高温度不超过 32℃。不使用水管冷却方式。

这些措施对于分层浇筑(面积达 30m×86m)的大坝来说,整体性是十分良好的。在混凝土中实际没有发生温度裂缝。

在坝体结构静水压力荷载作用下,没有观测到穿过混凝土的渗漏。

# 按浇筑层施工的混凝土坝块温度应力状态的数学模型

［保加利亚］ O. 桑特吉安

**摘　要**：大坝大体积混凝土坝块产生裂缝的主要原因是，因坝块温度场变化带来的体积变化。在判断裂缝张开和扩展的可能性前，先计算坝块不稳定温度和应力状态。由于现代计算机和这个领域中理论和实践的发展，使这个极其复杂的问题得到越来越正确的解答。

本文简要介绍了按浇筑层施工的混凝土坝块的非稳定三维温度和平面温度应力场的数学模型。模型是根据热传导和弹性理论建立的，按马斯洛夫—阿鲁迪尼安(Maslov-Arutunian)的遗传衰化理论，考虑了因混凝土蠕变产生的长期变形。在这个情况下，精确地解决了弹性蠕变介质理论的接触面问题。用数值计算法求解了微分和积分—微分综合方程组。在此基础上，精心编制了计算机程序“温度应力 1”，用于不连续增长或高度不变的矩形坝块浇筑的温度研究。

两个实例介绍了应用该程序进行的坝块长期或短期温度研究。

## 1　引　言

混凝土坝大型坝块中产生的最深和最具破坏性的裂缝，主要是由于施工和运行期间发生在结构中的温度变化。

每个浇筑层的混凝土浇筑后，坝块经受因水泥放热造成温升。当达到最高值后，且在上层混凝土浇筑前，该层温度通常下降。初始温降决定于混凝土表面的外露情况。因此，在浇筑层内先产生压应力，后产生拉应力。尽管拉应力不是很大，但设计者有时是很关注的，因为混凝土的早期强度较低。

随着上层混凝土的浇筑，由于连续地放热，和局部受到下一个浇筑层的影响，我们所讨论的坝块浇筑层的温度上升到某个点。一定时期后，温度达到最高值，并急速停止变化。坝块的各个高程其温度最高值是不同的，因为一年内的浇筑条件是不同的。在远离顶面的区域，此刻的温度分布被认为是坝块的初始温度状态。这时，已浇层的温度应力经受快速变化，交替地从压缩变到拉伸，从拉伸变到压缩。然而，因为早期混凝土具有弹性模量低、蠕变大的特性，因此这些数值几乎都微不足道。

此时以后，整个大坝坝体组成部分开始缓慢且持久地温降，距表面很远处不受季节温度变化的影响。采用人工措施可加快温降，如埋设冷却水管系统。经过一段足够长的时间后，坝块非稳定温度场与周围环境达到热平衡，它只受周围季节性温度的影响。不采用人工冷却时，这个过程的发展主要取决于坝块的尺寸和外露情况。例如，支墩坝的支墩，夏天浇筑混凝土，它在第一个冬末就达到最低平均温度，而不设横向施工缝的大型重力坝坝块，坝体大部分要在许多年后才达到最终温度。

混凝土温度场变化的发展及其随后混凝土的体积变化之后，在坝块中形成温度应力场。这是由于温度变化场(TCHF)的不规则性，以及主要在坝块与坝基的接触面和浇筑层间接触面的约束作用。

基底的弹性接触，使坝块靠近坝基部分的中间产生最大的水平拉应力，坝基部分的端部产生最大的垂直拉应力。这主要是基于以下事实：坝基经受的温升很小，而其表面因温度收缩而被完全约束。温升期间早期混凝土中形成小的压应力，它远远不能抵消因完全硬化的混凝土进一步温降引起的相当大的拉应力。

接触拉应力值取决于坝基与坝块的弹性模量比 $E_f/E_{bl}$、冷却速率和蠕变作用。

---

本文原载《第 15 届国际大坝会议·主题 57》，1985 年。

由接触约束引起的应力场,与由温度变化场在坝块不同方向的不规则性引起的应力相加,结果形成非常复杂的非稳定三维应力状态。其特点是,每个点各向的应力不是拉应力就是压应力。当应力超过混凝土抗拉强度时,在垂直于最大应力的方向产生裂缝。

由于混凝土的非均质多相结构和骨料间不等的结合强度,在混凝土开裂前产生密集的细微裂缝和塑性应变。L. P. 特拉贝尼科夫创立了混凝土裂缝张开和扩展的理论,他把混凝土看做是连续面上的半脆性的蠕变—弹性介质。这个理论可用于最精确地估计开裂的可能性。

但是,在达到研究的最后阶段前,必须确定从开始浇筑混凝土,到混凝土温度达到准稳定状态时刻的时段内,坝块温度和应力场的变化。目前,这个极其复杂的问题在很大程度上能够得到满意的解决,是由于现代计算机和数值计算法,以及数学理论在上述过程(开始浇筑混凝土到混凝土温度达到准稳定状态时刻)中对所有事件的发展应用,像热传导和放热,混凝土短期和长期变形等。本报告将概括地表述数学模型的基本假定和方程式,求解方程式的数值计算法,以及有关计算机程序的简要信息等基本部分。

## 2　数学模型

### 2.1　假定

这里将考虑在弹性地基上,按浇筑层施工的混凝土坝块(见图 1)。浇筑层按规定的不均匀时间间隔浇筑混凝土,这个间隔称为工艺间歇(TP)。在研究的时段内或部分时段内,坝块的高度不连续地升高。在每个时刻浇筑层的混凝土有不同的龄期,也许具有不同的热物理特性、温升、弹性模量和蠕变。温升被考虑为混凝土龄期和温度函数。弹性模量和蠕变也是龄期函数,它们将按照马斯洛夫 - 阿鲁迪尼安(Maslov - Arutiunian)遗传衰化理论来讨论。表面的温度边界条件根据外露情况确定。周围温度随时间而变化。在 TP 期间,用流动水对浇筑层顶面养护。

坝块 - 坝基系统温度应力状态(TSS)的形成,是由于在固定的时间间隔内发生温度变化,不同浇筑层之间和整个坝块与坝基之间相互的力学作用的结果,也是系统不同部分之间相互力学作用的结果。坝块和坝基被看做弹性 - 蠕变衰化的介质,它们具有随时间而增加的刚性和线性的应力应变关系。它们的接触面是弹性的和连续的。影响坝块 TSS 的部分坝基,假定为矩形区,底部刚性固定,温度为常数,在垂直边缘处自由且隔热。只考虑温度荷载。

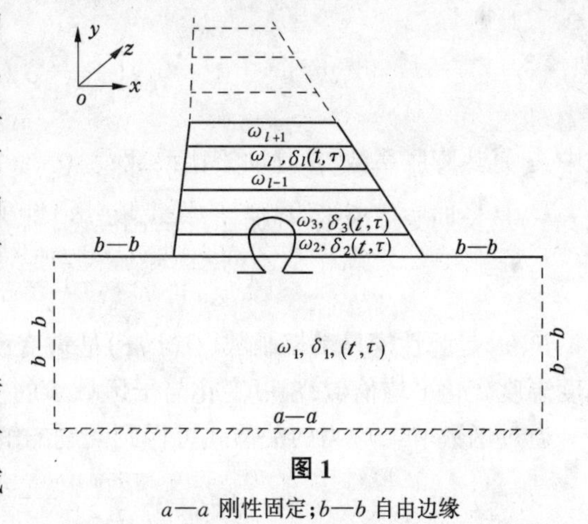


**图 1**

$a$—$a$ 刚性固定;$b$—$b$ 自由边缘

### 2.2　温度场

包括坝基在内的上述区域温度场,是根据热传导理论建立模型的,该区域坝块的高度随时间而升高。坝基的每一层被认为是独立的子区域(见图 1)。

定义在子区域 $\omega_1$ 内的温度场函数 $T_l(x,y,z,\tau)$,以及相应参数热扩散率 $\alpha_l$,比热 $C_l$,放热函数 $Q_l$,密度 $\gamma_l$,则温度场函数应是下列热传导方程式的解:

$$\frac{\partial T_l}{\partial \tau} = \alpha_l\left(\frac{\partial^2 T_l}{\partial x^2} + \frac{\partial^2 T_l}{\partial y^2} + \frac{\partial^2 T_l}{\partial z^2}\right) + \frac{I}{C_l \gamma_l}\frac{\partial Q_l}{\partial \tau} \tag{1}$$

$$(t_l \leqslant \tau \leqslant t, l = 1,2,3,\cdots,L)$$

式中:$t$ 和 $t_l$ 分别代表时段中最终时刻和浇筑层 $l$ 的浇筑时刻。$L$ 是坝块的所有浇筑层数量。

函数 $T_l(x,y,z,\tau)$也应注意初始条件 $T_l(x,y,z,\tau_l) = T_{ol}(x,y,z)$和子区域 $\omega_1$ 的边界条件。每个浇筑层内的初始温度假定是均匀分布,且等于浇筑温度 $T_{ol}$。在坝基它随高度而变化。

自由面边界条件的一般表达式由牛顿(Newton)公式给出:

$$\frac{\partial T}{\partial n}=\frac{\alpha}{\lambda}(T_e-T_s)$$

式中:$T_e$ 和 $T_s$ 分别是表面温度和周围温度;$\lambda$ 是导热系数;$\alpha$ 是表面热交换系数。

在与大气接触时,假设内表面和外表面的热交换系数分别为 $\alpha=6\mathrm{W}/(\mathrm{m}^2\cdot℃)$ 和 $\alpha=23\mathrm{W}/(\mathrm{m}^2\cdot℃)$,用水冲洗的表面其热交换系数为 $\alpha=2\times10^{-2}\mathrm{W}/(\mathrm{m}^2\cdot℃)$。完全隔热的表面 $\alpha=0$。

对子区域 $l$ 和 $l-1$ 的接触面,边界条件是:

$$\lambda_l\frac{\partial T_l}{\partial n}=\lambda_{l-1}\frac{\partial T_{l-1}}{\partial n} \tag{2}$$

对混凝土放热函数,假定为 I.D. 扎波洛杰的公式:

$$Q(T,\tau)=Q_o\left[1-\left(1+A_{20}\int_0^{\tau}2^{\frac{T_{(\tau)}-20}{\varepsilon}}\mathrm{d}\tau\right)^{\frac{1}{m-1}}\right] \tag{3}$$

式中:$Q_o$、$A_{20}$、$\varepsilon$ 和 $m$ 是混凝土拌和物的参数,它们从实验室温升试验中选出。

这些是用于坝块温度场计算的数学模型的最简要的说明,坝块高度的升高是不连续的。

### 2.3 温度应力状态

温度应力状态按平面变形在坝块中间纵剖面建立模型。坝块被认为是横向刚性固定。考虑混凝土的蠕变,一个区域的热弹性接触面问题已经得到解决,该区域由瞬时不均匀子区域组成。应力 $\sigma_x(x,y,\tau)$ 和 $\sigma_y(x,y,\tau)$ 在每个子区域范围内确定。子区域在接触面弹性相连。

根据弹性－蠕变介质理论,每个子区域的应力—应变关系由下面的方程式确定:

$$\left.\begin{aligned}\varepsilon_x(t)&=\int_{t_1}^{t}\frac{\partial}{\partial\tau}(\sigma_x-\mu'\sigma_y)\partial'(t-t_l,\tau-t_l)\mathrm{d}\tau+eA_l\Delta T(t)\\ \varepsilon_y(t)&=\int_{t_1}^{t}\frac{\partial}{\partial\tau}(\sigma_y-\mu'\sigma_x)\partial'(t-t_l,\tau-t_l)\mathrm{d}\tau+eA_l\Delta T(t)\\ \gamma_{xy}{}^{(t)}&=2(1+\mu')\int_{t_1}^{t}\frac{\partial\tau_{xy}}{\partial\tau}\delta'(t-t_l,\tau-t_l)\mathrm{d}\tau\end{aligned}\right\} \tag{4}$$

式中:$e$ 是热膨胀系数;$\mu$ 是泊松比系数;$\delta'(t,\tau)=\dfrac{\delta(t,\tau)}{1-\mu^2}$,$A=1+\mu$,$\mu'=\dfrac{\mu}{1+\mu}$(平面变形情况)。$\delta(t,\tau)$ 是长期变形函数,根据遗传衰化理论,其表达式为:

$$\delta(t,\tau)=\frac{1}{E(\tau)}+C(t,\tau)$$

$E(\tau)$ 是弹性模量龄期函数,$C(t,\tau)$ 是蠕变函数,可由该理论的不同公式表达。$\Delta T_{l(t)}$ 是沿坝块宽度温度变化平均值域,温度变化与子区域 $l$ 的初始场有关。

通过函数 $\phi$ 与应力的关系式可得到问题的解:

$$\sigma_x=\frac{\partial^2\phi}{\partial y^2},\sigma_y=\frac{\partial^2\phi}{\partial x^2},\tau_{xy}=-\frac{\partial^2\phi}{\partial x\partial y} \tag{5}$$

在子区域 $l$ 范围内,$\phi_l(x,y,\tau)$ 应是应变连续性的积分微分方程的解。

$$\int_{t_1}^{t}\frac{\partial\nabla^4\phi_l}{\partial\tau}\delta'(t-t_l,\tau-t_l)\mathrm{d}\tau=-eA_l\nabla^2\Delta T_l(t) \tag{6}$$

因为是弹性结合和考虑到相互接触的各子区域的不同龄期,沿接触面应注意下述条件:

$$\delta_{yl}=\delta_{yl-1},\tau_{xyl}=\tau_{xyl-1},U_l(t)=U_{l-1}(t)-U_{l-1}(t_l),V_l(t)=V_{l-1}(t)-V_{l-1}(t_l) \tag{7}$$

由式(7)的前两个条件可得

$$\phi_l=\phi_{l-1}=\phi \text{ 和 } \frac{\partial\phi_l}{\partial y}=\frac{\partial\phi_{l-1}}{\partial y}=\frac{\partial\phi}{\partial y}$$

由式(7)的后两个条件,可推导出下列方程式:

$$\int_{t_1}^{t}\frac{\partial}{\partial\tau}(\frac{\partial^2\phi_l}{\partial y^2}-\mu'_l\frac{\partial^2\phi_1}{\partial x^2})\delta'_l(t-t_l,\tau-t_l)\mathrm{d}\tau+eA_l\Delta T_l(t)=\int_{t_{l-1}}^{t}\frac{\partial}{\partial\tau}(\frac{\partial^2\phi_{l-1}}{\partial y^2}-\mu'_{l-1}\frac{\partial^2\phi_{l-1}}{\partial x^2})\delta'_{l-1}$$

$$(t-t_{l-1},\tau-t_{l-1})\mathrm{d}\tau-\int_{t_{l-1}}^{t}\frac{\partial}{\partial\tau}(\frac{\partial^2\phi_{l-1}}{\partial y^2}-\mu'_{l-1}\frac{\partial^2\phi_{l-1}}{\partial x^2})\delta'_{l-1}(t_1-t_{l-1},\tau-t_{l-1})\mathrm{d}\tau+eA_{l-1}$$

$$[\Delta T_{l-1}(t)-\Delta T_{l-1}(t_l)] \tag{8}$$

$$\int_{t_1}^{t}\frac{\partial}{\partial\tau}[\frac{\partial^3\phi_l}{\partial y^3}+(2+\mu'_l)\frac{\partial^3\phi_l}{\partial x^2\partial y}]\delta'_l(t-t_l,\tau-t_l)\mathrm{d}\tau+eA_l\frac{\partial\Delta T_l(t)}{\partial y}$$

$$=\int_{t_{l-1}}^{t}\frac{\partial}{\partial\tau}[\frac{\partial^3\phi_{l-1}}{\partial y^3}+(2+\mu'_{l-1})\frac{\partial^3\phi_{l-1}}{\partial x^2\partial y}]\delta'_{l-1}(t-t_{l-1},\tau-t_{l-1})\mathrm{d}\tau_l-\int_{t_{l-1}}^{t}\frac{\partial}{\partial\tau}[\frac{\partial^3\phi_{l-1}}{\partial y^3}$$

$$+(2+\mu'_{l-1})\frac{\partial^3\phi_{l-1}}{\partial x^2\partial y}]\delta'_{l-1}(t_l-t_{l-1},\tau-t_{l-1})\mathrm{d}\tau_l+eA_{l-1}(\frac{\partial\Delta T_{l-1}(t)}{\partial y}-\frac{\partial\Delta T_{l-1}(t_l)}{\partial y} \tag{9}$$

$\Delta T_l,\Delta T_{l-1},\frac{\partial\Delta T_l}{\partial y}$和$\frac{\partial\Delta T_{l-1}}{\partial y}$是沿接触面温度变化值。相邻子区域的变化值是不同的,因为它们的浇筑时刻不同。

由于坝块纵断面自由边缘和坝基子区域不存在外荷载,边界条件规定为 $\Phi=0$,和$\frac{\partial\Phi}{\partial n}=0$。在浇筑上一个浇筑层前,顶浇筑层(子区域)的表面是自由的。随后顶浇筑层表面变为接触面,该接触面的边界条件随着时间而变化。

积分微分方程组(6)、(8)和(9),以及边界条件,代表了按浇筑层施工的混凝土坝块平面温度应力状态的数学模型。事实上,在受拉条件下,$\sigma$—$\varepsilon$ 的线性关系几乎是与裂缝情况符合的,因此使这个模型更加接近实际。

## 3 数值解

毫无疑问,只要用数值计算方法就能对方程组(6)、(8)和(9)求积分。作为第一步,已经解决了矩形坝块的问题。

在开放系统和等边正交计算网中,用熟知的有限差分法(FDM)对式(1)积分,可确定三维温度应力场。

确定应力函数 $\Phi$ 时,沃尔特拉(Voltera)Ⅰ型方程式(6)、(8)和(9),首先被克里沃夫-博戈鲁波夫(Krilov-Bogolubov)方法用数值求解,并将其化为一个四次偏微分方程组。为此,整个时段被分为不均匀时间间隔,从第一个间隔开始,依次计算每个间隔。在每个间隔范围内,计算增量 $\Delta\phi(x,y)$。对于带下标 $n$ 的时间间隔,所得到的方程组如下:

$$B_{ln}-B_{l-l,n}\frac{\delta_{l-l}(\theta_n^1,\tau_n)}{\delta_l(\theta_n^2,\tau_n)}=\frac{1}{\delta_l(\theta_n^2,\tau_n)}\{e[A_{l-1}(\Delta T_{l-1,n}-\Delta T_{l-1,p-1})-A_l\Delta T_{ln}]$$

$$-\sum_{k=p}^{n-1}B_{lk}\delta'_l(\theta_n^2,\tau_k)+\sum_{k=p}^{n-1}B_{l-1,k}\delta'_{l-1}(\theta_n^l,\tau_k)-\sum_{k=p}^{n-1}B_{l-1,k}\delta'_{l-1}(\theta_{p-1},\tau_k) \tag{11}$$

$$C_{ln}-C_{l-1,n}\frac{\delta'_{l-l}(\theta_n^1,\tau_n)}{\delta'_l(\theta_n^2,\tau_n)}=\frac{1}{\delta_l(\theta_n^2,\tau_n)}\{e[A_{l-1}(\frac{\partial\Delta T_{l-1,n}}{\partial y}$$

$$-\frac{\partial\Delta T_{l-1,p-1}}{\partial y}-A_l\Delta T_{ln}]-\sum_{k=P}^{n-1}C_{lk}\delta'_l(\theta_n^2,\tau_k)+\sum_{k=g}^{n-1}C_{l-1,k}\delta'_{l-1}(\theta_n^1,\tau_k)$$

$$-\sum_{k=g}^{p-1}C_{l-1,k}\delta'_{l-1}(\theta_{p-1},\tau_k)\qquad(n=1,2,\cdots,N) \tag{12}$$

式中:$p$ 和 $g$ 分别是子区域 $l$ 和 $L-1$ 浇筑混凝土开始时的时间间隔的下标;$N$ 是时间间隔的总数,

$\theta_n{}^l = t_n - t_{g-1}, \theta_n{}^2 = t_n - t_{p-1}, \theta_{p-1} = t_{p-1} - t_{g-1}, \tau_n = \frac{t_n + t_{n-1}}{2} - t_{p-1}, \tau_k = \frac{t_k + t_{k-1}}{2} - \theta_{k_o} - 1, k_o$ 分别等于 $p$ 或 $g$，$t_i$ 是与时段起点有关的间隔 $i$ 的最终时刻。

$$B_{ij} = \frac{\partial^2 \Delta\phi_{ij}}{\partial y^2} - \mu'_i \frac{\partial^2 \Delta\phi_{ij}}{\partial x^2}, C_{ij} = \frac{\partial^3 \Delta\phi_{ij}}{\partial y^3} + (2 + \mu'_i) \frac{\partial^3 \Delta\phi_{ij}}{\partial x^2 \partial y}$$

间隔的长度是根据最后浇筑的子区域到现行时刻子区域的持续时间，及温度变化速率确定的。它们的最大值受我们推导的收敛准则限制。$\delta(t,\tau)$由幂函数给出时，其简要表达式如下：

$$\delta_l(\theta_n, \tau_{n-1}) - \delta_1(\theta_{n-1}, \tau_{n-1}) < \delta_1(\theta_n, \tau_n) \quad (n = 2,3,\cdots,N) \tag{13}$$

在每个子区域中，每一对间隔 $n$ 和 $n-1$ 应遵循公式(13)。

方程式(10)、(11)和(12)右边部分的值是已知的，已经在前面计算过。只是应确定 $\Delta\Phi_{ln}(x,y)$ 和 $\Delta\Phi_{l-1,n}(x,y)$。它们可通过建立在坝块中间纵剖面上的等边正交网，用 FDM 对方程组积分求得。

（注：原文方程式编号可能有误，没有方程式(10)，方程式(11)和(12)中，均漏标括号}——编译者。）

考虑关系式(5)，所得的线性代数方程组的解，使增量域 $\Delta\sigma_{xn}, \Delta\sigma_{yn}, \Delta\tau_{xyn}$ 采用数值法确定。在现行间隔终点的总应力为：

$$\sigma_{xn} = \sum_{k=1}^{n} \Delta\sigma_{xk}, \sigma_{yn} = \sum_{k=1}^{n} \sigma_{yk} \text{ 和 } \tau_{xyn} = \sum_{k=1}^{n} \Delta\tau_{xyk}$$

这一方法在另一文献中有详细的表述。用这种方法，可逐个时间间隔计算温度变化场和随后的应力。文献提供了计算时段过程中随坝块的上升，温度应力状态发展详细的照片。显然，应用上述模型解决实际问题时，要进行大量计算，现代计算机的能力已经能给以解决。

## 4 计算机程序“温度应力 1”

1977～1982 年期间，水问题研究所(IWP)用 Fortran 语言精心编制了一个计算机程序，用于计算具有正交的纵向和横向垂直剖面，且分层浇筑的混凝土坝块的温度和温度应力状态。除正交形态外，坝块的水平剖面可做成双 T(I)型，因此可模拟支墩坝的坝块(见图 2)。

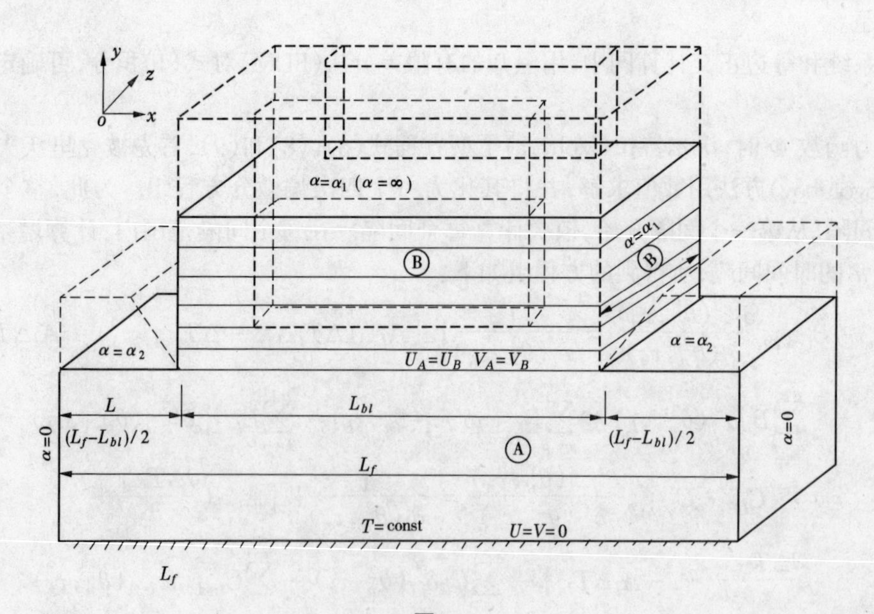


图2

Ⓐ 一坝基；Ⓑ—坝块

程序的算法描述了一个数值模型，模型的互相依赖的基本过程如下，这个过程规定了坝块的温度应力状态。

(1)分层(层厚度是变化的)浇筑混凝土坝块的工艺过程,浇筑温度,混凝土拌和物的组成和浇筑间歇(TP)。

(2)周围温度和养护水温度的变化,以及计算时段内坝块的不同表面热交换的情况。

(3)内部放热和热传导过程,以及通过坝块和坝基的热交换过程,和随后温度场的变化。

(4) 因时段内温度体积变化,在坝块和坝基纵向中平面各个部分之间的相互作用的过程。

目前,在计算机中央处理系统中,当使用重叠连接编辑程序时,该程序占用300K内存;当三个子程序(代表各自模块)同时处理数据时,占用500K内存。

在一些近似的假设下,程序能详细地研究在施工或运行期间,设置或不设横向施工缝浇筑的混凝土坝块的温度和温度应力状态。它也十分成功地解决了其他大体积混凝土结构矩形块体的温度问题。

在保加利亚几座大坝和其他结构的设计阶段,采用"温度应力1"程序进行温度研究。其目的是提出温控措施要点,使施工最经济和混凝土安全地防止裂缝。

通过比较,用本文叙述的方法计算的坝块温度状态与现场测得的坝块温度状态很接近。

## 5 实 例

作为程序应用的实例,下面提出两个问题的研究成果。

### 5.1 重力坝坝块的长期温度应力状态

所有坝块按长浇筑层同时浇筑混凝土,不设垂直施工缝。由于没有收缩缝空隙,就延长了自然冷却期,冷却可长达几年时间。为了在这种情况下使用程序,将实际的三角形坝块(受坝基接触面影响),用具有大致相同刚性的矩形坝块代替,见图3(a)(原刊印图稿模糊不清,图略——编辑者注,下同)。替代坝块的高度可由下述的面积等式给出,即 $HL = L/4(L + L')$。

A区浇筑层的厚度 $h = 0.5$m, $TP = 5$d;B区 $h = 1$m,前5天 $TP = 10$d,其余 $TP = 5$d。使用低热水泥,其7d水化的温升,A区为60cal/g,B区为50cal/g。一些输入的数据见图3(b)(图略)。为了节省计算时间,坝块分为7个子区包括29个浇筑层,在图3(c)(图略)。中用罗马字母标出。这样分区只在初期影响应力计算的精度。假设每个浇筑层作为独立的高坝块子区和采用长的计算时段,这将需要很长的计算时间,且要使用大型计算机。

在时段的某个时刻,沿坝块中垂线的 $T$ 和 $\sigma_x$ 的分布见图3(c)(图略)。研究的主要成果如下:坝块升高期间,由于温度变化小和蠕变大,应力值很小。这里没有研究浇筑混凝土后,在 $TP$ 期间每层的应力状态。这个应力状态可通过更详细的短期研究获得,它在第二个实例中说明。

经过5年冷却后,在年平均气温约7℃时,接触区的平均温度降至11℃。在时段结束,坝块表面受到约1MPa的压应力时,靠近接触面的拉应力达到2MPa。在该高程浇筑层浇筑混凝土,当平均温度最大值达到较低水平时,在坝块表面引起压应力。如果平均温度最大值均匀分布,即使平均温度随浇筑层高度而升高,拉应力也较小。它可通过减少上层 $TP$ 值来实现。所以,可通过控制温度分布达到最佳的温度应力状态。

### 5.2 在夏季混凝土浇筑间歇期间0.5m和1m厚浇筑层的温度应力状态

四组典型的浇筑层将被分析。

3个0.5m和2个1m厚浇筑层被研究(见图4(a)),它们的浇筑温度为 $T_P = 20$℃和 $T_P = 14$℃(后者表示混凝土拌和物预冷)。$TP$ 是10d。浇筑层表面在浇筑后第2天开始用水养护。0.5m厚浇筑层其混凝土中低热水泥的含量为230kg/m$^3$,其他层为170kg/m$^3$。

每一组最后一个浇筑层,$TP$ 中某时刻的 $T$ 和 $\sigma_x$ 的分布曲线见图4(b)。

这些成果可得出结论,$TP$ 期间,0.5m厚浇筑层的拉应力 $\sigma_x$ 达到的值,无疑超过了各个龄期混

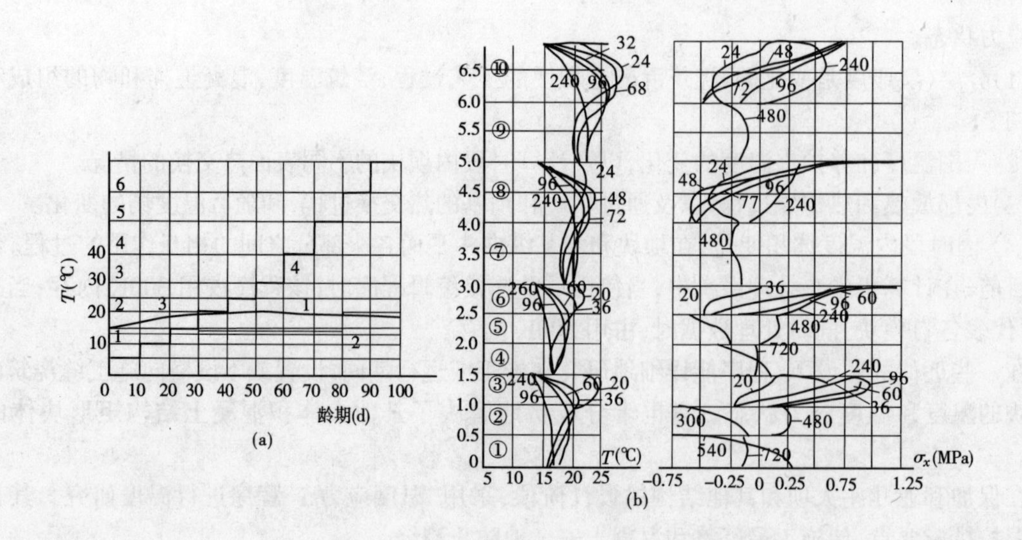

图 4

1、2—空气温度和表面养护水温度；3—混凝土浇筑温度；

4—坝块升高的简图；1.2.3...—浇筑层的顺序号。曲线上的数字表示各个浇筑层的龄期(h)

凝土的抗拉强度。$T_P=14℃$时，拉应力有点小。这是由于气温与养护水的温差很大，而且表面养护是在一天后进行的。浇筑层的表面很可能产生裂缝。

1m 厚的浇筑层情况几乎相同。不过，拉应力及其区域都较小。

除了给出的实例外，许多具有近似矩形，或如基脚、厚板、挡墙等线性轮廓的其他大体积混凝土结构，也能够用本文介绍的程序解决温度问题(精度不同)。

# 土耳其奥马皮纳尔拱坝为防止施工混凝土出现裂缝所采取的技术措施

［德国］ H. J. 谬尔等

**摘　要**：在土耳其奥马皮纳尔双曲拱的施工过程中，在材料工艺、混凝土拌和，以及制定特殊措施方面，有许多因素很明显地会影响到大体积混凝土中裂缝的形成。本文介绍了所采取措施中的一部分。文章首先讨论了大体积混凝土的有关问题；这些问题均与混凝土发热有关，而发热的结果可能导致出现裂缝。在这里很明显，为混凝土正确选用和配备基本材料成分应是最有效的措施。混凝土料的生产、运输、浇筑和养护是进一步必须考虑的因素。从施工现场所得到的经验表明，在浇筑体内埋设冷却水管的影响只是一个次要的问题。

## 1　工程概况

奥马皮纳尔(Oymapinar)水电站位于土耳其南部沿海地区，西距安塔利亚省省会约 100km，地处陶鲁斯山脉边缘地带，离地中海 20km 左右。

马纳夫加特(Manavgat)河在此流经一个 V 字形狭谷带，在此狭谷内修建了奥马皮纳尔素混凝土双曲拱坝，坝体的特性数据如下：

拱坝坝高：　185m

坝顶长：　360m

坝宽：

　底宽：　25m

　顶宽：　5m

混凝土方量：　65 000$m^3$

工期：　1978～1983 年

除拱坝外，本工程还包括有引水隧洞和调压井、发电洞室和变压器洞室、泄水隧洞，以及溢洪道设施等。

## 2　与大体积混凝土有关的一些问题

只要所选用的设备能够生产和提供足够数量的混凝土材料，奥马皮纳尔大体积混凝土坝的施工不会有什么大的问题，工程混凝土拌和设备的生产能力为 360$m^3$/h。至于混凝土的运输和浇筑问题，在对有关设备和整个施工程序作出安排和规划后即可顺利解决。

由于建坝混凝土材料“体积”庞大，也存在一些需要解决的问题。如由于水泥在凝结和硬化过程中发生化学反应，产生大量的热，出现了极大的温差问题。由于混凝土温度的急剧变化，出现了一些混凝土本身无法吸收和消除的拉应力，导致了混凝土开裂。而到了后期混凝土又产生收缩使体积发生变化，又会出现类似的开裂情况，但裂缝情况各不相同。单纯因裂缝而导致大坝失稳的情况则是很少见的。不过对混凝土坝来说，可能会因裂缝而产生渗水或水密性问题。

---

本文原载《第 15 届国际大坝会议·主题 57》，1985 年。

## 3　大体积混凝土坝的裂缝问题

在拱坝坝体的面层混凝土和内部混凝土之间有时会存在很大的温度差，有的温差值甚至超过了20℃，这样一来，由于内外存在较大温差就会在面层混凝土部分出现裂缝。

按照一般混凝土坝的施工程序，大体积混凝土通常是一个浇筑层一个浇筑层地往上浇，如果各浇筑层之间在浇筑时间间隔上安排不当，混凝土体内会出现劈开性裂缝。

奥马皮纳尔拱坝分成24个柱状浇筑块，每个柱状块宽度为15m。施工时这些柱状块分层浇筑，每一浇筑层的高度为2m，它们的体积介于200m$^3$到1 000m$^3$之间。

当混凝土经过凝结和硬化过程后多余水分开始干涸，混凝土的体积就会有所减小，这样又会在混凝土内产生干缩性裂缝。

为了防止出现裂缝，应当结合裂缝形成的不同情况分别采取必要的预防措施。有些劈开裂缝和干缩裂缝可能是由于施工程序和混凝土配比方面的影响而形成的，而另一方面，对各种温差所引起的裂缝处理起来则更加麻烦。并非所有因素都会引起温差而产生裂缝，但坝体所处的地理位置可能是形成裂缝的原因之一。如土耳其奥马皮纳尔坝的方向是沿东西方向分布的，这样坝体的下游面就会受到阳光直接照射发热而使温度升高。

这里的主要气候特征是夏季炎热干燥，而冬季温暖多雨，这些可能不是有影响作用的因素。惟一可能起影响作用的因素是基本施工材料的选择与制备。

## 4　材料的工艺流程与混凝土的制备

### 4.1　混凝土料的生产

在混凝土材料的生产期间，重点须注意达到两个目标，即拌和的混凝土料的温度，以及它所产生的水化热，都必须保持在尽可能低的水平上。

给本坝提供水泥的水泥厂距工地约150km。但该厂原先只生产硅酸盐水泥，按其性质含相当高的水化热量，因此不适合于大体积混凝土坝使用。为了确定它对水化热的影响，掺用当地的凝灰岩进行了试验。试验表明，在研磨之前可添加40%以下的凝灰岩。现将试验的成果示于表1。但由于这个水泥厂家没有对凝灰岩作干燥处理的设备，只好将破碎后的凝灰岩块放进从炉里取出的硅酸盐熟料中去干燥。

**表1　　土耳其奥马皮拉尔坝混凝土掺用凝灰岩试验成果**

| 编号 | 水泥型号 | 掺合比例(%) | | 铺开尺寸(cm) | 抗压强度(kg/cm$^2$) | | | | | | 凝固时间(时:分) | | 7天发热量 | |
|---|---|---|---|---|---|---|---|---|---|---|---|---|---|---|
| | | 水泥 | 凝灰岩 | | 3天 | 7天 | 28天 | 56天 | 90天 | 180天 | 开始 | 结束 | cal/g | % |
| 1 | Kpc 325 | 100 | — | 17 | 205 | 282 | 413 | 484 | 520 | 521 | 2:40 | 3:10 | 70 | 100 |
| 2 | Kpc 325 | 90 | 10 | 14.2 | 212 | 278 | 407 | 456 | 485 | 509 | 2:50 | 3:35 | 64 | 91 |
| 3 | Kpc 325 | 80 | 20 | — | 198 | 267 | 392 | 434 | 456 | 485 | 4:10 | 5:05 | 58 | 83 |
| 4 | Kpc 325 | 75 | 25 | — | 174 | 251 | 384 | 429 | 452 | 475 | 3:10 | | 53 | 76 |
| 5 | Kpc 325 | 70 | 30 | — | 172 | 248 | 371 | 433 | 455 | 465 | 4:10 | 5:05 | 52 | 74 |
| 6 | Kpc 325 | 65 | 35 | — | 162 | 235 | 369 | 419 | 437 | 461 | 4:20 | 5:10 | 51 | 73 |

进一步的试验表明，在夏季将掺凝灰岩的重量比限制在20%，或在冬季将凝灰岩的重量比限制在10%时，就可使干燥度提高，这是因为不同季节凝灰岩内部的含水量是不同的。

如将干拌和料投入硅酸盐火山灰水泥中,则其水化热会减少10%~20%。因此,与纯硅酸盐水泥相比,混凝土的最高温度会降低约7℃。

对于一些中途暂储水泥的水泥罐,其外表面使用有反光效果的涂料作了涂刷。

砂料被存放在有覆盖的箱形结构内,以防太阳暴晒。骨料的尺寸为5~150mm,对骨料从马纳夫加特河取水对其湿润,该河夏季水温只有15℃。这样就可以保证在最炎热的季节里将骨料的温度降至22~24℃,而如果不洒水降温,则骨料温度可能会高达40℃。骨料内部得到一定的均匀湿度,也是喷水的一种积极的效应。

由于采取了以上各项措施,该坝新拌和混凝土的温度从未超过25℃。混凝土的配比情况如下:

水: 110kg/m$^3$;

水泥: 230kg/m$^3$;

骨料: 2 280kg/m$^3$;

使用1%~2%的加气剂。

关于效果情况,下述各段具有不同的作用,而混凝土的制备也对裂缝的形成具有重要的影响。

### 4.2 混凝土的运输

混凝土运输包括从拌和楼受料直到上坝浇筑的全过程。最重要的是要保证混凝土料在运输过程中不发热,要有适当的运送工具,要保证各工序之间的协调,减少不必要的等待时间。

在每次运料时,应避免混凝土料在运送过程中产生预压实效应,因为这种情况会导致混凝土料施工时和易性变差。

土耳其奥马皮纳尔坝所选用的运输混凝土的技术方案是:在拌和楼卸混凝土料,卸入(自由卸落)散装的混凝土运料车,最大运距为100m。再从散装料车上将混凝土卸入(自由卸落)混凝土料罐,再用缆索起重机将料罐吊运至浇筑地点浇筑,最大运距为600m。全部运输时间为2~5min,各个施工环节配合紧凑。

### 4.3 混凝土浇筑

一个坝块的高度为2m,混凝土分为50cm厚度的料层往上浇筑。施工时特别注意了摊料、推料和捣实。为此采用了一些小型的履带式推料机在仓内摊料推料。此外,在与模板和相邻坝块的接触面上,要把上面一些大块石用手工捡出来,这样才能保证浇完后的接触面保持平整,避免产生裂缝。在振捣方面,采用履带式振捣器的方法进行振捣,也采用了一些较大型的手动操作的振捣器($\phi$140mm)作补充振实。

### 4.4 养护

混凝土养护先从冲洗仓面开始,要将受浇混凝土的接触面冲洗干净。冲洗时间要掌握得当,冲刷过早,软管高压射流不仅会使骨料刷开暴露出来,而且会将水泥大量冲走。而如冲洗时间过晚,则要将骨料冲刷干净就得花费很大气力。现场试验表明,如果混凝土的抗压强度为1.0~2.0N/mm$^2$,则需求助于高压射流设备,其水砂混合液的压力应为15MPa,这一压力将不致使水泥产生大量损失。

在接着浇筑下一个料层混凝土之前,粗糙的混凝土面应保持湿润,防止干涸。同时,在拆除模板以后,还要向浇筑块侧面喷水使之保持湿润。在夏季,喷水可以取得一定的冷却效果,防止混凝土受阳光照射后温度升高。而在冬季,喷水有时也可保护混凝土抵御过冷的气温。通过下面一组情况,可以看出这样做的一些效果。

位于坝体右侧的"先浇仓块",它们比左侧仓块要提前浇出很大一段高度;它们两者之间的仓缝接触面将有8m高度被置于大气影响之下,这并不是不正常的。

在这一段浇筑施工期间内,曾实测到气温在数小时内骤降到15~20℃的情况。由于气温的这种剧降,一股强风袭来,掠过塔吊,风速很高,导致混凝土表面温度骤降和干涸。这样就在上述没有保护的仓缝接触面上形成了所谓的拱坝的"面壳裂缝";此时由于浇筑块内部温差过大,从而在浇筑块的中部也形成了裂缝。由于这些裂缝均位于接缝面之上，它们是可以在今后进行接缝压力灌浆时得以闭合的。

## 5 附加影响

### 5.1 施工程序对裂缝的影响

在奥马皮纳尔拱坝工地，施工是按整年来考虑的，即在一年中施工不停顿，工地气温的变化范围通常为0～50℃。在奥马皮纳尔拱坝坝址处，刚拌和的混凝土料温度在浇筑后48～61小时达到了最高值，而后逐渐降下来。如果就在这个时间开始下一料层的混凝土浇筑，则新拌和的混凝土发热将会增加。但是，两次浇筑之间的时间间隔不宜太长，以免影响新老混凝土水平层面之间的胶合，也可防止混凝土过度冷却。

在浇筑现场，各浇筑块之间的浇筑时间间隔对一般浇筑块来说为3天，边缘的浇筑块为5天，时间长一些的原因有时是由于工程量情况决定的。

边缘坝块所以要求有较长的浇筑时间间隔，是因为它们紧靠岩石妨碍了热量的发散。此外，在浇筑混凝土时要特别注意混凝土与岩石之间的结合界面，因为这里有坝体的反作用力传递给岩石，而无裂缝则是传递力的先决条件。

### 5.2 冷却系统

作为一种补充措施，在每次浇完2m厚的混凝土块以后在仓面上埋设冷却水管。冷却水管是直径为20mm的薄壁钢管，以环路的形式铺设。这些冷却水管由一些直径5cm的竖管供水，供水管全部通过坝内廊道穿过坝体，它们的间距为20m。

安装冷却水管的目的是要防止其下部的浇筑块升温发热，并削减新浇筑块的水化热峰值。安装这种冷却水管，不论在时间上还是在费用上代价都是比较高的，而且供水时需要消费大量的电力，而其效率不易确定。有许多因素，如水温、流速、水量、水压，管路损失等，都对冷却效果有影响。与冷却新混凝土拌和料相比，这种对浇筑后的混凝土施行冷却的做法其效率要低得多，只能降温2℃左右。

但是，埋设冷却水管对施工后期坝体竖缝灌浆来说是非常需要的，因为有了冷却水管后就可以在灌浆前将混凝土的温度先降低到坝体最低运行温度以下再灌。采取这种做法，接缝的开度在随后的时间里将会得到保护。此外，通过对坝体进行冷却而后对其接缝进行灌浆，可对拱坝坝体起到施加预应力的作用。这样做可使随后可能出现的拉应力有所减小，使裂缝发生的几率减至最小。上述对拱坝施加预应力的情况是从坝底到坝顶，从左坝肩和右坝肩到拱坝坝体的中部。整个拱坝坝体的灌浆分为一期灌浆和二期灌浆。一期灌浆在水库蓄水之前完成，而二期灌浆只是在后期出现渗漏的情况下才会实施。灌浆采用水泥与水(按2:1比例)混合浆进行灌注，应使浆体收缩量减至最小。

## 6 质量控制

### 6.1 混凝土试验

欲使混凝土符合前面所述的各项要求，必须在现场实施质量控制，其中包括对水泥和水进行分析、对骨料进行筛分试验和确定其级配曲线、对各种掺合料和附加剂及混凝土料进行试验，并对试件做抗压和抗弯试验。所有这些试验应当定期进行，根据所浇混凝土的数量和其他有关因素而定。为使混凝土质量平稳，应对试验检查结果认真记录备案，要结合试验检查结果及时调整混凝土料配比。最终目的就是要使所浇筑的坝体混凝土质量均匀，使作用力通过各横断面均匀地传递到基础岩石上。

### 6.2 混凝土的浇筑

控制新老混凝土接触面的结合质量是最重要的。在这两者的接触面上应当凿出合格的粗糙面，并应将其上的杂物清洗干净。在将混凝土浆体摊铺以后，应先用肉眼对即将摊开振捣的混凝土料进行直观检查，检查中要特别注意浆体的稠度，它要比湿土料更硬实一些，必要时检验配比中有无错误。

要根据气候条件的变化,如强阳光照射、刮风、下雨等,进行检查校正。还应当注意到,混凝土的铺筑一般都是从下游侧开始推进的,为的是怕混凝土料中断供应时(即某些关键设备出故障时),浇筑作业随时有可能停下来,到时不致在外露表面上产生混乱和错位。

在摊开混凝土料时,要防止大块骨料与小块骨料分离扎堆,要有充分时间将摊料工作做好。混凝土振捣也是这样。振捣器沉入混凝土内的各点,不要像地面湿混凝土那样间距过大,对影响半径要作出计算。为使各料层之间充分胶结,对渗入深度也要进行观测。总起来说,最重要的是,各个仓面的循序作业应有充分的时间、足够的设备,以及充足的劳动力。为此,应有一个独立的检查机制来保证质量合格是特别重要的。

# 硅粉在挪威弗尔瓦斯大坝中的使用

[挪威] I. 博尔塞斯

**摘　要**：硅粉是硅铁厂的副产品。目前，硅粉的独特用途已经开始显现出来，在水泥和混凝土工业中，硅粉已被证明是一种有价值的材料。

硅粉是由极细小的球状非晶体颗粒材料所组成，其颗粒直径为0.05～0.5μm。$SiO_2$ 的含量通常达到85%～95%之间，其余成分为氧化铝、铁、石灰和碱。

硅粉能改善新拌和的和硬化后的混凝土的特性。这是由于硅粉具有微充填料作用和火山灰效应。硅粉的使用量通常为水泥用量（重量）的5%～10%。它所发挥的作用是与减水剂的使用紧密相关的，以保证硅粉颗粒均布于水泥浆之中。

本文介绍了硅粉使用于挪威弗尔瓦斯拱坝和重力坝段中的情况。硅粉通常要与粉煤灰、水泥一齐使用，三者比例是水泥熟料:粉煤灰:硅粉为70:23:7。三者在每立方米混凝土中的总量分别为215kg(对坝面混凝土)和160kg（对坝内混凝土）。

在最大温升为20℃的条件下，坝面和坝内混凝土立方体试件的91天抗压强度值分别为46MPa和40MPa。

通过改善新拌制混凝土的特性并采用水泥当量系数为3时，使用硅粉可以降低混凝土的温升值。掺用硅粉还可稍稍提高抗拉应变的能力。使用硅粉还有助于提高混凝土的胶结强度、抗渗性和抗冻能力。

结论是对大体积混凝土来说，使用硅粉在经济和技术上都是可行的。

## 1　引　言

本文介绍硅粉的性质及其在新拌和混凝土和已硬化后混凝土中的效应和作用，以及挪威弗尔瓦斯(Forrevass)大坝为改善坝体混凝土特性和减少混凝土开裂而使用硅粉材料的情况。

弗尔瓦斯坝位于挪威的西南部，是挪威国家电力局所属乌拉弗尔(Ulla-Forre)工程的一部分。该项工程包括三座容量达200万kW的水电站，年总发电量为44亿kW·h。

在建(1985年)的大坝共四座，其中弗尔瓦斯坝是一拱坝与重力坝混合坝型，另两座为冰碛土心墙堆石坝，第四座是沥青混凝土心墙堆石坝。

挪威弗尔瓦斯拱坝的最大坝高为95m，顶长180m，顶厚15m。与其毗邻的两侧重力坝段的最大坝高为35m，顶长1 100m。混凝土总方量25万$m^3$。

## 2　硅　粉

### 2.1　硅粉材料的产量与特性

硅粉是硅铁厂的一种副产品。直到不久以前，硅粉还一直被认为是一种废料而被大量丢弃。而现在发现它具有独到的特性，它已被证明是水泥与混凝土工业中的一种很有价值的材料，它的价格也不昂贵。不过，市场价格也反映出硅粉材料的良好特性，它的销售价格最高可比水泥价格高出100%。

挪威是世界上硅粉材料的最大生产国，它1985年的产量估计达到15万t。1978年起，硅粉材料即被挪威积极倡导使用于混凝土材料中，而现在硅粉已被广泛用于各种不同的目的。

硅粉材料是由极细的非晶体球形颗粒料所组成，颗粒直径一般为0.05～0.5μm，从氧化炉中的

本文原载《第15届国际大坝会议·主题57》，1985年。

SiO 气体到空气中被氧化成 $SiO_2$,冷凝并经过过滤后收集为粒状物。硅粉有多种名称,如微硅、硅尘、硅粉和冷凝硅粉等。

硅粉材料的化学成分随所生产的硅铁合金种类的不同而不同。其中 $SiO_2$的含量一般为 85%~95%,其余成分为矾土、铁、石灰和碱。硅粒基本上是非晶体的,但它可含少量的硅铁合金和晶体硅。

硅粉的体积密度较低,很难搬运和输送。因此,一般是在压密状态下,或含 50%硅粉的水浆状态下使用。它的密度为 2 200kg/$m^3$。经过过滤的硅粉(烟粉)其干容重约为 200kg/$m^3$ 左右;压密后的硅粉材料为 650kg/$m^3$。每立方米浆液可夹带 700kg 左右的硅粉。

硅粉能改善新老混凝土的性能。硅粉是可以先在水泥厂内与水泥一起干拌和后提供使用的。但由于水泥与硅粉混拌后在搅拌和运输过程中存在一定问题,所以通常是将硅粉直接投放到混凝土拌和设备中使用。硅粉的掺用量一般是水泥用量的 5%~10%。作为专门用途,可以用到 20%。

硅粉主要是起微细填料的作用和火山灰的效应。与水泥颗粒相比,硅粉的粒度仅为水泥的 1%。由于它颗粒非常细微,所以能够改善混凝土颗粒级配的组成,它在水化物中常居于核心的地位,可以使浆体的密度增加。由于它的颗粒是非晶体的,且比面积极大,因而能够发挥出火山灰的效应。在有水分存在时,硅粉能与氢氧化钙再次反应生成胶结性的硅酸钙水化物。

硅粉的上述效应与减水剂的使用紧密相关。为了使硅粉颗粒能够散布在水泥浆中,考虑这种情况是非常重要的。

### 2.2 硅粉在新拌和混凝土料中的作用

硅粉在新拌制混凝土中主要是起稳定作用,使用硅粉后总的趋向是泌水和分离现象有所减弱,而凝聚力有所增强。就坝工混凝土来说,上述使用硅粉改善特性的情况表明,硅粉对水下混凝土施工、混凝土的泵送,以及喷混凝土施工方面都是有益的。

在一定的稠度下,使用硅粉会降低混凝土的和易性并要求增加一部分捣固工作量。如果必要,可以使用较低刚度混凝土,从而能够消除增加的捣固工作量。由于硅粉会减少泌水现象和分离作用,这样做是完全可能的。

使用 5%以下的硅粉,对混凝土拌和料的用水量的影响较小。硅粉用量越高,用水量越大。然而,这样做需要以多用减水剂来进行补偿。

掺用硅粉后的混凝土,则其表面对收缩性裂缝的发展比较敏感,如果混凝土表面早期比较干燥。因此,应尽量防止掺硅粉混凝土表面干燥和蒸发。通常需要使用足量的养护剂,但在炎热天气下建议使用喷水方法进行养护。

### 2.3 硅粉对已硬化混凝土的作用

使用硅粉可以增加混凝土的强度、耐久性和抗渗性。普通混凝土抗压强度与水灰比之间的关系,对掺用硅粉的混凝土而言,水灰比 $W/C$ 则要用 $W/(C+KS)$ 来代替。式中,$W$ 为水量;$C$ 为水泥量;$S$ 为硅粉量;$K$ 为水泥当量系数。

这里的 $K$ 是指为取得相同强度值可以使用硅粉取代水泥的量值。对于水泥用量为 300kg/$m^3$ 的 28 天抗压强度(在相对湿度为 100%、温度为 20℃的养护条件下)的混凝土来说,水泥当量系数应为 3 左右。

多项研究表明,这一系数值随龄期增长而增加,并随水灰比($W/C$)中水泥用量的增加而减少。当养护湿度低于 100%时,该项系数值将有所下降。

从一般的强度水平来说,抗拉强度与抗压强度之比、抗压弹模 $E$ 和抗压强度之比,以及拉应变量等,硅粉混凝土与一般普通混凝土近似。但前者的胶结强度显著增加。

即使对掺硅粉混凝土作了充分养护,但时间一长它也会产生干缩情况,这与普通混凝土没有什么两样。掺用硅粉会减弱水泥浆的抗渗性,但却会增加它的耐久性,包括抗冻性和抗碱硅反应的性能。

与硅的化学反应会减小混凝土中的氢氧化钙含量和 pH 值。曾经引起人们担心的是,这会不会加大碳化作用率和加重钢筋的腐蚀。但现在人们已经相信这种情况是不会发生的。由于含硅粉浆液密度加大,扩散速率减小,碳化作用速率也会减慢,从而可以对钢筋起到保护的作用。

水泥浆体中硅粉水化作用的比热与普通混凝土相仿。但是,由于硅粉的水泥当量系数为3左右,因此硅粉在低热混凝土的配比设计中是有一定作用的。

# 3　硅粉材料在大体积混凝土中的运用

## 3.1　硅粉在弗尔瓦斯大坝的运用

弗尔瓦斯坝采用一般的设计标准和施工方法。坝体1982年开始浇混凝土,1986年竣工。水库于施工期内开始蓄水,坝体的施工进度部分由与该水库另外同时施工的堆石坝体的进度来确定。

该坝的标高为1 050m。坝址区的年平均气温为0.5℃,年平均降水量2 500mm。在这样的气候条件下,施工季的开始时间定于4～5月,到11月份大风降雪季节停工。混凝土的浇筑时间为6～10月。

因水库蓄水需要,坝缝灌浆工作于坝段混凝土浇完后的5～10月的早春季节开始,接缝灌浆时的混凝土温度为2℃,这一温度也是坝体在今后运行时的平均温度。

由于夏季浇混凝土时气温一般可能会在15℃以上,因而施工期间出现的温度差可能相当大,有开裂问题存在,即使是在寒冷季节,也要准备好足够的裂缝控制措施,主要包括减少混凝土温升的措施。而对于弗尔瓦斯坝来说,使用硅粉就是一项重要的措施,即在每立方米混凝土中使用15kg硅粉来取代50kg水泥。

据此所做的观测表明,弗尔瓦斯坝迄今为止尚未发现裂缝,只在河谷底部的坝基处有过少量的裂隙。

## 3.2　混凝土材料的各种成分

该坝的全部骨料都是经过碎筛加工的片麻岩石料。主要是将从料场开采的石料运到碎筛场进行破碎加工和筛分,在设备中包括一台专用的Rheax型水力分料机。

水泥是由挪威Norcem水泥厂提供的,它是由75%的普通混凝土硅酸盐熟料与25%从丹麦进口的粉煤灰拌和的混合水泥料。目前,在挪威生产的标准水泥中粉煤灰的含量为10%。该厂为弗尔瓦斯坝专门生产的大坝水泥,主要是适当提高了粉煤灰的含量,并稍稍减小了水泥中的细粒材料。它的特定水化热相当于美国材料试验学会(ASTM)标准中的Ⅱ类水泥。

挪威的硅粉是由Tinfos Jernverk厂家生产的,它是一种密实料,是从硅铁合金生产过程中收集到的,产量约为硅铁合金材料的75%,而在它当中$SiO_2$含量占90%。按照挪威标准的要求,硅粉的含量只应占波特兰熟料含量的10%,其中熟料:粉煤灰:硅粉三者的比例为70:23:7。硅粉运到弗尔瓦斯坝址处的成本与粉煤灰水泥差不多。

施工时使用了木质硫酸盐作为减水剂,用树脂作加气剂。

## 3.3　硅粉混凝土的配比设计

对于一个1.5m厚的表面混凝土层来说,骨料的最大尺寸采用60mm,而坝体内部混凝土的最大尺寸为120mm。小于0.04mm的细骨料,用Rheax分料机筛除掉。

骨料、粉煤灰和硅粉的级配比例接近于下式的曲线:

$$P = 100 \times \left(\frac{d}{D_{100}}\right)^{0.4}$$

式中:$P$——通过孔径为$d$的过筛百分比;

$D_{100}$——骨料最大尺寸。

这是采用矿物骨料时具有最小空隙的标准密级配。所有掺用硅粉的混凝土都使用加气剂。使用粉煤灰和硅粉一般采用高剂量,以便使坝内混凝土的掺气量能达到1.5%,而表面混凝土则要达到

4%。减水剂使用剂量为每立方米混凝土 3L，稠度为 10～15 维秒（vebeseconds），用水量坝内混凝土每立方米为 100L，坝面混凝土每立方米为 105L。

水泥、粉煤灰、硅粉混合材料的用量，坝内混凝土为每立方米 160kg，坝面混凝土为每立方米 215kg。（水＋气）/水泥比，坝内混凝土为 0.63，坝面混凝土为 0.59。

### 3.4 硅粉混凝土的特性

新拌的掺硅粉混凝土泌水性很小，分离现象也少。浇完混凝土后用 6 个 150mm 的液压振捣器（装在推土机上）进行振捣，使其达到 0.5m 料层厚度。

由于木质硫酸盐的使用剂量较高，混凝土凝结时间可达 16～24 小时。挪威法规不允许在夜间进行混凝土施工。由于凝结时间长，可以使后续混凝土的浇筑施工时间等到第二天早晨再开始，而不会产生任何冷缝问题。

现将硅粉混凝土的抗压强度值列于表 1。

**表 1　　掺硅粉混凝土立方体试件的抗压强度**

| 龄　期(d) | 坝内混凝土(MPa) | 坝面混凝土(MPa) |
|---|---|---|
| 7 | 16 | 24 |
| 28 | 30 | 36 |
| 91 | 40 | 46 |

由于掺硅粉混凝土具有早期强度，因而可以将其用做施工悬臂模板的锚定混凝土，并可使 3m 厚的上方混凝土料层的浇筑工作在 3 天之内完成。所浇混凝土 28 天的平均劈裂强度为 3.5MPa，弹性模量为30 000MPa。长期荷载作用下的抗拉应变能力从 0.15% 左右提高到了 0.25% 上下。

作为度量劈裂强度指标的胶结强度，其方向与水平冷缝方向相正交，这一强度与混凝土本身的抗裂强度是一致的。浇完混凝土 10 天以后达到最高温度，温升值为 20℃。对新拌制的混凝土，采用碎冰块单独投放到拌和机中去对材料进行冷却，通常可使新拌和混凝土的温度保持在 10℃ 以下。

## 4 结　论

挪威弗尔瓦斯混凝土坝在采用波特兰水泥熟料：粉煤灰：硅粉三者比例为 70:23:7 的条件下，使用硅粉的效果可以表述如下：

在混凝土最大温升值为 20℃ 时，坝内和坝面掺硅粉混凝土的立方体试件 91 天的实测抗压强度分别为 40MPa 和 46MPa。

使用硅粉后改善了拌制混凝土的特性，使它的水泥当量系数达到了 3，混凝土的温升值得以降低。使用硅粉还可以稍稍增强混凝土的抗拉应变的能力。上述综合效应，可以减小开裂的风险。

与只采用粉煤灰水泥的混凝土相比，掺用硅粉的混凝土将会增强其早期强度。这样可以节约部分施工经费，因为下一料层的浇筑时间 3 天以后就可开始。

掺硅粉的混凝土具有很高的抗渗性和抗冻强度，且两个 3m 厚浇筑料层之间的胶结强度很高，从而减小了以往沿结合缝渗水的风险。

只要能够做好振捣和养护工作等补充措施，就不会再产生其他问题。使用硅粉对大体积混凝土，不论在经济上或是在技术上都被认为是可行的。

# 对 20 座拱坝损坏现象的探讨

［瑞士］ M.赫尔措格

**摘　要**:本文描述了六个国家 20 座拱坝的各种损坏现象及其形成过程,通过分析比较得出一些共同的特征,从而得出拱坝设计的一些重要准则。

## 1　引　言

五座拱坝出现的意想不到的破坏:

1924 年,美国科罗拉多州 15m 高、92m 长的马尼图圆筒形坝,由于混凝土质量很差而遭到破坏[1]。

1926 年,美国爱达荷州邦纳斯费里地区莫伊河上 16m 高、47m 长的莫伊圆筒坝,由于左岸受浸泡的层状岩石中的木质溢洪道被冲刷而破坏。

1926 年,美国北罗来纳州沃恩河上 19m 高、72m 长的莱克拉尼尔圆筒形坝,由于一块未曾认识到的、直径为 12m 的冰碛石周围的缝隙充填物被冲蚀而破坏。无论是莫伊大坝还是莱克拉尼尔大坝在水库泄水之后还基本完好[2]。

1930 年,美国加利福尼亚州圣马特奥镇普里西马河上一座 12m 高、31m 长的圆筒形坝,在第一次蓄水时由于坐落在松动片岩上的 1.2m 厚的坝脚位移而破坏[3]。

1959 年,法国瓦尔省雷朗河谷上 66m 高、222m 长的等中心角拱坝马尔帕塞大坝,在第一次蓄满水时,由于坐落在隐藏裂隙的片麻岩上的左岸拱座很大一部分岩体支承发生位移而破坏[4]。

拱坝的破损成为带有很大潜在危险的根源,同时,引起了公众的关注。正如经验表明,对于拱坝来说,最大的危险始终潜伏在地基中,一是由于地质构造,二是由于过大的荷载所致。下面将对 20 座拱坝的破损情况进行分析(表 1)。

## 2　阿罗罗克(Arrowrock)

1911～1915 年期间建于美国爱达荷州鲍斯河河谷的花岗岩上,这座坝高 108m 的重力拱坝,系当时世界上最高的拱坝。大坝下游坡比为 1∶0.64,上游为 1∶0.80,断面形式与重力坝相同。上游面半径 190m。为了减小混凝土发热量,采用了水泥粉砂混凝土,以等份重量的标准硅酸盐水泥和用花岗岩磨细的砂制成。这样,大坝混凝土中(其中埋设一人大小的岩块占大坝方量的 25%)的水泥含量减小约 38%。水化热因此有所减小,混凝土冷却后裂隙也随之减少。在这座坝中,美国垦务局首次采用防渗帷幕,并在其下游布设了排水孔。大坝按一定距离设伸缩缝[5]。但从长远的观点看,水泥粉砂混凝土多孔且不抗冻。因此,1937 年在大坝下游面加设护层,但护层于 1950 年又出现了严重的裂隙[6]。

## 3　帕科伊马(Pacoima)

这座 1926～1928 年建于美国圣费尔南多(加利福尼亚州)附近帕科伊马河上的等角拱坝❶,坝高

---

本文原载德刊《Bautechnik》1990 年第 12 期,王敏译,王浩校。

❶　对称拱坝——校者注。

113m,坝顶长180m。大坝用于防洪和灌溉。窄峡谷主要由片麻石英闪长岩—圣卡普利尔(San Gubril)岩体,一种与花岗岩相似的岩石构成,裂缝间距一般不超过1.2m,左岸呈明显的系统裂隙,走向由SSW到NNE,倾角为85°。故在大坝左侧下游设置了一个较低的重力墩,同时,大坝施工也比最初设计降低了3m。另外,在大坝左坝肩施行了30~40m深的钻孔水泥灌浆。1967年和1968年进行的试验表明:过去40年间,混凝土抗压强度由17.9MPa增至33.8MPa,大坝没有风化破损。同时发现左岸有一些剪切面,在地震情况下稳定性可能会出现问题。

**表1　　所研究的20座大坝数据一览表**

| 序号 | 坝　名 | 国家 | 建设年份 | 坝高 $H$(m) | 坝顶长 $B$(m) | 坝顶宽 $t_O$(m) | 坝底厚 $t_W$(m) | 混凝土方量 (m$^3$) | 岩石种类 | 发现损坏的时间 (年·月·日) |
|---|---|---|---|---|---|---|---|---|---|---|
| 1 | 阿罗罗克 | 美国 | 1912~1915 | 108 | 351 | 4.9 | 68 | 434 000 | 花岗岩 | 1937、1950 |
| 2 | 马尼图 | 美国 | | 15 | 92 | | | | | 1924 |
| 3 | 莫伊 | 美国 | 1924 | 16 | 47 | 0.6 | 1.6 | | 石英片岩 | 1926 |
| 4 | 莱克拉尼尔 | 美国 | 1925 | 19 | 72 | 0.6 | 3.7 | | 花岗岩 | 1926 |
| 5 | 帕科伊马 | 美国 | 1926~1928 | 113 | 180 | 3.2 | 30.5 | 173 000 | 花岗岩 | 1971.2.9 |
| 6 | 施皮塔尔拉姆 | 瑞士 | 1926~1932 | 114 | 258 | 4.0 | 64 | 340 000 | 花岗岩 | 1934、1945、1970 |
| 7 | 科珀贝森 | 美国 | 1936~1938 | 64 | 78 | 1.5 | 10.7 | | 砂岩 | 1942~1952 |
| 8 | 盖洛斯 | 奥地利 | 1943~1944 | 39 | 69 | 3.0 | 8.0 | 10 240 | 石英片岩 | 1962 |
| 9 | 马尔帕塞 | 法国 | 1952~1954 | 66 | 222 | 1.50 | 6.82 | 48 000 | 片麻岩 | 1959.12.2 |
| 10 | 卡布里尔 | 葡萄牙 | 1952~1954 | 135 | 292 | 4.5 | 18.7 | 364 000 | 花岗岩 | 1956 |
| 11 | 加吉 | 法国 | 1953 | 41 | 153 | 1.30 | 2.57 | 6 500 | 花岗岩 | 1960~1964 |
| 12 | 曹齐 | 瑞士 | 1954~1956 | 156 | 256 | 8.0 | 25.6 | 300 000 | 麻姆统石灰岩 | 1978 |
| 13 | 采夫赖拉 | 瑞士 | 1953~1957 | 151 | 504 | 7.0 | 35.0 | 626 000 | 片麻岩 | 1960 |
| 14 | 托拉 | 法国 | 1959~1960 | 90 | 120 | 1.50 | 1.85 | 12 500 | 花岗岩 | 1961 |
| 15 | 图莱斯 | 瑞士 | 1960~1963 | 85 | 460 | 4.5 | 20.6 | 255 000 | 副片麻岩 | 1968 |
| 16 | 施塔玛丽亚 | 瑞士 | 1964~1968 | 117 | 560 | 8.0 | 20.7 | 654 000 | 花岗岩 | 1969 |
| 17 | 施莱盖斯 | 奥地利 | 1967~1971 | 131 | 725 | 9.0 | 34.0 | 960 000 | 片麻岩 | 1972 |
| 18 | 柯恩布赖茵 | 奥地利 | 1974~1977 | 200 | 626 | 7.6 | 37.0 | 1 580 000 | 片麻岩 | 1978 |
| 19 | 罗德埃尔斯堡 | 南非 | 1979~1981 | 72 | 272 | 3.62 | 9.14 | 100 000 | 石英砂岩 | 1983 |
| 20 | 兹勒格伦得 | 奥地利 | 1980~1985 | 186 | 506 | 6.7 | 42.0 | 1 373 000 | 片麻岩 | 1987 |

1971年2月9日早晨6时,圣费尔南多发生了里氏6.6级地震,震中位于帕科伊马大坝以北6.4km处,使褶皱推移深达13km的横切大坝滑动面深4.8km,在这次地震中,有63人丧生,并造成了很大的财产损失。地震时,帕科伊马水库位于坝顶下45m高程处,大坝以上15m处小的岩石台地上距左岸支墩37m处布设的强震仪显示的地基地震加速度为:水平分量1.25$g$,垂直分量为0.7$g$,地震持续时间为8s。据估计,左岸支墩范围内原有岩石裂隙对测定值有不小影响,可能值在0.6~0.8$g$之间[7]。

震后对帕科伊马大坝及其周围进行的认真测定发现:整个圣卡普利尔岩体升高1.3m,并向WS方向位移2m。坝顶高程处河谷缩窄24mm❶,同时,河谷横轴旋转30弧秒❷,并绕着纵轴旋转、右岸支墩较左岸下沉17mm。

大坝惟一可见的损坏是拱坝与左岸重力墩之间6.4~9.7mm的接缝张开,裂隙深达坝顶下13.7m处。左坝肩岩石受到了很大破坏。为了保证再发生地震时的安全稳定性,向岩石打入了35根

❶ 相当于拱坝弦长缩短——译者注。

❷ 弧秒——德制,1弧秒=1/10 000弧度。

直径13mm,长40～60m,28根一束的岩锚。所有裂缝都得到了彻底灌浆。1978年达到了修复后第一次最高壅水位。

假如河谷缩窄处再次出现同样大的河谷扩宽,那对大坝的损害将是相当大的。

## 4　施皮塔尔拉姆(Spitallamm)

这座114m高的圆筒拱坝于1926～1932年建于瑞士Aaremassivs花岗岩中,主要用于发电。大坝上游坡比为1:0.1,下游坡比为1:0.5,三角形的大坝断面与直角形重力坝稍有不同。流态混凝土水泥含量为190kg/m$^3$。在大坝上游面用300kg/m$^3$水泥的混凝土做了3～4m厚的护面[8]。由于当时大坝混凝土工艺还处在初始阶段,1928年尝试着在坝底进行64m无纵缝、30m宽的坝段浇筑,结果,在大的坝段上出现了众多裂缝,1929年坝段宽度改为15m,1930年在水位1 887m以上进行了坝段宽度仅为7.5m的浇筑。从1929年起,对上游高水泥含量的护面设置了环形缝(槽),它将护面与大坝不规整部分隔开,这个槽两年后再被浇筑上混凝土。1930年和1931年,当下游坝段接缝浇筑一半时,水库蓄水位就已达到1 891m(离设计壅水位仅差18m)[9]。另外,水泥的水化热在浇筑后散放了12年。

在这一施工过程中,施皮塔尔大坝未成为一个整体结构是不足为奇的,确切地说上游护面是独立存在的,它对于大坝的承载力来说没有什么意义,因为大坝其他部分没有护面的共同作用也能承受水压力和温度变化应力。由于下游冰冻损伤,1939年铺设了一层花岗岩板。1948年用100m$^3$的灌浆材料(154t水泥)进行了接缝槽的压力灌浆,灌浆量这样大是由于选择的灌浆压力过高,上游修复因此失败。1971～1977年,不得不在原处浇筑混凝土块体来替代破坏了的施皮塔尔坝上游面。

## 5　科珀贝森(Copper Basin)

这座64m高的科珀贝森大坝与1936～1938年期间修建的48m高的Gene Wash大坝以及98m高的Parker大坝一样,都用于洛杉矶市的供水。三座大坝的混凝土配料都利用比尔·威廉斯河道的骨料,以后的试验表明:河道的沉积物与水泥的强碱起反应,所使用的水泥具有较高的强碱含量,它在潮湿的情况下与骨料结合而形成一种硅酸盐胶体,致使混凝土体积缓慢持续地增大。科珀贝森大坝浇筑工作于1938年5月10日结束,1938年12月3日完成接缝灌浆,1939年1月29日水库开始蓄水。1939年3月3日水库蓄满水时发现:坝顶向下游径向位移6mm,后来又变为向上游径向位移,1942年10月已达到60mm,1952年夏共增加至140mm,此后再没有观测到向上游面径向位移的增大。1940～1950年所钻取的岩芯表明:抗压强度和弹性模量没有明显的减小[6]。

## 6　盖洛斯(Gerlos)

第二次世界大战期间,1943～1944年在Opferstock峡谷的坚硬石英片岩中修建了瑞士第一座等角拱坝[10]。左侧岸坡较高的范围内,坚实的冰碛沉积覆盖了岩石,必须进行1～14m深的端部嵌固处理,该处的支撑段大致使大坝成为对称的拱断面。大坝分为5个坝段浇筑,坝段接缝采用水泥灌浆。混凝土的浇捣按2m层高进行,水泥含量为300kg/m$^3$。同时进行了坝顶加固。

由于石英岩和附属的厚层石英砂岩片岩被薄层绢云母隔开[11],当大坝正常运行多年之后,20世纪60年代初在大坝下游附近发生三次岩崩就不足为奇了。这虽对盖洛斯大坝没有直接的破坏,但却有必要立即进行加固[12]。为此,在拱坝下游河床浇筑了30m长、10～14m厚的加固体和方量为15 000m$^3$的重力坝。

## 7　马尔帕塞(Malpasset)

1952～1954年,在法国地中海海岸瓦尔省费雷瑞斯北部的雷朗河谷片麻岩中修建了这座高而薄的等角拱坝[13],主要用于改善这一地区的农业用水。

1959年秋季,降水量非常丰富(10月19日~11月27日为208mm,11月27日~12月1日为154mm,12月1日~12月2日为128mm)。1959年12月2日下午(水位达到100.12m,虽距溢流堰顶还差28cm,但已超出正常水位1.62m)召开了紧急会议并决定:打开泄水底孔,此时是18时。19时30分大坝管理员观测到水位下降了3cm,后来也未有异常现象发生,管理员于20时45分离开了大坝,大约在21时10分左右,整个大坝突然发生了破坏(图1、图2)。由于拱坝基荷载平行地压缩了片麻岩层,以致全部水压力作用在其上面,使大坝包括地基沿某一深层裂隙面滑动[4],洪流使水库(库容4 800万 $m^3$)在1小时内泄空[14],弗雷瑞斯城遭到了严重毁坏,421人死亡。

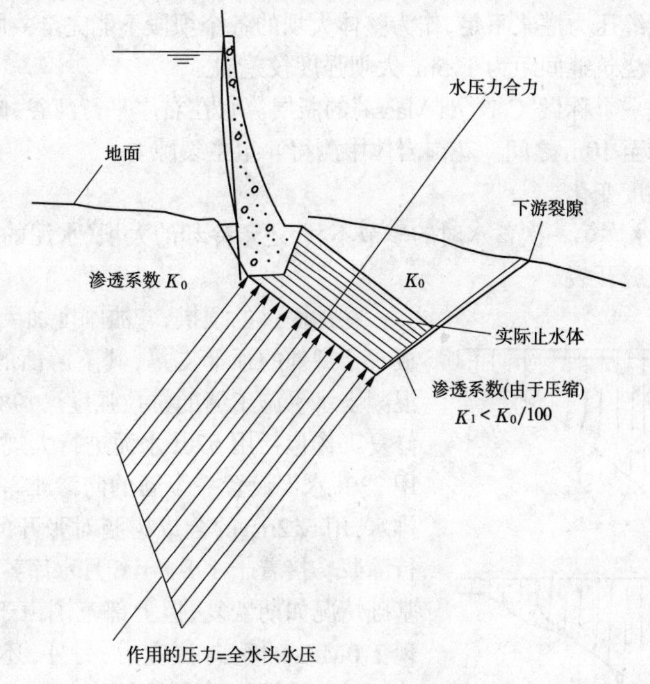


**图1 马尔帕塞大坝破坏时的基础水压力情况**

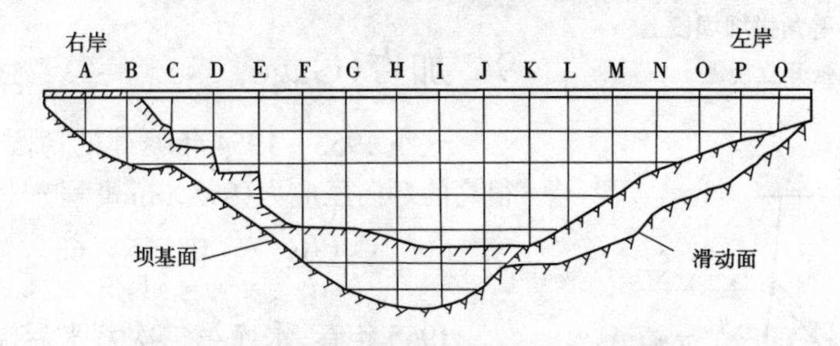


**图2 马尔帕塞大坝破坏后的下游立视图**

当时设计的等角拱坝最大环向应力在76m高程处为-5.1MPa。拱座加固后,座底岩石最大压力为-4.6MPa,大坝上游面最大拉应力,当混凝土/岩石变形模量比为 $E_c/E_r=10$,$\sigma=0.4$MPa;当 $E_c/E_r=1$,则 $\sigma=35.7/7.76-2\times5.66/6.82=4.60-1.66=2.94$MPa,从破坏图中可明显看出,由于坝基滑动,拱坝在左边坡好似打开了一道门,在右边坡则沿着距施工缝为1.5m和13.5m的坝段接缝被剪切。

# 8 卡布里尔(Cabril)

葡萄牙泽济星河上的这座132m高的等角拱坝在设计时,其斑状花岗岩基础显得非常好[15]。但是,1981 年以来进行的多次探测表明:地基有 4 组主裂隙,其糜棱岩随着时间的流逝已被渗透水冲刷。另外,右边坡大坝坝基有一明显断层穿过。1956 年水库第三次蓄水后[16],在加固过的坝顶下 20m 处开始出现了水平裂缝[17],高程 275~290m 处的混凝土浇筑层有 77 道大于 1mm 的裂隙,高程 280~288m 平面布置图的中间五分之一处发现一显然在发展着的裂缝。1954~1980 年所进行的测定表明:同一季节和水位情况下,大坝的位移在不断增加,塑性位移部分与弹性部分的一样,均为 50mm,同时,在排水道堵塞时,坝下渗水量有明显的增加。引起破坏的原因有:

(1)显著地增加顶拱的刚度。为使大坝成为重要交通道路,施工期间决定将大坝加高 2m,同时在 290m 高程加厚 4.5m,297m 高程加厚到 8.0m。

(2)由于垂向坝段接缝压力灌浆不足,作为整体大坝的各个坝段不能完全共同工作。

(3)由于混凝土水平浇筑缝间距为 1.5m,大坝强度较差。

(4)基础薄弱部分是一个称做“Caco da Massa”的断层。它在右岸平行河谷,倾角 67°,并与大坝坝基相交,其层厚在几厘米至 10m 之间。花岗岩体中测得 4 组主裂隙。

(5)坝址处有大的温度变化。

(6)1954 年 2~5 月水库第一次蓄水时的季节不利,还未冷却的大坝(水泥的水化热)遭受了温度冲击,使许多混凝土浇筑缝开裂。

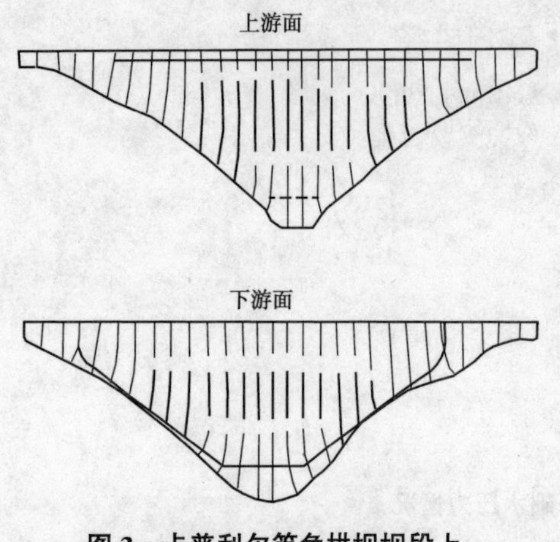


**图 3　卡普利尔等角拱坝坝段上、下游接缝张开立视图**

在加固过的顶拱,弯曲刚度加大,对垂直的悬臂梁形成一个意外的顶部支撑,其下游面的垂向拉应力超过了混凝土水平施工缝的抗拉强度。1981 年、1982 年的大坝修复工作包括用 570t 水泥进行大规模的基础压力灌浆;用 230t 水泥设置一个新的防渗帷幕及 3.1km 长的新的排水,用 5.2m$^3$ 的合成树脂对张开的坝段接缝(图 3)进行灌浆。接着于 1984 年 6 月水库蓄水时,大坝下部包括基础情况如期恢复,但上部范围由于水压力作用再次出现 2.0MPa 的垂向拉应力,另外,还存在温度变化的影响。遗憾的是修复中没有将过高的坝顶抗弯刚度减小一些。

## 9　加吉(Gage)

这座 1953~1954 年修建的薄圆筒拱坝在当时具有很高的环向压应力(995.0m 高程)[18][19]。

$$\sigma = \frac{PR_a}{d} = -\frac{0.166 \times 63}{1.3} = -8.0(\text{MPa})$$

1955 年春,水库第二次蓄水后,尽管已观测到在上游面一些平行于坝底面的裂隙,但大坝仍有伸缩性[20]。1960 年,一些水平施工缝张开,1963~1964 年其范围明显增大[21],尤其是 981.3m 高程的一条裂缝非常严重,这穿过了整个坝厚,在下游转为一条 45°倾角向下延伸的剪切缝(图 4),经多次密封处理均未成功,这一薄圆筒拱坝被一座厚拱坝所替代。但观测情况值得注意的是:上游坝踵和大坝下游大范围内的加固并没有能够阻止施工缝、水平缝的张开。

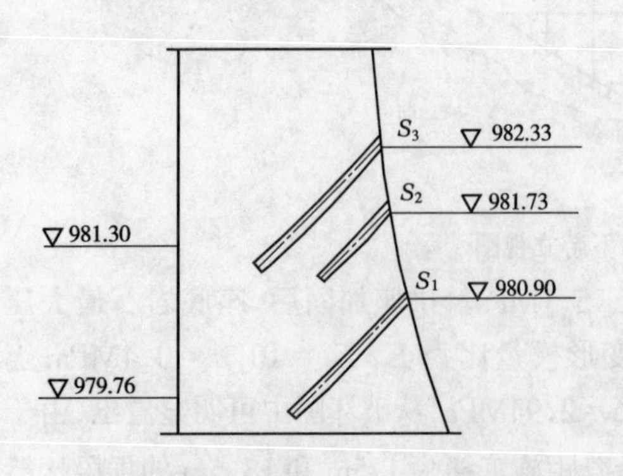


**图 4　在高程 981.3m 处由于施工缝所引起加吉薄圆筒拱坝的剪切缝**

这座薄拱坝出现裂隙是由于众多原因所致。首先是因为设计时低估了由于水压力而引起的垂向拉应力[20]:上游面为6.0MPa,下游面为4.0MPa,加上上游坝踵自重应力-1.2MPa,总拉应力仍有$\sigma=6.0-1.2=4.8$MPa,这样高的拉应力既不能传过水平施工缝,也不能传过基础接缝[22];第二是由于海拔1 000m处法国中部山岳中的薄圆筒坝的全年温度过程,当接缝温度8℃的情况下,升温12℃,降温-18℃(1962/1963年严冬),引起很大的径向位移垂向弯曲应力,在空库情况下甚至出现负值。

尽管2.1m的整个坝厚完全共同工作,由于981.3m高程处水压力产生的水平剪应力尚不及0.7 MPa,但由于施工缝的开裂增加到了2.3MPa。这一数值已超过了大坝混凝土抗拉强度。

## 10 曹齐(Zeuzier)

1954~1956年期间在瑞士瓦莱州利讷河的不对称V形谷中修建的这座等角拱坝,坝高156m。当时的环向压应力为$\sigma=\frac{0.78\times82.0}{16.0}=4.0$MPa(高程1 700m)[23]。从1957年第一次蓄水至1978年底大坝正常运行[26]。后来出现了异常变形(坝顶沉降125mm,向上游径向位移115mm,顶拱弦长缩短71mm)。变形的原因主要是计划用于排水的Rawil隧洞开挖了一条140m深的探洞,因而引起了多裂隙钙质灰岩中的地下水下降[24],大坝下游出现了环向裂隙(意大利一大坝设计者本想在这里设置周边缝),上游面拱顶范围出现了五条垂向坝段接缝的开裂(图5)。由于河谷断面缩窄,原来嵌固拱形成了三铰拱,相应于大坝向上游的径向位移而产生了几道穿过坝脚的平行斜缝(图6)。当将地下水排走,裂隙的形成稳定以后,对各种裂缝进行了环氧树脂灌浆[25],接着谨慎地进行了水库蓄水,第一次满库蓄水于1988年实现。

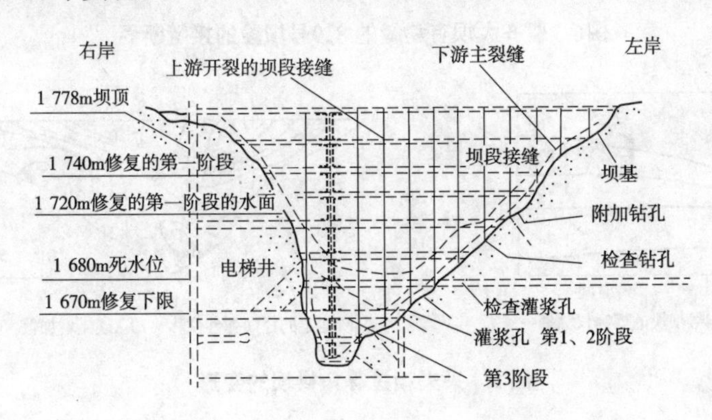


**图5 曹齐等角拱坝裂隙上游立视图**

## 11 采夫赖拉(Zervreila)

1953~1957年间修建的坝高150m、坝顶长504m的这座等角拱坝的特点是:右岸(至少是表层)的结晶片麻岩较之左岸具有很严重的裂隙。因此,这就不仅在防渗帷幕的水泥需用量上(右岸95 $kg/m^2$,左岸50$kg/m^2$),而且在地震地质测量的动态变形模量的大小上(右岸18 500~27 000MPa,左岸45 000MPa)有所不同,1960年,在右岸就发现了一些坝段的灌浆接缝张开,8、9号坝段尤为严重。当水位降至1 800m及1 750m的死库容水位时,8、9号坝段不仅出现切向开裂而且出现径向位移,自1960年起,变形不断增大。这样,20年后,径向相对位移增加了8mm ,切向开裂增加了2mm。

由于右岸的柔性较大,位于开挖岩石凸起曲面之上的第8、9号坝段就出现了切向开裂,8、9号坝段径向位移不是由于建筑基础性质,而是由于坝段高度不同(8号坝段平均高度54m,9号坝段平均高度88m)所致。从摆锤仪测量中得出:自1956年以来在主要断面上(14号坝段)所存在的径向位移不断增大(图7)。其最大值已超过1957年第一次测定的80%。假如大开挖基岩,8、9号坝段范围内不利的基岩岩石外形(凸出的曲面)可能会避免。

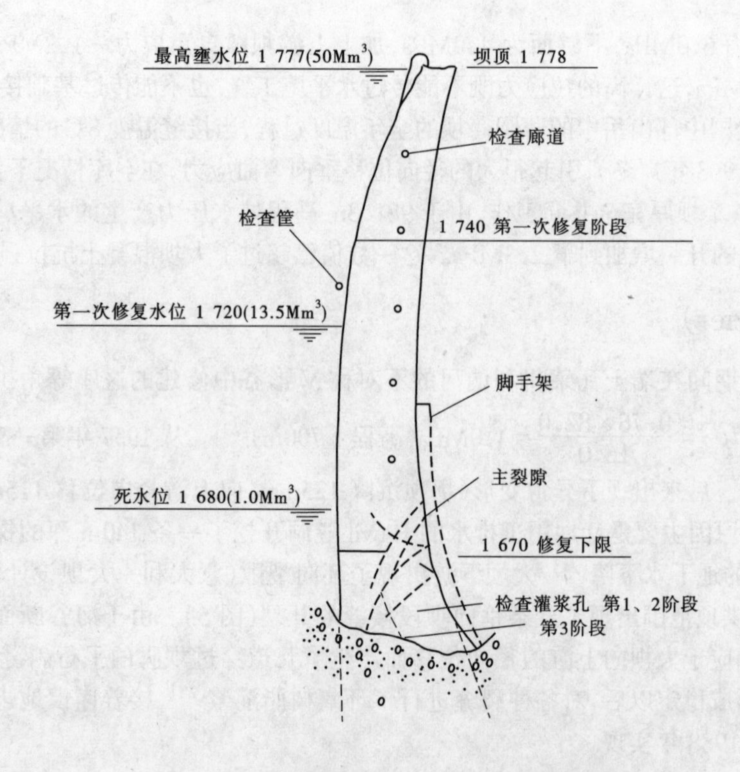


图6　曹齐大坝有斜缝的8、9号坝段的接缝断面

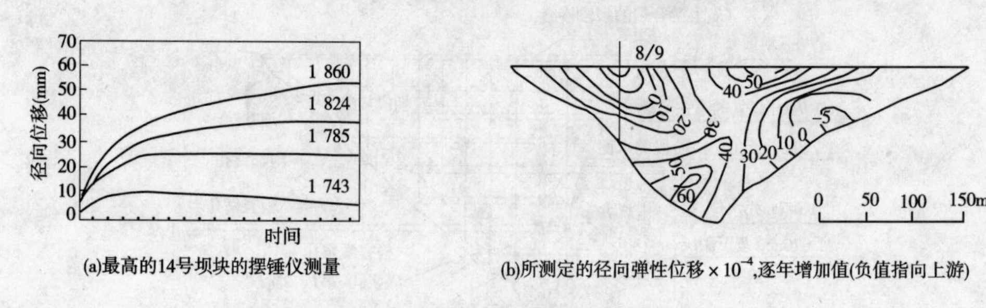


图7　采夫赖拉等角拱坝的变形

## 12　托拉(Tolla)

1960年在法国科西嘉岛普鲁内利河V形河谷花岗岩基础上修建了这座90m高的薄拱坝,拱坝环向压应力在高程510m处为$\sigma=-\frac{0.50\times38.7}{2.43}=-8.0$MPa,同加吉拱坝的一样大。水库初次蓄水是在1961年1月23日～4月28日,达到高程540m,差20m即达到满库水位,此时在两岸附近测得大坝有明显的变形,顶拱径向位移表明上游(1)有两个最大值约在4分点处,而在拱坝下游测到的是小的位移,于是决定降低水位,在大坝下游周边范围内(水位曾达到的高程以下)出现了许多裂缝(见图8)。所测变形伸长相当于下列拉应力(混凝土弹模$E_c=17\ 500$MPa:

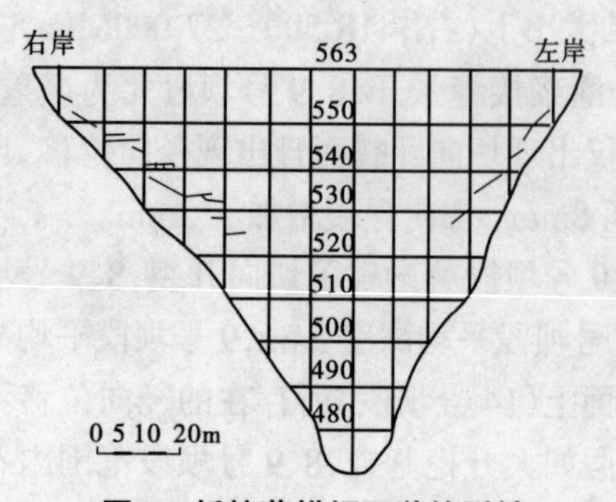


图8　托拉薄拱坝下游的裂缝

(1)1961年4月28日～5月29日

蓄水高程以下　　0.75MPa

蓄水高程以上　　2.00MPa

(2)1961年6～7月

蓄水高程535m以上

左岸　3.8MPa

右岸　5.3MPa

出现异常结果有两个原因：第一，由于坝基厚层花岗岩存在，坝脚不可能因产生变形而产生大的拉应力；第二，像托拉这样的薄拱坝与空气温度的变化几乎同步，只是稍有减小（坝顶 $t=21$℃，坝脚 $t=7$℃），它可引起蓄水高程以上大坝产生裂缝。在托拉大坝中，这些裂缝正好出现在一位意大利设计者要设置周边缝的地方。假如比较一下 Val Gallina 大坝的周边缝，它仅比托拉大坝高 2m。根据观测结果，以及不久前发生的马尔帕塞大坝破坏情况的深刻教训，为了加固坝体薄的托拉坝，在它的下游设置了一个分载拱，它以径向拱肋支撑原有拱坝下部，上部则将混凝土直接浇筑在原来的拱体上。

## 13　图莱斯（Toules）

1960～1963 年，在瑞士瓦莱州修建了一薄圆穹坝。大坝长高比 $B/H=460/86=5.35$，分两期施工。大坝水平断面为椭圆形，较之圆拱形断面具有更大的刚性，在满库水位情况下，拱顶处的弯曲变形（断面 C：31mm）小于 4 分点处（断面左侧 G：97mm）；断面右侧 D：72mm，1964 年 8 月 31 日测量。在这种高度变化不大的宽槽形河谷中，水平断面如采用圆拱形可能更为合适。1964～1980 年间大坝的径向位移明显增长，但其中的永久性位移增加，弹性位移减小，1983 年出现的永久性位移占整个位移的 60%～70%。在 1967 年满库蓄水情况下进行岩石压力灌浆时，可以观测到大坝的永久变形明显增加，因为坝基处原有裂隙在库水位下降时未能重新闭合。

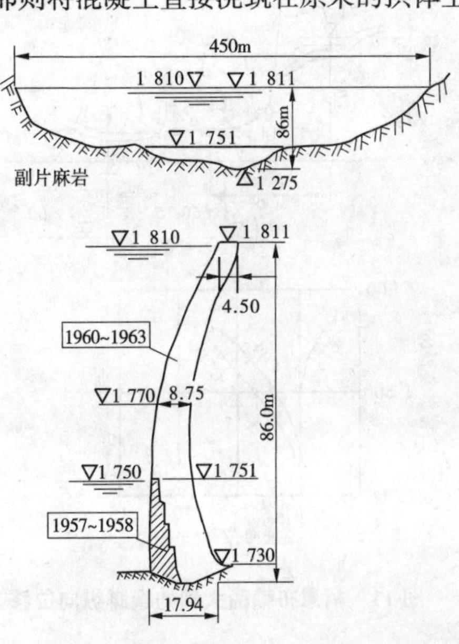


**图 9　图莱斯圆穹坝下游立视和主断面图**
（第一施工阶段 1957～1958 年，第二施工阶段 1960～1963 年）

在两个阶段的大坝施工中（见图 9），纵缝须用填骨料混凝土连续灌浆法充填，后来大坝二期施工时，水平施工缝出现开裂，这可从下游石灰离析中看出。水平施工缝的开裂可能是由于大坝二期混凝土覆盖在一期混凝土上，库空或库水位下降时温度增高所致，因为在较薄的圆穹坝中，径向位移明显是趋向上游的。

## 14　圣玛丽亚（Santa Maria）

1964～1968 年间，在瑞士格劳宾登州前莱茵河上，一个几乎是对称抛物线形的河谷中，修建了这座 117m 高的等角拱坝，坝顶长 560m。大坝基础为致密结晶花岗岩。由于岩石和混凝土变形模量小，大坝相对地有较大的径向位移，首次蓄水时，坝顶位移 170mm，坝肩位移 34mm，同时还观测到坝顶升高 31mm。这些大的变形是由坝踵下岩石中的裂隙所引起（见图 10），其季节性变化和水位变化完全吻合。

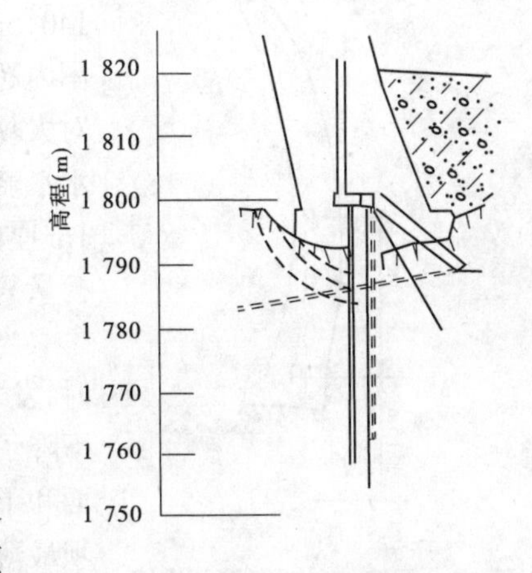


**图 10　圣马丽亚等角拱坝的基线裂隙**

## 15　施莱盖斯（Schlegeis）

1967～1971 年间，在奥地利蒂罗尔州齐勒河谷中修建了这座高 131m、坝顶长 725m 等角拱坝。大坝坝顶宽 9.0m，坝底宽 34m。大坝基础为双云片麻岩和软的厚达 10cm 的黑云斑晶片岩，岩石层理陡且斜向下游。大坝在右岸位于岩层端部，在左岸位于层面上。出乎意料的是右边坡极易挠曲。第一次部分蓄水(坝高的66%)和第二次部分蓄水时(87%),并未出现异常。第三次蓄水期间(95%),自蓄水达到坝高的90%起,就发现紧挨岩石的基础廊道中渗水量明显增加,1973年水库蓄满水时渗水至少达到200L/s。在上游面,裂缝遍布在坝脚受拉区,坝踵处已有裂缝张开或出现新的裂缝。裂缝通到基础廊道时,形成渗水出口。上游坝踵的最大隆起可在下游沉降最小时观测到,经多次测验,最后确定设置了一道5m厚、190m长的弹性防渗墙,取得了良好的效果,渗水量由270L/s下降到了5L/s。

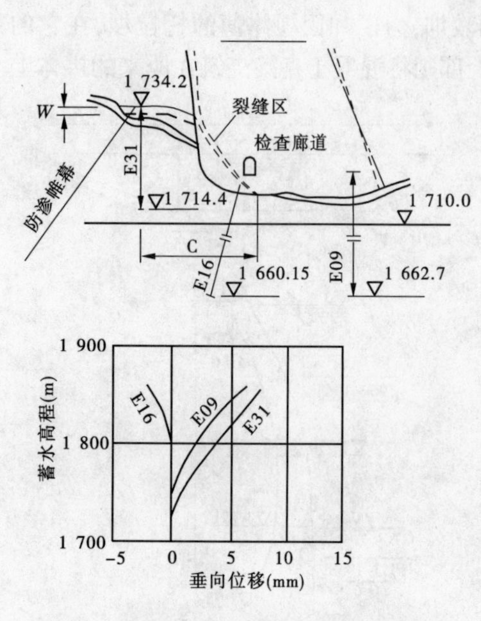


**图11 柯恩布赖茵大坝的坝脚纵向位移**

## 16 柯恩布赖茵(Kolnbrein)

1974～1977年,在奥地利克恩腾州马尔他山谷中修建了这座200m高的等角拱坝,坝顶长626m,坝顶宽7.6m,坝底宽37m,属于薄高拱坝。中部坝高处的环向应力在满库水压力下为-8.9MPa。下游坝底应力为-8.0MPa,上游坝底为1.5MPa(拉力)。1976年水库开始蓄水到高程1 818m,1977年为1 852m,1978年为1 890m,1979年首次蓄满达到1 901m。根据流量测定的估计,大坝最初的裂缝是1978年7月间产生的。当各种修补试验被证明不成功之后,1987年决定修建下游支承坝,以保证大坝的安全,目前尚在施工中。

所出现的损坏和对参数研究表明:较之当初设计,柯恩布赖茵大坝基础处嵌固太紧。由于大坝出现上游向下游开裂的斜缝(见图11)(将基础接触区缩小约1/3),造成了其位移的可能性,这在设计时是没有考虑到的。

## 17 罗德埃尔斯堡(Roode Eisberg)

20世纪80年代初,在南非Kapprovinz修建了这座高72m、坝顶长272m的等角拱坝。坝厚从溢流堰顶的3.62m增至基础岩层上的9.14m,基础岩层本身厚12.12m。圆拱上游半径从坝脚的102m增加到溢流堰顶处的140.5m。1978年的有限元静力计算表明:上游基础拉应力在很大范围内超过了混凝土抗拉强度,因此坝踵处可能出现水平裂缝。为此,对大坝每两年进行一次观测。基础主要由石英砂岩构成,岩层几乎呈水平略倾向上游,并横切向河谷方向,砂岩中还含有砾岩和数厘米至1m厚的片岩层,右岸岩石风化很深。压力试验中,右岸岩石的变形模量只是在左岸的10%,但所测到径向位移表明:左右岸差异很小。

当1983年11月为装置滑动测微表,在大坝中部坝段钻一垂直孔时,发现基础坝块中有一道开裂至上游面的裂缝,1984年2月,水位下降了28m,钻孔中没有进水,6周后,水位重新升高了30m,岩石表面和下部检查廊道之间已有裂隙的开度达到了2.2m。据估计,在大坝最薄弱处出现了如图12所示的裂缝,在这里如设置一道周边缝是很合适的。

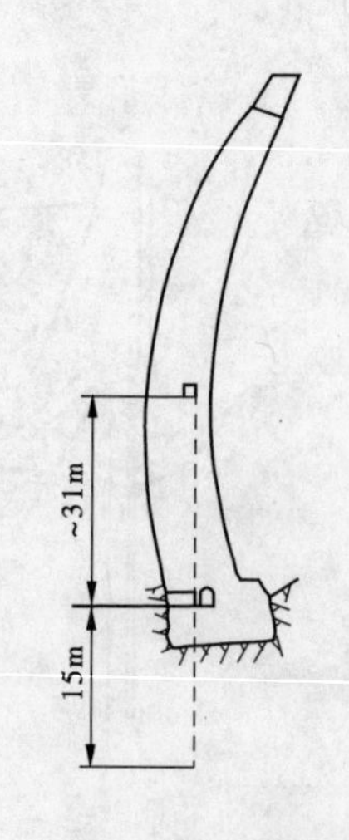


**图12 罗德埃尔斯堡等角拱坝有水平拉力缝的垂直断面**

## 18 兹勒格伦得(Zillergrundl)

在汲取了施莱盖斯和柯恩布赖茵等拱坝的经验教训后，1980～1985年修建了186m高的兹勒格伦得大坝(见图13)，坝顶长506m。坝址位于高陶恩中心片麻岩中，并有不同宽度的断裂带从中通过，断裂带在左岸伸向下游坝脚，并在河谷中横穿坝基。另外，左岸还有一个狭薄的断层通过坝基与下游河谷中的主断层交会，在此范围内的基础非常松散。左岸是排列整齐的片状片麻岩，陡峭地倾向岸坡。右岸是具有三组裂隙的大块片麻岩，以之决定开挖深度，其开挖量为170万 $m^3$(110万 $m^3$ 覆盖层和60万 $m^3$ 岩石)，超过了140万 $m^3$ 的大坝方量。

大坝体型的选定：水平拱符合锥形截面(坝顶为抛物线，下部为圆形)，并且须有坚固的拱座。对于主要荷载工况的"夏季"，经计算得出：坝基面上不会出现上游拉应力，对此，假设大坝上游边与底部廊道间的周边缝上作用着全水头(压力)。混凝土与岩石的弹性模量之比在6.5(左岸下部)和0.33之间(两岸上部)。防渗帷幕达到上游护坦，止水敷设在护坦和大坝上游面上，其任何方向的允许位移为5cm。

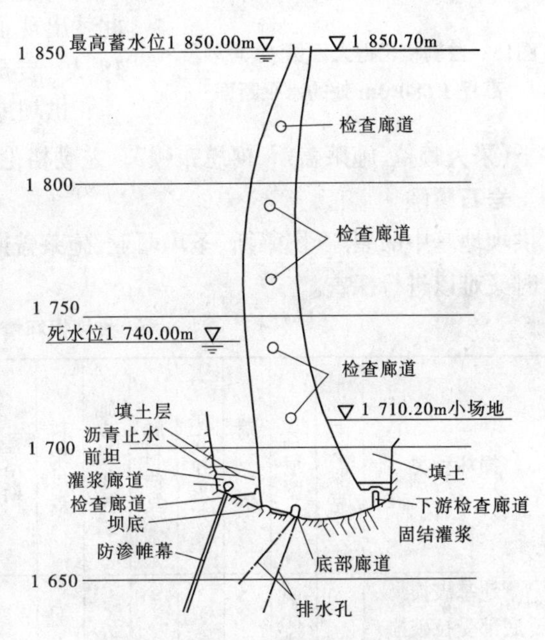


**图13 兹勒格伦得等角拱坝垂直断面**

混凝土黏合剂采用67%的硅酸盐水泥PZ375和33%的粉煤灰混合料。坝体内部混凝土内的胶黏材料为170kg/$m^3$，护面混凝土为240kg/$m^3$。通过给粗骨料淋水和拌和用水中加冰屑的方法，可使混凝土的浇筑温度在1983年的异常高温情况下保持在10℃以下，对于3m厚的混凝土浇筑层来说，最高温度可达31℃。

当1984年11月为齐勒河引水，首次45m深的蓄水成功之后，从1985年10月起开始蓄水至高程1 740m(水深76m)。大坝坝段接缝灌浆完成后，1986年5月后继续蓄水，至1986年9月蓄水高程达到1 821m(水深157m)。1986年和1987年冬季水库蓄水有所下降，1988年春继续蓄水。由监督机构确定的蓄水高程为1 840m，在1987年9月底未能完全达到(1 839.5m)。1987年9月28日夜，渗水量超过了警报极限，第10号坝段下部表面出现了一道微斜的长裂缝(见图14)，出现的位置在诸如底部廊道、第6号检查廊道、测量室及其相应通道的升降机井(见图15)等大坝最薄弱的部位。1988年5月进行的维修效果如何，至今尚不明了。

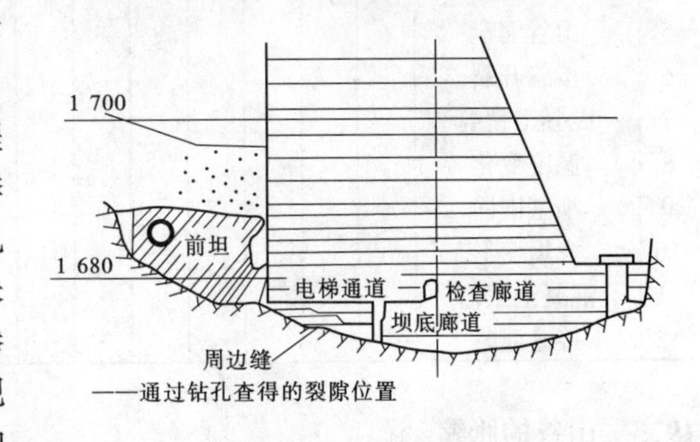


**图14 兹勒格伦得大坝第10号坝段的垂直断面**

## 19 损坏分类

6个国家(法国、奥地利、葡萄牙、瑞士、南非、美国)的20座拱坝中所出现的破损现象，可以划分为下列几类(见表2)。

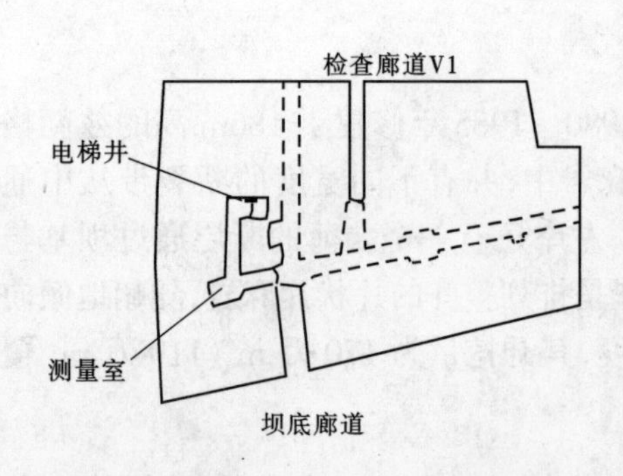


**图15　兹勒格伦得大坝第10号坝段高程1 680.3m处的水平断面**

## 19.1　地基破损

岩石的破坏通常不是由于压力,而首先是由于坝踵范围的拉力(加吉、圣玛丽亚、施莱盖斯、柯恩布赖茵、罗德埃尔斯堡);其次是由于未发观的裂隙在较大范围内的发展(马尔帕塞);第三是由于裂隙充填物被冲蚀(莫伊、莱克拉尼尔)。

## 19.2　坝基受拉破损

大多数拱坝的坝基是由于受拉而失效。大坝混凝土对岩体的黏结力几乎都不能有效地承受坝基部位的拉应力,因此就出现了裂隙(加吉、施莱盖斯)。

## 19.3　岩石塑性变形

拱坝地基的永久变形是很难预测的,即使在明显的地质条件下(采夫赖拉、施莱盖斯、柯恩布赖茵、兹勒格伦得),也是如此。

## 19.4　岩石裂隙

拱坝地基中的裂隙(图莱斯、圣玛丽亚、施莱盖斯)很难查明,因为它们一般只在水库蓄满时开裂,但这时又难以进行探查。

**表2　　大坝损坏情况一览表**

| 序号 | 损坏种类 | 阿罗罗克 | 马尼图 | 莫伊 | 莱克拉尼尔 | 帕科伊马 | 施皮塔尔拉姆 | 科珀贝森 | 盖洛斯 | 马尔帕塞 | 卡布里尔 | 加吉 | 曹齐 | 采夫赖拉 | 托拉 | 图莱斯 | 圣玛丽亚 | 施莱盖斯 | 柯恩布赖茵 | 罗德埃尔斯堡 | 兹勒格伦得 |
|---|---|---|---|---|---|---|---|---|---|---|---|---|---|---|---|---|---|---|---|---|---|
| 1 | 地基破损 | | | · | · | | | | · | · | | | | | | | | | | | |
| 2 | 底部受拉破损 | | | | | | | | | | | · | | | | | | · | · | | |
| 3 | 岩石塑性变形 | | | | | | | | | | | | | · | | | | · | · | | · |
| 4 | 岩石裂隙 | | | | | | | | | | | | | | | · | · | · | | | |
| 5 | 山谷缩窄 | | | | | · | | | | | | | · | | | | | | | | |
| 6 | 接缝开裂 | | | | | | | | | | · | · | | · | | · | | | · | | · |
| 7 | 混凝土裂缝 | | | | | | | | | | | · | · | | · | | | | · | · | · |
| 8 | 温度变化 | | | | | | | | | | | · | | | · | | | | | | |
| 9 | 坝基嵌固 | | | | | | | | | | | · | | | · | | | | · | | |
| 10 | 大坝变形 | | | | | | · | | | | | · | | | · | · | | | | | |
| 11 | 混凝土工艺 | · | · | | | | · | · | | | | | | | | | | | | | |
| 12 | 接缝灌浆 | | | | | | · | | | | · | | | | | · | | | · | | |

## 19.5　山谷的胀缩

山谷的缩窄可能是由于自然的原因,如:地震(帕科伊马)或人为的原因,如曹齐坝是由于地下水位下降而引起山谷变形的。另外,急剧温升的影响也可导致山谷缩窄,比如对于非常薄的大坝(托拉,加吉)。对拱坝影响更大的还是河谷变宽,在每一座拱坝中,由于一定范围内的水压力对岸坡的作用,都可能出现山谷变宽。

## 19.6　接缝开裂

无论是坝块垂直接缝的开裂,如冬季或春季库空时(采夫赖拉,卡布里尔);或是由于灌浆压力过高,如:施皮塔尔拉姆,卡布里尔;还是混凝土水平施工缝的开裂(卡布里尔,加吉,图莱斯,兹勒格伦得),都对作为整体承载结构的拱坝的作用提出了异议。因此,笔者建议,采用无抗拉强度的水平施工缝和坝块接缝按一种新的设计极限状态进行设计。

### 19.7 混凝土中的裂缝

在对由于动力作用而产生裂缝的拱坝(曹齐,托拉)的观测中,可明显看出:V形河谷中拱坝的裂缝近似于某种曲线,因此意大利的大坝建设者们习惯于采用周边缝形式。

静力作用产生的裂缝是因当时荷载的作用超过了大坝混凝土不大的轴向抗拉强度而出现的,如加吉、曹齐、托拉、图莱斯、罗德埃尔斯堡、兹勒格伦得等工程。除了受弯曲以外,还有剪力和自重的作用,从而产生了斜向裂缝(马尔帕塞、加吉、曹齐、柯恩布赖茵)。

### 19.8 温度变化

在薄坝中(加吉、托拉),大坝的温度随着气温变化而变化,且略有滞后和减少。在坐落于正南向的托拉薄坝中测得,坝顶升温+21℃,坝脚+7℃,坝顶向上游侧的径向位移为28mm。

### 19.9 坝基的嵌固

在薄而高的拱坝中(加吉、托拉、柯恩布赖茵)经常可以看到,大坝在岩石中嵌固太坚实,难以保证这种薄坝变形较大时而无裂缝。在柯恩布赖茵大坝中,较厚的坝体可用降低坝体混凝土的弹性模量来补偿。在这种情况下,采用周边缝可以全面地解决问题。

### 19.10 大坝变形

对于宽底河谷中拱坝的承载特性来说,竖向坝厚曲线是很重要的。如果坝厚度从坝顶到坝脚的增长为非线性的(柯恩布赖茵),那么,由于水压力而产生的径向位移比坝厚为线性增长时要大一半[20]。如果大坝水平断面形状不合适(图莱斯:在宽槽河谷中不是采用圆弧形而是椭圆形)由于水压力而产生的变形,会受到不利的影响。

### 19.11 混凝土工艺

自1896年修建第一座混凝土拱坝以来(澳大利亚:利斯戈),尽管混凝土工艺有了很大的提高,但是,一些不合适的做法,如水泥砂浆的使用(阿罗罗克)、流态混凝土的使用(施皮塔尔拉姆),没有或不合理的坝块分缝(施皮塔尔拉姆),不设冷却管的粉煤灰水泥的使用,都不可避免地会导致大坝损坏。

### 19.12 接缝灌浆

拱坝施工中棘手的问题不仅在于灌浆时间的选择,而且还在于灌浆压力的选择。灌浆既不能太早(1920年蒙萨尔旺),也不能用过高的压力(施皮塔尔拉姆,卡布里尔)。对基础中裂隙的灌浆,一般必须在满库情况下进行,否则,岩石中的这些裂隙不会开裂。还应注意的是,基础灌浆后的拱坝在水库水位下降情况下,不会像岩石裂隙灌浆前那样,有较大的回弹(图莱斯)。

### 19.13 结构状况

对结构状况有时估计不足,尤其是竖向弯曲明显的拱坝(大坝下半部分向上游突出,上半部分向下游突出)可导致坝脚下游侧拉应力偏大的危险,以及大坝上游侧上部三分之一处拉应力危险,在这种不利因素情况下,可引起坝厚中部三分之一范围内的水平裂缝(柯恩布赖茵)。如果对这样的大坝还不采取谨慎灌浆(压力太高),水平缝隙会越来越宽。

### 19.14 设计人员的倾向性

对此不拟进行评价,但是引人注意的是,这里所述的无论是法国的拱坝(马尔帕塞、加吉、托拉),还是奥地利的拱坝(施莱盖斯、柯恩布赖茵、兹勒格伦得)都出自同一设计人员。在这6座坝中,混凝土拉应力由于有利的计算假定而被低估。

## 20 结 论

从上述破损分析中,可以得出以下重要的设计原则:首先,在拱坝地基中始终隐藏着很大危险性,其次是由于受拉而破坏的坝基;第三,坐落在弹性较大的基础上的拱坝,要比处在弹性较小的地基上的要牢靠些;第四,拱坝,尤其是薄而高的拱坝致密地嵌固在地基上也会产生危险,因为它要承受由于温度变化而引起的变形;第五,对基座上周边缝的作用不能轻视;第六,由于坝段接缝和施工缝始终存在着开裂的可能性,故应该考虑以无抗拉强度的接缝作为新的拱坝设计极限状态;第七,对横断面形状的选择要特别慎重;第八,大坝厚度曲线的选择对因水压力而产生的径向位移的大小有很大影响;第九,一般来说,过高的灌浆压力比过低的更为不利。

## 参 考 文 献

[1] Field, J. E.: Arch dam repaired by fills above and below structure Engineering News-Record 95 (1925), S. 953~954

[2] Anonym: Two arch dams fail through undermining of abutments. Engineering News-Record 97 (1926), S. 616~618

[3] Grunsky, C. E.: Comments on a few dams and reservoirs. Military Engineer 55 (1931), S. 53~54

[4] Bellier, J.: Le barrage de Malpasset. Trayaux No. 385 (1967), S. 363~383

[5] Keener, R.E.: Dams, then and now. Centennial Trans. ASCE 122 (1953), S. 521~535 (Paper 2606)

[6] Glover, R. E.: Arch dams - Review of experience. Proc. ASCE 83 (1957). PO 2, Paper 1217, S. 1~48

[7] Swanson, A. A., and Sharma, R. P.: Effects of the 1971 San Fernando Earthquake on Pacoima arch dam. 13th ICOLD New Delhi 1979, Bd. III, S. 797~823 (Q 51/R 3)

[8] Comité national suisse des grands barrages: Comportement des grands barrages suisses. Berne 1964
a) Juillard, H.: Spitallamm, S. 141~162
b) Schnitter, N: Zervreila, S., 189~197
c) Gicot H.: Zeuzier, S. 213~222

[9] Comité national suisse des grands barrages: Barrages suisses - Surveillance et entretien. Zürich 1985
a) Indermauer, W.: Spitallamm. S. 112~124
b) Müller, R., and Pougatsch. H.: Zeuzier, S. 180~192
c) Venzin, C.: Santa Maria, S. 157~161

[10] Grengg, H., and Lauffer, H.: Der Gewölbemaucrbau in Österreich Österr. Bauzeitschrift 3 (1948), S. 136~144

[11] Strmi, J: Die baugeologischen Verhältnisse der Österrcichischen Talsperren. Die Talsperren Österreichs, H. 5, S. 27~30. Österr. Wasscrwirtschaftsverband, Wien 1955

[12] Horninger. G., and Kropatschek, H.: The rock slides downstream from Gmuend dam (Austria) and the measures to safeguard the dam. 9th ICOLD Istanbul 1967, Bd. III. S. 657~670 (Q 34/R 37)

[13] Dargeou, J.: the Malpassct dam. Travaux No. 247 (1955), Supplement, S. 151~154

[14] Herzog, M.: Die einfachste Näherungsbercchnung von Dammbruchwellen. Wasserwirtschaft 74 (1984). S. 583~585

[15] Schnitter, E.: Der Bau des Kraftwerks und der Staumauer Cabril. Schweiz Bauzcitung 73(1955), S.17~21 und 32~37

[16] Rocha, M. Serafim, J. I., and de Silveira, A. F.: Design and observation of arch dams in Portugal. Proc. ASCE 82 (1956). PO 3, Paper 997. S.1~49

[17] Working Group of the Portuguese Committee: Cracking and repair works in Cabril Jam. 15th ICOLD Lausanne 1985, Bd. Ⅱ, S. 367~388(Q57/R 21)

[18] Bellier, J.: The project for a dam at Gage. Traveaux No. 247(1955), Supplement S. 62~64

[19] Mauboussin, G.: The Gage dam, Traveaux No. 247(1955), Supplement S. 65~70

[20] Bellier, J. Mauboussin, G., and Mladyenovitch, V.: Divers renseignements sur le comportement du barrage du Gage. 6th ICOLD New York 1958. Bd. III, S. 1049~1062(Q21/R 103)

[21] Comité francais des grands barrages: Désordres graves cohstatéssur des barrages francais. 13th ICOLD New Delhi 1979, Bd. Ⅱ, S. 557~584(Q49/R37)

[22] Herzog, M.: Gewölbestaumauern mit Block- und Arbeitsfugen ohne Zugfestigkeit. Bauingenicur 64(1989), S. 333~

337

[23] Gicot,H.:Conceptions et techniques de quelques barrages－voûtes suisses.Wasser－und Energiewirtschaft 53(1961), S.194～205

[24] Herzog,M.:Felscetzungen infeige Bergwasserabsenkung, Bautechnik 58(1981). H.5,S.151～153

[25] Berchten,A.R.:Repairs of Zeuzier arch dam in Switzerland.15th ICOLD Lausanne 1985,Bd.Ⅱ,S.693～711(Q57/R40)

[26] Dungar,R.:Analysis of plastic deformations leading to cracking of grouted contraction joints in Zervreila arch dam.15th ICOLD Lausanne 1985.Bd.Ⅱ,S.343～365(Q57/R20)

[27] Obertti,G.:Diga di Val Gallina－Criteri di progetto ericerche speri－mentali.L′ Energia Elettrica 32(1955),S. 457～487

[28] Gicot,H.:Le barrage－coupole des Toules.Schwciz.Bauzeitung 83(1965),S.773～780

[29] Herzog,M.:Zum EinfluR der Formgebung euf die Tragwirkung von Bogenstaumauern.Bauingenieur 64(1939), S.103～107

[30] Stäuble,H.,Schlosser,J.,and Widmann,R.:Die Logerocwichts mauer Schlegeis. Österr.Zeitschrift für Llektrizitätswitschaft 25(1972),S.395～404

[31] Stäuble,H.,and Wiamann,R.:Intarpretaion of data obtained from measurements in the foundation or the Schlegeis arch dam.14th ICOLD Rio de Janciro 1982,Bd.Ⅱ,S.213～217(Q52/R11)

[32] Widmann,R.:Grundlagen für den Entwurf der Bogenstanmauer Zillergründl.Wasserwirtschaft 74(1984),S.147～152

[33] Herzog,M.:Die statische Wirkung des Dichtungsschleiers bei Tal sperren Wasscrwirtschaft 80(1990),S.29～31

[34] Widmann,R.,Stäuble,H.,Klemen,K.,Schlosser,J.,and Gatti,H.:Die Gewölbemauer Kölnbrein, Österr.Zeitschrift für Elektrizitäts－wirtschaft 32(1979),S.24～36

[35] Herzog,M.:Drei neue Kennzahlen für Gewolbestaumauern.Wasserwirtschaft 79(1989),S.70～73

[36] Herzog,M.:Meilensteine des Baues von Bogenstaumauern.Bautechnik 66(1989),H.3,S.73～80

[37] Ludescher,H.:A modern instrumentation for the surveillance of the stability of Kölnbrein dam.15th ICOLD Lausanne 1985,Bd.Ⅱ,S.797～812(Q55/R42)

[38] Baustädter,K.,and Widmann,R.:The behaviour of the Kölnbrein arch dam.15th ICOLD Lausanne 1985,Bd.Ⅱ, S.633～651(Q57/R37)

[39] Demmer,W.,and Ludescher,H.:Measures taken to reduce uplift and seepage at Kölnbrein dam.15th ICOLD Lausanne 1985,Bd.Ⅲ,S.1371～1394(Q58/R81)

[40] Anonym: Jacks shore cracked Kölnbrein.Construction Today,Oct.1987,S.5

[41] Ludescher,H.:Die Sanierung der Kölnbreinsperre,Österr Ing& Arch Zeitschrift 135(1990),S.17～25

[42] Herzog,M.:Parameterstudie des Tragverhaltens einer groben Gewölbestaumauer.Wasserwirtschaft 80(1990),S, 312～324

[43] O'Connor,J.P.F.:Comparison of the observed and predicted behaviour of Roode Elsbergarch dam including the effect of tensilc cracking in the concrete.15th ICOLD Lausanne 1985,Bd.Ⅱ,S.763～779(Q56/R40)

[44] Herzog,M.:Wann benötigen Gewölbestaumauern Umfangsfugen? Bautechnik 64(1987),H.7,S.231～235

[45] Gmeinhart,W.:Bauvorhaben and Projekte der Tauernkraftwerke AG,Teil 1:Bundesland Tirol.Österr Ing & Arch, Zeitschrift 130(1985),S.273～281

[46] Widmann,R.:Gründungsprobleme bei der Bogenmauer Zillergründl Felsbau 1(1983),S.99～106

[47] Widmann,R.:Sperre Zillergründl.Österr .Ing & Arch Zcitschrift 132(1987),S.434～435

[48] Schweiz. Talsperrenkommission:Messungen,Beobachtangen and Versuche an schweizerischen Talsperren 1919～1945.Eidg Ober－bauinspcktorat,Bern 1946

[49] Semenza,C.:Einige praktische Überlegungen zum Problem der Gründung von Staumauern and Staudämmen.Geologie und Bau－wesen 24(1958).S.63～81

# 拱坝的剪切损坏

隆巴迪·吉凡尼

## 1 前　言

在最近的几十年中,拱坝在设计及施工方面均得到了极大的发展[1]。自第二次世界大战结束以来,全世界已建成高于120m的拱坝近100座。一方面拱坝的高度不断地增加,至今最高已达270m;另一方面,拱坝已被越来越多地建于较宽的河谷中,例如奥地利的柯恩布赖茵(Kōlnbrein),拱坝的坝顶长度达到了600m。

至少就施工技术而言,超高度的胡佛(Hoover)坝可以认为是高拱坝的前驱。自那时起,人们不断地修建越来越薄、越趋轻型及越具有危险性的拱坝,并在近几十年中,明显地提高了设计允许压应力,尤其是提高了设计允许拉应力[2]。在具体的拱坝建设中,出于经济考虑和迫于与其他坝型竞争的需要,促使人们作出超越某些设计准则极限的决定,以致造成不良后果。事实上,近年来已出现了许多有关高薄拱坝的损坏事例的报道。本文将只论述剪力对这些破损成因机理的影响,因此只局限于静力作用方面而不考虑材料性质的变异效应。例如混凝土冻融及膨胀作用等。此外,这里也仅仅只针对常态结构型式的“正常”拱坝而论,不包括那些特殊型式的拱坝结构。

本文将指出,在拱坝中许多较大的损坏事例,其原因应追溯到坝体剪力的影响或不符合实际情况的设计及施工考虑。

## 2 拱坝的基本力学特性

就我们的建设使命而言,对一座拱坝的基本力学特性务必认识清楚。但遗憾的是,在有限元这个较新的计算方法中,有些因素的影响不易看清,一些基本的关系变得模糊,以致经常使建设者无法正确地认清它们。拱坝除坝体自重外,承受的主要荷载是最高库水位时的水压力。为了便于阐述,下面将仅仅分析此两种荷载的作用,而不考虑如中间库水位、温变及地震等次要荷载的作用。

如果略去一些次要效应,则作用在拱坝上的水压荷载可分为拱荷载 $P_a$、梁荷载 $P_m$ 及扭曲荷载 $P_t$,如图1所示。从结构传力作用来看,此三种不同水压分量相应地分别表示水平向传入两岸、垂直向传入河床及扭曲斜向传入基岩的作用。当然,这里仅仅是针对简化了的坝体力学模型而言,因为事实上,拱坝是空间壳体结构,在传力过程中,所有三种作用及其他次要的影响(例如薄膜推力作用)都是同时出现的。

正是拱的作用,允许以最经济的形式及方法,把水压荷载传递到坝基中去,从而引起设计者们的希望:即尽可能地提高拱荷载在整个水压荷载中所占比例,以充分利用拱的作用,这一课题对工程设计者而言,存在着极其丰富而复杂的设计艺术。这里,除十分特殊的情况外,不考虑拱坝无悬臂作用的情况,尽管这种情况有时也会达到出乎预料的值。事实上,拱坝垂直向悬臂效应是一种悬臂梁的作用,因此在库水压力的作用下,坝基区不可避免地出现指向下游的剪力,随着这种剪力,同时也出现了弯矩,并使坝体各处的自重合力产生一个向下游的偏心距。为了最有利地承担此种弯矩,也就是说,

---

本文译自《Wasser Energie, Luft-eau, energie air》,80 Jahngang, 1988, Heft 5/6, CH-5401 Baden　译校者:汝乃华,朱岳明。

尽量减少拉应力,通常坝体的垂直剖面也设计成弯曲形状,亦即形成了双曲拱坝(图2)。这种结构型式是基于在垂直方向也形成拱作用的设想,人们容易想象成存在着众所周知的如图2(a)所示的按拱桥理论形成的合力压力线。但实际上,大坝不是真正简单的悬臂梁系统,而是一种壳体承载结构,在大坝中面上不可避免地出现扭曲或扭转作用,导致断面各处的合力不再与通常所述的合力线相切,而是与这合力线形成一个自上而下不断增加的角度(图2(b))。人们将会看到,这一事实在我们讨论的问题中,将具有很大的意义。同样,图3直观地表明了扭曲作用也存在于水平拱中。由此可见,在整个坝基面上(包括河床基面及两岸坝肩基面)存在着指向下游的剪切内力。总之,坝基中河谷方向点的水压荷载只能通过两组力系来传递。它们是:

——传向两岸的平行于河谷的拱作用分量;

——沿大坝周边形成的指向下游的剪力分量。

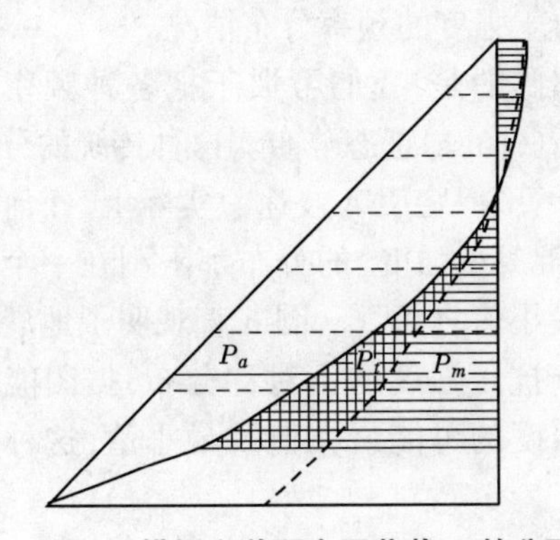


**图1 拱坝上游面水压荷载 $P$ 的分配**

$P=P_a+P_m+P_t$;$P_a$:拱荷载;$P_m$:梁荷载;$P_t$:扭曲荷载[Lombardi 1955]

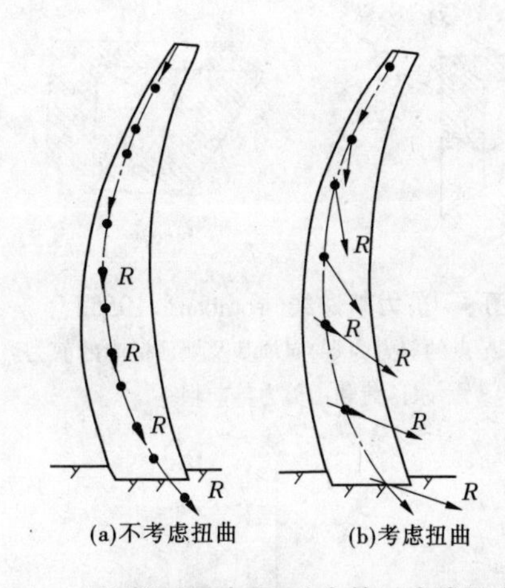


**图2 悬臂梁(垂直断面)中的压力线及合力**

图4中示有位于坝基附近的、具有一水平及一垂直边界面的三角形单元体,对它可建立力的平衡方程。由此可见,在两个相互垂直的截面上,存在最大及最小剪力,最大剪力几乎出现在平行于坝基面的面上,而垂直于坝基面的面上的剪力为零。如果大坝是绝对刚性地嵌固于坝基,则这两个截面的方向将精确地分别和坝基面的切向及法向面重合;但通常当弹性固结在基岩时,则主方向在一定程度

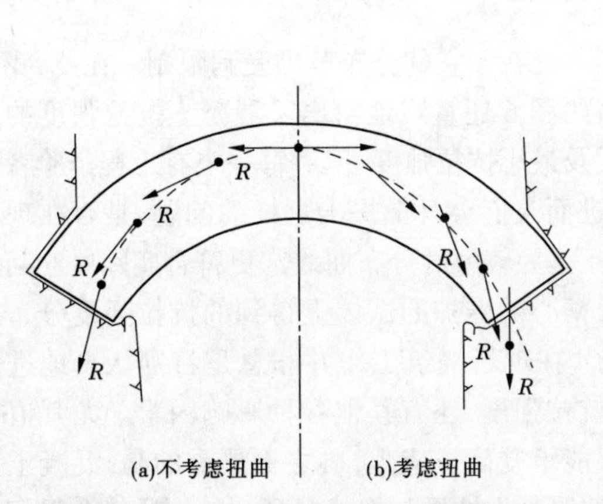


**图3 拱(水平断面)中的压力线及合力**

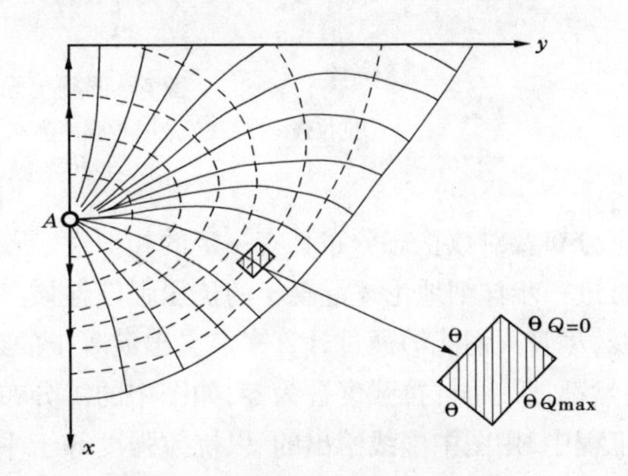


**图4 由坝基附近单元的平衡条件确定的剪力主方向**

平行于坝基面上的剪力为最大(左边),垂直于坝基面上的剪力为零(右边)

上略为偏离坝基面。这种考虑方式,允许画出一个一维剪力轨迹线,自坝的中部传向坝基面,如图 5 所示(作为伴随现象,剪力也由中部向坝顶方向传递)。坝上荷载沿着图中所示的实线(轨迹线),通过剪力传到坝基。图中虚线则表示最大剪力作用面[3],剪力作用自 $A$ 点从零向基面不断地增加,因此仅仅在近坝基部分才作用着数值大的剪力,也正是它威胁着大坝的安全性。

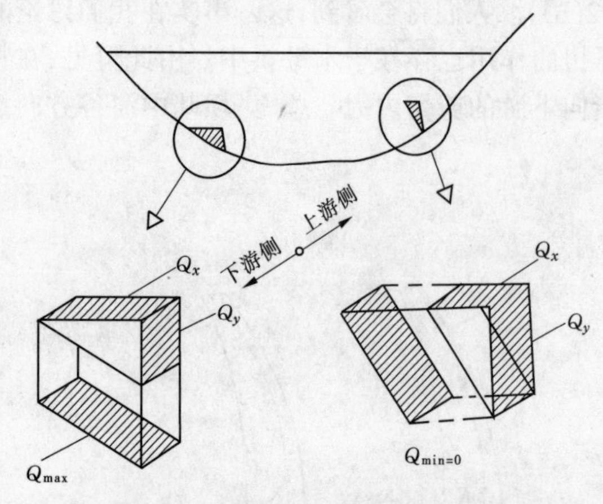


**图 5　剪力轨迹线**[Lombardi,1955]
由 $A$ 点($A$ 点的剪力为零)向坝基及坝顶指向的剪力流,水压荷载由剪力传向坝基

## 3　素混凝土断面上的内力

除小坝外,拱坝坝体为素混凝土,有时沿表面配置钢筋,但对整个断面而言,这并没有什么力学意义。因此,无论是压应力还是拉应力均影响着素混凝土断面的强度及安全性,为此,需要在这里先讨论混凝土强度的频率分布情况。

非常遗憾的是,我们习惯于把各种频率分布都视为高斯(Gauss)正态分布。这种传统的分布虽然简化了计算,但会引入歧途。实际上,任何一个物理量(如混凝土强度)的分布都限制在一个最大值及一个最小值之间[4]。图 6 直观明了地展示了通常混凝土抗压强度的不对称分布,据图能够计算出抗压强度的可能最大值及最小值,这种分布

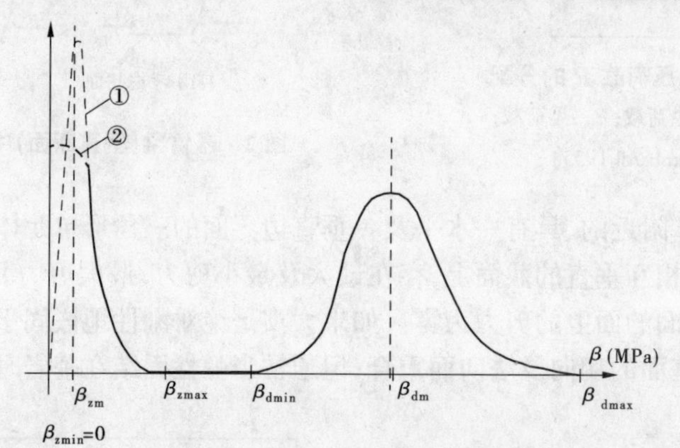


**图 6　混凝土强度的频率分布**
①抗拉强度曲线,最小抗拉强度为 0;②较符合现场真实情况的分布曲线
$\beta_d$ = 抗压强度;$\beta_z$ = 抗拉强度

与正态分布及对数正态分布具有一定的相似性,所不同之处在于它的分布范围受到限制。在此,我们无需再进一步详细地论述混凝土的抗压强度性质。同样,图 6 还直观地给出了混凝土抗拉强度的分布曲线,尽管人们能够通过计算来定义出混凝土的最大及最小抗拉强度,但对每一个有工程经验者而言,显然都把最小抗拉强度视为零,如图中的①分布。进而人们会马上提出这样的问题,是否在现场实际工程中,用图中虚线给出的、以抗拉强度等于零的频率为较大的分布曲线②更符合实际些?问题本身的提法是对的,因为在实验室里经过认真的制作及精心的养护的试体上得到的抗拉强度分布曲线总要优于从现场混凝土中得到的抗拉强度分布曲线。在现场浇筑工作并非总是特别认真地进行的,混凝土有浇筑缝,温度和湿度的变化也要影响它的抗拉强度,还有其他各种影响因素。尤其值得怀疑的是,不应认为大坝边界部位(表面部位)的混凝土能承受高拉应力,再之更严重的是,混凝土抗拉强度的可靠性较低。换言之,在压应力区,实验室里的混凝土性质与坝体混凝土的性质符合得相当好或会超过它;但是在拉应力区,两者的强度频率分布曲线有偏离乃是不足为奇的。

在计算时给定的混凝土抗拉强度必须根据具体情况作全面的分析,在分析大坝的稳定安全时,应该论证拉应力破坏而可能导致的结果。对此,不应以混凝土的弯曲抗拉强度为依据,而应以真实的直接抗拉强度为依据。对此课题作更广泛、仔细、深入的研究工作将是非常有意义的。

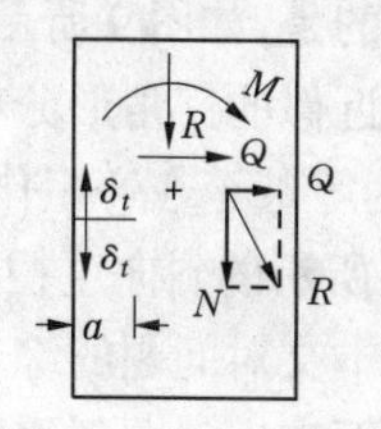


**图 7 作用在素混凝土断面上的力**

素混凝土断面的力学特性完全不同于配筋混凝土断面的力学特征。图 7 给出了一个开裂素混凝土断面上的受力情况,应注意的是,断面上的剪力 $Q$ 不仅仅为弯矩的导数,还存在着来自于扭矩作用的附加剪力,如图 2、图 3 所示。换言之,仅仅是有效剪力的一部分才产生弯矩。图 8 直观地显示了梁单元中考虑及不考虑扭矩影响时的平衡条件,梁中的法向力(轴向力)$N$ 由大坝的自重产生,拱中的法向力为拱的环向力。断面的法向力起到某种程度的预应力效果。此种断面的安全度主要取决于法向力 $N$。弯矩 $M$、剪力 $Q$ 及可能出现的裂缝深度 $a$。在许多事例中已经知道,由于弯矩的作用,在混凝土的某些表面上会出现拉裂缝,尤其是抗拉强度低的浇筑缝上。值

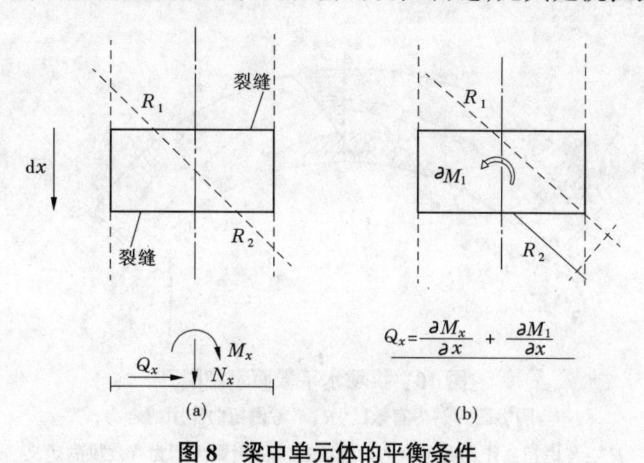


**图 8 梁中单元体的平衡条件**

(a)和(b)分别为考虑及不考虑扭曲影响

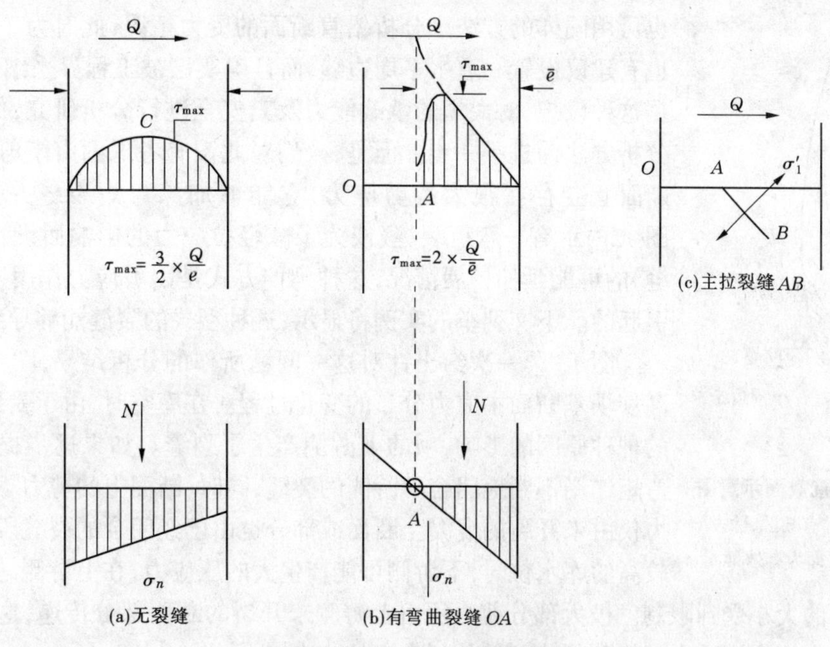


**图 9 混凝土断面上的应力分布**

得注意的是,如图 9 所示,无裂缝断面的剪力产生的剪应力为抛物线分布,而裂缝断面上的剪应力则毋宁为近似的三角形分布,且由于刻痕作用,会产生较大的峰值,在缝尖点 $A$(图 9(b))处的压应力较小,或为零甚至在弯矩作用下可能为拉应力。除了这种正应力状态外,还作用着剪应力,两者产生如图 9(c)所示的斜向主拉应力,进而形成从 $A$ 向 $B$ 发展的斜裂缝[5]。

在本文对问题的综合讨论中,首先由于弯矩的作用而形成几乎垂直于表面的裂缝段,进而在剪力的作用下产生斜向裂缝段,它们的组合作用过程将起着大的作用。

## 4 常规的计算方法

在验算拱坝的应力状态时,传统的方法只是计算平行于表面的所谓边界应力。拱坝的断面是借助于最大允许压应力及拉应力通过对边界应力的限制而设计成的。遗憾的是,至今人们仍没有充分论述坝体内部的应力分布状况,而下文将指出,这种内部应力会对坝的安全有较大的影响。

很久以来,据柯因-安德烈(Andre Coyne)的建议,将坝体扣去计算出拉应力的区域,求得坝的所谓有效体,例如有效拱或有效悬臂梁。如图 10 所示,除去阴影部分的拉应力区,剩下部分柯因称之为

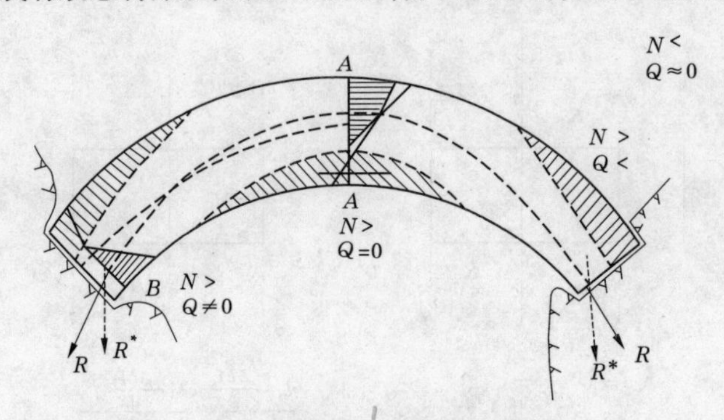


**图 10 拱坝水平截面示意图**

非阴影区为拱内有效区,$R$:不考虑扭曲作用的合力;

$R^*$:考虑扭曲作用时的合力。除去拉应力阴影区即为有效拱的定义

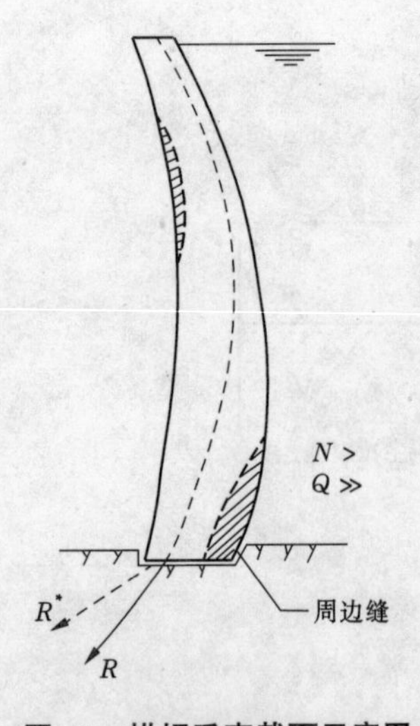


**图 11 拱坝垂直截面示意图**

非阴影区为梁的有效区,除去拉应力阴影区即为有效梁

有效拱(Voute active),它应能单独承担外荷载,其压应力不超过允许值。也可用同样的方法来分析铅直断面的受力情况,此时为了消除拉力区,也有建议设置一道水平周边缝,而且确实已被工程界采纳实施(图 11)。据这种设想,对大坝的承载能力及其安全进行分析研究,似乎比以前的分析方法前进了一步。但是,人们对此没有考虑到由于剪力作用,裂缝断面上会存在很大的剪应力,它能够加深弯矩裂缝并使裂缝转向。图 12内示有一弯矩裂缝(或为了减轻拉应力的影响而设置的一道周边缝)的可能延伸扩展情况,这种延伸方式是因剪应力作用下的主拉应力引起的。下文列举的实例将显示,这种型式的裂缝能够导致严重后果。

图 13 再一次给出针对这一问题所作的分析结果,图中展示了一座高坝坝基断面主应力分布的变化过程。在库空时,由于受到本文未讨论的种种原因的影响,坝的下游侧产生了裂缝。如果逐步提高库水位,则弯矩作用不断地闭合下游侧的裂缝,同时,断面上的剪力不断地增大,剪力仅由未开裂的混凝土断面或部分也由已经闭合的裂缝段来承担,到达较高的库水位时,下游侧可能产生大的压应力;在上游侧,受自然条件的影响,垂直应力的大小受到限制。极大部分剪力须由上游侧未开裂的断面部分传递,这样如图 13 所示,在混凝土中会产生影响大的导致形成裂缝的斜向主拉应力。

## 5 拱坝剪切裂缝举例

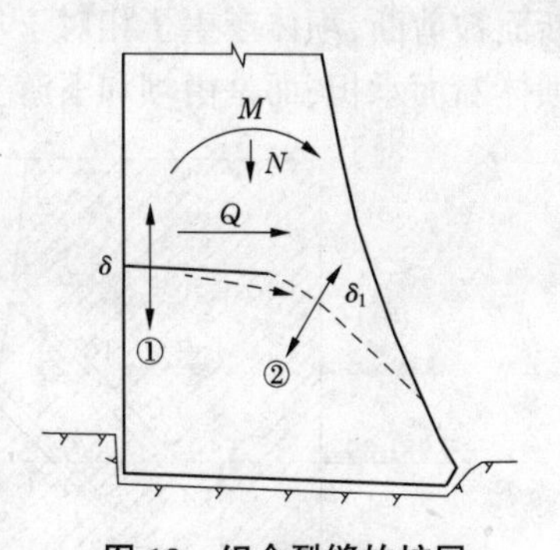

图 12 组合裂缝的扩展
①弯曲拉应力；
②受剪力影响的主拉应力

下文列举的实例将证实，上述分析的结论不仅具有纯理论意义，而且实例也说明剪力导致了斜裂缝的产生。第一个例子是曾作为试验性用的、非常薄的加日(Le gage)拱坝，图 14 内示有裂缝的形状，在温度及其他因素的作用下，在上游侧沿混凝土浇筑层面出现了水平弯矩裂缝，横断面减小后，仍必须承受全部剪力 $H$，进而导致剪应力作用下的主拉应力超过了混凝土的抗拉强度[6]。至于裂缝出现在该位置的原因则是在该坝下游面，在裂缝位置的下面，有一些支撑坝体的导墙，导墙引起剪力集中。后来该坝被拆除，并用一座新建的拱坝替代它(图 15)。类似的破损现象也出现在科西嘉(Korsika)很薄的托拉(Tolla)坝上，此坝后来在下游用一新坝进行加

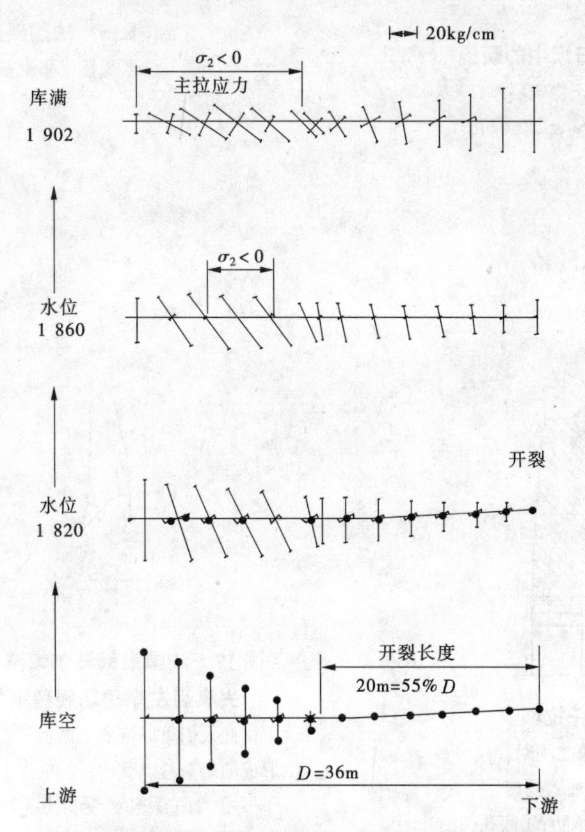

图 13 坝基断面主应力随库水位抬高影响变化过程

固处理。值得一提的是，此坝仍面临着出现拱圈的不稳定性问题(图 16)。法国南部的马尔帕赛拱坝是由于左坝肩的失稳而彻底溃坝的，非常有趣的是在河谷右岸留下混凝土块形状明显地表明：上游侧为弯矩破坏③，而下游侧则形成了次生的由斜向主拉应力引起的斜裂缝(图 17)。据此可猜测到，左坝肩的不断塑性屈服首先导致过大的梁中弯矩应力，在剪应力的共同作用下，梁被剪断而溃坝[7]。在一定程度上，和马尔帕赛类似的例子是位于马德里附近的埃尔－阿塔扎尔(Al－Atazar)坝，但它没有产生灾害性的破坏，它也是由于左坝肩的塑性屈服首先在上游侧坝基区产生一水平弯曲拉裂缝，进而裂缝以主拉裂缝的型式斜向伸入坝内(图 18)。在奥地利的柯恩布赖茵大坝中，由于主要受大坝结构型式及施工条件的影响，在坝的中央下游侧地区，其底部的拉应力导致了几乎水平的弯矩裂缝，在蓄水期，由于剪力 $H$ 的作用，产生了形成主拉裂缝②的斜向拉应力，因而，拱冠梁底部沿基础的整个

断面被剪断,坝体产生了相对于坝基而言不可逆的位移,该坝随后的加固方法即基于剪力不再单独由坝体断面承担,而是由坝和下游支承体共同承受的原则处理(图 19)[12]。

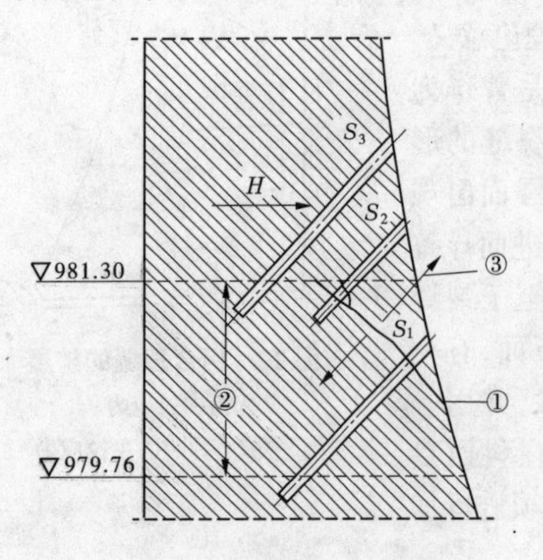


**图 14　法国加日坝中的裂缝**

①裂缝;②混凝土浇筑层厚;

③主拉应力 $S_1$、$S_2$、$S_3$ 为深孔

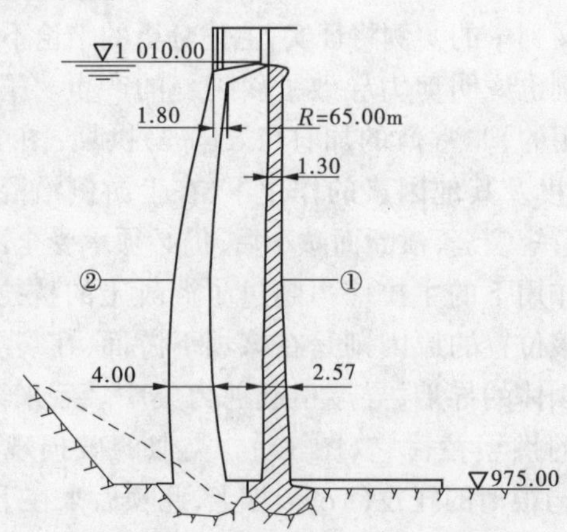


**图15　法国新建的加日坝**

坝②替代非常薄的试验坝①

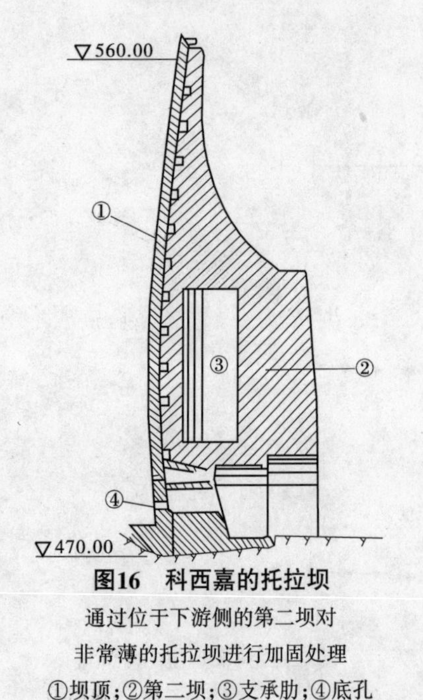


**图16　科西嘉的托拉坝**

通过位于下游侧的第二坝对

非常薄的托拉坝进行加固处理

①坝顶;②第二坝;③支承肋;④底孔

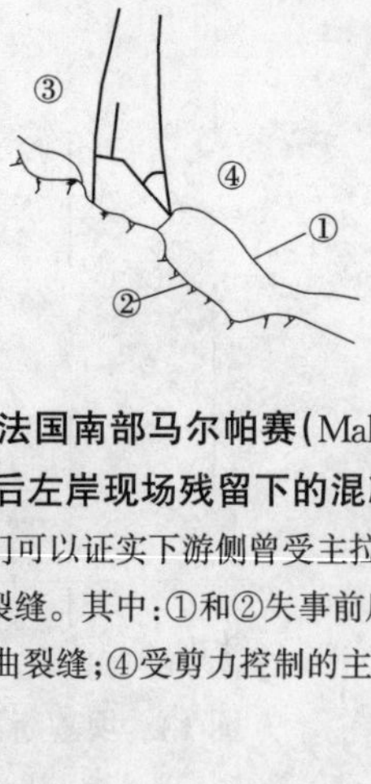

**图 17　法国南部马尔帕赛(Malpasset)拱坝**

**失事后左岸现场残留下的混凝土块体**

据此人们可以证实下游侧曾受主拉应力影响而

形成的斜裂缝。其中:①和②失事前后的岩基表面;

③弯曲裂缝;④受剪力控制的主拉应力缝

另一种实例足以证明前述组合裂缝形成过程的是泽乌齐尔(Zeuzier)坝,见图 20 及图 21,坝址区的沉陷位移导致了河谷断面的缩窄,对拱圈产生了指向上游的推力,尤其在坝的下游底部区形成了水平弯矩裂缝,进而在剪力作用下的裂缝向下陡斜延伸[9~12]。在魁北克(Quebec)200m 高的坦尼尔-约翰逊(Daniel Johnson 以前称马尼克 Manic 5)连拱坝中曾出现类似的问题,图 22 为大坝的下游立视图和拱冠断面图。因为拱圈是支承在坝墩的上游面,在库满时,坝墩中几乎难以形成轴向压应力,如在图 23 中,轴向力 $N$ 为零,于是在上游面形成弯曲破坏,相对于非常坚硬的基岩而言,拱圈刚度较小,剪力 $Q$ 由支墩传递,因而上游侧裂缝能够以一定的角度向下游发展。

图 24 清楚地给出了导致不同形式裂缝的弯矩和剪力各种可能组合情况,但原则上它们揭示的是相同的现象,据上文所述及列举的实例,具体按法向力和剪力的比例关系,能够形成最终稳定的裂缝

或危害性的不稳定裂缝。在图 25 中,已尽可能广泛综合地说明前述事例,例如,在拱冠部可能存在着大的法向力,而剪力为零(图 10 及图 25 中的 $A$ 点)。这种形式的裂缝不会危及大坝的安全,它们大都出现在下游侧,缝中没有渗水,因为剩下的未裂断面完全有能力在剪力为零的情况下承担法向力,类似的情况 $H$ 点经常在拱坝上出现(图 25),在坝的下游面形成垂直于坝基的裂缝,这种裂缝不传递剪力,也完全不影响大坝的安全。此种情况对坝体也不形成附加的挤压力。如果也需要裂缝面传递剪力,则务必得考虑出现前面所述形式的组合裂缝的可能性。剪力对法向力的比值越大,则情况越不利,越易形成贯穿性的裂缝,$E$、$G$ 和 $K$ 点的状态就属于这种组合情况。消失在断面中的稳定裂缝与把断面切割成两半的不稳定裂缝之间的界限取决于主拉应力的大小及抗主拉强度的大小。

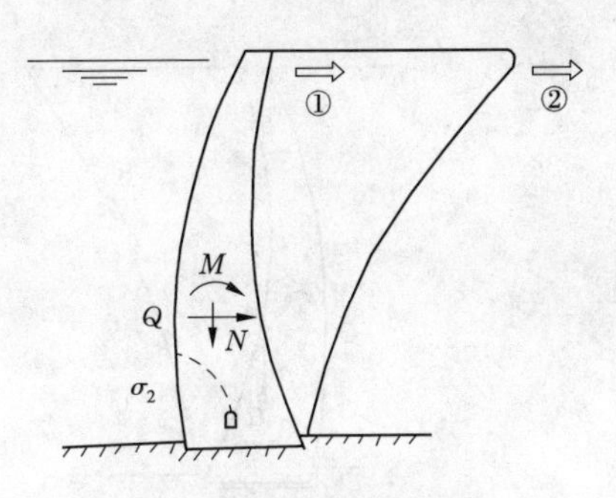


**图 18 马德里附近的埃尔-阿塔扎尔(El-Atazar)坝**

左坝肩的塑性屈服首先在坝基上游侧导致弯曲裂缝,进而向坝内形成主拉应力裂缝——由弯曲拉应力及剪力拉应力形成的主裂缝

①坝肩位移;②坝体位移

在正常情况下,拱坝是以整个基面坐落在岩体上的。在中间区自重给坝体断面提供预应力;在岸坡段预应力由拱的环向力提供;在坝中与坝肩的过渡区则是此两种力的共同叠加作用区。如前所述,剪力是沿整个周边传递的,如果出于某种原因,某一断面上的剪力相对于法向力过大,且弯矩又使断面开裂时,则就可能形成前述模式那样的贯穿性裂缝。

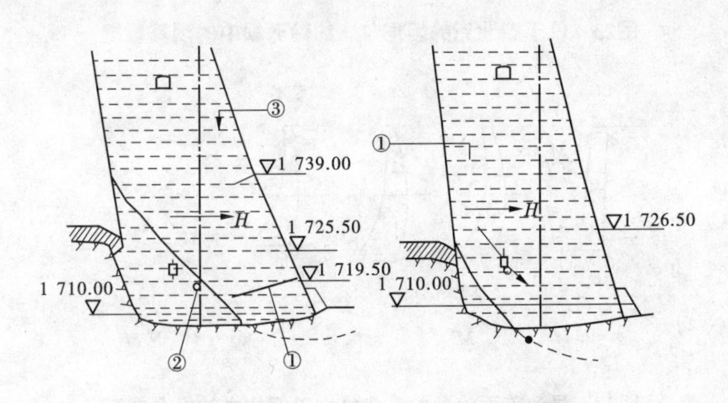


**图 19 奥地利柯恩布赖茵大坝中的裂缝**

①下游侧原裂缝;②蓄水过程中上游侧由剪力引起的拉力缝;③浇筑缝

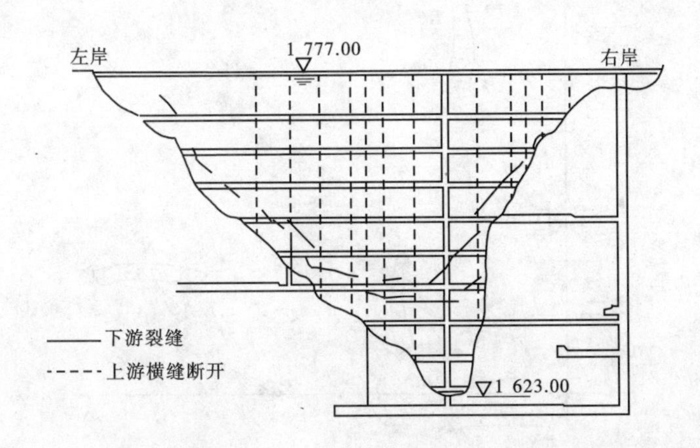


**图 20 瑞士泽乌齐尔坝由河谷缩窄引起的裂缝**

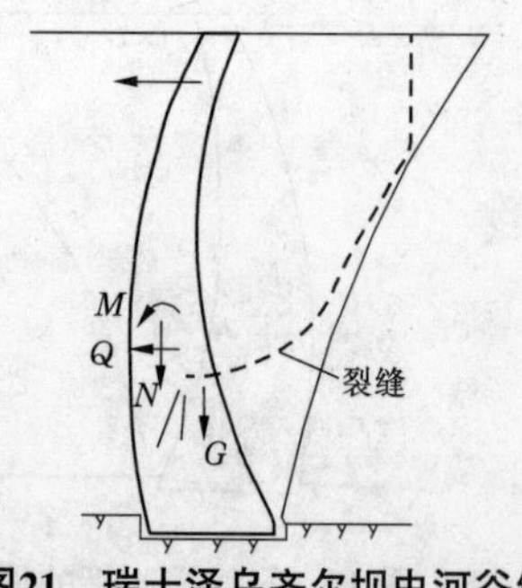


图21　瑞士泽乌齐尔坝由河谷缩窄引起的下游侧主缝的扩展轨迹

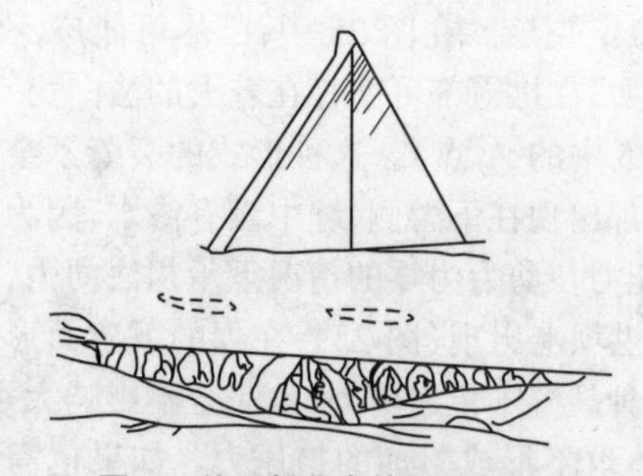

图22　位于魁北克的坦尼尔－约翰逊坝的下游立视图及横断面

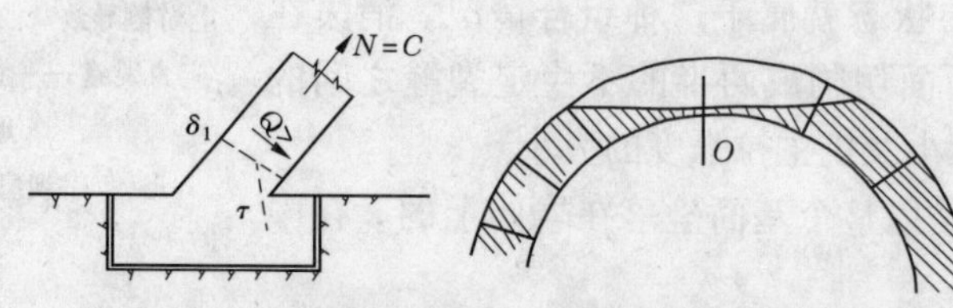


图23　位于魁北克的坦尼尔－约翰逊坝中的坝基裂缝

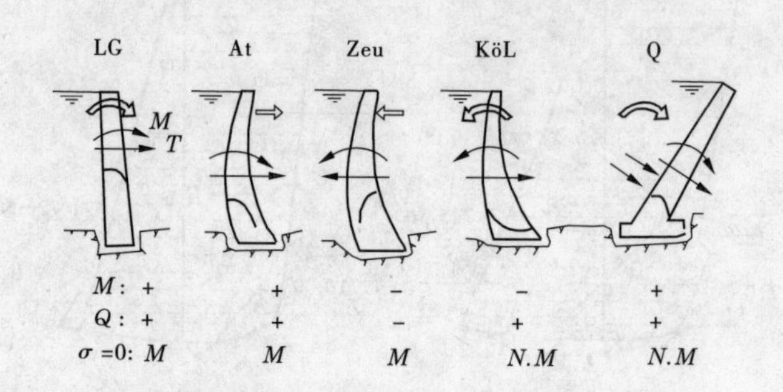


图24　导致前面论及的几座拱坝破坏的力的组合情况

由左向右分别为:加日、埃尔－阿塔扎尔、泽乌齐尔、柯恩布赖茵及坦尼尔－约翰逊坝

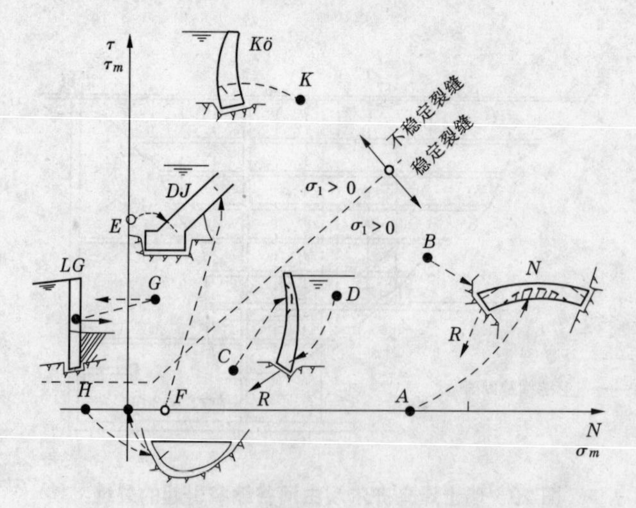


图 25　在法向力及剪力坐标系中的拱坝经常出现的典型的稳定及不稳定裂缝情况

## 6 细长系数

尽管通常很少用到所谓的荷载系数 $K$,但它的引入已达 30 多年了[13],其定义为:

$$K = F^2/V$$

后来发现用下式的定义来采用荷载系数或细长系数 $C$ 更有利[8]:

$$C = K/H = F^2/VH$$

式中:$F$——大坝拦截河谷断面部分的展开面积;

$V$——混凝土体积;

$H$——坝高;

$K$——荷载系数;

$C$——细长系数。

图 26 给出了一些较大的拱坝实例的细长系数与坝高的函数关系,有趣的是,细长系数太大的坝往往出问题。如果大坝的设计施工均合理,则凭藉今天的混凝土浇筑技术,细长系数完全可以达到 20 左右,正常情况下,如细长系数为 15 左右则大坝不大可能会出现问题。

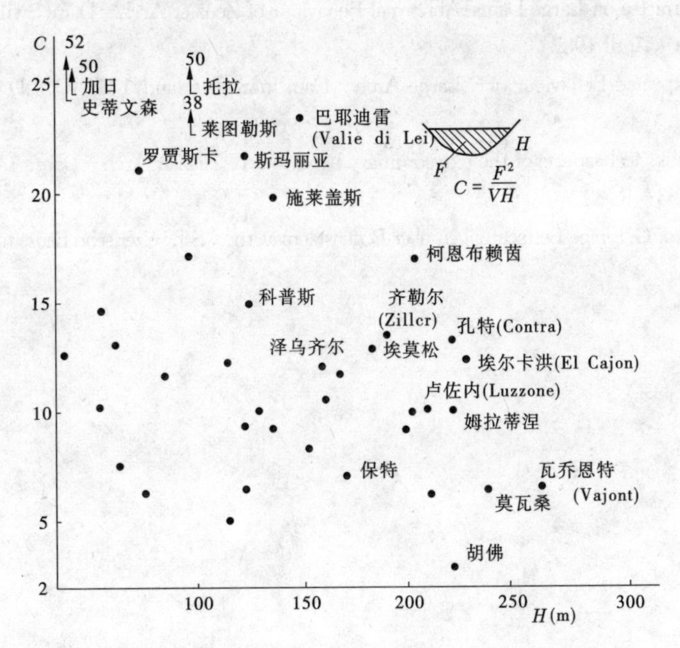


**图 26 一些较高拱坝的细长系数 $C$ 与坝高 $H$ 的关系**

## 7 结 语

根据前述对剪力荷载与拱坝结构性态关系的分析和现代施工艺术知识,可以得出以下几点意见:

(1)在应力计算时,至少应计算和论证岩体约束区的剪力。

(2)求出坝基的附近坝体内的剪应力及主应力,并和其允许值相比较,尤其是主拉应力。

(3)必要时得研究论证可能会出现的裂缝的稳定性,证实它们不会发展成危害性的裂缝。

(4)确定两高程处的允许拉应力;在可能会出现的不能传递剪力的裂缝方向上的,以及在坝基附近在整个大坝寿命期间务必传递剪力的水平面上的允许拉应力。

借助于合理的工程措施及计算结果来保证满足工程的安全条件将是工程师们的艺术。

## 参 考 文 献


[1] CIGB - ICOLD: World Register of Dams. Paris 1984

[2] Schnitter N. : The evolution of the arch dam"Water Power and Dam Construction"October/November 1976

[3] Lombardi G. : Les barrages en voûte mince Dunod, Iaris 1955

[4] Lombardi G. : Distributior a double borne Logarithmique. 16th ICOLD Congress, San Francisco 1988, C.25

[5] Linsbauer H. : Das Tragverhalten von Betonbauten des konstruktiven wasserbaues Einfluss von Rissbildungen T.U. Wien , Bericht Nr.21, 1987

[6] Mary M. : Construction - et Surveillance des Barrages 1. Barragesvoûtes. Historique, Accidents et incidents. Dunod, Paris 1968

[7] Comité francais des Grands Barrages : Désordres graves constatés sur des barrages francais. 13th ICOLD Congress, New Delhi 1979, Q.49 - R33

[8] Lombardi G. et al. : Advanced dam engineering for design construction and rehabilitation Locarno , December 1986(soll anlässlich des 18. ICOLD - Koingresses in San Francisco veröffentlicht werden)

[9] Swiss National Committee on Large Dams: General paper(Zeuzier). 15th ICOLD Congress, Lausanne 1985, GP - RS.9

[10] Swiss National Committee on Large Dams: Abnormal Behaviour of Zeuzier Arch - Dam(Switzerland). Special issue of "wasser, energie, luft", April 1982

[11] Pougatsch H. : Unexpected Behaviour of a Large Arch - Dam in Switzerland. 14th ICOLD Congress, Rio de Janeiro 1982, Q52 - R.40

[12] Schneider T.R. : Geological aspects of the extraordinary behaviour of Zeuzier Arch - Dam. 14th ICOLD Congress Rio de Janeiro 1982, Q.53—R.38

[13] Kaech A. and Lombardi G: Einige Betrachtungen über Bogenstaumauern. "Schweizerische Bauzeitung", 1953, Nr.38

# 高拱坝坝体中开裂的模拟(Ⅰ)

[奥地利] H.N.林斯鲍尔　　H.P.罗斯马尼斯

[美国] A.R.英格拉费　　P.A.瓦韦济涅克

**摘　要**:本文分上、下两篇对柯恩布赖茵拱坝开裂进行了彻底的断裂力学研究。上篇首先叙述该坝开裂的历史过程及试图解释开裂的理论,然后叙述混合型、线弹性断裂力学的基本原理,并运用于研究在坝趾附近观测的开裂,还计算了两条裂缝在稳定性、轨迹线和开度,并与观测结果进行了比较。下篇运用计算机模拟和断裂力学原理研究了在坝踵处发生的开裂,试图模拟开裂前观测到的轨迹线和加载过程。叙述了四个模拟该坝开裂原因的模型。从现有的开裂资料看来,四个模型均是可行的,本文探讨了把模拟同各种类型的精确资料结合在一起的必要性及二维分析的不足性。本项研究的重要启示是,经典断裂力学理论加上现有计算机模拟技术可用于解释混凝土拱坝中的开裂事件。上述研究的设计预防开裂和制定有效的修补措施中证明是有价值的。

## 1　前　言

建造大坝,形成水库,可用于发电、灌溉、防洪、娱乐和饮用水供给。在可行的蓄水方式中,混凝土拱坝证明是有效的,目前约占世界坝工建设的4%。一般来说,拱坝被认为是具有零点或正高斯曲线的薄壳形结构,其外壳壁的厚度是可变的。

与其他形式的水坝相比,拱坝的优点是造价低。造价低被两个主要的缺点所抵消,第一,修建拱坝需要先进的分析程序,如有限元法或边界元法。按惯例,大坝计算采用试载法,这是将大坝结构假定分离成水平拱圈和垂直悬臂梁。如今,这种比较粗略的近似方法由较为精确的有限元计算所补充;有时采用交互式计算机图形技术。拱坝中应力应变状况主要取决于大坝与基础的相互作用和许多一般难以确定的材料参数。

第二,拱坝对坝基和坝体自身的材料、几何形状的缺陷非常敏感。尽管在分析和设计过程中运用了高技术和巨型电子计算机,详细的地质评价和混凝土浇筑过程中实施连续的质量控制也不可能完全排除裂缝形成和断裂发展的可能性。最近几年,大坝裂缝的事例充分显示了这一点,如西班牙的埃尔阿塔扎坝(EL Ataza)(Urbistondo and Yges,1985),奥地利的柯恩布赖茵坝(Baustaedter,1985;Baustaedter and Widmann,1985)。

拱坝的局部开裂发展到极端的不可控制的程度可以造成不可收拾的垮坝事件,致使水库骤然泄空。这将引起坝体完全快速地崩溃。在未造成垮坝的事例中,已发生耗费巨资放空水库进行补强检修,当检修被证明不起作用,有使整个工程报废的情况。断裂控制为减少大坝开裂可能性提供了合适方法。既然用于拱坝的综合断裂控制计划的发展仍然处于萌芽状态,断裂力学研究似乎为具有裂缝缺陷的拱坝领域提供了一个极好的工具。

本文阐述先进的断裂力学原理和方法在有裂缝的大坝中的应用,该项研究旨在揭示在坝基区域起作用的机制,该机制有可能是造成坝中逐渐开裂的原因,由此引起坝体的最终破坏或放弃该坝。在奥地利南部的卡林西亚州,有一座坝的上下游面发生了一系列裂缝。该坝被作为实例研究。本文的上篇提供必要的背景材料,并叙述下游侧的开裂,下篇将集中叙述上游发生的情况。

---

本文原载《Journal of Structural Engineering》,1989年第7期,杨超译,向世武校。

## 2 工程实例研究——奥地利的柯恩布赖茵拱坝

柯恩布赖茵拱坝是世界上最高的大坝之一，1984 年排列第 24 位。该坝拱冠悬臂梁有 200m 高，亚得里亚海海拔 1 700～1 900m 高程之间的有效库容量为 $200\times10^6 m^3$。该坝建于 1973～1979 年，设计总装机容量为 890MW，其泵容量约为 400MW。大坝和水库的一侧为大体积花岗片麻岩，另一侧为片状片麻岩，中间被谷底片理高度发育的岩层所分割。修建成一座双曲拱坝，其基础作出了适当地处理，设立了广泛周密的监测系统，用以控制大坝和基础的移动变形、扬压力、排水及温度特性。有大约 400 个测量和数据采集点。

在大坝竣工之前，由于经济原因，要求水库部分蓄水。初次和头两次部分蓄水没有造成任何明显的问题。拱坝和基础内的变形控制与扬压力和排水流量的测量没有显示出什么特别变化，整体反应是满意的。

1978 年，当蓄水第一次超出约 1 860m 高程时，观测到过大的排水流量。在必要的扬压力释放期间，排水流量突然从异常的 35L/s 增加到不可接受的 200L/s。水库立刻放空，检查出坝体上游面有一张开裂缝。斜向表面裂缝的裂口延伸长达 160m，成为断裂带的可见部分，估计伸入坝体中。

坝基地区的岩芯钻探表明，断裂带延伸至拱坝和其基础的接触面。立即采取了初步的对策，将基础区域的局部冷冻，以防止继续漏水。大量漏水归咎于灌浆帷幕开裂和局部漏水。随后的修补集中在上游基础区域，作一个新的灌浆帷幕。这个灌浆帷幕从坝踵延伸一定距离，以避免由于大坝可能的位移造成任何进一步的破坏，不管怎么说，1982 年重新蓄水达 1 890m 高程（离最高水位约差 10m）又导致新的裂缝开裂，同时渗漏达 400L/s。此外，发现了位于坝下游面的几条裂缝。但这些裂缝的性质和准确的开裂时间尚不知道。欲知详情，读者可参阅下面等人的论文：Baustaedter，1985；Baustaedter and Widmann，1985。

## 3 断裂的演变过程

拱坝坝体中断裂区和发展成的断裂带的示意图，见图 1，包括拱坝的纵剖面（图 1(a)）、主要断面图（图 1(b)）、坝和基础界面附近区域的胀裂图（图 1(c)）。

断裂带的可见痕迹有下列演变形式。1978 年断裂带的上游侧（图 1(c)）基础以上 18m 的位置出现，延伸长度 100m。岩芯钻进表明断裂带向基础倾斜，如图 1(c)所示。1983 年断裂带（不是 1978 年断裂的延伸）几乎与 1978 年断裂带平行，在其上盘，距离为 2～5m。两条断裂带均延伸至坝和基础界面（图 1(c)）。有关上游面裂缝的两个观测结果对于断裂力学研究是很重要的。

(1)1978 年断裂带表面裂缝高出坝踵近 2～6m，坝踵为坝体与基岩的连接处。

(2)就坝的上游面来说，裂缝面似乎与表面成锐角（见图 1(c)）。

下游面上的开裂集中在坝基以上 14m 的位置上，虽然这个裂缝带的精确深度或轨迹线不为人们所知。但是，专家们认为，裂缝延伸贯穿坝断面的三分之一到二分之一。

## 4 断裂模拟

对破坏进行深入的评价和调查期间，对裂缝带起因提出了几种不同的理论，并在中期和公开会议上进行了讨论，从时间顺序上，首先发现的是上游面的裂缝。下游面的断裂带是在调查后期观测到的。分析咨询专家认为，下游面裂缝是施工期间由拱坝顶部灌浆压力引起的。被大坝业主接受的理论则认为，上游裂缝带是由下游带造成的。

这些理论将按照先进的断裂力学原理应用到混凝土结构上进行评价。本文上篇叙述拱坝下游面的断裂机制，而下篇将叙述拱坝上游区断裂的发展。为了方便在上下篇中探讨运用到混凝土结构上的大坝开裂机制，下面将对断裂力学的一般理论作一简要介绍。

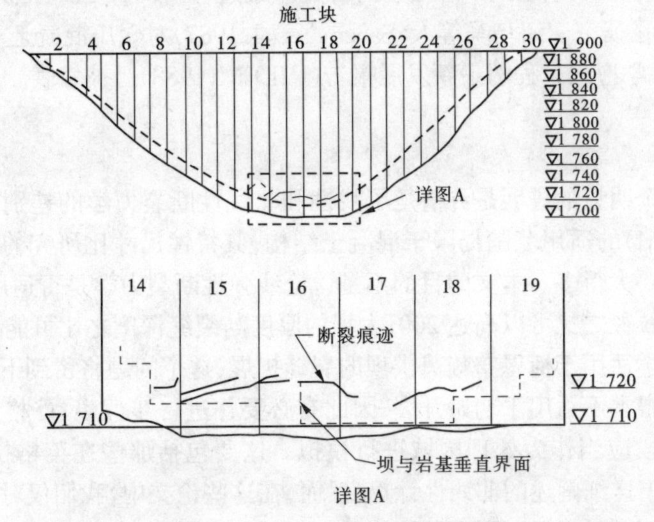


(a)纵剖面(上游)表示坝踵附近的断裂痕迹

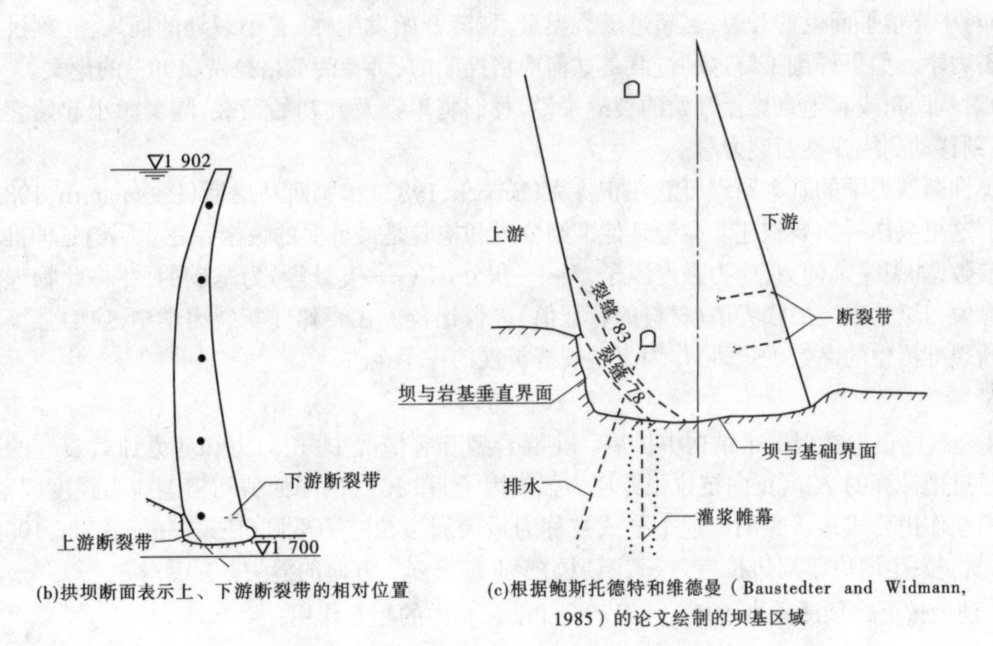


(b)拱坝断面表示上、下游断裂带的相对位置　(c)根据鲍斯托德特和维德曼(Baustedter and Widmann, 1985)的论文绘制的坝基区域

**图1　柯恩布赖茵拱坝裂缝型式发展过程**

## 5　混凝土坝的断裂力学

把工程断裂力学法广泛应用到混凝土结构上直到最近才变得可行,这是因为混凝土材料的性质非常复杂,把这些方法引入数值分析中有困难,卡尔皮特里和英格拉费(Carpinteri and Ingraffea, 1984)、沙阿(Shah,1985)、西和迪托马索(Sih and Ditommaso,1984)及威特曼(Wittmann,1983)着重介绍了混凝土断裂力学的科学发展水平及其应用方法。

在过去的10年中,断裂力学已日益频繁地用于坝体的应力分析之中(Chappell and Ingraffea, 1981;Chapuis et al.1985;Fanelli et al. 1985;Ingraffea and Saouma 1985;Khrapkov,1977;Lin and Ingraffea ,1988;Linsbauer and Rossmanith,1986;Linsbauer,1985;Tu Chuanlin,1985)。英格拉费和同事(Ingraffea and Saouma ,1985;Lin and Ingraffea,1988)及赫拉普科夫(Khrapkov ,1977)已分别对丰塔纳(Fonfana)坝(美国田纳西河流管理局)微裂缝及乌斯季伊林(UST－Ilinn)坝和克拉斯诺亚尔斯克

(Krasnoyarsk)坝温差引起的开裂提供了广泛的实例研究。最近,屠传林(Tu Chaunlin,1985)对泽西(Zhexi)大头坝的破坏进行了研究。绍乌马等人(Saouma et al.1987)对碾压混凝土重力坝进行了实例研究,详细叙述大坝断裂力学应用过程的最新发展报告(RILEM,1988)已被发表。

## 6　假定和基础理论

混凝土断裂力学中一个明显的进展是弄清楚了线性和非线性断裂力学的差别,据目前的认识水平,线弹性断裂力学(LEFM)的适用范围局限于混凝土结构,其特性尺寸比研究的裂缝区域要大,而裂缝本身必定比骨料尺寸要大得多。本文的目的不是讨论线弹性断裂力学是否适用于柯恩布赖茵拱坝。既然裂缝长度与骨料粒径之比可以高达200,大坝的厚度与裂缝深度之比可能要大于20,所以将假设混合型线弹性断裂力学适用于柯恩布赖茵拱坝的裂缝扩展,这个问题将留到下篇进行探讨。

鉴于线弹性断裂力学根本不适用于初始开裂,因此有必要作进一步假设,严格地讲,本文及下篇研究的所有裂缝在初始阶段应当作为处理区域进行模拟。这要包括那些在英格拉费和格斯尔(Ingraffea Gerstle,1985)论文中详细阐述的非线性计算,然而,在这些论文中,我们仅对开裂的初始位置,最终的轨迹线和裂缝开度剖面感兴趣,我们假设:

(1)对于光滑平面上的开裂,当超过破裂模量,裂缝开始发生;随着小裂缝的插入,立刻过渡到线弹性断裂力学。如果详细了解这种过渡是如何严格控制的,可参阅英格拉费(1987)的论文。

(2)对从凹角或其他奇异点开始的裂缝来说,我们将不涉及到初始荷载,随着微小起始裂纹的插入,将立刻移动到线弹性断裂力学。

线弹性断裂力学的基本原理可能在布鲁克(Broeck,1982)和罗斯马尼斯(Rossmanith,1982)论文中找到。这里只作一简要叙述。裂缝延伸准则公式和检验是最重要的一个课题。裂缝延伸准则是以一物理参数(如裂缝延伸力,应力强度因子,$J$——积分,$T$——模量等)为基础的,并将此物理参数的解析计算值与试验确定的临界值(材料的特征值)进行比较。在线弹性断裂力学中,应力强度因子K通常由断裂准测中的参数确定,可作为Ⅰ型裂缝扩展的一个条件。

$$K_{\mathrm{I}} = K_{\mathrm{I}c} \tag{1}$$

纯Ⅰ型裂缝很少在混凝土结构中扩展。在混合型开裂情况中,正向力和剪力加载裂缝的局部稳定性是通过把计算的$K_{\mathrm{I}}$(正向抗拉张开应力强度因子)和$K_{\mathrm{II}}$(内平面剪切模型应力强度因子)代入理论的相互作用公式来研究的。这个公式被称为最大周边拉应力准则(Erdogan and Sih,1963)。据该准则,断裂发生取决于周边拉应力$\sigma_\theta$,断裂始于垂直于$\sigma_{\theta_{max}}$方向的缝尖。

$\sigma_{\theta_{max}}$理论按下式预测垂直于$K_{\mathrm{I}} \sim K_{\mathrm{II}}$平面的$K_{\mathrm{I}c}$中的相互作用:

$$\cos\frac{\theta_0}{2}\left(\frac{K_{\mathrm{I}}}{K_{\mathrm{I}c}}\cos^2\frac{O_0}{2} - \frac{3}{2}\frac{K_{\mathrm{II}}}{K_{\mathrm{I}c}}\sin\theta_0\right) = 1 \tag{2}$$

断裂角$\theta_0$是通过求缝尖周边应力的公式的极值得出的,即:

$$\cos\frac{\theta_0}{2}(K_{\mathrm{I}}\sin\theta_0 + K_{\mathrm{II}}(3\cos\theta_0 - 1)] = 0 \tag{3}$$

使用公式(1)~公式(3)预测混合型裂缝扩展的稳定性和轨迹,必须精确地计算出应力强度因子,必须知道$K_{\mathrm{I}c}$。本文采用英格拉费和马努(Ingraffea and Manu,1980)叙述的有限元法和计算技术计算强度因子。

确定混凝土断裂韧度$K_{\mathrm{I}c}$的有效值是一个非常困难的问题。由于所需的试验设置和机械设备体积很大,因此$K_{\mathrm{I}c}$试验已变得非常复杂和昂贵。80~100mm粒径骨科需要试样尺寸一般为1 000~2 500 mm。以文献检索中查得具的较小粒径骨科的混凝土断裂韧度的范围在$0.4 < K_{\mathrm{I}c}$($\mathrm{MN_m}^{-3/2}$)$< 1.2$(Swamy,1983),最近大量的试验成果表明,混凝土坝的$K_{\mathrm{I}c}$值可高达1.5~3.0$\mathrm{MN}^{-3/2}$,取决于骨料的粒径。

## 7 数值模拟

本文及其下篇采用两个专用有限元程序 FEFAP－G 和 FRANC 进行模拟。有限元裂断分析程序(含图解)(FEFAP－G)是由绍乌马、英格拉费和格斯尔等人(Gerstle et al.1987; Ingraffea and Saouma,1985;Saouma et al.1981)编制的。第二代断裂分析程序(FRANC)是由瓦韦济涅克和英格拉费(1987)编制的。根据线性或非线性断裂力学原理,这两个程序的特点是能够模拟裂缝的发生、扩展离散和混合型断裂,并适用于解决本文中提出的问题。

(1)自动计算应力强度因子。

(2)根据式(2)预测稳定性。

(3)根据式(3)预测轨迹线。

(4)自动重新分区以包括裂缝伸展的每一预测增量。

本文进行的模拟采用的是二维三角形、四边形和接触面单元。这样,就能容易地模拟线弹性断裂力学隐含的奇异点,并能正确地计算应力强度因子。在重新分区期间,裂缝可自由沿单元边界延伸,节点重新记数以减小带宽是自动完成的,因而,分析人员就能够控制缝尖附近网格的质量,进行收敛研究而无需中断分析。断裂分析程序具有人机交互式图解功能,可在工程工作站上运行操作。

## 8 柯恩布赖茵拱坝下游裂缝带的断裂力学研究

由于是双曲拱坝及开裂和不开裂坝段之间的相互作用,图 1(a)～图 1(c)示出的断裂带应当通过三维分析来研究。但是,没有资金,也没有用以进行三维离散、断裂力学模拟所必需的工具,因此所有模拟均是在中间坝段断面上按二维、平面应变问题进行的。如下面所指出的必须作更多假设和近似计算,以获取这个断面的荷载情况。

## 9 无缝坝体中的应力状态

分析的第一步是要确定无缝建筑物中的应力和变形场,图 2 示出拱坝无缝结构断面的有限元网格。这个网格用于初期分析。它从定量上论证了在各种力的作用下断面的特性。这些力取自悬臂梁的三向试载法分析。这些力示于表 1。由于断裂带局限在坝址和基础区域,在以下分析中只运用了网格的下面部分。拱坝下部的荷载和外加应力用合力和相应力矩的作用所替代,见图 3。表 1 给出了换算的力和力矩,包括自重和水库的不同蓄水高程,从接缝中实测的灌浆压力和在坝底观测到的永久位移推算的附加荷载由表 1 最后一栏给出。这些荷载也可以通过近似试载计算中心悬臂梁的特性来获得。

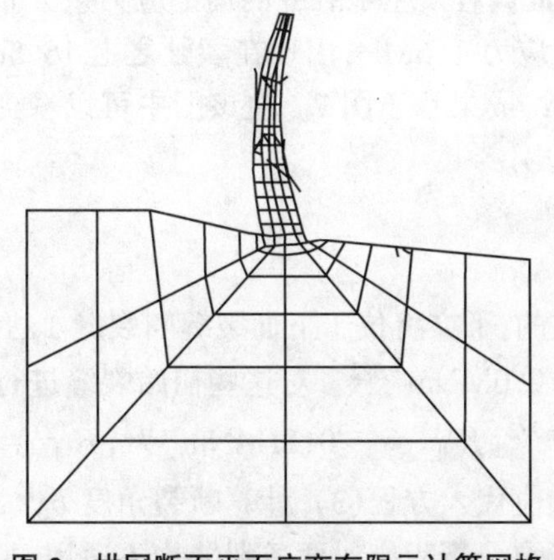

**图 2 拱冠断面平面应变有限元计算网格**

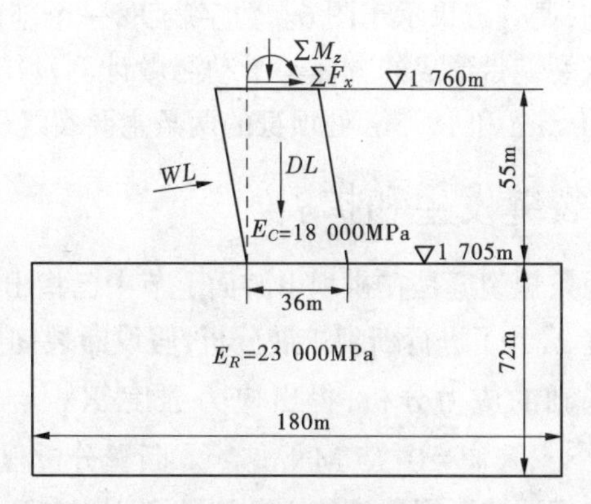


**图3 简化的力系**

表 1 **1 760m 高程作用于拱坝的总荷载的各分量**

| 荷载分量 (1) | 自重 (2) | 不同高程(m)的水荷载 | | | 附加荷载 (6) |
|---|---|---|---|---|---|
| | | 1 767 (3) | 1 800 (4) | 1 902 (5) | |
| $F_x$(MN/m) | 0 | −2 | 0 | 16 | −3 |
| $F_x$(MN/m) | −70 | −1 | −5 | −1 | −5 |
| $M_z$(MN·m/m) | −40 | 46 | −149 | −21 | −67 |

应力分析成果示于图 4 和图 5。图 4 示出仅由自重产生的主拉应力扬。此外,拱坝下游控制性

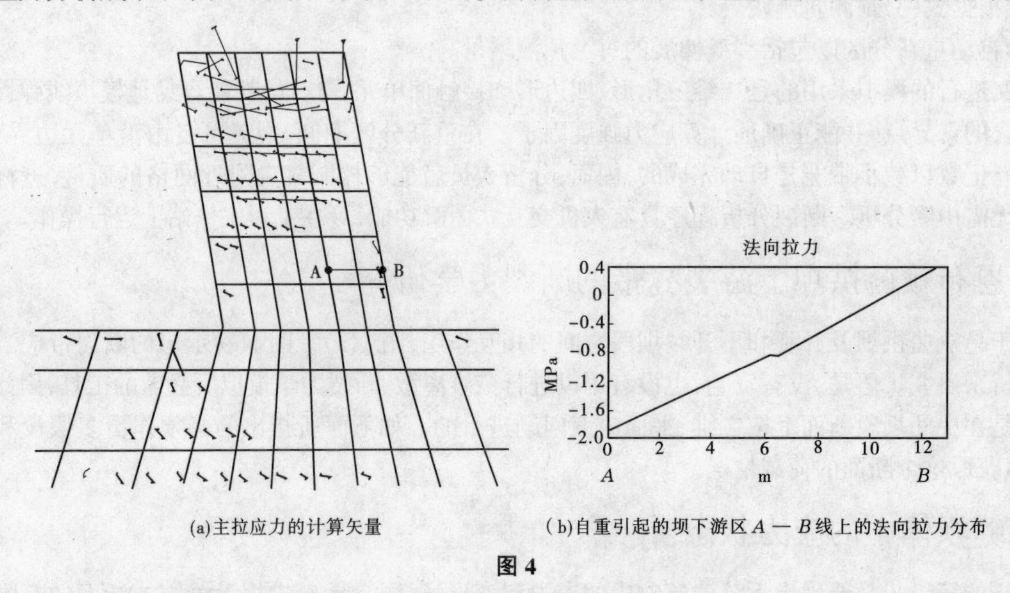


(a)主拉应力的计算矢量　(b)自重引起的坝下游区 $A$ — $B$ 线上的法向拉力分布

**图 4**

水平断面上的应力分布表明,正拉应力约为0.38MPa,而这明显地比混凝土的抗拉强度要低。值得注意的是,计算的最大拉应力出现在下游面坝趾以上 12～15m 处。模拟断面顶部坝体中的应力集中是人为的,是施加单项力所得的分布断面应力的近似值。它对坝趾附近的应力状态没有什么影响。

当施加表 1 中的附加荷载时,坝面上的最大拉应力确实明显地增加了,最大合成应力值 1.77MPa 接近坝体材料的断裂模量(图 5(a))。沿拱坝下游面上的 $\sigma_{yy}$应力分布(图 5(a)中 $CD$ 线)表明坝底以上 10.5m 处的最大应力(图 5(c))。在以前发表的论文中,作者研究了单个裂缝在此高程发生和扩展的情况(Ingraffea et al.1987)。在本次研究中,对此高程发生了裂缝的局部应力重分布进行了调查,调查成果示于图 6。数字表明,一个新的局部最大应力 1.6MPa 出现在坝趾之上 16.5m 处。对两条裂缝带形成的预测与滑动测微计测量结果完全一致,成果示于图 7。在该图中可以看到坝底以上 10.5m 和 18.5m 处坝身的两条主要裂缝(Kovari,1985)。

## 10 裂缝发生和扩展

两条短裂缝是在拱坝下游面上节中已指出的位置发生的,下文将位于下面裂缝叫裂缝 1,上面的叫裂缝 2,为了进行断裂扩展分析,假设断裂韧度值 $K_{\mathrm{I}c}=2.0\mathrm{MNm}^{-3/2}$。对这些初始裂缝进行有限元为基础的应力分析,得出应力强度 $K_{\mathrm{I}}^{(1)}=3.18\mathrm{MNm}^{-3/2}$, $K_{\mathrm{II}}^{(1)}=-0.11\mathrm{MNm}^{-3/2}$, $K_{\mathrm{I}}^{(2)}=3.27\mathrm{MNm}^{-3/2}$, $K_{\mathrm{II}}^{(2)}=0.15\mathrm{MNm}^{-3/2}$。断缝分析程序把这些数值代入方程(3),计算断裂角度 $\theta_0^{(1)}$, $\theta_0^{(2)}$,并依次把这些断裂角度代入断裂准则方程(2),结果发现断裂分析程序对两条裂缝均不适用,$K_{\mathrm{I}c}$小于有效的混合型应力强度因子,并预测两条裂缝要扩展,然后允许裂缝在方程(2)和方程(3)限定的方

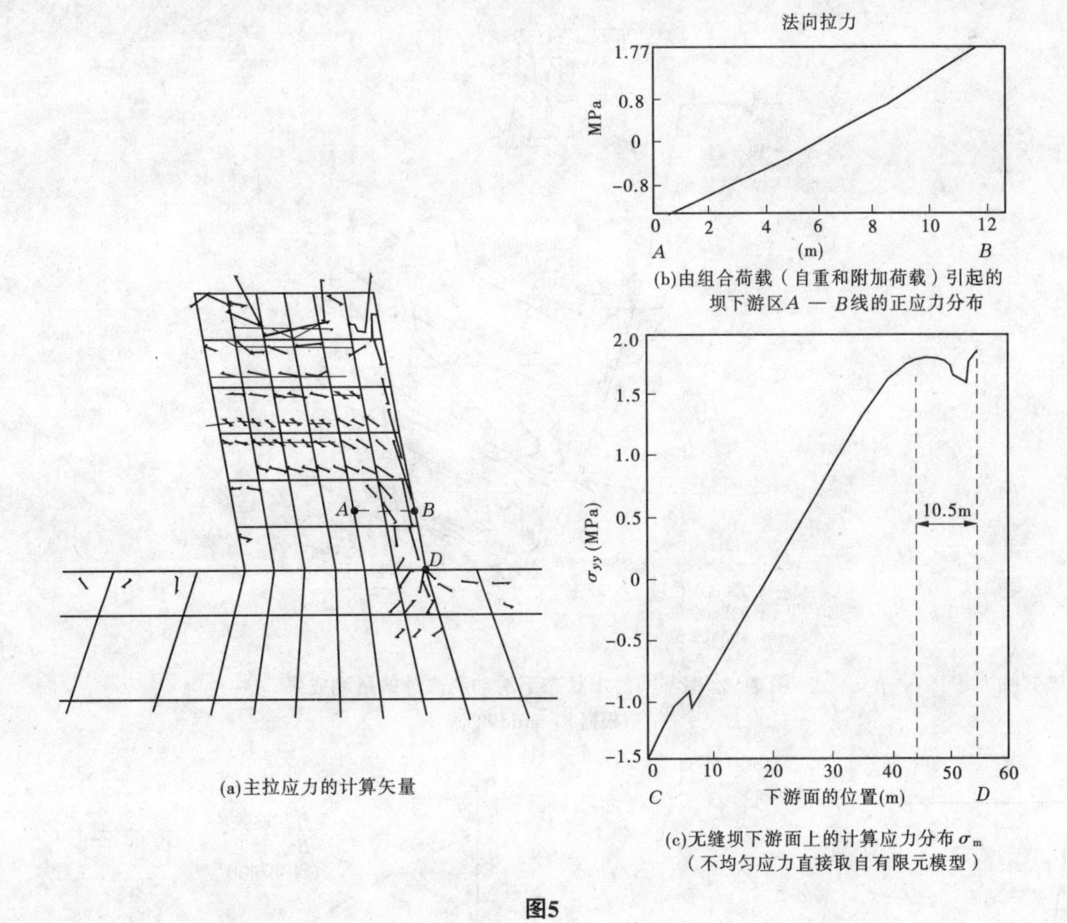


(a)主拉应力的计算矢量

(b)由组合荷载(自重和附加荷载)引起的坝下游区$A$ — $B$线的正应力分布

(c)无缝坝下游面上的计算应力分布$\sigma_m$(不均匀应力直接取自有限元模型)

图5

向扩散延伸。荷载只包括自重和附加荷载,见表1。

图8示出裂缝第六次扩展后预测的裂缝轨迹线。裂缝途径朝坝基弯曲。在这种状态下。裂缝1的长度约为12m,裂缝2的长度约为14m。相应的裂口开度位移(CMOD)为1.4mm和4.3mm。从理论上讲,应该直接把裂口开度位移与图7示出的滑动测微计的读数进行比较。测微计测量长度为1m。在这种情况下直接比较是不可行的,因为:①观测是在水库1 720m水位处(图7中的曲线2)进行的,而计算是在水库放空的情况下进行的;②不只是在裂口处进行了观测,而是在坝体内3~5m处进行了观测。尽管如此,有一个好的定性比较,因为观测成果表明,裂缝1的开度约2.75mm,裂缝2的开度1.35mm。

图9表示,相应于图8中的缝尖位置的数据点($K_{\mathrm{I}}/K_{\mathrm{I}c}$;$K_{\mathrm{II}}/K_{\mathrm{I}c}$)的位置非常接近轨迹线。裂缝1已停止活动,其曲线正好在轨迹线内,而裂缝2仍然不稳定,其曲线在轨迹线之外。这种情况还可以在图10中近似地观测到。图10仅仅给出有效组合应力强度的$K$分量,它还表明,$K_{\mathrm{I}}^{(1)}$几乎等于$K_{\mathrm{I}c}$,而$K_{\mathrm{I}}^{(2)}$却不断地减小。

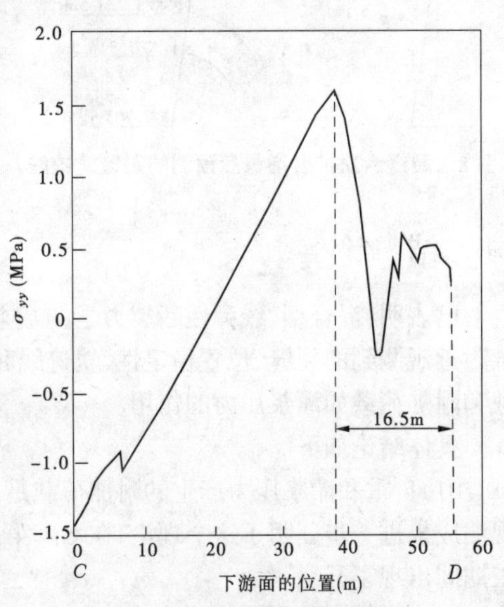


**图6 拱坝下游侧的应力分布$\sigma_{yy}$**

(坝底以上10.5m处有单条裂缝)

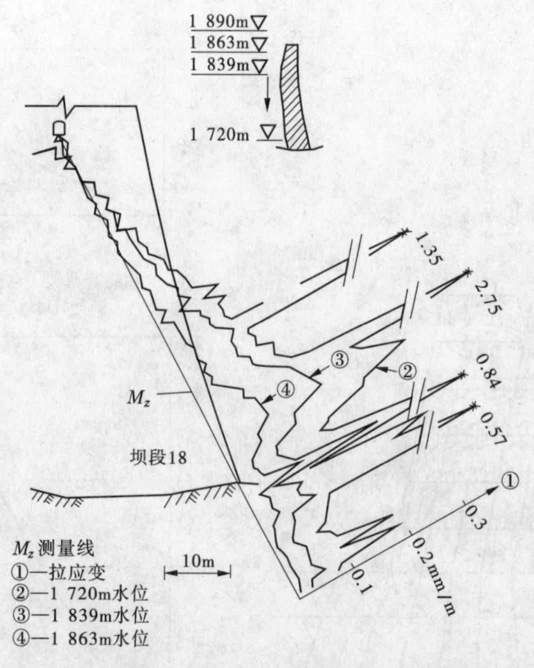


**图 7　水库不同蓄水状态下滑动测微计的量测成果**

（根据 Kovari(1985)）

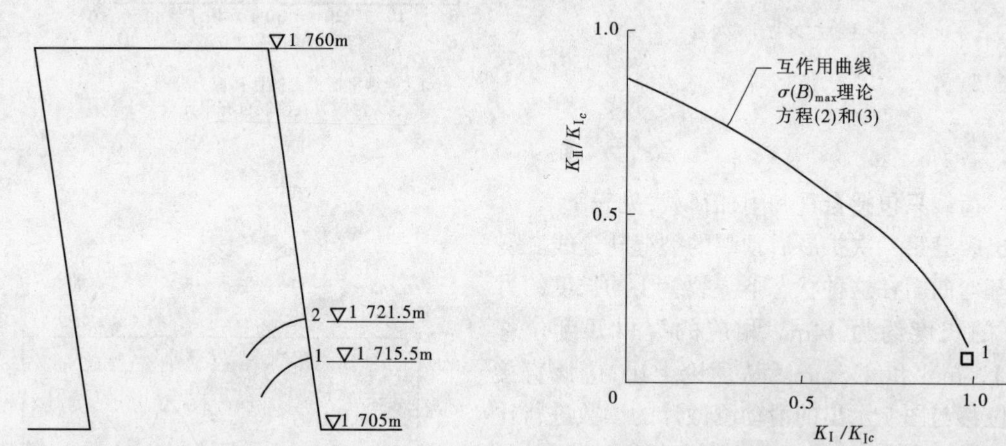


**图 8　裂缝六次扩展增量后预测的裂缝轨迹线**

**图9　裂缝六次开裂增量后断裂稳定平面中缝尖的位置**

## 11　结　论

已表明，混合型、线弹性断裂力学的基本原理可以用于模拟拱坝实测开裂，对柯恩布赖茵拱坝坝趾附近观测到的裂缝、位置稳定性、轨迹线和裂口开度已成功地进行了模拟。该模拟包括自重、水荷载和附加荷载如灌浆压力的作用。

具体结论如下。

(1)自重和灌浆压力产生的附加荷载足以产生比实测裂缝区估计的断裂模量要大的拉应力。该观测成果进一步证明了这个理论，在水库第一次蓄水和上游侧开裂以前，柯恩布赖茵拱坝下游侧在施工期间出现了开裂。

(2)计算下游面上的拉应力，出现长度约为 35m。预测应力的第一次峰值(坝趾处的凹角除外)出现在坝趾以上 10.5m 的地方。

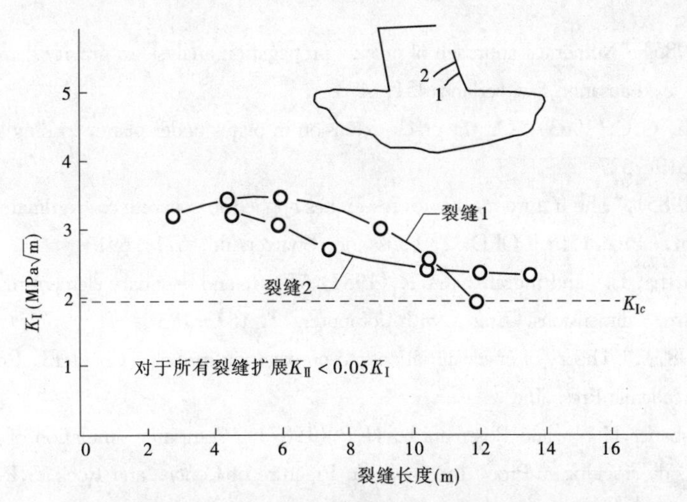


**图10 裂缝六次扩展期间作为裂缝长度函数的 $K_{\rm I}^{(1)}$ 和 $K_{\rm I}^{(2)}$ 值**

(3)裂缝在10.5m处发生后，拉应力重新分布，预测新的第二次峰值出现在坝趾以上约16.5m的地方。

(4)预测这些裂缝发生的位置完全同目视观测位置(坝趾以上约14m)相符，同滑动测微计的读取相符，测微计示出开裂应变的峰值接近这些位置。

(5)预测出这些位置发生的两条裂缝以曲线轨迹线朝坝底扩展。两条裂缝一开始就不稳定，但在贯穿拱坝厚度几乎三分之一后接近停止扩展。

(6)在最长的范围内，计算的裂口开度位移完全同滑动测微计的观测值相同。

(7)鉴于施工期间在水库低水位时，裂缝外表张口，水库蓄水有使裂缝闭合的趋势。在以前的研究中对水库蓄水引起的裂缝闭合进行了调查(Ingraffeca et al.1987)。该项研究表明，裂口闭合的预测和实测库水位是一致的。该项研究还预测，在裂缝部分灌浆后水库蓄水期间，裂缝保持稳定。

以上结论表明，具有断裂力学的预测功能可以用于控制某些施工程序——此种情况下对施工缝进行灌浆——以消除开裂的影响。结论还表明，这种功能还可以用估算裂缝开裂后的稳定性。

这种分析的缺点是目前只能局限于二维概化分析，三维加载作用和概化的二维悬臂梁与拱坝相邻单元的相互作用可以近似地估计出来。各断面的裂缝起因、长度和轨迹线均不相同。断裂力学理论和有限元分析足以解决这样的三维问题。真正的三维裂缝扩展还需具备把任意形状的裂缝引入和扩展到三维模型中去的能力。

## 参 考 文 献

[1] Baustaedter, K. (1985). "Die koelnbreinsperre aus heutiger Sicht." Erstes; Christian Veder Kolloquium, TU－Graz, Austria, Nov (in German)

[2] Baustaedter, K., and Widmann, R. (1985). "The behavior of the Kölnbrein arch dam." Proc. 15th ICOLD. 2. Lausanne, Swizerland, 653～651

[3] Broek, D. (1982). Elementary Engineering Fracture Mechanics. Martinus Nijhoff Publishers, The Hague, The Netherlands

[4] Qarpinteri, A., and Ingraffea, A.R., eds. (1984). Fracture mechanics of concrete－Material characterization and testing. Martinus Nijhoff Publishers, The Hague, The Netherlands

[5] Chappell, J., and Ingraffea, A/R. (1981). A fracture mechanics investigation of the cracking of Fontana Dam. Dept. of Struct. Engrg. Rept. 81－7, School of Civ. and Envir. Engrg. Cornell Univ., Ithaca, N.Y

[6] Chapuis, P. (1987). "Modelisation non－linéaire du comportement du béton sous des sollicitations dynamiques." Thesis presented to the Institut fur Baustatk und Konstruktion Eidgenossische. Technische Hochschule, Zurich, Switzerland

(in French)

[7] Chapuis, J.et a1.(1985)."Numerical approach of crack-propagation analysis in gravity dams during earthquackes," Proc. 15th ICOLD. 2, Lausanne, Switzerland, 451~473

[8] Erdogan, F., and Sih, G.C.(1963)."On the crack extension in plates under plane, loading and transverse shear."J. Basic Engrg., 85, 519~527

[9] Fanelli, M., et al.(1985)."The frature mechanics researches applied to concrete co-ordinated by ENEL to study the dam fracture problem." Proc.15th ICOLD. 2, Lausanne, Switzerland, 671~691

[10] Gerstle, W.H., Martha, L., and Ingraffea, A.R.(1987)."Finite and boundary element modeling of crack propagation in two-and three-dimensions."Engrg. with Computers.2. 167~183

[11] Ingraffea, A.R.(1987)." Theory of crack initiation and propagation in rock."Chapter3. Rock Fracture Mechanics, B.Atkinson, ed., Academic Press, Inc

[12] Ingraffea, A.R.Linsbauer, H.N., and Rossmanith, H.P.(1987)."Computer simulation of cracking in a large arch dam-Downstream side cracking." Proc. Int.conf, on Fracture of Concr. and Rock, S.P.Shah, and S. Swartz, eds., Houston, Tex. 547~557

[13] Ingraffea, A.R., and Gerstle, W.(1985)."Non linear fracture models for discrete crack propagation,"Application of Fracture Mechanics to Cementitious Composites. S.P.Shah, ed., Martinus-Nijhoff Publishers, The Hague, The Netherlands, 171~209

[14] Ingraffea, A.R., and Saouma, V.(1985). "Numerical modelling of discrete cra propagation in reinforced and plain concrete ." Fracture Mechanics of Concrete - Structural Application and Numerical Calculation.G.C.Sih, A.Ditommaso, eds, Martinus Nijhoff Publishers, Dordrecht, The Netherlands, 171~225

[15] Ingraffea, A.R., and Manu.C.(1980). "Stress-intensity factor computation in three dimensions with quarter-point elements,"Int.J.Numerical Method in Engrg., 15(10), 1427~1445

[16] Khrapkov, A.A.(1977). "The application of fracture mechanics to the lnvestigation of cracking in massive concrete construction elements of dams." Proc., ICF4, Waterloo, Canada, 661~666

[17] Kovari, K.(1985). "Detection and monitoring of structural deficiencies in the rock foundation of large dams."15th ICOLD, 1, Lausanne Switzer-land, 695~719

[18] Lin.S.W., and Ingraffea, A.R.(1988)."Case studies of cracking of concrete dams-A.linear elastic approach." Dept. of Struct. Engrg. Rept.88-2, School of Civ. and Envir, Engrg., Cornell Univ., Ithaca, N.Y., Jan

[19] Linsbauer, H.N., and Rossmanith, H.P.(1986). "On slow stable cracking of gravity dams-A photoelastic/FEM analysis." OIAZ. July, 245~251

[20] Linsbauer, H.N.(1985)."Fracture mechanics modela for characterizing crack behaviour in concrete dams." Proc. 15th ICOLD, 2, Lausanne, Switzerland, 279~291

[21] RILEM TC 90-FMA (1988). "Fracture mechanics of concrete applications." Chap man and Hall, Londo.U.K

[22] Rossmanith. H.P., ed,(1982). Grundlagen der bruchmechanik, Springer, New York, N.Y.(in German)

[23] Saouma, V., Ayari, M., and Boggs, H.(1987)."Fracture mechanics of concrete gravity dams."Proc., Int. Conf. on Fracture of Concr. and Rock, S.P.Shah and S. Swartz, eds., Houston, Tex, 496~519

[24] Saouma, V., et al.(1981). "Interactive finite element analysis of reinforce concrete: A fracture mechanics approach."Dept. of Struct. Engrg., Rept. 81-5, School of Civ and Envir. Engrg., Cornell Univ., Ithaca, N.Y

[25] Shah, S.P., ed.(1985)., "Application of Fracture Mechanics to Cementitous Composites."NATO ASI Series, E 94, Martinus Nijhoff Publishers, Dordrecht, The Netherlands

[26] Sih. G.C., and DiTommaso, A., eds.(1984).Application of fracture mechanics to concrete structures-Structural application and numerical calculation. Martinus Nijhoff Publishers, The Hague, The Netherlands

[27] Swamy, R.N.(1983). Linear elastic fracture mechanics parameters of concrete fracture mechanics of concrete. Wittmann, F.H., ed., Elsevier Science Pub lishers, Amsterdam, The Netherlands

[28] Tu Chuanlin(1985)."A study of the cracking of Zhexi Diamond Head Buttress Dam and its strengthening measures." Proc. 15th ICOLD.2, Lausanne, Switzerland, 653~670

[29] Urbistondo, R., and Yges, L. (1985). "Fragmentation of the El Atazar Dam foundation rock after 14 years in operation." Proc. 15th ICOLD, 2, Lausanne, Switzerland, 673~692

[30] Wawrzynek, P., and Ingraffea, A.R. (1987). "Interactive finite element analysis of fracture processes: An integrated approach. Theoretical and Appl. Fracture Mech., 8, 137~150

[31] Wittmann, F.H., ed. (1983). "Fracture mechanics of concrete." Developments in Civ. Engrg, 7. Elsevier, New York, N.Y

**符号说明**

本文中使用的符号如下：

$D_L$——自重；

$E_c$——混凝土弹性模量；

$E_s$——岩石弹性模量；

$F_x$——$x$ 方向的合成荷载分量；

$F_y$——$y$ 方向的合成荷载分量；

$K_{\mathrm{I}}$——Ⅰ型应力强度因子；

$K_{\mathrm{I}c}$——Ⅰ型临界应力强度因子；

$K_{\mathrm{II}}$——Ⅱ型应力强度因子；

$M_z$——$x-y$ 平面的合力矩；

$W_L$——水荷载；

$\theta_0$——裂缝扩展角度；

$\sigma_{yy}$——$y$ 方向的正应力；

$\sigma_0$——缝尖周围的环向应力分量。

# 高拱坝坝体中开裂的模拟(Ⅱ)

[奥地利] H.N.林斯鲍尔 H.P.罗斯马尼斯
[美国] A.R.英格拉费 P.A.瓦韦济涅克

**摘 要:**下篇将继续对柯恩布赖茵拱坝开裂进行彻底的断裂力学研究。采用计算机模拟和断裂力学对发生在坝踵区域的开裂做了研究,试图模拟开裂前观测到的轨迹线和加载过程。下篇叙述了四个模型模拟该坝开裂的原因。研究表明,四个模型的开裂机制在现有开裂资料情况下均是可行的。每一模型在坝踵区域均具有发生开裂的能力,并能提供具有方向与观测的轨迹线相符的主拉应力区域。根据裂缝扩展方向,要淘汰任何模型是不可能的。本文还讨论了把模拟同各种类型的准确资料结合在一起的必要性及二维分析的不足性。

## 1 前 言

上篇研究柯恩布赖茵拱坝下游面出现的开裂。下篇将继续叙述该拱坝上游开裂的研究。上篇中的图1(c,略)显示出了1978年和1983年发生的两个上游断裂带。上篇还叙述了有关开裂情况的观测结果。下篇中的图1(a~b,略)示出部分断裂带的照片和1983年开裂后经修补可观测出的轨迹线。

在上游面观测到的开裂涉及到下游不存在的一些额外的复杂问题。这些问题包括裂缝在哪儿开始开裂,意外的裂缝轨迹线,在第一条裂缝修补后形成第二条相似的裂缝,裂缝对稳定性的影响和裂缝中可能水压力的轨迹线,以及跨拱坝—岩石界面的裂缝的相互作用。下游开裂似乎是简单弯曲特性的反应,而上游裂缝的起因和轨迹线不是容易解释清楚的。

本文浅图用计算机模拟评价形成上游裂缝的一系列理论问题。在下面几节中将分别描述四个模型。采用上篇叙述的先进的FRANC(断裂分析程序)和FEFAP-G(有限元分析程序)(含图解)程序的断裂模拟和交互式计算机绘图能力对每一模型进行一系列有限元分析。以上分析成果将和已知的上游裂缝的几个方面进行比较。有关模型的可行性和采用的计算机模拟法效能的结论将在下文给出。

## 2 上游开裂模型

数值模型必须回答以下三个主要问题:

(1)裂缝从哪儿开始发生?

(2)什么原因造成它开裂?

(3)裂缝最终轨迹线是什么?

这里选择用于评价的四个模型,只有几何参数、材料参数和荷载参数的几个已促成观测特性的可能组合才能得到评价。然而,每个模型都重点模拟一个突出的、可能起控制作用的主要特征。

为了简化起见,四个模型在下文称为:

(1)角裂缝模型;

(2)张开裂隙模型;

---

本文原载《Journal of Structural Engineeing》,1989年第7期,杨超译,向世武校。

(3)可变坝底刚度模型;

(4)基础接缝模型。

图2示出假设作用于每一模型的荷载。这个荷载是理想化的,目前用于分析三分之一高的二维悬臂梁。该荷载是由拱坝的试载法推导出的,它代表自重、满库水荷载和上篇文中叙述的附加结构荷载。同样,所有四个模型使用的材料特性同上篇文中模型使用的材料特性是一样的。

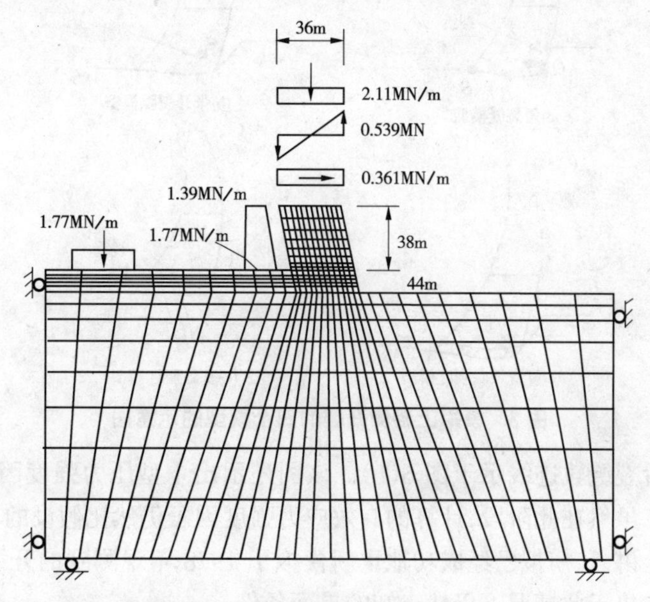


**图2 典型的原始整体网格和所有分析中采用的荷载**

(参见上篇中的图3和表1)

图2还示出典型的原始整体网格。有时同一模型使用了一些多少不同的网格,有时也在同一模型上同时使用了FEFAP-G和FRANC程序。这样做既是为了方便,又使调查者确信,不同的网格会产生同样的结果。所有的网格中均使用了二次等参数单元,拱坝和岩基的接触面由相容接缝单元表示。

在要叙述的裂缝扩展模拟中,模拟裂缝的稳定性和轨迹线按上篇概述的混合型线弹性断裂力学原理要求进行。如要进一步详细了解有关应力强度因子的计算、自动重新分区和轨迹线的预测,请参阅以下作者的论文:Ingraffea,1987;Ingraffea and Gerstle,1988;Wawrzynek and Ingraffea,1987。

在评价每一模型中,使用的又一个假设是上游裂缝的形成不受下游裂缝的影响。下游裂缝可能是在上游裂缝之前发生的。该假设是基于下游裂缝在水库蓄水情况下闭合的观测结果作出的,而在某种情况下促使上游裂缝的形成。

## 3 角裂缝模型

该模型基于这个假设,即1978年观测的裂缝在坝踵凹角处开始开裂。上篇中图1(c)示出的柯恩布赖茵拱坝坝踵区域几何图形,包括一个几乎垂直的拱坝—岩石界面 $PQ$ 线,示于图3(a)。该模型假设,沿该界黏结完好,裂缝在 $P$ 点开始张开。根据线弹性学,此点存在着应力奇异点。在高混凝土坝的文献中,在此点的小区域内存在很大的拉应力是众所周知的。所以,在 $P$ 点插入一小裂缝以查明其工作特性是有理由的。图4示出上述区域计算的主拉应力的矢量。在 $P$ 点选择一小裂缝,其初始角度垂直于该点最近的矢量,详细情况如图5中的坝踵所示。

图5中的初始裂缝按上篇中的方程式(2)和式(3)扩展。该模型裂缝中的水压力包括在荷载中。图6(a)示出九次扩展增量后的网格。据测定,裂缝在每一增量的末端是不稳定的。这就是说,由上

篇中的方程式(2)左侧给出的有效混合型应力强度比假设的混凝土 $K_{1c}$ MPam$^{1/2}$要大得多。

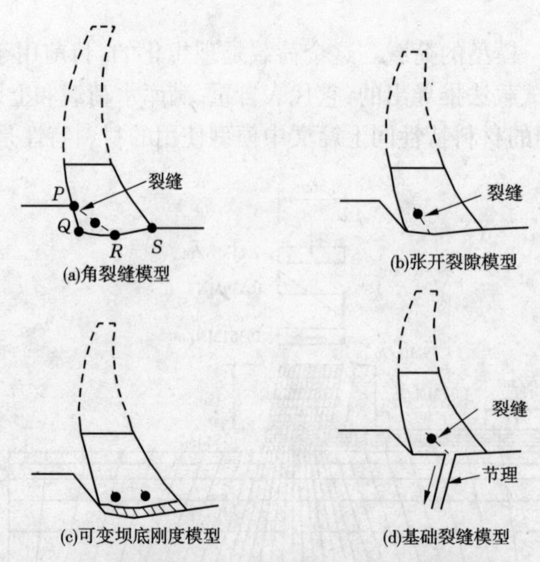


**图3　模拟上游侧开裂的四个模型的示意图**

该模型预测的最后裂缝轨迹线示于图6(b)。该图还示出Ⅰ型压力强度因子的历史过程和最终裂口位移(COD)剖面。虽然在此阶段,计算的有效应力强度因子仍然比假设的 $K_{1c}$要大得多,但模拟停止了。从定性意义上讲,该模拟已经成功地重新模拟了1978年观测到的开裂。此外,裂缝横穿界面的断裂力学敏感地取决于此情况下仍然未知的界面条件。

上篇中图1(c)示出1978年上游裂缝在坝踵几米以上的出露,而不是本文认为的那样在凹角内。然而,那张图仅仅表示了裂缝的一个横断面。该裂缝在上游面100多米处留一个痕迹(上篇中图1(a))。观测该裂缝,在角本身就有相当大一部分痕迹。

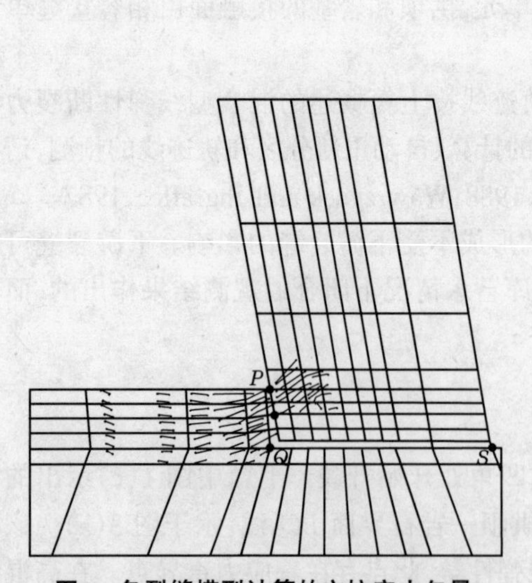


**图4　角裂缝模型计算的主拉应力矢量**

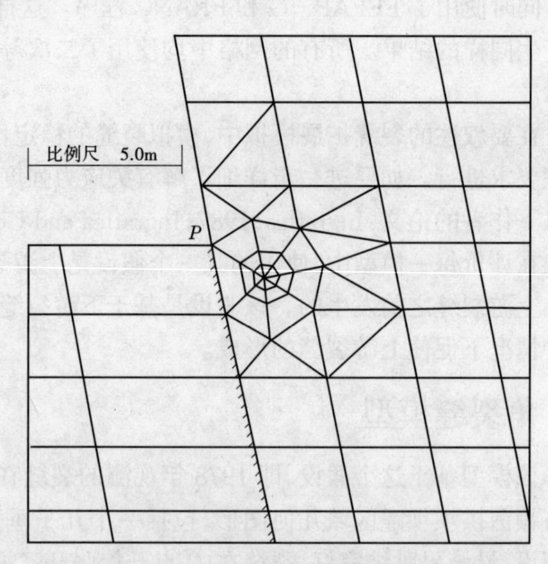


**图5　角裂缝模型,裂缝从 *P* 点开裂后的网格详图**

## 4　张开裂隙模型

在上一个模型中使用一个假设是,拱坝与岩基沿 *PQ* 线有非常的黏结力,如图3(a)所示。在张开裂隙模型中,假设沿此界面而不存在任何黏结力,那么,目标是要确定坝踵区域这种无黏结力对应力状态的影响。

图7示出在上述假定下的主拉应力矢量。与图4进行比较表明,不出所料,高拉应力地区从 $P$ 点凹角移向坝踵 $Q$ 点,这个应力区可以相应地在岩石中产生良性的开裂。然而,在坝踵区还存在着重要的大主拉应力区。

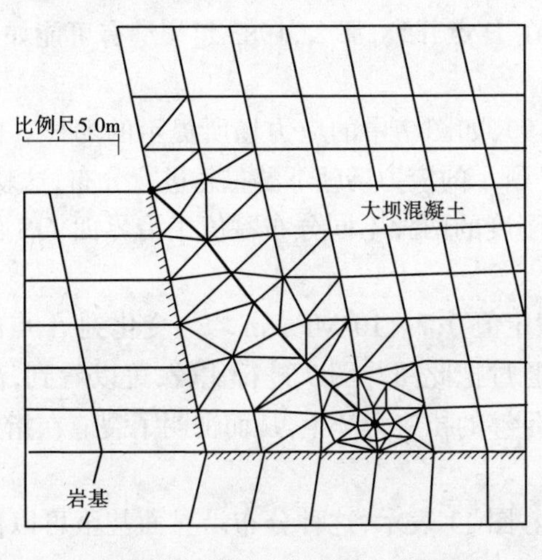


(a)角裂缝模型,裂缝九次扩展增量后的网格详图

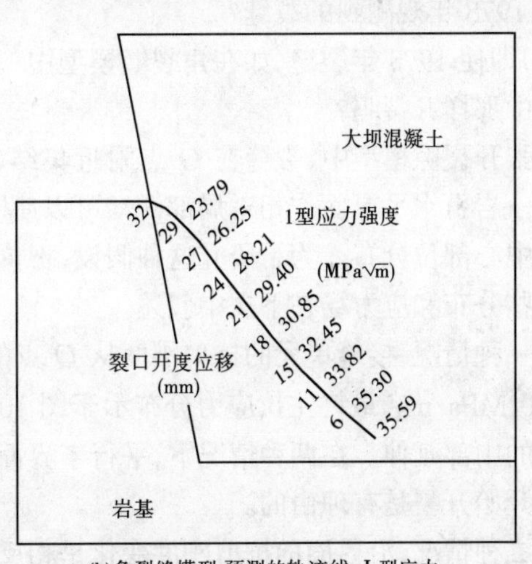


(b)角裂缝模型,预测的轨迹线,Ⅰ型应力强度因子过程线和最终裂口位移剖面

**图6**

由于这些应力,一条裂缝在拱坝—岩石界面处开裂,距下游 $Q$ 点只有几米。图8示出两次扩展后的这条裂缝。在两次扩展中,有效应力强度超过假设的混凝土韧度。可以看到,裂缝朝近乎垂直于拱坝—岩石界面急剧弯曲,趋向于在 $P$ 点以下很远的地方与界面相交。

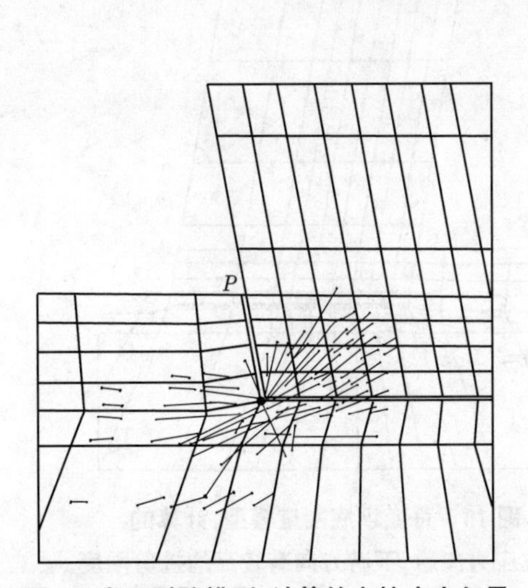


**图7 张开裂隙模型,计算的主拉应力矢量**

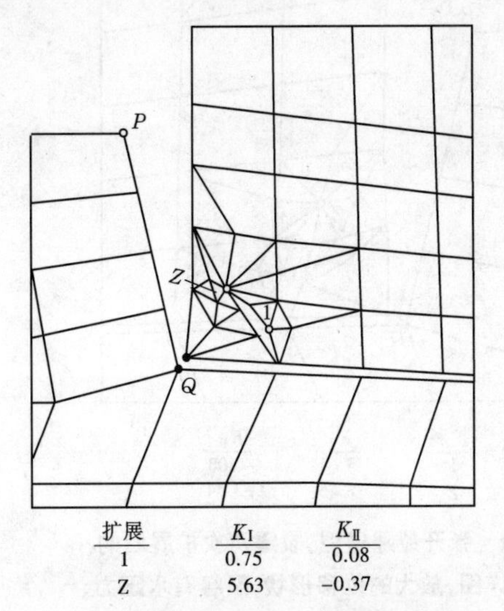


**图8 张开裂隙模型,裂缝两次扩展后的网格详图,放大的位移形状,裂缝无水压力,应力强度因子以 MPa $\sqrt{m}$计**

该模型的一个问题是,沿无黏结力区和延伸的裂缝中考虑有水压力是否会明显地改变这些结果。图9再一次示出两次扩展后的这条裂缝。正如所预测的那样,有水压力会增加有效应力强度。图9还表示,虽然裂缝目前还比较直,但它仍然趋向于朝界面 $PQ$ 的交点延伸,而不是在 $P$ 点或 $P$ 点以上出露。

## 5　可变坝底刚度模型

上一模型的成果建议考虑如下问题：

(1)裂缝有可能在拱坝—岩体水平界面什么地方集结，致使裂缝在 $P$ 点附近延伸，并露出坝面，以模拟 1978 年观测到的裂缝？

(2)即使 1978 年裂缝，如在角裂缝模型中一样在 $P$ 点开裂，那么，1983 年裂缝有可能如在张开裂隙模型中那样开裂吗？

在张开裂隙模型中，裂缝在 $Q$ 点附近集结(图 9)，如图 7 中的应力场所提示的那样。假定拱坝沿拱坝—岩石水平界面作相对局部滑动可以使图 7 所示的应力场朝下游重新进行分布，这就是说，朝界面的中心部位分布。为了研究这种假设，把抗剪刚度的两种不同分布赋值于沿界面 $QS$ 的接缝单元。这些分布和应力场在下文中叙述。

第一种情况，接缝单元的抗剪刚度从 $Q$ 点的假定值 $0.7\times10^3$MPa/m 均匀变化到 $S$ 点的假定值 $0.7\times10^3$MPa/m。最终主拉应力分布示于图 10。通过把此图与图 7 进行比较，可以看到，高拉力区朝坝底的中部延伸。在两种情况下，平行于界面有足够的拉应力产生，从而证明了裂缝在指定区域任何位置开始开裂是有理由的。

第二种情况，沿界面的抗剪刚度变化是相反的。图 11 表示，这种分布沿界面甚至可以使高拉应力区延伸得更长。

这个模型没有进行任何裂缝扩展分析。这是因为没有获得有关界面材料特性的定量资料。然而，估计的抗剪刚度分布能够产生下列之一的应力分布形式。

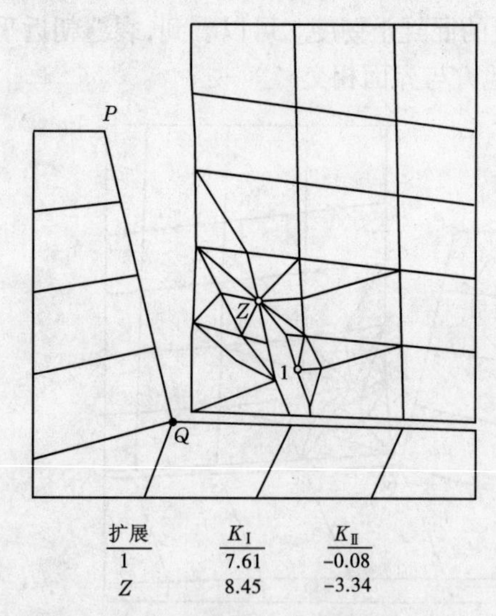


**图 9　张开裂隙模型，裂缝两次扩展后的网格详图，放大的位移形状，裂缝有水压力，应力强度因子以 MPa $\sqrt{\text{m}}$计**

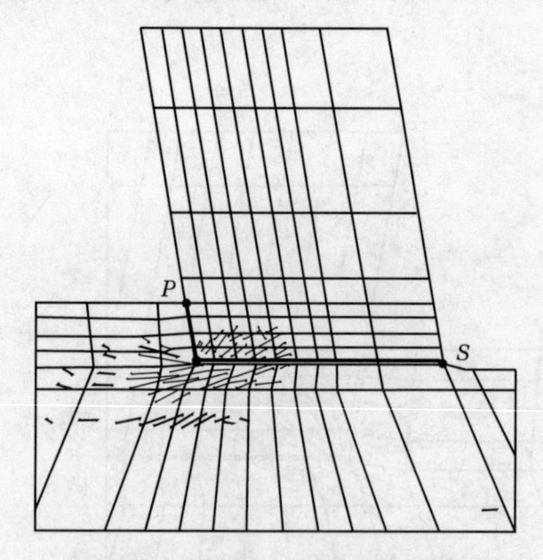


**图 10　可变坝底刚度模型，计算的主拉应力矢量，下游方向有较高的抗剪刚度**

(1)1978 年裂缝在沿界面的某一点开始开裂，可能在 $P$ 点或高于 $P$ 点处露出坝面。

(2)即使 1978 年裂缝早已延伸到 $Q$ 点附近，并造成界面破坏之后，裂缝于 1983 年在沿界面的一点开始开裂。

## 6　基础接缝模型

研究的最后一个模型，如其驱动力一样，有一个估计的沿着直接在坝下的基础接缝滑动(图 3

(d))。假设水库蓄满水诱发沿垂直缝即图12中的 $AB$ 线滑动1cm,再假设,坝底和岩基之间存在着足够的黏结强度,以致这样一种滑移会:

(1)引发裂缝在图12所示的位置开裂。

(2)将界面的无黏结力限制在裂隙任一边只有几米远的区域。

以上这些假设产生了图13中的主拉应力场,这样一个应力场可以把初始裂缝转向上游方向。事实上,这就是模拟断裂延伸时所发生的情况。图14示出开裂12次增量后的网格,缝尖在 $Q$ 点之上约14m露出坝面。注意,在这个模型中,近乎垂直的拱坝—岩石界面的高度被缩减到7m,这个高度在坝的中心部位是可变的。

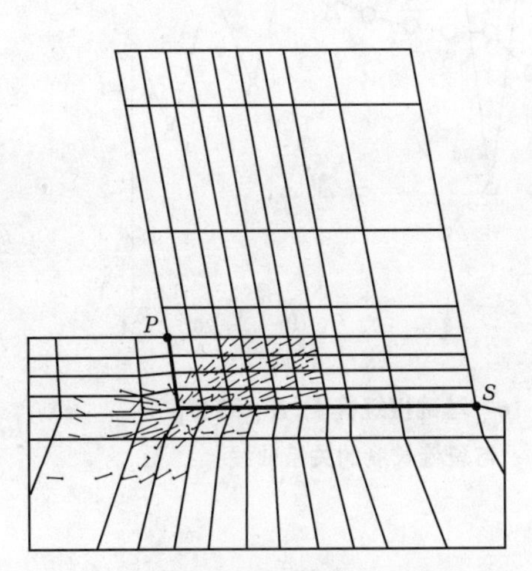


**图11 可变坝底刚度模型,计算的主拉应力矢量,下游方向有较低的抗剪刚度**

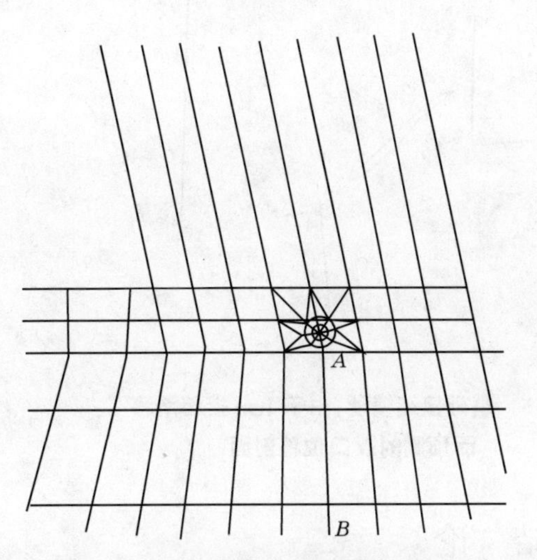


**图12 基础接缝模型,在基础接缝 *AB* 线末端发生的短裂缝**

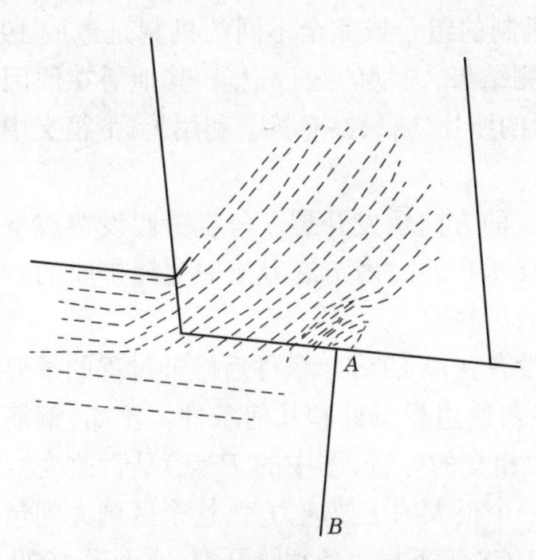


**图13 基础接缝模型,与图12所示出的网格相对应计算的主拉应力场**

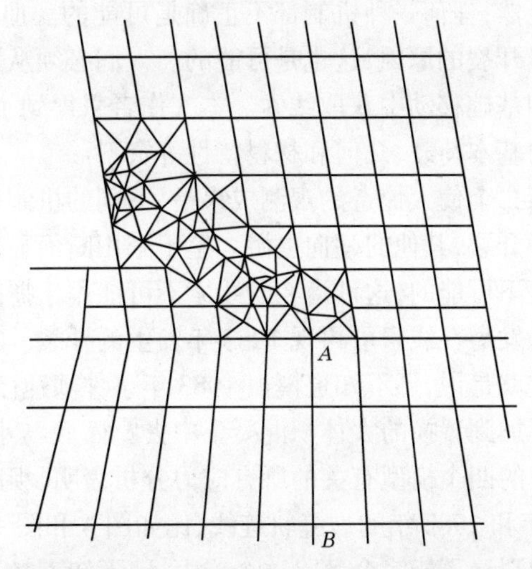


**图14 基础接缝模型,开裂12次增量的网格**

图15示出预测的、高度放大的裂口位移剖面,1cm的接缝滑移,裂口附近的局部无积水。正如角裂缝和张开裂隙模型,预测这个模型中的裂缝是不稳定的;有效应力强度比所有开裂12次增量的韧度要大得多。这种情况示于图16。该图将 $K_{\mathrm{I}}$ 和 $K_{\mathrm{II}}$ 作为裂缝长度的函数绘出。

对该模型作各种改进均是可行的。例如,在此采用了约2m的初始裂缝长度。较短的初始裂缝有可能是稳定的。假设Ⅰ型临界应力强度因子 $K_{\mathrm{I}c}$ 较小,那么,有可能会引起较短的初始裂缝走向不稳定。总之,任何裂缝的开裂应受非线性断裂力学原理的控制。裂缝开裂为抗拉强度和断裂能量的函数。对于本研究讨论的性质来说,采用非线性法并不是合适的。

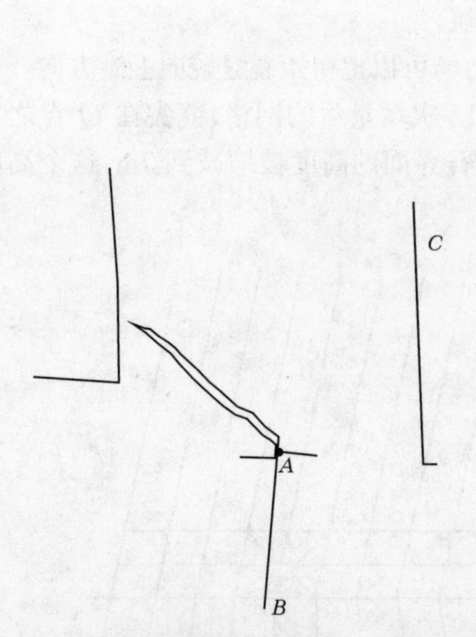


图 15　基础接缝模型,由于 1cm 接缝滑移而预测的裂口位移剖面

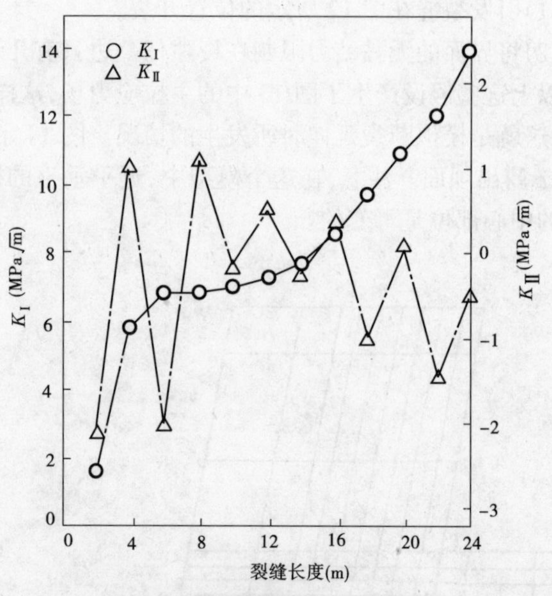


图 16　基础接缝模型,$K_{\mathrm{I}}$ 和 $K_{\mathrm{II}}$ 与裂缝长度的关系曲线

## 7　结　论

由计算机模拟得出的使人感兴趣的观测成果是,四种机制中的任何一种都不可能全部被摒除。在几乎是满库的荷载下,所有机制均能诱发坝踵区域开裂,其轨迹线从定性上至少同观测的开裂类似。显然,任何一种机制都不正确是可能的。但是,以上机制的组合或完全不同的机制是造成 1978 年裂缝开裂的原因,这也是可能的。人们必须从裂缝的观测结果,大坝的运行记录,其他潜在原因如坝肩和基础移动中获取线索。本文作者只得到了图 1 所示的照片(略),并有机会利用上、下篇文中所叙述的基本荷载、几何和材料特性等资料。

第二个使人惊奇的观测成果是,不同的机制可以在相反的方向诱发开裂。角裂缝假设造成下游方向的开裂,其他的朝向上游。鉴于采用断面显微镜观察技术在此时确定混凝土中裂缝扩展的方向显然是不可能的,这种潜在的线索不可能用于摒除所假设的机制。

触发潜在线索可再现 1983 年发生的开裂。本文作者没有获得 1978 年事件后修补过程的重要细节。这就是说,还不知道模拟 1983 年事件坝踵区域的某些初始边界条件和几何条件。比如,钢筋是不是要加到置换的大体积混凝土中去?库底与水坝上游面相交的位置(图中的 $P$ 点)是否改变?与研究中的四个模型有关的所有应力分析表明,坝踵区域有一个很大的主拉应力区,这个区域大到包住 1978 年和 1983 年的裂缝轨迹线,比如图 4 和图 11。可能 1978 年不只一条裂缝开裂,或者说 1978 年发生的裂缝不能完全解除这个应力场,不知道是否对 1978 年裂缝周围的坝体区域进行过现场应力测量。要是弄清了这些问题,或许对目前已存在的、但仍然稳定的第二裂缝的开裂可能性有深入的了解。

最后,如上篇中提到的,二维模拟不充分是显而易见的。虽然对拱坝和其基础部分进行了全面的三维应力分析,但所有的断裂力学分析是在一个坝段的平面应变断面上进行的,。然而,该坝的开裂是真正的三维现象。这在上篇中图 1(a~c) 中清楚地表明了。以上这些图表明,开裂发生在变化高度的双曲区域。此外,它们还表明拱坝裂缝开裂的位置和裂缝的长度,各坝段均不相同。虽然在这里不可能看见,但必须假定,裂口位移剖面(修补过程中重要的一项)也必须随坝的长度变化。

通过分析单个断面中的开裂,人们忽略了三维效应对稳定性、轨迹线和平面中裂口位移的影响。开裂的潜在范围不可能预测,开裂对坝体未破坏部分应力和变形的影响也不可能预测。在这些情况下,对大坝裂缝和安全的稳定性作出预测或对拟采用的修补措施进行评价也不过是一种猜测的事而已。

## 参 考 文 献


[1] Ingraffea, A.R. (1987). "Theory of crack initiatior and propagation in rock." Chapter 3, Rock Fracture Mechanics, B. Atkinson, ed., Academic Press Inc

[2] Ingraffea, A.R., and Gerstle, W. (1985). "Non-linear fracfure models for discrete crack propagation." Application of Fracture Mechanics to Cementitious Composites, S.P. Shah, ed. Martinus - Nijhoff Publishers, the Hague, the Netherands, 171~209

[3] Wawrzynek, P., and Ingraffea, A.R. (1987). "Interactive finite elemenf analysis of fracture processes: An integrated approach. Theoretical and Appl. Fracture Mech.", 8, 137~150


**符号说明**

$D_L$——自重;

$E_c$——混凝土弹性模量;

$E_s$——岩石弹性模量;

$F_x$——$x$ 方向的合成荷载分量;

$F_y$——$y$ 方向的合成荷载分量;

$K_{\mathrm{I}}$——Ⅰ型应力强度因子;

$K_{\mathrm{I}c}$——Ⅰ型临界应力强度因子;

$K_{\mathrm{II}}$——Ⅱ型应强力度因子;

$M_z$——$x-y$ 平面的合成力矩;

$W_L$——水荷载;

$\theta_0$——裂缝扩展角度;

$\sigma_{yy}$——$y$ 方向的正应力;

$\sigma_0$——缝尖周围的环向应力分量。

# 柯恩布赖茵拱坝:特殊问题特殊处理

G.隆巴迪

**摘　要:**奥地利200m高的柯恩布赖茵拱坝,在初次蓄水期间上游坝踵发生了裂缝。本文论述调查开裂的原因所采取的各种手段,补救措施的选择和已经采取的目前正在实施的异乎寻常的处理方法。

位于奥地利南部马尔塔河上的柯恩布赖茵大坝是一座200m高的薄拱坝,属德劳河奥地利电力公用事业公司所有。坝址河谷较宽,基岩由一系列结晶岩层构成,右岸为整体花岗片麻岩,左岸为片状片麻岩,在河谷底部跨过大坝基础斜卧着片伏岩层。

河谷底部平坦,约150m宽,这是河谷断面的一个重要特征。由于这个原因,坝顶长度增加,达到626m(图1)。

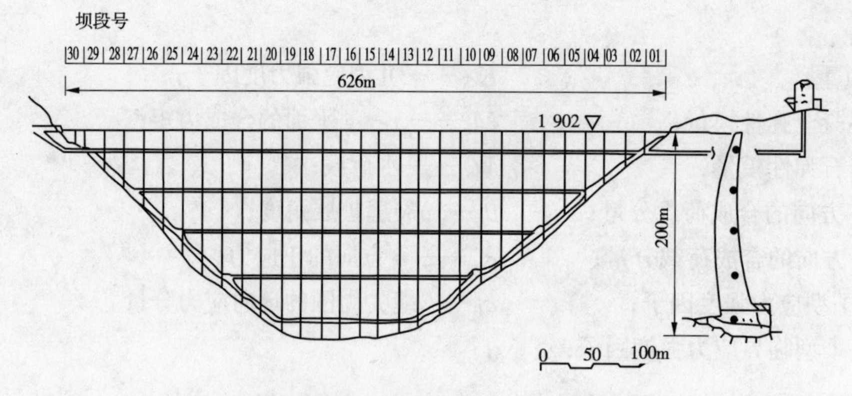


**图1　柯恩布赖茵拱坝的纵、横剖面图**

作用于柯恩布赖茵拱坝上的总水荷载为54GN($5.4\times10^6$t),这无疑是世界上拱坝承受的最高荷载之一。

柯恩布赖茵坝的混凝土量约$1.6\times10^6$m$^3$,其季度系数达17.5,是已建高拱坝中最大的系数,处于曲线图的边界上,如图2所示。

该坝于1971~1977年间建成。水库达到其最高运行水位1 902m高程时,其蓄水量为$200\times10^3$m$^3$。

## 1　问题及原处理措施

1977年,在水库第一次蓄水期间,库水位达到1 860m高程,即最高运行水位以下42m时,上游坝踵出现裂缝。

大约200L/s的渗漏水沿坝体中部的裂隙进入最下面的检查廊道(图3)。与此同时,坝基扬压力几乎达到水库水位。由此可信,灌浆帷幕已被破坏,可能被剪断。

试图减少坝基中的渗漏水并降低扬压力,同时或陆续地采取了一些措施。这些处理措施如下:

(1)1979年:采用水泥灌浆加固灌浆帷幕,钻排水孔降低扬压力。

(2)1980~1981年:聚氨基甲酸酯树脂灌浆。在蓄水期间冻结坝底中间部位并在水库水位每年

原载《Water Power & Dam Construction》,1991年第6期,向世武译,李瓒校。

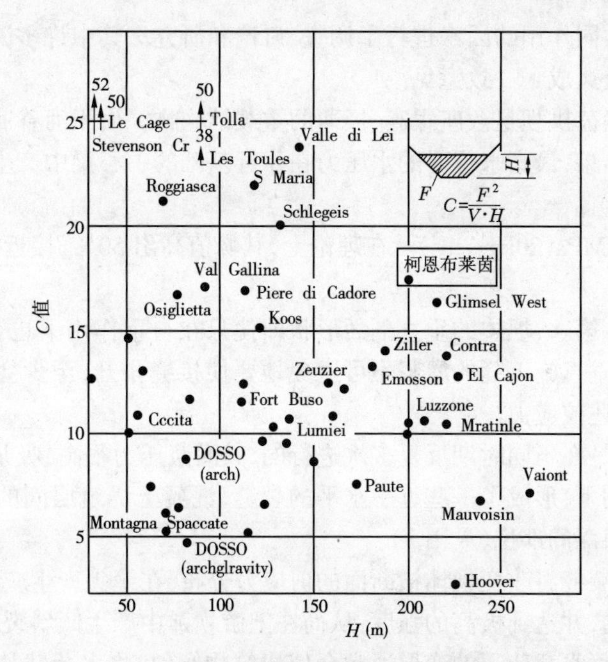


**图 2 高拱坝的高度与 C 的关系**

其中 C 与坝的体积、面积和高度有关。柯恩布赖茵拱坝位于边界上

的下降期间让其解冻融化。

(3)1981～1983 年:在坝前谷底设置用塑料层覆盖的混凝土铺盖。

(4)1984～1985 年:不得不修补塑料覆盖层并延伸至上游坝面。由于产生了新裂缝,进水量又暂时增加,达得 1 000L/s,对帷幕进行了重新灌浆。

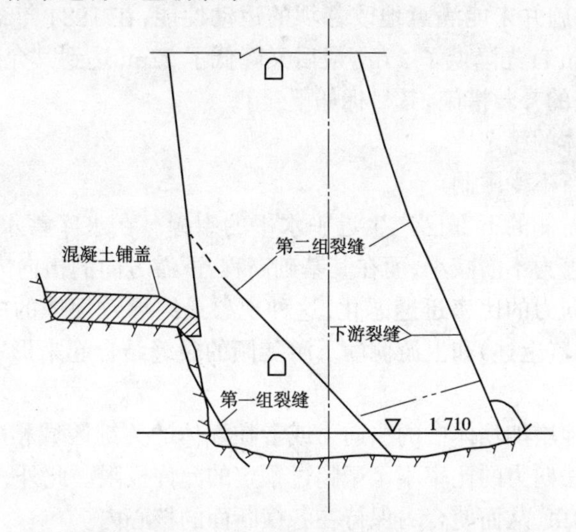


**图 3 坝底剖面图(示出上游坝踵裂缝和下游水平裂缝)**

尽管遇到了如此之多的困难,到 1984 年底,水库仍能蓄水达到 90%,在此期间,分别于 1979 年和 1983 年两次达到最高水位。自 1984 年以后,为安全计,蓄水高程被限制在 1 880～1 885m 高程。

但是,随着时间的流逝,显然必须急切地寻求根本的解决办法,修补和加固该坝。

## 2 确证损坏的原因

上述问题的原因的研究并不是简单明确的,因为柯恩布赖茵拱坝的情况,就其形状和尺寸来说,似乎代表了一个前所未有的不利条件极特殊的组合。

对一些可能的原因或共同作用的因素进行了调查、讨论和研究。其中许多因素最后被排除了,关于坝体开裂机理问题大体上达成了一致意见。

首先应该想到柯恩布赖茵拱坝是一座很高、极薄的重载结构物。由于河谷底部平坦,坝体下部几乎不可能发挥其拱作用。结果,最高水位时的水压力在靠近基础的中心梁中产生的横向力极大,其峰值约为 70MN/m(7 000t/m)。

相应的平均剪应力为 2MPa(20kg/cm$^2$)。在理论上,其峰值高出 50%,接近混凝土的极限抗剪强度。

还应该考虑下述特点。第一,坝体的垂直剖面形状即使只在自重作用下也会在下游侧的下部产生拉应力。第二,坝段之间垂直施工缝的灌浆不可避免地要使接缝张开,至少会达到某种程度,从而使坝体向上游变形,增加上述拉应力。

在柯恩布赖茵坝,灌浆是在不同时期反复多次进行的,其灌浆压力很高,吸浆量亦极大。

在这些共同因素的作用下,形成了一些近乎水平的裂缝,混凝土浇筑层间的接缝张开,从下游坝面延伸开始至混凝土坝体很深的部位(见图 3)。

很清楚地认识到,这些裂缝将改变坝体横断面的剪应力分布,在缝尖产生应力集中。在混凝土体中所引起的拉应力是斜向的,并达到极高的强度,从而在上游坝踵中产生倾斜裂缝(见图 3)。

还应该考虑到,拱坝在静水载荷下的变形通常会使建筑物倾斜,将水荷载从谷底传至河谷两岸,这样就减小了坝体中心断面的垂直荷载。这种作用在柯恩布赖茵坝这样的宽河谷且谷底平坦的情况下尤为重要。

最后,进入裂缝并使裂缝扩展的水压力的有害作用也不容忽视。

## 3 寻求解决办法

由于上述补充处理措施并未能满意地改善坝的运动性能,在 1984 年最高水权局(HWRA)将原水库最高运行水位 1 902m 首先降低了 17m,最后又降低了 22m,达到其允许运行水位。这样便促使该工程的业主寻求更彻底的补救措施,其目标如下:

(1)增加开裂区内坝体的稳定性。

(2)确保将来水库运行不受限制。

如上所述,在坝体下游侧的下部已产生近乎水平的裂缝。在水库蓄水期间,发生了力的重新分布,导致坝体中心部位垂直力不断减小,而在其基础高程,下游方向的横向力不断增大。因此,随着库水位的升高,横向力与法向力的比率迅速恶化,这种现象最终导致坝体的中部坝段在其底部附近剪断,下游侧近乎水平的裂缝(上述)和上游侧朝下游陡倾的裂缝结合起来形成一种型式比较复杂的破坏表面,如图 3 所示。

为此,必须针对较大地增加坝体中的法向力或者在坝体的关键区域相应地减小横向力采取有效的补救措施,使横向力和法向力的比率不至于超过预定的允许极限。此外,还必须保障空库和满库条件之间的弯矩范围受到约束,从而使合力保持在各横断面的核心内。

## 4 采取的补救措施

为了满足这些条件,提出并仔细研究各种可能的工程措施,其设计都是增加法向力或减小横向力,或者将这两种效果结合起来考虑。对各种提案的利弊做了彻底的研究和考虑之后,作出了最后的选择:在坝体下游设置一座厚实的拱形重力结构,作为止推座将原拱坝支撑起来。止推座将承受一部分水荷载,大约为 12GN($1.2\times10^6$t),同时极大地减小了坝体悬臂梁中的横向力,如果止推座要发挥其巨大的阻力,它与坝体的结合刚度不能太大,否则在其上部边缘就会出现这座新结构在坝底要解决的类似问题(图 4)。

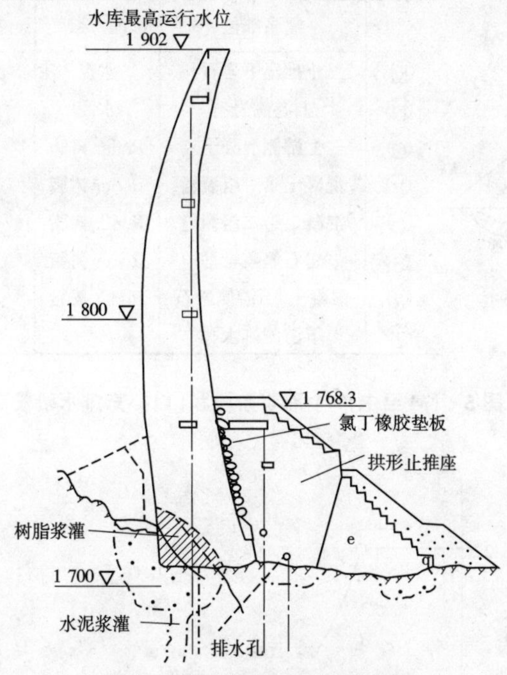


**图 4 坝和拱形止推座剖面图,示出氯丁橡胶垫板和灌浆区域**

既要求稳定,又要求结合刚度不能过大,解决这个矛盾的办法是在坝体和止推座之间设缝或变化开度的间隙。在水库蓄水期间,该间隙将由下而上地按照预先计算出的特性曲线逐渐闭合,必要时,还可以按照局部蓄水前几个阶段所积累的经验对这些曲线进行调整。

目前,正在装设为此目的而专门设计的 600 多块氯丁橡胶缓冲垫板,以便确保拱坝在未被加载时易于调整,因此而形成一条张开的间隙。

当两座结构物产生接触压力时,这些垫板就再也不能够操纵了,或者由于人为和机械误差,或者由于恶意破坏。

对 600 块垫板中的每一块的闭合点都必须作准确的规定,即确定每个支座与坝体接触和开始承受荷载时的库水位,从而构成拱坝补强加固工程的一个主要单元。

整体止推座的另一个优点是结构物的重量极大,可有效地改善坝体下游岩体的应力和稳定性条件。

除设置止推座而外,补强加固工程还包括裂缝灌浆。实际上,灌浆计划是加固工程也是稳定性分析的主要项目,灌浆的目的是保证基岩和混凝土传力的整体性和开裂区的防渗性。

止推座特别是作用于止推座上巨大的推力是按下述原则设计的:在水库蓄水和泄降期间,混凝土结构物下部产生的应力应局限在一个狭窄而最有利的范围内。然而,采取的这些补救措施主要是确保这些荷载不致引起不可接受的拉应力。

但是,一个不容忽视的事实是,最终应力状态将受到灌浆方式的影响。灌浆顺序和时间,所使用的程序和灌浆压力以及吸浆量将是决定修补工程成败的重要因素。

灌浆将分 7 个阶段(从 M 至 R)进行,在"T"阶段设置排水系统(见图 5)。

吸浆量和灌浆压力之间的双曲线关系,是仅使用一种稠度的水灰混合物对岩体水泥固结的准则。灌浆压力将随吸浆量的增加而稳步减小,灌浆压力和吸浆量的极限见图 6,双曲线的参数,即灌浆压力和吸浆量的乘积定义为"灌浆强度数(GIN)"。

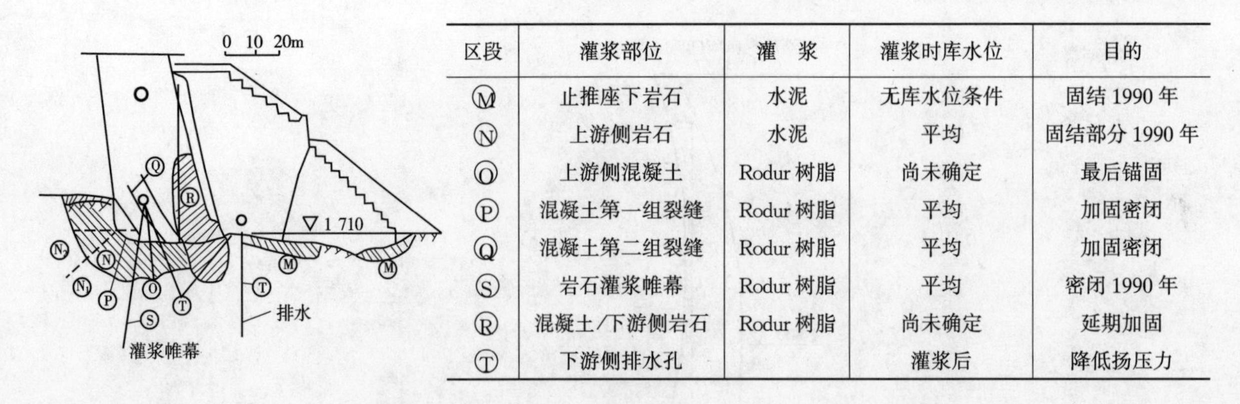


| 区段 | 灌浆部位 | 灌　浆 | 灌浆时库水位 | 目的 |
|---|---|---|---|---|
| Ⓜ | 止推座下岩石 | 水泥 | 无库水位条件 | 固结 1990 年 |
| Ⓝ | 上游侧岩石 | 水泥 | 平均 | 固结部分 1990 年 |
| Ⓞ | 上游侧混凝土 | Rodur 树脂 | 尚未确定 | 最后锚固 |
| Ⓟ | 混凝土第一组裂缝 | Rodur 树脂 | 平均 | 加固密闭 |
| Ⓠ | 混凝土第二组裂缝 | Rodur 树脂 | 平均 | 加固密闭 |
| Ⓢ | 岩石灌浆帷幕 | Rodur 树脂 | 平均 | 密闭 1990 年 |
| Ⓡ | 混凝土/下游侧岩石 | Rodur 树脂 | 尚未确定 | 延期加固 |
| Ⓣ | 下游侧排水孔 | | 灌浆后 | 降低扬压力 |

**图 5　(M 至 R)7 个灌浆阶段和(T)补充排水阶段**

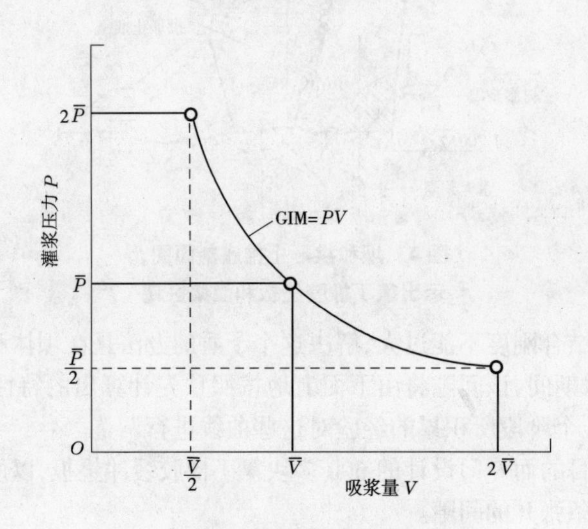


**图 6　吸浆量和灌浆压力的关系曲线**

$P$ 和 $V$ 的积为 GIN 参数(灌浆强度数)

对混凝土裂缝灌注环氧树脂,首先必须根据裂缝宽度和要求达到的限距计算出要灌入混凝土裂缝的环氧树脂的数量。要求达到的限距视钻孔间的距离而定。

在灌浆期间坝体监测的重点是灌浆区混凝土体的性能,以及拱坝和止推座这两座结构物的总体变形情况。当然,也主要使用适当的仪器设备,以保证对灌浆情况作准确的监测。为此目的,将对已有的仪器设备作一些补充,其目标是观测灌浆操作期间裂缝宽度的变化情况,以防裂缝张开过大。

根据上述原则,加固工程在各个阶段不断地得到改进,并最后确定实施。由于所观察到的破坏和要解决的问题的性质非同一般,其处理设计显然也是非常特殊的。但是,应该强调指出,根据以往的经验证明所提出的全部处理结构均是合理的,因此该坝在施工和将来的运行期间,将不会发生任何不测事情。

# 5　施　工

1988 年 7 月最高水权局批准了补救工程的最后设计方案,1989 年 2 月,业主决定开始施工。按签订的合同,在同年夏季开始施工。

迄今为止,已完成全部混凝土量的浇筑工作。1991 年的主要工作是装设氯丁橡胶垫板和完成灌浆工程。今后几年的工作可能是做补充灌浆。

# 法国四座拱坝的严重损坏情况

刘泊生(摘译)

1960 年以来,法国有四座坝发生了比较严重的损坏,主要是严重开裂。其中两座需要重建,一座需要加固,另一座只需进行经常性监测便可避免发生严重危险。

## 1 托拉坝

托拉(Tolla)坝(图 1)为一双曲薄拱坝,地基以上坝高 90m,坝顶展开长度 120m,坝顶上游面半径 71m,坝顶宽 1.5m,拱冠最大厚度 2.43m,拱座最大厚度 4.2m。水库的正常蓄水位为 560m。坝基为花岗岩,岩层厚且密实。由于地基岩石质量很好,峡谷又很窄,所以在坝的设计中采用的平均应力为 8MPa。

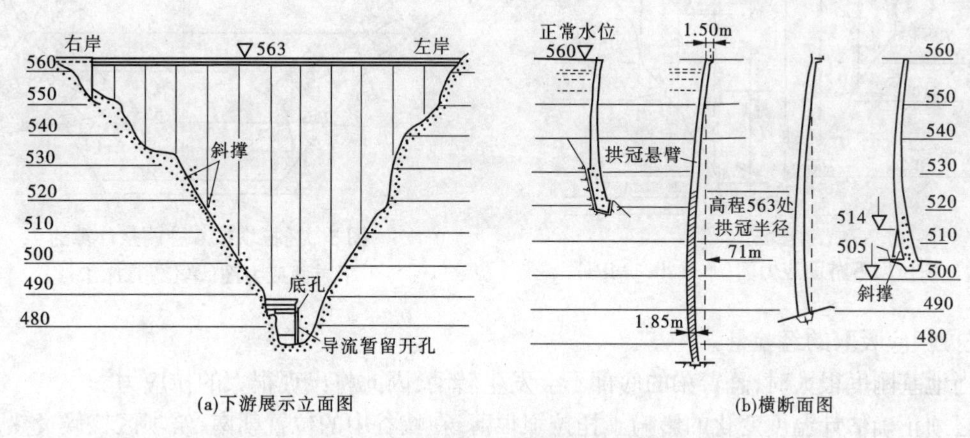


**图 1 托拉拱坝**

拱坝的接缝灌浆是在寒冷季节进行的。1961 年 1 月 23 日~4 月 28 日首次蓄水。当水位达到 540m 高程,即在水库正常蓄水位以下 20m 时,音响监测仪器指示,岸边悬臂梁底部出现了很大的拉应力,同时上部双曲拱隆出处产生向上游方向的变形(图 2)。于是决定降低库水位,对坝体进行仔细检查。检查结果发现,岸边悬臂梁底部 525~555m 高程范围内发生了开裂,大部分裂缝在水库水位以上(图 3)。

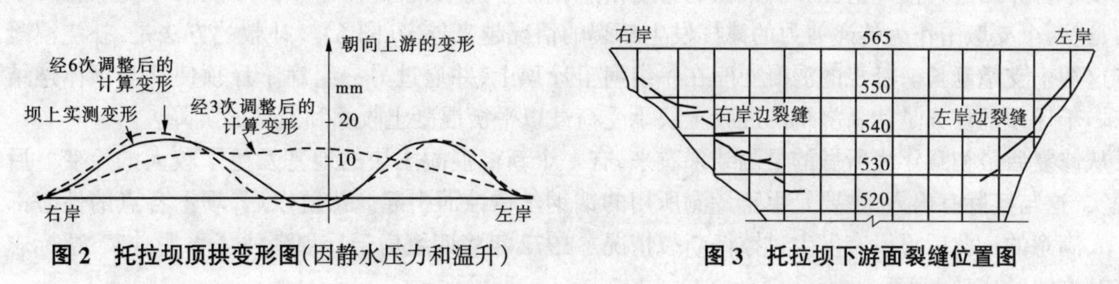


**图 2 托拉坝顶拱变形图(因静水压力和温升)**

**图 3 托拉坝下游面裂缝位置图**

实测应力情况如下:①水位 540m 时(图 4,施测日期 1961 年 4 月 28 日~1961 年 5 月 29 日),水

本文原载《国外水利水电》,1981 年第 5 期。

下部分的最大压应力 2.0MPa，最大拉应力 0.75MPa；水上部分(541.50m)，左岸与水平线成 50°处的拉应力达 2.1MPa。②水位 535m 时(1961 年 6～7 月)，水上部分拉应力增至 3.8MPa(左岸)、5.3MPa(右岸)。应力计算中混凝土的变形模量取 17 500MPa。

出现这种变形和应力情况，是设计计算中没有预计到的。这是由于当时设计人员只考虑了三种调整：径向变形、切向变形和扭转变形。当时，柯因—贝利埃设计局的 M. 里若埃对托拉坝按六种调整重新进行了计算。发现坝顶双曲拱隆出处由于水荷载而产生变形，顶部拱圈主要由于温度作用而产生拉应力。将计算应力(图 5)与出现裂缝后的实测应力进行比较是很困难的，因为开裂情况越严重，原型与未受损坏的计算模型的差异也就越大。

于是采取在下游设置加固环的方法对坝进行了补强。在坝的下部，加固环没有贴紧原坝面，水压力由弧形坝体承受，在坝的上部，则加厚部分与原坝体连接在一起。

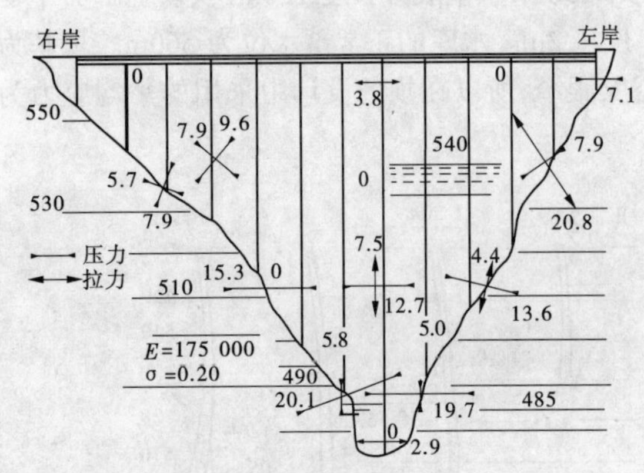


**图 4　托拉坝下游面应力图**(单位：0.1MPa)

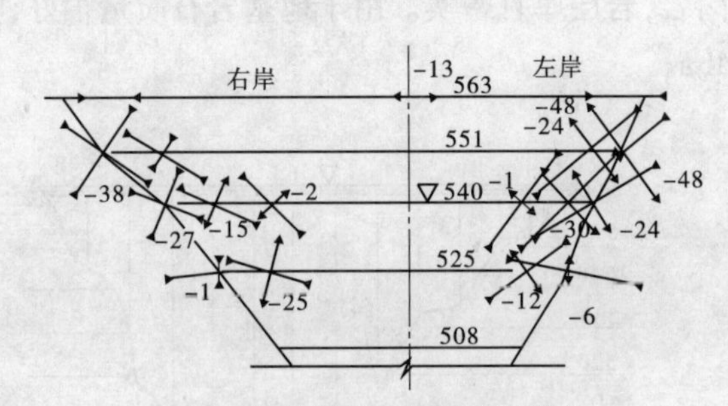


**图 5　托拉坝按 6 种调整计算的下游面应力图**(单位：0.1MPa)

从托拉坝应吸取的经验是：

(1)当地基刚度很大时，悬臂梁的底部不会发生转动，因此将出现很大的拉应力。

(2)必须正确估计温度变化的影响。托拉坝很薄，在峡谷中的位置朝南，筑坝区气候炎热，这都是促使混凝土温度升高的因素。在最近所作的计算中，混凝土的温升，在坝基处取 7℃，坝顶处取 21℃。

(3)由于计算十分简化，造成了很大的误差，致使坝的实际性态与计算中所考虑的相差很大。

## 2　格朗德瓦尔坝

格朗德瓦尔(Grandval)坝为一高 88m 的连拱坝，1959 年建成，1963 年发生损坏。第十届国际大坝会议中曾介绍过其损坏情况和所采取的修复措施。简单说来，就是由于坝的中间两个支墩底脚不够大，这两个支墩中作为传递剪力的撑杆发生断裂的情况越来越多(图 6)。补救的方法是，补浇混凝土将这两个支墩延长。补浇的混凝土座在一组扁千斤顶上，并通过另一组扁千斤顶使其与坝体连结起来。千斤顶的任务是使新浇筑的混凝土块承受荷载以平衡混凝土收缩和地基的沉降。

从修复后最初几年里所做的量测结果看来，有一个新浇混凝土块的地基发生了较大的徐变。后来证实，这与实际有出入，主要是由于量测所用的铟钢丝锈蚀而引起。修复以后，坝上各点的性态都是令人满意的。此后再没有发生过撑杆断裂情况。1972 年将四组扁千斤顶灌注了水泥砂浆，这标志着修补方法已成功。

## 3　奥特法瑞坝

奥特法瑞(Hautefage)坝是一座溢流薄拱坝，天然地面以上坝高 54m，1958 年 7 月交付运用，1966 年发生损坏，坝体倒向下游，河谷中部设有一薄基座(图 7)。地基为结晶岩，右岸和左岸底部岩石质

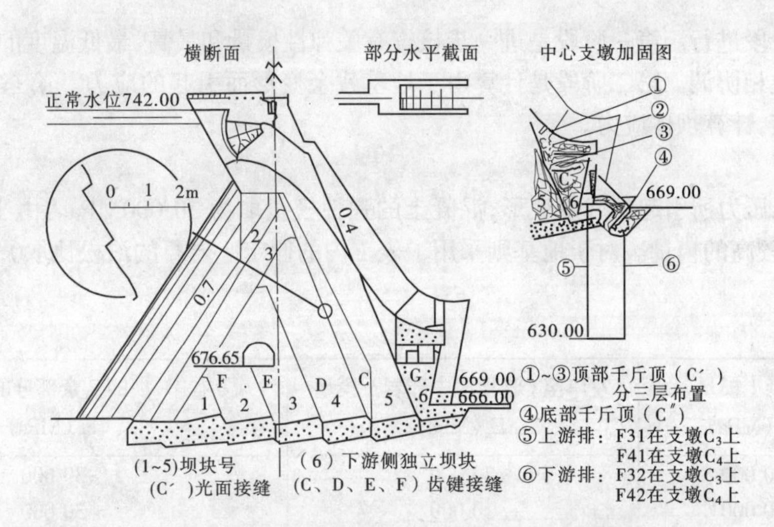


**图6 格朗德瓦尔坝中央溢流支墩剖面及加固图**

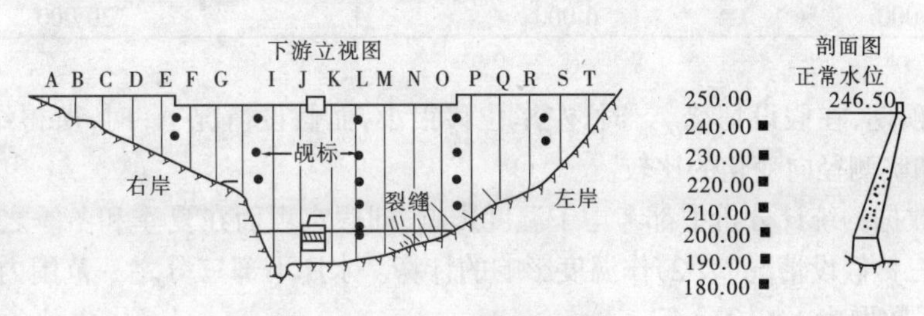


**图7 奥特法瑞坝**

量很好,而左岸OP坝段以上的岩石严重云母化,在新鲜岩层之上有一层云斜煌岩。因此,该处基坑开挖很深,约15m,而其他坝段则为5m。

基坑开挖以后浇筑混凝土之前进行了深孔帷幕灌浆。因此,最上部的5m孔深没有灌浆。灌浆孔孔深15~40m,总长1 845m,其中1 431m的灌浆压力达2.5MPa。共灌216t水泥,每米灌浆孔的平均吸浆量为151kg,每平方米帷幕的平均吸浆量为50kg。坝的两端吸浆量较大(接缝S和左岸之间为330kg/m;ED坝段中部和右岸之间为255kg/m),右岸的其余部分吸浆量较小(37kg/m),左岸其余部分的吸浆量为中等(85kg/m)。此外,在各坝段浇筑混凝土之后,还用浅孔灌浆方法对地基进行了补充处理。

初次蓄水后,在基座的左岸部分出现了一组45°倾角、向岸内延伸的平行裂缝。于是,1959年3月,在接缝I和O之间又进行了补充灌浆。总吸浆量仅为2.5t水泥。次年冬季,在左岸坝脚,特别是OP坝段底部又出现了新的裂缝。1962年安装了仪器,量测裂缝开度,以监测裂缝的发展。1966年,经过特别寒冷的冬季以后,OP坝段中有一条裂缝穿过了接缝O,并延伸到相邻坝段NO。此外,右岸也出现了几条裂缝,大致与OP坝段中的裂缝相对称。水库放空后检查上游坝面,未曾发现开裂。

### 3.1 计算

于是,决定重新对坝进行计算,以查明出现裂缝的原因,对裂缝的进一步发展进行预测,并估计裂缝对坝的稳定和安全的影响。计算是按法国电力公司设计研究所的计算规程中的有限元法进行的。整个坝体分成768个三角形单元。但是,这种划分方法没有考虑溢流坝的实际刚度,这就是坝顶拱圈实测结果与计算结果之间有某些差别的原因。

在坝的下游面曾设置了17个观测点观测变形。计算假定系根据坝址地质勘测成果和修正后的变形量测成果制定的。观测成果的统计分析是将引起坝变形的三种主要影响因素,即静水压力变形、温度变形、混凝土和地基的徐变以及沉降所引起的残余变形分开考虑。

计算分三个阶段进行。第一阶段是进一步核查有关弹性模量和最高、最低温度的假定,应使其与坝的实测残余变位相协调。第二阶段是计算由于地基残余变形而引起的应力。第三阶段,根据前两阶段确定的参数值,计算坝体应力。

3.1.1 第一阶段

为了调整静水压力所引起的残余变形,混凝土的弹性模量取为 30 000MPa。由于库水位是日变化的,因此采用了较高的模量。对于地基则采用了表 1 内的假定。岩石的泊松比取0.20,混凝土的泊松比取0.15。

**表 1**

| 假设情况 | 混凝土模量 $E_b$(MPa) | 左岸至 OP 坝段中部岩石模量 $E_r$(MPa) | 右岸,坝的其余部分的岩石模量 $E_r$(MPa) |
|---|---|---|---|
| $A_a$ | 30 000 | 30 000 | 30 000 |
| $A_b$ | 30 000 | 10 000 | 30 000 |
| $A_c$ | 30 000 | 6 000 | 30 000 |
| $A_d$ | 30 000 | 6 000 | 20 000 |

计算结果如所预期,在假设情况 $A_a$ 时,左岸位移很小,而假设情况 $A_d$ 时,所得结果是适当的。图 8为满库时计算和实测径向变化的比较。

在计算和量测数据的统计分析中都考虑了温度影响,即假定坝面在夏季和冬季之间承受正弦变化的温度作用。取三种假设情况(表 2)作温度影响的计算。水库下部三分之一范围内的水温不论季节都取 4℃。膨胀系数取为 $1\times10^{-5}$/℃。

**表 2**

| 假设情况 | 混凝土模量 $E_b$(MPa) | 岩石模量 $E_r$(MPa) | 外界温度(℃) | 水温(℃) |
|---|---|---|---|---|
| $B_a$ | 20 000 | 20 000 | 冬季 −10<br>夏季 +25 | 0<br>+12 |
| $B_b$ | 20 000 | 20 000 | 冬季 −6<br>夏季 +22 | 0<br>+11 |
| $B_c$ | 20 000 | 右岸 20 000<br>左岸 6 000 | 冬季 −6<br>夏季 +22 | 0<br>+11 |

第一种假设情况($B_a$)是这些地区内坝工设计中通常采用的,按此情况计算所得坝顶变位显然偏高。第二和第三种假设情况($B_b$ 和 $B_c$)引用了 1955~1956 年的实测温度。按这两种假设情况求得的变位几乎相等,而且与实测值很接近。情况 $B_c$ 的假设条件与静水压力作用计算的假设情况相一致。图 9 为由于坝体冷却而引起的径向变位的计算值和实测值的比较。

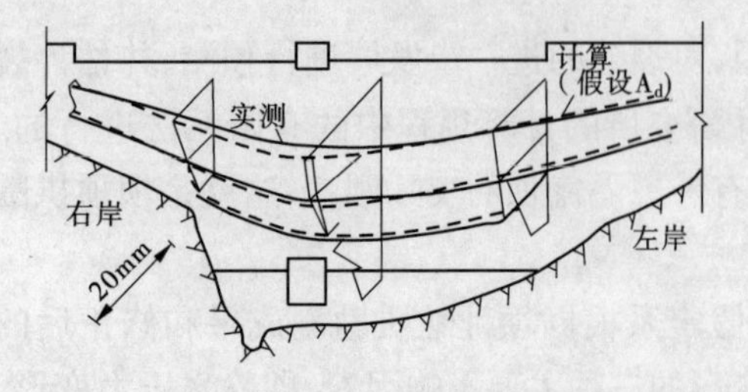


**图 8 奥特法瑞坝在静水压力下的径向变形**

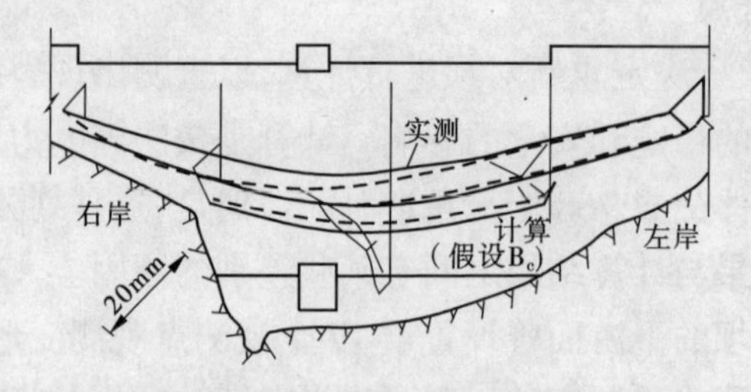


**图 9 奥特法瑞坝温度荷载下的径向变形**

3.1.2 第二阶段

由于不可能从实测残余变位直接计算应力,而在计算中引用了假想地基模量,使得在水荷载作用下,坝的变位等于实测静水压力变位和残余变位之和,于是便可求得相应的应力之和,然后从中减去根据以前计算求得的静水压力应力,从而求出所需的数值。选定了以下三种假设情况(表3)。$C_b$ 和 $C_a$ 两种情况包括了实测残余变位。图10所示为情况 $C_c$ 的变形。

**表3**

| 假设情况 | 混凝土模量 $E_b$ (MPa) | 左岸至OP坝段中部岩石模量 $E_r$ (MPa) | 右岸坝的其余部分岩石模量 $E_r$ (MPa) |
|---|---|---|---|
| $C_a$ | 30 000 | 3 000 | 10 000 |
| $C_b$ | 30 000 | 1 500 | 5 000 |
| $C_c$ | 30 000 | 750 | 3 750 |

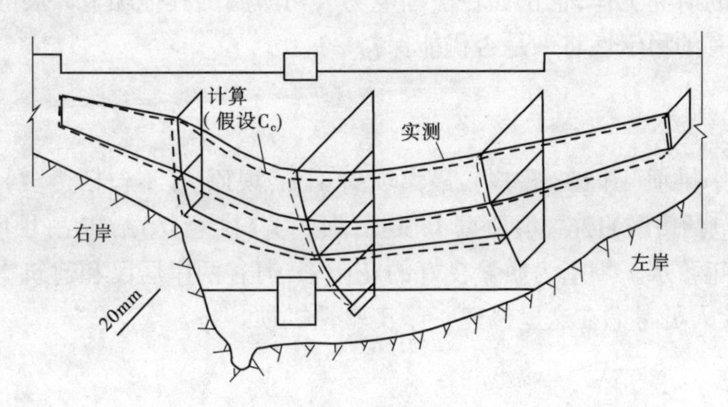


**图10 奥特法瑞坝静水压力荷载变形和残余变形之和**

3.1.3 第三阶段

应力计算结果表明,在静水荷载作用下,上游面中央悬臂梁的底部出现很大的垂直拉应力(图11),理论上可达3.8MPa。这一应力没有引起混凝土开裂,但使混凝土与岩石之间发生了分离,使上游坝脚处的岩石变得疏松了。

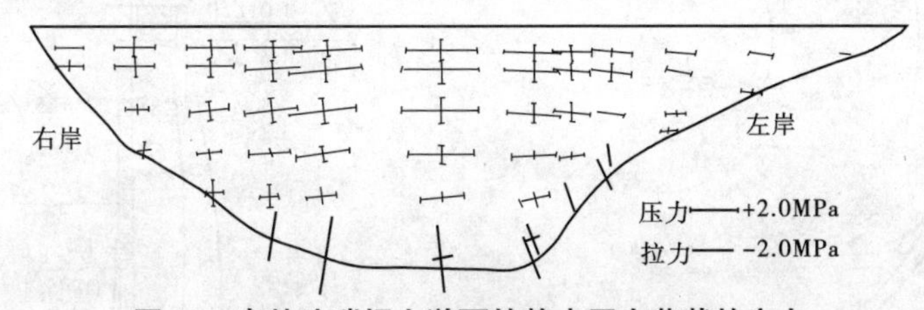


**图11 奥特法瑞坝上游面的静水压力荷载的应力**

在地基残余变形作用下,裂缝区下游面出现了很大的拉应力(2.3MPa),其方向与地基平行(图12)。还在下游面广大的区域里出现了较小的拉应力。上游面则与此相反,受拉区局限在坝中部靠近地基的区域内,拉应力的作用方向和受水荷载作用时一样,与地基相垂直。

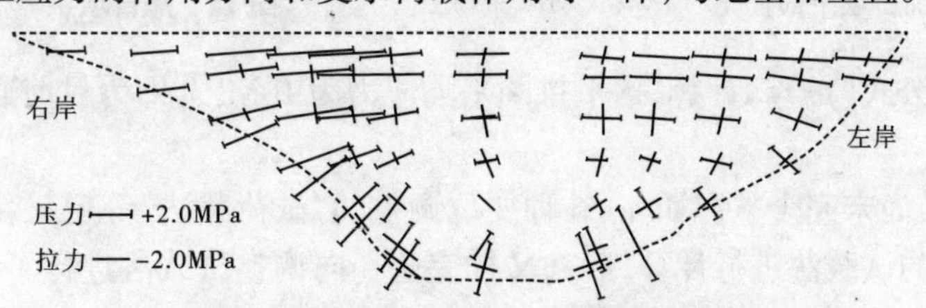


**图12 奥特法瑞坝下游面的残余应力**

### 3.2 总的结果

上述计算结果与观测结果甚为相符。计算中还补充考虑了冬季冷却的影响(假定封缝温度为8℃),以及自重应力。由于冷却影响,下游面上的拉应力将增加1MPa,其方向与地基平行。这一点可说明何以经过十分寒冷的季节后,往往会发现裂缝延伸。

### 3.3 结论

对上述主要结果进行研究后可以很清楚地看出,运行过程中发生损坏的原因是地基的不均一性,特别是残余变位比较大,致使岩石,主要是左岸上部分岩石发生徐变(1958~1961年间16mm)。这一徐变过程随后大大变缓(1970年前后仅为1mm以下),目前几乎已停止。此外,在上游坝面上没有发现任何平行于基面的大的拉应力。因此,裂缝就不会横贯坝体,而在地基沉陷稳定下来后不久,裂缝即停止发展。裂缝宽度的量测证实了此预见。量测结果表明,近十年来,裂缝的发展明显地缓慢下来。

在这座坝上开展的研究工作,也正如在法国电力公司所属的其他坝上开展的监测工作一样,能适时地预告目前坝所具有的稳定性将来是否仍能保持。

## 4 加日坝

加日(Gage)坝为一拱坝(图13、图14),最大坝高41m,坝顶长(不包括边墩)153m,上游曲率半径65m,坝顶中心角(不包括边墩)126°,坝顶宽1.30m,坝底宽(拱冠处)2.57m,坝座厚度约4.0m,建于1953~1954年,1954年蓄水。坝基为质量良好的花岗岩,河谷两岸居民和建筑物都很少,水库库容不大,这些条件促使设计人员考虑在这里修建一座实验性拱坝。

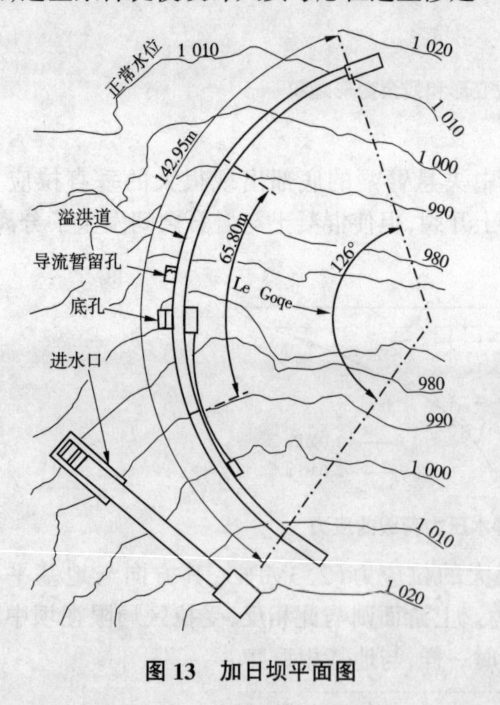


图13 加日坝平面图

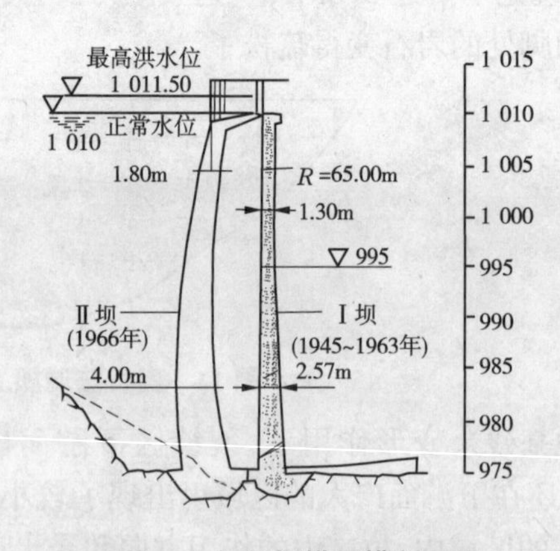


图14 加日坝拱冠横断面图

坝体应力按圆管公式($pr/e$)计算,水平拱圈平均应力为10MPa,即为目前通常采用的允许值的2倍。

设计时,设计人员尚未完全掌握如4~6种变位调整的"试荷载法"等现代化计算方法,故只按简单的拱冠梁径向调整的试载法进行计算,后来又按完全径向调整试载法进行了计算。由于中央悬臂梁上游底部和下游半高处的拉应力很大,设计人员在这些部分布置了很密的钢筋,目的是使那些可能发生、而又无损于坝体安全的裂缝分散开来(图15)。

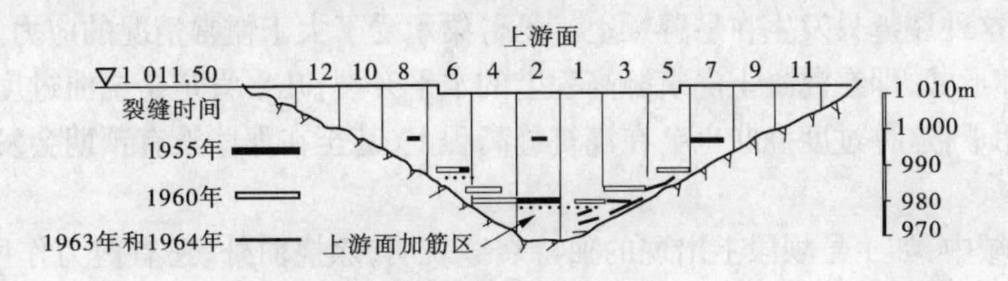


图15 加日坝的裂缝

## 4.1 坝的性态

总的看来,从开始蓄水到1960年,坝的性态是正常的,与设计人员所预期相一致。到这个时期的末期,开裂情况大致如下所述(图15)。

(1)在有钢筋加强的区域里,开裂集中在1号、3号和5号坝段上游底部,表现为一组与河岸平行的斜裂缝。某些裂缝的大小使人们可以想象出那里的钢筋受到了拉伸。裂缝没有贯穿坝体整个厚度。

(2)在没有钢筋或仅有少量钢筋的区域里,开裂表现为混凝土浇筑缝的张开。除高程997.70m外,此组裂缝在上下游面上是对应的,下游面上有渗水涌出,表明裂缝贯穿了坝体。

这些张开的混凝土浇筑缝在高程997.80m,990m、984.30m附近和981.30m处,在坝轴线两侧是对称的。尽管1960～1963年间对这些裂缝的开展没有做过详细记载,1963～1964年的情况表明,开裂在发展,其大致情况如下:

1号、3号和5号坝段上游坝脚加筋区没有发生任何变化。右岸的对称区未受任何影响。其他一些裂缝均沿混凝土浇筑缝平面发展,特别是在997.80m、987.30m和981.30m高程处。后者仅涉及无配筋区,此裂缝贯穿坝体,沿裂缝的渗水量也很大。

在997.80m和987.30m高程上,仅下游面的裂缝发展,且贯穿配筋区。997.80m高程处的裂缝是干的,987.30m高程上的裂缝则有少量渗水,在坝体全荷载作用下,自行弥合。

1963年11月,在1号坝段张开的混凝土浇筑缝(981.30m高程)以下的浇筑层中,在下游面上出现了一条独特的裂缝,是惟一的一条发生在两个浇筑缝之间的浇筑层内的裂缝。它在坝面上的部分轨迹呈曲线。曾布置了三个钻孔(图16)探测裂缝,很小心地取了岩芯。研究结果表明,这条裂缝向上游发展,并且以大约45°坡度逐渐向上升,止于早已张开的981.30m高程上的混凝土浇筑缝处。也发现到,在出现新的裂缝时沿浇筑缝的渗流便突然停止。在新裂缝出现后,对上游面曾进行过数次防渗处理,但最后还是将该坝放弃了,并于1966年在其上游修建了另外一座拱坝(见图14)。

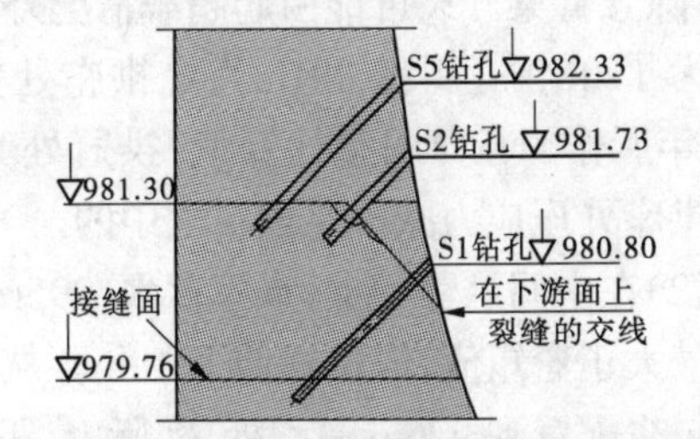


图16 加日坝1号坝块底部的剪切裂缝

## 4.2 假设和分析

从开裂情况及其性质联想到关于此坝工作状况的一些假设,据此,对上述开裂现象可作如下分析。

(1)首先,无可置疑的是,大多数裂缝都是严格对称的,其发展也是很规则的。这说明,这些裂缝不是事故引起的,更不是局部损坏(1963年11月出现的斜裂缝可能除外)或地基不均一而引起的。这是一种构造裂缝。这一假设已被量测结果所证实。事实上,坝的变形也是近似对称的;坝座变形最初也没有任何异常现象。

(2)没有任何观测结果能使人们设想这种裂缝有损于拱的强度。看来,拱圈的工作并未改变,也未受到影响。

(3)坝体中的这种裂缝只发生在悬臂梁上。悬臂梁承受了大于惯常情况的应力。

最普通的损坏形式,即在混凝土浇筑缝高程上的水平开裂,几乎肯定是挠曲过度造成的结果。即使在部分荷载作用下,这种过度挠曲也会在浇筑缝高程上,甚至在那些没有预期会发生拉伸的面上引起过度的拉伸。

(4)在局部区域中,如1号坝段上出现的独特裂缝表明,除挠曲外,还有剪力作用,在这两种力的作用下,混凝土发生了破裂。此裂缝的形式及其上部极其轻微的错动说明,所发生的位移是一种上部坝体相对于下部坝体的、向下游方向的移动。尽管计算结果表明切向剪力很大,但裂缝形式说明,这种剪力只在径向方向起作用。

### 4.3 用新方法对坝进行验算

#### 4.3.1 用试载法进行计算

1964年,用柯因－贝利埃公司提出的按四种变形(径向和切向变位,绕垂直轴和切向轴转动)调整的试载法计算程序,对上述各项假设进行验算。

计算中假定:混凝土的容重2.4t/m$^3$、弹性模量 $E_b$ 为15 000MPa、热膨胀系数为 $8\times10^{-6}$;$E_r$ 为岩石的弹性模量;$E_b/E_r=4$;扬压力作用于整个水平截面。

计算中考虑的荷载组合为:①库水位1 011.50m;②库水位995.00m;③温度呈均匀变化,±15℃。

截取六个拱圈(978m、984m、1 006m和1 011.50m高程)与拱冠悬臂梁和两侧各五个垂直悬臂梁相交,共49个节点。为简化计算,未考虑溢流缺口。假定坝由强度均一的材料组成,有能力承受坝所产生的拉应力和剪应力。此法对坝体开裂前,如水库首次蓄水前,是很适用的。根据计算结果可得出以下结论:

(1)当只有水压力(1 011.50m)作用时,悬臂梁承受很大的拉应力,其值在两侧悬臂梁上游底部达5.6MPa,在拱冠悬臂梁下游的二分之一高度处达4.5MPa。与此相反,拱圈内的拉应力不太大。因此,除悬臂梁开裂可能引起超载情况外,拱圈拉应力的计算是有充分根据的。拱圈最大压应力在拱冠处为1.0MPa(高程991m),在拱座处为7.3MPa(高程984m)。可以看出,这些最大压应力值与1952年所作的径向调整计算值,拱冠处为10.3MPa(994m),拱座处为9.4MPa(986m)是大致相等的。拱座处压应力减小是预料之中的。

(2)在中间悬臂梁上,水库蓄水(995m即大致在二分之一高度处)引起最大正弯矩,其值等于满库时的最大正弯矩值,但位置低了10m。从部分荷载再加上温度下降15℃所造成的弯矩图出发,要求钢筋至少配置到976m高程处,实际上,下游面钢筋层仅从985m高程开始。

(3)同是在这些中间悬臂梁上,当水库放空,坝体温度均匀回升时,可能会出现反方向弯矩。在一些区域里,这一弯矩叠加在自重偏心引起的正弯矩上,会导致下游坝脚出现拉应力,设计中并未考虑为这些拉应力配置钢筋。

(4)悬臂梁受径向切力作用而产生的剪应力平均不超过0.6MPa或0.7MPa。但是,在已经开裂的混凝土浇筑缝上,例如,在981.30m高程处,仅部分截面受压,作用在此受压区内的平均剪应力可能为上列数值的3倍。

第一次蓄水发生开裂以后,损坏情况还继续发展的原因之一可能是1962～1963年冬季严寒,而且持续时间很长。众所周知,坝体混凝土温度的下降,起着相当于静水压力的作用。不过,也可以设想,荷载最大的区域损坏情况是会发展的,因为在交变荷载作用下,裂缝会继续发展,混凝土的力学性质也会由于渗漏水流的作用而受到影响。

以上的计算不能解释那条导致决定放弃此坝的独特裂缝是怎么出现的。

用试载法做了新的计算,目的是试图考虑护坦的刚性影响。护坦建于1962年。实际上,如果在拱与大部分护坦之间有一条较宽的张开的缝隙,那么,由于施工上的困难,在坝与护坦左岸接缝中的充填物不能彻底清除,从而限制了坝体向下游方向自由变位。在试载法计算中,精确地考虑这种影响是不可能的。采用了一种近似方法,即用温度作用模拟接缝处的受阻,使在这种温度作用下产生一个向上游的变位,其大小等于总变位中受护坦阻碍的那部分变位。并不要求这种计算能够充分反映上述现象,不过,计算结果表明,开裂区的径向剪力明显加大,而变位和应力在距该区某一距离处即保持不变。

4.3.2 用有限元法计算

1974年,用有限元法对此坝重新进行了计算。有限单元的划分和计算假设与试载法相同。计算结果,应力分布情况与试载法一致,但在静水压力作用下(1 011.50m),下游二分之一高度处的垂直拉应力略高(5.1MPa),中间悬臂梁上游底部的拉应力明显较高(7.9MPa)。水库部分蓄水(995m)时的应力状况与按试载法计算求得的应力状况相似。

**4.4 结论**

(1)加日实验坝上观测到的裂缝是一种构造裂缝,表现为悬臂梁的连续性遭到破坏。首次蓄水后即发生了开裂。

(2)计算证实,悬臂梁由于交替变化的挠曲作用而损坏。破坏的原因是上游面钢筋布置得不合适,疲劳和渗水等,这些促使开裂现象随时间而发展。

(3)尽管对上游曾数次采取措施进行防渗处理,加日坝的运用仍有很多困难,而且又出现了一条新裂缝。这些都促使废弃这座坝,而代之以位于其上游的另一座拱坝。

这座坝的10年运行经验清楚地表明了拱坝的强度能力,并提醒设计人员应该注意仔细地研究各种受荷情况,特别是那些荷载小于最大荷载时的情况。

上述几个实例说明,必须对坝进行经常性检查和控制性量测。这不仅仅是为了在发现异常现象时能够根据这些检查和量测记录进行令人满意的分析,也是为了在必要时能够迅速采取措施以避免发生危及公共安全的严重事故。

# Kolnbrein 拱坝坝踵开裂机理探讨 *

夏颂佑[1]　鲁慎吾[2]

(1. 河海大学,南京　210098; 2. 成都勘测设计研究院,成都　610072)

**摘　要**:介绍了奥地利 Kolnbrein 双曲薄拱坝坝踵产生裂缝的过程和国内外专家对裂缝成因的分析,以及作者对拱坝产生开裂的机理的探讨。

## 1　工程概况、裂缝及其发展

Kolnbrein 坝是双曲薄拱坝(以下简称科坝),位于奥地利南部 Malta 河上。地基为花岗片麻岩,右岸为块状片麻岩,左岸为层状片麻岩,两者交界处为含云母的片状片麻岩(图 1)。最大坝高 200m,坝顶长 626m,顶宽 7.6m,底宽 36m。坝体应力分析设计时采用全调整的试载法,取 5 拱 9 梁。大坝于 1974 年冬开始浇筑,1977 年完建。施工期间大坝间歇性挡水。1976 年大坝挡水 115m,因横缝灌浆需要,于 1977 年春降至 52m。1977 年夏季水库又蓄水,大坝挡水 150m,再因横缝灌浆需要,于 1978 年春放空水库(图 2)。科坝两次挡水均未出现不正常现象,坝基扬压力小于允许值。但以后检查发现,河谷部分坝的下游面距坝基 17m、23m、37m 处,有长为 7～8m 的水平裂缝,底部最深的一条约深入坝宽的 1/3。经分析认为,这些裂缝是在横缝灌浆过程形成的,是由于坝体向上游倒悬以及受灌浆压力的影响而产生的。

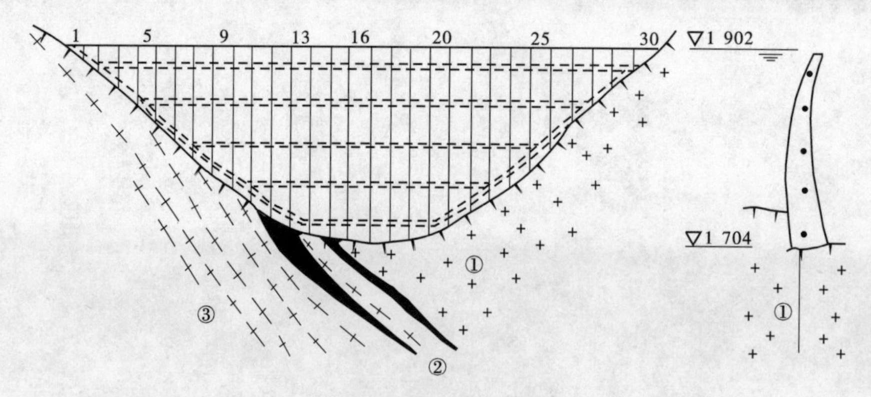


**图 1　坝基地质剖面**

(1～30 为坝段编号) ①块状片麻岩; ②片状片麻岩; ③层状片麻岩

大坝完建后认为科坝一切正常,1978 年计划蓄水至设计水位,即挡水 200m。但当库水上升到 158m 水头(低于设计值 42m,只比 1977 年挡水高出约 8m) 时,大坝中部 13～19 坝段坝基几乎有一半宽度的扬压力压强接近水库全水头,下游坝趾的垂直变位改变方向,下沉量减小。后水库继续蓄水,当水头达 189m 时,测得的渗漏量达 200L/s 。大坝挡水持续了相当长一段时间。在 1979 年春末

本文原载《水电站设计》,1999 年第 1 期。

*　本文得到成都勘测设计研究院“八五”攻关[85-208-01-05(1)]的资助,工作主要由作者指导的田斌博士和裴爱国硕士完成。

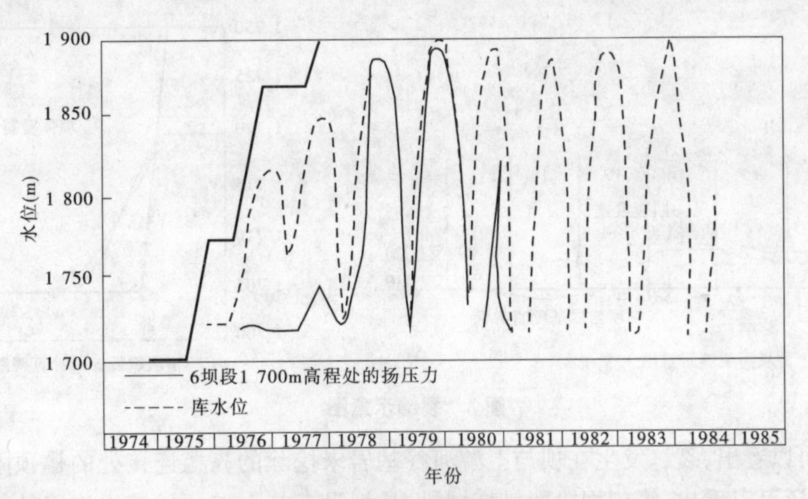


**图 2　库水位和实测扬压力**

放空水库对大坝进行检查时,发现坝体上游面紧靠河谷基岩高槛与坝连接的槛顶部位出现了水平向张开裂缝,总长约100m(图 3)。随即进行了水泥灌浆以加强帷幕,并在帷幕下游增设排水孔。同年水库又进行蓄水并达到了设计水头,挡水 200m。这时观察到整个坝基扬压力压强都接近水库全水头,渗漏水量则为 100L/s 左右。1980 年春放空水库对坝体及地基展开了大范围的调查,钻了 5 000m 以上的钻孔,确认坝踵部位已有的裂缝是在 1978 年挡水 158m 时形成的。研究后决定采用如下措施:在 18～21 坝段用合成树脂封闭开裂区;对 12～18 坝段用冰冻法封闭开裂区及坝基帷幕,并在库水下降期解冻,以不阻碍坝体回复变形。此法实施了两年(即 1980 年和 1981 年),相应的大坝最高挡水 195m 和 188m。实践表明,合成树脂灌浆只取得部分成功,扬压力有所降低,但漏水量仍较大;冰冻对减小扬压力和渗漏量都起作用。此期间测得的坝基渗压基本上达到设计要求,渗漏量约为 100L/ s ;但冷却系统易损坏,且冻融交替有可能降低混凝土和基岩的强度。经再次研究决定,于 1981 年底放空水库,在 12～20 坝段上游面增设长 15m 的护坦,其中底孔附近(16～18 坝段)的护坦长 30m。护坦厚度在两侧为 2m,逐渐向河谷部分增厚到 11m。护坦上游端设置深 50～60m 的水泥灌浆帷幕。除底孔的进水口区域外,护坦与坝间设置柔性止水。完成这些措施后,1982 年蓄水的最高水头达 194m。开始蓄水时扬压力和渗漏量都很小,但当水头达 183m 时,渗漏量超过了 400L/s 。1983 年春再次放空水库检查,发现右侧坝趾有一条长 17m 的裂缝,进水口段也有裂缝。同年水库又进行蓄水,并达到了设计水头 200m,不久渗漏量急骤增加到 1 000L/ s 。1984 年春再次放空水库检查,发现护坦与坝间的止水有一段被破坏,坝体又出现一条大致平行但高出老裂缝 2～5m 的新裂缝,裂缝通至坝基。随后在修复止水、延长护坦、加强帷幕后水库又蓄水,但限制水头不得超过 178m。业主于 1985 年聘请了多位专家研讨科坝加固方案,最后选用了复杂而昂贵且需人工调整的下游加固措施,其费用接近再造一座科坝。加固措施于 1989 年开始施工,1991 年 6 月完成,灌浆工作于 1994 年结束。

## 2　值得关注的几点

(1)1978 年大坝最高挡水 189m,但当水头升至 158m 时,坝体出现了裂缝。该水头比上年持续挡水 4 个月且工作正常的水头只高出 8m,低于设计水头 42m,大坝所承受的水压荷载约为设计荷载的 60%。对于这种情况,显然应以 158m 水头时坝的工作性态来探讨开裂机理。

(2)尽管大坝已经开裂,除加强帷幕和下游排水外,没有采用其他结构加强措施,却让大坝承担了 200m 的设计水头。此时整个坝基的扬压力压强接近水库全水头,坝体变位超过设计值,这种状况当然不能说大坝工作正常,但毕竟挡住了设计水头,且裂缝没有进一步发展。

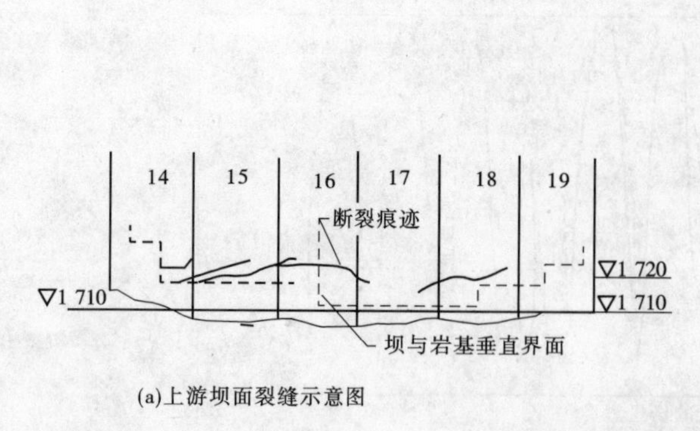

(a)上游坝面裂缝示意图

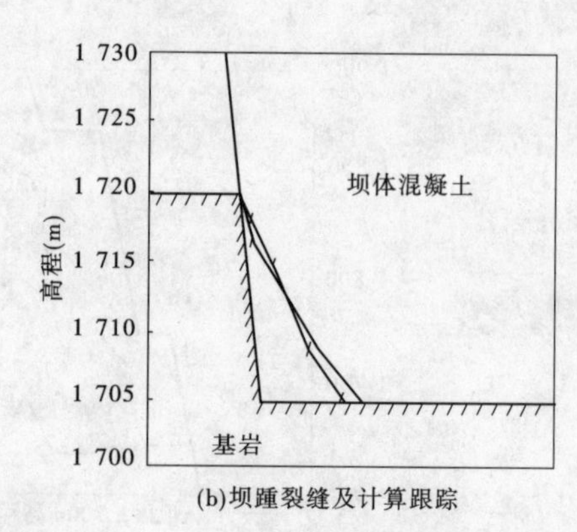

(b)坝踵裂缝及计算跟踪

**图 3　裂缝示意图**

(3)从图 3 可以看出,裂缝发生在坝与上游河谷基岩未挖除的高槛连接处的槛顶附近,并呈一定的水平向延伸。还可以看出,第17坝段即最高坝段,是坝没有与上游河谷基岩连接的部位,虽然承受了最大水头,但该坝段中部却没有出现裂缝。

(4)1980 年和 1981 年,采用合成树脂灌浆和冰冻法处理,大坝分别挡水 195m 和 188m,坝基扬压力明显减小,应该是达到设计要求。这两年挡水水头接近或高于 1978 年的 189m,远高于大坝开裂水头 158m,而坝体裂缝没有发展。

(5)1982 年护坦建成后,大坝挡水 194m,但其升至 183m 时护坦顶面的上游坝体又出现了裂缝,右岸 19 坝段和进水口的 17、18 坝段开裂。183m 水头比前几年承担过的水头低,但比 1978 年初始开裂的水头高 25m。1983 年大坝再次挡水 200m 后发生了类似第一次的裂缝。

## 3　专家们对 Kolnbrein 坝开裂的评论

(1)瑞士 Lombardi G 认为:科坝设计得太薄,其柔度系数 $C=17.5$,是已建高拱坝中最大的;坝址河谷开阔,底部平坦,拱的作用小,梁向承受较大荷载;坝所承受的总水压力巨大,其平均剪应力已接近混凝土的极限抗剪强度;施工期引起的下游面裂缝削弱了坝的有效断面。这些因素综合影响的结果使坝体出现裂缝。

(2)科坝原设计总工程师奥地利的 Widmann R 和他的同事 Stauble H、Ludescher G 认为:河谷开阔,谷底平坦;设计时采用的地基变形模量偏低,实际值比设计值高出 1.1 倍以上;水库反复蓄水与放空,相当于反复加卸载,地基的变形模量会提高;水库蓄水对库岸产生的压力引起库岸变形。这些因素都会引起坝体开裂。同时认为,扬压力增加更促进了坝体开裂。Widmann 还认为,裂缝是由建基面开始向上发展的。

(3)我国冯会民的博士论文支持科坝的裂缝是由建基面向上发展的观点,用 3－D 边界元法对科坝进行断裂分析加以验证。他认为,若上游坝踵与基岩高槛结合不良,不可能出现这种实测裂缝。他并未完全排除裂缝自上而下发展的可能性。

(4)瑞士的 Herzog M 认为,设计中低估了基岩的约束程度,忽略了蓄水使河谷扩张变形的影响,坝体横缝可能张开等是使坝体开裂的重要原因。此外,没有重视河床坝段的坝基剪应力和由此引起的水平拉应力也是开裂的一个原因。

(5)美国的 Ingraffes A. R 和奥地利 Linsbauer H. N 等用二维分离式模型对科坝梁断面进行开裂分析,认为坝体与基岩高槛连接良好时会发生这种角裂缝;若坝体与基岩高槛脱开,则也可能发生从建基面向上的裂缝。

(6)意大利 Fanelli M 采用基于柔度系数、考虑河谷形状系数和关注到剪力效应的大坝安全与潜在开裂区判别法,判定科坝位于潜在开裂区。

(7)我国李瓒认为科坝厚度过薄,没有充分考虑基岩部位坝体与坝基的联合作用,没有注意到剪切或拉伸剪切破坏的可能。此外,科坝下游施工裂缝亦在相当程度上削弱了坝的承载能力。他还提出了衡量拱坝开裂敏感性的模糊指标,认为科坝在开裂敏感区。

(8)我国汝乃华认为科坝的抗滑稳定性偏低,沿岸坡的上滑分力减小了中部坝段的自重,增加了坝基面的剪力,从而引起坝底部的开裂,或者说抗滑稳定性低,局部地段抗滑失稳是造成这次开裂的主导因素。

## 4 本文对 Kolnbrein 坝开裂的探讨

科坝开裂后引起众多水工专家的关注,发表了许多文章,以上引述的只是部分专家的意见。显然,专家们的意见无疑都是有益的,有建设性意义,为今后拱坝设计做出贡献,拓宽了值得关注和思考的方面,但似乎仍还有一些值得补充、完善或可商榷的。意见中有许多是以科坝承担 200m 设计水头时的工作状况来讨论的,例如柔性系数 $C=17.5$ 太高、平均剪应力(210MPa)已接近混凝土的极限抗剪强度、科坝处于开裂潜在区、具有开裂敏感性、坝断面的宽高比为 0.18 太薄,等等。这些都是根据设计水头 200m 得出的结果,对科坝在设计水头作用下有不足或太薄有一定的说服力。但实际上科坝是在 158m 水头时开裂的,显然应该以此水头时坝的工作性态来分析才更为合理。与 158m 水头相应的总水压荷载约为设计总水压荷载的 60% ,因而平均剪应力也不会太大;按此水头算得的柔性系数为 $C=11.3$,Lombardi 认为小于 15 是不会有问题的;坝底宽度与 158m 水头的比值为 0.228 ,并不比一般高拱坝小多少,与小湾和二滩拱坝接近。据我们用三维有限元分析(共取 6 208 个单元),其他条件相同,200m 水头时坝踵由于水压荷载引起的主拉应力约比 158m 水头时大 1.65 倍左右。由于坝体自重应力是固定的,200m 水头作用下自重和水压引起的坝踵主拉应力约是 158m 水头引起的相应主拉应力的 2.4 倍。诸此种种似乎都难以有效地解释科坝在 158m 水头作用时坝趾会开裂。为此,有必要做进一步讨论,以探索关键之所在。

一些专家提出,科坝河谷开阔,底部平坦,致使拱的作用小,梁承受了较大荷载,是引起开裂的原因。地形条件是客观存在的自然条件,设计者的任务就是要提出合理的体型、断面尺寸和结构构造等来适应自然条件,这应该是很明确的。关于低估地基变形模量问题,这值得关注。一则因为地质参数有可能难以正确确定,再则也因为水库水位升降变化,有加、卸载作用,地基变形模量在反复加卸载条件下有可能增大。特别是对于科坝,几乎每年都充蓄和放空,1978 年开裂时是第三次充蓄。中国高坝一般库容较大,这种影响相对不太显著。他们亦曾用三维有限元对地基变形模量变化引起的影响进行了探索。对于科坝,作用水头为 158m 时,整个地基的变形模量较初始变形模量增大一倍,坝踵在自重和水压作用下的主拉应力约增加 20%。

水库蓄水对库岸产生的压力引起库岸变形,从而影响坝体应力,这亦是值得关注的。但这受多种因素影响,常难确切定量。设若库岸不透水,库水位又上升得很快,根本没有在库岸形成渗流,这时库岸将承受水压荷载,会引起较大变形。反之,若库岸渗透性很强,库水位上升得又很缓慢,库岸的渗流场几乎与库水位的上升同时形成,则库岸将只承受渗流场中的渗流力以及库岸岩体因浸水后引起的浮力和体积变形(如岩体的湿涨或湿陷等),库岸不再承受巨大的水压力。一般情况则将介于上述两种情况之间。还须指出,库岸有地下水与无地下水其影响亦不相同。若库岸有水(例如河谷部分),库水的水压将通过岩体中的水体传递压力;若库岸无水,则将在岩体中逐步形成渗流场。对于科坝,因水库水位上升速度较快,若岩体较不透水,则初次蓄水时也许可以认为库岸承受了库水的巨大水压荷载。但科坝坝踵开裂是在水库第三次蓄水,且库水位只比前一年高出约 8m 时,水库前两年蓄水多少总会对库岸渗流起一定的作用,使库岸有一定的地下水,因而分析时若假定库水压力全部作用在库岸上,则将是最保守的考虑。曾对科坝用三维有限元法探索了考虑库岸承受全部水压与库岸不受水压可能引起的差别。作用水头为 158m 时,坝踵由水压引起的主拉应力计及库岸水压的比不计库岸水压大20%左右,这应该看做是最大可能的增量。

综合地基变形模量增大一倍及库岸受水压而引起变形,有可能使坝踵主拉应力增大40%~50%,对坝的工作极为不利,但是否是科坝在158m水头作用下开裂的全部缘由似有待商榷。因为库岸受全水压毕竟是十分保守的,更主要的是158m水头比设计水头低得太多。本文注意到科坝有它的独有的特殊情况,即坝体上游面河谷部位有相当一部分是与河谷基岩连在一起的,最大槛高约15m,而且高低不平,这必然会对坝体应力产生相当不利的影响。第17坝段上游面几乎没有与河谷基岩的槛连接,但16坝段和18坝段上游面则与河谷基岩高槛连接,高槛部位必然将承担较多的荷载,从而减轻了低槛部位的负担。为此我们用三维有限元探索了由此可能引起的影响,考虑了三种代表情况:①假定坝建基面上下游都没有与基岩的槛连接,如图4中虚线所示;②坝上游面河谷部位与河谷基岩高槛连接,但槛顶是平齐的,最大槛高15m,如图4点画线所示;③坝上游面河谷部位与河谷基岩有高低不平的槛连接,基本上模拟了科坝的实际情况,如图4中的实线所示。有限元计算时作用水头为158m,考虑反复加、卸载地基变形模量提高了一倍,考虑了库岸的全水压作用。这应该是该水头下可能不利的条件。在此前提下,情况一,无槛的,河谷部位坝踵在自重和水压作用下的主拉应力为4.6MPa;情况二,平齐的槛,相应的主拉应力为5.1MPa;情况三,高低不平的槛,在16坝段即高槛顶部坝踵相应的主拉应力为6.1MPa,而在基本无槛的17坝段坝踵相应的主拉应力为4.2MPa。以上结果证实,科坝独特的坝体上游面与河谷基岩连接方式对坝的工作带来不利影响,坝与高槛连接部分承担了额外的荷载,应力显著增大。坝与地基连接处本身受角缘影响会有应力集中,高低不平的槛在高槛处更加剧了这种影响,对坝的工作更为不利。所得到的应力分布能解释科坝的裂缝分布。由图3(a)可见,科坝的裂缝都发生在坝体与槛顶的连接部位。我们亦曾用三维非线性有限元法分析了开裂范围,结果与实际吻合良好;还曾用准三维法作了裂缝跟踪分析,即根据三维有限元定出梁的荷载,而后对梁进行考虑裂隙中水力劈裂影响的断裂分析,再根据裂缝范围反馈到三维模型,确定开裂后梁的荷载再进行断裂分析,如此反复,直至两者协调一致。算得的结果如图3(b)所示,开裂轨迹与实际结果吻合良好。

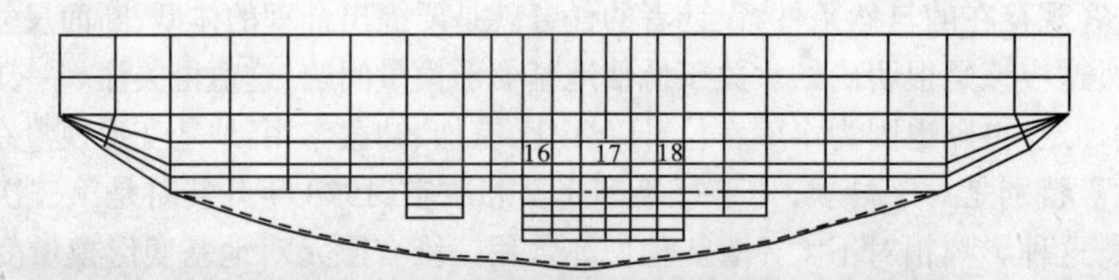


**图4　坝踵连接计算示意图**

需要指出的是,用有限元法算得的应力不能直接用来判断坝体是否开裂,因为应力值受网格条件的影响太大。但在同一网格条件下比较其应力分布及变化规律应该是可信的。

也许有人会提出,上游河谷基岩能与坝连成整体吗?经分析,若连不成整体或沿着连接面被拉开,则不可能产生这种裂缝。12坝段和20坝段没有裂缝,开挖检查时就发现与基岩连接的垂直面被拉开或地基有裂缝。冯会民的分析亦证明,若坝面与基岩脱开,不可能发生自上而下的裂缝;至于自下而上的裂缝,其发展方向亦将朝着水平方向改变,约在坝基以上4m处出露,不可能出现实际的向槛顶方向发展的裂缝。

这里亦讨论一下裂缝究竟是自槛顶处的坝体向下发展,还是自坝基向上延伸至槛顶处出露的问题。我们认为,裂缝是自槛顶处的坝体开始向下发展的,当裂缝发展到坝底,造成了坝基底扬压力全面升高。因为这始裂的部位是应力集中部位,在自重和水压作用下有较大拉应力,主拉应力的方向也与开裂方向一致,计算成果显示了这一结论(见图3(b))。如果河谷基岩与坝体脱开,这些开裂部位在自重和水压作用下全为压应力,不可能拉裂。Widmann认为裂缝是自坝基向上发展的,但没有提出具体论据。冯会民支持这一观点,认为蓄水使地基拉力区的基岩节理张开,库水渗入帷幕并在帷幕前产生 100 %水头的扬压力,帷幕上游侧坝基有一与水平向成 45°的初始斜裂缝,此裂缝在应力和水力劈裂作用下发生了所观察到的裂缝。想商榷的是:①若“基岩拉裂”则坝的约束条件改变,坝踵的应力也将发生变化,计算裂缝就不能再以基岩与坝体连接良好来考虑了。②初始裂缝在帷幕上游侧,却不知“上游”到什么位置。若在帷幕上游,则不必基岩开裂,初始裂缝中亦将作用有 100%的上游水头。如果是这样,那么 1977 年作用有 150m 水头时,根据他的计算,坝体已经要开裂了,而实际上却没有开裂。若初始裂缝在帷幕区,则必须是帷幕发生结构性损伤或破坏后,才能使初始裂缝中作用有 100%的上游水头,这种损伤将会影响坝踵应力分布,从而也会影响裂缝轨迹。③尽管分析第二条裂缝的条件至今还不十分明确,但第二条裂缝基本上与第一条类同,大体上平行于第一条裂缝,只高出 2～5m,因而似乎可以认为第二条裂缝形成的机理应该与第一条基本上是一致的。那么再假设第二条裂缝的坝基部位也存在有一初始裂缝有欠合适。而且由于增设了护坦,帷幕向上游移动很多,坝基扬压力很低,第二条初始裂缝中不可能存在很大的水力劈裂作用。

我们对第二条裂缝的初步探索。第二条裂缝产生的前提是第一条裂缝被黏结好了,否则在裂缝很近的范围内不可能产生很大的拉应力。有资料介绍,两侧 2m 厚的护坦与坝间采用了柔性连接,但河谷底部进水口区域除外,且护坦厚度增加到 11m。如果该段护坦与坝呈整体连接,这措施相当于把原来的低槛部位增高了,使坝体上游面与大体上顶部是平齐的槛连接。正如以上分析证实,平齐槛的坝踵应力情况较高低不平的槛有一定的改善,使坝能承担比 158m 更高的水头而不致开裂,再考虑到水库已经过六年充蓄和放水的过程,库岸地下水应有所抬高,库水对库岸的纯面力作用有所减轻,以及第一次开裂后坝已在一定程度上形成适应性的调整,那么在承受 183m 水头时坝踵才再次开裂的可能性是存在的。还可以预测,若坝体上游面没有与槛连接,坝将能承受更高的水头。

认为科坝抗滑稳定性偏低而使坝踵开裂的说法,似乎较难作为解释总水压力只有设计水压约 60%时坝踵就开裂的理由。至于坝肩上滑的问题,我们曾分析了科坝沿河谷建基面的剪应力分布,不论是 158m 水头或 200m 水头,在自重和水压作用情况下,都没有发现有上滑的可能,科坝在坝踵开裂且未采取任何结构性措施的 1979 年,坝承担 200m 水头,裂缝面和坝基面作用有全水头扬压力的非正常工作情况下,河谷坝踵出现过上抬现象,但此时坝趾还是下沉的。此后多年蓄水再也没有出现过这种情况,坝的所有垂直位移都是下沉的,因而这种现象似难解释成坝体有上滑趋势。

关于坝下游底部的水平裂缝,从理论上讲,对坝体是有削弱作用。但该部位在坝体承受水压时将产生压应力,如果裂缝部位的应力状态不会使裂缝发生任何形式的屈服,则将不会影响大坝工作。因而究竟是否会影响坝的工作能力,应通过验算才能作出评价。

以上讨论的是科坝在 158m 水头作用下的开裂机理。这么低的水头就出事故,就没有必要讨论 200m 水头作用时科坝设计是否合理了。但是从科坝的运行情况来看,是否可以得到某种启示。科坝于 1978 年开裂后未作任何结构性处理,却于 1979 年挡住了 200m 水头,裂缝没有进一步发展。1980 年和 1981 年采用合成树脂灌浆和冰冻处理又分别挡住了 195m 和 188m 水头。1982 年初护坦建成后挡水 194m,但在 183m 时又出现了裂缝,这水头比第一次开裂水头高 25m,却比前两年挡的水头低,显然是边界约束条件改变带来的结果。然而开裂后未见有进一步处理的报道,却于 1983 年又挡水 200m。尽管大坝开裂,但却两次挡住了 200m 水头,且六年来都在 94%以上水头运行,因而能否大胆设想,若对科坝下部周边给予合适的约束条件,使其不产生不可估计的裂缝,没有危害性的扬压力和渗漏量,则大坝也许能承担挡水 200m 而不必采取昂贵的加固措施。当然,这只是设想,须通过周详的分析论证方能定论。

## 5 小 结

(1)地基地质参数十分重要,选用时应该考虑到可能出现的不利情况。

(2)库水使库岸可能引起变形的作用应给予足够重视,应估计到可能产生的不利影响。

(3)拱坝与周边基岩的连接至关重要,科坝上游面与河谷基岩整体连接,特别是高低差别较大的连接对坝的工作十分不利,今后设计值得关注。

(4)科坝主要受以上三种因素的综合影响,致使在远低于设计水头情况下就发生开裂。

(5)试载法较难妥善反映坝与地基连接具体条件,有限元法则能给予补充。

(6)建议可考虑在坝踵设一齿槛,槛上游面不与基岩连接,以诱使裂缝向地基发展,只要这裂缝不破坏帷幕,则不会对坝的工作造成威胁。

(7)尽管科坝已经加固,但作为学术研讨,建议可再研究合适的加固措施,使拱坝能更充分地发挥工作潜力。

## 参 考 文 献


[1] 田斌．高拱坝开裂机理研究——奥地利 Kolnbrein 拱坝坝踵开裂机理分析:[博士论文]．南京:河海大学,1995

[2] 裴爱国．高拱坝开裂机理探讨与开裂过程模拟——奥地利 Kolnbrein 拱坝开裂成因分析:[硕士论文]．南京:河海大学,1996

[3] 汝乃华,姜忠胜．大坝事故与安全——拱坝．北京:中国水利水电出版社,1995:182~214

[4] Practice and Theory of Arch Dams. In: Proceedings of the International Symposium on Arch Dams. Nanjing: Hohai University Press, 1992

[5] 夏颂佑．拱坝的极限承载能力和破坏机理．河海大学学报,1990(3)

[6] XIA SONGYOU. Discussions about some Problems of the Stress in the Arch Dams. In: Practice and Theory of Arch Dams. Nannjing: Hohai University Press, 1992

# 苏联混凝土高坝建设中的温度控制问题

丁宝瑛　王国秉　杨菊华

(中国水利水电科学研究院结构材料所,北京　100044)

**提　要**:本文重点介绍苏联在中亚和西伯利亚地区修建混凝土高坝时,在混凝土温度控制方面的设计特点和施工措施。内容包括:大坝混凝土设计;分缝分块形式;混凝土的浇筑温度;温差控制标准;水管冷却和表面流水冷却;混凝土表面保护;大坝灌浆温度;冬季施工;大坝裂缝;施工制冷容量和冷却费用以及"托克托古尔施工法"等。除了如实地介绍实际资料外,还对一些重要的设计和施工工艺问题,阐明了作者的看法。

## 1　概　述

根据国民经济发展的需要,可以预见到在今后若干年内,在我国西北、西南、东南和中南等地区,将要修建一系列的混凝土高坝。虽然新中国成立以来,我国已经在广阔的地区修建了大量的混凝土坝工程,并且取得了一些成功的经验和失败的教训,但对于我们现在所要探讨的课题,即修建混凝土高坝的温度控制问题,实际上我们还没有积累起足够的经验。因此,为了做好我们面临的繁重而复杂的工作,尽可能减少今后在设计和施工工作中的困难,广泛地收集已有的世界各国在这方面的经验教训以资借鉴,就变得十分重要了。

第二次世界大战以来,世界各国修建的混凝土高坝越来越多,积累的经验越来越丰富,正确地阐述这些经验和教训,并加以适当的评论,有助于我们恰当地吸收这些经验。本文针对苏联修建混凝土高坝中温度控制方面的理论和经验加以论述,并相应地提出笔者的评论。关于美、加、南美、欧洲、日本和亚洲各国的情况,将在另文中阐明。

在20世纪50年代以前,苏联没有修建过什么称得上"混凝土高坝"的工程,所以尽管在伏尔加河流域做了些混凝土闸、坝工程,却没有建设高坝的经验。50年代时由于援建中国的三门峡工程,才开始对混凝土高坝的设计进行了一些研究工作。由于在此以前资本主义国家对斯大林时代苏联的封锁禁运,使得苏联技术界对当时世界上的先进水平也较为闭塞,甚至于当时对美国30年代建造胡佛坝时研究的一些问题也不甚了解,在设计三门峡工程时,又从头开始进行研究,做了不少重复工作。

20世纪50年代以后,由于开发乌拉尔山以东地区资源的要求,苏联在中亚和西伯利亚等地区,建造了一系列混凝土高坝,表1列出了其主要大坝的一些指标和一般的气温条件。图1标出了在西伯利亚地区已建、正建和设计中的一些高坝工程[1]。该地区气候条件相当严酷,与我国的龙羊峡工程(年平均气温5.8℃,最冷月份的平均气温为-9.3℃)、白山工程(年平均气温4.2℃,最冷月份的平均气温为-15.7℃)相比,有些工程的气温条件还要恶劣些,所以仔细地研究这些工程在设计和施工中究竟有些什么特点,采取了哪些措施,有些什么成功的经验和失败的教训,必然是我国水工建设者们关心的问题。

## 2　苏联大坝温度控制的设计特点

在能够查到的20世纪50年代以后苏联的规程规范中,对大体积水工混凝土的温度控制方面,均有不同程度的反映,并且有不少变化,这主要反映了苏联水工建设者对大体积混凝土温度控制知识的逐步深化。由于我国的科技工作者对以往苏联的一些情况是比较熟悉的,所以本文不对苏联的混凝土温度控制设计进行全面阐述，仅择其重要的或有所改变的特点加以论述。

**表 1**

| 坝名 | 坝型 | 坝高(m) | 大坝混凝土体积(万 $m^3$) | 混凝土浇筑年份 | 多年平均气温(℃) | 最冷月份平均气温(℃) | 最热月份平均气温(℃) |
|---|---|---|---|---|---|---|---|
| 马马康(Мамаканская) | 宽缝重力坝 | 53 | 23.5 | 1959～1963 | -5.8 | -33 | |
| 布拉茨克(Вратская) | 宽缝重力坝 | 125 | 439.5 | 1958～1965 | -2.6 | -23.8 | 18.2 |
| 克拉斯诺雅尔斯克(Красноярская) | 重力坝 | 125 | 483 | 1961～1970 | -0.4 | -20.2 | |
| 托克托古尔(Токтогульская) | 重力坝 | 215 | 324 | 1969～1977 | 8.4 | -14.4 | 24.4 |
| 乌斯季依里姆(Усть-Илимская) | 重力坝 | 105 | 420 | 1969～ | -3.9 | -25.6 | 17.1 |
| 泽雅(Зейская) | 支墩坝 | 115 | 221.5 | 1970～ | -4.1 | -27.9 | |
| 英古里(Ингурская) | 拱坝 | 271.5 | | 1971～ | | | |
| 萨扬舒申斯克(Шаяно-Шушенская) | 重力拱坝 | 236 | 940 | 1972～ | 0.8 | -18.2 | |
| 库尔普沙斯克(Курпсайская) | 重力坝 | 113 | | 1978～ | 13.8 | -6.6 | 27.1 |
| 契尔克(Циркейская) | 拱坝 | 233 | 166 | ～1976 | 12.3 | | 25 |

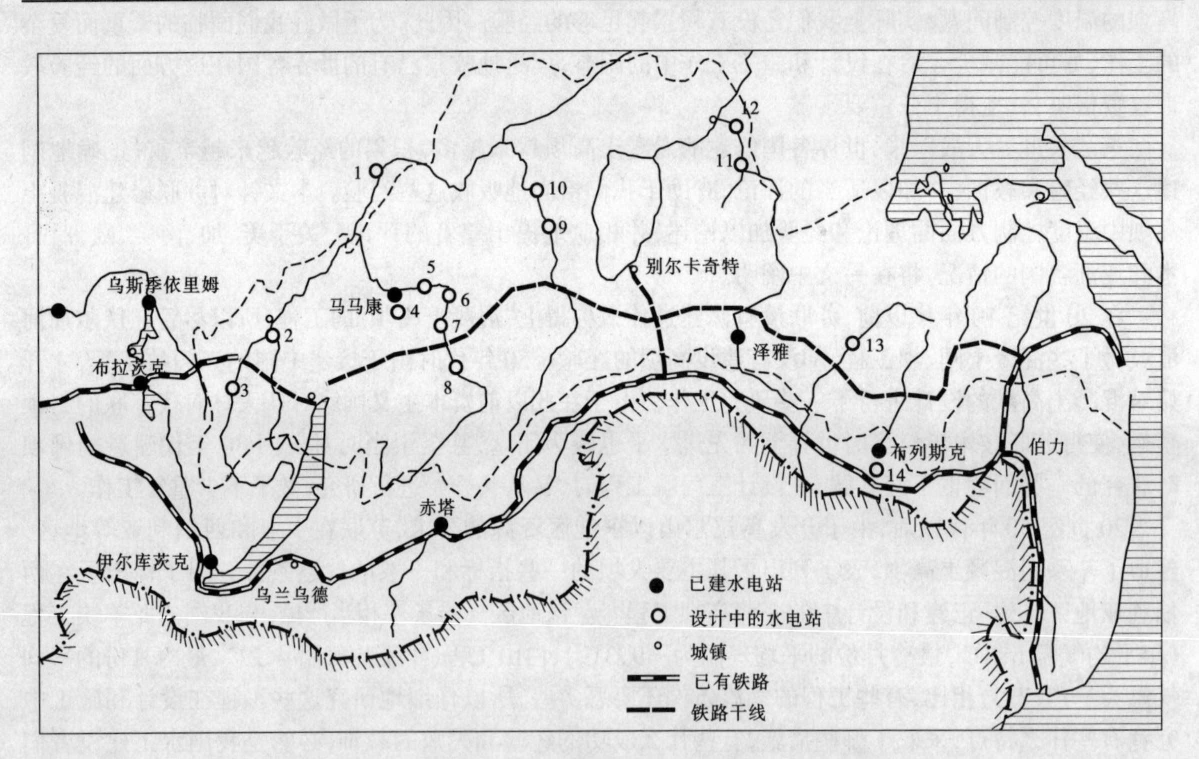


**图 1 苏联西伯利亚地区已建、正建、设计中的混凝土坝工程**

1. 林斯克(Ленская)；2. 肖洛霍夫(Шороховская)；3. 上林斯克(Верхне-Ленская)；
4. 太利玛姆(Тельмамская)；5. 包达衣宾(Бодайбинская)；6. 阿马雷克(Амалыкская)；
7. 喀拉龙(Каралонская)；8. 毛克(Мокская)；9. 奥列克明(Олекминская)；
10. 其列斯特埃赫(Кирестэхская)；11. 中乌楚尔(Средне-Учурская)；
12. 下乌楚尔(Нижйе-Учурская)；13. 达格马尔(Даямарская)；14. 下布列衣(Нижне-Вурейская)

### 2.1 混凝土设计和材料特性

(1)优先选用最小水泥用量的配合比,不限制最小水泥用量。以前在苏联的规范、规程和建议中规定有最小水泥用量的限制,如文献[53]中,内部混凝土最小水泥用量为 150～180kg/m³。1959 年后改如上述,说明在此时期苏联在施工机械化和施工工艺上都有了改进,因而不必用多加水泥的措施来保证施工质量,从而降低了造价,也为做好温度控制工作创造了一定条件。

(2)混凝土的标号分区设计规定有了改变。1979 年开始,在无充分论证时,不允许超过四种标号混凝土[2]。因而为简化施工创造了条件。

(3)对混凝土设计龄期的规定[2]。强度、抗渗标号为 180 天,抗冻标号为 28 天。特殊情况(如施工期紧迫、采用装配式混凝土和钢筋混凝土、在低温条件下施工、工程量不大等)经过论证,强度和抗渗可按 90、60 天和 28 天龄期设计。这里没有对大体积混凝土的温度控制,防止混凝土早龄期产生温度裂缝进行必要的考虑。

(4)优先选用低热水泥[2]。对于Ⅰ、Ⅱ、Ⅲ级大坝所用水泥,必要时编制专门性技术规定,并须经一定程序批准。对于采用低热水泥不作硬性规定。

(5)混凝土离差系数没有明确规定,但一般认为机口取样时,当其大于 0.20 时是不满足要求的。一般工程仍以均质系数控制。

(6)混凝土极限拉伸值,按 1977 年批准、1979 年实施的最新建筑法规规定,[2] 见表 2。

**表 2**

| 混凝土标号 | 200 | 250 | 300 |
|---|---|---|---|
| 混凝土极限拉伸值 $\varepsilon^0_{\text{пред}}$ | $0.7\times10^{-4}$ | $0.8\times10^{-4}$ | $0.9\times10^{-4}$ |

注:快速试验。

表 2 规定的数值与我国目前混凝土的试验值比较稍高些。苏联在 1962 年以前习惯上一直采用的数值是不论何种标号的混凝土,一律为 $1.0\times10^{-4}$。

表 2 列出的数值,指的是混凝土的轴向拉伸,当考虑混凝土的温度应力梯度时,极限拉伸值一般增加 1.5～2 倍。近似地可由下式计算[7]:

$$\varepsilon_{\text{пред}} = \varepsilon^0_{\text{пред}}\left[1 + 5.25\left(1 - e^{-0.47\frac{1}{\alpha E}\frac{\partial б}{\partial n}}\right)\right] \tag{1}$$

式中:$\frac{\partial б}{\partial n}$——温度应力梯度。

关于极限拉伸值的试验方法,现在世界上还没有公认的统一的标准,至于温度应力梯度对极限拉伸值的影响如何,目前也是众多纷纭,不过根据文献[8]的圆环试验(环内加热形成不均匀温差致使混凝土裂缝)和等弯梁试验,将其试验结果与轴心受拉试验比较,从工程观点看来,事实上没有什么不同。由此看来,按式(1)考虑混凝土的极限拉伸值,用以限制浇筑块的表面裂缝,似乎是危险的。

### 2.2 大体积混凝土的温差控制

苏联在 20 世纪 50 年代以前,没有明确的温差规定。1961 年后对温差的规定才比较明确。一般情况是[8]:岩基上的大体积混凝土,在高度为 $0.2\sim0.3L$ 范围内称为接触部分,当为刚性岩基时,混凝土的最高温度与冷却后的最低温度之差(在同一点上),应有一定限制,其最大值,由计算确定。当建筑物采用长块浇筑时(通仓),上述温差控制在 16～20℃;当为柱状分块时,控制在 18～22℃之间。上述规定与我国及欧美等国家的所谓基础温差属于同一概念,温差控制的数值也相差不大。

苏联在大坝接触区以上部分的混凝土,控制结构内部与外部之间及建筑物相邻块体之间的温差,其允许值通过计算确定,因而与结构的温度梯度、结构厚度、接缝间距等有关。若为大体积混凝土墙,接缝间距大于两倍墙厚,浇筑时是依次浇筑的,则上述最大温差控制在 20～25℃,缝较密时可适当放宽。这里控制的就是一般所说的内外温差和相邻块温差。

从以上叙述可以看出,苏联在温差控制设计方面,在实践经验的基础上,十分注意计算,这一点与美国比较有很大的不同。

20 世纪 60 年代～70 年代，苏联在中亚和西伯利亚若干河流上建造混凝土高坝过程中，对温差控制设计方面，又丰富了一些新的内容[9]、[10]：

第一，在岩基上或老混凝土上浇筑混凝土时，温差控制计算中考虑岩基和老混凝土的温度。具体做法是将控制温差写成 $\Delta T' = T_{макс} - T'_{осн}$，这里，$T_{макс}$ 为混凝土的最高温升，$T'_{осн}$ 为混凝土达到 $T_{макс}$ 时基础中 1.0～1.3m 深处的温度。由于实测 $T'_{осн}$ 比较困难，实际的作法是将控制温差改为：

$$\Delta T = T_{макс} - T_{осн} \tag{2}$$

式中：$T_{осн}$——浇筑前夕的基础中 1～1.3m 处的温度。

显而易见，$\Delta T > \Delta T'$，即 $T_{осн} < T'_{осн}$。

第二，关于内外温差的控制，又细加区分。有块体中心与侧表面的内外温差和块体中心与上表面的内外温差，后者的控制更严。

根据在克拉斯诺雅尔斯克、乌斯季依里姆斯克、泽雅和萨扬舒申斯克等大坝的温度控制设计、实施和施工期裂缝调查为依据，总结成表 3，列出了对浇块温度状态的要求。

**表 3**

| 混凝土标号 | 浇筑块长度 $L$ (m) | 允许混凝土最高温度 $T_{макс}$(℃) | 允许基础温差 $\Delta T$(℃) | 允许中心与侧表面内外温差 $\Delta T_{я} - T_{б,г}$(℃) | 允许中心与水平上表面内外温差 $\Delta T_{я} - T_{г,г}$(℃) |
|---|---|---|---|---|---|
| 150 | 10 | 38 | 27～29 | 25 | 12 |
| | 15 | 38 | 22～24 | 24 | 11 |
| | 20 | 38 | 18.5～20.5 | 23 | 11 |
| | 25 | 38 | 16～18 | 22 | 10 |
| | 30 | 38 | 14～16 | 21 | 10 |
| 200 | 10 | 40 | 29～31 | 26 | 14 |
| | 15 | 40 | 23～25 | 25 | 13 |
| | 20 | 40 | 19.5～21.5 | 24 | 13 |
| | 25 | 40 | 17～19 | 23 | 12 |
| | 30 | 40 | 15～17 | 22 | 12 |
| 250 | 10 | 42 | 30～32 | 27 | 16 |
| | 15 | 42 | 24.5～26.5 | 26 | 15 |
| | 20 | 42 | 21～22.5 | 25 | 15 |
| | 25 | 42 | 18～20 | 24 | 14 |
| | 30 | 42 | 16～17.5 | 23 | 14 |
| 300 | 10 | 44 | 32～34 | 28 | 18 |
| | 15 | 44 | 26～28 | 27 | 17 |
| | 20 | 44 | 22～24 | 26 | 17 |
| | 25 | 44 | 19～21 | 25 | 16 |
| | 30 | 44 | 17～19 | 24 | 16 |

表 3 说明苏联的温差控制方面有以下特点：

(1)控制温差(不论基础温差或内外温差)与混凝土标号、浇筑块长度有关。混凝土设计标号增高，控制温差可以加大。若混凝土由 150 号增至 300 号，强度增大一倍，基础温差可增大 3～5℃，中心与侧面内外温差可增大 3℃，中心与上表面内外温差可增大 6℃。浇筑块长度加大，控制温差要减小。若浇筑块长度由 15m 增至 30m，长度增加一倍，基础温差一般减小 8～9℃，中心与侧面内外温差减小 3℃，中心与上表面内外温差减小 1℃。

(2)基础岩石的弹性模量不反映在温差控制中。

(3)混凝土的允许最高温度随混凝土的标号提高而提高。

从基础温差控制计算中看到,苏联的技术人员合理地考虑了基础温度变化的影响,这与笔者在文献[11]中提出的概念完全吻合,即基础浇筑块与基岩同时冷却一个均匀温差,不产生温度应力。

### 2.3 大坝的分缝分块问题

50年代以前,苏联建造的混凝土坝都比较低,在大坝分缝分块设计时,主要采用错缝。20世纪50年代后期的西伯利亚修建布赫塔尔明水电站(1956~1960年)时,仍然采用其传统的错缝,施工结果裂缝相当严重[8],在浇筑块两侧横缝面上和在与基岩接触的混凝土上,都发现了裂缝。与布赫塔尔明坝差不多同时修建的马马康坝(1959~1963年)和布拉茨克大坝(1958~1965年),采用柱状分块,裂缝也相当严重[12]。后来的分析表明,后两座大坝的裂缝所以如此严重,主要原因之一是在寒冷地区修建宽缝重力坝,施工时长期暴露的宽缝,对裂缝的发生起了促进作用。以上三座大坝的分缝间距都不大。布赫塔尔明纵缝间距为9.2~12.7m,横缝间距13~20m,层高大于1.25m;马马康坝纵缝为15m,横缝12m,层高4m;布拉茨克坝纵缝为13.8m,横缝15~22m,基础块层高1.5~2.0m和3m。

20世纪60年代以后,苏联在中亚和西伯利亚地区,比较重要的大坝就再也没有采用宽缝重力坝的形式,可能是吸取了以前的经验教训。在此时期苏联学习了其他国家的经验教训,结合考虑自已的恶劣气候条件,创立了所谓"托克托古尔(Токтогулъская)施工法"[13],修建了高215m,最大底宽170m的托克托古尔大坝和库尔普沙伊斯克大坝(坝高115m)。托克托古尔坝的浇筑块尺寸,是随着对该施工法的逐渐熟练而逐年加大的,1969年为16m×30m,1970年为16m×60m,到1970年末加大到32m×60m。托克托古尔坝的浇筑层厚度为0.5~1.0m,随一年中季节变化而改变。这种分缝分块的办法,一下子改变了苏联传统的做法,其精髓为无起重机施工,本文以后还要论述。

苏联在坝段的划分设计中,为了减少施工温度应力和适应运转期周围介质的温度变化,经常采用一种叫做"切口缝"的结构措施,即在认为有需要的断面上下游面中间平行横缝方向,再设置一条短横缝,高度基本在基础约束范围内。这种切口缝对减小上下游面浇筑块的温度应力是有作用的。为了防止渗漏,在上游设有止水。布拉茨克坝、乌斯季依里姆坝和库尔普沙伊斯克坝,都设有这种缝。实践证明:当这种切口缝不穿过整个柱体时,切口缝的尖端将继续向柱体延伸,有将柱体切开的危险。在布拉茨克坝的切口缝端,就发生过这种情况。

### 2.4 大坝灌浆温度

20世纪50年代以前,苏联在大坝灌浆温度的设计中,习惯于以多年平均气温作为大坝的灌浆温度,例如在三门峡大坝的设计时就是这样。可以证明[8],在能按平面问题考虑的实体大坝中,这种做法是可以的。但不能推广到平面问题的空腹坝和按三维问题计算的大坝中去。

苏联开始在西伯利亚地区建坝以来,在设计灌浆温度的问题上,遭遇到一些困难。由表1可见列出的几个大坝,除了托克托古尔、库尔普沙伊和契尔克坝区多年平均气温还比较高以外,其他工程都地处多年平均气温接近0℃或0℃以下。要将大坝混凝土用人工冷却方法冷到0℃以下,显然是比较困难的和需要采取特殊的工艺。因此,在设计上许多坝都是采取了提高灌浆温度的措施。如布拉茨克坝多年平均气温为-2.6℃,原设计灌浆温度为2℃,以后提高为4~10℃。1979年苏联颁布实行的混凝土和钢筋混凝土坝设计规范(СНиПⅡ—54—77)中规定,在岩基上的高度在60m以上的Ⅰ、Ⅱ级重力坝,其整体强度计算中要考虑温度作用力。由并缝时温度降到多年平均温度(实际上就是稳定温度)时的作用力,是温度作用力的一种。因此,可以认为,苏联在1979年规范中明确表明可以考虑提高灌浆温度,但提高的程度要在大坝整体强度计算中加以考虑。这也可以说明苏联在寒冷地区的工程实践,使他们改变了一些传统做法。

### 2.5 计算手段现状

这里所说的计算手段,是指有关温度场、应力场等与混凝土坝温度控制有关的一些计算方法和手段。在20世纪50年代和60年代,苏联以全苏水工科学研究院(ВНИИГ)为代表的一批科学家对混凝土坝的温度应力研究作出了一些贡献。工程上对温度、应力以及考虑混凝土的徐变等的计算,主要依靠有限差分法。从70年代到80年代，电子计算机出现及被广泛的运用，在苏联的温度应力的计算中也有相应的反映，主要有两种途径[7]：第一种是把传统的差分法搬入电子计算机；第二种是把具有函数形式的用级数表示的近似解在电子计算机上实现。看来目前第二种方法占一定的优势。其代表人物为С.А.Фрид和Ш.Н.Плят等人。奇怪的是目前在我国和欧、美、日本等国家非常流行的，计算温度应力十分有效的有限单元法，却很少在他们的文献中出现。

## 3 温度控制实践

从近二三十年来苏联在寒冷地区建设高坝的情况看来，按目前的设计、施工和运行的组织形式和其他的一些原因，在温度控制设计要求和真正的施工控制上，还存在着相当的差距。以下分几方面对苏联的温控实践进行介绍。

### 3.1 混凝土标号选择，水泥品种和水泥用量

在苏联大坝混凝土设计中，断面的标号分区作为一种合理的节约措施，一直被采用。根据大坝断面的不同部位，在施工和运行时对大坝工作条件的不同要求，选择不同标号的混凝土，从而也提出了对不同品种水泥和用量的要求。

(1)在布拉茨克水电站，坝体内部混凝土为M100，B2；迎水面第一柱体及电站坝段的基础部位为M200，B8；在上游水位变动区和下游溢流部位为M200，B8，$M_{P3}$250；电站坝段和挡水坝段的下游表层为M200，B4，$M_{P3}$100；电厂结构混凝土为M200；尾水管混凝土为M400，B12。该坝在施工初期(1960年以前)使用的水泥品种很多，但主要的为伊尔库茨克(Иркутский)厂生产的。以后则采用了克拉斯诺雅尔斯克厂的水泥。有两个品种：一为纯熟料ВГС—А，水泥活性为420～660kg/cm$^2$；一为矿渣硅酸盐水泥ВГС—Ъ，水泥活性为300～600kg/cm$^2$。上述两种水泥指标见表4。

**表4**

| 项目 | 水泥品种 | |
|---|---|---|
| | A | B |
| 抗压强度 $R$(kg/cm$^2$) | >400 | >300～400 |
| 7天水化热(kcal/kg) | ≤60 | ≤60 |
| 熟料矿物成分含量(%)$C_3S$ | 45～55 | 45～55 |
| $C_3A$ | ≤8 | ≤10 |
| 含碱量($Na_2O$)(%) | ≤0.6 | ≤0.6 |
| MgO含量(%) | ≤4.5 | ≤4.5 |

施工的第一年，使用的混凝土配合比不固定，其最大骨料粒径不大于40mm，采用了干硬性混凝土，坍落度接近于零，并掺入了加气剂СНВ。1961年以后，采用配合比见表5。

**表5**

| 项目 | 混凝土标号 | | |
|---|---|---|---|
| | M100；B2 | M200；B8 | M200；B8，$M_{P3}$250 |
| 水泥品种 | БГС—Б | БГС—Б | БГС—А |
| 水灰比(В:Ц) | 0.8 | 0.55 | 0.5 |
| 坍落度(cm) | 0.5～3 | 0.5～3 | 3～5 |
| 每立方米混凝土中材料用量(kg) | | | |
| 水泥 | 160 | 230 | 280 |
| 水 | 128 | 126 | 140 |
| 细砂 | 284 | 270 | — |
| 粗砂 | 284 | 270 | 757 |
| 粗骨料：5～20mm | 569 | 510 | 362 |

续表 5

| 项　　目 | 混凝土标号 | | |
|---|---|---|---|
| | M100;B2 | M200;B8 | M200;B8,$M_{P3}$250 |
| (卵石) | | | |
| 20～40mm | 416 | 386 | 361 |
| 40～100mm | 645 | 626 | 550 |
| 粗骨料:40～100mm | 706 | 706 | 635 |
| (碎石) | | | |
| 塑化剂 ССБ | 0.2%的水泥用量 | 0.2%的水泥用量 | 0.2%的水泥用量 |
| 混凝土拌和物容量($t/m^3$) | 2.44～2.53 | 2.42～2.50 | 2.45～2.53 |

(2)克拉斯诺雅尔斯克重力坝设计的混凝土标号共有 4 种,即 M200,B6(8);M200,$M_{P3}$100;M200,$M_{P3}$200;和 M250,$M_{P3}$300。另外在电厂结构中还采用了 M400,B8,$M_{P3}$500 和 M300。断面的标号分区如图 2。表 6 列出了各种不同标号混凝土的配合比及其他指标。

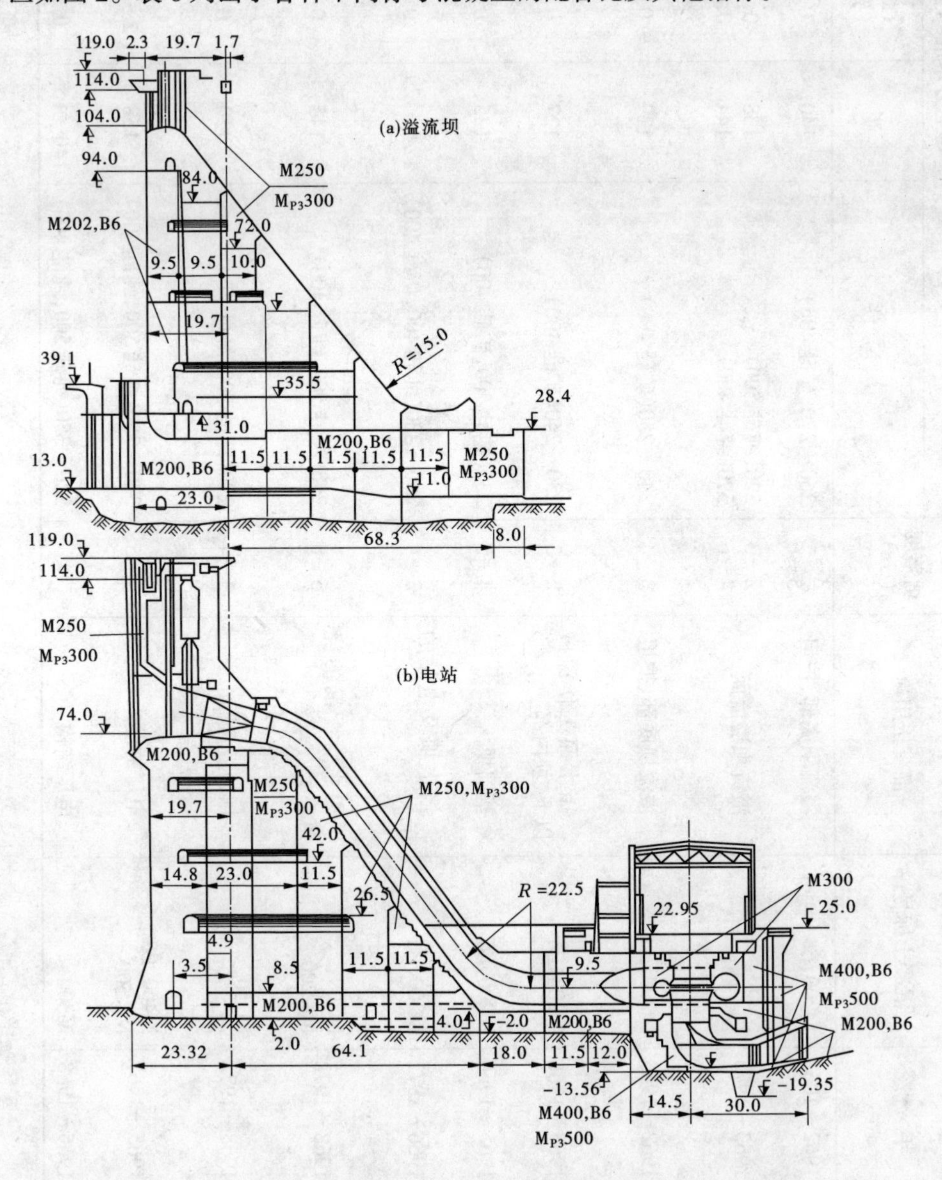


图 2　克拉斯诺雅尔斯克坝的混凝土断面分区及分缝

表 6

| 年份 | 混凝土标号 | 混凝土用途 | 坍落度(cm) | 每立方米混凝土的材料用量(kg) | | | | | | |
|---|---|---|---|---|---|---|---|---|---|---|
| | | | | 水泥 | 水 | ССБ(%) | 砂 | 粗集料 | | |
| | | | | | | | | 5~20mm | 20~40mm | 40~80mm |
| 1962~1963 | M200,B8 | 溢流坝底部、护坦 | 3~5<br>5~6 | 260~270(矿硅 400) | 140 | 0.2 | 527 | 525 | 495 | 480 |
| 1963~1970 | M250,<br>$M_{P3}$300 | 溢流坝溢流面 | 2~3<br>4~6 | 320(纯硅 500)<br>370(纯硅 400) | 138<br>144 | 0.35<br>0.35 | 665<br>700 | 405<br>625 | 405(碎)<br>625(碎) | 540(碎)<br>— |
| 1962~1963 | M200,B8 | 溢流坝底部、护坦 | 3~4 | 240~250(矿硅 400) | 129 | 0.2 | 629 | 513 | 485 | 470 |
| 1963~1966 | M200,B6 | 挡水面工作深度以下,坝内部 | 2~3 | 230~240(矿硅 400) | 127 | 0.2 | 710 | 585 | 585 | 300(碎) |
| 1965~1966 | M200,B6 | 基础坝 | 4~5 | 230(纯硅 500,矿硅 400) | 135 | 0.2 | 650 | 720 | 720 | — |
| 1966~1972 | M200,B6 | 挡水坝及电站的下部 | 3~4 | 200~230(纯硅 400,矿硅 400) | 124~129 | 0.2 | 610 | 700 | 500 | 300(碎) |
| 1968~1972 | M200,<br>$M_{P3}$200 | 引水管配筋的浇筑块 | 6~8 | 290(纯硅 500,纯硅 400) | 145 | 0.3 | 700 | 665 | 665(碎) | — |
| 1968~1972 | M250,<br>$M_{P3}$300 | 坝的溢流面 | 3~4 | 290(纯硅 500,纯硅 400) | 120 | 0.3 | 665 | 418 | 418(碎) | 573(碎) |
| 1965~1967 | M400,B8<br>$M_{P3}$500 | 电厂的尾水管 | 4~5 | 320~350(纯硅 500,纯硅 400) | 158 | 0.2~0.35 | 640 | 610 | 610(碎) | — |
| 1965~1968 | M300 | 电厂结构 | 4 | 320~350(纯硅 500,纯硅 400) | 140~155 | 0.35 | 650 | 655 | 655(碎) | — |

克拉斯诺雅尔斯克坝使用的水泥为中热水泥(克拉斯诺雅尔斯克厂生产),由表6可看出,对于有抗冻要求的部位,采用纯熟料硅酸盐水泥,其他部位则使用矿渣硅酸盐水泥,其矿渣含量为35%~45%。水泥熟料中发热的矿物成分极限含量为:$C_3A$为6%~6.5%,$C_3S$为47%~58%。该坝为了保证满足计算要求的混凝土极限拉伸值不低于$0.9\times10^{-4}$,内部混凝土标号提高到M200。此值与CНиПⅡ—56—77规定值比较,显然偏大,后者规定M200,极限拉伸值只有$0.7\times10^{-4}$。表7列出在该坝使用的各种标号混凝土的总量。可以看出72.4%的混凝土为M200,B6(8),计400万$m^3$。混凝土的设计龄期为180天。

(3)托克托古尔重力坝是一个特殊结构的重力坝,其断面形状如图3,图上标明了其标号分区,除了电厂结构以外,基本上为由五种标号的混凝土组成,即:M200,B4;M200,B6;M250,B8;M200,$M_{P3}$200;M250,B8;$M_{P3}$200。拌和混凝土采用了两种型号的水泥,用于断面内部和水下区混凝土的为火山灰硅酸盐水泥(TГПЦ),用于水上及下游面的为纯熟料硅酸盐水泥(TГЦ),其各种要求的指标如表8。

表7

| 混　凝　土　标　号 | 混凝土量 | |
|---|---|---|
| | 万$m^3$ | % |
| M150,B2 | 2.23 | 0.4 |
| M200,B6(8) | 400.8 | 72.4 |
| M200,$M_{P3}$100 | 31.2 | 5.6 |
| M200,$M_{P3}$200 | 24.2 | 4.4 |
| M250,$M_{P3}$300 | 72.2 | 13.1 |
| M400,B8,$M_{P3}$500 | 13.6 | 2.5 |
| M300 | 9.6 | 1.6 |
| 合　计 | 553.83 | 100 |

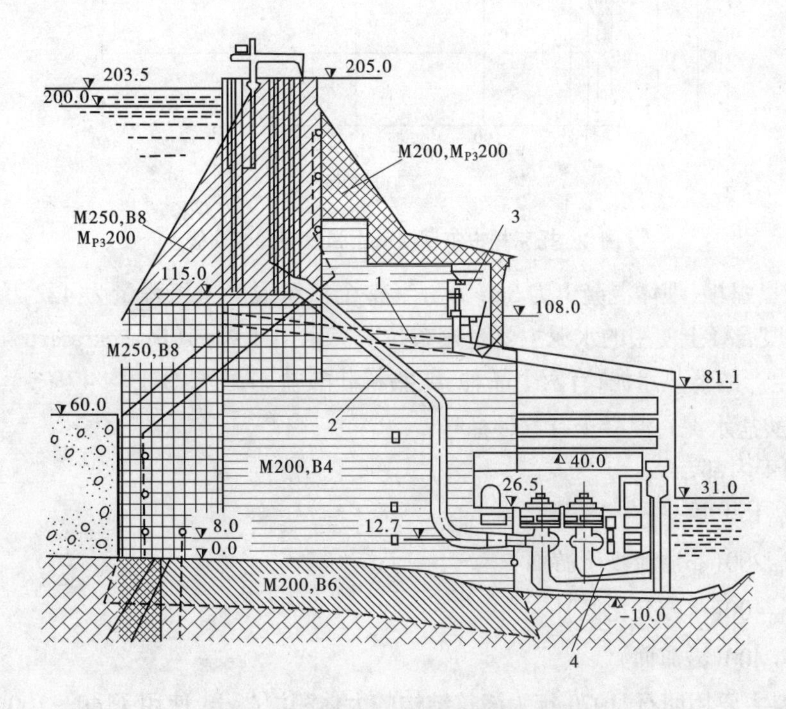


图3　托克托古尔坝的断面及标号分区

1—溢流底孔;2—引水管;3—底孔控制室;4—尾水管

**表 8**

| 项　　目 | 硅酸盐水泥(ТТЦ) | 火山灰硅酸盐水泥 ТТПЦ |
|---|---|---|
| | 对熟料的要求(%) | |
| $C_3S$ | 42～48 | 42～48 |
| $C_3A$ | <5 | <6 |
| $C_3A+C_4AF$ | ≯22 | ≯22 |
| MgO | ≯4.5 | ≯4.5 |
| | 对水泥的要求 | |
| 28 天试件极限抗压强度($kg/cm^2$)(ГОСТ$_{310-60}$) | 300 | 300 |
| 水泥含碱量折合成 $Na_2O$(%)($Na_2O+0.658K_2O$)不超过 | 0.6 | 0.6 |
| 水化热,(kcal/kg)3 天 | 50 | 40 |
| 7 天 | 60 | 45 |

混凝土试验时,采用了大试件:圆柱体的为 $\phi$36cm,高 36cm;立方体的为 30cm×30cm×30cm。试验成果如图 4 所示。单位水泥用量一般为 200～260kg/$m^3$。表 9 给出大坝底部使用的 10 个配合比。

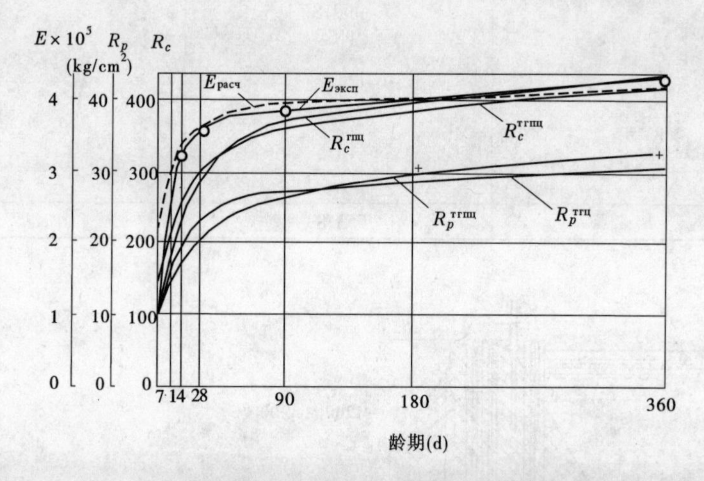


**图 4　托克托古尔坝混凝土强度与弹模曲线**

(4)乌斯季依里姆坝,坝体混凝土为 380 万 $m^3$(整个枢纽混凝土工程量为 422 万 $m^3$),历年的浇筑量如表 10。大坝混凝土使用的水泥主要是按布拉茨克水电工程局(Вратскгэсстроя)规程。由克拉斯诺雅尔斯克厂生产的低热水泥,有两个品种:纯熟料硅酸盐水泥($C_3S$ 平均 47%,上限为 49%,$C_3A$ 为 7%)和矿渣硅酸盐水泥。混凝土有五种标号:

M150,B2(用于内部)

M200,B8,$M_{P3}$150(第一柱体及基础)

M250,B8,$M_{P3}$200(非溢流坝下游面)

M250,B8,$M_{P3}$400(水位变化区)

M400,B8,$M_{P3}$400(溢流面)

混凝土粗骨料主要用卵石,1970 年为浇筑结构的大体积混凝土,使用了 40～100mm 的碎石。砂的细度模数为 2。表 11 列出了不同标号混凝土的一些指标。表 12、表 13 列出了施工时的一些实际资料。

**表 9**

| 编号 | 每立方米混凝土各种材料用量(kg) | | | | | | | | 采用时期(年·月) |
|---|---|---|---|---|---|---|---|---|---|
| | 水泥 | | 砂 | | | 卵石 | 水 | CCБ(干) | |
| | ТГЦ | ТГПЦ | 天然砂 1.2~5mm | 天然砂 0.14~1.2mm | 人工砂 | | | | |
| 1 | 260 | — | — | — | 640 | 1 480 | 120 | 0.50 | 1969.4~5 |
| 2 | — | 320 | 350 | — | 270 | 1 440 | 120 | 0.64 | 1969.6~9 |
| 3 | — | 285 | 475 | — | 285 | 1 325 | 120 | 0.57 | 1969.10 |
| 4 | 240 | — | 475 | — | 295 | 1 475 | 115 | 0.48 | 1970.2 |
| 5 | — | 285 | 330 | 290 | — | 1 480 | 110 | 0.57 | 1970.2~3 |
| 6 | — | 260 | 350 | 300 | — | 1 480 | 110 | 0.52 | 1970.3~4 |
| 7 | — | 260 | 425 | 280 | — | 1 420 | 115 | 0.52 | 1970.4~6 |
| 8 | — | 260 | 505 | — | 305 | 1 300 | 105 | 0.52 | 1970.6~9 |
| 9 | — | 235 | 440 | — | 285 | 1 435 | 105 | 0.59 | 1970.12 |
| 10 | — | 220 | 440 | — | 285 | 1 450 | 105 | 0.55 | 1970.6~12 |

**表 10**

| 年份 | 1968 | 1969 | 1970 | 1971 | 1972 | 1973 | 1974 | 1975 | 1976 | 1977 | 合计 |
|---|---|---|---|---|---|---|---|---|---|---|---|
| 合计混凝土浇筑量(万 $m^3$) | 0.94 | 17.06 | 18.28 | 18.24 | 49.13 | 92.50 | 96.95 | 59.16 | 15.29 | 3.15 | 380.07 |

**表 11**

| 混凝土标号 | 混凝土配合比数 | 水泥用量($kg/m^3$) | | 水泥品种 | $B/Ц$ | 坍落度(cm) |
|---|---|---|---|---|---|---|
| | | 卵石 | 卵石+碎石 | | | |
| M150,B2 | 6 | 180 | 170 | 矿硅 | 0.78 | 0~3 |
| M200,B8,$M_{P3}$150 | 13 | 240~265 | 220~260 | 矿硅 | 0.55~0.59 | 0~3 |
| M200,B8,$M_{P3}$200 | 2 | 250 | 235 | 纯硅 | 0.55 | 0~3 |
| M250,B8,$M_{P3}$200 | 5 | 250~265 | 235 | 矿硅 | 0.55 | 0~3 |
| M250,B8,$M_{P3}$400 | 4 | 240~265 | — | 纯硅 | 0.55 | 0~3 |
| M400,B8,$M_{P3}$400 | 4 | — | 290~325 | 纯硅 | 0.55~0.54 | 0~3 |

**表 12**

| 混凝土标号 | 混凝土配合组分数 | 水泥品种 | 龄期(d) | 抗压强度($kg/cm^2$) | 试验组数 |
|---|---|---|---|---|---|
| M150,B2 | 4 | 矿硅 | 28 | 76~120 | 574 |
| | | | 180 | 158~240 | 427 |
| | | 纯硅 | 28 | 139~178 | 203 |
| | | | 180 | 232~271 | 157 |
| M200,B8,$M_{P3}$150 | 6 | 矿硅 | 28 | 159~266 | 1 063 |
| | | | 180 | 273~401 | 685 |
| | | 纯硅 | 28 | 242~390 | 285 |
| | | | 180 | 342~416 | 214 |
| M250,B8,$M_{P3}$200 | 4 | 矿硅 | 28 | 167~235 | 337 |
| | | | 180 | 292~390 | 108 |
| | | 纯硅 | 28 | 243~318 | 47 |
| | | | 180 | 292~360 | 44 |
| M400,B12,$M_{P3}$400 | 3 | 纯硅 | 28 | 361~382 | 150 |
| | | | 180 | 446~476 | 105 |

**表 13**

| 混凝土标号 | 试验组数 | 水泥品种 | 粗骨料种类 | 龄期(d) | 抗压强度 $R$ (kg/cm²) | 抗压强度 $R_p$ (kg/cm²) | $R_p/R$ |
|---|---|---|---|---|---|---|---|
| M150,B2 | 10 | 矿硅 | 砾石 | 28 | 108 | 13.2 | 0.122 |
| M150,B2 | 21 | 矿硅 | 砾石 | 180 | 216 | 21.7 | 0.100 |
| M200,B8,$M_{P3}$150 | 31 | 矿硅 | 砾石 | 28 | 188 | 20.6 | 0.111 |
| M200,B8,$M_{P3}$150 | 106 | 矿硅 | 砾石 | 180 | 330 | 31.1 | 0.094 |
| M200,B8,$M_{P3}$150 | 2 | 矿硅 | 砾石,碎石 | 28 | 277 | 23.2 | 0.084 |
| M200,B8,$M_{P3}$150 | 7 | 矿硅 | 砾石,碎石 | 180 | 374 | 33.6 | 0.091 |
| M400,B12,$M_{P3}$400 | 5 | 纯硅 | 砾石,碎石 | 28 | 313 | 28.7 | 0.093 |
| M400,B12,$M_{P3}$400 | 19 | 纯硅 | 砾石,碎石 | 180 | 476 | 39.0 | 0.082 |

**表 14**

| 混凝土标号 | $C_v$ |
|---|---|
| M150,B2 | 0.18～0.22 |
| M200,B8 | 0.13～0.16 |
| M400,B12 | 0.11 |

施工时的强度离差系数 $C_v$ 值如表 14。

对于混凝土的抗拉强度，根据试验资料整理成下式：

$$R_p = 0.6\sqrt[3]{R^2} \tag{3}$$

按式(3)给出的抗拉强度比苏联建筑法规建议值约大 20%。图 5 给出不同坝段的标号分区及实际达到的强度。

(5)泽雅支墩坝的溢洪道混凝土，在苏联的几个高坝溢流面混凝土的设计中，是一个特殊的例子，溢洪道共有 8 个表孔，孔宽 12m，其结构断面如图 6 所示。其中五孔是由最大粒径 40mm 的卵石配制的混凝土，其余均为碎石混凝土。为了保证得到最大的抗空蚀强度，采用了较苏联其他各坝更多的水泥用量，最初设计的水泥用量为 450kg/m³，实际采用的为 400kg/m³。表 15 给出其对比情况。采用的 $B/Ц = 0.4$，坍落度为 3～4cm，配合比为 1∶1.39∶3.29，为了提高抗冻性，掺入水泥用量 0.1% 的 ГКЖ—94 外加剂。

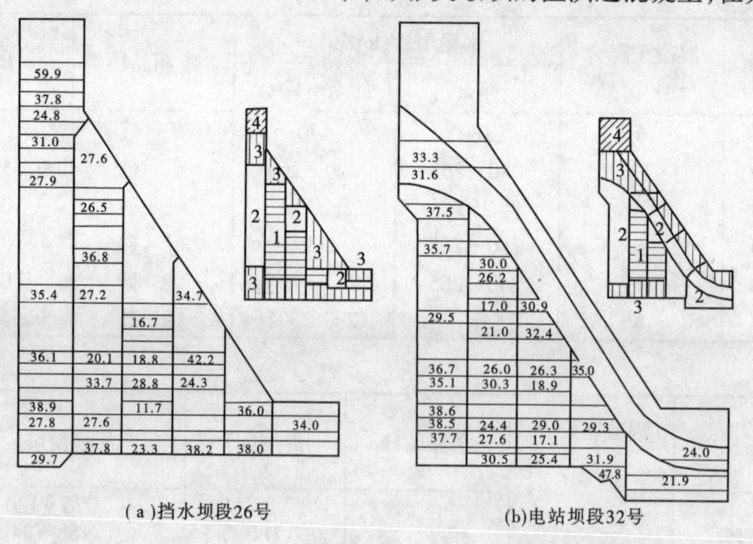

(a)挡水坝段26号　　(b)电站坝段32号

**图 5　乌斯季依里姆坝混凝土的断面标号分区及实际达到的强度**(单位：MPa)

1—M 150,B2；2—M 200,B8,$M_{P3}$150；

3—M 250,B8,$M_{P3}$200；4—M 250,B8,$M_{P3}$400

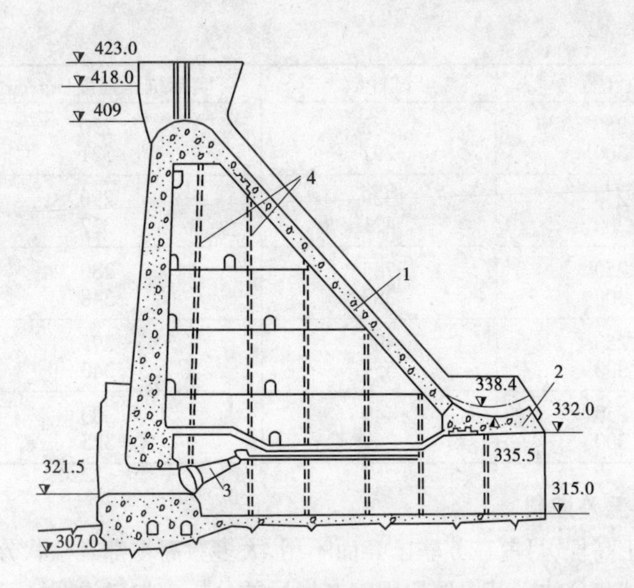


**图6 泽雅坝剖面图**

1—溢流板;2—双层鼻坎;3—施工导流孔闸门;4—缝

**表15**

| 坝名 | 混凝土标号 | 水泥用量(kg/m³) | 粗骨料 |
| --- | --- | --- | --- |
| 克拉斯诺雅尔斯克 | M250,$M_{P3}$300 | 320 | 碎石 |
| 乌斯季依里姆斯克 | M250,$M_{P3}$400 | 360 | 碎石 |
| 泽雅 | M250,$M_{P3}$400 | 400 | 卵石 |

(6)萨扬舒申斯克重力拱坝,坝比较高,所以采用的混凝土标号亦较高。大坝混凝土使用了两种水泥,一种为克拉斯诺雅尔斯克厂生产的M400硅酸盐水泥;一种为M300的矿渣硅酸盐水泥,由克拉斯诺雅尔斯克厂和库兹涅茨克厂共同生产,按专门的标准TУ21-21-4-78控制。表16列出1978年到1980年主要混凝土的一些指标。在配制混凝土时加入了СДБ塑化剂(亚硫酸盐发酵酒精废液Судъфитно-дрожжевая Бражка),掺量为水泥用量的0.2%~0.4%,使用上述塑化剂后可节省水泥8%~10%。表17给出1976~1980年实际混凝土的一些试验数据。表明拌和厂的控制相当好。

**表16**

| 混凝土标号 | 水泥品种与标号 | 水泥用量(kg/m³) | 水灰比 | 砂率 | 坍落度(cm) | 粗骨料最大尺寸(mm) | 设计龄期(d) |
| --- | --- | --- | --- | --- | --- | --- | --- |
| M250,B8,$M_{P3}$100 | 硅 400 | 225 | 0.56(0.62) | 0.32 | 2~4 | 120 | 180(365) |
| | 矿硅 300 | 240 | 0.55(0.67) | 0.31 | 2~4 | 120 | |
| M300,B8,$M_{P3}$100 | 矿 400 | 250(280) | 0.5(0.52) | 0.31(0.3) | 2~4 | 120 | 180 |
| | 矿硅 300 | 280(305) | 0.46(0.47) | 0.31(0.29) | 2~4 | 120 | |
| M400,B12,$M_{P3}$500 | 硅 400 | 420 | 0.4 | 0.37 | 3~4 | 40 | 90 |

注:括号内指标为当使用的砂料细度模数小于2时。

**表 17**

| 年　份 | 混凝土标号 | 试件数 | 实际抗压强度($kg/cm^2$) | 离差系数 |
|---|---|---|---|---|
| 1976 | 250<br>300 | 282<br>291 | 290<br>321 | 0.17<br>0.13 |
| 1977 | 250<br>300 | 329<br>421 | 290<br>327 | 0.16<br>0.13 |
| 1978 | 250<br>300 | 785<br>383 | 280<br>348 | 0.15<br>0.11 |
| 1979 | 250<br>300 | 480<br>559 | 295<br>340 | 0.14<br>0.14 |
| 1980 | 250<br>300 | 448<br>267 | 300<br>325 | 0.14<br>0.12 |

## 3.2　大坝的分缝分块和温差控制

用错缝法浇筑混凝土高坝，目前在苏联已弃而不用，大多数高坝都是柱状分块，即便是采用"托克托古尔施工法"，也还是柱状分块。其主要原因将在以后的分析中加以说明。

### 3.2.1　*苏联最早在西伯利亚地区建造的高百米以上的混凝土坝为布拉茨克宽缝重力坝*

图 7 为其典型的分缝图，一般纵缝间距为 13.8m，模缝为 22m。为使大坝施工期及运行期(主要是施工期)有一个好的温度状态以防止裂缝，设计规定的温度控制措施如下：

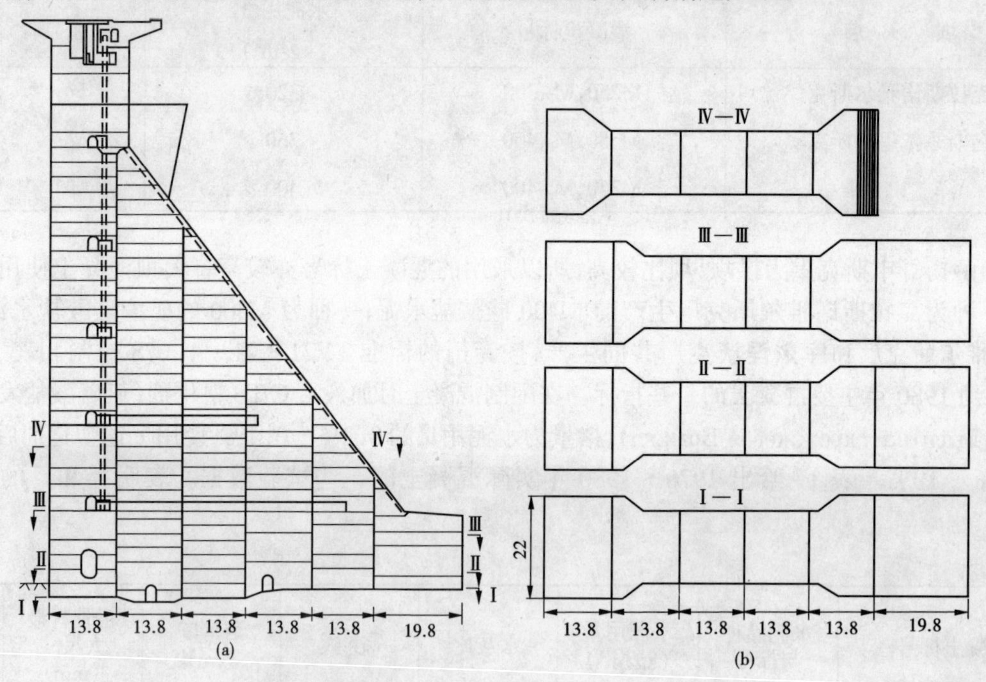


**图 7　布拉茨克水电站大坝的分缝图**(单位：m)

(1)为减小发热量，考虑采用单位发热量不大于 60kcal/kg 的水泥，并限制水泥用量：内部混凝土为 $160kg/m^3$，外部混凝土为 $240kg/m^3$。

(2)夏天冷却混凝土拌和物。

(3)人工水管冷却混凝土 278 万 $m^3$。

(4)当夏季浇筑 3m 的浇筑块时，混凝土浇筑温度不超过 10～12℃，浇筑速度不大于 5～6.5 m/月。

(5)夏天在岩基上浇筑块厚度为 0.75m。

(6)限制相邻块暴露高度不大于三层(9m)。

(7)冬季用保温模板。

(8)用临时木面板覆盖宽缝。

以上为设计的工艺措施,除此之外还设计有结构措施:

(1)纵缝间距13.8m。

(2)河床坝段第一个柱体上设附加切口缝,此缝由基础起到高程19m止。

(3)在挡水坝段下游面设有深4.5m的切口缝。

从能收集到的文献中看到,上述设计规定除了结构措施全部实施了以外,工艺上的一些规定,并没有能很好做到。以采用的水泥水化热来说,根据1959~1962年统计资料表明,实际7天的水化热,对于硅酸盐水泥为70~80kcal/kg,对于矿渣硅酸盐水泥为68kcal/kg。在一些个别浇筑块中,3天的水化热已达65~70kcal/kg,估计7天时当在90~100kcal/kg。水泥用量也超出了设计规定,如1961年浇筑的内部混凝土M100,B2,水泥用量达170~200kg/m$^3$,而设计规定不超过160kg/m$^3$。

布拉茨克大坝的浇筑层高度,根据设计规定为基础上0.75m以上为3m,在浇筑速度为5m/月,浇筑温度为10℃,混凝土比热为0.23kcal/kg、容重$\gamma$=2 400kg/m$^3$,水泥用量为160kg/m$^3$时,混凝土最高温度为22℃;当水泥用量为240kg/m$^3$时,最高温度为28.5℃。实际施工时,除了浇筑3.0m浇筑层外,还浇筑了相当多的6m浇筑层,到1961年底,6m的浇筑层数量约占当时全部浇筑层的34%。这样就必然超过了设计规定的最高温度要求。表18给出1959~1962年各个季节的实际混凝土最高温度。

**表18**

| 季 | 浇筑块数量 | 混凝土最高温度(℃) | | |
|---|---|---|---|---|
| | | 最低 | 最高 | 平均 |
| 夏 | 24 | 32 | 52 | 48 |
| 秋 | 10 | 23 | 47 | 32 |
| 冬 | 44 | 25 | 43 | 32 |
| 春 | 9 | 27 | 42 | 37 |

从表18中看出,最高温度显然也超出设计规定很多。

### 3.2.2 克拉斯诺雅尔斯克坝

克拉斯诺雅尔斯克坝是一个实体重力坝,在研究该坝如何防止温度收缩裂缝时,曾考虑了布拉茨克、马马康和布赫塔尔明等工程的设计和施工的经验。设计提出的措施如下。

结构措施为:

(1)将坝分缝成柱状,横缝间距为15m,纵缝基本为11.5m(比布拉茨克坝还小),其不同型式坝段的纵缝布置如图2。

(2)在某些地方将断面由柱状分块用厚2m的钢筋混凝土板相连(要求在柱体混凝土降至低于浇筑温度时相连),主要为满足临时度汛蓄水的要求。钢筋混凝土板的布置如图20。

(3)坝的个别部位铺设钢筋,如在下游面和一些洞口等。

工艺措施为:

(1)标号分区(如图2),内部用低水泥用量,外部为高水泥用量。为保证混凝土的极限拉伸值达到$0.9\times10^{-4}$,内部混凝土采用提高了的标号M200(180天龄期M200的混凝土,其极限拉伸值达不到$0.9\times10^{-4}$)。

(2)采用干硬性混凝土(施工时为低流态混凝土,坍落度为1~3cm)。

(3)应用中热矿渣硅酸盐水泥于水下和内部混凝土,应用纯熟料硅酸盐水泥于外部抗冻混凝土。

(4)掺加表面活性外加剂(ССБ)以减小水泥用量。

(5)夏天在混凝土拌和厂预冷混凝土。

(6)应用人工水管冷却以削减水化热温升高峰,后期则用以冷却混凝土到规定的灌浆温度,以便进行纵缝灌浆。

(7)限制浇筑块中心和表面的温差,特别是在冬季,采用保温模板或者符合要求的保温覆盖物,一般部位要求其放热系数为 0.6～0.7kcal/($m^2$·h·℃),在与基岩接触区要求其放热系数为 0.4 kcal/($m^2$·h·℃)。

(8)混凝土浇筑后,组织适当的养护,以防止混凝土干缩裂缝。

(9)根据采取措施的有效性,确定覆盖时间。

(10)根据浇筑块温度状态的要求,规定:①当水泥用量为 200～230kg/$m^3$ 时,混凝土浇筑块的最高温度,在接触区高 2m 范围内(但不小于基础表面上浇筑块长度的 10%)不应超过 28℃;在此以上的上下层温差为 25℃;②在浇筑块接触区以上 3m,最高温度允许为 38℃,然后每高出 1.0m 增加 3℃,但最高不超过 40℃;③与基岩接触区的混凝土浇筑块,在施工期直到进行接触灌浆时,不允许低于 0℃;④对 M200 的混凝土浇筑块,中心与表面的温差,不超过 23℃;⑤当在停歇期超过 30 天的老混凝土面上浇筑新混凝土时,若老混凝土的温度不超过 3～5℃,新混凝土要按基岩接触区混凝土的要求处理;若其老混凝土的温度高于 3～5℃,则每高出 10℃,新混凝土的最高温度可增加 3～5℃,但最高值只能比基岩接触区规定高出 3℃(按①中规定为 31℃);⑥浇筑同一坝段相邻块混凝土时,低块混凝土的温度,不应超过高块混凝土的温度 15℃;⑦采用人工水管冷却时,混凝土与冷却水之间的温差不允许超过 20℃(后来增大到 25℃);⑧施工垂直缝灌浆时,基础接触区混凝土的温度应达到 5℃,其他部位为 8℃;⑨拆模时混凝土表面与空气的温差,不应超出 15℃。

以上是一些设计规定,在实际施工时,在岩基上基础区浇筑混凝土时,最高温度的控制是由选择浇筑层的高度和适当的间歇期来达到的。岩基上第一层高度在 2.0m 以内,一般间歇期为 4～7 天,最多不得超过 30 天;在此以上浇筑层高度为 3.0m,一般间歇期为 4～7 天,最多不得超过 50～60 天。施工时还浇筑了不少 6～9m 的浇筑层,对于这样的块体,其水化热温升基本上为绝热温升,因此为了能达到设计的温度要求,主要依靠布置冷却水管,进行一期冷却的办法,关于这方面的情况,将在后面叙述。

#### 3.2.3　托克托古尔重力坝

托克托古尔重力坝的分缝长度,在苏联建造的大坝中是属于比较大的。该坝最大坝高 215m,最大底宽 170m,最初设计是按一般柱状法分缝,横缝宽 16m。施工时改用所谓“托克托古尔施工法”,因而要求浇筑仓面相对的要大些。1969 年开始浇筑混凝土后,直到 1970 年 5 月,分缝尺寸为 16m×30m,1970 年 5 月以后加大尺寸到 16m×60m,到该年末又加大到 32m×60m,此时在上游面设一切口缝。每一浇筑层的厚度为 0.5～1.0m,相邻块的高差不超过一层(0.5～1.0m),分缝尺寸的改变是由于对“托克托古尔施工法”逐渐熟练的结果。浇筑混凝土时设计措施如下:

(1)夏季预冷混凝土到 7.5℃,是采用冷却拌和水、加冰、冷却粗骨料及砂等综合措施来达到的。

(2)最大可能的降低水泥用量,采用干硬性混凝土(实际上是低流态混凝土,坍落度为 1～3cm),仔细选择混凝土级配,最大粗骨料用到 100mm,掺加表面活性外加剂(ССБ 和 СНВ)。

(3)采用冷却水管,间距 1.5m,用专门冷冻水和纳林河(Нарин)水作循环水,冷却水管系统要保证降低第一个水化热高峰,并持续调节混凝土块的温度状态。

(4)在混凝土块上建造人工小气候。

(5)浇筑后的混凝土表面,要特别仔细养护,喷水或造成流水层,以削减水化热温升。

“托克托古尔施工法”是一种浇筑混凝土不用起重机和钢栈桥的一种特别的施工法,在温度控制上的主要措施是:利用极薄浇筑层和表面喷水形成的“水套”来削减水化热温升,因而可降低对浇筑温度的严格要求。但这样还不能完全保证通仓浇筑的温差要求,因而必须分缝浇筑。埋设冷却水管的作用主要为满足达到灌浆温度的要求,用水管削减水化热温升是次要的。施工时安设的自升式暖棚,是寒冷地区保温、冬季施工、防止表面裂缝的重要设施。

在进行“托克托古尔施工法”的研究过程中,曾进行了浇筑块尺寸、混凝土强度与允许最高温度之间关系的计算,表19为其计算结果。设计者认为:高0.5m浇筑块与高1.5m的浇筑块比较,前者具有较为有利的温度状态,其最高温度可减小6℃左右。因此将浇筑块尺寸增大到30m,在保证混凝土抗拉强度为18～20kg/cm$^2$时,浇筑块最高温度可控制在26℃。

**表19**

| 浇筑块尺寸(m) | 层面间歇期(d) | 预期最高温度1969年夏(℃) | | 不同抗拉强度时的混凝土允许最高温度(℃) | | | |
|---|---|---|---|---|---|---|---|
| | | (1)3～6月 | (2)6～8月 | 13kg/cm$^2$ | 16kg/cm$^2$ | 18kg/cm$^2$ | 20kg/cm$^2$ |
| 16×15×1.5 | 15 | 29～30 | 32 | 24 | 27 | 29 | 31 |
| 16×30×1.5 | 15 | 29～30 | 32 | 21 | 24 | 26 | 28 |
| 16×15×0.5 | 15 | 22～23 | 26 | 24 | 27 | 29 | 31 |
| 16×15×0.5 | 7.5 | 22～23 | 26 | 21 | 23 | 25 | 26 |
| 16×30×0.5 | 5 | 22～23 | 26 | 21 | 24 | 26 | 28 |
| 16×30×0.5 | 7.5 | 22～23 | 26 | 19 | 21 | 23 | 24 |
| 16×30×0.5* | 5～7 | 21～22 | 25 | 19 | 22 | 24 | 26 |

**注:**(1)冷却拌和水,用12℃的河水洒于浇筑块上,混凝土拌和物的温度为16～17℃;

(2)冷却拌和水,用16～18℃的河水洒于浇筑块上,混凝土拌和物的温度为20～22℃。

*接触区浇筑块高度3m以内。

实际施工后,由纳林水电工程局中心建筑实验室的资料,可整理成表20。

由表20看出:1970年最热月份,混凝土出机温度为21.9℃,浇筑温度为22℃,即在暖棚中施工基本上没有温度损失。水化热温升值为3.6℃,最高温度为25.5℃,水平面上内外温差极小(11.0℃)。

表20计算的内外温差是按公式$\Delta t = t_{\text{макс·эк}} - t_{\text{ш}}$计算的,事实上由于“托克托古尔施工法”是在层面上形成“水套”,因而其内外温差应按$\Delta t = t_{\text{Макс·эк}} - t_{水}$计算,按该坝$t_{水} \leqslant 18$℃,故有$\Delta t = 7.5$℃,此值也是不大的。

该坝规定灌浆温度为6～8℃,因而最大基础温差为17～19.5℃,一般在16～18℃。

### 3.2.4 乌斯季依里姆重力坝

乌斯季依里姆重力坝的分缝如图8、图9、图10所示,由11段溢流坝、18段电站坝、35个挡水坝和一个右岸边墩坝段组成,共65个坝段。横缝间距为22m,纵缝间距一般为12m。在大坝下部与岩石接触区,由基础向上10～20m,设置了所谓贯通的切口缝,将22m长坝段分成两个柱体,尺寸为11m×12m。其目的为减小接触区混凝土的温度应力,以达到放宽温度控制要求的目的。在此以上则合并成一个柱体,平面尺寸为22m×12m。合并是为了改善浇筑条件以加速施工。

为防止裂缝,除了上述结构措施以外,还提出以下温度要求:

混凝土最高温度:接触区为21～25℃,然后逐渐升高到过渡区40～42℃。

混凝土内外温差:接触区为15℃,自由区为20～25℃。所谓自由区是指脱离基础约束的部位。

在所有区域内,混凝土浇筑层的体积平均温度到0℃以下的层数,不允许超过总层数的25%(这一要求势必迫使对新浇筑的混凝土块,在冬季进行严格保温)。

**表 20**

| 项目 | 1969 年 | | | | | | | | 1970 年 | | | | | | | | | | | |
|---|---|---|---|---|---|---|---|---|---|---|---|---|---|---|---|---|---|---|---|---|
| | 5 月 | 6 月 | 7 月 | 8 月 | 9 月 | 10 月 | 11 月 | 12 月 | 1 月 | 2 月 | 3 月 | 4 月 | 5 月 | 6 月 | 7 月 | 8 月 | 9 月 | 10 月 | 11 月 | 12 月 |
| 混凝土出机温度 $t_{б\cdot см}$（℃） | 18 | — | 23.0 | 22.0 | 19.0 | 14.2 | 10.5 | 16.4 | 14.9 | 17.0 | $\frac{13.8}{12.9}$ | $\frac{18.3}{15.5}$ | $\frac{20.6}{20.8}$ | 21.9 | 21.9 | 21.2 | $\frac{17.0}{20.5}$ | $\frac{14.6}{18.5}$ | $\frac{13.3}{14.2}$ | 11.6 |
| 混凝土浇筑温度 $t_{ул\cdot б}$（℃） | — | — | — | — | — | — | 9.6 | 11.7 | 10.7 | 12.3 | $\frac{11.7}{11.9}$ | $\frac{18.9}{16.1}$ | $\frac{21.1}{22.5}$ | 22.0 | 22.0 | 21.7 | $\frac{15.5}{20.2}$ | $\frac{15.6}{17.5}$ | $\frac{13.8}{12.7}$ | 11.7 |
| 暖棚内温度 $t_{ш}$（℃） | 17.4 | 21.5 | 23.9 | 26.1 | 20.4 | 11.1 | 6.4 | 1.8 | 1.4 | 3.9 | $\frac{9.2}{9.2}$ | $\frac{14.9\sim 18.5}{14.9}$ | $\frac{21.5}{20.4}$ | 22.9 | 25.3 | 24.0 | $\frac{—}{21.1}$ | $\frac{8.4}{—}$ | $\frac{4.2}{8.4}$ | 4.6 |
| 浇筑层最高温度 $t_{макс\cdot эк}$（℃） | 24.6 | — | 26.8 | 27.4 | 24.6 | 19.7 | 13.2 | 12.8 | 11.6 | 14.0 | $\frac{13.4}{15.5}$ | $\frac{22.1}{22.4}$ | $\frac{23.1}{25.9}$ | 25.7 | 25.5 | 25.3 | $\frac{17.8}{24.9}$ | $\frac{14.2}{21.7}$ | $\frac{16.9}{15.2}$ | 12.7 |
| 水化热温升值(℃) $\Delta t = t_{макс\cdot эк} - t_{ул\cdot б}$ | 6.6 | — | 3.8 | 5.4 | 5.6 | 5.5 | 3.6 | 1.1 | 0.9 | 1.7 | $\frac{1.7}{3.6}$ | $\frac{3.8}{6.9}$ | $\frac{2.5}{5.1}$ | 3.8 | 3.6 | 4.1 | $\frac{2.3}{4.7}$ | $\frac{0.6}{4.2}$ | $\frac{3.1}{2.5}$ | 1.1 |
| 内外温差(水平面上)(℃) $\Delta t = t_{макс\cdot эк} - t_{ш}$ | 7.2 | — | 2.9 | 1.3 | 4.2 | 8.6 | 6.8 | 11 | 10.2 | 10.1 | $\frac{4.2}{6.3}$ | $\frac{3.6}{7.5}$ | $\frac{1.6}{5.5}$ | 2.8 | 0.2 | 1.3 | $\frac{—}{3.8}$ ** | $\frac{5.8}{—}$ | $\frac{12.7}{6.8}$ | 8.1 |

**注:**分子为块高 0.5m 的温度值,分母为 0.75m 的温度值。

* * 采用流水冷却。

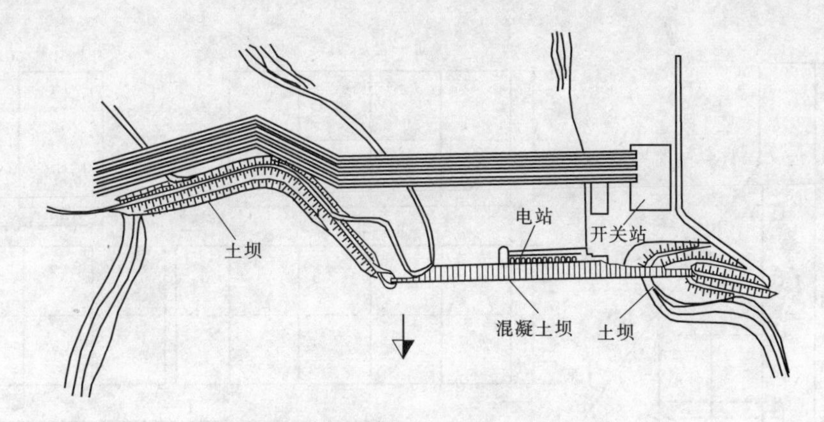


图 8 乌斯季依里姆水电站平面布置图

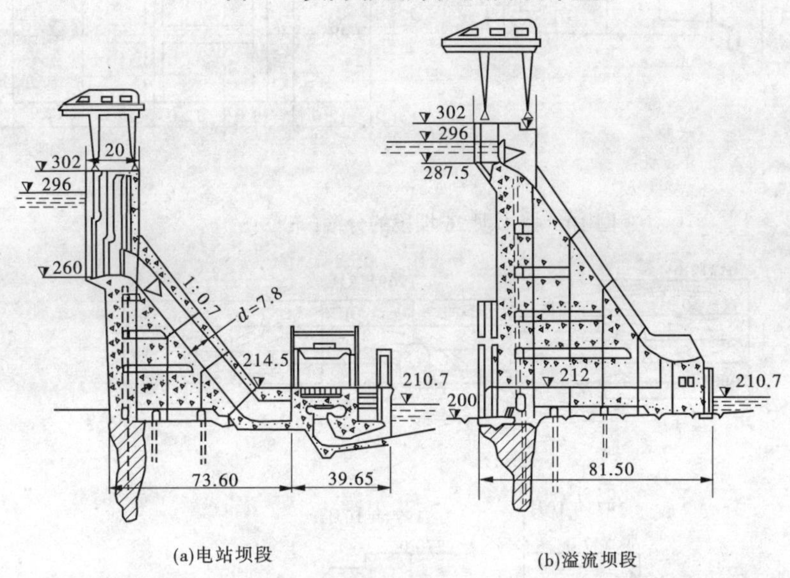


(a)电站坝段 (b)溢流坝段

图 9 混凝土坝的纵向分缝(单位:m)

为满足以上温度要求,采取以下措施:

(1)对每一种标号的混凝土,采用最小发热量的级配。

(2)对接触区和过渡区所有的混凝土块,若在夏季浇筑时,要冷却混凝土拌和物到 10~12℃,以及水泥用量要大于 250kg/$m^3$(这里又提出了最小水泥用量的限制,在近年来苏联的设计中已很少见)。

(3)进行两个阶段的水管冷却。

(4)夏季在混凝土表面上喷水冷却。

(5)浇筑块表面保温。

(6)限制浇筑层高度。

(7)限制浇筑速度。

(8)限制相邻块高差。

一般地说,该坝在施工时注意了水管冷却和表面喷水冷却措施的实施(关于这方面将在下边叙述)。从该坝的观测资料中看到:在不进行温度控制的条件下,其最高温度可达 52~59℃(自由区)和 35~40℃(接触区);内外温差可达 35~40℃;混凝土与基础之间的温差(接触区浇筑块)为 30℃甚至更高。由于采取了一些措施,情况就好得多,但是随着浇筑季节、保温状况、浇筑层敞开的时间和温度场的其他条件的不同,浇筑块断面上垂直温度分布、水平温度分布都是很不均匀的,图 11 表明了这种情况。与托克托古

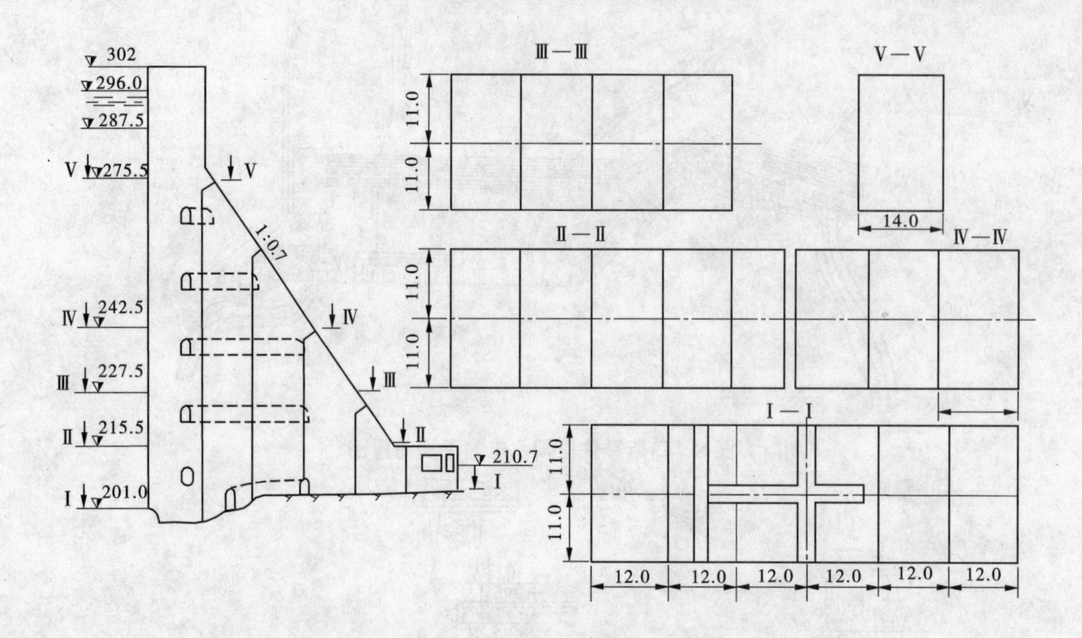


**图 10　挡水坝 26 坝段的分缝**(单位:m)

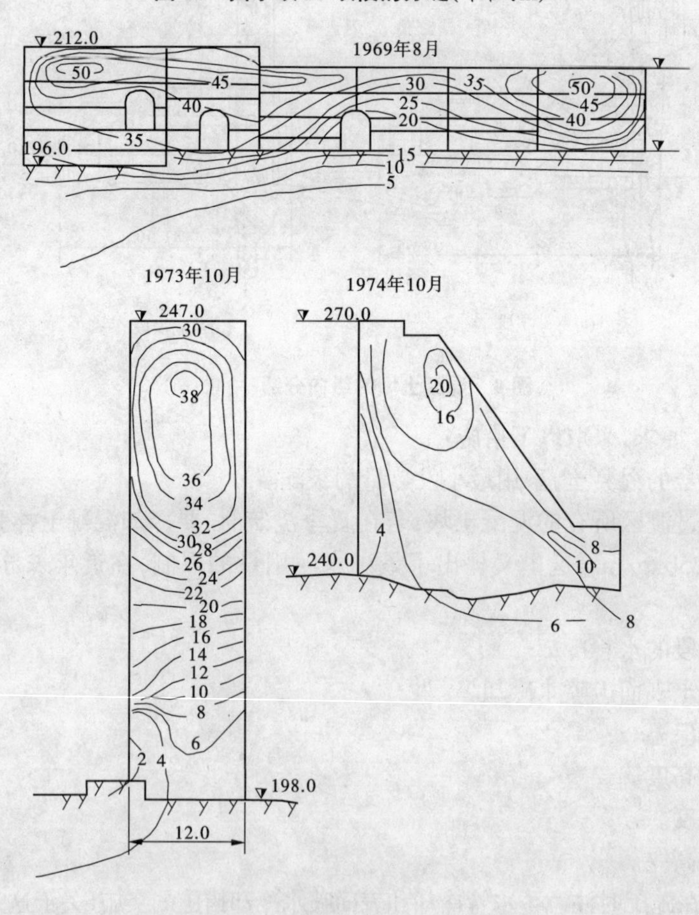


**图 11　乌斯季依里姆坝浇筑块的温度状态**(单位:尺寸 m,温度℃)

尔重力坝比较,它的温度状态则远不如托克托古尔坝。图 12 是托克托古尔坝的垂直温度分布,明显地看出它是比较均匀的。因而托克托古尔坝经过系统的观察没有发现裂缝,乃是有道理的。

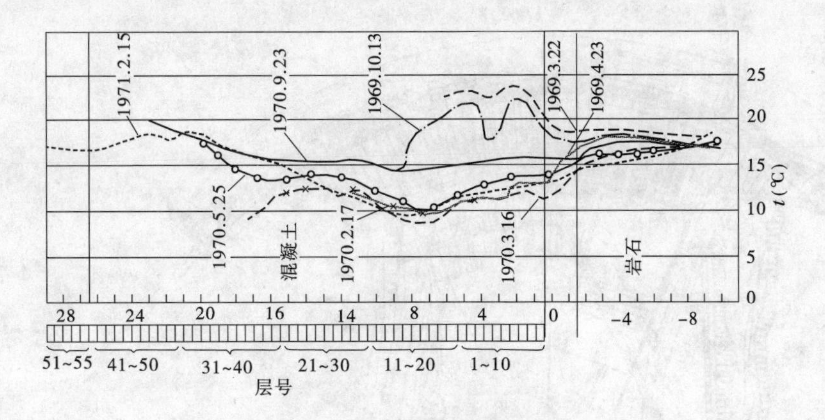


**图 12 托克托古尔坝浇筑块温度分布**

3.2.5 库尔普沙伊斯克重力坝

库尔普沙伊斯克重力坝,是按照"托克托古尔施工法"建造的苏联第二座混凝土高坝,最大柱体尺寸为19.5m×30m×70m。为了减少混凝土浇筑量,在不平整的基岩面以上4~6m范围内,采用小柱状分块。在上游及下游面上采用切口缝分段,以减小温度应力。除以上结构措施外,还规定一些工艺措施,主要有:

(1)出机温度要低于15℃。

(2)接近岩石区域的混凝土浇筑块,其最高温度不超过26℃,其他区域为30℃。

(3)一般情况下混凝土块体浇筑层高为1m,而在炎热的夏季为0.75m。

(4)层面间歇期不少于4天,不超过15天。

该坝在施工时主要控制温度手段为:预冷混凝土,层面喷水冷却,块体用帐篷防止日照。施工时在坝体混凝土中埋设了测量仪器,据1979年6~9月间观测的结果,其温度状态的平均值为:混凝土浇筑温度为21.2℃;最高温度为31.8℃;3天龄期时混凝土温度为25℃;到上层混凝土覆盖前混凝土温度为21.8℃。块体最高温度在浇筑后20~30小时产生,上述观测资料与设计要求比较,是有差距的。

3.2.6 萨扬舒申斯克重力拱坝

萨扬舒申斯克重力拱坝,全坝用间距15.8m的横缝分成67个坝段,每一坝段又用纵缝分成四个柱体,每一块长25~27m。该坝浇筑层高度在施工中有较大的变化,自1.5~3.0m到6~24m均有采用。在1977年层高大于6m的,占总浇筑体积的4%,到1978年则占30.6%(33.2万$m^3$),在1979年占58.3%(59.16万$m^3$),到1980年占62.1%(63.22万$m^3$)。该坝的分缝图示于图13、图14上。设计提出的温差控制如下:

基岩上第一层混凝土高为1.5m或3m,其中心温度与基础深1m处温度的允许温差:当混凝土为为M250时为20℃,当混凝土为M300时为21℃;在此以上,每增1m,允许增加1.5℃,直到自由区,但最高温度不超过42℃(混凝土为M250)和44℃(混凝土为M300)。

**3.3 混凝土的浇筑温度**

所谓混凝土浇筑温度,指的是混凝土拌和物入仓后经过平仓震捣,在铺筑上层混凝土前该层混凝土的温度。因为混凝土层的温度并不是均匀的,因而不同的规范会有不同的规定。我国重力坝设计规范规定是在平仓震捣后,在混凝土表面以下深为5~10cm处的温度。苏联则没有明确规定。对浇筑温度控制的水平,主要看夏季最热月份的情况。表21为苏联几个大坝夏季的浇筑温度控制情况。由表21可以看出:

(1)苏联在中亚和西伯利亚地区夏季气温相对不很高的情况下,出机温度都没有低于10℃的,说

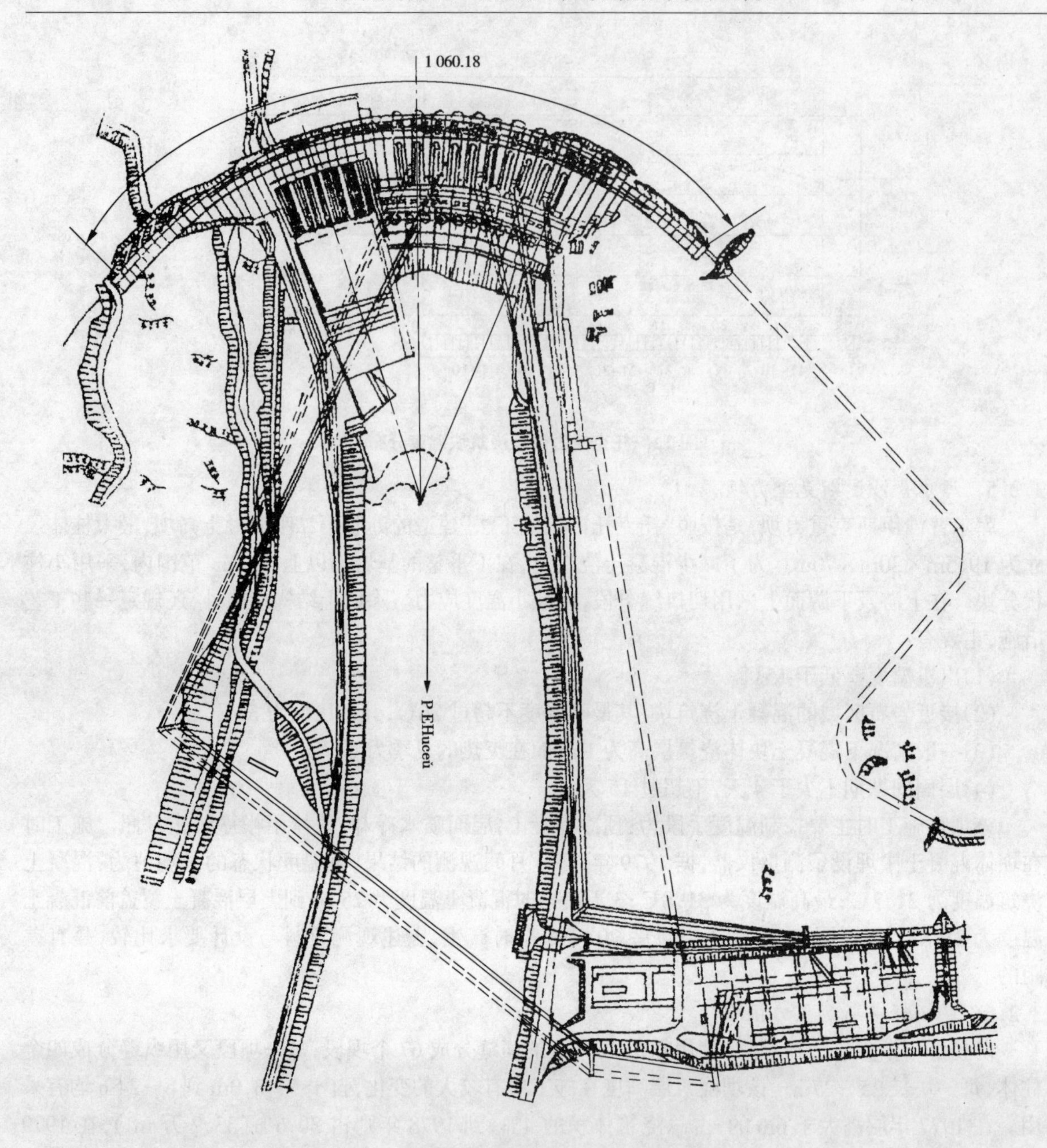


图 13 萨扬舒申斯克水电站平面布置图

明其混凝土的预冷技术与世界先进水平相比,还有不小差距。因此,在苏联很少采取通仓浇筑技术就不难理解了。

(2)从表 21 中亦可看到,混凝土出机温度的设计值一般都低于施工时实际的出机温度,说明苏联上述各坝中的浇筑温度控制并不严格。这与美国的做法大不相同。

苏联采用预冷技术降低混凝土出机温度或浇筑温度是在 20 世纪 50 年代以后的事。苏联在设计三门峡工程时,也提出预冷骨料（浸渍法）的措施,但并未要求严格实施,设计上主要依靠设置较密的纵缝,将浇筑块尺寸减小（9~15m）。以后其在西伯利亚建设高坝的初期,基本上也采取了类似的方针,一般控制浇筑块平面尺寸为 15m×15m 以下。所以当某些坝段横缝尺寸超过 20m 以上时,则采用所谓切口缝的结构措施。但此时从许多发表的文献中看出,他们已经在不同程度上认识了该地区恶劣气候对温度控制工作带来的困难。所以在以后的几个坝上,预冷技术也得到了不同程度的采用。

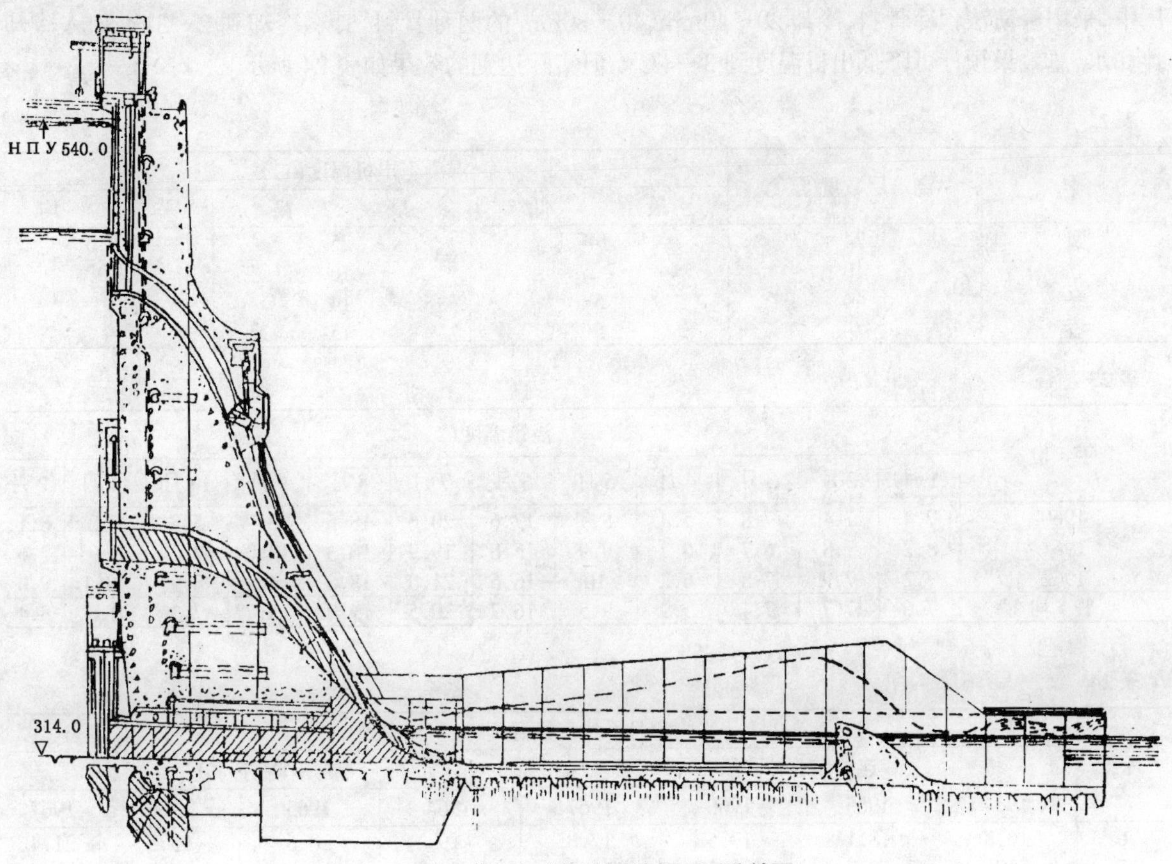


图 14　萨扬舒申斯克溢流坝剖面分缝图

表 21

| 坝名 | 坝型 | 多年平均气温(℃) | 夏季最热月份平均气温(℃) | 混凝土出机温度(℃) | |
|---|---|---|---|---|---|
| | | | | 设计 | 施工 |
| 马马康 | 宽缝重力坝 | −5.8 | | | |
| 布拉茨克 | 宽缝重力坝 | −2.6 | 18.2 | 10~12 | 14~25　平均 18.5 |
| 克拉斯诺雅尔斯克 | 重力坝 | −0.4 | | 3~4 | 一般 18~20.8　最高 24.4 |
| 托克托古尔 | 重力坝 | 8.4 | 24.4 | 7.5 | 21~23(1969),20~22(1970) 个别 24~25 |
| 乌斯季依里姆 | 重力坝 | −3.9 | 17.1 | 10~12 | 18.6 |
| 泽雅 | 支墩坝 | −4.1 | | | 16~22(1978.6~8月) |
| 英古里 | 拱坝 | | | | |
| 萨扬舒申斯克 | 重力拱坝 | 0.8 | | | 16~20 |
| 库尔普沙伊斯克 | 重力坝 | 13.8 | 27.1 | 15 | 20.3 |
| 契尔克 | 拱坝 | 12.3 | 25.5 | 10 | |

布拉茨克宽缝重力坝是在 1958 年正式开始混凝土浇筑的,设计要求夏季要冷却混凝土拌和物,使其不超过 10~12℃。根据施工观测,1959~1962 年不完全统计的 87 个浇筑层的资料,混凝土的出机温度如表 22。另据 1960~1962 年的统计,混凝土的浇筑温度如表 23。表 22 中表示夏季混凝土出机温度超出设计值 2~13℃,平均超过 6.5℃。对照表 23 可得运输和浇筑的冷量损失约 2℃。

1961 年 8 月 10 日开始浇筑混凝土的克拉斯诺雅尔斯克重力坝,为了降低混凝土出机温度,在三组周期作业的拌和厂中,采用冷却拌和水到 1~2℃ 和加冰拌和的办法,当每立方米混凝土加冰 50~75kg 时,可降低混凝土温度 5~8℃。在生产能力较高,主要供应大坝内部混凝土的连续作业的拌和厂中，采用浸渍法预冷骨料，冷却20～40mm、40～80mm的两种骨料，骨料冷却到2～3℃，加入冷却拌和水，总效果预计可降低出机温度到3～4℃。但实际达到的效果如表24所示。

**表22**

| 季 | 浇筑层数量(层) | 混凝土出机温度(℃) | | |
|---|---|---|---|---|
| | | 最低 | 最高 | 平均 |
| 夏 | 24 | 14 | 25 | 18.5 |
| 秋 | 10 | 2.5 | 16 | 10 |
| 冬 | 44 | 5 | 14 | 9 |
| 春 | 9 | 5 | 15 | 9 |

**表23**

| 年份 | 浇筑温度(℃) | | | | | | | | | | | |
|---|---|---|---|---|---|---|---|---|---|---|---|---|
| | 1月 | 2月 | 3月 | 4月 | 5月 | 6月 | 7月 | 8月 | 9月 | 10月 | 11月 | 12月 |
| 1960 | 7.4 | 7.4 | 7.8 | 5.4 | 8.7 | 17.6 | 20.6 | 18.6 | 13.9 | 5.8 | 7.3 | 8.1 |
| 1961 | 8.2 | 7.8 | 6.7 | 6.2 | 9.9 | 15.8 | 19.9 | 16.3 | 13.0 | 7.2 | 8.9 | 7.6 |
| 1962 | 7.2 | 7.9 | 7.8 | 6.2 | 10 | 16.6 | 21.0 | 18.6 | 14.2 | 8.9 | 13.1 | 9.6 |
| 平均 | 7.6 | 7.7 | 7.4 | 5.9 | 9.5 | 16.7 | 20.5 | 17.8 | 13.7 | 7.3 | 9.8 | 8.4 |

**表24**

| 月份 | 月平均出机温度(℃) | | | | | | | |
|---|---|---|---|---|---|---|---|---|
| | 连续作业拌和厂 | | | | 周期作业拌和厂 | | | |
| | 1964 | 1965 | 1966 | 1967 | 1964 | 1965 | 1966 | 1967 |
| 6 | 16.8 | 18.1 | 17.5 | 17.8 | 19 | 20.6 | 19.5 | 21.4 |
| 7 | 18 | 19.7 | 19 | 20.8 | 24 | 23.4 | 21.0 | 24.4 |
| 8 | 18 | 17.7 | 18.5 | 18.2 | 21.5 | 21.4 | 20.5 | 20.8 |

由表24看出，在大多数情况下，克拉斯诺雅尔斯克夏季混凝土的出机温度一般为18～24℃，与预计的3～4℃相差很远，与布拉茨克坝的预冷水平相比，没有什么改进。

托克托古尔重力坝设计规定：混凝土出机温度为7.5℃。要求夏季冷却拌和水到2℃，加片冰，冷却砾石到0～2℃，冷却砂到5℃。为此在混凝土拌和厂安装了12台ЛГ—500型制冰机，每台生产率为500kg/h片冰。冷却集料是在16个钢筒仓内进行，筒仓在冬季加热骨料，冷却的媒质为空气(夏季为冷空气，冬季为热空气)，钢筒仓的尺寸为直径5m，高10m，每个体积为45m$^3$，每冷却一筒仓骨料需时约2小时10分钟。砂子的冷却是使用蒸汽喷射制冷法，基本设备为4个蒸发仓和蒸汽喷射器。在仓内装入砂后，从密封的仓内用蒸汽喷射吸出空气，当砂中水分在残留压力(Остатчное давление)为5～6mm水银柱时，仓内骨料的水分急剧地蒸发、吸热，从而冷却了砂子。这是苏联在混凝土坝施工中第一次使用这种设备。设备运行情况表明，砂子温度可降到0℃，砂子湿度相应减小约1%。采用以上的一些措施后，1969年最热时的混凝土出机温度为21～23℃。1970年的情况列于表25。观察表明，混凝土运输中冷量损失不大。

表25说明：在最热月份浇筑的混凝土，其出机温度只比平均气温低4～5℃，已公布的资料[13]承认在施工中并没有按设计要求来实施那些有效的措施，为了保证大坝的施工质量，施工中创立了所谓“托克托古尔施工法”。该法用大仓面薄层浇筑(层高0.5～1.0m)、表面流水冷却削减水化热温升、水管冷却达到灌浆温度、自升式暖棚保温等一系列有效的温度控制措施，从而降低了对浇筑温度的要求，文献[13]声称，用“托克托古尔施工法”施工的托克托古尔大坝经过系统的观测未发现裂缝。

乌斯季依里姆重力坝是1969年开始浇筑，设计规定：在与基础接触部位和过渡部位的所有混凝土，夏季时其出机温度控制在10～12℃。施工后由1969～1976年的观测，出机温度的平均值见

表26。

**表25**

| 月 | 气温(℃) | 混凝土出机温度(℃) | 水泥温度(℃) | 水温(℃) | 砂温(℃) | | 石子温度(℃) | |
|---|---|---|---|---|---|---|---|---|
| | | | | | 粗 | 细 | 5~20mm | 20~40mm |
| 3 | 8.3 | 13.2 | 21.4 | 9.9 | 9.9 | 10.4 | 7.7 | — |
| 4 | 16.9 | 15.5 | 33.8 | 11.5 | 13.4 | 14.0 | 13.1 | — |
| 5 | 21.1 | 19.3 | 36.3 | 13.0 | 15.9 | 16.1 | 15.6 | — |
| 6 | 25.1 | 20.7 | 34.3 | 12.5 | 17.1 | 17.1 | 16.5 | 16.7 |
| 7 | 26.2 | 21.2 | 36.6 | 9.6 | 20.5 | 20.8 | 19.3 | 19.7 |
| 8 | 26.7 | 21.4 | 35.5 | 8.9 | 21.2 | 21.7 | 20.1 | 20.3 |
| 9 | 22.8 | 19.6 | 30.4 | 11.7 | 18.0 | 17.2 | 19.2 | 17.7 |
| 10 | 20.1 | 18.3 | 34.0 | 13.1 | 15.0 | 15.1 | 15.5 | 14.3 |
| 11 | — | 14.6 | — | — | — | — | — | — |

**表26**

| 月份 | 1 | 2 | 3 | 4 | 5 | 6 | 7 | 8 | 9 | 10 | 11 | 12 |
|---|---|---|---|---|---|---|---|---|---|---|---|---|
| 气温(℃) | −23.4 | −23.8 | −14.3 | −0.9 | 6.6 | 14.8 | 17.1 | 14.0 | 7.2 | −2.9 | −13.2 | −21.2 |
| 出机温度(℃) | 10.2 | 10.2 | 10.2 | 8.5 | 9.3 | 15.3 | 18.6 | 16.9 | 12.6 | 8.0 | 10.0 | 10.3 |

表26中,最高出机温度为18.6℃,在最高气温的6~8月,出机温度要高出月平均气温1~3℃,高出设计值一般7~8℃,实际上是没有采取什么预冷措施。

比乌斯季依里姆大坝施工稍后的泽雅水电站,在1978年6~8月浇筑的混凝土,出机温度为16~22℃,9月份为10~16℃。泽雅大坝为支墩坝。

萨扬舒申斯克是一座高重力拱坝,一般施工时出机温度为16~20℃,该坝针对溢流面上的混凝土,根据乌斯季依里姆大坝施工时裂缝的统计资料,通过一些研究后,对浇筑温度提出了更高的要求,当混凝土水泥用量为320~360kg时,要求浇筑温度为15~17℃以下,因而出机温度相应为13~16℃,考虑了1~2℃的冷量损失。

库尔普沙伊斯克重力坝是建在托克托古尔电站以下40多公里的纳林河(Нарин)上,坝高113m,底宽80m,是用"托克托古尔法"施工的。最初设计要求的出机温度为15℃以下(夏季),因而要求预冷混凝土,库尔普沙伊斯克坝区气候十分复杂,多年平均气温13.8℃,比在40km外的托克托古尔水电站的年平均气温要高(托克托古尔的年平均气温为8.4℃)。绝对最高气温为44℃,绝对最低气温为−31℃,最热月份7月的平均气温为27.1℃,最低月平均气温的1月份为−6.6℃。另外太阳辐射能的强度很大,在一些天里超过了3 200kJ/($m^2$·h)。在这样的气候下,经过分析研究认为,在采用像托克托古尔水电站施工时的那种混凝土拌和厂设备,要想到夏天保证混凝土出机温度低于17℃是做不到的,更不用说设计上提出的控制小于15℃了。在进行足够的取样观测后,得到在不进行预冷的混凝土出机温度为25℃,考虑混凝土拌和厂的冷却系统的实际可能性,再考虑混凝土运输时的冷量损失及加强表面冷却的措施,最后明确要求:混凝土出机温度不高于20℃,浇筑温度不高于24℃。这里允许冷量损失4℃,是因为混凝土拌和厂处于远离大坝约40km的靠近卡拉库尔市郊,混凝土要用带后挡板的КрАз−256式和КамАз式敞篷自卸汽车运输。经过多次观测,当室外气温40℃左右,混凝土出机温度20~22℃,用上述汽车运输35~40分钟,混凝土体积平均温度升高3℃左右。实际施工的情况是:1979年夏季,混凝土出机温度为20.3℃,而浇筑温度为21.3℃,最高浇筑温度不超过24℃。浇筑温度不能满足要求,是该坝施工时采用了"托克托古尔法"施工的原因之一。

1976年建成的契尔克拱坝,坝高233m,坝区年平均气温12.3℃,夏季最高月平均气温25.5℃,

设计要求夏季混凝土出机温度为10℃。为达到这个温度，采用2℃冷水拌和、气冷粗骨料和真空汽化法预冷砂子。气冷粗骨料的系统如图15所示，冷空气是在喷水室内由2℃的冷水喷洒冷却的。冷却设备由10个容量为48m³ 的冷却罐和10个带喷嘴的湿式冷却器，以及容量为210万 kcal/h 的氨制冷厂组成。当喷水室内温度为3℃，冷风温度为8℃，骨料初始温度为21℃时，冷却90分钟骨料可降温到7.5℃。1973年氨制冷厂改用盐溶液后，1974年盐水温度降到－3℃，相应冷风温度降到1℃，当骨料初始温度为24～25℃，冷却60分钟，骨料温度可降到2～3℃，一次循环为80分钟，耗风量为4.7～4.9m³/h。契尔克坝施工时采用的真空气化冷却砂的设备，是2个料罐和1台ГК－448型三级蒸汽喷射制冷机，生产能力为260m³/h，制冷能力79.2万 kcal/h。60m³ 砂料冷却循环时间为130分钟，实际生产能力仅为28m³/h，1973年用PMK－4水环式真空泵代替第二级辅助喷射器，加大制冷机的能力为53万 kcal/h，使60m³ 砂料冷却时间缩短到80分钟，实际生产能力为45m³/h。砂的初始温度19℃，冷却后降到6℃。真空汽化冷却砂子的措施，该坝在1974年后已弃而不用，原因为该项措施技术比较复杂，且由于提高了粗骨料的预冷效果，在拌和楼骨料斗中通冷风和加强隔热减小了冷量损失，从而可以不需要预冷砂料。

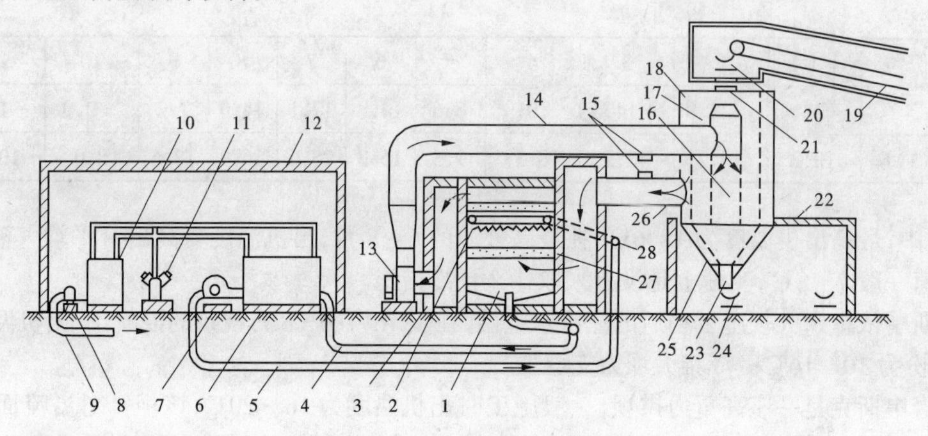

**图15　契尔克坝气冷粗集料设备系统**

1—底盘；2—喷水装置；3—空气冷却器；4—回水管路；5—低温水管路；6—冷却蒸发器；
7—低温水水泵；8—拌和水水泵；9—通到拌和楼的管路；10—拌和水的冷却蒸发器；
11—氨压缩机；12—氨压缩机房；13—通风器；14—通风管；15—测量冷风参数的窗；
16—冷风通入腔；17—骨料冷却工作罐；18—回风腔；19—骨料运输皮带；
20—分送骨料到冷却罐的皮带；21—进料阀门；22—罐下运输室；23—卸料阀门；
24—通到拌和楼的皮带；25—冷却罐；26—回风管；27—淋水层；28—软垫层

## 3.4　混凝土的水管冷却和表面流水冷却

混凝土的人工水管冷却，是20世纪30年代在美国发展起来的一种技术，50年代时苏联在援建三门峡工程时，进行了若干研究工作，并在以后西伯利亚一些坝上普遍使用，并没有特殊的创新。一般使用 $\phi$25mm 钢管，管圈长度一般控制在200m以内，如托克托古尔坝，分块尺寸最后加大到32m×60m时，每一层水管由三个管圈组成。一般水管间距为1.5m×1.5m或1.5m×3.0m，有时在近基岩的接触区，当有必要时采用0.75m×0.75m的加密间距，个别坝块考虑冷却时间比较富裕，也偶尔采用3m×3m间距。冷却水一般都尽量采用河水或较冷的基坑水，只有当十分必要时才使用人工制冷水，目的是节约投资。关于冷却水管与配水管的连接形式，在苏联主要有两种：一种是托克托古尔采用的，配水管装设在2m×2.2m截面的高竖井中，如我国三门峡大坝使用的形式；一种为在横向廊道内装竖向水管通到冷却水管铺设高程，有如我国刘家峡大坝上使用的形式。图16为克拉斯诺雅尔斯克坝冷却水管的布置。图17为不同间距冷却水管对混凝土最高温度的影响。克拉斯诺雅尔斯克坝设计提出：为避免裂缝，混凝土和冷却水之间的温差，不允许超过20℃。施工时水管冷却分为两个阶

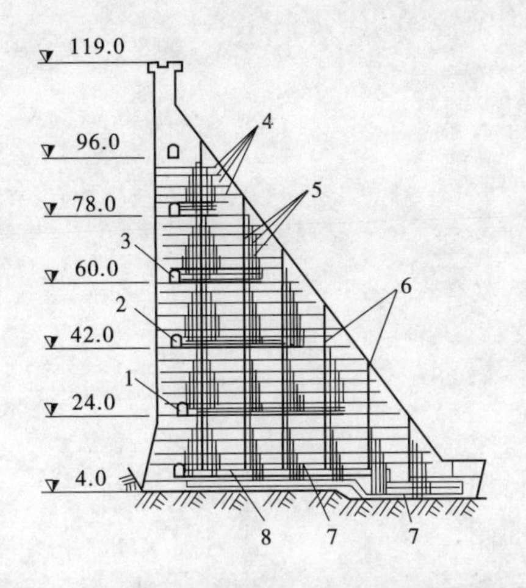


**图 16 克拉斯诺雅尔斯克坝体冷却水管布置图**

1、2—干管;3、8—纵、横廊道;4—冷却蛇形管;
5—立管;6—纵缝;7—支管

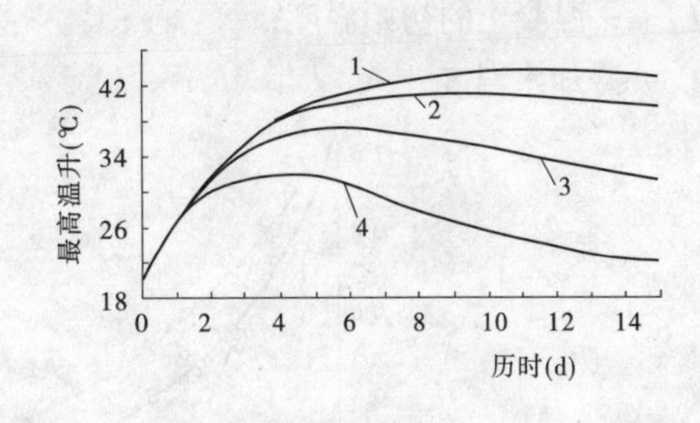


**图 17 不同间距水管对浇筑块最高温升的影响**

1—3m×3m;2—1.5m×3m
3—1.5m×1.5m;4—1m×1m

段:第一阶段冷却 7～10 天,为了削减水化热高峰;第二阶段要在第一阶段结束数月后进行,对于克拉斯诺雅尔斯克坝采用的水管冷却的目的,除了削减水化热温升和进行接触灌浆外,还有一个很重要的目的,就是拉平浇筑块中心和边沿上的温差,以及在夏季浇筑的、未采用保温模板的浇筑块,过冬时减小内外温差。冷却水管的施工是先做成构件,然后在仓面安装,工效为 2 个钳工工作 30～60 分钟。(工效的差别与管圈长度和钳工的熟练程序有关)。全部冷却水管工程需干管($\phi$273mm 和 $\phi$478mm) 5 500m 和蛇形管1 300km。第二阶段冷却一般情况也分为 2 期,第一期先用河水将混凝土冷却到 15～20℃,然后在冬季用接近 0℃的河水冷却,这样可保证水管温差 20℃的要求。但以后为了加快冷却,将允许水管温差放宽到 25℃。克拉斯诺雅尔斯克坝在施工时为了保证做好混凝土水管冷却的工作,专门成立了冷却系统管理处,由 6 个工程技术人员和 10～15 个钳工负责检测计量仪表的装设,20～30 个作业员进行仪表数据的测量,冷却工程自 1963 年 7 月开始到 1968 年底结束,全处每天开支为 10 万～12 万卢布。该坝水管冷却主要使用河水,因而大大节省了冷冻容量。据文献公布只有在混凝土拌和厂为冷却拌和水和预冷骨料,安装了 60 万 kcal/h 的冷冻设备。该坝混凝土体积为 483 万 $m^3$,蛇形管总长1 300km,平均每立方米混凝土需用水管0.27m。

从苏联在西伯利亚建设高坝的实践经验中发现,在混凝土温度控制技术水平还达不到进行通仓浇筑,而必须采用分缝浇筑的情况下,水管冷却是必不可少的,而且是极为方便的措施。但有两个问题需要研究:一是需要的水管总长都很大,能否寻求代用材料;二是在进行一期水管冷却时,及时通水都有困难,能否寻求另外的替代措施。对于第一个问题,目前资本主义国家日益广泛的采用薄壁铝管代替钢管,造价便宜施工很方便。苏联则在萨扬舒申斯克重力拱坝上,试用一种聚乙烯管(Полиэтиленовая),据报道试用效果相当满意。对第二个问题,资本主义国家主要从水管布置和严格执行施工计划方面加以解决,如日本有些坝将配水支管安装在上、下游坝面,蛇形管穿过纵缝等,从而保证了及时通水进行一期冷却。苏联则从托克托古尔坝开始,发展起表面流水冷却,因而在一定程度上解决了所述问题。

萨扬舒申斯克坝的水管冷却,设计中是采用 $\phi$25mm 的钢管,每立方米混凝土需 0.46m 长水管,总长度为3 900km。为节约钢材,自 1969 年开始苏联就进行了聚乙烯代用水管的研究,从实验室到原型观测,进行了不少工作,到 1977 年大量在萨扬舒申斯克坝上使用。据统计历年使用聚乙烯塑料管浇筑的混凝土量如下:1977 年为 13.03 万 $m^3$,1978 年为 98.68 万 $m^3$,1979 年为 94.37 万 $m^3$,1980 年为 98.91 万 $m^3$。管圈长度平均为 135m,塑料管做成每卷 10～12kg,因而非常便于运输,特别在冬季施工时十分方便。图 18 为塑料管与钢管冷却效果的对比。图中纵坐标 $\theta$ 由下式表示:

$$\theta = \frac{T_{б}^{\tau} - T_{в}}{T_{б}^{o} - T_{в}} \tag{4}$$

式中：$T_{б}^{\tau}$——时间 $\tau$ 时混凝土的温度；

$T_{б}^{o}$——混凝土的初始温度；

$T_{B}$—冷却水温度。

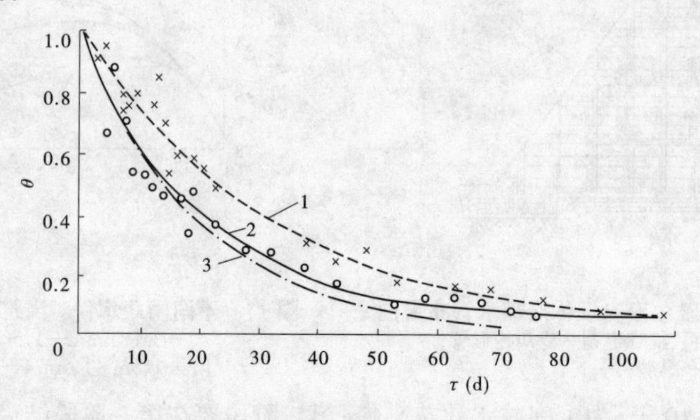


**图 18　水管冷却的 $\theta \sim \tau$ 图**

1、2—聚乙烯管和钢管；3—计算

根据两种材料的冷却水管冷却效果对比，塑料管的冷却时间要比钢管延长 35%～40%，因此在使用这种水管时，要安排好充分的冷却时间。

目前的施工经验，在进行一期水管冷却时，根据规程要求，在混凝土盖过蛇形管时就立刻通水，这是最理想的情况，但是这种条件一般很难保证，以乌斯季依里姆坝为例，据统计夏季浇筑的混凝土，进行过一期水管冷却的数量如下：1971 年 73%，1972 年为 73%，1973 年为 41%，1974 年为 70%，甚至 1975 年夏季在溢流坝面上浇筑的高水泥用量的混凝土，也仅有 58% 的浇筑层进行了一期水管冷却。该坝为了弥补这方面的不足，进行了表面溢流水冷却，但由于该坝混凝土浇筑层较厚(一般层厚为 3m)，表面流水所能削减的水泥水化热温升不够显著，因此在该坝上表面流水仅是一种辅助措施。

表面流水这种冷却措施是在托克托古尔坝施工时发展起来的，它是“托克托古尔施工法”的重要组成部分。要使表面流水的冷却效果显著，主要是浇筑层要薄，托克托古尔坝初期浇筑层厚为0.5～0.75m(主要取决于 C－827 型震捣器的有效震捣深度)，后期使用由 4 个 B－1－407 型震捣器组成的震捣器组，浇筑层厚度可达 1.0m。采用表面流水冷却后，水化热温升只有其他一般浇筑法的1/3～1/5，由表 20 可看出，在每年最热月份，水化热温升只有 3～5℃。表面流水的水源为来自钻有小孔的水管的喷水，并在混凝土平面上形成流动的水层。流水应在清除表面水泥乳皮后立即开始，最迟不超过浇后 12 小时，并且持续流水到上层覆盖为止；当气温高于 20℃时，不允许中断流水；当水流流速不大于 0.8m/s 时，水层厚度应为 2～8mm；由浇筑块上流过的水不应超过 19℃；水管中的水温规定不得超过 18℃，由钻井或由排水系统的集水坑中汲取。在最热的 7～8 月，混凝土上流水的平均流量为每1 000$m^2$ 面积上 13.5 L/s；6 月和 9 月可减少 25%，4、5 月和 10 月每天 8 小时平均流量为每1 000 $m^2$ 面积上 8L/s。流出的水温在实践中观测到一般要加热 1～3℃。该坝统计的劳动生产率为每立方米混凝土 0.025 工日，费用为每立方米混凝土 0.28 卢布(1970 年夏天计算)。

### 3.5　混凝土的表面保护

在苏联西伯利亚地区，由于天然气候十分恶劣，因而给施工特别是为防止裂缝带来很大困难。尽管许多工程设计都规定有相应的进行表面保护的要求和标准，但从现有的资料看来，真正严格满足设计要求的却不多。因而在西伯利亚许多大坝上，都发生了大量的裂缝。惟一声称没有裂缝的大坝为托克托古尔重力坝，它是用“托克托古尔施工法”建成的。

一般在西伯利亚的一些大坝中,表面保护主要借助于保温模板,如克拉斯诺雅尔斯克坝,在一般部位设计要求保温模板的放热系数为 0.6～0.7kcal/($m^2$·h·℃),在与岩石接触区和棱角上为 0.4kcal/($m^2$·h·℃)。在水平面上采用锯末保温,可以是临时性的,也可以在整个冬季都不去掉,在最冷的时期为满足要求需要 1m 厚。

在苏联为满足冬季施工和表面保温的要求,广泛地采用暖棚,暖棚基本上有两种型式:一种为拆装的,如布赫塔尔明、克拉斯诺雅尔斯克坝采用的形式;另一种为固定自升式,如托克托古尔坝采用的形式。详细情况将在冬季施工中介绍。因为采用了暖棚,所以必然对新浇筑的混凝土进行了保护,大大有利于防止裂缝的发生。

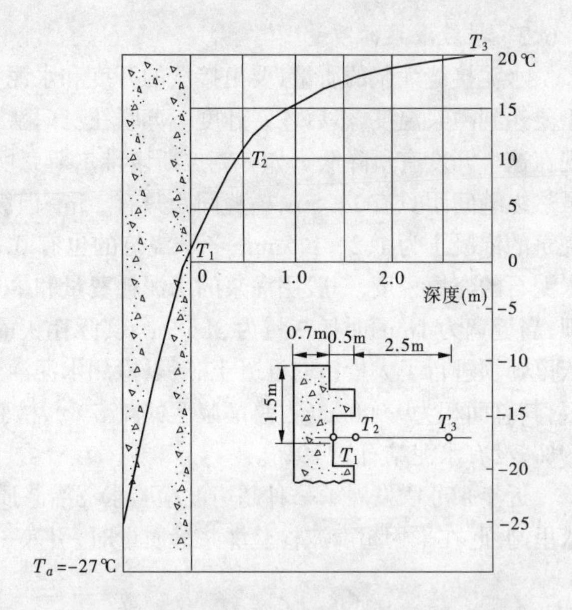


**图 19 预制混凝土模板的保温效果**(浇后五天)

除此之外,有几座坝还采用了混凝土模板,图 19 为布拉茨克坝上采用的一种混凝土模板的实际保温效果试验图,当外界气温为－27℃时,新浇筑混凝土的最低温度约为 2.5℃,保温的效果相当显著。托克托古尔重力坝,大量采用钢筋混凝土模板,甚至纵缝也采用带键槽的钢筋混凝土模板,模板上安装有灌浆管路及出浆口。这样再加上采用薄层浇筑(0.5～1.0m)、表面流水冷却、自升式暖棚等其他一系列措施,经过系统的观测,未发现过任何裂缝。

### 3.6 混凝土的接缝灌浆

混凝土坝的接缝灌浆是一项很复杂的工程项目,我们这里只谈有关接缝灌浆的温度控制方面的问题,特别是只限于在苏联寒冷地区接缝灌浆方面的一些特色。

#### 3.6.1 提高灌浆温度

前面我们已经介绍过,在现行的苏联建筑法规中,已明确规定设计者可以考虑提高灌浆温度,并把它与强度控制联系起来。这个强度控制有两方面:一方面为计算最小主应力(拉应力)应小于允许的棱柱体强度;另一方面为计算拉应力区长度应小于允许值。由此可见在苏联坝工设计中,已把精确法分析应力列入正式规范中,而且还进而在一定程序上考虑了材料的非线性性质。表 27 列出了苏联几个坝的灌浆温度。

**表 27**

| 坝 名 | 坝 型 | 浇筑年份 | 多年平均气温(℃) | 灌浆温度(℃) |
|---|---|---|---|---|
| 布拉茨克 | 宽缝重力坝 | 1958～1965 | −2.6 | 原为 2℃后改为:基础以上 12m、15m 由 2～4℃到 10℃,再以上为 10℃ |
| 克拉斯诺雅尔斯克 | 重力坝 | 1961～1970 | −0.4 | 基础块 5℃,其他 8℃ |
| 托克托古尔 | 重力坝 | 1969～1977 | 8.4 | 6～8℃ |
| 乌斯季依里姆 | 重力坝 | 1969～ | −3.9 | 近基础 6～8m 为 0～4℃,其他区 0～6℃ |
| 萨扬舒申斯克 | 重力拱坝 | 1972～ | 0.8 | 2～7℃ |

从表 27 中立刻可以看到,除了托克托古尔坝以外,差不多都是提高灌浆温度的。事实上像西伯利亚那样的地区,真正按照稳定温度灌浆是有极大的困难的,苏联的设计人员采取了有控制的提高灌浆温度,从而为施工带来了很大的方便。

### 3.6.2　接缝灌浆的质量

水泥接缝灌浆的质量，要由接缝的开度和水泥石的充填程度来评估。关于接缝的开度，首先混凝土要达到灌浆温度，然后才看开度。苏联在三门峡工程设计中，规定满足灌浆的最小开度为0.5mm。现在这个开度有所降低。如有克拉斯诺雅尔斯克坝，最小开度规定为0.3mm，实际上由于温差较大，虽然纵缝间距只有11.5m，横缝间距只有15m，但纵缝的实际开度绝大多数为1～1.2mm，夏季高温浇筑的混凝土为1.2～1.5mm，冬季浇筑的也有0.6～0.8mm；横缝开度为1.5～5mm。对于接缝中水泥石的充填程度，一般用灌浆的水泥耗费量和事后的钻取混凝土芯来检验。在克拉斯诺雅尔斯克坝，当缝宽为1mm时耗灰量为2kg/m$^2$，实际耗灰量变化于2～12kg/m$^2$，平均为5～6kg/m$^2$。乌斯季依里姆坝进行了大量钻取混凝土芯，以检测水泥灌浆质量。共钻取混凝土芯1 141m，检验了41个灌区，其总面积为9 900m$^2$（占总灌浆区的4.5%），检验结果：整体22%；岩芯破坏但有水泥结石痕迹的59%；没有水泥结石的19%。

近年来苏联发展了一种超声波检验水泥灌浆质量的方法，在许多坝上都广泛采用。如有乌斯季依里姆坝，在采用超声波检验灌浆缝质量时，引入一个叫做混凝土整体性降低的条件系数$\eta$。

$$\eta = \left(\frac{\tau}{\tau_K} - 1\right) \times 100\% \tag{5}$$

式中：$\tau$——灌浆后超声波通过缝的传播时间；

$\tau_K$——在整体混凝土中传播的时间。

对于良好的水泥灌浆缝，$\eta \leqslant 10\%$。通过30个灌浆缝检验，一般$\eta = (1\sim6)\%$，认为灌浆质量良好，其中有7个质量不能令人满意。该坝通过多种方法检验，最后确定有10%的无浆缝。认为其不会大大恶化坝的应力状态，因而认为坝的整体性是满意的。

### 3.6.3　临时蓄水的灌浆及措施

克拉斯诺雅尔斯克坝在施工初期，为了临时度汛要求，必须对一些纵缝进行灌浆，以保证挡水断面的整体性。该坝在施工时采用了重复灌浆措施，第一次灌浆混凝土为10～12℃；第二次灌浆是在上游水库水位下降后，混凝土温度降至8℃时进行。除此之外，当上述的一些条件不能满足时，则浇筑了钢筋混凝土板，临时将坝连成整体。图20为该坝的纵缝灌浆分区以及钢筋混凝土板的布置。

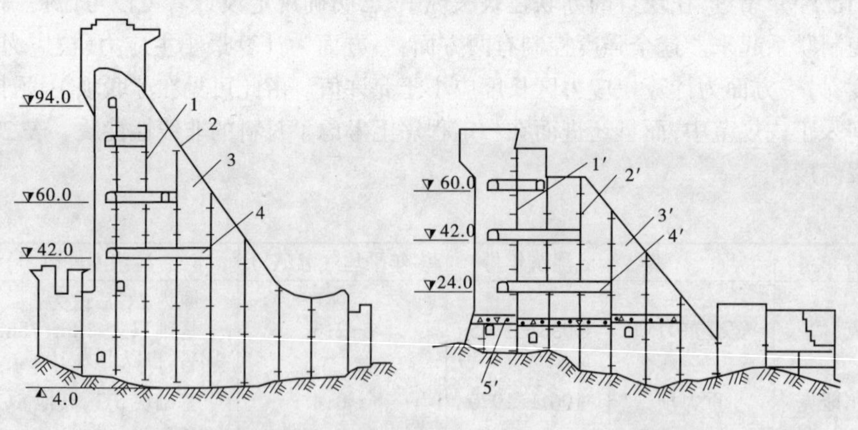


**图20　克拉斯诺雅尔斯克坝纵缝灌浆分区与钢筋混凝土板布置**

1、1′—灌浆区；2、2′—止浆片；3、3′—混凝土柱体；4、4′—廊道；5′—钢筋混凝土板

### 3.6.4　冬季接缝灌浆时缝面的加热

在苏联西伯利亚地区，冬季寒冷，当不采取特殊的保温措施时，与空气接触的大坝外部混凝土一定深度内，在冬季都要冰冻。根据实地观测，布拉茨克坝、克拉斯诺雅尔斯克坝和乌斯季依里姆坝的

冰冻深度,分别为10m、5m和8m。虽然从理论上讲,大体积混凝土坝的接缝灌浆可以在一年中任何季节进行,但为了节约制冷容量,苏联在西伯利亚各坝的灌浆都安排在秋——冬及春季,因此一些坝的纵缝灌浆和一些坝的横缝也要求灌浆时,就必然遇到部分缝面有冰冻的情况。为此在布拉茨克坝施工时,曾在现场作过试验,问题基本解决了。现以乌斯季依里姆坝介绍其冬季灌浆时所采用的加热灌浆缝面的措施。该坝是在下游面采用电热法(试验时也考虑过蒸汽加热法)。为了直接在靠近缝处加热混凝土,安装了用细金属丝($\phi$5~6mm)制成的电极,其形状为连续不断的锯齿状,安设在模板或木板条上,距混凝土表面2.5cm。加热用电源由TД-500焊接变压器供给,每台极限负荷为12.5kW,可负担50m$^2$面积。采用电压不大于30V,计算加热延续时间59小时,计算温度到16℃。在加热到14℃以后,在缝处持续保持正温26小时。该坝于1975年2~4月加热缝Ⅲ—Ⅳ和Ⅳ—Ⅴ;1975年12月~1976年2月,加热缝Ⅰ—Ⅱ和Ⅱ—Ⅲ。加热前混凝土温度为-10℃,加热增温到8.6℃,由出气槽流出的水温为9~24℃,在缝处的正温保持不少于2天。该坝在灌浆中还应用了抗寒水泥浆。该坝借助于电极加热灌了380区,总面积为20 828m$^2$。加热灌区平均耗灰量为14.7kg/m$^2$。

### 3.7 混凝土的裂缝

混凝土坝温度控制的直接目的,就是防止裂缝,特别是防止那些对结构运行有重大影响的结构性裂缝和能引起大量渗漏的裂缝,当然这些裂缝都是贯穿性的。对于那些在施工时虽属短的、浅的表面裂缝,但在结构运行过程中有可能发展成严重影响运行的裂缝,也属于要尽全力防止之列。就是那些一般的小表面裂缝,也在不同程度上对结构物的整体性、抗渗性和耐久性有影响,因而在施工时都应严肃认真的尽量避免。对混凝土坝裂缝危害性的认识是逐步深化的,在混凝土坝施工时进行严格的温度控制,就是在遭受大量的混凝土坝裂缝的经验教训后,总结出的最有效、最经济的措施。但是目前仍然有人对这个问题缺乏足够的认识,或者对问题研究不够,采取措施不力,从而不可避免地要产生一些其危害程度不同的裂缝。为处理这些裂缝,使其恢复整体性、抗渗性和耐久性,就要花费大量的资金、需要一定的时间、运用相当复杂的技术,并且往往还不能完全满足设计要求,而不得不推迟蓄水或限制运行,其遭受的经济损失远远超过了进行温度控制的费用。所以每一个进行混凝土坝的设计和施工人员,特别是工程的负责人员,都需要对此问题有一个正确的认识。

从苏联在中亚和西伯利亚建造混凝土高坝的情况看来,他们在防止裂缝的技术上解决得并不好(托克托古尔坝是例外)。一般的高混凝土坝上都发生了相当多的裂缝,比较重要的裂缝也占相当大的比例,一般情况是每一座大坝施工初期裂缝率较大,以后逐年有所降低。这与苏联当前的设计、施工组织形式有密切关系。工地现场由一个领导机关负责组织,浇筑能力和温度控制的一些生产能力,是从无到有逐步形成的,在浇筑初期这些生产能力都是不完善的。但从温度应力的观点看来,初期浇筑的混凝土,恰恰是部位最重要、温度应力最复杂、温度控制要求最高和最容易产生裂缝的一些混凝土。这就造成工艺措施满足不了设计要求,但为了完成一定的计划工程量而勉强施工,从而产生较多和较重要的裂缝。从这一点来说,资本主义国家施行的承包制,在一定程度上避免了这种问题。此外苏联在施工时不严格按照设计提出的要求进行施工控制,以及设计方面的失误,也是这些在西伯利亚修建的混凝土高坝产生那么多裂缝的一些重要原因,当然西伯利亚的十分恶劣的气候条件,对于产生这些裂缝也是不能忽视的。以下介绍几个大坝的裂缝情况。

布拉茨克水电站大坝混凝土工程从1958年夏季开工,于1965年基本结束。由于一系列施工方面的原因,混凝土的温控措施采用得较晚。夏季的浇筑块实测最高温度平均为48℃,产生了大量裂缝。

在布拉茨克水电站大坝内,约埋有600个电阻温度计和1 000个弦式电阻应变计。约有100个应变计直接或间接地记录到了裂缝。施工时曾对该大坝裂缝情况进行了较为详尽地调查和研究,认为裂缝情况较为严重。据1965年3月不完全统计,共记录到表面裂缝3 544条。其中河床混凝土坝段占79%,边坡坝段占16%,厂房占5%。河床坝段的2 777条裂缝中,40%发生在观测廊道,30%发生在宽缝;迎水面有裂缝238条,下游面有135条,其裂缝分布见表28。裂缝详细分类见图21。

**表 28**

| 表面裂缝分布位置 | 三月份裂缝统计数(条) | | |
|---|---|---|---|
| | 1965年 | 1968年 | 1972年 |
| 迎水面 | 238 | — | — |
| 下游面 | 135 | 178 | |
| 廊道:灌浆廊道 | 26 | 26 | 29 |
| 检查廊道 | 943 | 1 294 | 1 046 |
| 交通廊道 | 179 | 194 | 279 |
| 横向廊道 | 42 | | |
| 排水廊道 | 206 | | |
| 宽缝 | 839 | 596 | |
| 水平施工缝 | 129 | | |
| 坝体水平表面 | 40 | | |
| 合　计 | 2 777 | 2 088 | 1 354 |

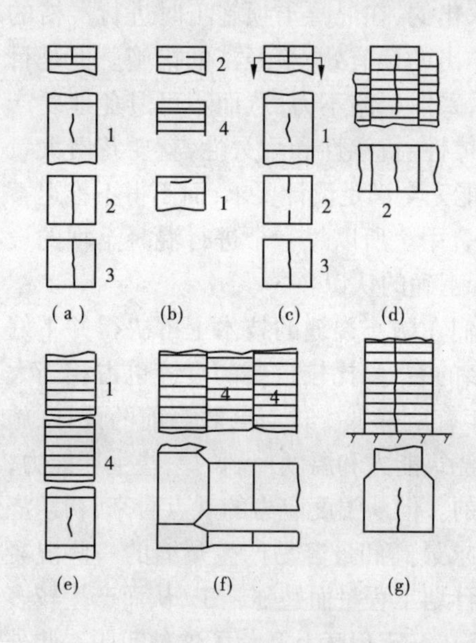


**图21　裂缝分类**

(a)—垂直裂缝;(b)—水平裂缝;
(c)—由于块体覆盖而产生的垂直裂缝;
(d)—由于浇筑速度较高而产生的垂直裂缝;
(e)—大体积混凝土中水平内部裂缝;
(f)—相邻柱块作用产生的水平裂缝;
(g)—切口缝端产生的裂缝

1—内部缝;2—表面缝;3—贯穿缝;4——扩展缝

左岸坝段混凝土是在宽缝敞开的情况下进行浇筑的,共发现裂缝105条,最大缝宽1.9mm。右岸坝段内部混凝土是在1962年夏季浇筑的,同年秋天宽缝封腔,故只发生裂缝44条,最大缝宽0.9mm。与宽缝不通的灌浆廊道里很少发生裂缝。

1968年宽缝中的裂缝与1965年相比减少了243条,这是由于宽缝封腔所造成的。同时又发现新裂缝在上游面(水位以上)51条;下游面53条;观测廊道88条;交通廊道21条。

观测廊道中裂缝平均缝宽 $\delta_{平均}=0.04\sim0.07$mm,$\delta_{\frac{最大}{平均}}=0.7\sim0.11$mm。交通廊道中裂缝平均宽 $\delta_{平均}=0.14$mm,$\delta_{\frac{最大}{平均}}=0.6$mm。到1972年交通廊道中的裂缝增至279条,平均缝宽0.27mm。

贯穿裂缝通常出现在薄壁构件和在平面布置中的长块。如底孔未插筋的窄墩、技术供水廊道的墙壁、第四坝段的长块,以及位于坝的河床部分柱墩下层中的横向垂直缝(近岩石区的啮合缝)的延续部分上。

该坝上游面第一个柱体上横向的、有渗透水通过的裂缝证明是贯穿的,它至少贯穿到观测廊道。上面提到238条迎水面的裂缝,其中贯穿缝占210条。当块长小于12m时,只有10%的基础浇筑层能测得不大的渗透流量。而当块长达22m时,所有浇筑层均能观察到渗透。

从1963年到1965年自上游面裂缝渗透的总流量由924L/min减少到80L/min。这主要是由于裂缝在温度变化作用下有的闭合,以及水泥浸析出游离石灰淤填裂缝所造成。

根据多年观测资料,布拉茨克水电站大坝温度裂缝具有下列特点:

(1)大体积混凝土的温度裂缝,绝大部分是发生在较早龄期的混凝土中。在混凝土浇筑后10天。浇筑块中心和侧边的温差仅有10~15℃时,就开始出现裂缝。大部分裂缝发生在第一个冬季。

布拉茨克大坝温度裂缝的最大宽度为3.2mm,常见的裂缝宽度为0.1~0.2mm。裂缝长度(侧面)通常不超过3m(一个浇筑层),最长为24m(八个浇筑层)。约一半裂缝分布在横缝间距中间的地方。

(2)裂缝主要发生在秋、冬季。夏季浇筑的混凝土中测出的裂缝数量最多。如以冬季浇筑层发现裂缝的数量为1,则在秋、春、夏季浇筑层中,裂缝产生的密度将分别为2、4、8。

对混凝土裂缝的资料进行分析后发现,对块体裂缝生成影响最大的是平面尺寸(块长)。表29说明了这种情况。块体的裂隙度(块体上所有裂缝的宽度之和)也主要取决于块长,表30给出了厂房排水廊道的壁上因块长不同其裂隙度的变化。

**表 29**

| 观测部位 | 浇筑月份有裂缝浇筑块的百分数(%) | | | | | | | | | | | | 全年平均(%) | 侧面数 |
|---|---|---|---|---|---|---|---|---|---|---|---|---|---|---|
| | 1月 | 2月 | 3月 | 4月 | 5月 | 6月 | 7月 | 8月 | 9月 | 10月 | 11月 | 12月 | | |
| 边长为13.8m的宽缝浇筑块的侧面 | 73 | 74 | 72 | 72 | 70 | 80 | 86 | 89 | 78 | 79 | 69 | 67 | 76 | 654 |
| 边长为22m的观测廊道壁 | 94 | 100 | 82 | 81 | 96 | 88 | 87 | 100 | 93 | 95 | 100 | 83 | 90.5 | 281 |

**表 30**

| 项 目 | 边长 | | |
|---|---|---|---|
| | 7.5m | 12m | 15m |
| 有裂缝浇筑块的百分数(%) | 54 | 75 | 100 |
| 裂隙度(mm) | 0.66 | 1.38 | 30 |
| 较大裂缝的宽度(mm) | 0.66 | 0.88 | 1.43 |

(3)在有裂缝的混凝土浇筑层上浇筑覆盖块体时,初期会在接触面上出现沿水平向的压应力,造成水平的表面裂缝闭合。若覆盖层的间歇期很长,则又会因降温的拉应力,使已有的裂缝扩大。

(4)当浇筑混凝土速度不高时,通常只限于沿高度的一、二、三个浇筑层上形成裂缝,这些裂缝也可能是贯穿性的。当浇筑速度加快时,由于内部混凝土温度不断升高,而周边区域开始冷却,形成很大温度梯度,结果产生垂直的表面裂缝。这些沿高度分布很广的表面裂缝在一定条件下会伸入到坝块深处。

这种情况的典型例子可见47—Ⅱ—14坝块(第47号坝段、Ⅱ仓、14层)。该坝于1960年8月14日浇筑混凝土,混凝土标号100B-2,用M400的矿渣硅酸盐水泥,用量为180kg/m$^3$。其温度和应力如图22所示。该坝的混凝土是用中等速度(19m/月)浇筑的。采用木保暖模板[放热系数不大于1kcal/(m$^2$·h·℃)]。在混凝土浇筑后第12天,距坝块侧面0.2m处测得一条垂直的表面裂缝,温差为15℃。在以后8天,裂缝从坝块侧边向里扩展1.8m,至次年1月初裂缝已深入内部3.8m。

克拉斯诺雅尔斯克重力坝的混凝土,主要是1961年到1968年浇筑的,表31给出了该坝历年浇筑的混凝土量及裂缝的统计数字。可以看出在最初3年内,浇筑了69.2万m$^3$基础约束区混凝土,就产生了807条裂缝,平均每1 000m$^3$混凝土有1.17条裂缝。三年内浇筑的混凝土量只占混凝土总量的12%,裂缝数却几乎占了总裂缝数(1 741条)的一半。苏联有的作者对上述情况,归因于1964年以前温度控制措施不力,诸如使用了高热普通水泥、未很好地进行的一期冷却、未很好地遵守浇筑和模板的工艺规程、间歇期也较长等。到1964年以后,由于改进了措施及用中热水泥代替普通水泥,大量采用水管冷却等,就使裂缝率大大减小。据1965年统计:有裂缝的浇筑块,66%没有进行冷却;

没有裂缝的浇筑块,不进行冷却的仅占 28%。说明水管冷却的重要性。以上仅是问题的一方面,另一方面(也是很重要的原因)就是在 1964 年以后,浇筑部位已移至较高的高程,温度应力的条件也相对地好一些。

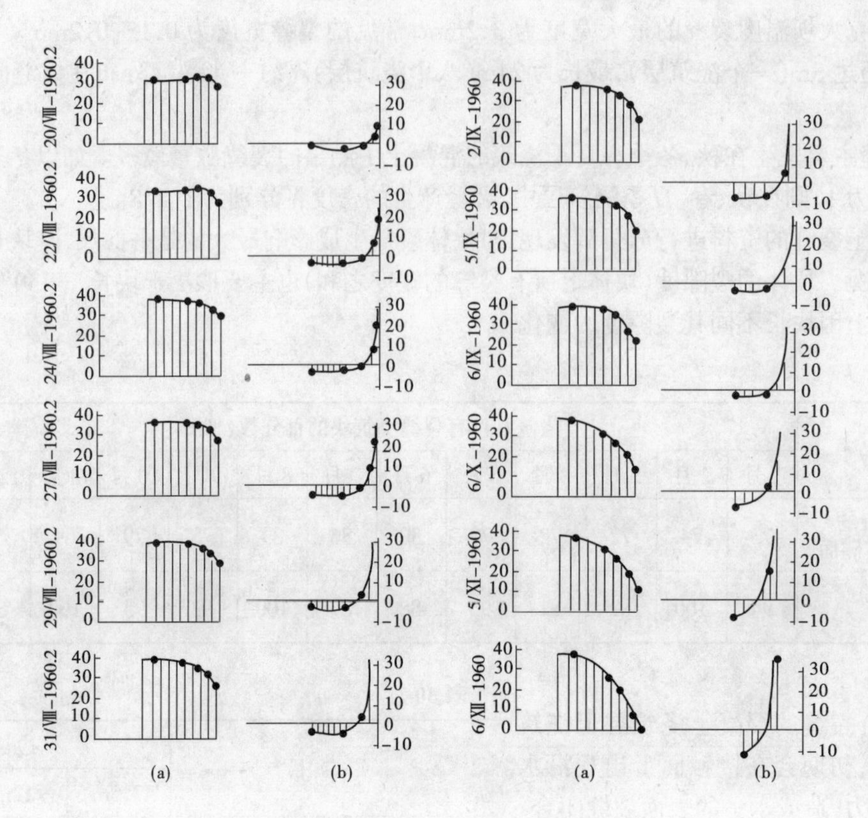


**图 22　47—Ⅱ—14 浇筑块中轴向水平截面上的温度和应力分布图**

(a)—温度,$T$℃;(b)—应力 $\sigma_z$,kg/cm²

**表 31**

| 项　　目 | 年　　份 | | | | | | | |
|---|---|---|---|---|---|---|---|---|
| | 1961 | 1962 | 1963 | 1964 | 1965 | 1966 | 1967 | 1968 |
| 混凝土量(万 m³) | 1.1 | 25.8 | 42.3 | 70.4 | 99.4 | 132.2 | 92.4 | 56.8 |
| 裂缝数量(合计) | 33 | 309 | 46.5 | 302 | 166 | 166 | 213 | 87 |
| 每 1 000m³ 混凝土裂缝条数 | 3 | 1.24 | 1.1 | 0.43 | 0.17 | 0.12 | 0.23 | 0.15 |

乌斯季依里姆重力坝,主要混凝土工程量是在 1969～1976 年浇筑的,在此期间共浇筑了约8 000个浇筑层,大多数为 3m 高,总体积为 376.5 万 m³,其中 1 042 个浇筑层中发现了1 652条裂缝。表 32 列出了有关的统计资料。经过简单的计算可知:前 3 年浇筑混凝土只有 61.4 万 m³,约占混凝土总工程量的 16%;但发生裂缝 573 条,约占总裂缝条数的 35%;前 3 年的 573 条裂缝发生在 392 个浇筑层中,约占前三年浇筑层总数的 17.5%,此值比 1969～1976 年的 8 年中,总裂缝层数1 042层与总浇筑层7 977层之比值 13%约大 35%。由此可见,当施工初期由于浇筑手段和温控措施不完备而勉强浇筑混凝土,会给混凝土坝的质量带来什么后果。

乌斯季依里姆大坝上的裂缝根据统计:大多数裂缝(占 87%～88%)是表面的或不深(≤1m),有 12%～13%的裂缝为贯穿的(将浇筑层切成两个独立块体)或深层的(深 1～1.5m)。从裂缝的分布部位看,最多的裂缝($n/V$ = 1.2 条/1 000m³)发生在溢流坝的浇筑块上,其混凝土的水泥用量为

360kg/m³(硅酸盐水泥),溢流坝浇筑块高度 3m,其最高温度达到 55～60℃,施工时为了检查表面质量,在龄期 1～2 天拆模,混凝土中心和边缘的温差可达 32～36℃,因而发生大量裂缝。除此原因之外,溢流坝面混凝土还浇筑在具有键槽的老混凝土上,其约束作用亦大。对一般混凝土来说,内部混凝土和外部混凝土所处条件不同,水泥用量也有差别,对裂缝的发生也有影响。一般统计,上游面第一柱块与内部柱块,平均水泥用量分别为 244kg/m³ 和 181kg/m³,其裂缝率($n/V$)分别为 0.6、0.3 条/1 000m³,在乌斯季依里姆大坝上,大体积混凝土敞开表面,直接受负的气温作用,曾产生过大量的裂缝。约近 45%的表面,不深的裂缝(多数是垂直的),发生在由夏季向冬季或由冬季向夏季过渡的时期。前一种情况下裂缝的发生是由于浇筑层水平面没有及时保温;后面一种情况是由于浇筑块过早地拆模。在该坝长期施工实践中发现,长期用模板保护可以减少裂缝率($n/V$)。水平面上间歇时间的控制,会大大改变裂缝率。该坝接触区浇筑层,层高 1.2～3.5m,敞开 30 天,有裂缝的浇筑层占 11%,敞开 1～3 个月则占 50%;敞开时间大于 3 个月则占 71%,可见在西伯利亚的气候条件下,短间歇均匀上升的浇筑混凝土是多么重要,该坝设计时在结构上采取了一项措施以减小温度应力,即在由基础算起 10～20m 高的接触部位混凝土,设一条切口缝将原来宽 22m 的横缝间距分成 11m 宽,到上边再合并成 22m。作了这种设计变更后,没有相应的提出温度控制工艺措施的改变,其结果是合并前有裂缝的浇筑层占 9%。合并后为 25%。该坝上游面第一个柱体上有 79 条贯穿裂缝,大部分发生在合并后的 22m 宽的横缝间距中间。该坝在蓄水过程中当 1975 年 1 月 15 日水位为 67m 高程时,在高程 35m 廊道中曾观察到 854L/min 的渗透流量,说明裂缝的严重程度。另外在该坝还产生了不少水平裂缝,多数位于较高部位,一般都属于水平施工缝的开裂。图 23 给出该坝上游第一柱体的裂缝分布,应该说裂缝是比较严重的。

表 32

| 施工年份 | 混凝土浇筑量 $V$ (万 m³) | 混凝土浇筑层数 $N$(层) | 裂缝条数 $n$ | 有裂缝的浇筑层数 $N_{TP}$ | $n/V$ (条/1 000m³) | $\frac{N_{TP}}{N}$ (%) |
|---|---|---|---|---|---|---|
| 1969 | 16.0 | 833 | 198 | 161 | 1.2 | 19 |
| 1970 | 18.3 | 543 | 100 | 60 | 0.6 | 11 |
| 1971 | 27.1 | 868 | 275 | 171 | 1.0 | 20 |
| 1972 | 48.8 | 1 153 | 185 | 138 | 0.4 | 12 |
| 1973 | 91.8 | 1 486 | 346 | 193 | 0.4 | 13 |
| 1974 | 98.5 | 1 482 | 365 | 215 | 0.4 | 14 |
| 1975 | 61.2 | 1 112 | 130 | 81 | 0.2 | 7 |
| 1976 | 14.9 | 485 | 47 | 23 | 0.3 | 5 |
| 1969～1976 | 376.5 | 7 977 | 1 652 | 1 042 | 0.4 | 13 |

### 3.8 制冷容量

在苏联中亚及西伯利亚修建的几个高坝,混凝土工程量都较大,但从已经公布的资料看来,为冷却混凝土而设计和安装的冷冻设备容量并不大。在这些地区建坝,设计者已经十分明确要充分利用当地的寒冷气候。一般情况下,大坝上进行水管冷却(一期水管冷却和二期水管冷却)和表面流水冷却等,都尽量利用天然河水、钻井水或渗流形成的基坑水;在水管冷却的计划安排上加以调节,于是就大大地节约了制冷容量。一定必须安装的制冷设备,一般是用于制冰、制冷水以便拌和及预冷骨料。表 33 给出几个工程的制冷容量及相应的说明。我们看到,尽管在苏联工程设计中规定了各种冷却措施,但在实际施工中却往往不严格执行。

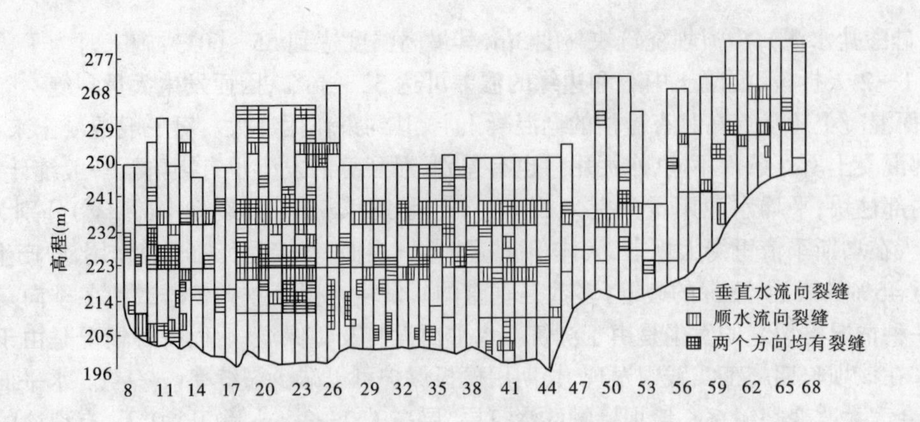


图 23　乌斯季依里姆坝上游第一个柱体的裂缝分布

表 33

| 工程名称 | 制冷容量($\times 10^4$ kcal/h) | 用　途 | 说　明 |
| --- | --- | --- | --- |
| 克拉斯诺雅尔斯克 | 60 | 冷却拌和水和预冷骨料 | 水管冷却用水为天然河水仅20万 $m^3$ 混凝土用人工制冷水 |
| 托克托古尔 | 140 | 制冰的预冷骨料 | 表面流水冷却和流水管冷却用天然水 |
| 乌斯季依里姆 | 240 | 夏季冷却水管用水 | 主要用于1974年和1975年夏季的水管冷却用水 |
| 契尔克 | 210 + 79.2(蒸汽喷射制冷) | 预冷(气冷)骨料及冷却砂 | |

## 3.9　混凝土的冷却费用

在美国一般用于每立方米混凝土的冷却费用,约占每立方米混凝土直接投资的3%,在苏联克拉斯诺雅斯克坝施工后,对冷却费用进行了总结研究。该坝在设计时虽然要求在拌和厂预冷骨料,但实际上并未很好的实施,因此在大多数情况下,夏季月平均出机温度为18～24℃(见表24),在经济上耗费,未见公布资料。为控制最高温升,曾以一期水管冷却与加冰,进行了造价比较。表34列出了这方面的资料。水管冷却的效果随采用的浇筑层高度的增加而提高。最经济的水管间距为1.5m×3m,加冰的效果也随浇筑层高度增加而提高。

表 34

| 层高(m) | 间歇期(d) | 每立方米混凝土冷却1℃的费用(卢布) | | | | |
| --- | --- | --- | --- | --- | --- | --- |
| | | 冷却水管间距(m) | | | | 加碎冰 |
| | | 3m×3m | 1.5m×3m | 1.5m×1.5m | 1.5m×0.75m | |
| 0.75 | 10 | 3.5 | 0.9 | 1.35 | 0.97 | 0.295 |
| | 3 | 1.17 | 0.64 | 0.73 | 0.62 | 0.295 |
| 1.5 | 10 | 0.234 | 0.135 | 0.157 | 0.194 | 0.24 |
| | 3 | 0.1 | 0.06 | 0.073 | 0.113 | 0.45 |
| 3.0 | 10 | 0.1 | 0.084 | 0.102 | 0.128 | 0.16 |
| | 3 | 0.058 | 0.049 | 0.062 | 0.069 | 0.135 |
| 4.5 | 10 | 0.078 | 0.054 | 0.068 | 0.091 | 0.122 |
| | 3 | 0.085 | 0.049 | 0.06 | 0.085 | 0.121 |
| 6 | 10 | 0.05 | 0.047 | 0.058 | 0.085 | 0.118 |
| | 3 | 0.05 | 0.047 | 0.058 | 0.085 | 0.104 |
| 9 | 10 | 0.05 | 0.045 | 0.057 | 0.081 | 0.102 |
| | 3 | 0.05 | 0.045 | 0.057 | 0.081 | 0.100 |

对于二期水管冷却的费用,列在表35中。由表35看出最经济的管距也是1.5m×3m。上述不同水管间距冷却的混凝土温差,都是从40℃左右冷却到5℃。

**表35**

| 项目 | 水管间距 | | | |
|---|---|---|---|---|
| | 3m×3m | 1.5m×3m | 1.5m×1.5m | 1.5m×0.75m |
| 冷却持续时间(d) | 230 | 111 | 52.5 | 27.1 |
| 每立方米混凝土用河水冷却费用(卢布) | 0.029 | 0.029 | 0.029 | 0.029 |
| 每立方米混凝土的管理费(卢布) | 0.9 | 0.327 | 0.325 | 0.337 |
| 每立方米混凝土的水管费(卢布) | 0.171 | 0.296 | 0.55 | 1.1 |
| 每立方米混凝土二期水管冷却总费用(卢布) | 1.071 | 0.623 | 0.875 | 1.437 |
| 每立方米混凝土冷却费与造价比(%) | 4.8 | 2.8 | 3.92 | 6.42 |

对于克拉斯诺雅尔斯克坝,其大部分浇筑层高度为3m,当采用1.5m×3m冷却水管后,进行一期及二期水管冷却,总的冷却费用约在3%或稍高。这个比例与美国总结的数值差不多。但克拉斯诺雅尔斯克坝产生了那么多的裂缝(有记录的为1 741条),为处理这些裂缝而花费的额外投资并未计算在内,遗憾的是我们没有看到有关该坝裂缝处理方面的资料,因而无法进行进一步的分析。

托克托古尔坝的冷却主要是采用表面流水和二期水管冷却。根据1970年统计,表面流水费用为每立方米混凝土0.28卢布,水管冷却费用为每立方米混凝土0.76卢布,两项相加为1.04卢布。当年统计的混凝土实际造价,在考虑了附加费用和计划积累(Плановое накопление)后为34.44卢布,因而冷却费用占实际造价的3%。看来所占比例也不比其他施工方法小,但该坝避免了裂缝,因而节省了大批处理和修补裂缝的费用。

## 4 冬季施工

目前有不少工程技术人员在研究加快混凝土坝的施工速度问题,尽管对某些问题,各家有不尽相同的观点,但一般都认为坝址区的气候条件,对混凝土坝的施工速度有很大的影响,甚至会大大影响混凝土坝的施工质量。对于在苏联中亚和西伯利亚地区修建混凝土高坝来说,由于该地区冬季延续时间很长,一般在5~9个月,无冰期短(有的仅3个月),所以如何做好混凝土的冬季施工,往往成为这些地区能否加快施工、保证大坝混凝土质量的关键。自20世纪50年代以来,苏联在该地区进行了大量的混凝土施工,积累了不少经验教训。现在将几个具有特色的技术问题论述如下。

### 4.1 关于冬季的定义

在什么情况下进入冬季施工,这在不同国家有相当大的差异。在苏联,不同时期也有不同的标准,这主要是由于工程技术人员对问题的认识,通过一定时期的工程实践而有了变化的缘故。按苏联1954年的《水工混凝土施工规范(暂行)ТП—33—54》中规定,当存在下列三种条件下之一时,则谓进入冬季施工:

(1)日平均气温低于0℃;

(2)最低气温-5℃;

(3)未经过加热,混凝土浇筑温度低至+5℃;

根据苏联1976年12月批准,并于1978年正式颁布执行的《现浇混凝土及钢筋混凝土结构施工及验收规范(СНиПⅢ—15—76)》中第五章规定:凡预期室外日平均气温低于5℃和日最低气温低于0℃期间,则要按该章中冬季条件下的混凝土施工规定执行。

由这先后两种规范中的规定,可以看出:苏联对冬季施工的限制更严了(日平均及日最低气温加严了 5℃),提前进入冬季,延后解除冬季限制,这反映了近年来苏联对冬季施工认识上的深化,是吸取了一些经验教训的结果。

### 4.2　关于大体积混凝土的防冻与防裂

苏联以往的冬季施工规范中,一般对混凝土硬化过程中的防冻问题,给予了很大的重视,制定了一些具体条文,要求在施工中遵守。但对于如何满足大体积混凝土的温差控制,没有给予足够的重视。到 1978 年开始执行的《现浇混凝土及钢筋混凝土结构施工及验收规范(СНиП Ⅲ—15—76)》开始对这问题加以改进,如规定:在拆除模板时要考虑施工设计中规定的块体中心和表面,以及块体表面和室外空气之间的最大允许温差。此外规定在不支模的表面,当施工完了时很快用防水保温材料覆盖;当采用暖棚法进行养护时,棚内气温不应低于 5℃。

以上这些措施,都是针对防止超过内外温差的限制,关于控制基础温差的措施,在规范中未见有明确的条文规定。但从实践中看到,苏联在冬季施工中浇筑的混凝土,其浇筑温度一般都能满足基础温差的要求,有问题的是保温的要求往往不能满足或不能完全满足。

在苏联规范中,一般规定了混凝土允许冻结时应达到的最小强度,表 36 给出了这些规定。但对大体积混凝土还应遵守专门的设计规定。如乌斯季依里姆坝,规定在所有区域内,混凝土浇筑层的体积平均温度冷到 0℃以下的层数,不允许超过总层数的 25%。克拉斯诺雅尔斯克坝则规定岩基接触区在混凝土浇筑块。在施工期到接缝灌浆时,不应冷却到低于 0℃,即在这个区域的混凝土不允许受冻。事实上在乌斯季依里姆坝的上述要求,施工上难于掌握。而在克拉斯诺雅尔斯克坝,根据其采用的保温措施,估计是难以做到的。

表 36

| 混凝土标号及运用条件 | 混凝土允许受冻前应达到的最小强度(%) | |
|---|---|---|
| | 未掺抗冻外加剂 | 掺入抗冻外加剂 |
| 150 号 | 50 | |
| 200 号 | 40 | 30 |
| 300 号 | 40 | 25 |
| 400 号 | 30 | 20 |
| 500 号 | 30 | |
| 养护完要遭受冻融 | 70 | |
| 预应力 | 80 | |
| 养护完立即承压及有抗冻抗渗要求 | 100 | |

### 4.3　保温暖棚

在苏联中亚和西伯利亚进行混凝土施工,保温暖棚是一种很重要的冬季施工的措施,很少不采用的,前面我们已经说过,在苏联采用的暖棚,主要有两种类型,一种为拆装式的,如布赫塔尔明和布拉茨克、克拉斯诺雅尔斯克等坝采用的。另一种类型为托克托古尔坝所采用的固定自升式,以后萨扬舒申斯克也采用了一种自升式暖棚。图 24 为在克拉斯诺雅尔斯克坝采用的一般保温暖棚的可拆卸的顶盖,盖上留有下料口,是由输送混凝土的桥面板组成。图 25 是该坝施工时采用的一种专用暖棚,用以浇筑电厂水下大体积混凝土,安设了有铁塔支撑的结构,暖棚内一般是用电热或蒸汽加热,由于大暖棚的拆装,不但消耗大量电能和占用浇筑起重机,而且也大大减慢了浇筑块的准备工作。在混凝土浇筑完后,还要求用锯末保温,为保持锯末的保温特性,要用油毡覆盖,在 12 月～翌年 2 月期间,当浇筑块要求覆盖 10～20 天时,锯末厚度为 12～15cm,若要求覆盖时间更长时,厚度为 18～20cm;其他季节锯末的厚度可以小些。

图26是托克托古尔坝采用的固定自升式暖棚,由于不采用起重机浇筑混凝土,所以有些问题的解决较为容易。混凝土由自卸汽车运到暖棚外卸料栈桥上的料斗中,通过溜管溜入暖棚内的自卸卡车上,再由暖棚内的自卸卡车布料。暖棚内部高度为7m(自被浇筑的混凝土面算起),这个高度是考虑自卸汽车 KpA3—256 的车身抬起高度决定的。暖棚上升时,每升高 0.5m,需时 10~15 分钟。1969 年到 1970 年的冬季,暖棚内气温平均为 1.5~4.0℃,最低 -1.8℃,最高 +6℃。1970 年到 1971 年冬季,气温为 -25~-30℃,仓面面积为 1.3 万~1.5 万 $m^2$,借助于电热和蒸汽加热器,使暖棚内保持为正温,其平均值为 +3~+5℃,最低 -3.5℃,最高为 12℃。托克托古尔坝的暖棚主要为冬季施工时使用,但在热天时并不拆除,用以遮挡太阳直接照射,以减小太阳辐射热,一般棚内气温低于外界气温 1.5~2℃,最多低 4~5℃。空气的湿度棚内比棚外边高 20%~35%,可达到 55%~65%,因而有利于养护,其总的劳动消耗(建造及维修)为每立方米混凝土 0.004~0.005 工日。表 37 给出 1969~1971 年各月坝区及暖棚内气温的比较。可以看出冬季的保温效果是很显著的。当棚外温度为 -20~-25℃,保持暖棚内为正温,需热量也很可观,为$450\times10^4$ kcal/h。图 27 为萨扬舒申斯克坝采用的自升式暖棚。

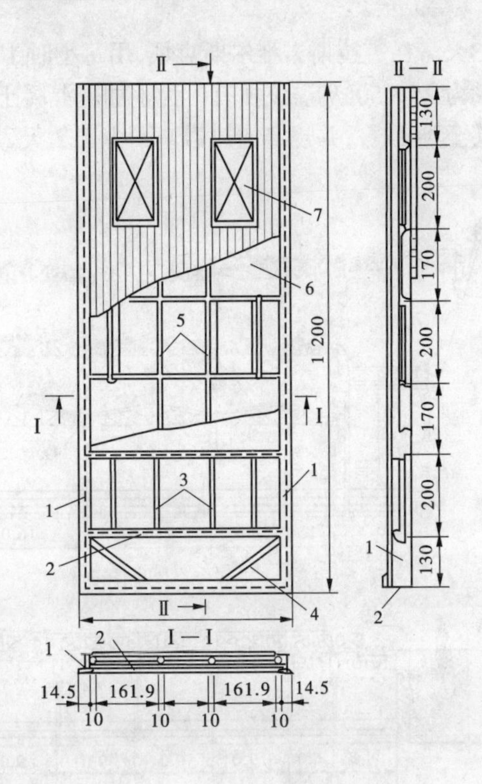


**图 24 克拉斯诺雅尔斯克坝的暖棚盖**(单位:cm)

1—№36 工字钢;2、3、4,——№24,16,10 槽钢;

5—15cm×10cm 的梁;6—4cm 桥面板;

7—断面为 190cm×95cm 的进料口

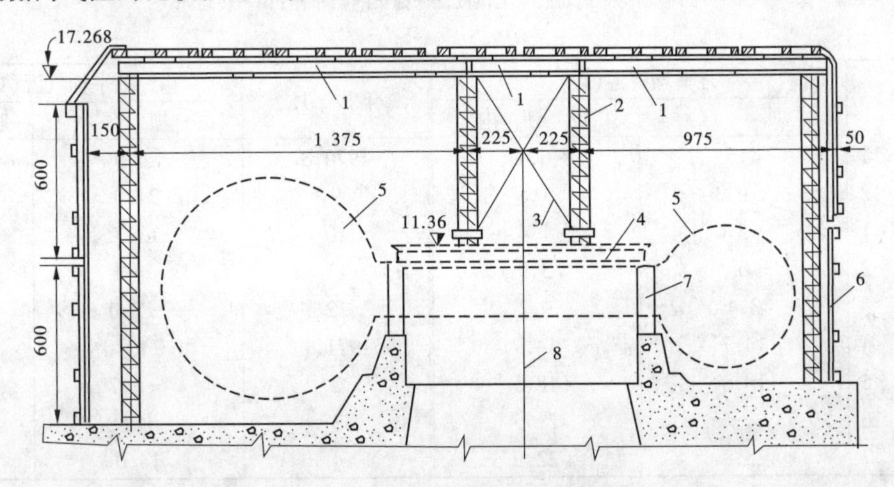


**图 25 克拉斯诺雅尔斯克坝的专用暖棚**(单位:cm)

1—钢梁;2—塔柱;3—连杆;4—刚架;5—蜗壳;6—模板;7—导叶立柱;8—机组轴线

## 4.4 基础和冷壁的预热

在浇混凝土以前,对过冷的岩基或底层混凝土,要逐渐加热,使其变为正温。在苏联加热一般使用蒸汽,这样造价最便宜。必要时也有用热水的,因为其热容量较大。当外界气温很低时,上述工序都在暖棚里进行,并沿预热区的周边,用厚 15~18cm 宽 1m 的锯末进行保温。在暖棚里保持正温

1～3天。在克拉斯诺雅尔斯克坝，用每小时17t蒸汽产量，加热浇筑块总量的三分之二，其余用电热，容量为25～50kW。该坝有时为了加速混凝土的融化和加热基础，在暖棚里保持温度为7～10℃，有时甚至到18℃，并规定加热岩基不少于2天，加热混凝土不少于1天。

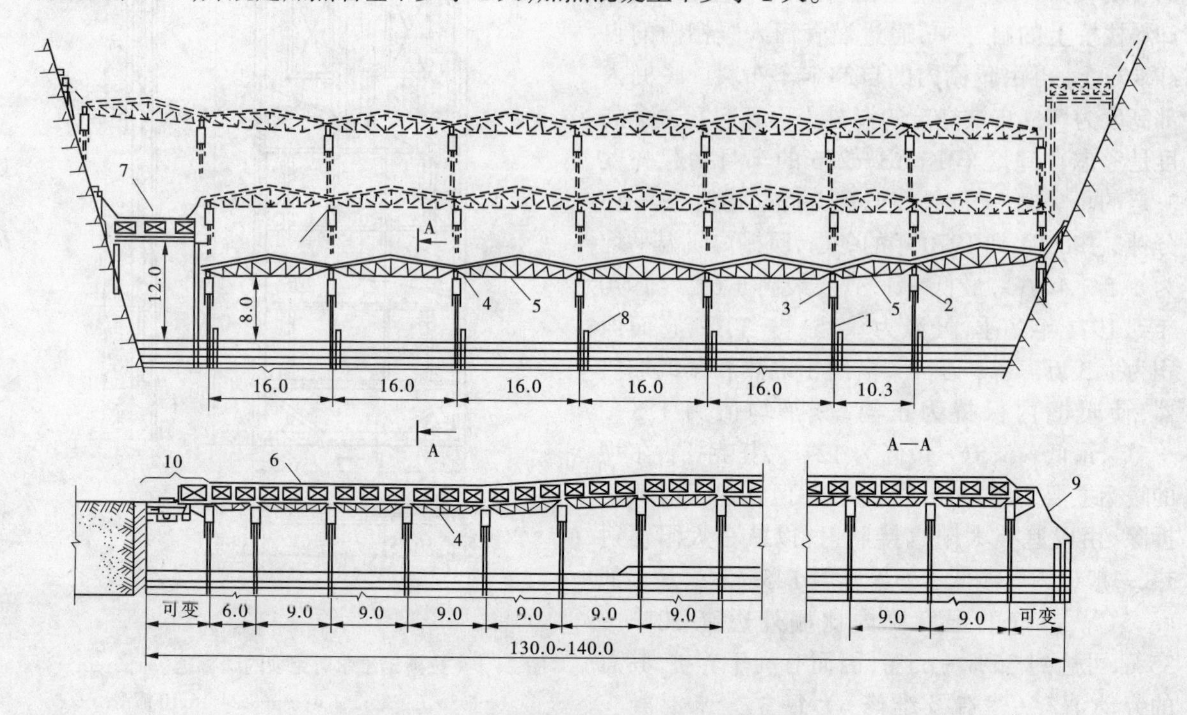


**图26 托克托古尔坝固定自升式暖棚**(单位:m)

1—钢支柱;2—垫片;3—升降套筒;4—支承桁架;5—盖板的空间桁架;6—由帆布和金属网组成的顶盖;7—固定段;8—钢筋混凝土模板;9—拖长的帆布裙;10—转运站

**表37**

| 年　月 | 月平均气温(℃) | | 年　月 | 月平均气温(℃) | |
|---|---|---|---|---|---|
| | 坝　区 | 暖　棚　内 | | 坝　区 | 暖　棚　内 |
| 1969.11 | 4.5 | 6.4 | 1970.8 | 26.9 | 25.3 |
| 12 | -0.3 | 1.8 | 9 | 24.0 | 22.6 |
| 1970.1 | -5.6 | 1.4 | 10 | 13.7 | — |
| 2 | 0 | 3.9 | 11 | — | — |
| 3 | 3.4 | 9.2 | 12 | -7.0 | 4.1 |
| 4 | 14.7 | 14.9 | 1971.1 | -13.0 | 5.0 |
| 5 | 18.8 | 18.5 | 2 | -8.7 | 5.2 |
| 6 | — | 21.5 | 3 | 1.1 | 6.7 |
| 7 | 25.7 | 22.9 | 4 | 14.0 | 13.4 |

### 4.5 混凝土运输和浇筑的热量损失

冬季施工混凝土运输中热量的损失，主要随外界气温、运输工具、运输距离、倒运次数和混凝土预热后的出机温度等因素而变。若采用混凝土料罐，如乌斯季伊里姆坝所采用的容积为6.4m³料罐，用MA3-305混凝土车运送，车边及底用工作废气加热，混凝土出机温度为10～11℃，在外温-20～-30℃情况下，路上损失1.5℃，克拉斯诺雅尔斯克坝，运输混凝土用ЗИΛ-585，MA3-205和MA3-507型自卸卡车，因自车底排出工作废气，在运距2km时，热损失不超过1℃，在萨扬舒申斯克坝，冬季最低日平均气温达到-44℃，1月份平均气温为-17.3℃，根据规定：基础上第一层混凝土冬季浇筑时，整层深度内平均浇筑温度不小于5℃，其他层为3～10℃之间，施工时运输混凝土用

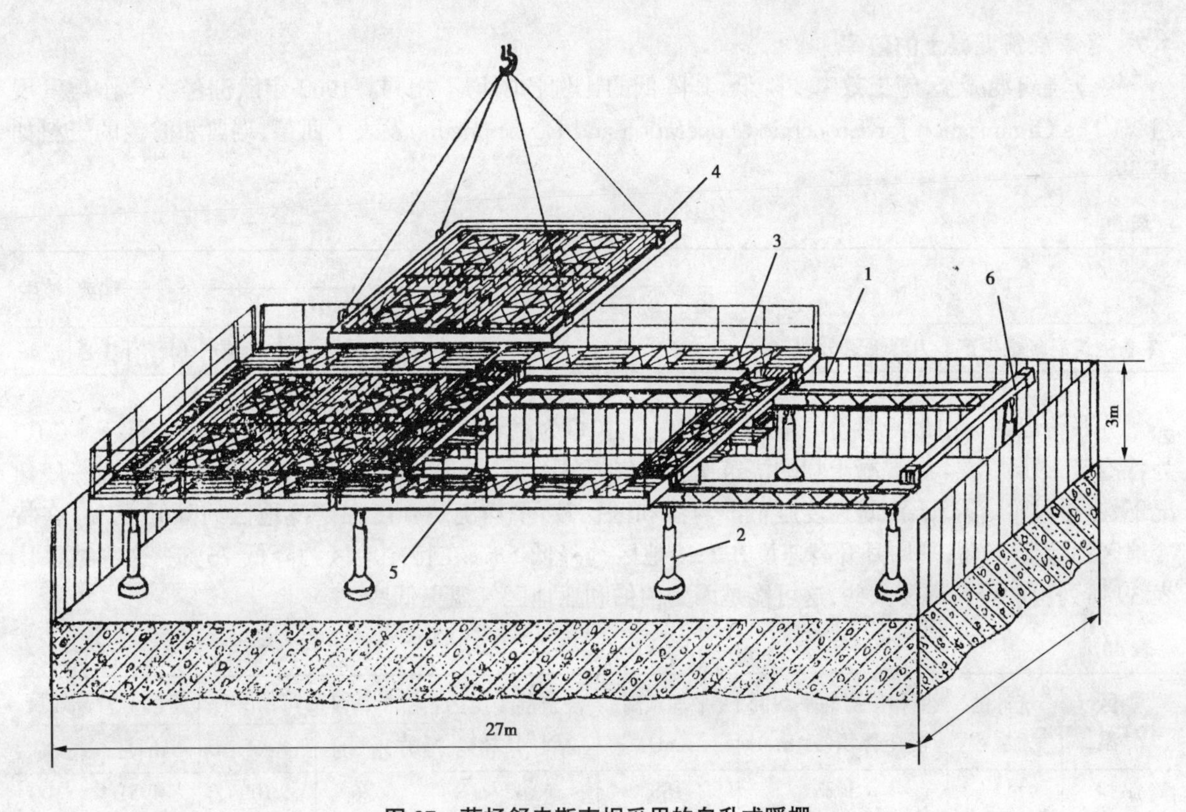


**图 27 萨扬舒申斯克坝采用的自升式暖棚**

1—承重连续梁;2—望远镜式支座;3—支撑桥;4—可拆盖;5—可叠翼板;6—边梁

МАЗ-503或 БелАЗ-540 型自卸卡车,车上带有帆布帘保温,运距 1.5~2km,混凝土温度降低不超过1~2℃。

冬季浇筑混凝土的热损失,要看施工方法和保温的措施而定。在苏联西伯利亚地区,冬季广泛使用暖棚,这个问题不大。在外界气温高于-10℃的时候,有些工程也在敞开仓面上浇筑混凝土,这主要应准确计算要求的出机温度,并按表 38 的规定控制水温及出机温度[5]。

**表 38**

| 水　泥　种　类 | 最高允许温度(℃) | |
|---|---|---|
| | 水 | 出机温度 |
| 1. 标号低于 600 号硅酸盐水泥,矿渣硅酸水泥、火山灰硅酸盐水泥 | 80 | 35 |
| 2.600 号和 600 号以上的快硬硅酸盐水泥和硅酸盐水泥 | 60 | 30 |
| 3. 矾土水泥 | 40 | 25 |

## 4.6 混凝土的养护

冬季施工中对大体积水工混凝土的养护,主要是在混凝土硬化的初期阶段,创造一定的温湿度条件,以保证混凝土强度的增长,苏联在西伯利亚地区冬季浇筑混凝土时的养护,主要考虑蓄热法,辅之以保温模板和暖棚。电热法养护在大体积混凝土中一般不采用。气温在+5℃以上,一般用喷水法保持混凝土外表面的润湿。气温在 5℃以下,不用喷水养护。托克托古尔坝采用暖棚法保温养护,在浇筑完毕的混凝土层面上,立刻覆盖上聚乙烯薄膜(厚度0.15~0.2mm),目的是在不能喷水时,以减小混凝土面的蒸发及与冷空气接触而超冷。从苏联冬季施工对混凝土的养护实践中看到,一般是在保证温度条件的基础上,尽可能满足湿度要求。所以一般工程在寒冷天气时不进行喷水养护。

### 4.7　冬季浇筑混凝土的效率

冬季浇筑混凝土，施工效率要降低，其降低的比例各国均不相同。1967年欧洲经济合作与发展组织(The Organization for Economic Cooperation and Development)发表了西德、瑞典和波兰的资料如表39。

**表39**

| 项　目 | 西 | 德 | | | 瑞典 | 波兰 |
|---|---|---|---|---|---|---|
| | 0～－3℃ | －3～－6℃ | －6～－9℃ | <－9℃ | | |
| 冬季浇筑混凝土生产能力降低百分数(%) | 2～3 | 3～4 | 5～7 | 10～14 | 3.8 | 14 |

苏联曾以一年中最冷月份的平均气温0～－10℃为温和区，－10～－20℃为寒冷区，低于－20℃为特冷区，统计了24座混凝土坝的浇筑速度与气温的关系，结果如表40所示。表40说明，在一般情况下，冬季越冷，混凝土浇筑速度越低。与温和区比较，平均浇筑强度在寒冷地区约降低19%，在特冷地区约降低45%，平均月升高速度在寒冷地区约降低5%，在特冷地区约降低76%。这些结果比表39所列出的资料都要大些，这可能是因为西伯利亚地区气温更低些。

**表40**

| 坝区气温 | 统计的大坝数 | 坝和厂房的平均混凝土体积(万 $m^3$) | 平均坝高(m) | 浇筑混凝土的时间(月) | 平均月浇筑强度 | | 平均月升高速度 | |
|---|---|---|---|---|---|---|---|---|
| | | | | | 万 $m^3$/月 | % | m/月 | % |
| 温和 | 11 | 362 | 188 | 42 | 6.26 | 100 | 4.51 | 100 |
| 寒冷 | 10 | 323 | 170 | 63 | 5.00 | 81 | 4.30 | 95 |
| 特冷 | 3 | 395 | 115 | 98 | 3.46 | 55 | 1.10 | 24 |

表41给出了几座位于寒冷和特冷地区的不同类型混凝土高坝，冬季浇筑混凝土的总量和速度与夏季情况的比较。从中也可看出坝型对冬季施工浇筑速度的影响。像泽雅支墩坝和布赫塔尔明、布拉茨克宽缝重力坝，其冬季的浇筑速度也相对地要慢些，但在表41中的几个大坝最低的冬季浇筑速度也达到夏季浇筑速度的63%，也还算有一定水平。

**表41**

| 水电站名称 | 气温 | 混凝土量 | | | 冬季月平均浇筑强度与夏季月平均浇筑强度之比(%) | 坝　型 |
|---|---|---|---|---|---|---|
| | | 总　量(万 $m^3$) | 冬季浇筑的混凝土量 | | | |
| | | | 万 $m^3$ | % | | |
| 布赫塔尔明 | 寒冷 | 115.8 | 35.8 | 31 | 63 | 宽缝重力坝 |
| 布拉茨克 | 特冷 | 486.8 | 253.8 | 52 | 75 | 宽缝重力坝 |
| 克拉斯诺雅尔斯克 | 寒冷 | 576 | 254.0 | 46 | 80 | 重力坝 |
| 泽雅 | 特冷 | 254.9 | 125.0 | 49 | 69 | 支墩坝 |
| 乌斯季依里姆 | 特冷 | 443.3 | 234.0 | 53 | 82 | 重力坝 |

## 5　托克托古尔重力坝的温度控制特点

托克托古尔坝是苏联已公布的资料中，惟一声称没有裂缝的混凝土高坝。该坝在施工中有不少特点可供借鉴和研究。根据苏联以往对混凝土高坝的分柱状法浇筑，一般是用纵、横缝将大坝分成若干柱体。横缝间距通常为15～22m(当横缝间距为22m时，有时在近基础部位另用所谓切口缝再分成2个11m的短块)，纵缝间距为9～15m，基本上是密缝短块。这样做的原因是设计者认为：大坝施工时的温度应力小了，温度控制要求可以放松；对基岩开挖平整度的要求降低了；提前蓄水发电的可能性增大了，浇筑仓面减小了，施工冷缝出现的可能性也减小了等，但密缝短块的缺点是：相对削弱了大坝的整体性；接缝灌浆的工作量增加了；需要较多的模板和人工；特别是浇筑仓面太小，不利于平仓、震捣、凿毛等工序的机械化。此外对于在苏联中亚和西伯利亚地区建造混凝土高坝来说，还有一个冬季施工的问题，该地区冬季既冷又长，用暖棚保温施工经常是避免不了的，但对于浇筑量极大的混凝土坝，如何在暖棚保温下浇筑混凝土，一直在工艺上存在不少困难，托克托古尔坝原设计也是密缝、柱状、栈桥、起重机法施工，但在经过一系列的实验研究后，改用"托克托古尔施工法"浇筑混凝土。避免了裂缝，加快了速度、节约了投资。

"托克托古尔施工法"的主要内容如下：

(1)薄层大仓面浇筑。混凝土浇筑层厚0.5～1m，仓面最大尺寸为32m×60m。

(2)以表面流水冷却削减水化热高峰，以水管一期冷却为辅。冷却水为河水。

(3)以二期水管冷却达到灌浆温度，进行接缝灌浆。冷却水为河水。

(4)采用钢筋混凝土模板(包括纵缝及横缝)，以避免早期裂缝。

(5)采用全坝固定自升式暖棚，冬季保温，夏季遮阳。

(6)混凝土的平仓、震捣、清除水泥乳皮等工艺机械化。

(7)采用低流态(坍落度1～3cm)混凝土和强力震捣，以保证既节约水泥，又增加水平接缝的密实性。

(8)在仓面上自卸汽车运送混凝土。因而要求层面间歇期3～7天。混凝土在集中料斗处进入暖棚。

(9)混凝土浇筑完毕，立即用聚乙烯薄膜覆盖。防止干燥和过冷，直到能清除水泥乳皮，进行表面流水冷却为止。

分析以上"托克托古尔施工法"的主要内容，我们不难得知这种施工法的创立背景，即在托克托古尔坝区，夏季相当热而冬季又极冷的气候条件下，为加快施工速度，缩短工期，又要保证大坝质量，就要借助于施工工艺机械化水平的提高，为此传统的密缝短块的小仓面就不符合要求。当浇筑块尺寸比较大时，显然湿度应力较大，就要求有较高的温度控制水平，从前面对苏联各坝的实际施工情况分析，我们看到苏联的预冷混凝土技术水平并不高，而且浇筑机械的效率也不令人满意，如苏联目前用于大坝浇筑的主要塔机 КБГС－450，在克拉斯诺雅尔斯克坝的平均月生产率仅3 160m$^3$，该塔机在罗马尼亚与南斯拉夫合建的铁门水电站使用时也仅为3 480m$^3$；一般门机月平均生产率仅1 990m$^3$。这比美国的高速缆机月平均生产率为15 600～35 500m$^3$、高架门机的8 100～11 500m$^3$ 以及双悬臂门机的18 500～19 600m$^3$ 都低得多。因此，即便是预冷混凝土的水平满足要求，但入仓速度很低，照旧满足不了混凝土浇筑温度的要求。由于这些原因，才迫使苏联的设计人员采取了密缝短块的分缝方案。托克托古尔坝在加大浇筑块尺寸的时候，也考虑加快入仓速度，并且要在全年有暖棚的情况下达到这个目的，就采取了集中料斗供料，自卸卡车在仓面运输混凝土的方案。考虑到预冷混凝土的把握性不大，又经过试验研究采用了一次浇高0.5～1.0m的浇筑层厚度。减小了浇筑层厚度，水化热温升大大降低，但仍然不能满足大仓面温差控制的要求，希望进一步削减水化热温升的高峰。当然一期水管冷却可以达到这个目的，但每0.5～1.0m间距埋设一层蛇形管，并不是二期水管冷却的要求，为节省水管又发展了"表面流水冷却"的工艺。钢筋混凝土模板的广泛采用，相邻块高差限制一层(0.5～1.0m)等措施，都为避免大坝裂缝起了一定的作用。至于有人担心的水平施工缝太多，可能对坝体的强度有较大影响的问题，该坝施工时也做了大量试验(实验室试验接缝强度为整体混凝土的70%～75%；取混凝土芯试验，为整体混凝土的40%～50%；剪切试验，黏着力为10～12kg/cm$^2$，摩擦系数 $f=1.65～1.70$)，认为该法施工的水平施工缝密实，强度高，满足设计要求。

从以上的分析中可以看出，"托克托古尔法"施工是在苏联当前预冷混凝土的技术水平较低，混凝土入仓速度不高的情况下，解决大仓面混凝土高坝施工的一种特殊方案，它不同于意大利的阿尔惹卑拉坝的连续浇筑，而是间断浇筑极薄层混凝土的方案，而且由于留有纵缝，在混凝土浇筑完毕后，还要冷却灌浆。所以从技术水平上，“托克托古尔法”远不如美国的薄层通仓浇筑(标准层厚 1.5m)。但在苏联国内与其他工程比较，表现出有一定的优越性，因而在 1978 年开始又用这种施工法浇筑了库尔普沙伊斯克重力坝，图 28、图 29 为托克托古尔坝施工时混凝土浇筑的垂直剖面和水平面上的示意图。图 30 为仓面上自卸卡车运送混凝土的路线图，施工前对这些问题应该进行仔细的规划安排。

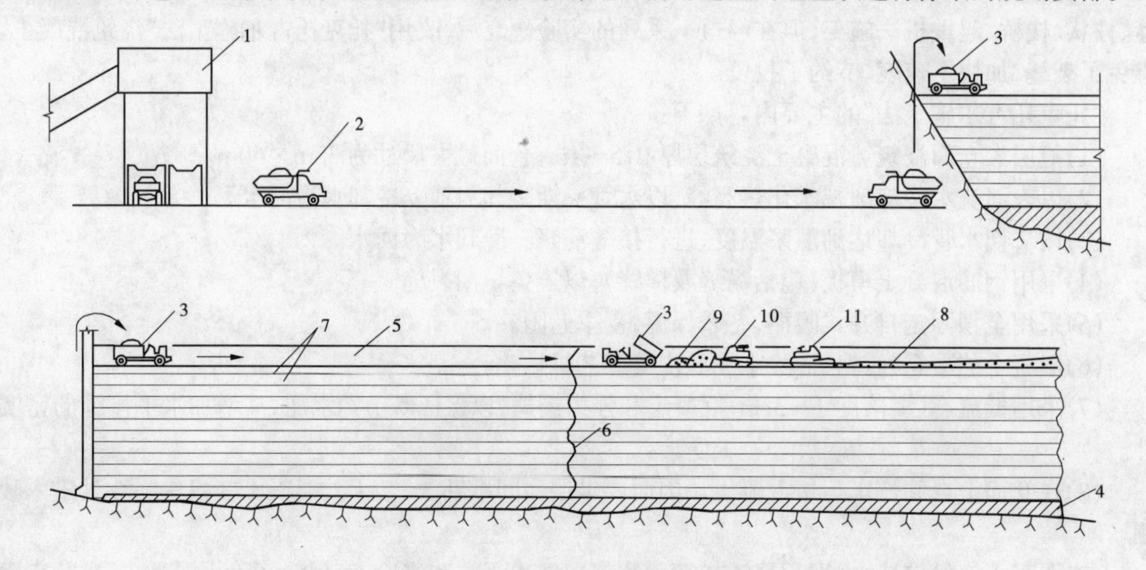


**图 28　托克托古尔坝混凝土浇筑示意图**

1—混凝土拌和厂；2—混凝土运输车；3—仓面混凝土运输车；4—平整层混凝土；
5—横缝钢筋混凝土模板；6—纵缝钢筋混凝土模板；7—水平层混凝土；8—新浇混凝土层；
9—新倾出的混凝土；10—平仓机；11—带震捣器组的电动拖拉机

图 31 为冷却水管在仓面上的布置图。图 32 为该坝历年各月的浇筑强度，最高为5.97万 $m^3$。

用“托克托古尔法”浇筑混凝土，与苏联其他工程的混凝土浇筑相比(主要与塔机栈桥法比较)，据认为有很大的经济性。由于施工工艺的机械化水平提高，浇筑混凝土的日实际生产率有较大的提高，1971 年第一季度为 4.72$m^3$/工日，此值与该坝三个用起重机浇筑坝段的工人生产率比较，高出了 2.16 倍，远远超出其他工程所达到指标。在 1971 年下半年，混凝土浇筑强度达 5 万～6 万 $m^3$/月，相应生产率为 6.5～7.0$m^3$/工日，用“托克托古尔法”浇筑混凝土，在不考虑钢筋工程和附加工程量的条件下，与原设计的起重机法浇筑比较，直接费价格减小了 5.58 卢布/$m^3$。实际造价，在考虑附加费和计划积累后，每立方米混凝土为 34.44 卢布，与起重机浇筑法比较，减小 6.26 卢布/$m^3$。概略估计：与起重机浇筑比较，每百万立方米混凝土造价降低 500 万卢布。

# 6　结　论

(1)苏联在混凝土坝的温度控制设计中，采用混凝土的极限拉伸 $\varepsilon_{пред}$ 或假定强度(Условная прочность)$R_{р·усл}=E\varepsilon_{пред}$ 为计算混凝土强度，我们认为是合理的，因为混凝土的温度应力不同于外力引起的应力，是由于混凝土的强迫变形引起的，据此计算允许温差，一定程度上考虑了材料的非线性性质。但有两点值得商榷：其一为按温度梯度为依据增大混凝土的极限拉伸 $\varepsilon_{пред}$，似乎试验根据不足，因为至少有的试验资料表明，混凝土不具备这种特性；其二为苏联建筑法规上采用的 $\varepsilon_{пред}$ 值一般偏大，至少布拉茨克坝上的混凝土不满足其规定。

(2)苏联大坝混凝土设计龄期的规定是：强度、抗渗为 180 天，抗冻为 28 天，如果只从混凝土坝开

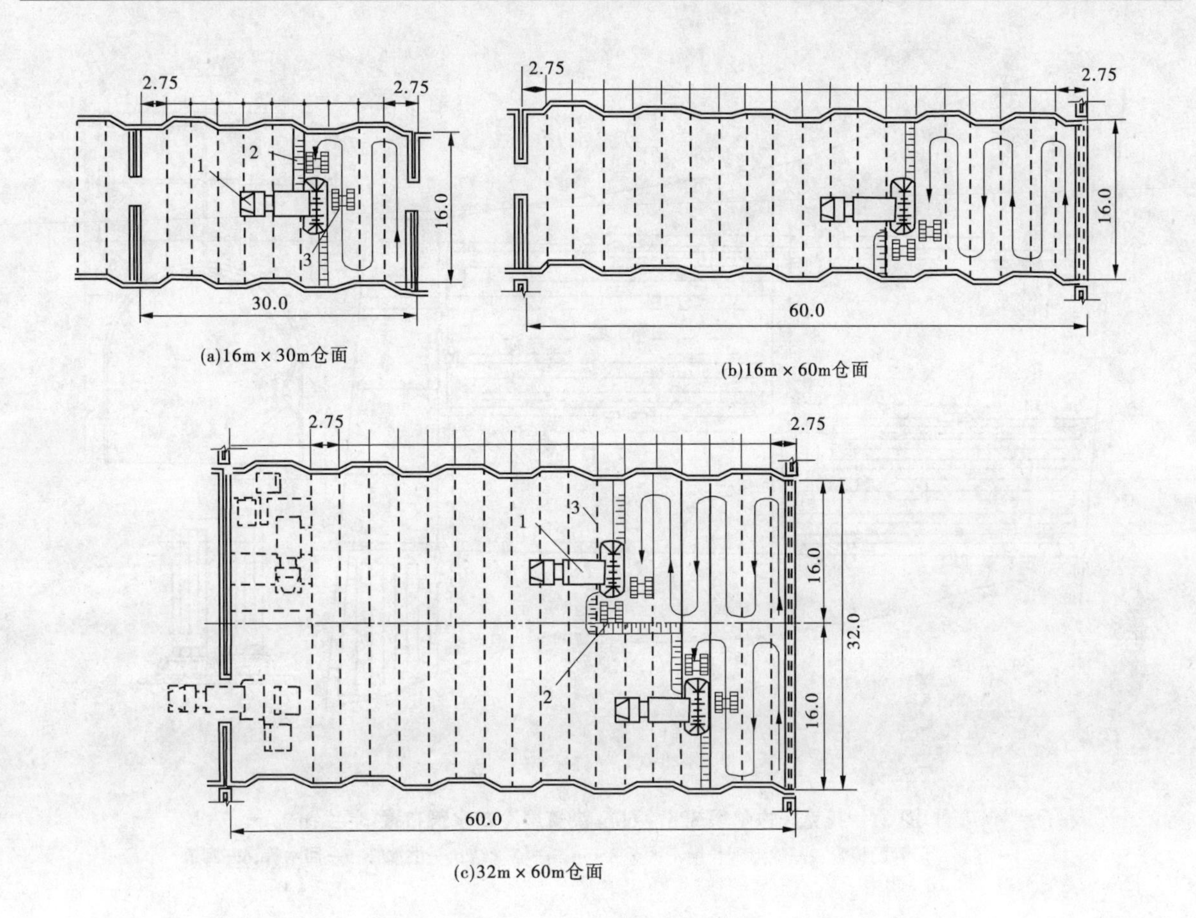


**图 29 托克托古尔坝仓面混凝土浇筑图**(单位:m)

1—混凝土运输车;2—平仓机;3—带有震捣器组的电动拖拉机

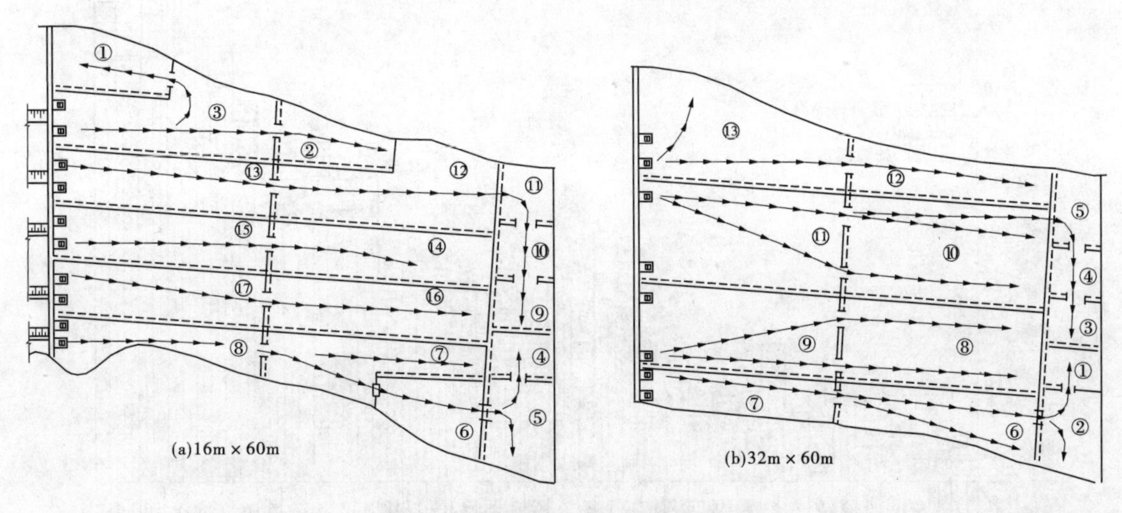


**图 30 托古托古尔坝浇筑次序示意图**

始蓄水的龄期较长,采用混凝土的后期强度似乎也无可非议,但不能忽视大体积混凝土的施工温度应力可能产生早期裂缝的威胁,要把结构的设计荷载与施工措施(如表面保护等)综合考虑,在技术上可行的条件下,选择最经济的方案,苏联规范上明确规定使用混凝土的后期强度,看来好像是节约了水泥,降低了造价,减小了水化热,但是否真正有利是值得研究的。因为从本文前边分析的资料看来,苏

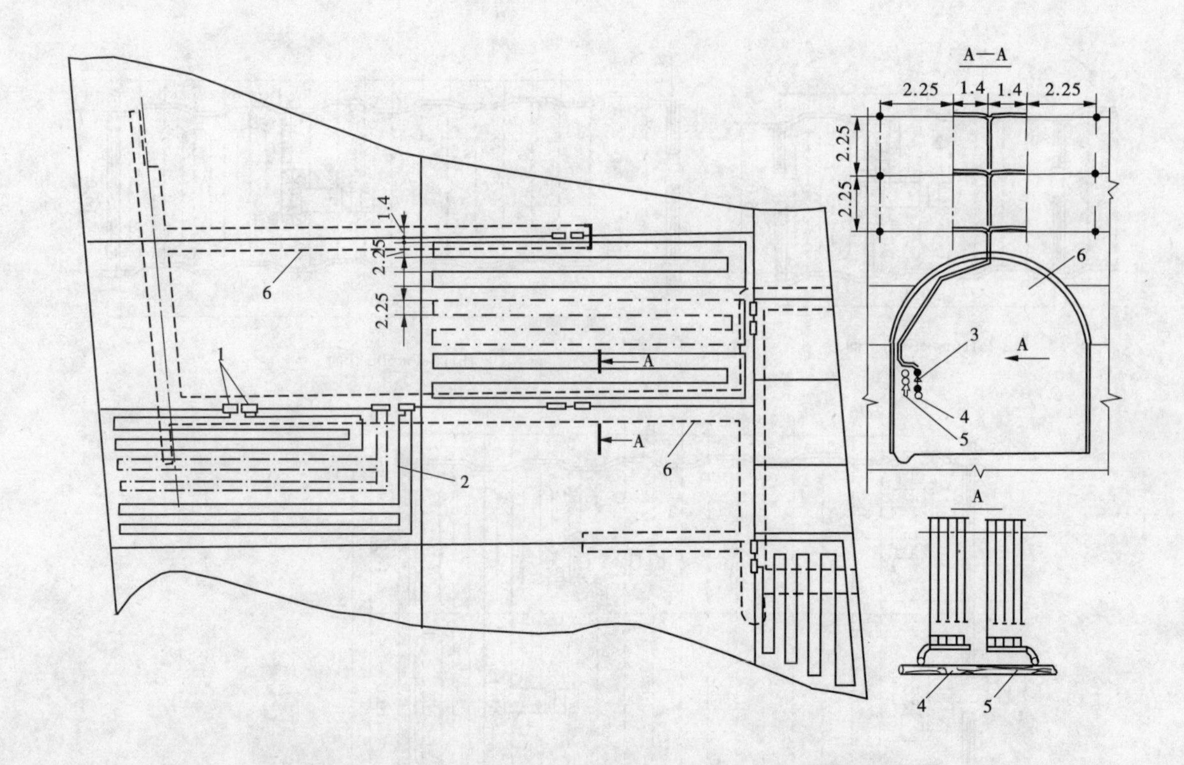

图 31　托克托古尔坝 32m×60m 浇筑层冷却水管布置(单位:m)

1—连接蛇形管的梳管;2—蛇形管长度不大于 350m;3—梳管结;4—供水管;5—回水管;6—廊道

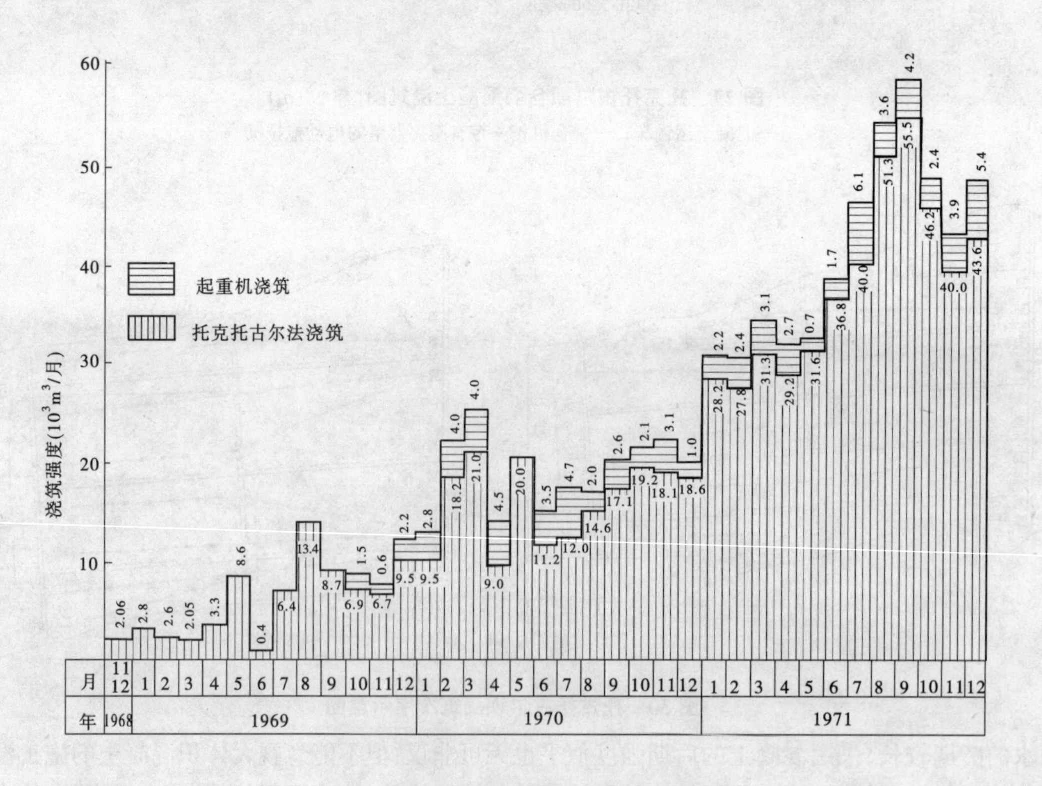


图 32　托克托古尔坝历年浇筑强度

联在西伯利亚地区建坝中,表面保护工作很不理想,有的与设计要求还有相当的差距,在这种情况下采用混凝土后期强度,将混凝土的早期抗裂性置于一个没有保障的危险境地,是许多大坝产生数目惊人的裂缝的重要原因之一,实际上为处理这些裂缝所发花费的投资,经常大大超出了因使用混凝土的后期强度而节约下来的造价,更不用说处理裂缝在工艺技术上带来的困难必须花费的时间了,关于这个问题是个十分复杂的问题,既有技术上的问题,又有经济上的问题,合理的做法是进行系统工程学分析。以混凝土造价最低为控制原则,考虑诸如混凝土标号的变化,不同的表面保护措施,不同程度的冷却措施,不同的分缝分块方式等对混凝土造价的影响,从而在技术可行的条件下,选择混凝土造价最低的方案。从这个观点看来,混凝土标号的选择不应仅仅取决于结构设计的应力,还应考虑施工温度应力和施工工艺的措施。考虑到在苏联目前保温技术措施还跟不上的情况下,适当提高混凝土早期强度还是必要的。

(3)苏联在大坝上基础温差设计中,考虑基岩温度的影响,从而合理地描述了基础温差的有效部分,这与文献[11]的观点十分吻合。在苏联基础温差计算起点为浇筑时的基岩面以下1~1.3m处的温度,按苏联一般浇筑块长 $L=9\sim15$m,该点位置约为 $0.1L$。文献[11]则以 $1/4L$ 范围内的平均地温为温差计算起点,从概念上讲似更合理。

(4)对于混凝土高坝的分缝分块,主要是柱状块,一般横缝间距为15~22m,纵缝间距为9~15m,形成密缝短块的特点,其浇筑层厚度一般为3m,但不少坝也浇筑了大量的高块(6~9m)。从托克托古尔坝开始,浇筑块面积曾达到32m×60m,但层厚仅0.5~1.0m,是所谓"托克托古尔施工法"。"托克托古尔施工法"也是柱状块,以后在萨扬舒申斯克坝的分缝,纵缝间距加大到25~27m,为一般施工法,从苏联的分缝分块设计看,主要反映苏联预冷混凝土水平较低,浇筑入仓速度较慢,因而限制了通仓浇筑的采用。

(5)从苏联西伯利亚几座大坝的设计施工经验促成建筑法规的修改,现在苏联已允许设计中采用提高灌浆温度的措施,其条件为满足大坝断面的强度设计要求,这一点为实际施工中带来了很大方便。

(6)从已公布的资料中看到,苏联在西伯利亚建造的几座高坝,除了托克托古尔坝公开声称经过系统的观测没有发现任何裂缝以外,几乎都产生了大量的裂缝(如布拉茨克坝竟达3 544条),而且重要的贯穿性裂缝也占有相当大的比例,如乌斯季依里姆坝的1 652条例缝中,贯穿缝占12%~13%,初步蓄水后在第二层廊道中的渗流量竟达854L/min。这些裂缝不能不说是十分严重。至于裂缝的原因,当然是十分复杂的和多方面的,而且每一工程都有其特殊的问题。不过分析研究后也还可以找出一些共同的方面:

第一,设计的失误。诸如在施工保温措施没有保证的条件下采用后期强度:早期(20世纪50年代初)采用混凝土的极限拉伸值为 $1.0\times10^{-4}$,而不论混凝土的强度如何;目前采用的混凝土极限拉伸值也偏大;采用了过低的混凝土标号,而没有考虑地区特点(如布拉茨克坝内部混凝土采用180天100号);不考虑实际可能而提出过高的保温要求(如有些坝提出:基础接触区混凝土块,到灌浆以前不允许降低至0℃)混凝土允许拆模温差太大等。

第二,施工控制不严。几乎没有一座坝能按设计要求严格控制的,特别是在施工早期的几年内,差距更大。从已公布的资料中,可看到在施工初期2~3年内,浇筑混凝土量只占很小的比例,但裂缝的数量却占30%~50%。这主要因为按苏联的施工组织形式,施工初期的施工设备,特别是为满足温度控制工艺措施的设施都是不完备的,而当时浇筑的混凝土却是最重要的部位,在施工控制不严格的情况下,要想避免这些混凝土的裂缝是难以做到的。

(7)由于西伯利亚地区的气温较低,冬季时间较长,设计人员尽量利用天然冷量,在施工的计划中充分掌握这个特点,因此虽然这些坝都比较高,混凝土工程量也较大,但制冷容量并不多。如乌斯季伊里姆大坝,混凝土体积约420万 $m^3$,制冷容量为240万 kcal/h,托克托古尔坝,混凝土体积215万 $m^3$,制冷容量为140万 kcal/h;像克拉斯诺雅尔斯克这样有483万 $m^3$ 混凝土的大坝,公布的资料表明仅有60万 kcal/h 的制冷容量。普遍的做法是尽量利用河水冷却混凝土,安装的人工制冷设备,主要用于预冷。

(8)在寒冷地区冬季坝面冰冻深度5～8m的条件下，如何进行接缝灌浆，苏联采用了预热的工艺措施，主要在冰冻的缝外部，利用电热或蒸汽加热，从而争取了工期，保证了质量。

(9)“托克托古尔施工法”从混凝土坝的温度控制的角度看，并不是很合理的，它是在苏联的特定条件下，即预冷水平不高，混凝土入仓速度不快，冬季施工需要暖棚保温，夏季施工需要遮阳等情况下，发展出的一种有一定特色的施工方法。在托克托古尔坝上的实践表明，完全避免了裂缝。这是从美国约翰克尔(John H. Kerr)坝宣称“连发丝缝也没有”以来，数十年来第二座声称没有裂缝的坝。

(10)目前苏联在混凝土坝的施工中，普遍使用了中热水泥，一般情况其7天的水化热控制在60kcal/kg以内或稍高。这对大坝的温度控制是有利的。

(11)考虑在寒冷地区混凝土抗裂性要求，只根据结构设计决定内部混凝土最低标号，往往是不适宜的。布拉茨克坝内部混凝土为180天100号，其早期抗裂性太低，是布拉茨克大坝产生众多裂缝的重要原因之一。此后的几座大坝，其内部混凝土的标号都提高了。大坝有混凝土强度除了要满足结构设计应力的要求以外，还要考虑施工应力，防止裂缝、防渗、耐久等一系列要求，并且要与施工措施的经济性联系起来寻求最经济的方案。

(12)由苏联西伯利亚几个大坝的混凝土设计看来，对抗冻性的要求越来越高，这可能是一种经验总结。但有几个坝的电厂水下混凝土，其设计标号为M400，B12，$M_{P3}$500，这项标准大大超出一般的其他国家的标准，值得商榷。

(13)从苏联西伯利亚寒冷地区建坝的资料中，用于混凝土的冷却费用约为3%，此值与美国的水平大致相同，但苏联大坝一般的裂缝均比美国的严重，若加上修补裂缝的费用，则将大大超出美国。

(14)苏联进行冬季施工的大坝不少，积累了一定的经验。冬季施工的效率要低于其他季节，另外坝型也对外冬季施工的效率有影响。统计西伯利亚几座大坝的情况，一般冬季浇筑的混凝土工程量接近总工程量的一半。从混凝土浇筑强度来看，冬季浇筑强度一般的为其他季节浇筑强度的70%～80%，其中实体重力坝约为80%，支墩坝和宽缝重力坝则为70%或更低些。以苏联的水平与西德和瑞典比较，前者要低些(西德一般为86%～90%，瑞典约96%)。

(15)苏联在托克托古尔和萨扬舒申斯克等工程中使用的大型固定自升式暖棚，对于提高冬季混凝土浇筑质量和速度，都起了极其重要的作用，特别是狭窄河谷，坝段较少的工程，其作用就更为明显，值得研究采用。

**附表 1　　苏联几座高坝混凝土主要标号及分区**

| 坝名 | 坝型 | 混凝土浇筑年份 | 坝高(m) | 混凝土体积(万$m^3$) | 大坝混凝土主要标号 | 混凝土标号分区 | | | | | | |
|---|---|---|---|---|---|---|---|---|---|---|---|---|
| | | | | | | 内部 | 基础 | 上游水下 | 上游水部变动区 | 下游面 | 厂房水上 | 厂房水下 |
| 布拉茨克 | 宽缝重力坝 | 1958~1965 | 125 | 439.6 | M100,B2<br>M200,B8<br>M200,B8,$M_{P3}$250<br>M200,B4,$M_{P3}$100<br>M200<br>M400,B12 | M100<br>B2 | (电站)<br>M200<br>B8 | M200<br>B8 | M200<br>B8<br>$M_{P3}$250 | 溢流面<br>M200,B8<br>$M_{P3}$250<br>其他<br>M200,B4<br>$M_{P3}$100 | M200 | M400<br>B12 |
| 克拉斯诺雅尔斯克 | 重力坝 | 1961~1970 | 125 | 483 | M200.B6(8)<br>M200,$M_{P3}$100<br>M200,$M_{P3}$200<br>M250,$M_{P3}$300<br>M300<br>M400,B8,$M_{P3}$500 | M200<br>B6 | M200<br>B6 | M200<br>B6 | (电站)<br>M250<br>$M_{P3}$300 | M250<br>$M_{P3}$300 | M300 | M400<br>B8<br>$M_{P3}$500 |
| 托克托古尔 | 重力坝 | 1969~1977 | 215 | 324 | M200,B4<br>M200,B6<br>M250,B8<br>M200,$M_{P3}$200<br>M250,B8,$M_{P3}$200 | M200<br>B4 | M200<br>B6 | M250<br>B8 | M250<br>B8<br>$M_{P3}$200 | M200<br>$M_{P3}$200 | | |
| 乌斯季依里姆 | 重力坝 | 1969~ | 105 | 420 | M150,B2<br>M200,B8,$M_{P3}$150<br>M250,B8,$M_{P3}$200<br>M250,B8,$M_{P3}$400<br>M400,B8,$M_{P3}$400 | M150<br>B2 | M200<br>B8<br>$M_{P3}$150 | M250<br>B8<br>$M_{P3}$150 | M200<br>B8<br>$M_{P3}$400 | 溢流面<br>M400<br>B8<br>$M_{P3}$400,<br>其他<br>M250,B8<br>$M_{P3}$200 | | |
| 泽雅 | 支墩坝 | 1970~ | 115 | 221.5 | | | | | | 溢流面<br>M400<br>$M_{P3}$400 | | |
| 萨扬舒申斯克 | 重力拱坝 | 1972~ | 236 | 940 | M250,B8,$M_{P3}$100<br>M300,B8,$M_{P3}$100<br>M400,B12,$M_{P3}$500 | | | | | | | |
| 库尔普沙伊斯克 | 重力坝 | 1978~ | 113 | | M150<br>M250<br>M300 | M150 | | M250 | M300 | M300 | | |

**附表 2** **苏联混凝土高坝分缝分块温度控制及裂缝情况**

| 坝名 | 坝型 | 混凝土浇筑年份 | 多年平均气温(℃) | 最冷月份平均气温(℃) | 坝高(m) | 混凝土体积(万$m^3$) | 温度控制的结构措施 | | | | |
|---|---|---|---|---|---|---|---|---|---|---|---|
| | | | | | | | 横缝间距(m) | 纵缝间距(m) | 切口缝(m) | 层厚(m) | 其他 |
| 布赫塔尔明 | 宽缝重力坝 | 1956～1960 | 3.0 | | 90 | | 13<br>15<br>18<br>20 | 错缝试用通仓 | 无 | 大于1.25m | |
| 布拉茨克 | 宽缝重力坝 | 1958～1965 | -2.6 | -23.8 | 125 | 439.6 | 22 | 13.8 | 河床第一柱缝高19m，挡水坝下游缝深4.5m | 基岩上为0.75m，一般3m | |
| 克拉斯诺雅尔斯克 | 重力坝 | 1961～1970 | -0.4 | -20.2 | 125 | 483 | 15 | 11.5 | | | 某些坝段用钢筋混凝土板连接，下游面及洞口铺钢筋 |
| 托克托古尔 | 重力坝 | 1969～1977 | 8.4 | -14.4 | 215 | 324 | 16～32 | 32～60 | 横缝为32m时，上游留有切口缝 | 0.5～1.0 | |
| 乌斯季依里姆 | 重力坝 | 1969～ | -3.9 | -25.6 | 105 | 420 | 22 | 12 | 基岩以上10～22m高的范围内，设切口缝，分22m坝段为2段 | | |
| 泽雅 | 支墩坝 | 1970～ | -4.1 | -27.5 | 115 | 221.5 | 7<br>15 | 12.5<br>18 | | | |
| 萨扬舒申斯克 | 重力拱坝 | 1972～ | 0.8 | -18.2 | 236 | 940 | 15.8 | 25<br>27 | | 1.5～3m，6～24m，6m块占62.1% | |
| 库尔普沙伊斯克 | 重力坝 | 1978～ | 13.8 | -6.6 | 115 | 100 | 19.5～30 | 30<br>在不平整岩面采用小柱体 | 上下游采用，5m深（在横缝为30m时） | 夏季0.75m<br>其他1.0m | |
| 契尔克 | 拱坝 | ～1976 | 12.3 | | 233 | | | | | | |

**续附表 2**

| 坝名 | 温度控制的工艺措施 | | | | | | |
|---|---|---|---|---|---|---|---|
| | 水泥品种 | 水泥用量($kg/m^3$) | 预冷粗骨料 | 预冷砂 | 水管冷却 | 表面流水冷却 | 保温 |
| 布赫塔尔明 | | 设计要求内部混凝土少于160,外部混凝土少于240 | 不要求 | 不要求 | 不要求 | 不要求 | 保温模板加拆装式暖棚 |
| 布拉茨克 | 设计要求使用水化热小于60kcal/kg的水泥。施工使用:纯硅,7天水化热70~80;矿硅,7天水化热为68。有时水化热高达90~100 | 设计要求内部要少于160,外部要少于240,1961年内部为170~200 | 要求 | 要求 | 要求冷却混凝土278万$m^3$ | 不要求 | 设计要求用保温模板及用木板覆盖宽缝。施工时除用保温模板外,加用暖棚,并使用部分混凝土模板,当外温为-27℃时,新混凝土为2.5℃ |
| 克拉斯诺雅尔斯克 | | 要求内部用量要低,外部要高,低流态,掺ССБ | 要求 | 要求 | 设计要求进行一、二期冷却 | 不要求 | 设计要求冬季用保温模板,一般部位$\beta=0.6\sim0.7$,接触区$\beta=0.4$,并限制间歇期。施工时除用保温模板外,并用暖棚,水平面用锯末,最厚用到1m |
| 托克托古尔 | 使用:1. 纯硅水泥,7天水化热60;2. 火山灰硅酸盐水泥7天水化热45 | 设计要求尽可能低,施工时一般为200~260 | 要求并要求加冰,冷水拌和 | 要求 | 要求进行一、二期冷却,水管间距为1.5m | 要求保证 | 自升式固定暖棚,钢筋混凝土模板 |
| 乌斯季依里姆 | 设计要求低热水泥,施工时用纯硅和矿硅 | 设计要求尽量低,施工时:内部170~180,基础为220~265,外部为240~265,溢流面290~325 | | | 要求进行一、二期冷却,要求一期冷却削减4~8℃ | 夏季要求 | 要求 |
| 泽雅 | | 设计要求溢流面混凝土为450,施工时用400 | | | 间距1.5m×1.5m 1.5m×3m | | |
| 萨扬舒申斯克 | 设计要求低热水泥,施工时使用了纯硅400及矿硅300 | 实际施工:内部为225~240;外部250~280;溢流面420 | | | 一般间距1.5m×1.5m和1.5m×3.0m,高块浇筑时,基础为0.75m×0.75m和1.5m×1m,以上为1.5m×1.5m或1.5m×3m | | |
| 库尔普沙伊斯克 | | | 要求 | 要求 | 要求 | 要求 | 冬季用暖棚 |
| 契尔克 | | | 要求 | 要求 | | | |

**续附表 2**

| 坝 名 | 大坝温度控制标准(℃) | | | | | | |
|---|---|---|---|---|---|---|---|
| | 基础温差 | 上下层温差 | 内外温差 | 浇筑温度 | 最高温度 | 浇筑速度(m/月) | 保温标准 |
| 布赫塔尔明 | | | | | | | |
| 布拉茨克 | 要求:20℃<br>实际:一般 38~44℃,最大 48℃ | | | 设计要求:层高 3m,出机温度为 10~12℃。<br>1960~1962 年平均夏季最热时为 20.5℃,月平均最高 21℃ | 设计要求:层厚 3m,内部 22℃,外部 28.5℃。<br>施工时,1959~1962 年最高 52℃,最低 32℃,平均 48℃,层高 6m 占 34% | 要求:5~6.5℃ | |
| 克拉斯诺雅尔斯克 | 要求:第一层 23℃ | 一般限制在 25℃,当停歇期超过 30 天时,下层温度小于 3~5℃,按接触区对待,以上最高温度可加 3℃ | 中心与表面为 23℃ | 设计出机应为 3~4℃,施工时出机温度为 18~24℃ | 要求:接触区 < 2m, > 0.1L 为 28℃; > 3m 为 28~40℃,每高出 1m 加 3℃ | | 要求:接触区到灌浆时止不低于 0℃,拆模温差 15℃。施工:拆掉暖棚后上铺锯末,覆盖 10~20 天,厚 12~15cm,时间更长时为 18~20cm |
| 托克托古尔 | 设计要求 16~18℃,施工时为 17.5~19.5℃ | | 施工时水平面最大为 11℃ | 设计要求出机温度 75℃,<br>施工时:1969 年夏为 21~23℃,1970 年夏为 20~22℃,个别为 24~25℃ | 设计要求 26℃,施工时 1969 年为 27.4℃,1970 年为 25.7℃ | 要求:5,实际最大达 6~8 | 要求暖棚内气温大于 5℃。施工时 1969/1970 冬为 -1.5~4℃ 最低 -1.8℃:1970/1971 年冬为 3~5℃,最低 -3.5℃ |
| 乌斯季依里姆 | 实际施工时接触区最大曾达 30℃ | | 设计规定:接触区 15℃,自由区 20~25℃ 实际施工曾达 35~40℃ | 设计要求出机温度 10~12℃,并要求最小水泥用量 250kg/m³,实际施工 1969~1976 年 7 月份平均为 18.6℃ | 要求:接触区为 21~25℃,其他逐渐升高到 40~42℃;施工时:接触区达 35~40℃,自由区达 52~59℃ | 要求加以限制 | 要求:浇筑层温度低于 0℃ 的层数少于 25%,冬季要保温 |
| 泽雅 | | | | 施工时 6~8 月份的出机温度为 16~22℃ | | | |
| 萨扬舒申斯克 | 第一层 1.5~3.0m 为:20℃(M250);21℃(M300)。以上每加 1m 增 1.5℃,但最高温度:40℃(M250);< 44℃(M300) | | | 设计出机温度 13~16℃;设计浇筑温度 15~17℃;施工时出机温度 16~12℃ | | | |
| 库尔普沙伊斯克 | | | | 原设计出机温度 15℃,后改为出机温度 20℃,浇筑温度 24℃。实际施工时浇筑温度 21.3℃ | 要求:基础混凝土 26℃,其他区 30℃。施工时:达到 31.8℃ | | |
| 契尔克 | | | | 设计要求出机温度为 10℃ | | | |

**续附表 2**

| 坝　名 | 大坝温度控制标准(℃) | | | 冷却水管总长(km) | 制冷容量(万 kcal/h) | 裂缝情况 |
|---|---|---|---|---|---|---|
| | 允许高差(m) | 水管冷却温差和允许冷却速度 | 灌浆温度 | | | |
| 布赫塔尔明 | | | | | | 在浇筑两侧横缝面上和在与基础接触的混凝土上,都发现了裂缝 |
| 布拉茨克 | 要求:三层(9m) | | 原计划为2℃,后改为:基岩面12~15m高处为(2~4)~10℃:以上为10℃,施工时基本达到 | | | 坝体及电厂共发现裂缝3 544条,其中河床坝段占79%,边坡坝段占16%,厂房占5%。河床坝段上游面有238条裂缝,其中贯穿缝有210条,1965年上游面裂缝渗漏流量为924 L/min |
| 克拉斯诺雅尔斯克 | 要求相邻块温差不大于15℃ | 要求水管温差20℃,施工时放大到25℃ | 设计:基础块5℃,其他为8℃,施工时基本达到 | 干管长5 500m,蛇形管1 300km,平均每立方米混凝土为0.27m | 60 | 裂缝总数1 741条,施工前三年占一半,但混凝土量只占12%,平均每1 000m³混凝土有1.17条裂缝。1 741条裂缝中贯穿缝及深层裂缝占10%,平均缝宽0.35mm,裂缝最大长度30m |
| 托克托古尔 | 一层(0.5~1m) | | 要求:6~8℃基工时基本达到 | | 140 | 经过系统的观测,未发现裂缝 |
| 乌斯季依里姆 | 要求限制 | | 要求:近基础6~8m,为0~4℃,其他区为0~6℃。施工时基本达到 | | 240 | 裂缝总数1 652条,前三年占35%,混凝土量只有16%,混凝土总层数7 977层,有裂缝的1 042层,占13%,前三年裂缝率为0.93条/1 000m³整个施工期约为0.4条/1 000m³。1 652条裂缝中,88%为表面缝,12%~13%为贯穿或深层缝 |
| 泽　雅 | | | | | | 施工前三年检查混凝土49万m³,发现裂缝116条,裂缝长度0.5~6m,宽度0.05~1.3mm,重要裂缝占8%,贯穿缝占4% |
| 萨扬舒申斯克 | | | 设计要求2~7℃ | 冷却水管总长3 900km,平均每立方米混凝土0.46m使用大量塑料管 | | |
| 库尔普沙伊斯克 | | | | | | |
| 契尔克 | | | | | 210+79.2(蒸汽喷射制冷) | |

**附表 3　　苏联几座高坝混凝土材料及配比**

| 坝名 | 坝型 | 水泥品种与水化热(kcal/kg) | | | 水泥用量(kg/m³) | 最大骨料粒径(mm) | | 外加剂 | | 水灰比 | | |
|---|---|---|---|---|---|---|---|---|---|---|---|---|
| | | 品种 | 3天水化热 | 7天水化热 | | 砾石 | 碎石 | 塑化剂 | 加气剂 | 内部 | 基础 | 外部 |
| 布拉茨克 | 宽缝重力坝 | 纯熟料<br>БГС-А<br>420～600 kg/cm² | | ＜60 | 内部 160<br>外部与基础<br>230～280 | 100 | 100 | ССБ | СНВ | 0.8 | 0.55 | 0.5 |
| | | 矿渣硅酸盐<br>ВГС-В<br>kg/cm² | | ＜60 | | | | | | | | |
| 克拉斯诺雅尔斯克 | 重力坝 | 纯硅 500 | | | 内部矿硅<br>230～240，<br>基础矿硅<br>240～250，<br>纯硅 230，<br>溢流面<br>纯硅<br>290～370 | 80 | 80 | ССБ | | 0.55～0.53 | 0.57～0.52 | 0.39～0.41（溢流面） |
| | | 纯硅 400 | | | | | | | | | | |
| | | 矿硅 400 | | | | | | | | | | |
| 托克托古尔 | 重力坝 | 火山灰硅酸盐(ТППЦ) | 40 | 45 | 200～260 | | | ССБ | | | 0.38～0.46 | |
| | | 纯硅(тгц) | 50 | 60 | | | | | | | | |
| 乌斯季依里姆 | 重力坝 | 纯硅 | | | 内部<br>170～180<br>基础<br>220～265<br>外部<br>240～265<br>溢流面<br>290～325 | | 100 | | | 0.78 | 0.55～0.59 | 0.54～0.55 |
| | | 矿硅 | | | | | | | | | | |
| 泽雅 | 支墩坝 | | | | （溢流面）<br>400 | （溢流面）<br>40 | （溢流面）<br>40 | ГКЖ-94 | | | | |
| 萨扬舒申斯克 | 重力拱坝 | 硅酸盐 400 | | | 内部<br>225～240<br>外部<br>250～280<br>溢流面 240 | 一般 120<br>溢流面 40 | | СДБ | | 0.55～0.56 | | 0.4～0.5 |
| | | 矿硅 300 | | | | | | | | | | |
| 库尔普沙伊斯克 | 重力坝 | | | | | | | | | | | |

## 参 考 文 献


[1] Л.Б.Шейнман, Гидроэлектростанции в районе Вайколо－Аму рской магистрали, Издательство《Энергия》, 1980

[2] 苏联部长会议国家建设委员会. 混凝土和钢筋混凝土坝设计规范（СНиПⅡ—54—77). 长江流域规划办公室技术情报科译. 北京：水利出版社，1980

[3] 苏联部长会议国家建设委员会. 水土建筑物混凝土及钢筋混凝土结构设计规范（СН55—59）. 北京：中国工业出版社，1961

[4] 苏联部长会议国家建设委员会. 混凝土及钢筋混凝土结构设计计算标准及技术规范（НиТУ123—55). 北京：中国工业出版社，1962

[5] 苏联部长会议国家建设委员会. 现浇混凝土及钢筋混凝土结构施工及验收规范（СНиПⅢ—15—76). 项玉璞译 .1981

[6] 苏联部长会议国家建设委员会. 岩基上混凝土重力坝设计规范（СН123—60）. 武汉水利电力学院水工结构教研室译. 北京：中国工业出版社，1964

[7] С. А. Фрид, Д.П. Левених, Температурные воздействия на гид-ротехнические сооружения в условиях севера, Стройиздат.1978

[8] 朱伯芳，王同生，丁宝瑛，郭之章. 水工混凝土结构的温度应力与温度控制. 北京：水利电力出版社，1978

[9] Қаркун Л. М, Шайкин Б.В, Назначение мероприятий по регулированию температурного режима массивных блоков бетонных пдотин, возводимых в Сибири, Гидро, стр, 1978

[10] Гаркун Л.М., Епифанов А.П., Силъницкий В.И., Щайкин Б.В., Технология возведения высоких бетонных плотин в суровых климатнческих условиях и трешинообразование при их зимнем бетонированин, Гидро.стр.1975

[11] 丁宝瑛. 水工大体积混凝土温度应力及温度控制的几个特殊问题. 水利水电科学院结构材料所，1981.4

[12] С.Я.Эидельман, Натурные исследования бетонной плотины Братской ГЭС, Издательство “Энергия”, 1975

[13] Л.А.Толкачев, В.Б.Судаков, Токтогулъский метод бетонирования массивных сооружений, Изда.《Эиергия》, 1973

[14] А. Е. Бочкин, Ю.А.Григоръев, Е.А.Долгинин, Ю.Е.Апомонов, Ветонные работы на стоителъстве Красноярской ГЭС имени50－летия СССР, Москва.Стройиздат.1977

[15] С.Я.Эйделъман, Б.Н.Дурчева, Бетонная плотина, Устъ－Илим－ской ГЭС, Москва,《Энергия》1981

[16] Б. С. Щангин, В.П.Шкарин, Регулирование температурного режима бетона плотины, Энер.стр.1980, 10

[17] Л.П.Михайлов, М.Ф.Складнев, Ю.А.Григоръев.Л.Қ.Доманский, А.И.Ефименко, М.Г.Александров, Научно-технические проблемы создания Саяно－Шущенской ГЭС, Гпдро.стр.1972.2

[18] Я.Р.Бессер, Методы зимнего бетонирования, Москва, Стройиздат.1976

[19] А.П.Епифанов, И.А.Петрова, О требованиях к температурному режиму массивных блоков столбчатой разрезки, укладываемых на бетонное основание различного возраста, Гидро.стр.№.8.1967

[20] Қайданов Г. Л., Фомин Б.Г., Цементапия строителъных швов плотниы Устъ－Илимской ГЭС, Гидро. стр.1975.3

[21] Фомин В.Г., Қайданов Г.Л., Мелъников А. Г., Раскрытие строителъных швов бетонной плотины УстъИлимской ГЭС от температурного изгиба столбов, Гидро.стр.1975.8

[22] В.М.Москвин, М.М.Қалкин, Б.М.Мазур, Температурные деформации бетонов при отрицателъных температурах, Гидро. стр.1964.6

[23] Шайкин Б.В, Иванилова Т.Н., Фплътрация через бетон напорной грани плотины Устъ－Илимской ГЭС, Гилро, стр.1978.3

[24] Шайкин Б.В., Иекоторые резулътаты иаблюдений за термическим трещинообразованием в бетоне Устъ－Илимской плотины, Гидро, стр.1978.№1

[25] В.И.Зубков, М.Д.Мирзаев, И.А. Зинченко, Укладка бетона в открытые блоки зимой на опытном пол-

игоне Саяно－Шушенской ГЭС, Энер. стр.1981.6

[26] А.П.Епифанов, В.И.Сильнипкий, В.В.Василевский, Уменьшение объемов временной теплоизоляции полостей плотины Зейской ГЭС, Энер. стр.1981.6

[27] С.А.Фрид, Основные принципы обеспечения трешиноустойчивости массивных бетонных плотин в условиях Сибири, Гидро.стр. №1.1964

[28] Гинзбург Ц. Г., Судаков В.Б., Литвинова Р.Е., Основные мероприятия по обеспечению морозостойкости гидротехнического бетона, Гидро.стр.№8, 1975

[29] Л.И.Кудояров, Возведение новых типов бетонных пдотин в северных усдовиях, Энер.стр.1980.1

[30] А.В.Днепровский, В.Б. Фрейдман, Применеиие прогрессивных типов опалубки при возведении поверхностного волосброса пдотины Зейской ГЭС, Энер. стр.1980.3

[31] А.И. Ефименко, С.И. Садовский Организация строитедъства Саяно—Шушенской ГЭС, Энер. стр.1981.7

[32] В.Л. Куперман, С.И. Садовский, К. К. Кузъмин, А.И. Городничев, Н.А. Зинченко, Комплексная механизация бетонных работ, Энер. стр.1981.7

[33] В.Л. Куперман, К. К. Кузьмин, В.В. Фадин, И. И.Руденко, Л. И. Маркин, В.Л.Павлов, В. П. Шкарин А. Л. Крайцер, Возведение плотины Саяно－Шушенской ГЭС высокими бдоками, Энер. стр.1981.7

[34] С. И. Садовский К. К. Кузъмин, И.А. Зинченко, Производство бетонных работ в зимнее время, Энер. стр.1981.7

[35] А. Л. Крайцер, В.С. Лахтин, Б. В. Фадин, А. Н. Городничев, В. П .Середин, Самоподъемный шатер для зимнего бетонирования, Энер. стр.1981.7

[36] В. П. Шкарин В.В.Жеброва, Н.А. Зинченко, В. Л.Павлов, С.Н. Старшинов, Применение полиэтиленовых труб для охлаждения бетонной кладки плотины, Энер. стр.1981.7

[37] Л. М.Дерюгин, Н. А. Зинченко, А. С.Моисеенко, Качество бе－тона плотины Саяно－Шушенской ГЭС, Энер. стр.1981.7

[38] А. П . Епифанов, В. Б.Иделъсон, С.Н. Старшинов, О допусти－мой разнице высот соседних столбов секций бетонной плотины с цементируемыми швами, Энер. стр.1981.8

[39] Л. М. Гаркун, А.П. Епифанов, В. И.Силъницкий, Б. В. Шайкин Термическое трешинообразование в бетонных блоках Красноярской, Усть－Илимской и Зейслой плотин, Изв, ВНИИГ, том.107.1975

[40] В.Н.Дурчева, Изменение деформативных характеристик гидротехнического бетона прн отрицательной температуре. Изв. ВНИ－ИГ, том.100.1972

[41] Э.С.Аргал, В. М.Ермошин, Н.Н.Журкина, В. М. Королев, Цементация температурно－усадочных швов плотины Андижанского водохранилиша, Гидро. стр.1978.6

[42] А.Д.Осипов, И. Е. Пухов, Об определении модуля упругости гидротехнического бетона, Гидро. стр.1978.6

[43] В. А. Ашихмен, К.П. Кудрин, Способы прогрева бетона плотины Зейской ГЭС для цементации швов, Гидро. стр.1978.8

[44] Н. А.Зинченко, С.И. Садовский, Совершенствование организации бетонных работ на строительстве Саяно－Шушенской ГЭС, Гидро. стр.1979.2

[45] Л.М. Гаркун, Регулирование термонапряженного состояния массивого бетона наружного зоны плотины Гидро.стр.1979.6

[46] В. И. Вронштейн, И. Е.Ломов, А. Я.Менабде, Г. В.Рубинштейн, Арочная плотина Ингурской ГЭС, Гидро. стр.1979.12

[47] В. В. Синев, Производство бетонных работ на строительстве Курпсайской ГЭС, Энер. стр.1980.10

[48] А. Ф.Зеленин, Бетон Курпсайской ГЭС, Энер. стр.1980.10

[49] В. С. Шангин, В. П. Шкарин, Регулирование температурного режима бетона плотины, Энер. стр.1980.10

[50] Л.И.Абрамов, Температурные режимы доброкачественного омоноличивания межстолбчатых швов в зимнее время, Гидро. стр.1976.1

[51] 涂逢祥. 欧美国家混凝土冷天施工. 北京：中国建筑工业出版社，1980
[52] 水电部科学技术情报研究所. 大坝混凝土施工（国外部分），1979.12
[53] Л.И.Васильев，В. В. Влинков. 关于注块分段及防止温度裂缝的建议. 水电科学院材料室热工组译，1957.5. 北京

# 德沃夏克坝和利贝坝采取的大体积混凝土裂缝控制措施

D.L.Houghton 著 傅振邦 译

美国西北的德沃夏克(Dworshak)坝和利贝(Libby)坝,由美国陆军工程师团承建。这两座坝都是直轴混凝土重力坝。

德沃夏克坝位于爱德华州(Idaho)奥洛芬罗(Orofino)附近的北汉清水河(North Fork Clearwater River),最大坝高219m,底部最大宽度超过152m。该坝混凝土浇筑方量约为5 250 000m$^3$。

依照美国和加拿大于1946年9月签署的两国合作、共同开发哥伦比亚河流域(Columbia River Basin)水资源的条约,利贝坝将建在蒙大拿州(Montana)利贝(Libby)附近的库特莱河(Kootenai River)上。利贝坝的最大坝高为128m,底部最大坝宽超过91m,混凝土方量约为2 750 000m$^3$。

对这种大体积混凝土坝,必须控制其体积变化,以防止严重开裂现象产生。最可能因体积变化导致潜在裂缝的地方,是那些浇筑在基础或老混凝土上的浇筑层,因为基础或老混凝土的强大刚性,会约束新浇筑混凝土的空间变形。对混凝土收缩或干缩的约束将导致产生张拉应力的产生,当这种拉应力大于混凝土的抗拉强度时,便会产生裂缝。刚性平面对浇筑在它上面的混凝土的约束效应,随着离该约束面的高度增加而降低。因此,在离基础面越高处浇筑混凝土,则相应的控制混凝土体积变化的任务也就越轻。坝体随高度增加约束减小的效应,已在德沃夏克坝的设计过程中进行了研究,本文后续章节将对此展开讨论。

控制混凝土体积变化,以及防止大体积混凝土坝中产生平行于坝轴线潜在裂缝的一种常用方法,是通过设置平行于坝轴线的施工缝,将较大的底部坝块分为几个较小的浇筑块。单个浇筑块内的混凝土从而可被后冷却至或低于预先算出的构筑物混凝土最终最小温度。为保持大坝的整体性能,这些浇筑块之间的施工缝要进行接缝灌浆。采用这种方法,在要求混凝土温度相对较快降低的施工期间,必须进行冷却和接缝灌浆。这种方法的严重缺点是:额外的立模与灌浆工程增加了建设成本;用灰浆填充纵向裂缝,是否能使各个浇筑块获得真正的整体性能还是一个问题;为在施工期间完成接缝灌浆而进行的快速冷却,常常存在诱发混凝土中产生裂缝的风险。

德沃夏克坝和利贝坝都将以不设平行于坝轴线的施工缝的方式(通仓浇筑)建成。本文将介绍设计阶段所作的一些研究,这些研究的目的是确定控制混凝土体积变化、从而降低严重开裂风险的措施,以及确定这两座坝在施工中所应采取的各种方法与规程。

## 1 总体特性

### 1.1 大坝

德沃夏克坝与利贝坝建成后的面貌设想图以及这两座坝的典型断面图均从图略。

### 1.2 强度要求与混凝土原材料

德沃夏克坝不同高程的混凝土设计抗压强度见表1。

进行设计研究时所使用的,以及目前正在德沃夏克坝施工中使用的骨料,是由该工程的片麻状花岗岩料场生产的。

利贝坝大体积混凝土负载时的设计抗压强度为175kg/cm$^2$。设计研究和大坝施工时所使用的骨料,从河流沉积砂砾阶地获取。这些砂砾是由冰川运动输移到该区域的。骨料非常光圆,其主组分是石英岩，并含少量的泥质板岩、石灰岩和花岗岩。

这两个工程在设计和施工阶段所用的混凝土，都使用了符合美国联邦规范 SS－C－192g 的Ⅱ类水泥，该规范对水泥 7 天最大水化热作了规定。

设计阶段曾使用过几种符合工程师团 N 类和 F 类规范 CRD－C262 的混合材，但在施工阶段，这两个工程正在使用的都是伊利诺斯州芝加哥市生产的粉煤灰 F 类混合材。以绝对体积计，混合材对波特兰水泥的替代率是 25%～35%。

**表 1　德沃夏克坝不同高程的混凝土设计抗压强度**

| 高程 | 加载时的抗压强度 | |
|---|---|---|
| | Psi | $kg/cm^2$ |
| 基础部分为 292～305m | 3 000 | 210 |
| 305～335m | 2 200 | 155 |
| 335～381m | 1 500 | 105 |
| 381～492m | 1 200 | 85 |

# 2　设计研究

## 2.1　混凝土配合比

表 2 给出了这两个工程在设计勘察和初期施工中使用的典型混凝土配合比。

**表 2　典型混凝土配合比**

| 坝名 | 配合比序号 | 波特兰水泥 ($kg/m^3$) | 混合材 | | $\frac{W}{C+P}$ | 砂率 (%) | 含气量 (%) | 坍落度 (cm) |
|---|---|---|---|---|---|---|---|---|
| | | | 材料 | $kg/m^3$ | | | | |
| 德沃夏克坝 | A－1 | 181 | 无 | 0 | 0.56 | 21.0 | 5.8 | 4.5 |
| | A－2 | 127 | 钙质页岩 | 44 | 0.59 | 21.0 | 6.2 | 5 |
| | E－9 | 127 | 粉煤灰 | 43 | 0.56 | 21.0 | 6.1 | 5 |
| | B－1 | 127 | 粉煤灰 | 43 | 0.57 | 21.5 | 6.2 | 5 |
| | A－5 | 107 | 钙质页岩 | 37 | 0.68 | 22.5 | 6.2 | 6.25 |
| | A－8 | 98 | 钙质页岩 | 34 | 0.80 | 23.0 | 6.0 | 6.25 |
| 利贝坝 | 2 | 126 | 无 | 0 | 0.66 | 22.0 | 6.1 | 3.75 |
| | 6 | 117 | 粉煤灰 | 40 | 0.53 | 21.0 | 6.0 | 3.75 |
| | 1 | 88 | 粉煤灰 | 30 | 0.68 | 22.0 | 5.8 | 3.75 |
| | 8 | 82 | 粉煤灰 | 28 | 0.74 | 22.0 | 5.7 | 5 |

注：(1)所用配合比均使用最大粒径为 152mm 的骨料；

(2)水胶比以净拌和用水除以水泥与混合材的和(以质量计算)计；

(3)砂率基于绝对体积法计算配合比；

(4)含气量、坍落度所作试验是对 38mm 粒径组合混凝土粒径组合。

### 2.1.1　各种配合比混凝土的物理性能

表 3 和表 4 给出了设计研究中所使用的各种配合比混凝土的抗压强度，静力弹性模量与热学性能。

**表 3　强度与弹性模量**

| 坝名 | 配合比序号 | 抗压强度($kg/cm^2$) | | | | 静力弹性模量($kg/cm^2 \times 10^3$) | | | |
|---|---|---|---|---|---|---|---|---|---|
| | | 7d | 28d | 90d | 180d | 7d | 28d | 90d | 180d |
| 德沃夏克坝 | A－1 | 110 | 190 | 225 | 280 | | 219 | | 264 |
| | A－2 | 75 | 160 | 255 | 280 | 120 | 208 | | 256 |
| | E－9 | 80 | 145 | 230 | | 151 | 205 | 264 | |
| | B－1 | 90 | 140 | 240 | 280 | | | 211 | 245 |
| | A－5 | 45 | 105 | 185 | 205 | | 180 | 259 | 280 |
| | A－8 | | 85 | 140 | | | 126 | 177 | |

**续表 3**

| 坝名 | 配合比序号 | 抗压强度(kg/cm²) | | | | 静力弹性模量(kg/cm²×10³) | | | |
|---|---|---|---|---|---|---|---|---|---|
| | | 7d | 28d | 90d | 180d | 7d | 28d | 90d | 180d |
| 利贝坝 | 2 | 80 | 130 | 175 | 190 | | | 283 | 279 |
| | 6 | 90 | 160 | 255 | 295 | | | 318 | 321 |
| | 1 | 60 | 115 | 180 | 215 | | | 280 | 302 |
| | 8 | 45 | 80 | 145 | 170 | | | 267 | 291 |

注:试验试件是 15cm×30cm 圆柱体,它是从 38mm 粒径组合获取。

**表 4　　热学性能**

| 坝名 | 配合比序号 | 绝热温升(℃) | | 线膨胀系数(1/℃) | 导热系数[kg·cal/(m·h·℃)] | 比热[cal/(g·℃)] | 导温系数($m^2$/h) |
|---|---|---|---|---|---|---|---|
| | | 28d | 90d | | | | |
| 德沃夏克坝 | A-1 | 27 | | 9.4 | | 0.22 | |
| | A-2 | 23 | | 9.9 | 2.00 | 0.22 | 0.003 7 |
| | E-9 | 23 | 28 | | 1.94 | | 0.003 5 |
| | A-5 | 20 | | 0 | 1.79 | 0.22 | 0.003 4 |
| 利贝坝 | 1 | 16 | | 10.4 | 3.31 | 0.22 | 0.006 2 |

### 2.1.2　混凝土内部预计温度

在德沃夏克坝和利贝坝的设计研究中,使用考虑二维热流的可算化藕合(Binder)法,对这两个工程的混凝土内部温度进行了演算。这种计算方法采自 D.M.Dusinberr 的《瞬变热流的数字化方法》。表 5 给出了德沃夏克坝和利贝坝在夏季施工中,进行后冷却和不进行后冷却的情形下,内部大体积混凝土的最高温度。研究中使用了表 4 列出的混凝土配合比。

德沃夏克地区的年平均温度为 10℃,预计德沃夏克坝最终稳定温度范围为 4.4~10℃。基于以上数据,计算出坝体最大温降范围是 28℃(无后期冷却)到 17℃(进行后期冷却)。

利贝地区的年平均温度是 7.2℃,预计利贝坝上游坝最终稳定温度范围是从上游坝踵的 4.4℃到下游坝趾的 7.2℃。根据这些温度数据,可算出坝体最大温降范围为 22℃(无后期冷却)到 18℃(无后期冷却)。

**表 5　　预计最大内部混凝土温度**

| 坝名 | 配合比序号 | 浇筑层厚(m) | 外界平均温度(℃) | 冷却水管间距(m) | 最大内部温度(℃) | |
|---|---|---|---|---|---|---|
| | | | | | 无水管冷却 | 有水管冷却 |
| 德沃夏克坝 | A-2 | 1.5 | 24 | 1.5 | 33 | 21 |
| 利贝坝 | 1 | 2.3 | 27 | 2.3 | 27 | 22 |

注:混凝土浇筑温度为 7.2℃(泽者注:一般认为,此温度相当于我国的人仓温度)。以 15L/min 循环的冷却水平均温度为 10℃;浇筑时的层间间歇,德沃夏克坝是 4 天,利贝坝是 7 天。

### 2.1.3　混凝土表面附近预计温度梯度

表 6 给出了大气温度骤降时,德沃夏克坝和利贝坝非绝热混凝土表面附近的预计温度梯度,表 7 则给出了绝热混凝土的预计温度梯度。

表 6 的数据表明大气温度骤降时,非绝热混凝土的表面或其表面附近将发生较大的温降。大气

温度骤降22~31℃时,混凝土表面7.5cm深的范围内温降达13~20℃。表7中的数据表明,用导热系数为1.21~2.42kg·cal/(m²·h·℃)的绝热材料覆盖外露的混凝土表面,在4~18天内大气温度降低18~22℃的情况下,混凝土表面温降为1.1~5.6℃。

**表6 气温骤降时非绝热混凝土的预计表面温度梯度**

| 坝名 | 离表面的深度(cm) | 混凝土初始温度(℃) | 外部气温温降(℃) | 混凝土温降(℃) |
|---|---|---|---|---|
| 德沃夏克坝 | 7.6 | 16 | 22 | 13 |
| | 30 | 16 | 22 | 5.0 |
| | 60 | 16 | 22 | 1.1 |
| 利贝坝 | 7.6 | 28 | 31 | 20 |
| | 30 | 26 | 31 | 8.9 |
| | 60 | 24 | 31 | 2.8 |

注:对德沃夏克坝,气温降低与观测期发生在24小时之内;对利贝坝,此时段为12小时。所作分析基于德沃夏克A-2型混凝土配合比与利贝1型混凝土配合比。

**表7 气温骤降时绝热混凝土的预计表面温度梯度**

| 坝名 | 绝热导热系数[kg·cal/(m²·h·℃)] | 离表面的深度(cm) | 混凝土初始温度(℃) | 外部气温温降(℃) | 混凝土温降(℃) |
|---|---|---|---|---|---|
| 德沃夏克坝 | 2.42 | 0(表面) | 16 | 22 | 5.5 |
| | | 30 | 16 | 22 | 2.8 |
| | | 60 | 16 | 22 | 1.1 |
| | 1.21 | 0(表面) | 16 | 22 | 1.1 |
| | | 30 | 16 | 22 | 0.6 |
| | | 60 | 16 | 22 | 0 |
| 利贝坝 | 2.42 | 0(表面) | 14 | 18 | 5.5 |
| | 1.21 | 0(表面) | 14 | 18 | 3.3 |

注:对德沃夏克坝,所作预计基于4天观测期,气温下降发生在头24小时内。对利贝坝,则基于气温降低和观测都发生在18天内。计算分析所用的配合比是德沃夏克A-2型和利贝1型。

### 2.1.4 自生体积变化

自生体积变化是指由自身内部原因引起混凝土体积变化,而不是由温度差别、湿度变化、外加荷载或其他外部因素导致。对与德沃夏克坝设计有关的混凝土自生体积变化的研究,已在另外的论文中作了描述。该论文描述了不同混合材种类与水泥含量对混凝土自生体积变化的显著效应,表8和表9给出了其简要总结。

**表8 混合材对混凝土自生体积变化的效应**

| 坝名 | 配合比序号 | 混合材 | | 给定养护期后的自生体积变化(以单位长度的变化计) | | | | |
|---|---|---|---|---|---|---|---|---|
| | | (%) | 材料 | 3个月 | 6个月 | 12个月 | 24个月 | 36个月 |
| 德沃夏克坝 | B-7 | 30 | 火山尘埃 | -35 | -60 | -95 | -120 | -150 |
| | A-2 | 30 | 钙质页岩 | -25 | -35 | -60 | -75 | -85 |
| | A-1 | 0 | 无 | -15 | -20 | -25 | -30 | -35 |
| | B-1 | 30 | 粉煤灰 | +5 | 0 | -5 | -20 | -25 |
| 利贝坝 | 1 | 30 | 粉煤灰 | +18 | +18 | — | — | — |

注:(1)自生体积变化的度量,是以平行于23cm×46cm圆柱体试件竖直轴的单位长度变化值计的。负值表示收缩,正值表示膨胀。

(2)混合材料以占混凝土中全部胶凝材料(波特兰水泥加混合材)的绝对体积的百分比计。

(3)配合比B-7与A-2具有相同的水泥含量。B-7的$W/(C+P)$值是0.61,A-2的是0.59。

表 9 水泥含量对混凝土自生体积变化的效应

| 坝名 | 配合比序号 | 波特兰水泥 (kg/m³) | 混合材 | | | 自生体积变化 | |
|---|---|---|---|---|---|---|---|
| | | | kg/m³ | % | 材料 | 6 个月 | 36 个月 |
| 德沃夏克坝 | B-7 | 127 | 44 | 30 | 火山尘埃 | -60 | -150 |
| | A-2 | 127 | 44 | 30 | 钙质页岩 | -35 | -85 |
| | A-5 | 107 | 37 | 30 | 钙质页岩 | -26 | -57 |
| | A-8 | 98 | 34 | 30 | 钙质页岩 | +15 | -15 |
| 利贝坝 | 1 | 88 | 30 | 30 | 粉煤灰 | +18 | — |

注：自生体积变化的度量，是以平行于 23cm×46cm 圆柱体试件竖直轴的单位长度变化值计的。负值表示收缩，正值表示膨胀。

如表 8 和表 9 所示，混凝土中所用的混合材材料与全部胶凝材料都影响混凝土的自生收缩特性。含有粉煤灰混合材的混凝土，只含波特兰水泥而不掺混合材的混凝土，以及那些胶凝材料（水泥加混合材）含量低的混凝土表现出较低的自生收缩。

## 2.2 应力应变与徐变特性

表 10 和表 11 列出了德沃夏克坝混凝土的应力、应变及徐变特性。应力与应变数据是通过在非加筋梁上进行快速和慢速加载试验而得到的，徐变数据则是通过在密封圆柱体试件上进行压缩试验得到的。从这些报告抽取的总结数据列于表 10。

表 10 快速加载与慢速加载下混凝土的单位拉应变、拉应力

| 坝名 | 试件尺寸 (cm) | 加载方式 | 试验时的龄期 (d) | 单位拉应变 ($\times10^{-6}$) | 拉应力 (Pa) |
|---|---|---|---|---|---|
| 德沃夏克坝 | 15×15×53 | 快速 | 7 | 100 | 190 |
| | | | 28 | 140 | 310 |
| | | | 90 | 150 | 430 |
| | | | 180 | 160 | 470 |
| | 30×30×106 | 快速 | 73～116 | 100～120 | 320～400 |
| | 30×30×106 | 慢速 | 7～73 | 260 | 250 |
| | | | 7～116 | 240 | 400 |
| 利贝坝 | 15×15×53 | 快速 | 90 | — | 320～440 |
| | | | 180 | — | 330～480 |

注：(1)所谓快速加载，是指试件最大缘应力每分钟为 1～2.8kg/cm²，慢速加载则为每周 1.8kg/cm²。梁柱在 45cm 和 90cm 的单跨上加载，荷载加于三分点处。通过拉伸试验对棱柱体进行张拉测试。

(2)小梁柱和棱柱体是最大粒径为 38mm 的粒级组合混凝土，大梁柱和棱柱体是最大粒径为 76mm 的粒级组合混凝土。

表 11 德沃夏克坝混凝土的特定徐变

| 测定单位 | 加载时的龄期 (d) | 特定徐变 $10^{-6}$/Pa | 特定徐变 $10^{-6}$/(kg/cm²) |
|---|---|---|---|
| 陆军工程师团水道试验站 | 1 | 0.68 | 9.7 |
| | 3 | 0.58 | 8.2 |
| | 7 | 0.48 | 6.8 |
| | 28 | 0.32 | 4.6 |
| | 90 | 0.14 | 2.0 |
| 加利福尼亚大学 | 28 | 0.30 | 4.2 |
| | 90 | 0.20 | 2.8 |

注：(1)试验所用试件是 15cm×45cm 的 38mm 粒径组合混凝土圆柱体。试验所用的配合比型号 A-2 是混凝土设计的基础。

(2)此徐变值是加载 1 年时的值。

表 10 中还包含了一些抗拉强度数据，这些数据是对从利贝坝混凝土获取的小棱柱体试件进行拉伸试验得到的。

表 10 的数据表明，被快速加载的混凝土接近破坏时，其最终应变值的范围，是从早期混凝土（7 天龄期）的约0.000 1到晚期混凝土（180 天龄期）的约0.000 15。对慢速加载混凝土，因其徐变可资利用，故能够承受的应变值将近是快速加载混凝土的 2 倍。早期混凝土（7 天龄期）的拉应力约 14.1kg/cm²，晚期混凝土（龄期为 4 个月

或6个月)承受的拉应力为28.2kg/cm$^2$ 或更大。与应变承受能力不同,慢速加载不能提高混凝土的最终应力承受能力。

### 2.3 基础约束

在德沃夏克坝的设计阶段,应用有限元分析法,对基础约束随着距离基础高度的增加而减小的现象进行了研究,这种现象可由热诱导拉应力的减小得到证明。表12总结了这个研究成果。

表12 德沃夏克坝基础约束随坝高增加而减小的效应

| 大坝离基础的高度 | | 占全部潜在热诱导应力的百分比(%) | | |
|---|---|---|---|---|
| 高度(m) | 与坝底宽度的比(%) | 坝踵以上部位 | 坝中部以上 | 坝趾以上部位 |
| 0 | 0 | 100 | 100 | 100 |
| 7.6 | 5 | 45 | 90 | 40 |
| 15 | 10 | 25 | 80 | 30 |
| 23 | 15 | 15 | 60 | 25 |
| 30 | 20 | 10 | 50 | 20 |
| 46 | 30 | 5 | 20 | 10 |
| 60 | 40 | 0 | 5 | 5 |

注:假定基础部位为全约束。

如表12中的数据所示,随着大坝高度的增加,基础约束迅速降低,但在坝高达到0.4倍大坝底宽后,此效应就不太明显了。

### 2.4 纵向施工缝

研究了德沃夏克坝设置纵向施工缝,对实施温控的混凝土中应力发展减小的效应。其研究成果概要总结于表13中。

表13中的数据表明,在德沃夏克坝,缩短后冷却浇筑块的长度时,热诱导张拉应力不会显著降低。通过设置几条平行于坝轴线的施工缝,可使坝底长度减小,这些纵缝在混凝土冷却后要进行灌浆。

表13 德沃夏克坝浇筑块长度对诱导拉应力的效应

| 浇筑块长度(m) | 热诱导应力与混凝土抗拉强度的比值(%) | | |
|---|---|---|---|
| | 第1层 | 第2层 | 第3层 |
| 180 | 40 | 30 | 30 |
| 120 | 35 | 25 | 25 |
| 60 | 30 | 20 | 20 |
| 15 | 25 | 15 | 15 |
| 0 | 0 | 0 | 0 |

注:此表系对经预冷却和后冷却的混凝土(见表5)进行的分析

### 2.5 施工方法

还研究了影响大体积混凝土内部温度演变、体积变化及应力发展的其他因素,它们是:

(1)浇筑层厚。

(2)层间间歇。

(3)混凝土浇筑温度。

(4)冷却水管间距。

(5)埋设水管中的冷却水水温。

(6)冷却水管周围的应力发展。

温度研究显示,夏季高温期浇筑大体积混凝土时,若浇筑层厚由1.4m增加到2.5m,混凝土内部最高温度会因此而上升1.1~3.3℃。进行后冷却的混凝土受浇筑层厚度的影响比不进行后冷却的混凝土所受影响小。对经过预冷和后冷的混凝土,浇筑层之间的浇筑间歇由 4 天增加到 14 天时,混凝土内部温度峰值仅增加 0.6～1.1℃。混凝土浇筑温度从 7.2℃ 提高到 12.7℃,其内部最高温度大约增加 2.8℃。将冷却水管间距由 2.5m 降低到 1.4m 时,混凝土内部最高温度减小 3.9℃,冷却期间的温降则上升到 2.8℃。预埋水管中的循环冷却水水温从 50℉ 降到 35℉,混凝土内部最高温度减小 4.4℃,冷却期间的温降增加 1.7℃。

其他研究表明,对经预冷和后冷的混凝土,在已硬化的老混凝土浇筑层上浇筑新混凝土时,会在两者之间的水平施工缝顶部产生导致拉应力发展的温度梯度。浇筑新混凝土时,紧邻其下的老浇筑层施工缝既被注于其上的温度较低的新混凝土冷却,又被放置在层间接缝上的冷却水管冷却。所注混凝土与冷却水管中冷却水的温度,冷却水管间距以及层间浇筑间歇期,都对层间施工缝外的温度梯度和应力发展有重大影响。

# 3 设计研究成果的应用

## 3.1 混凝土内部温度

表 3、表 4、表 5、表 10、表 11 中的数据被用于建立大体积混凝土温控的安全界限。例如,利用表 4 给出的混凝土线膨胀系数,可计算出德沃夏克坝和利贝坝混凝土,在温度变化 5.6℃ 时,会有 $55\times10^{-6}\sim60\times10^{-6}$ 的长度变化率。这表明混凝土温度剧变上述量值时,没有时间产生显著的徐变,早期混凝土具有大小约为 $2\times10^{6}$Pa 的静力(瞬时)弹性模量“$E$”,并且处于完全约束状态,大小约为 120Pa 的热诱导拉应力便会产生。弹性模量较大的晚期混凝土,随着弹性模量的增加,其内部应力也相应线性增加。在特定徐变为 $0.30\times10^{-6}$/Pa(见表 11)时,大小为 $2\times10^{6}$Pa 的瞬时弹模将减小到 $1.3\times10^{6}$ 的持续值,温度每降低 5.6℃ 时所发展的热诱导拉应力,将从大约 120Pa 降至 80Pa。参考表 10 可知,这些计算表明,可安全承受 5.6～8.3℃ 的温度剧降,温度缓变即使高达 22℃ 也在安全承受范围内。

表 12 显示,基础约束随着大坝离基础高度的增加而迅速减小。从而可知,没有必要对大坝的整个高度都规定温度限值和控制体积变形。此外,表 13 表明,只要精心控制混凝土温度,采取设置平行与坝轴线的施工缝,将坝块分成几个柱块,以减小坝块底部宽度的措施并不显著降低热诱导拉应力。

冷却水管间距的布置,以及冷却水温度与浇筑温度的选取,必须保证混凝土内部最高温度低于安全限值,同时应避免在埋设水管部位产生温度剧降和高温度梯度发展现象。如果可行,根据混凝土浇筑层厚确定水管间距是颇为理想的。尤其要注意的是,不要使冷却水温度和混凝土浇筑温度太接近冰点,以致冷却系统被“冻结”。

## 3.2 混凝土表面温度

表 6 中的数据表明,表面未经绝热的混凝土遇到气温骤降时,其温度梯度如何发展。混凝土暴露表面的热收缩受到内部温度较高混凝土的约束,拉应力便由此而发展。表 7 中的数据表明,在混凝土暴露表面铺设绝热物质,可有效减小温度梯度,使之降低到消除内部混凝土产生热诱导裂缝风险的范围。

## 3.3 自生体积变化

混凝土同时发生的自生收缩和热收缩会相互叠加。因此,所叠加的体积减小如果受到约束,就会导致大于单因素引起的拉应力产生。表 8 和表 9 中的数据表明,自生收缩可导致相当大的体积变化,但若正确设计混凝土配合比,也可把它控制在安全范围内。设计混凝土时,使用混合材和调节水泥含量是控制自生收缩的主要手段。

# 4 配合比设计、采用的规程和施工方法

## 4.1 混凝土材料

德沃夏克坝在下部较低高程处要求有较高的抗压强度(210kg/cm²)。这个强度要求,再加上使

用人工骨料,使得该坝混凝土使用的水泥含量较高。为了降低混凝土发热量和潜在的自生收缩,在混凝土中使用了粉煤灰混合材替代30%~35%的波特兰水泥(以绝对体积计)。上述强度要求适用于大坝大约中部以下的混凝土。对中部以上的混凝土,强度要求降低,水泥要求也就随之降低,相应地,潜在自生收缩也减小,规程允许使用其他混合材。

利贝坝混凝土的强度要求为175kg/cm$^2$,比德沃夏克坝下部混凝土的强度要求低,且其坝趾附近有高质量的混凝土可供利用。因此,利贝坝的胶凝材料要求,自生收缩和潜在发热都低于德沃夏克坝。故利贝坝的技术规程既允许使用纯波特兰水泥,又允许使用掺有混合材的波特兰水泥,未对混合材的类别和掺量加以规定。

**4.2 坝体温度**

德沃夏克坝和利贝坝的混凝土浇筑温度都限制为不高于6.7℃,不低于4.4℃。

这两个工程都规定了要在预埋冷却水管中通循环冷却水,以使混凝土得到后冷却。德沃夏克坝的混凝土浇筑层厚为1.5m,相应地,其冷却水管水平和垂直间距均为1.5m。利贝坝的浇筑层厚与冷却水管间距都是2.3m。为了在水管中获得10℃的冷却水,规定对15L/min的最小流量,进水水温为5.0±1.1℃。水流方向每12小时倒换一次,以减小所冷却的浇筑层内的温度梯度。德沃夏克坝的冷却水管最大长度为365m,利贝坝为213m。每条水管中都装有水流指示器,以确信水在流动。

德沃夏克坝规定,在30天龄期内,总共要通水冷却21天。在此期间,如果混凝土温降在4天内大于4.4℃,或者是在冷却的前14天内温降大于6.6℃,则允许通水中断。混凝土温度低于16℃时不需要冷却。对大坝中间部分,离坝底84m(总高度的40%)范围内需要后冷却;对坝肩部位坝块和老混凝土(龄期大于28天),离基础或老混凝土面4个浇筑层(6.1m)范围内的需要进行后冷却。

利贝坝的后冷却达到下列条件之一时停止:混凝土龄期已达到30天;对导流坝段,混凝土温度达到10℃,对其他坝段,混凝土温度达到13℃。大坝中间部位后冷却要求达到基础以上9.1m高度,坝肩部位和冷却要求达到高度等于10%最后暴露的基础底宽的范围。导流坝段的老混凝土上的前三个浇筑层要设冷却水管,通水冷却。如果混凝土温降在4天内大于4.4℃,或者是在冷却的前14天内温降大于6.6℃,则中断冷却。

**4.3 表面温度**

对德沃夏克坝,在春季(3月1日~4月15日)和夏季(9月15日~10月15日),必须用导热系数不大于2.42kg·cal/(m$^2$·h·℃)的绝热材料保护外露的挡水墙及混凝土的顶部表面。冬季(10月15日~翌年3月1日)则须用导热系数不大于1.21kg·cal/(m$^2$·h·℃)的绝热材料保护上述类型的外露表面。此外,在冬季,养护期内还要用导热系数为2.42kg·cal/(m$^2$·h·℃)的绝热材料保护大坝上、下游表面;浇筑层顶可在少于两个连续的12小时内不加覆盖,以便于仓面清理和利于其他施工工作,但这两个12小时之间至少要有24小时的间隔,除非是外界气温高于7.2℃。

由于利贝地区日气温波动很大,故规定挡水墙外露混凝土表面全年绝热保护。春、夏、秋三季,技术规程要求用于挡水墙表面。在冬季,规程要求所有坝块的最后两个混凝土浇筑层的外露表面(包括挡水墙,上、下游表面,以及浇筑层顶部),都要用导热系数为0.48kg·cal/(m$^2$·h·℃)的绝热材料保护。其他所有挡水墙表面必须用导热系数为0.96kg·cal/(m$^2$·h·℃)的绝热材料保护。挡水墙表面须在拆模后即覆盖绝热材料,其他表面则须在拆模后12小时内覆盖绝热材料。外露的浇筑层缝面必须在浇筑完后12小时内覆盖好,除非气温高于7.2℃。

**4.4 施工方法**

德沃夏克坝规定最大浇筑层厚为1.5m,利贝坝为2.3m。在德沃夏克,从3月1日~11月30日,相邻坝块之间的允许最大高差定为6.0m,其他时间仅定为4.5m。最高坝块与最低坝块间的最大允许高差为12.1m。利贝坝相邻坝块允许高差,除了导流坝段允许高差定为27.4m外,其他部位都定为18.3m。

这两个工程都要求新混凝土浇筑层,首先在较低高程的龄期最大的硬化混凝土上浇筑。首先在龄期最大上浇筑,可有效减小大坝不同坝块间的高差,从而使外露表面尽可能减少,温度梯度也相应地较小。这样,整体效果是使得温控更加匀一。先浇处于较低位置的坝肩坝块,可产生加劲效应,降低建基面高程较高的坝块的倾滑趋势。

## 5 初期施工活动

### 5.1 混凝土工厂

德沃夏克坝的混凝土运输由三台高速缆机完成,这些缆机具有移动式首塔和尾塔,缆机吊罐容量为 $6m^3$。混凝土转运车以有轨运输方式,将混凝土从两座混凝土拌和楼(共有 10 台 $3m^3$ 的拌和机)运送到缆机。骨料加工厂和混凝土制冷厂位于拌和楼附近,混凝土工厂的所有主要设施均在大坝左坝肩上方,混凝土进行预冷却,采用加冰拌和方式,拌和楼集料仓(绝热保护)中通冷风。在骨料传输带上喷洒冷水,以冷却粗骨料。

利贝坝混凝土以 $3m^3$ 吊罐浇筑,这些吊罐由列车运至施工栈桥上工作的旋转门机。混凝土由含有 6 台 $3m^3$ 拌和机的拌和楼生产。制冷厂设施与德沃夏克坝相似。混凝土拌和与制冷厂都在左坝肩上方。骨料厂位于河流左岸,大约在拌和楼上游 0.375km,所加工的骨料由皮带机输送到拌和楼。德沃夏克坝的混凝土日生产与浇筑能力超过1 $450m^3$,利贝的日生产能力大于8 $410m^3$。

### 5.2 混凝土强度

德沃夏克坝初期在大坝底部浇筑的混凝土,其胶凝材料(波特兰水泥与混合材)的用量等于 B－1、E－3、E－9 型号配合比所给出的值,利贝坝的混凝土所用配合比型号为 1 与 8(见表 2)。表 14 列出了这两个工程第一个施工年所浇筑混凝土的平均抗压强度。

表 14 施工首年所浇混凝土的强度

| 工程 | 胶凝材料($kg/m^3$) | | $W/(C+P)$ | 给定龄期的抗压强度($kg/cm^2$) | | |
|---|---|---|---|---|---|---|
| | 波特兰水泥 | 混合材 | | 7d | 28d | 90d |
| 德沃夏克 | 127 | 43 | 0.58 | 65 | 120 | 210 |
| 利贝坝 | 88 | 30 | 0.56 | 65 | 115 | 185 |
| 利贝坝 | 82 | 28 | 0.68 | 55 | 100 | 155 |

注:强度值是通过对 38mm 粒径组合混凝土圆柱体试件进行试验得到的。

### 5.3 混凝土内部温度

如表 15 所示,德沃夏克坝和利贝坝初期浇筑混凝土的实测峰值温度与表 5 中所给出的预计最高温度非常接近。这两个工程的混凝土内部温升都限定于 17～18℃以下。

表 15 混凝土内部实测温度

| 坝名 | 胶凝材料($kg/m^3$) | | 平均气温 | 后冷却 | 温度(℃) | | |
|---|---|---|---|---|---|---|---|
| | 波特兰水泥 | 混合材 | (℃) | 天数 | 浇筑 | 峰值 | 结束冷却时 |
| 德沃夏克坝(浇筑层厚 1.5m) | 127 | 43 | 23 | 21 | 5.6 | 22 | 18 |
| 利贝坝(浇筑层厚 2.3m) | 136 | 36 | 20 | 30 | 6.1 | 24 | 14 |
| | 98 | 33 | 20 | 30 | 5.6 | 21 | 16 |
| | 82 | 28 | 17 | 30 | 5.6 | 18 | 12 |

### 5.4 混凝土表面温度

表 16 列出了德沃夏克坝工程与利贝坝工程的绝热混凝土表面实测温度,以及距表面 1.8m 范围

内不同厚度处的实测温度。

**表 16　绝热混凝土表面及表面附近区域的实测温度**

| 坝名 | 覆盖物导热系数 [kg·cal/(m²·h·℃)] | 距离表面的厚度(cm) | 初始温度(℃) | | 气温下降(℃) | 外露天数 | 混凝土最终温度(℃) | 混凝土温降(℃) |
|---|---|---|---|---|---|---|---|---|
| | | | 混凝土 | 外界大气 | | | | |
| 德沃夏克坝 | 1.2 | 0 | 12 | 2.2 | 21 | 10 | 4.4 | 7.2 |
| | 2.2 | 30 | 12 | 2.2 | 21 | 10 | 2.7 | 8.9 |
| | | 90 | 12 | 2.2 | 21 | 10 | 6.1 | 5.6 |
| | | 180 | 12 | 2.2 | 21 | 10 | 12 | 0 |
| 利贝坝 | 3.63 | 2.5 | 21 | 27 | 18 | 10 | 14 | 6.6 |
| | | 15 | 22 | 27 | 18 | 10 | 17 | 4.0 |
| | | 30 | 22 | 27 | 18 | 10 | 19 | 3.3 |
| | | 60 | 23 | 27 | 18 | 10 | 21 | 1.7 |
| | 0.96 | 30 | 5.6 | −1.1 | 37 | 10 | 0.6 | 5.0 |
| | | 90 | 7.2 | −1.1 | 37 | 10 | 3.9 | 3.3 |
| | | 180 | 8.9 | −1.1 | 37 | 6.1 | 2.8 | |

### 5.5　已浇混凝土

1969 年是施工的头一年,德沃夏克坝与利贝坝共浇筑了约 40 万 $m^3$ 混凝土。

迄今为止,在德沃夏克坝没有产生结构性裂缝。在利贝坝,经历一个严冬(温度下降到低至 −38℃)后移开混凝土表面覆盖的绝热材料时,在浇筑接合缝顶部,发现了数条平行于坝轴线的窄裂缝(宽 0.19cm)。大多数裂缝都延展至通过施工栈桥脚柱露出混凝土的部位。栈桥大致位于大坝底部中心线处,其脚柱离坝轴线的垂直距离约 12.2m,平行于坝轴线,离坝轴线 15.2m。出现裂缝的多数坝块(宽 18.5m)都在它们的中部设有导流或调节管道。目前正在研究这些裂缝产生的原因、补救方法以及将来避免此类裂缝产生的可能措施。以有限元法进行的结构分析表明,在加载条件下,产生裂缝部位的主应力应为压应力,这样可使裂缝愈合,从而保持大坝的整体性。

## 6　结　论

德沃夏克坝与利贝坝这两座大体积混凝土重力坝,不设平行于坝轴线的施工缝进行浇筑是可行的。为了控制体积变形和防止产生结构不利裂缝,在配合比设计、技术规程、施工方法等方面采取了一些特别措施。

若热收缩与自生收缩同时产生,两者导致的体积减小将彼此叠加,使总的体积变化显著大于两者之一引起的体积变化。在混凝土中使用低含量胶凝材料,既可减小热收缩导致的潜在体积变化,又可减小自生收缩导致的体积变化。为了控制这两种物理效应,两个工程中都使用了具有最低可能含量胶凝材料的混凝土配合比,并且用了适宜数量的混合材替代部分波特兰水泥。德沃夏克坝从坝底到接近一半坝高范围内的初期混凝土,胶凝材料的需求量相对较大,故规定了粉煤灰混合材对波特兰水泥的取代量,以使自生收缩保持在较低水平。

这两座大坝的全部混凝土都进行预冷却。此外,为了使混凝土内部温度处于较低水平,对浇筑于基础和老混凝土上的绝大多数混凝土都进行后冷却。

在外露的挡水墙和浇筑层接合缝表面覆盖绝热材料,以防止表面部位温度剧降,避免初生表面裂缝发展成恶性裂缝。

对浇筑层厚度和相邻坝块之间的高差作了限制,且规定对坝肩部位坝块,必须先浇最低浇筑层。

目前德沃夏克坝的低裂缝发生率表明,上述的措施和规定是卓有成效的。但对利贝坝余下的混凝土工程中,需要采取更为有效的措施控制裂缝,以应付更为恶劣的气候、导流及施工条件。

# 彼得拉得阿吉拉坝裂缝预防和处理措施

[阿根廷] A. 帕奇尔等

**摘　要**:本文阐述混凝土坝裂缝张裂及避免新裂缝所采取的预防和处理措施。对于与裂缝形成和张裂有关的类似工程,提出了改善运行性能的比较措施。

## 1　工程概述

彼得拉得阿吉拉水电工程位于阿根廷纽昆省境内的里奥利美河上。大坝在纽昆市西南约240km,在巴里奥奇市东北200km。

该坝由两个主坝段组成:一个混凝土重力坝和一个用12.4km长、200多米深的灌浆帷幕封堵地下暗河的天然土质坝。

在混凝土坝与灌浆帷幕之间,还设有一个连接结构(隔水墙)。

工程的目的是向国家电力系统供电,并用25亿 $m^3$ 库容调节利美河。利美河年平均流量为713$m^3$/s。

## 2　大坝概述

### 2.1　主要特征

| | |
|---|---|
| 坝型 | 混凝土重力坝 |
| 坝顶长 | 820m |
| 基面以上最大坝高 | 170m |
| 坝顶高程 | 595.30m |
| 混凝土总方量 | 2 780 000$m^3$ |
| 石方开挖量 | 900 000$m^3$ |
| 土方开挖量 | 420 000$m^3$ |
| 上游坝坡 | 垂直 |
| 下游坝坡 | 1:0.75(垂直:水平) |

### 2.2　总体设计

彼得拉得阿吉拉坝是一座大体积混凝土重力坝,由41个20m宽的坝块组成,其中设置压力管道的超常坝块宽26m。为了防止渗水通过接缝,靠近大坝上游面设置了两道止水,还设置了一个混凝土栓,其高度大约是中央坝块高度的15%。混凝土冷却和块间缝灌浆是为了:

(1)使高程在447.5m以下的坝体结构形成一个整体。

(2)获得大于3的抗滑安全系数。

(3)应用拱效应将荷载跨过断裂带传递到坚岩上(在厂房坝段有一个约30m宽的断裂带)。

(4)增加基岩较为陡峭或向河谷倾斜的坝块稳定性(为此已将混凝土栓向左岸延伸)。

### 2.3　混凝土类型

大坝地震响应分析表明,较高的坝块,即超过100m高的坝块,其上游坝踵处的拉应力会使坝体

本文原载《水利水电快报》1995年第23期。译自《第18届国际大坝会议论文集》,刘洪波译,黄鹤鸣校。

产生裂缝。表1为设计的3种混凝土。

在坝块高度的20%以下时,混凝土浇筑层厚2m,在这个高度以上,由于受基础约束影响不大,浇筑层厚为3m。

表1

| 区　域 | 种　类 | 水泥量($kg/m^3$) | 最大骨料粒径(mm) | 180天龄期强度(MPa) |
|---|---|---|---|---|
| 坝　心 | 4.5/90 | 130 | 90 | 9.5 |
| 坝　面 | 12/90 | 195 | 90 | 19 |
| 上游坝趾 | 19.5/90 | 290 | 90 | 29 |

2.3.1　水泥特性

该坝使用的水泥是ASTM(美国材料试验学会)IP(MH)型硅酸盐—火山灰水泥。这种水泥碱性低,火山灰含量30%,按ASTM618标准,属N类,包括"水泥碱性反应"的附加要求。

添加火山灰是为了减少水泥的水化热,使其7天后的发热量小于251.2J/g,并抑制碱骨料反应。

2.3.2　骨料特性

骨料取自施工现场附近的一个冲积层采料场。这些骨料似乎有水泥碱性反应的特征。粗骨料最大粒径为90mm。

**2.4　设计标准与混凝土温度收缩的关系**

基础混凝土温度收缩约束值是根据美国垦务局使用的方法确定的,与基础及坝块的高度密切相关。内部约束用Fujisawa和Nagayama的方法估算。基础和坝上游面的安全系数分别为1.25和1.1。

为了减少热收缩产生的裂缝,限制了坝内混凝土水泥的用量,并将最高浇筑温度控制在10℃以内。上游坝踵混凝土的水泥含量较高,浇筑温度为6℃。由于坝踵和基础栓的混凝土水泥用量较高,以及靠近基岩的约束较大,其混凝土峰值温度通过后期冷却来控制。

由于采取了上述控制措施,混凝土温度没有超过限制。

# 3　大坝裂缝

**3.1　水库蓄水前的裂缝处理**

施工期间(1989年冬)发现混凝土浇筑层水平层面由于长期裸露在气温变化的条件下而产生裂缝。

为了消除拉应力并防止裂缝延伸,在上述混凝土层面上设置了半管和双配筋($\phi$32mm,间距30cm)。

1990年冬水库蓄水前,对大坝上游面裂缝作了处理。

大坝6、7、8、9、16、19、23、25、27、33、36、38号坝块都产生了裂缝(图1)。为了封堵这些裂缝,从检查廊道内钻孔,灌注弹性聚氨酯。裂缝面用40mm宽、5mm厚的SIKAFLEX IA封填,并在表面涂上弹性聚氨酯涂层,涂层宽度达到裂缝两边50cm,长度则在裂缝两端各延伸5m。在廊道内钻斜排水孔,孔底至上游面2.5m,孔端垂直间隔为9m。

**3.2　水库蓄水期间的裂缝处理**

表2表明混凝土的裂缝成因、特征和处理措施。

**3.3　裂缝处理的步骤**

为避免裂缝蔓延扩展,降低渗漏量,采取了下述一些步骤。

3.3.1　排水孔

排水孔应在垂直面上尽量靠近大坝上游面的地方截断裂缝(图2),并取适当的安全系数,以便降低坝块内的水压力。

虽然开始钻排水孔时会增加流量,但排水孔降低了水压力,只要排水孔接近或达到裂缝,必然会

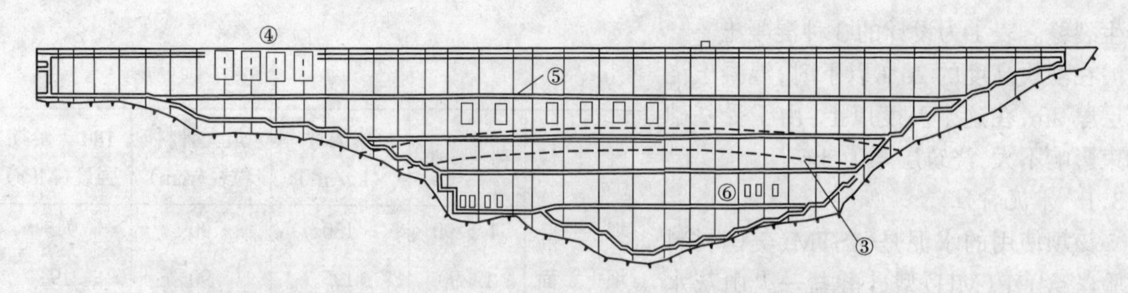


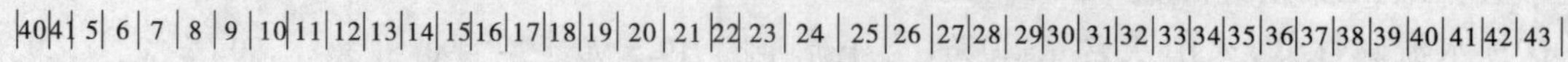


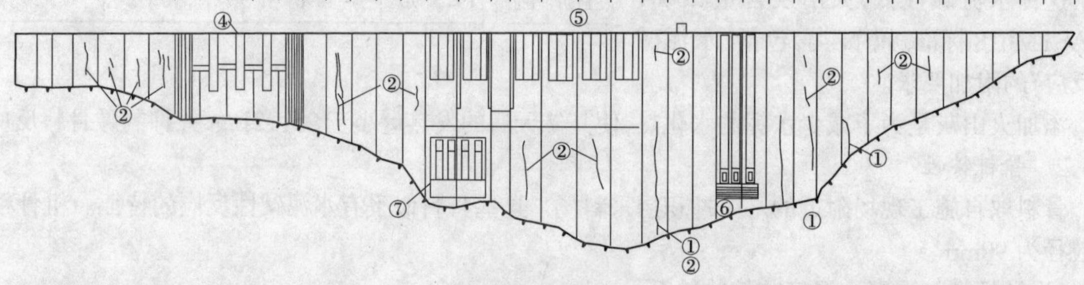


**图 1　大坝上游面和纵剖面**

①主裂缝；②蓄水前已有的裂缝；③抗震梁；④溢洪道；⑤取水建筑物；
⑥泄水底孔；⑦导流渠；⑧左坝肩；⑨右坝肩

有效地减少渗流量。

**表 2**

| 坝块 | 成因 | 渗流量 | 特征 | 处理措施 |
|---|---|---|---|---|
| M27 | 热收缩 | 最大流量 275L/s，目前流量 1L/s | 宽 4.7mm，中部坝块高 68m | 排水孔 40 个 |
| M32 | 热收缩 | 最大流量 248L/s，目前流量 25L/s | 宽 4.8mm，中部坝块高 48mm | 排水孔 40 个，聚氨酯覆盖、封堵 |
| M35 | 热收缩 | 最大流量 100L/s，目前流量 60L/s | 宽 2.0mm，距 34、35 坝块接缝 3mm，高 23m | 排水孔 10 个，聚氨酯覆盖、灌浆 |
| M31 | 混凝土种类不同；热收缩 | 最大流量 8.3L/s，目前流量 8L/s | 宽<2mm | 排水孔 10 个 |
| M19 | 基础形状；热收缩 | 最大流量 3L/s | 宽<2mm | 排水孔 10 个 |
| M17 | 热收缩 | 最大流量 3L/s，目前流量 7L/s | 宽<2mm | 排水孔 10 个 |

在灌浆、排水和检查廊道内发生渗漏的地方，采用回转式和回转冲击式钻机钻排水孔，并成扇形散开，在不同的高程上截断裂缝(图 2)。排水孔顶端的垂直间隔是 6m。27 号和 32 号坝块扇形排水孔顶端的间隔分别减少到 3m 和 1.3m。

### 3.3.2　上游面敷设防水涂层

在 32 号和 35 号坝块的整个上游面部敷设了防水涂层，以阻止水流渗入裂缝。这种防水涂层的强度足以承受库水产生的压力，并具有良好的柔性以适应不平整的混凝土表面。

## 3.4　第二阶段实施步骤

第一阶段紧急补救措施完成以后，进行了下面一些处理步骤。

3.4.1 上游接缝防水层的灌浆

在坝块接缝中靠近大坝上游面附近,有一个由相邻坝块和两个垂直PVC止水片构成的防水隔舱,两个止水片的间隔为1.5m。采用压力灌浆将这些防水隔舱灌注至528m高程,以便控制新裂缝的产生,并有助于原有裂缝的闭合。灌浆混合料由初始高强水泥(水灰比0.7)、5%的硅粉和1%的超液化添加剂组成。灌浆压力为5kg/cm$^2$,大于最高库水位的压力。

3.4.2 钻防护排水孔

在没有发生裂缝的坝块内钻防护排水孔,是从廊道内按不同的高程向上游坝面钻取,直到528m高程为止,孔端的垂直间隔为9m。这样,即使发生渗漏,也将减轻水压力,避免裂缝发生。

### 3.5 最终的处理措施

3.5.1 抗震梁灌浆

混凝土浇筑期间,在坝体块间接缝处留有约300m$^2$ 的防水隔层,当混凝土温度稳定后,就在这些隔层中灌浆(见图1、图2)。一旦灌浆工作完成,即使发生地震,"抗震梁"可将地震荷载传递到两岸坝肩上。

灌浆还可产生一种约束作用,能避免新裂缝的发生和旧裂缝的扩散。因此,当混凝土达到最终温度时(大约20年),必须对这些隔层再次灌浆。

3.5.2 大坝裂缝的最终处理

从大坝的上游面向32号和35号坝块的裂缝内填塞炉渣,然后灌浆以降低渗漏量。浆液由初始高强水泥(水灰比0.7)、5%的硅粉和1%的超液化添加剂组成。35号坝块灌浆是在混凝土已达到最终温度的靠近上游坝面的地方进行的,若在混凝土温度较高的地方灌浆,则混凝土一旦冷却就会引起裂缝扩展。由于27号坝块裂缝已经闭合,渗漏降低到最小值,因此除继续进行相应的控制外,没有考虑作进一步的处理。31号坝块渗漏量很小,不必进一步处理。17号和19号坝块尚需观察,如果它们的性状发生任何变化,就应考虑采取其他的处理步骤。

## 4 裂缝预防措施

根据彼得拉得阿吉拉坝获得的经验,建议采取以下防止裂缝形成和扩展的措施。

(1)减少混凝土的水泥用量。

(2)采用斜坡式上游坝面。

(3)进行骨料预冷和混凝土后期冷却。

(4)控制基础面的倾斜程度,避免基础面受到损坏。

(5)采用必要的横向约束控制裂缝。

(6)设防护排水系统。

(7)控制施工程序。

### 4.1 降低混凝土水泥用量

动力结构分析表明,大坝上游面坝趾处将会产生拉应力。因此,混凝土要有较高的强度才能承受这种拉应力(彼得拉得阿吉拉坝的拉应力为2.9MPa)。

为了达到较高的强度,混凝土应是均质连续的,

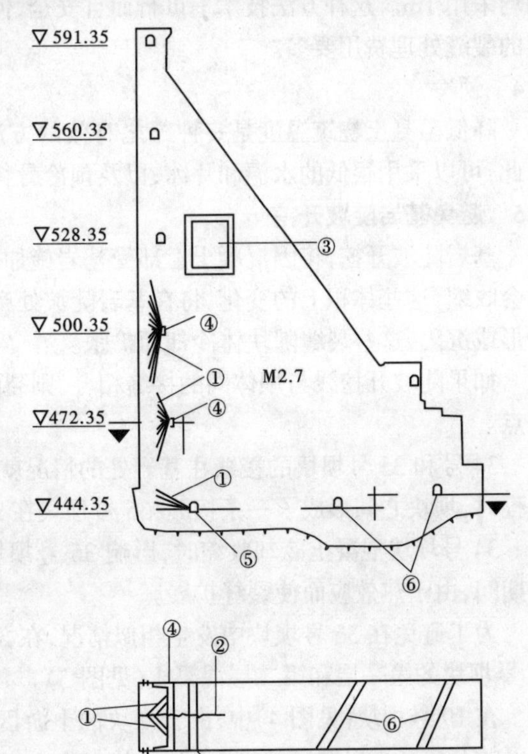


**图2 27号坝块横断面**

①排水孔;②裂缝;③抗震梁;④检查廊道
⑤灌浆和排水廊道;⑥检查和排水廊道

而经验表明这是很困难的。因为大坝混凝土是逐层浇筑的，层间有缝，如果不作非常仔细地处理，对水平接缝的质量就会产生很大的影响。

影响接缝质量的因素有：

——接缝处理困难；

——混凝土浇筑期间的离析；

——不利的气候条件：冬季霜冻，夏季高温及大风等对层面清理造成的困难；

——后期冷却：每层布置的盘曲管被压实和清理困难，有时还有冷却循环水损失等，这些故障虽可修复，但影响了接缝的质量。

因此，不能保证通过水平接缝传递拉应力。相反，如果在地震发生期间容许产生一条水平裂缝，或在靠近上游面的层间接缝内产生裂缝，则与混凝土质量有关的要求有所降低，因此水泥用量也会减少。采用这种方式混凝土产生的温度较低，限制了温度缝的起因。

### 4.2　上游坝趾的斜坡式护面

斜坡式护面有两大优点：第一，由于上游坝趾重量增加，最大限度降低了高强混凝土的要求，从而改善了动态和静态条件；第二，增加了接缝间的承压面积，说明最初几米的抗渗压力达到了平衡或扩展得到了控制。在钻取排水孔而降低了内部静水压力之后，这些因素可能足以使裂缝闭合。

在上游面垂直的大坝中，坝面与止水层之间的距离较小(本坝为 0.8m)。如果裂缝比此更深，则内部没有抗压力，一旦力的平衡遭到破坏，裂缝就会迅速张开。

### 4.3　后期冷却

控制混凝土温升的系统，应足以防止裂缝的产生。本坝为了防止出现裂缝，蛇形管垂直和水平距离均采用 1m。这种方法技术上可行而且安全，但由于设计、施工和经济的某些原因，其费用比可能产生的裂缝处理费用要多。

### 4.4　预冷

降低温凝土浇筑温度是一种行之有效的方法。降低混凝土早期温度，可以降低最高温度峰值。为此，可以采用很低的水温和片冰，以及预冷骨料。

### 4.5　避免基岩陡坡开挖

基岩陡坡开挖，将因混凝土上部受基岩施加的约束而产生拉应力集中。混凝土凝固、干燥和冷却后会收缩，这些体积上的变化，将在基岩陡坡处产生早期裂缝。以后，如果水库蓄水或地震产生基础变形或沉陷，这些裂缝随块体冷却而扩张。

如果陡坡开挖线与坝体间的接缝相合，则裂缝可以避免。但由干一般出现超挖，因此很难做到这一点。

34 号和 35 号坝块的接缝在基岩处的情况就是这样(见图 3)，34 号坝块浇筑到 35 号坝块的基岩高程时，坝块之间形成了一条接缝，35 号坝块在 34 号坝块之上重叠了近 2m。

34 号坝块混凝土冷却收缩时，影响 35 号坝块的部分混凝土，形成一条早期裂缝，后来在水库蓄水期间，由于热效应而使裂缝扩展。

为了避免在 36 号坝块中发生相似情况，在 35 号坝块浇筑到该基岩高程之前，先在悬臂中浇筑了 36 号坝块的第一层和第二层混凝土(见图 3)。

在 19 号坝块(见图 4)中，由于坝块的上游区有一条断层，并与 20 号坝块的接缝相一致，因此泄水渠的开挖区域采取了超挖。

为了承受 19 号坝块的荷载，设计了一个重型整体式钢筋混凝土悬臂。由于岩石的约束和 20 号坝块的收缩，19 号坝块浇筑第一层时，便产生了一条小裂缝，随后在坝块冷却时裂缝扩大。与 35 号坝块的裂缝相反，在水库蓄水以前，可能是由于处理上游面的裂缝钻了一些排水孔，这一小裂缝没有张开。

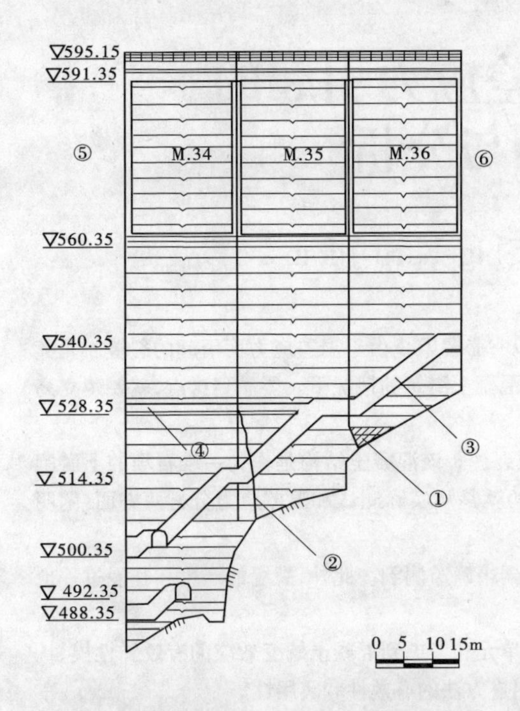


图3 34号和35号坝块纵断面

①35号坝块浇筑混凝土之前修建的悬臂;②裂缝;③灌浆和排水廊道;④检查廊道;⑤左缘;⑥右缘

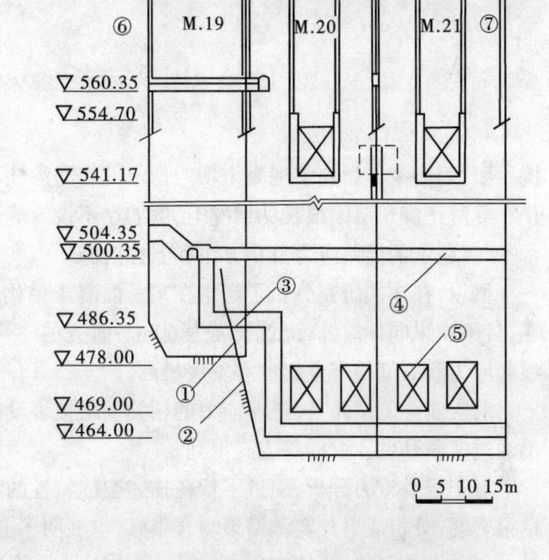


图4 19号、20号和21号坝块纵断面

①裂缝;②基岩;③灌浆和排水廊道;④检查廊道;⑤导流槽;⑥左缘;⑦右缘

### 4.6 接缝侧向约束的要求

由于暴露面冷却较快,在水库第一次蓄水以前或蓄水期间,上游面出现裂缝。

一旦裂缝在止水之后扩散,其宽度将足以接近相邻坝块之间的接缝。

为了限制裂缝张开,在接缝中设置了一些灌浆层(见图5)。在水库蓄水之前,必须马上进行灌浆。采用这种方式。现有的裂缝得以封堵,裂缝的张开和扩散受到限制,渗流量得到控制。

灌浆层必须有足够的表面,以便承受静水压力,并传递到相邻的坝块。灌浆层的宽度可以不同。靠近基础处应加宽,该处是有较高静水压力的区域。

### 4.7 排水

坝体内部的保护排水系统,可以降低因裂缝或混凝土层间接缝的渗流而产生的静水压力。

查明大坝上游面的裂缝以后,在水库蓄水以前,从廊道进行横向钻孔,有利于随后的防水处理,如果需要,还可利用这些钻孔排除渗流。

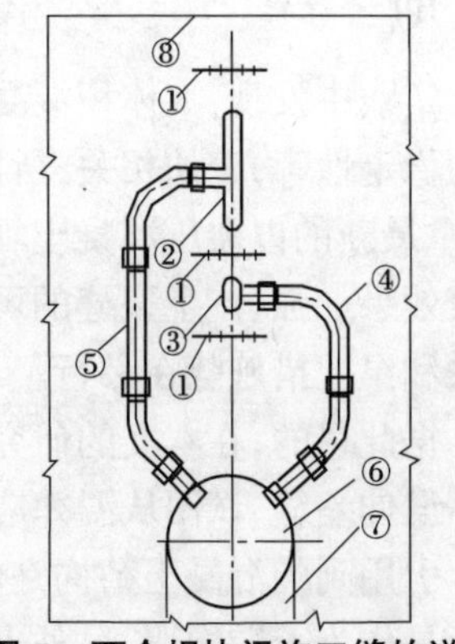


图5 两个坝块间施工缝的详图

①聚氯乙烯止水;②灌浆层;③排水层;④排水管;⑤灌浆管;⑥收缩缝检查井;⑦交通廊道;⑧上游面

### 4.8 施工期采取的措施

施工期间考虑的基本点是:

建立一个有效的系统,使坝块两侧浇筑的混凝土保持潮湿。

根据水泥标号,混凝土养护时间必须充足,使混凝土获得必要的强度,避免早期裂缝。

在高温或低温气候条件下对混凝土需采取降温和保温措施。

# 大体积混凝土温差应力引起的裂缝的监测与分析

Takushi Yonezawa　Shigeharu Jikan

**摘　要**：因为裂缝影响了混凝土坝的稳定性和防渗性，所以有必要阻止由于温差应力而引起的裂缝。尤其是在混凝土浇筑层面很长的情况下，例如在不设纵缝进行混凝土浇筑的情况下。要做到这点，就要建立高水平、高精度的温差应力分析方法和温控措施。

所以，在本文研究分析了产生在某一混凝土结构上的裂缝。该混凝土结构是作为一堆石坝的上游围堰，且不设纵向伸缩缝，浇筑长度为60m。研究的一个目的就是从实际测试和温差应力分析两方面，阐明温差应力和裂缝的产生机制和发展机制。

对于实际测试而言，温差应力的相关现象被埋设的仪器精确监测到。此外，裂缝的产生和开展过程也是通过监测和钻孔取样等方式得到。

对于温差应力分析，引进了旨在描述裂缝特性的缝隙单元和考虑到混凝土蠕变效应的有效弹性模量。结果表明，分析成果与实测结果吻合很好，也表明了上述引进方法的有效性和实用性。

通过上文所述，总结如下：

(1)在新混凝土浇筑完初期，快速的温降加强了下面混凝土层对其外部约束力，导致了新混凝土表面裂缝的产生。

(2)表面裂缝产生后，拉应力得到暂时释放，但随后如果整个结构处在温降的环境下，在表面裂缝的缝端会出现应力集中，导致裂缝进一步开展，贯穿所有截面，形成结构性裂缝。

(3)为此，要阻止这些裂缝，表面裂缝的预防很重要。所以混凝土浇筑初期快速的温降必须得到控制。这可以通过如下方法处理，如在混凝土表面进行绝热化处理减少热辐射，或通过减少水泥含量来限制初始混凝土温度的过度升高等。

## 1　前　言

实践中发现：大体积混凝土中，例如混凝土大坝中，温差应力引起的裂缝与大坝性能(如防渗性，结构稳定性等)密切相关，所以在大坝的设计和施工中，裂缝被视为须考虑的一个重要方面。具体而言，拿最新的以碾压混凝土坝为代表的不设纵缝的筑坝方法来说，层面越长，由温差应力引起的内在约束效果加强，产生裂缝的可能性增大。由上述问题的发现可知，建立高精度高水平的温差应力分析方法和温控措施势在必行。

据此目的，在本文的研究中，研究的对象是混凝土结构中由温差应力引起的裂缝，其中混凝土结构不设伸缩缝，试图从温差应力和裂缝的监测结果及分析两个方面来阐明它们的发生和演变机制。

引用到的混凝土结构是由水资源发展公营公司建造的堆石坝(Misogawa 坝，坝高 140m)，该坝一方面是作为上游围堰，另外也是观测分析温差应力的试验结构，大坝没有设置伸缩缝，层面的轴向长度达到 60m。结果发现，大坝出现了许多由温度引起的裂缝，并垂直于坝轴线方向开展。这一过程被埋设在坝体的观测温差应力的仪器所详细记录，为时一年之久。与此同时，除对监测数据进行分析之外，还基于有限元方法对温差应力进行了仿真分析，同时也证明了该方法实用性。

本文原载《第 16 届国际大坝会议·主题 62》，1988 年。

在此,结合上文描述的监测数据的分析,并基于所获得的关于温差应力和裂缝发生机制的知识,本文提出了相应的温控措施。本文研究的流程见图 1。

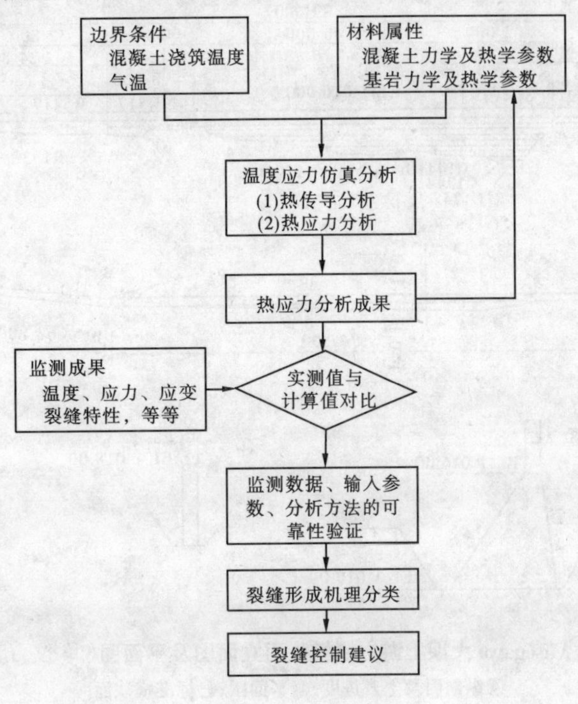


**图 1 研究流程图**

## 2 上游围堰 MISOGAWA 坝的几何外形

### 2.1 结构的几何外形

作为试验用途的 Misogawa 坝是一座重力坝,在两岸地下设有平板式护岸,大坝高度约为 6m,大坝长度为 60m。总体布置见图 2,大坝坝轴向截面图、大坝平面图和大坝上下游方向截面图见图 3。

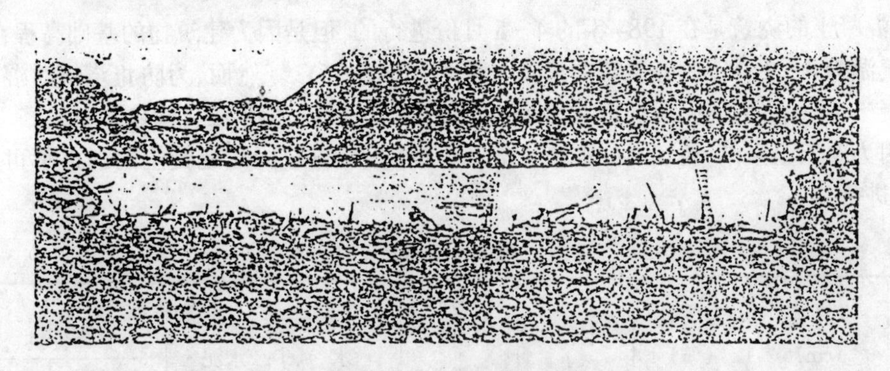

**图 2 Misogawa 大坝上游围堰全貌(下游面)**

坝体中部沿坝轴向筑层长度达到 60m,其中没有设置伸缩缝,但在两岸边界部分均筑有地下护岸,设置伸缩缝和止水。大坝基岩为砂岩或板岩,因为基岩的不平整可能会影响裂缝的产生,为了减少这种影响,大坝基岩尽量进行了磨平处理。

### 2.2 混凝土的配比和浇筑

混凝土采用的是以硬砂岩为骨料的混凝土。它的专门配比见表 1。

混凝土浇筑分为三块,即为重力式的坝体和两岸地下护岸。

坝体的分块及浇筑进度示意见图 3。有关浇筑块的厚度,在高程低于 1 014.5m 以下的采用

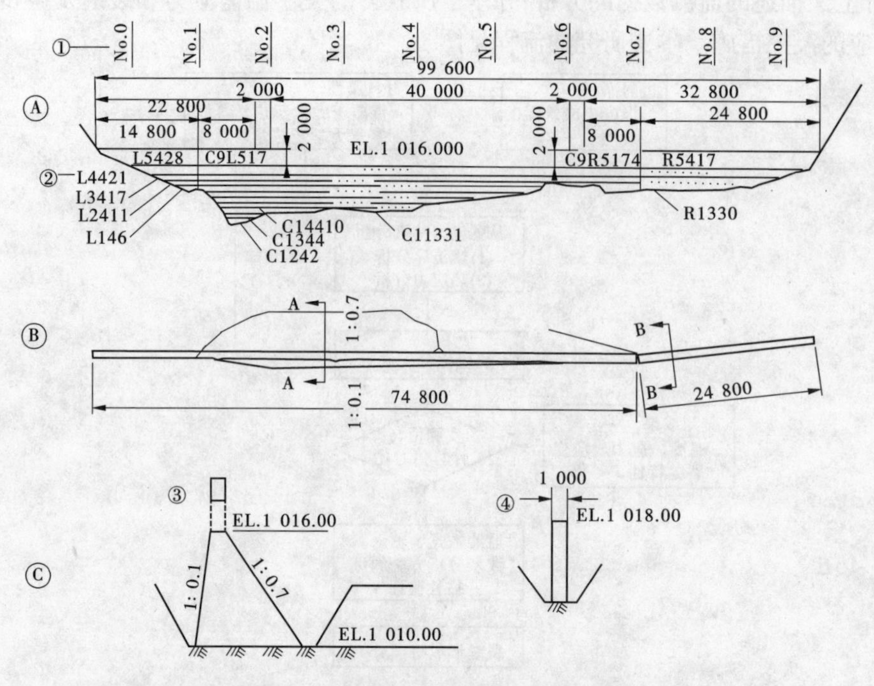


**图 3 Misogawa 大坝上游围堰横截面立面图及平面图**(单位:mm)

Ⓐ纵剖面及上升进度;Ⓑ平面图;Ⓒ标准横截面

①—截面编号;②—上升及浇筑日编号;③—A—A 剖面;④—B—B 剖面

75cm,在该高程以上的部分采用 1.5~2.0m 的块体,混凝土的压实采用国产振动器。与此同时,坝体中心相应编号为 C-1~7 的坝块,编号为 L-1~3 的左边护岸浇筑块和编号为 R-1~3 的右边护岸浇筑块的分层厚度均为 75cm,C-8、L-4 和 R-4 的厚度为 1.5m,C-9、L-5 和 R-5 的厚度为 2.0m。另外,混凝土浇筑基本上是四天一个循环,即用两天时间加工混凝土及除去其中的浮浆皮,用一天时间立模板。

工程的混凝土的浇筑是在 1984 年的 4~5 月份进行的,但是因为建筑物的基础高程在 1 000m 以上,日平均气温为 4~13℃,在施工期的最低气温达到 -2~6℃。然而,为防止浇筑时混凝土的温度过低,对混凝土进行了预加热处理,因此最后浇筑的混凝土温度达到 12~18℃。

同时,因为要低温凝结,浇筑后的混凝土表面盖上乙烯盖被,同时混凝土的加工尽可能的在不拆除模板后就进行。

**表 1 混凝土配合比**

| 最大粗骨料粒径(mm) | 坍落度(cm) | 含气量(%) | 水灰比(%) | 细骨料比例(%) | 单位含量(kg/m³) | | | | |
|---|---|---|---|---|---|---|---|---|---|
| | | | | | 水 | 水泥 | 骨料 | | 外加剂 |
| | | | | | | | 细 | 粗 | |
| 40 | 8±2.5 | 4.5±1 | 64 | 40.4 | 147 | 230 | 765 | 1 163 | 0.575 |

## 3 温差应力的监测

### 3.1 监测仪器的布置和监测方法

该试验性建筑物中有关温差应力监测的仪器布置在 No.3 截面上,其布置见图 4。分别在坝基埋设了利用热电偶原理的温度计;在坝体埋设了温度计,应变计(测量应变),非应力计和混凝土应力计。值得一提的是混凝土应力计通过两端固定的荷载感应器,可以直接监测到混凝土中的应力变化情况。

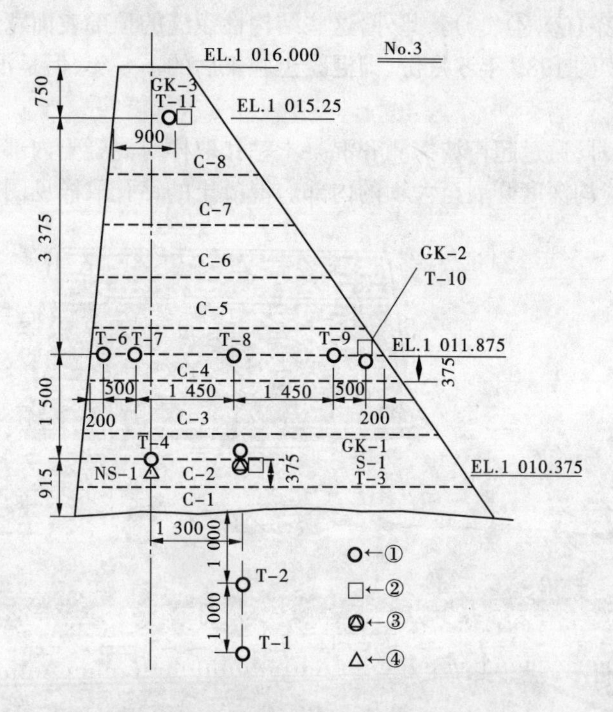


**图 4　仪器埋设布置图**(单位:高程,m;尺寸,mm)

①—温度计;②—应力计;③—应变计;④—无应力计

此外,不管混凝土坝体裂缝产生与否,一旦有裂缝产生,其发生的位置就能被确定,裂缝的长度和顶部裂缝的宽度也能正确地监测出来。

### 3.2　裂缝发生和开展的详细论述

如上文所述,虽然是经过充分的考虑后才进行工程施工的,但长为 60m 的大坝,坝体中心仍有 11 条裂缝产生,见图 5。

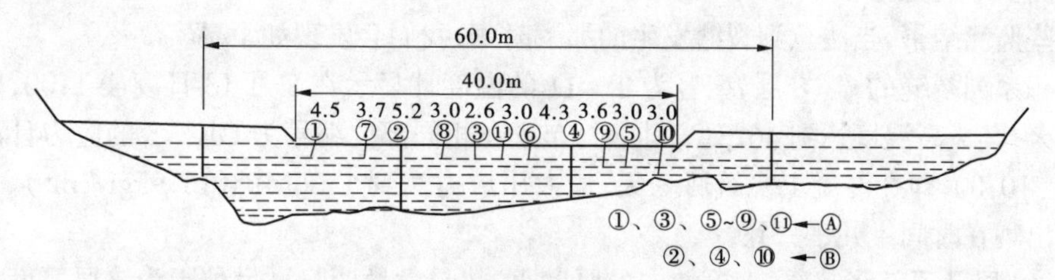


**图 5　裂缝位置**

Ⓐ—表面裂缝;Ⓑ—表面裂缝扩展为结构裂缝

由图 5 可知,坝体中心顶部的 C-8 层是于 1984 年 5 月 11 日施工的,经过 6 天后,在 5 月 17 日,证实有 5 条裂缝(①、②、③、④、⑤)出现,裂缝从顶部表面开展至 C-8 和 C-7 之间的施工缝,裂缝均只存在于 C-8 层中。接下来,在 5 月 18 日有两条裂缝(⑥、⑦)出现,5 月 21 日有三条裂缝(⑧、⑨、⑩)出现,在 5 月 28 日又有类似的一条裂缝(编号⑪)出现,这些出现在 C-8 层上的表面裂缝总共有 11 条。此时,各裂缝的间距为 2.6~5.2m,表面的裂缝宽度一般为 0.1~0.4mm。后来在 5 月 30 日,证实右岸侧的⑩号裂缝已开展至坝底基岩。

此后,由跟踪观测发现,在夏季裂缝没有进一步开展,但在初秋季节,温度开始下降时,又有两条裂缝开展至基岩。其中一条是②号裂缝,在 8 月 29 日观测其还仅是 C-8 层的一条表面裂缝,但从 9 月 22 日的观测结果来看,该裂缝已开展至基岩。另外一条是④号裂缝,在 10 月 19 日观测其仍是发生在 C-8 层,但 10 月 26 日观测发现,该裂缝也开展至基岩。因此,所有表面裂缝中,穿过所有截面并开展至基岩的共有3条(②、④、⑩)。此外,这些结构性裂缝的顶部表面宽度一般为1.2~1.9mm。

其后,监测工作持续到1985年6月份,即混凝土施工后的下一年,但是没有证据表明裂缝有进一步的开展。

此外,在1985年9月,通过超声波探测和混凝土钻孔取样对混凝土内部的裂缝分布进行了分析。结果表明,所有这些裂缝均深度开展至大坝的内部。混凝土的钻孔取样见图6。

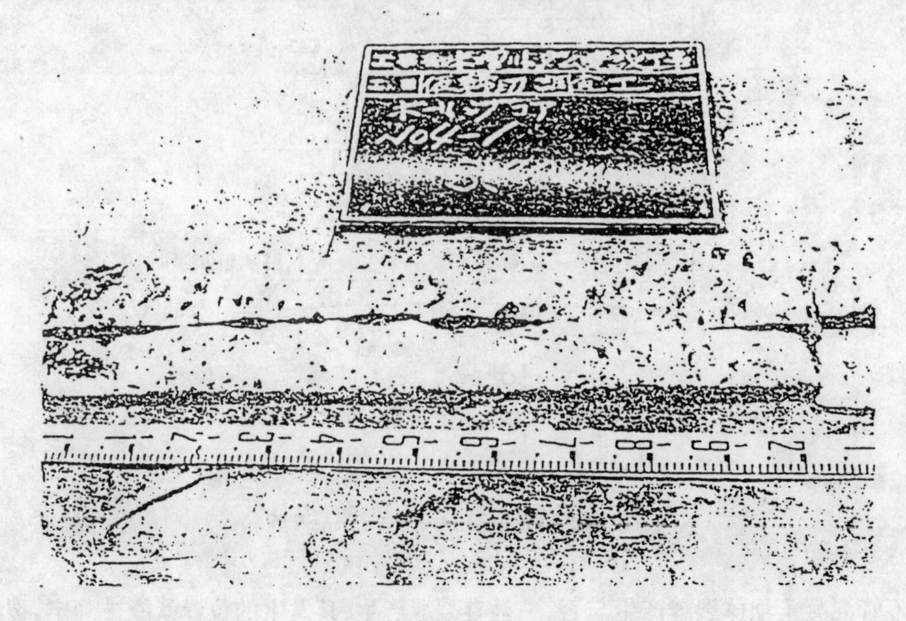

图6　通过钻孔取芯进行裂缝追踪的试样

### 3.3　监测结果

从混凝土浇筑起为期两个月的温度和应力测值序列见图7;初秋时②号裂缝开展至基岩时段的温度和应力测值序列见图8。

根据这些监测结果,当注意到裂缝发生的那一时刻,我们会发现如下事实。

在出现一系列裂缝的C-8层,编号为T-11的温度计显示在5月13日凌晨1:00,即混凝土浇筑后的第二天,其最高温度达到46.3℃。同时,布置在相同部位编号为GK-3的应力计测值表明,5月12日晚上10:00,即在混凝土浇筑后一天,最大压应力达到1.36MPa(13.9kgf/cm$^2$)。由此可见,这两峰值的出现在时间上几乎一致。

由于C-8层是顶部浇筑层,上下游向的厚度小,热量发散明显。另外因为该层厚度有1.5m,比较其他层来说温降特别大。伴随温降变化,应力逐渐变为拉应力。5月16日晚上7:30,被测裂缝出现前,最大拉应力达到-1.43MPa(-14.6kgf/cm$^2$)。然而,随后监测发现应力测值突变为-0.25MPa(-2.6kgf/cm$^2$),由此可以认为,在此时刻表面裂缝出现,C-8层的拉应力得到释放。

另一方面,在9月11日左右,即②号裂缝认为开展至岩基期间,应力计GK-1、GK-2和GK-3的测值均有一突变。所有这些均表明,随着这些结构性裂缝的发展,所有截面的应力都重新分布。

## 4　温差应力分析

### 4.1　分析模型和方法

在进行温差应力的分析过程中,采用的是二维热传导和热应力分析程序——“热2”,该程序是由水资源发展公营公司下属研究所开发的。

对于所分析的结构来说,鉴于垂直坝轴的上下游方向的热传导很显著,坝轴向的温差应力也很突出,应力约束大,因此有必要进行三维分析。但为了结合下面的分析程序,在此仅进行了二维分析。

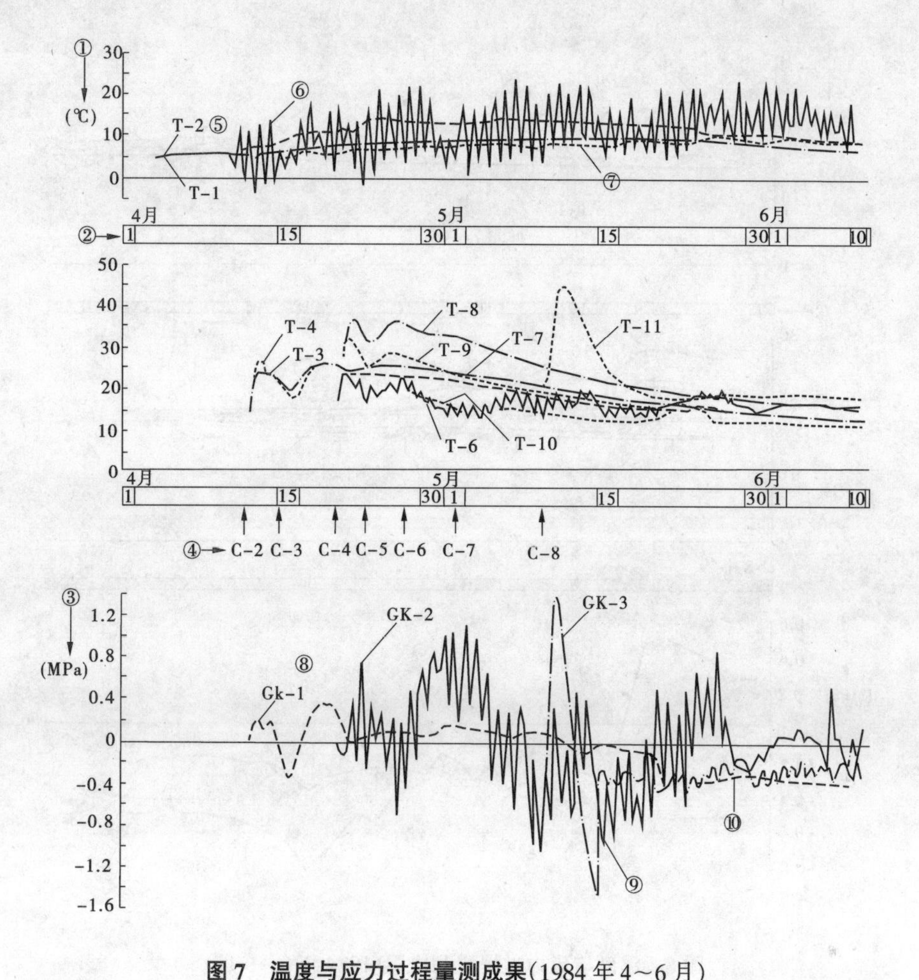


**图 7　温度与应力过程量测成果**(1984 年 4～6 月)

①—温度;②—月,日;③—应力(+为压,-为拉);④—埋设日期;⑤—温度计编号;⑥—大气温度;
⑦—水温;⑧—应力计编号;⑨—发现①～⑤号裂缝;⑩—发现⑩号裂缝到达基岩面

首先,针对上下游向截面,进行二维热传导分析。至于分析截面的选取,原则是在截面形式有变化,坝高有变化和不同施工进程的截面中选择一些典型截面。下一步将由热传导分析得到的历史温度作为输入条件,对大坝轴向温差应力进行二维分析。

此外,为描述裂缝的产生和发展过程,在温差应力分析程序中引进了间隙单元。这里的间隙单元是一种接缝单元,当拉应力超过混凝土的抗拉强度时接缝就张开。因此,通过间隙单元的开合,裂缝的开展和应力的重分布就能被反映出来。

### 4.2　分析中应用的特征参数

分析中应用的特征参数见表 2。

表 2 中所示的材料特征参数是将施工场地浇筑混凝土试样运到研究所后,在相同的混合比级和温度下测试测定的。然而,考虑到混凝土绝热温度的发生,对其进行了敏感性分析,所以在混凝土初始浇筑期与历史温度有关的用于分析的数值和监测数值达到一致,结果仅是对样本测值作部分修改。

另外一方面,关于混凝土弹性模量的确定,为了在分析中有效地考虑到蠕变特性,利用应力和应变测值反向计算得到混凝土有效弹性模量。通过无穷小时间段内温差应力增量和温差应力引起的应变的增量来具体计算,公式如下:

$$E_i = \frac{\Delta\sigma_i}{\Delta\varepsilon_i}$$

式中:$E_i$——$i$ 时刻的有效弹性模量;

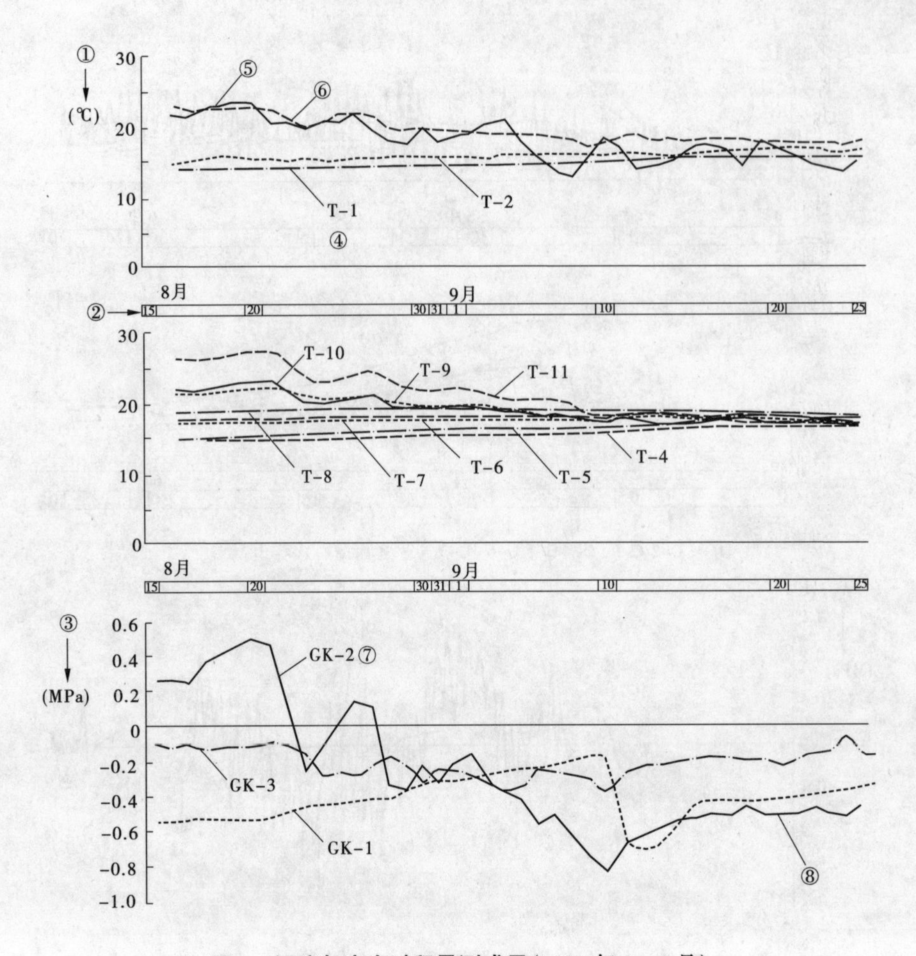


**图 8 温度与应力过程量测成果**(1984 年 8～9 月)

①—温度;②—月,日;③—应力(+为压,-为拉);④—埋设日期;⑤—温度计编号;

⑥—水温;⑦—应力计编号;⑧—发现②号裂缝到达基岩面

$\Delta\sigma_i$——$i$ 时刻的温差应力增量;

$\Delta\varepsilon_i$——$i$ 时刻的温差应力引起的应变增量。

**表 2** **分析采用的材料属性**

| 参数 | 混凝土 | 基岩 |
|---|---|---|
| 热参数 | | |
| 容重(kg/m$^3$) | 2 320 | 2 500 |
| 水化热[J/(kg·℃)] | 858 | 837 |
| 导温系数[W/(m·℃)] | 1.87 | 3.64 |
| 热胀系数(1/℃) | $1.23\times10^{-5}$ | $1.00\times10^{-5}$ |
| 绝热温升(℃) | $55.0(1-e^{1.20t^{0.44}})$ | |
| 力学参数 | | |
| 弹性模量(GPa) | $25.5(1-e^{-0.269t^{1.074}})$ | 0.98 |
| 泊松比 | 0.20 | 0.20 |

$\Delta\sigma_i$ 和 $\Delta\varepsilon_i$ 分别由应力计 GK－1,应变计 S－1 和非应力计 NS－1 得到。由这种方法计算得到的混凝土有效弹性模量和样本实测的弹性模量见图 9 所示。

通过图 9 分析可知,考虑蠕变后的有效弹性模量比样本实测的弹性模量小,在初期阶段尤为明显。因此,在分析温差应力时,考虑初期的蠕变影响非常重要。此外,由图 9 得到的混凝土一天龄期

的蠕变系数 $\phi_c$ 为2.0,三天龄期的蠕变系数 $\phi_c$ 为0.6,7天龄期的为0.2。在这里蠕变系数 $\phi_c$ 定义为

$$\phi_c = \frac{E - E_e}{E_e}$$

式中:$E_e$——有效弹性模量;

$E$——样本实测到的弹性模量。

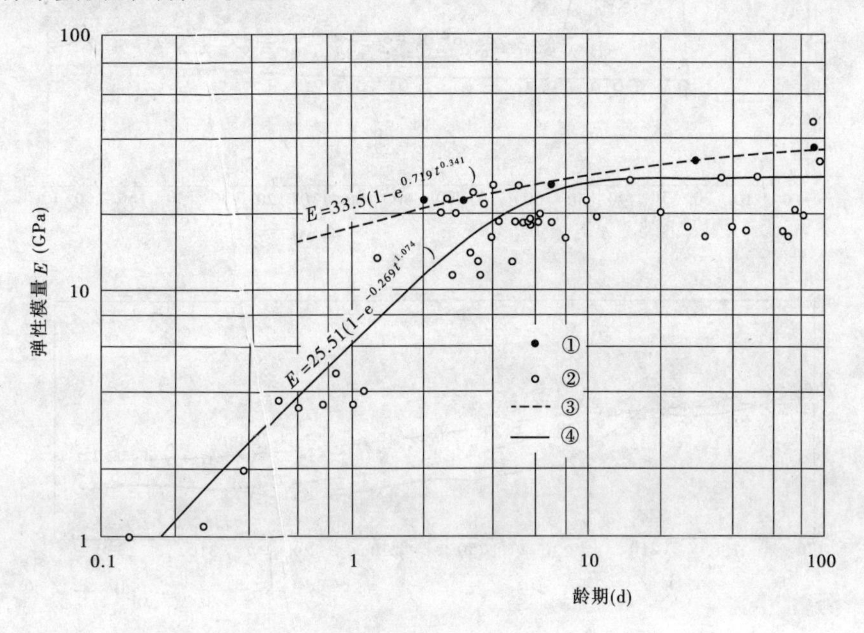


**图9 混凝土弹性模量**

①—弹性模量试验值;②—根据应力和应变确定的有效弹模;

③—由试验确定的弹模曲线;④—分析采用的弹模曲线

混凝土样本实测强度见图10所示,另外,关于前文提到的缝隙单元的抗拉强度,图10所示劈拉强度均成弯曲线分布。

另一方面,关于基岩的热力特性,对于不同的岩石种类,取其一般值。此外基岩的弹性模量由岩石的类别决定,可以通过地震探测或Schmidt锤等方法得到。此外,由敏感性分析结果,混凝土和大气间的热传导系数 $\alpha = 11.6\mathrm{W/(m^2 \cdot ℃)}$。

## 4.3 分析结果

分析结果举例见图11、图12。图11显示比较了将热传导分析计算值和监测截面(No.3截面)的监测值,图12显示比较了温差应力的分析计算值和C-8层中间的监测值。这两幅图表明,温差应力的分析对实际情况模拟得非常好。

此外,值得注意的是由图12可以发现,在监测值和分析计算所得值变化过程中,除时间上有差异外,当拉应力达到最大值时,其应力均发生突变。换言之,就实测值过程来说,它表明表面裂缝确有发生。就分析计算值过程来看,它表面缝隙单元屈服并张开。因此,可以说明,缝隙单元对于分析由温差应力引起的裂缝是十分有用的。

由于温差应力引起的裂缝情况如图13所示。该图表明

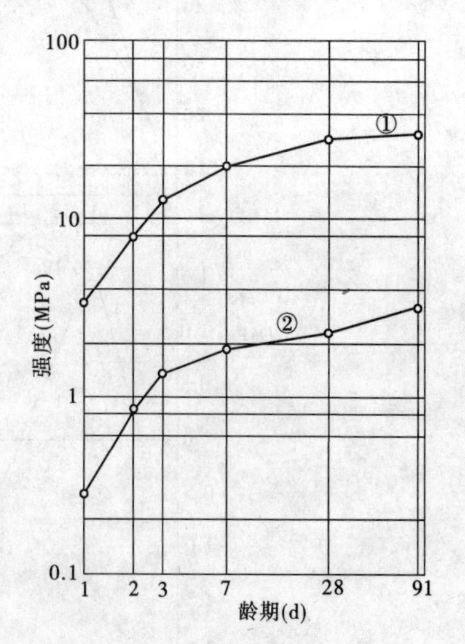


**图10 混凝土抗压和劈拉测试结果**

①—抗压强度;②—劈拉强度

1984年5月19日裂缝产生,于9月24日和11月13日开展为结构性裂缝,随后没有发展。就裂缝产生的时间,分析计算结果和实测的几乎重合。

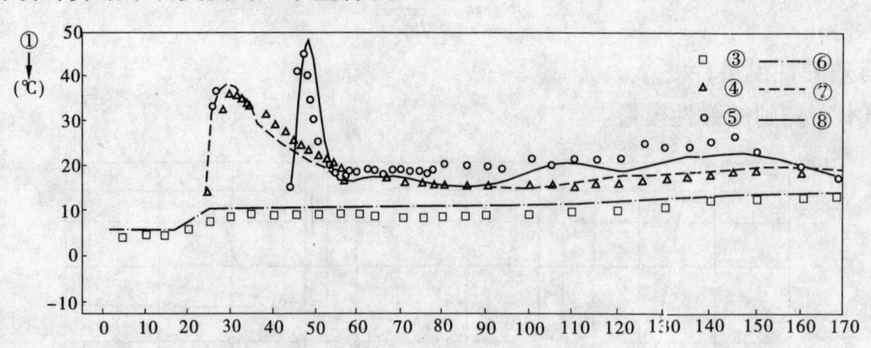


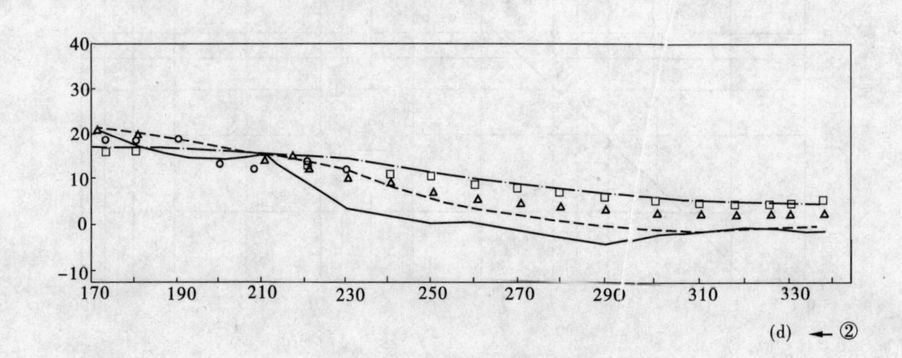


**图11　温度历程相关的实测值与计算值比较**

①—温度;②—计算日;③—T-1监测值;④—T-8监测值;⑤—T-11监测值

⑥—T-1计算值;⑦—T-8计算值;⑧—T-11计算值

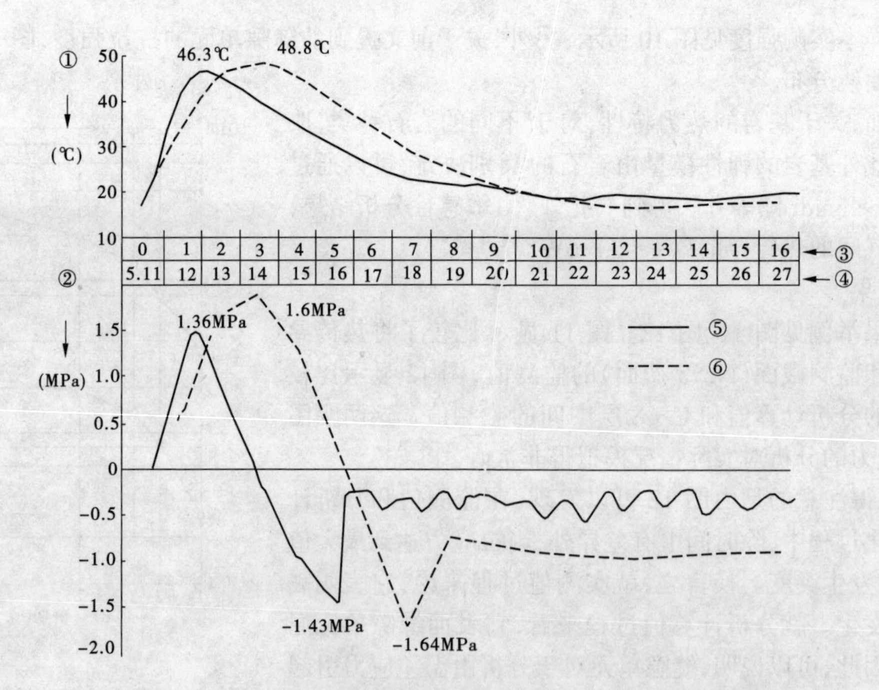


**图12　C-8中部温度历程及应力历程相关的实测值与计算值比较**

①—温度;②—坝轴线方向的应力(+为压,-为拉);③—龄期;④—月,日;⑤—监测值;⑥—计算值

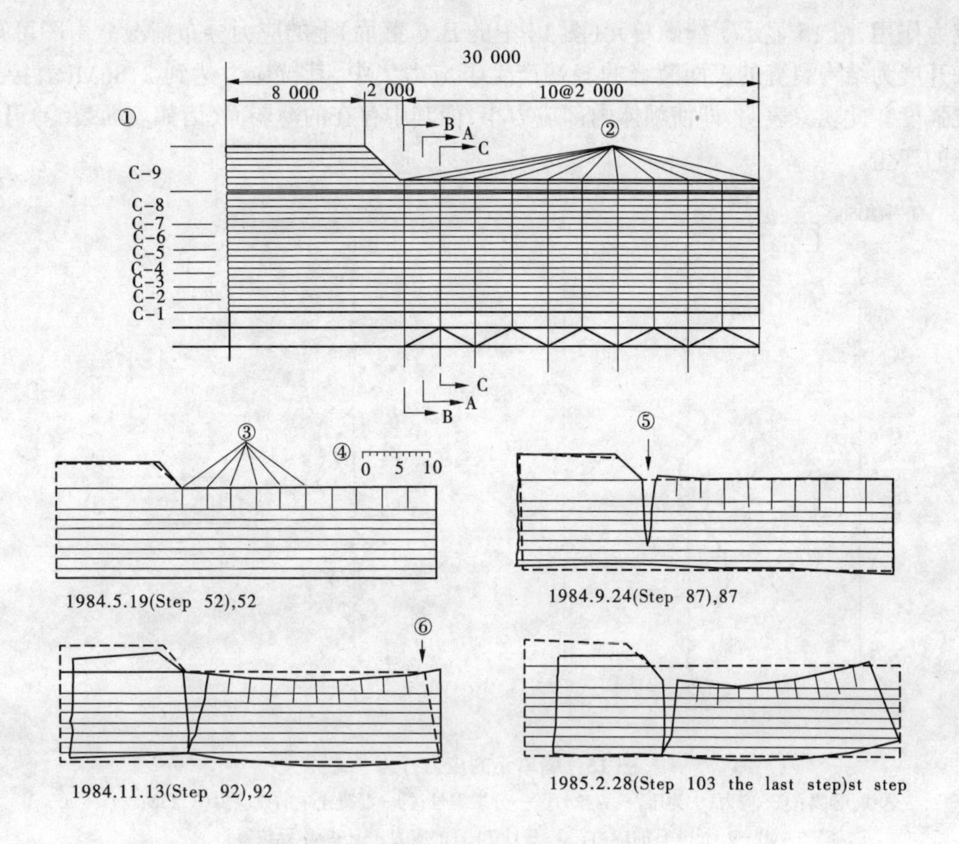


**图 13 温度应力分析中的裂缝状态**(单位:mm)

①—网格图;②—缝单元;③—表面裂缝初始状态;④—位移比例尺;⑤、⑥—结构裂缝的初始状态

C-8 层浇筑完工后,坝体内的温度和应力分布见图 14(A 线如图 13 所示)。图中显示了裂缝产生前后的温度、应力分布情况。由图可知,在裂缝产生后坝体内的应力进行了重新分布。

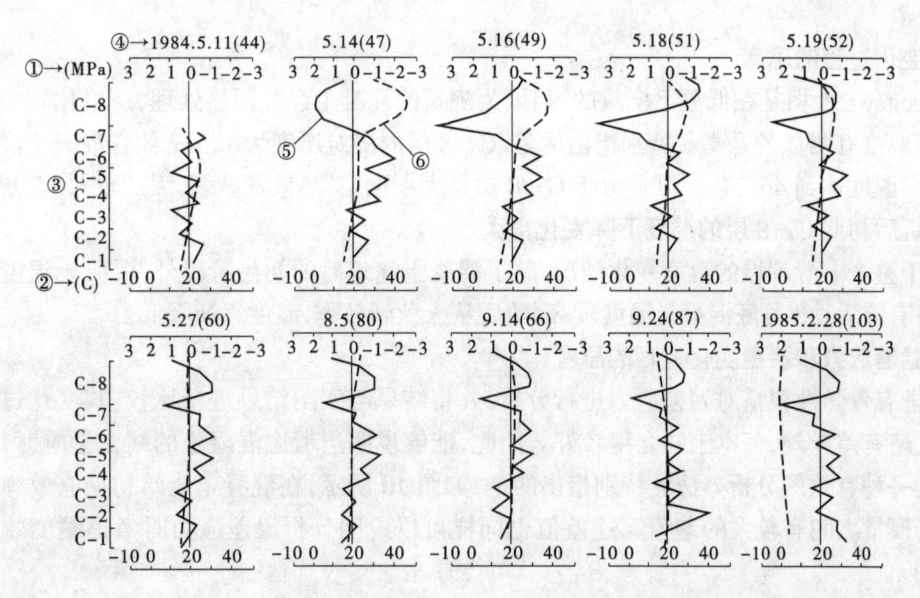


**图 14 混凝土内部温度变化及应力分布**

①、⑤—应力(+为压,-为拉);②、⑥—温度;③—分层温度;④—日期,显示分析步骤编号

当我们注意到在 9 月 14 日,即表面裂缝开展成结构性裂缝之前,虽然混凝土内应力远低于其同龄期的抗拉强度 3.11MPa,但接下来在 9 月 24 日表面裂缝就开展成结构性裂缝。为了更清楚地表明

裂缝上的应力作用，图 15 显示了缝隙单元（图 13 中的 B、C 截面）上的应力分布情况。由图可知，在 B 截面上后来开展为结构裂缝的表面裂缝的缝端产生了应力集中，其拉应力达到 2.86MPa，接近于混凝土的抗拉强度。此现象表明，即使坝体内部应力小，但其中存在的薄弱面（诸如表面裂缝）仍会促进结构性裂缝的产生。

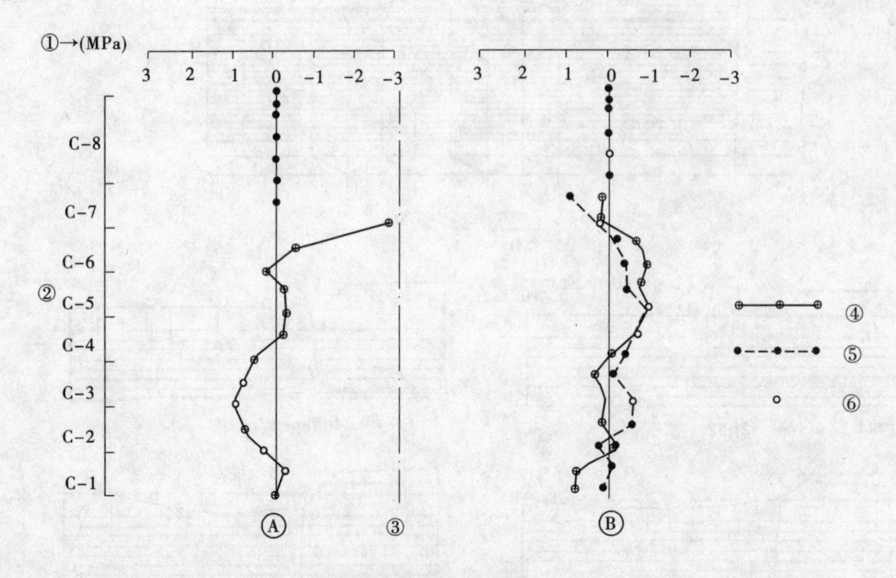


**图 15 缝单元的应力行为**

Ⓐ线、Ⓑ线：①—应力（+为压，−为拉）；②—分层编号；③—混凝土中的拉应力（3.23MPa）

④—9 月 14 日的应力；⑤—9 月 24 日的应力；⑥—缝单元位置

## 5 思 考

关于出现在作为上游围堰的 Misogawa 大坝中由温差应力引起的裂缝，监测结果和分析计算的结果概述如下。

### 5.1 温度变化过程的思考

（1）Misogawa 大坝是在低温下浇筑的，但因为浇筑的混凝土经过预热处理，所以比较大气温度而言坝体内的温度有明显的升高。特别指出的是，C－8 层的浇筑厚度为 1.5m，约在混凝土浇筑完的后一天，其最高温度达到 46.3℃。可是由于 C－8 层是大坝顶层，热散发显著，因此较 C－7 层和其下层而言，在浇筑后初期 C－8 层的温度下降变化很大。

（2）对于整个上游围堰的温度变化情况，除了混凝土浇筑后的初始阶段外，混凝土温度变化之于气温变化略有滞后。8 月底混凝土温度较高，随后从入秋到冬季，温度逐渐降低。

### 5.2 关于温差应力和裂缝变化过程的思考

（1）引进有效弹性模量对温差应力进行分析，并将结果与实测结果进行比较，其变化过程虽然在时间相位上略有差异外，基本上吻合得较好。因此，能够说明当考虑混凝土的蠕变影响时，引进有效弹性模量是一种有效的分析方法。特别指出的是，如图 10 所示，在混凝土浇筑初期有效弹性模量和试样的实测模量之间有较大的差值。这差值也同样可以说明分析温差应力时考虑蠕变效应是重要的。

（2）位于坝顶部的 C－8 层在浇筑初期经历快速的温升和温降。因此，其下部浇筑层约束了其体积变化，即在整个 C－8 层产生大的拉应力。结果是在浇筑完成约一个星期后，C－8 层就产生了表面裂缝。此外由监测得到，这些表面裂缝的间距为 2.6～5.2m。同时，在分析计算时缝隙单元的间距均取为 2.0m。

(3)在 C-8 层中由于这些表面裂缝的产生,其中拉应力减小,裂缝暂时停止了开展。然而一经入秋,随着气温下降所有浇筑层内应力均变成拉应力,一些表面裂缝开展至基岩发展成结构性裂缝。同时,这阶段裂缝开展的实测值和分析计算值几乎吻合。此外这些结构性裂缝间距的实测值和分析计算值均约为 20m。在随后的最低温度下,该间距没有变化。

(4)当表面裂缝未开展成结构性裂缝前,实测值和分析计算值均表明,混凝土内的拉应力要小于混凝土的抗拉强度。然而,分析结果清晰表明,在缝端发生应力集中,促进了结构性裂缝的开展。

(5)在温差应力分析中,因为视引进的缝隙单元具有相同的混凝土抗劈拉强度,所以缝隙单元能很好地模拟实际的裂缝变化特性。另外,由此也说明,在分析温差应力引起的裂缝中,缝隙单元对分析表现裂缝变化是非常有用的。

# 6 结论及关于温控措施的建议

## 6.1 研究结论

作为围堰的 Misogawa 坝中裂缝的发展机制总结如下:

(1)根据裂缝的发展机制,Misogawa 坝产生的裂缝可粗略的划分为两组。即大坝浇筑后初期仅在 C-8 层产生的表面裂缝和秋季伴随温度下降穿过所有筑层的结构性裂缝。

(2)由于 C-8 层和其下浇筑层的温度变化不同,C-8 层变形受到约束,因此产生表面裂缝。这些裂缝分布在整个 C-8 层表面。

(3)进入秋季后,因为整个坝体处于温降的环境下,拉应力区扩展至坝体内部,从而一些表面裂缝开展成为结构裂缝。既然这样,即使坝体内的拉应力不超过混凝土的抗拉强度,但由于缝端应力集中的影响,仍促使了结构性裂缝的形成。换言之,表面裂缝是结构裂缝形成的导火线。结构裂缝之间的距离可能受一些不确定性因素的影响,如基岩的不平整性等,但基本上在 20m 左右。

## 6.2 温控措施建议

根据上述结论,对温控措施提出的建议如下:

既然混凝土浇筑初期产生的表面裂缝促使了贯穿所有截面的结构裂缝,所以要防止结构性裂缝的产生,对表面裂缝的预防非常重要。

特别指出的是,对于这种混凝土浇筑方法而言,因为不设伸缩缝,浇筑层很长,根据 Fujisawa、Nagayama 等的报道,从浇筑层的厚度和其长度的比率来看,这种浇筑方法会使混凝土之间的约束程度增大,即会导致很多产生表面裂缝的可能性。因此,对温控措施必须重视。

所以,C-8 层快速的温升温降情况和其下浇筑层对其体积变化的约束必须尽可能地避免。以下列出了可以采取的解决措施。

(1)通过减小水泥含量、预冷等方法来限制初始的温升。

(2)通过对混凝土表面给予保护或进行表面绝缘化处理等方法来限制初始的温降。

(3)为了避免浇筑层间的不良约束,要保证持续、规律地进行混凝土浇筑,避免中断。

另一方面,为阻止表面裂缝开展成结构性裂缝,就有必要对表面裂缝开展成结构裂缝的机制进行深入详细的了解。对于此问题,以后要作更深入的试验和分析。

# 一个老问题:混凝土坝裂缝<br>一种新技术:碾压混凝土

Robert E.Philleo

混凝土坝的建造有一个多世纪的历史了,但这些只局部加筋的混凝土结构一直被裂缝问题所困扰。参与讨论的来自25个国家的43个团体中,专家们基本上认为裂缝可以划分为两种:出现在施工期的裂缝和出现在运行期的裂缝。

施工缝主要是由热效应引起的,其又可以分为两大类:一种是在浇筑的大体积混凝土内由于不利的非线性温度梯度而产生的。另一种就是混凝土从其最高温度冷却至最后的稳定温度时,由于基础的约束而产生的裂缝。在运行期出现的裂缝是由于作用在结构上的水荷载、地震荷载、结构表面温变荷载或混凝土内部不利的化学反应所引起的荷载而产生的。大部分荷载可以预先合理地估算到,但有一篇文章中提到:一个拱坝良好地运行了20多年,但自从其地基下400m的地方掘一个高速公路隧洞的入口后,它就开始遭受破坏。这提法让人感到困惑。

防止施工期裂缝出现的施工程序仍然深受50多年前胡佛坝施工的影响。那些施工工作主要目标是减小坝体冷却时由于地基约束而产生的拉应力。高温是水泥水化热产生的。当温度升高,地基约束将在混凝土内部产生压力;但由于初期混凝土龄期短,弹性模量低,潜在的蠕变性很高,以至于混凝土达到其最高温度时是处在一个将近自由应力的状态。随后,混凝土逐渐冷却成为一个具有较高弹性模量和较小潜在蠕变的更为坚固的材料。如果有效拉应力发展得足够高的话,就会导致裂缝的产生。减小混凝土温度升高以此减小拉应力的传统方法有:利用上下游向接缝(偶尔也通过其他方向接缝)将整个结构分块浇筑;利用粗骨料和刚性混凝土的方法来减小水泥的用量;利用低热量的水泥和火山灰混合物来减小水化热;浇筑前对混凝土进行预冷以限制浇筑混凝土的温度;合理限制浇筑层厚度;合理控制相邻浇筑层之间的经历时间;通过埋设的管道对浇筑的混凝土进行水冷等。由详细介绍新建大坝的情况的15篇文章可以看出,上述的技术方法仍在运用。

也许近年来最主要的研究成果,就是在接近混凝土表面的温度梯度分布形式方面及在混凝土表面使用绝缘材料控制这种分布形式方面取得了一些进展。相关文献指出水泥用量的范围是从坝体内部混凝土的110kg/m$^3$到外部混凝土的350kg/m$^3$。还有一篇文章介绍了硅粉的使用效果,而此材料在混凝土的其他方面应用中研究得比较多。

有16篇文章讨论了运行期裂缝产生的情况。在3篇报告中都提到这样一个问题,就是在浇筑块体上游面中心出现的垂直裂缝,这显然是温度悬殊的结果。

受到越来越多关注的一项技术就是坝的修复处理。不少于9篇文章分析探讨了修复技术,遗憾的是有篇文章对大坝开裂方面的讨论水平不高,应该舍去。一篇报告中提到一个大坝开裂严重而被废弃,其他文章分别探讨了针对不同情况的不同的创新技术和方法。有篇文章描述的是,在坝址区最大骨料不超过37mm情形下的施工情况。还有一篇文章讨论的是,对部分基础进行人工冻结以解决有关交界面的问题。

传统上防止混凝土开裂的方法是通过设计合理的结构几何形状和施工程序,以使结构内不产生拉

---

本文原载《第15届国际大坝会议·主题57》,1985年。

应力或使产生的拉应力小于混凝土的抗拉强度。然而,实际上所有的大坝都不断有裂缝的产生。发展运用数值方法去估算有裂缝混凝土的有效强度,以便于研究产生裂缝后大坝的运行性能。真正需要做的是,能够证明在荷载作用下哪些裂缝是稳定的,哪些裂缝是可能进一步发展的。有篇文章中,根据作者 20 多年的观察分析,结果表明在施工期产生的表面裂缝在运行期内不会产生影响。然而大部分情况下还需要一个更为确定的区分研究。基于此种需要,研究裂缝扩展所必需的断裂力学越来越受到大家的重视。有五篇相关论文的作者一致认同大体积的混凝土结构不是理想的研究对象,因为它们大部分不是均质材料。可就大混凝土结构的不均匀性而言,即使其中含有粒径为 150mm 的粗骨料,但这相对于整个结构的体积来说也是很小的。如果断裂力学知识运用成功的话,其对于分析严寒环境下工作运行的大坝是很有贡献的。这些大坝即使在施工期没有产生裂缝,但运行期间,因温差应力而产生的裂缝几乎是不可避免的,除非在上游坝面采取了非常理想有效的防护措施。

断裂力学的另一个合理应用就在于一种新的技术——碾压混凝土技术。尽管这项技术通过减少水泥用量和薄层施工的方法减小了潜在的温差应力,但是大多数设计都没有一流的、有效的裂缝控制措施,有一些开裂也是不可避免的。大部分人认为,碾压混凝土的造价是常规大块混凝土造价的三分之一。

不过,经济效益上最明显的对比通常不是碾压混凝土和常规大块混凝土之间,而是碾压混凝土坝和土石坝之间。在许多坝址上,建造碾压混凝土坝比建造土石坝就有着明显的经济效益,这是因为溢洪道可以与混凝土坝结合在一起,省去了再额外开挖溢洪道。另外,允许混凝土坝坝顶溢流的话,相同情况下,其坝高可以比土石坝的坝高设计得低。随着技术的快速发展,有 9 篇文章的作者对碾压混凝土存在以下分歧:

——设置横缝的必要性;
——上下游面的处理措施;
——最大粒径的确定;
——骨料级配的控制;
——混凝土的配比;
——碾压层厚度的确定;
——过渡层的必要性;
——相邻碾压层的经历时间;
——防渗漏措施。

比较上文提到的传统方法而言,有文章说明碾压混凝土的耗水泥量为 62~220kg/m$^3$,相比之下,大家公认节约水泥用量是碾压混凝土技术的一大特点。

针对第 57 号问题所提交的文章中都有关于混凝土坝监测仪器方面的研究趋势。对于每座具体大坝一共涉及到 400 种左右的仪器,其中大部分都可以通过遥感勘测将读数直接传到中心基站。时下还有一个趋势是几乎所有的研究都是基于数学模型,而不是物理模型。仅有 4 篇文章描述了物理模型,其他涉及的都是数学模型。

上述问题在下文中均有详细论述。提交论文中的观点及对所讨论的问题现状的描述也有所介绍。

# 1　预防裂缝产生的施工技术

## 1.1　传统方法的实践经验

在施工中控制混凝土的最高温度仍然是防止裂缝产生的经典方法。允许的最高温度由工程经验决定,有时候由计算得到,有时候由应变能力来决定。Revelstoke 坝施工时,Brunner 和 Wu(R1,加拿大)确定控制混凝土的最高温度为 21℃,同时当地年平均气温为 7℃。除了与地基接触的浇筑层厚度为1.5m外,他们将浇筑层厚度限制为2.3m。通过周围的大气温度,将混凝土预冷至10℃或7℃并且在坝基间隔1.5m埋设25mm直径的聚乙烯管,利用河水历时30~60天的时间对坝基底20~30m区域进行后降温处理。另外他们在11月1日到次年4月1日期间,还对浇筑好的混凝土表面采取绝热保护措施。其中他们有个新颖的做法是,在距大坝上游面2.4~7.6m的地方设置止水,使上游面受压,以此减少垂直裂缝的产生,这种垂直裂缝困扰着一些大坝的运行。他们做得非常成功。一些表面裂缝被单一成分的聚亚乙酯所封塞;他们还在产生裂缝的浇筑层上布置了加强的钢筋网垫。存在的少数表面裂缝带来的渗漏也通过其附近区域的钻孔排泄掉。

在建造Chungju坝时遇到的情况是,浇筑混凝土的最高温度必须限制为32℃,大约比年平均气温11.2℃高出20℃,而且坝址区的冷却条件受限制。他在文章中分析了采取预冷措施和后冷措施的优先级别。他总结得到,考虑当地的气温条件,最优先考虑的施工措施应是对混凝土进行预冷,如果浇筑的混凝土不能保证在25℃以下的话,施工最好延期。

Paulon和Saad(R3,巴西)论述了在三座大坝施工中运用的一些技术。他们强调在近坝基区域使用高应变能力的混凝土或使用20天龄期以上的混凝土。利用这种混凝土,他们成功地减小了混凝土的骨料粒径。他们建议使用散热率尽量小的的骨料,限制水泥水化热为75cal/g,利用火山灰代替35%的水泥用量,限制浇筑层厚度为2.5m,确定相邻浇筑层经历时间为3天。

在建造Oymapinar拱坝时,Turkey Muhl、Unger和Moser(R28,德国)保持混凝土年平均最高温度在20℃以内,采取的措施有:限制混凝土浇筑温度为25℃;夏季在层间接缝喷洒养护剂;利用20mm厚的薄壁钢管进行水冷等。通过料仓储存水泥和对骨料堆进行遮阴喷淋处理以此来减小浇筑混凝土的温度。这些工程措施降低浇筑混凝土温度至16℃。夏季使用泥灰代替20%的水泥用量,冬季代替10%的水泥用量,以此减小了混凝土中产生的热量,另外每立方米混凝土中水泥含量为230kg左右。水冷管仅将混凝土最高温度降低2℃左右,但这对于填缝灌浆前单个混凝土块的冷却降温是个必要的施工措施。

## 1.2 新方法

### 1.2.1 表面冷却法

施工层表面冷却法在苏联六大研究所(R43,USSR)所著的一篇文章中有详细的论述。这种方法被他们命名为混凝土施工的Toktogulsky法,即在Toktogulskaya坝建造时首次运用的,可以限制混凝土温度上升的温度在4~8℃之间。该法涉及的措施有:施工薄层厚度为0.5~1.0m;按统一程序进行浇筑施工;温度较高季节对施工层面不断洒水降温;大坝上下游进行绝热化处理,这些措施贯穿整个施工过程,其中不设置水管进行水冷。他们的计算结果显示,120m长的独立浇筑块中,出现的最大拉应力为1.4MPa。

### 1.2.2 对前期浇筑好的混凝土进行加热处理

在施工建造Dragan拱坝时,S. Ionescu、Hulea、Cheorghiu和R. Ionescu等人发现,冬季停工期后的新施工期开始,新浇筑的混凝土上出现了裂缝。他们采取的解决措施是,在防水油布下利用热喷气把先前施工好的顶层混凝土进行加热,直到其50cm内的温度达到15℃为止。

### 1.2.3 氧化硅粉的使用

Boereth(R30,挪威)讨论了氧化硅在Forrevass大坝中的应用情况。氧化硅是硅铁厂的副产品,是一种细颗粒物,其精纯度高出水泥两个量级。它减小了混凝土的渗透性,增加了混凝土的应变能力,还一定程度上增强了骨料的抗碱化反应能力。同样重量的氧化硅粉和水泥产生的热量相当,但是一定重量的氧化硅粉却能代替三倍的水泥用量。即当30%的水泥用10%的氧化硅粉代替时(这个替换比级经常提及到),其温升将被减小20%。这种材料既起到火山灰反应作用又起到粉料作用,所以其在水泥黏胶模具中起到填充物的作用。Forrevass大坝中还用到飞尘。胶结物中水泥、飞尘和氧化硅粉的用量比级为70:23:7。整个胶结物的重量为160kg/m$^3$(大坝内部用混凝土)和215kg/m$^3$(大坝外部用混凝土),其 91 天龄期的强度分别为 40MPa 和 46MPa。浇筑层厚度为 3m,温度没有超过 20℃。

### 1.3　防止施工裂缝的理论分析

Widmann(R15,澳大利亚)考虑混凝土早期特性和周围环境温度后,利用有限元程序作了相关研究分析。他强调产生热量数据(即绝热数据而不是等温数据)的重要性和决定混凝土由于环境温度产生的应变的必要性。这种方法为混凝土能最大程度防止裂缝产生时矿渣或者飞尘的最优含量的确定提供了可能;也为接触地基受固定约束的混凝土层的最高允许温度的确定提供了可能。Zilleergrundl 拱坝中使用的大量监测仪器检验了这种方法和理论。除了后期出现的应力大于预测值外,实际结果与理论上基本一致。因此这种方法值得保留。作者总结得到更好的估计混凝土早期特性很有必要。

Santurjian(R42,保加利亚)提出了一种在地基约束下温差应力的计算方法。该法是基于经典的温度扩散理论和 Arutiunian 蠕变理论。其本人用 Fortran 语言开发的程序——“温差应力”需要内存 520K 的运行条件。

Ukrainicik、Mikulic 和 Mekhile(R33,南斯拉夫)给出了影响混凝土最高温度的一些参数的一般评论,诸如混凝土浇筑温度、浇筑层厚度、相邻浇筑层经历时间、水泥含量以及周围环境温度等。为消除温度梯度引起的裂缝,他们推荐混凝土表面温度差不大于 25℃/25cm。他们介绍了在伊拉克建造 Haditha 坝的经验,其坝址区骨料粒径不超过 37mm。虽然坝体内部混凝土和坝体外部混凝土的水泥含量必须有 235kg/m$^3$ 和 280kg/m$^3$,但他们仍能将浇筑温度限制在 29℃以内,采取的工程措施有:将水温冷却至 6℃;将骨料大体积堆放;高温时对骨料喷水降温等。

Palawan 拱坝是利用悬臂梁分析程序设计的,并用 Humphries 和 Elliott(R27,津巴布韦)报告的 USBR ADSAS 试验荷载程序进行了优化处理。设计标准中大坝上游的允许拉应力为 0.7MPa,允许压应力为 7.0MPa。最优的几何形式中在坝基部分有较大的倒悬出现。这种坝型要求在施工过程中坝底部分要有临时支撑。

Cepeda、Salvador、Bossoney 和 Dungar(R17,厄瓜多尔)将裂缝分为可明确定义的裂缝和不确定的随机性裂缝。后种裂缝是由下面提及的不均匀性因素导致的,诸如材料特性和施工影响等。设计 Paute-Mazar 坝时,他们利用二维和三维有限元分析排除了在下文中提到的大坝两个关键部位发生第一种裂缝的可能性。这两个关键部位是混凝土—岩石交界面和坝面可能产生地震拉应力的区域。他们证实在陡峭河谷中,三维有限元分析的应力结果比二维有限元的小,因为前者考虑的约束较为切合实际。他们证实不忽略基础的拉开性裂缝是重要的,另外他们总结得到只进行拟静地震分析是不够的。

伯芳(R31,中国)提出了分析施工应力的两种综合性数学模型。不像大部分作者,他致力于减小计算步骤和计算时间。他对计算弹性模量、蠕变模量和松弛模量建议了新的计算公式。公式是简单的无需计算机的指数形式,和一系列关于有限元计算的公式。为减小试算次数,他给出一些计算参数的公式,这些公式仅需输入混凝土 90 天龄期的弹性模量。最主要的减少计算时间的措施在于利用一系列的弦来模拟混凝土的应力—时间曲线,而不是采取一系列的迭代步骤。伯芳提出的两种模型是基于基础方法的隐性方法。潜在的整体刚度矩阵本是每次计算都应该用公式表达出来的,但将其分解为材料特性和几何特性后,其表达就不变化。

Fujisawa 和 Nagayama(R7,日本)对施工期控制温差应力产生的传统方法进行了评论。通过计算他们总结得到,大坝的纵缝可以不设置,但横缝必须有。这结论符合实际的工程情况。

## 2　运行期出现的裂缝

### 2.1　由外加荷载产生的裂缝

大坝设计时必须考虑承担库水荷载和地震荷载;这是大坝运行期产生裂缝的根源。任何一篇文章中涉及的大坝都没有经受过强大的地震荷载,但他们都参考了一些印度 Koyna 大坝的实际经验,这是混凝土重力坝经受一次重大地震荷载作用的经典实例。该坝严重开裂但并没有毁坏。毫无例外,所有报道过的由于水荷载产生的裂缝都是因为基础特性与设计时的假设不一致所造成的。这些经验一方面强调了对基础充分勘察的重要性,另一方面也强调了在进行设计时必须对混凝土和基岩的交界面进行充分考虑。另外,他们还就采取非常复杂的数学模型提出了疑问,这些模型要求输入的混凝土和地基的物理特性充分详尽。就目前现状而言,描述力学特性和物理模型的技术更加科学实际。

Brousek 和 Sikula(R24,捷克斯洛伐克)报道了在 Vir 大坝中出现的裂缝情况,并将其归因于大坝中部坝基有 2m 区域的断裂岩石倾斜穿过的缘故所致。利用下游的楔形支座,大坝恢复稳定,并通过预应力锚杆作用以保证安全。然而,十年后所有的锚杆均因严重腐蚀而预应力不复存在。所以库水位必须降低 7.5m。这个教训启示我们,保护好预应力锚杆的必要性是显而易见的。

Kolnbrein 拱坝运行的初始几年要求引起足够的重视。Baustadter 和 Widmann(R37,澳大利亚)给出了重视的理由。水库一开始的两次蓄水让人满意,当第三次蓄水时出现了过度的水压力,影响至下游 1/3 坝高处。此问题的补救措施是额外钻挖排水孔并再对坝基进行灌浆。当蓄水至 80% 库容时,大坝产生了裂缝。临时性的解决措施是通过对部分基础进行冷却处理,使地基产生一个隔断带。这种方法的优点是当地下水位降低时形成一个熔融带,以适应基础的弹性变化周期规律。最后的措施是在大坝上游面加层抗渗护坦。坝体内埋设的 400 个监测仪器对大坝性态的分析提供了便利。这些仪器包括:正、倒垂线,变形测定器,测斜器,测缝计,温度计,渗压计,流速计,应力计和应变计。其中 300 多种仪器是自动监测,结果数据传输到中心基站。

Dungar(R20,瑞士)报道了发生在 Zerveila 拱坝右端施工缝上的裂缝情况,裂缝引起大坝径向和切向位移。以铅垂线监测装置和岩石计所测的数据作为输入条件,进行了三维有限元分析,结果表明,造成裂缝的原因是因为有软弱岩石层的存在。大坝上部分出现未曾预料的拉应力,致使所有的接缝均张开。

由于拱坝中可能产生不曾预料的拉应力,Boggs(R10,美国)提出了一种创造性和有效性的解决方法,其在 Nambe Falls 拱坝中得到证明。该方法是在施工中组合运用扁平千斤顶,借此施工者能够控制拱坝中的应力。对垦务局的几个项目的评论中,他将 Glen Canyon 坝中出现的裂缝归因于软弱地基的存在;Hoover 坝出现的裂缝归因于不规则的突变的地基截面型式。

Carrere 和他的六个同事(R36,法国)对其本国的一些大坝的性状进行研究分析,总结得到,施工过程中出现的宽度小于 1mm 的表面裂缝在以后不会带来问题,但是蓄水后坝体和坝基因外荷作用而进行适应调整的阶段是个需要考虑的情况。结合观测的裂缝,他们推荐了数学模型用于评估现存大坝的安全情况。

### 2.1.1 基础条件改变的情况

因为大部分荷载裂缝的产生均与施工期设计者对基础条件缺乏了解有关,大坝建成后基础条件有可能发生改变。Zeuzier 拱坝安全运行了 21 年,但根据 Berchten(R40,瑞士)的报道,自从该坝拱座地基下 400m 的地方掘了一个高速公路隧洞的入口后,它就遭受破坏。大坝下沉 11cm,坝顶长度减小 6cm,拱冠梁处向上游的位移达到 11cm。大坝急需大规模的修复措施。

### 2.1.2 坝体加高的影响

一般来说评价裂缝是为了决定其对于大坝安全的影响。当大坝加高时,裂缝的影响更为突出。在 Guri 大坝加高 52m 后,Rio、Abdel - Male 和 De Fries(R25,委内瑞拉)等人对其进行了必要的研究分析。坝体加高使入水口端墙内的应力增大了 3 倍,产生了裂缝。除了正常的设计参数选取的影响外,他们希望评估出水压对裂缝的贡献。他们利用该坝的一个 1:8 的实体模型,受水荷载的作用。试验结果表明,当模型受约束较好时,运行也较好;当受约束不强时,运行效果也不理想。实际情况下,大坝原型运行较好,也是因为其受约束很充分的缘故。为从数学模型中推导出物理模型,作者发现运用非线性平面应变有限元的效果好;线弹性有限元模型的效果不佳。

## 2.2　温度裂缝

在施工期坝体表面温度可以通过一些方法进行控制,诸如在表面运用绝热材料,但在运行期这些控制措施就不被采用。在低温季节的水位下降时期,暴露在空气中因未采取温度控制而产生的裂缝尤为重要。一些作者提到发生在坝块上游面中部的垂直裂缝,有的导致了严重的渗漏。

这种典型的温度裂缝在 Norman 和 Anderson(R9,美国)的报告中有所提及,其发生在 Dworshak 坝和 Russell 坝的上游面。除一条裂缝外,其他裂缝均朝水平于横缝的方向开展,因此不影响大坝的稳定性,但是裂缝宽度达到 3.5mm,观测发现单条裂缝的渗漏量达到 $29m^3/min$。这些发现促进了一新工程公司进行程序开发,用以在今后预防此类裂缝的发生。该程序建立了输入数据,明确地叙述一种非线性有限元模型,后者包括了相关温度和各向异性材料的特性。该程序也调查研究了断裂力学的适用性。

传林(R38,中国)在文章中提到出现在柘溪支墩坝上游面类似的裂缝。十年后,一条裂缝开展距上游面的地下廊道,其渗漏量达到 360L/min。由于库水水温低,在库水作用下作者计算得到在坝块中部出现的拉应力为 1.7MPa。结合断裂力学方法和应力集中的试验结果,对于干混凝土和饱和混凝土,他确定了裂缝可能进一步开展的环境和条件。

与低温问题相反的是,Gallico 和 Cavalli(R34,意大利)讨论了热带地区大坝出现的重要问题。这是由太阳辐射造成的,辐射强度能达到4 000kJ/($m^2$·h)。混凝土中出现的应力与下列因素有关:结构的方位,相关湿度,混凝土的吸收率,热辐射率,弹性系数及结构表面的颜色。

## 2.3　化学反应产生的裂缝

在美国,骨料碱性反应问题已经广泛研究了 40 多年,解决这个问题的相关施工程序效果令人满意。一些大坝采用活性骨料施工,优先于该反应的发生。世界上其他一些国家对这方面问题研究相对滞后一些,所以其还算新建的大坝中仍然有此类因化学反应而产生的裂缝。反应后的体积较反应前大。当结构内部不再有足够空间来协调反应膨胀变形时,混凝土就会出现裂缝以产生足够空间来容纳反应产物。持续的化学反应要消耗水汽,所以大坝对反应敏感,伴随化学反应就有破坏的产生。敏感性骨料的判别可以通过物理测试或利用岩相分析。一经证实,就可以采取如下三种措施来预防问题的发生,这三种方法已被证明是成功的。①换成其他骨料;②利用低碱水泥;③掺入部分火山灰。利用低碱水泥是其中最通用的解决方法。在规范中,低碱水泥的定义要求是水泥中的碱(即氧化钠)含量不超过 0.6%。不过,出现骨料碱反应问题的大坝仍在运行。

Boggs(R10)对美国垦务局的一系列实际案例作了评论。第一个确定出现该问题的 Parker 坝现正按常规发展,不必太过重视。Friant 坝被证实坝体在膨胀且有裂缝产生。当溢洪道两侧的混凝土膨胀时,就有必要对溢洪道闸门进行修整,以保证正常运行。Wildhorse 坝开裂严重,最好是废弃或是重建。

Millet、Renier、Goguel 和 Michel(R35,法国)评述了其国内的一些实际经验。有五座运行 30～40 年的大坝受到骨料碱性反应的影响。使得坝体产生了裂缝,坝顶也向上隆起,并产生了上下游向的位移。大量的外部观测仪器仍在监测大坝的运行性态,将监测数据作为输入条件,利用 NOTEN3 程序进行了三维有限元分析。大坝采取的补救措施是降低蓄水位和采用非预应力锚杆加固。对于 Chambon 坝,有一种建议就是在大坝上游面浇筑一层防水层,以保证混凝土的干燥。

Murthy、Das 和 Divatia(R23,印度)总结 Hirakud 大坝的经验得到,由于该坝的施工急促匆忙,以致带来一些缺陷。右侧溢洪道出现了裂缝,但左侧并没有发现裂缝。调查发现右侧溢洪道的施工落后于正常的施工安排。于是右侧溢洪道的施工进度较左侧的快,使得温差问题突出。另外由于施工急促,使得一些活性的粗糙骨料掺杂在混凝土中,而且采用的水泥都是高碱水泥。采取的补救措施是进行化学灌浆和非预应力锚杆加固。

Hoyo 和 Guerreiro(R18,西班牙)在讨论其国内两座大坝的裂缝情况时,提出了除骨料碱性反应以外的另一种混凝土膨胀形式。一方面 Salas 坝受到混凝土内所含的活性骨料反应的影响,另一方面 Portodemouros 坝又因板岩质骨料的硫化物的氧化作用,坝体混凝土产生膨胀。对于上述两种情况,他们建议减小廊道的通风量以减少穿过混凝土的水汽含量。还有就是对坝面进行处理以减少渗水。采取的修复措施是对裂缝进行树脂封填或利用非预应力锚杆进行加固。

## 3 裂缝分析的理论方法和试验方法

如果与混凝土相关的特性,诸如相关的时间和温度,能够通过数学表达精确模拟,那么数学模型就能快速地确定裂缝产生的可能性及其开裂顺序。但就目前的技术现状还不能对这些特性精确描述,所以数学模型是有误的。物理模型相对能减小这种错误,但也总是出现各种错误。两种模型都是需要的,目前这两种模型也都有所改进。

### 3.1 裂缝开展可能性的试验测定

十多年来,都是通过对大体积试样缓慢施加弯曲荷载来测定混凝土应变能力的,这也是取得大体积混凝土关键参数的通用方法。Springenschmid 和 Kiernozycki(R4,德国)在一篇文章中对这种方法进行了改进推广。将试样放在受约束的试验装置中,进行冷却直到裂缝产生为止。该装置的一个特点是,不必打断试验就可随时得到材料应力—应变曲线。约束条件和试验温度均可以调整。

### 3.2 裂缝的数学模型

O'Connor(R22,南非)将有限元法引入裂缝分析是一个创造性方法,至少对拱坝来说是这样的。在有裂缝的地方,他加入了曲面交界面单元。作其他弹性分析时引入这种单元,比其他方法,不仅更切合实际也加快了算法的收敛性。这种曲面交界面单元能够自动产生并且能嵌入有限元网格的预先指定的位置。在允许裂缝产生情况下,不过分考虑到局部拉应力,这种方法为大坝经济几何型式的设计提供了一种工具。

### 3.3 断裂力学

由于混凝土坝几乎不可避免要出现裂缝,加上有必要对裂缝的潜在后果进行评估,这重新引起人们对断裂力学知识运用在大体积混凝土上的兴趣。自从断裂力学被 Griffith 阐述后,混凝土研究者就对其产生了兴趣。但先前将断裂力学引进混凝土分析受到一些挫折,这主要是确定混凝土的断裂韧度困难,或者说是否能找到一个与试样体积无关的确定性参数。这问题就关系到大体积混凝土的分析,因为决定参数的试样的体积显然要很大才行。传统的工作是以金属为对象,因为金属的非均质性很小。现在围绕攻克这个难题有些创造性的思想和试验工作在进行。因此,在设计分析大坝时可以运用上断裂力学的固有的好的特性。

Linsbauer(R16,澳大利亚)提出了一种运用断裂力学分析大坝的数值方法,但他采用的断裂韧度是从一参考文献上得来的,而该文献研究的是小骨料混凝土。假设所有静水压力都作用在裂缝面上,对于三角形截面的大坝来说,程序分析的结果表明,典型裂缝的开展长度是裂缝级别和断裂韧度的函数。但其结果的应用范围是大坝的上 2/3 部分。因为这部分所受约束可忽略并可避免坝底 1/3 部分出现的问题,即坝内应力是混凝土弹性模量和坝基弹性模量比值的非线性函数。

Fanelli、Ferrara 和 Giuseppetti(R39,意大利)三人也提出了一种试验性的数值程序。他们指出因为有必要量化与收缩效应和热效应相联系的龄期和温度,这增加了分析的困难。他们的经验程序包含有声发射技术,全息摄影,热发射率等监测装置,这些仪器装置运用在模型、原型和试验用的切口试样上,以决定断裂力学中涉及的参数是否是与体积无关。监测数据结果不得不使他们承认要经典应用断裂力学是不可能的,但他们建议了一种 Hillerborg 假想裂缝的方法,方法中应力在达到限定值以前是传递通过裂缝的。为提供所监测大坝的相关数据,他们建议在坝体中埋设有声发射探测器。

Rozanoval(R43)建议了一种简易模型,即假定先在断裂区的长度是骨料最大粒径的函数。当缝端外荷产生的先在断裂区长度大于临界长度时,结构就不稳定。他们的模型允许应力计算采取线性方法。

Chapius、Rebora 和 Zimmerman(R26,瑞士)提供了一种地震时分析裂缝开展机制的方法。他们假定了一个断裂韧度,并采取 Norman 和 Anderson(R9)的方法,将断裂力学知识结合"smeared crack"模型一起进行分析。

## 4　大坝的补强加固

所有遭到严重破坏的大坝并不能简单的像个建筑物罐头似的废弃掉。一座病坝对其下游产生长期的威胁,所以必须废弃或迁移或进行修复。最常采取的措施就是进行修复,这样该坝就仍能发挥作用。现在大坝的修复技术越来越引起人们的兴趣,因为较以前来说每年有更多的 50 年以上历史的大坝存在。针对第 57 号问题上交的论文中,有 9 篇论及到大坝修复方面的问题。一篇文章介绍了有助于修复设计的物理模型,另一篇涉及到修复技术的各方面细节问题。

据葡萄牙国家大坝委员会的一个工作组(R21,葡萄牙)报道,Cabril 拱坝在水库的初始蓄水期出现了裂缝。坝顶也持续向下游位移,25 年后其位移与最大蓄水所产生的弹性位移达到同一量级。通过有限元分析和受水银作用的灰浆—硅躁土模型试验,研究分析了裂缝产生的原因和大坝修复的施工程序。两种方法的结果均将出现的问题归因于大坝顶部混凝土刚度太强,地基处理工作不充分及坝址区日、年温度变化幅度太大,另外低温期没结束就开始初期蓄水也是一个不利的原因。采取的补强加固措施有裂缝灌浆,设置充填了树脂的伸缩缝,进行坝基帷幕灌浆等。

Muzas、Campos 和 Yges(R32,西班牙)详细介绍了利用合成树脂进行裂缝处理的技术。他们指出在正确控制下,注射树脂能产生压应力以抵消正拉应力。在处理窄裂缝时采用树脂要优于水泥灌浆。因为树脂是种液体不会固结,所以有很好的渗透性。另外要使树脂有好的效果,树脂要不受水的影响,要早硬化,有不变的黏质性,不收缩,好的耐久性和低毒性等。他们描述实际工程的运用时,注射速度为 2~10L/min,注射压力达到 12MPa,钻孔间距为 2~3m,灌注树脂的位置从坝顶至有水在裂缝中流通的 90m 以下。

## 5　碾压混凝土

有人抱怨在过去 50 年里,混凝土施工方面根本就没有实质性的进展。直到土石坝施工方面有了革命性的突破,包含碾压筑坝技术这一突破性进展。这是借鉴土石坝技术发展而来的。混凝土从坝肩到坝肩分薄层铺开,用振动压路机进行碾压,而不必在内部立任何模板。迄今为止建立的所有碾压混凝土坝均证明了碾压技术能很好地节约工程造价。虽然在美国和日本已经建立了很多大坝,但涉及到这个课题的九篇文章都是论及今后大坝施工的设计工作的。文章报道了他们的试验工作,对填充物测试的观测;或者是进行纯粹的理论思索。他们分析论证了施工技术中关键细节上的区别。

### 5.1　横向施工缝设置的必要性

采用从坝肩到坝肩的碾压施工方法不用设置横缝,这已成为一个共识。因为薄层碾压施工能充分消散低水泥含量的混凝土中产生的热量,避免了过大的温差应力的产生,而如果产生太大的温差应力就必须要求设置施工缝。然而,Yamauchi、Harada、Okada 和 Shimada(R6,日本)论述了一种振动接缝带的运用。在 Tamagawa 坝施工过程中,非溢流坝段每间距 15m 设置施工缝,溢流坝段每间距 18m 设置施工缝。其实,在日本这是一个标准模式,很多大坝就是按这种做法施工的。但 Richardson(R8,美国)和 Dunstan(R41,英国)一直坚持不需设置施工缝的基本观点。Richardson 在讨论 Upper Stillwater 坝的设计时,给出的分析结果表明,大坝出现的极限拉应力持续 6 个月,一直小于混凝土的抗拉强度。Dunstan 表明施工过程中温度上升的最大值是 10℃。Elias,Campbell 和 Schrader(R12,美国)三人也认为碾压施工技术能带来好的温差应力条件,为达到这个条件必须重视施工程序的设计和安排。在 Monksville 坝实例中他们进行了详细说明,即骨料必须经过处理加工,并且在冬季要堆放保存好。另外施工期要限制在 3 月 25 日~7 月 9 日之间。

### 5.2 上下游处理措施

按照传统的碾压方法建造重力坝时,垂直的上游坝面是不可能实现的,同样,建造陡峭的下游坝面也很困难。为克服这些难题有些人也提出了一些独创性的经济的方法。Elias、Campbell 和 Schrader 等(R12)建议了一种惯用的上游混凝土面,即每间隔 6m 设置一道止水,但针对非溢流段的下游坝面,并没有提出相关措施。Dvoracek、Hobst 和 Pribyl 等(R13,捷克斯洛伐克)根据试验研究的结果建议了一种惯用的混凝土上游面施工方法,即设置施工缝或者应用止水膜。在有关两座大坝设计创新点的详细清单中,Kollgard 和 Jackson(R13,美国)建议了一种已成形的应用喷涂弹性黏膜的上游面型式,虽然他们对快速水位下降时,在空隙水压力作用下或冻结情况下黏膜的耐久性还心存疑虑。Holling 和 Druyts(R2,南非)设计建造了一座试验性截面的大坝,其上下游面是通过预制好了的。这种方法是美国 Willow Creek 大坝上游面所用方法的一个改版。Dunstan(R14)建议上下游面进行划模施工,以使上下游面有足够的强度来抵抗临近混凝土的碾压施工。

### 5.3 溢洪道的设计

比较与土石坝而言,碾压混凝土坝的一个固有的优点就是能兼有溢洪道的作用。一方面要求采取经济的施工方法,一方面又要求有足够的水力条件,如果在下游面不采用成形的惯用混凝土或预制混凝土的话,就会导致问题的产生。Kollgard 和 Jackson(R11)推荐在碾压混凝土施工完毕后,运用喷浆法施工溢洪道表面,正如 Willow Creek 坝的施工方法一样。Richardson(R28)建议通过一系列方法来消散下游划模施工混凝土中的热量。Elias、Cambell 和 Schrader 的建议为在混凝土碾压施工的同时对下游溢流段逐步进行惯用混凝土施工。

### 5.4 碾压层厚度

碾压层之间的横缝是潜在的渗漏因素。每一碾压层要有足够的厚度以减小渗漏和降低造价,但也不能过厚以致压实得不够密实。优化碾压层厚度的方法间仍有不同之处。按上升的顺序,关于碾压层厚度的建议有:Hollingworth 和 Druyts(R12)建议采取 200mm;Richardson、Elias、Cambell 和 Schrader 建议 300mm;Yamauchi、Harada、Okada 和 Shimada 等建议 750mm;Dvoracek、Hobst 和 Pribyl 建议 800mm。另外一些人建议近坝基层的厚度取小一些。

### 5.5 过渡层的应用

大多数作者均认为,如果整个施工过程迅速流畅的话,在相邻碾压层间就不需要设置特别材料的过渡层。Hollingworth 和 Druyts 建议设置 75mm 厚的特殊层。Kollgard 和 Jackson 建议在每浇筑层面上浸染化学薄浆并喷射干水泥。Yamauchi、Harada、Okada 和 Shimada 等建议相邻碾压层间隔三天,时间较长。他们还要求一层过渡胶泥砂浆。

### 5.6 碾压层之间的经历时间

过渡层是否需要主要是看每一碾压层允许的暴露时间是多少。Richardson 报道说,碾压层暴露时间达到 18 小时,层面就有很好的胶结力;在 18~48 小时之间,层面胶结力基本没有;48 小时之后,又有很大胶结力但其没有初期的有利。另外,有人考虑温度和时间效应,并将混凝土暴露时间按等级一小时划分。Kollgard 和 Jackson 建议暴露时间为 200~260℃一小时。Elias、Campbell 和 Schrader 三人规定为 220~330℃一小时。

### 5.7 骨料粒径和级配

有些人认为即使是常规大体积混凝土的施工,也要进行骨料的处理。另外一些人认为碾压混凝土对骨料的级配不太敏感,所以可以利用当地的材料进行施工,也不必采取大代价的骨料处理措施,以此可以节约工程造价。Yamauchi、Harada、Okada 和 Shimada 等建议运用最大粒径为 150mm 的骨料并分成四个等级,同常规混凝土施工的骨料要求一样;Elias、Campbell 和 Schrader 三人建议运用 76mm 的骨料并分成两个等级,另外还建议掺入泥沙以提高混凝土的可使用性。Dunstan 建议最大的骨料必须限制在 40mm 或 50mm。

### 5.8　混凝土配比

从常规混凝土施工技术到土壤的压实技术的级配原理都是有变化的。Springenschmid 和 Sonnewald(R5,德国)根据渗漏性和抗冻性的试验调查研究,建议采用 Proctor 压实法以达到最优级配。当含水量低于 Proctor 最优级配 2%时,他们研究得到最优效果,同时发现当水泥含量高于 Proctor 最优级配 5%时混凝土对含水量的敏感性就减小。有些人提到运用飞尘以提高可实用性。掺入比例的变化范围为 20%(Laa,R19,西班牙)到 80%(Dunstan,R14),Dunstan 还建议掺入粘胶其比例不少于总体积的 0.41,以增加黏结性。

### 5.9　碾压量的确定

在碾压混凝土施工中,当充分碾压后还要进行现场调查法证实混凝土的压实性。控制碾压效果的流行方法是在试验样本上钻孔测试,以决定得到满意的密实度和黏结性的碾压次数,并在项目说明书中确定碾压次数。现场检测方法能避免过度碾压以节约造价,另外能保证经过充分碾压后得到满意效果。

### 5.10　坝体内部排水的截水沟设计

碾压混凝土除了常规混凝土中出现的排水问题外,因为没有设置施工缝和大量的碾压层间缝,使得有另外的排水方面的问题出现。Kollgard 和 jackson 总结了大量的已被运用的或被建议过的技术方法。方法包括通过廊道从上下游钻取排水孔;使用能排水和化学灰浆但能过滤水泥的专利排水管;每层间设置半圆形截面的排水管;采用通向廊道的未胶结的多孔渗漏的排水带。因为施工的复杂性,廊道的设置经常引起争论。Elias、Campbell 和 Schrader 三人在 Monksville 坝中按坝基受完全浮托力的作用设计,没有设置廊道。但大部分设计者都钟情于设计廊道,因为在大坝的整个运行中可以通过廊道来布置额外的排水设施或来进行帷幕灌浆。廊道施工最普通的方法是在施工期间在廊道区域填埋未胶结的混凝土,以后再酌情将这部分混凝土挖出。

## 6　尚需讨论的问题

综合上文所述,随着混凝土施工、设计和运行的不断发展,仍然存在一些值得注意的问题。

(1)分析混凝土开裂时,数学模型能够替代物理模型吗?

(2)有没有新的设计、施工方法来预防或减小混凝土中温度裂缝的产生,尤其是在冬季的水位下降时节?

(3)结构出现裂缝的严重性如何评估,有必要的话,裂缝又如何处理?

(4)为减小碾压混凝土层间渗漏,如何确定骨料的最优级配和施工程序?

(5)在碾压混凝土坝中,上下游面包括溢洪道采取怎样的施工手段?

[illegible]

[illegible]

[illegible]

[illegible]

[illegible]

[illegible]